MON bébé AU QUOTIDIEN

Des conseils au jour le jour sur la croissance, les soins
et le développement de votre bébé pendant sa première année

MON bébé AU QUOTIDIEN

Sous la direction du **Dr Ilona Bendefy**

Hurtubise

Hurtubise

Mon bébé au quotidien

Titre original de cet ouvrage :
The Day-by-Day Baby Book

Les Éditions Hurtubise bénéficient du soutien financier des institutions suivantes pour leurs activités d'édition :

- Gouvernement du Canada par l'entremise du Fonds du livre du Canada (FLC) ;
- Gouvernement du Québec par l'entremise du programme de crédit d'impôt pour l'édition de livres.

Direction éditoriale : Victoria Heyworth-Dunne, Amanda Lebentz, Penny Smith
Direction artistique : Nicola Rodway, Pamela Shiels, Marianne Markham
Édition : Anna Davidson, Peggy Vance, Kathryn Meeker
Production : Clare McLean, Seyhan Esen
Iconographie : Emma Forge, Vanessa Davies, Sonia Charbonnier
Coordination éditoriale : Nathalie Cornellana, Géraldine Fontaine de Belle Page
Traduction française : Marion Cot-Nicolas, Marie-Pierre Gérard, Nathalie Renevier
Consultant : Dr Jean-Michel Dupré, pédiatre
Adaptation : Céline Hostiou
Recherche des adresses utiles : Annie Filion
Mise en pages : Louise Durocher
Couverture : René Saint-Amand

Édition originale produite et réalisée par :
Dorling Kindersley Limited
A Penguin Company
80 Strand
Londres WC2R 0RL, R.-U.

ISBN : 978-2-89723-066-1

Dépôt légal : 1er trimestre 2013
Bibliothèque nationale et Archives du Québec
Bibliothèque et Archives Canada

Diffusion-distribution au Canada :
Distribution HMH
1815, avenue De Lorimier
Montréal (Québec) H2K 3W6
www.distributionhmh.com

Mise en garde
Tous les efforts ont été mis en œuvre pour que les informations contenues dans ce livre soient aussi précises que complètes. Toutefois, elles ne doivent en aucune manière être interprétées comme des conseils individuels au lecteur. Les idées, procédures et suggestions proposées ne peuvent en aucun cas remplacer la consultation d'un médecin. La santé de la maman et de son bébé doivent faire l'objet d'un suivi médical. L'éditeur et l'auteure déclinent toute responsabilité pour tout problème ou dommage dont la cause pourrait être attribuée aux informations ou suggestions de ce livre.

Imprimé en Chine

www.editionshurtubise.com

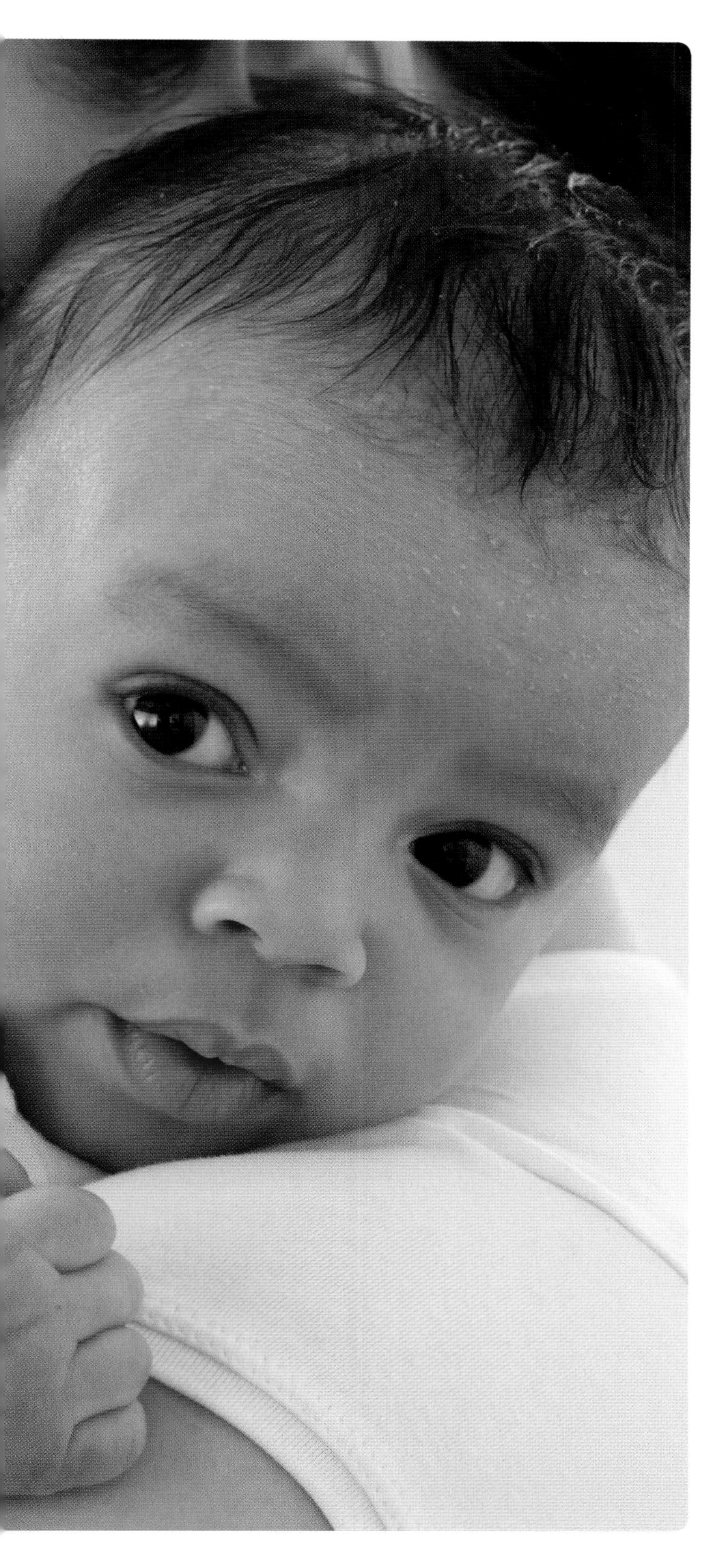

Directrice de publication

Le Dr Ilona Bendefy est médecin généraliste, pédiatre et mère de quatre enfants. Après avoir obtenu son diplôme de médecine à l'hôpital St Thomas de Londres, elle a travaillé comme pédiatre hospitalier pendant sept ans. Elle a poursuivi sa formation de généraliste dans un cabinet de Londres auquel elle s'est associée. En 1997, elle a quitté la capitale anglaise pour un poste de pédiatre au Children's Hospital de Sheffield. Elle exerce à présent comme médecin généraliste dans le Derbyshire.

Ont également contribué à cet ouvrage

Bella Dale est sage-femme et, en tant que spécialiste de l'alimentation du nourrisson, elle a une grande expérience de l'aide apportée aux nouvelles mamans pour l'allaitement de leur bébé. Mère de trois enfants, elle a été nominée en 2007 et 2008 pour le prix de la sage-femme de l'année.

Le Dr Carol Cooper est médecin généraliste à Londres où elle écrit de nombreux articles médicaux et tient des chroniques à la radio ou à la télévision. Elle enseigne également à l'Imperial College Medical School. Après des études de médecine à l'université de Cambridge, elle a exercé neuf ans comme praticien hospitalier avant d'adopter la médecine générale. Elle a trois garçons.

Claire Halsey, docteur en psychologie clinique, exerce depuis 30 ans, principalement auprès d'enfants. Elle est journaliste et a écrit des livres dans le domaine de la psychologie infantile, de la parentalité et du développement de l'enfant. Elle est mère de trois enfants.

Fiona Wilcock est nutritionniste diplômée et écrivain spécialisé dans l'alimentation. Elle a beaucoup écrit sur le régime alimentaire au cours de la grossesse et des premières années de l'enfant. Elle est également consultante en nutrition pour plusieurs fabricants et détaillants. Elle anime un groupe de parents de bébés et jeunes enfants et a elle-même deux enfants.

Jenny Hall exerce comme infirmière et travaille depuis 12 ans auprès de jeunes mamans. Elle a deux filles.

Judy Barratt est une auteure très expérimentée en soins des enfants, plus particulièrement dans le domaine de la nutrition et du développement. Elle a deux enfants.

Karen Sullivan est auteure et experte en soins des enfants, elle détient plusieurs diplômes en psychologie de l'éducation et du développement. Elle a trois garçons.

Le Dr Mary Steen a exercé comme sage-femme au Royaume-Uni pendant 24 ans et elle est mère de trois enfants. Elle a été distinguée dans le domaine de la recherche originale, de l'innovation clinique et pour sa carrière exceptionnelle dans le domaine de l'obstétrique. En 2010, elle a été nommée professeur d'obstétrique à l'université de Chester.

Le Dr Su Laurent est pédiatre au Barnet Hospital de Londres, où elle supervise les soins des enfants de tous âges, des grands prématurés aux adolescents. Elle est membre du conseil d'administration de The Child Bereavement Trust et mère de trois enfants.

Sommaire

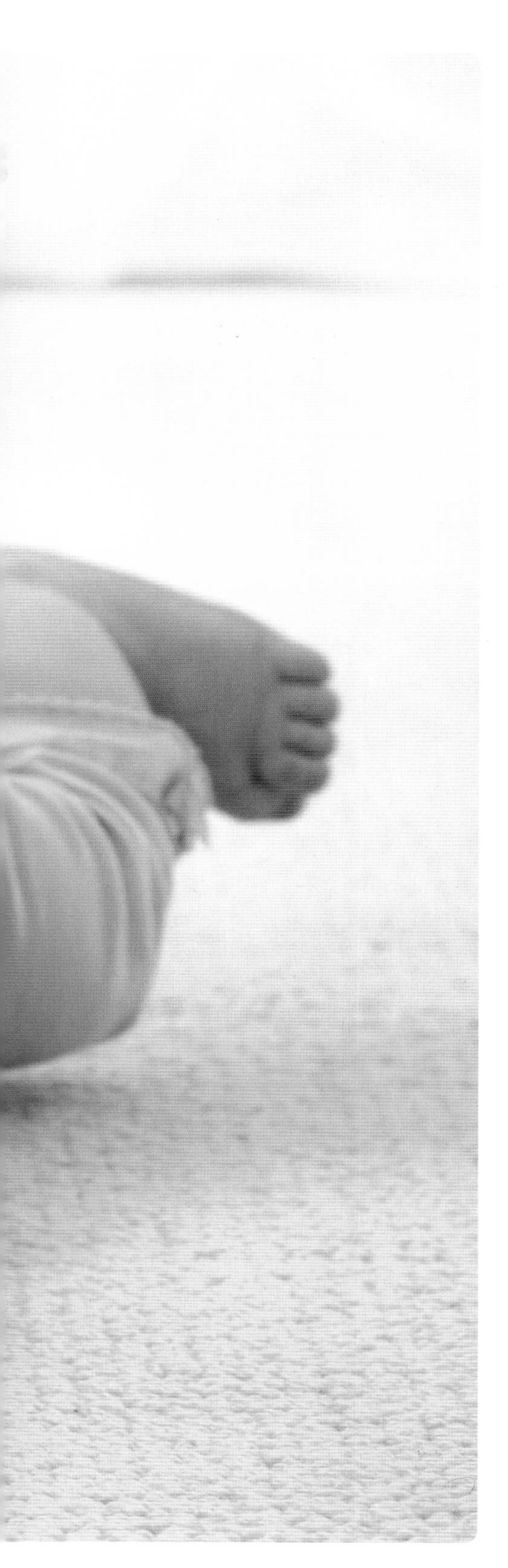

Introduction

À une époque où la technologie nous permet de faire tant de choses en effleurant un écran, il n'existe toujours rien de comparable au miracle d'une naissance. Pour les nouveaux parents, la réalité d'avoir créé ce petit être est impressionnante ; ils vont devoir veiller sur lui, car son avenir est entre leurs mains. Le sens de l'accomplissement et des responsabilités va les faire évoluer en tant qu'individus.

À l'âge adulte, la plupart d'entre nous ont appris comment trouver du travail, s'occuper d'une maison et avoir une vie sociale. La seule chose que la majorité des nouveaux parents n'ont jamais apprise, c'est la manière d'élever un bébé. Autrefois, la transmission se faisait au sein du réseau familial. De nos jours, les familles sont davantage dispersées à travers différentes villes, voire différents pays, et les grands-parents sont encore souvent actifs. De fait, les parents ne peuvent pas toujours compter sur un soutien familial. Parallèlement, la recherche et les soins médicaux ont considérablement évolué, améliorant ainsi la santé des enfants et affinant nos connaissances sur la meilleure manière de s'occuper des bébés. Les parents ont une certaine idée de l'avenir de leur enfant et veulent donc participer de façon active à son développement.

C'est au cours de la première année de la vie d'un bébé que sa croissance et son développement sont les plus rapides. Les parents voient leur nouveau-né évoluer jour après jour. Ils sont émerveillés et fiers mais également submergés par tout ce qu'ils doivent apprendre. À cette période, plus qu'à tout autre âge, ils ont besoin d'informations fiables, nuancées et rassurantes sur ce qui peut arriver et sur ce qu'ils doivent faire pour leur bébé.

Mon bébé au quotidien est un guide complet détaillant chaque étape de la première année du nouveau-né. À chaque stade de la croissance et du développement du bébé correspond le conseil de spécialistes ainsi que les recommandations pratiques actuelles sur l'allaitement maternel et artificiel, le sevrage, le sommeil, la surveillance médicale et les vaccinations. Les préoccupations des parents et les problèmes qu'ils rencontrent au quotidien sont évoqués, accompagnés de conseils avisés et rassurants. Une rubrique médicale, à la fin de l'ouvrage, propose une description précise des maladies courantes et des soins d'urgence. Les parents trouveront des informations très utiles sur l'allaitement maternel, les soins postnatals des mamans, les choix professionnels, les soins des enfants et les réseaux familiaux ; ce livre contient également des conseils pour préserver le bien-être du couple.

Cet ouvrage a été écrit pour les mamans, les papas et pour quiconque élève des enfants. L'objectif est de faire de cette première année un départ heureux, enrichissant et confiant pour le reste de la vie du bébé et de ses parents.

Dr Ilona Bendefy

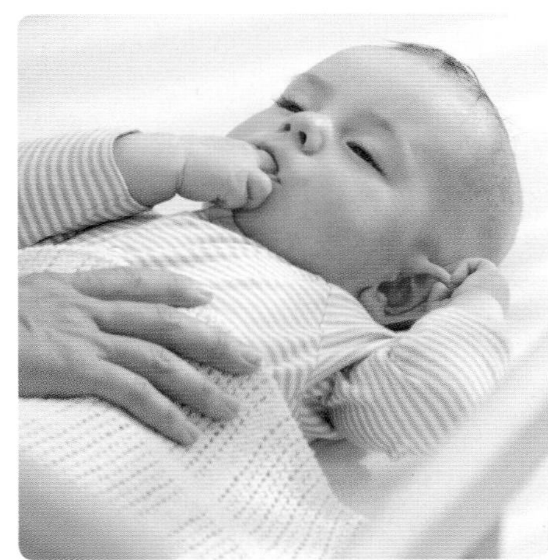

Après la naissance de votre bébé, votre vie va prendre un nouveau rythme avec tout ce qu'implique le fait de s'occuper d'un enfant qui grandit. Les premiers jours et les premières semaines peuvent vous sembler un peu nébuleux ; mais vous trouverez dans ce chapitre les informations essentielles qu'il est utile de connaître dès le début. La mise en place des liens affectifs et les méthodes d'éducation, vos droits et prestations, l'alimentation de votre bébé, le choix des couches et l'achat du matériel adéquat : il s'agit d'une préparation indispensable pour devenir parents.

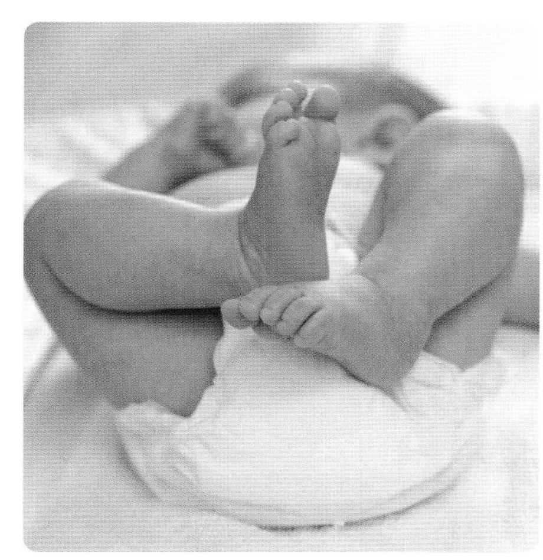

Votre nouveau-né

Être parents

C'EST UN RÔLE À VIE QUI PEUT ÊTRE PARFOIS EXIGEANT, MAIS QUI EST INCROYABLEMENT GRATIFIANT

Vous imaginiez ce moment depuis 9 mois, si ce n'est plus. Maintenant que votre enfant est né, ses besoins passent désormais avant les vôtres. Vous devez prodiguer à ce petit être amour et soins, tout en créant un environnement sûr et propice à son développement.

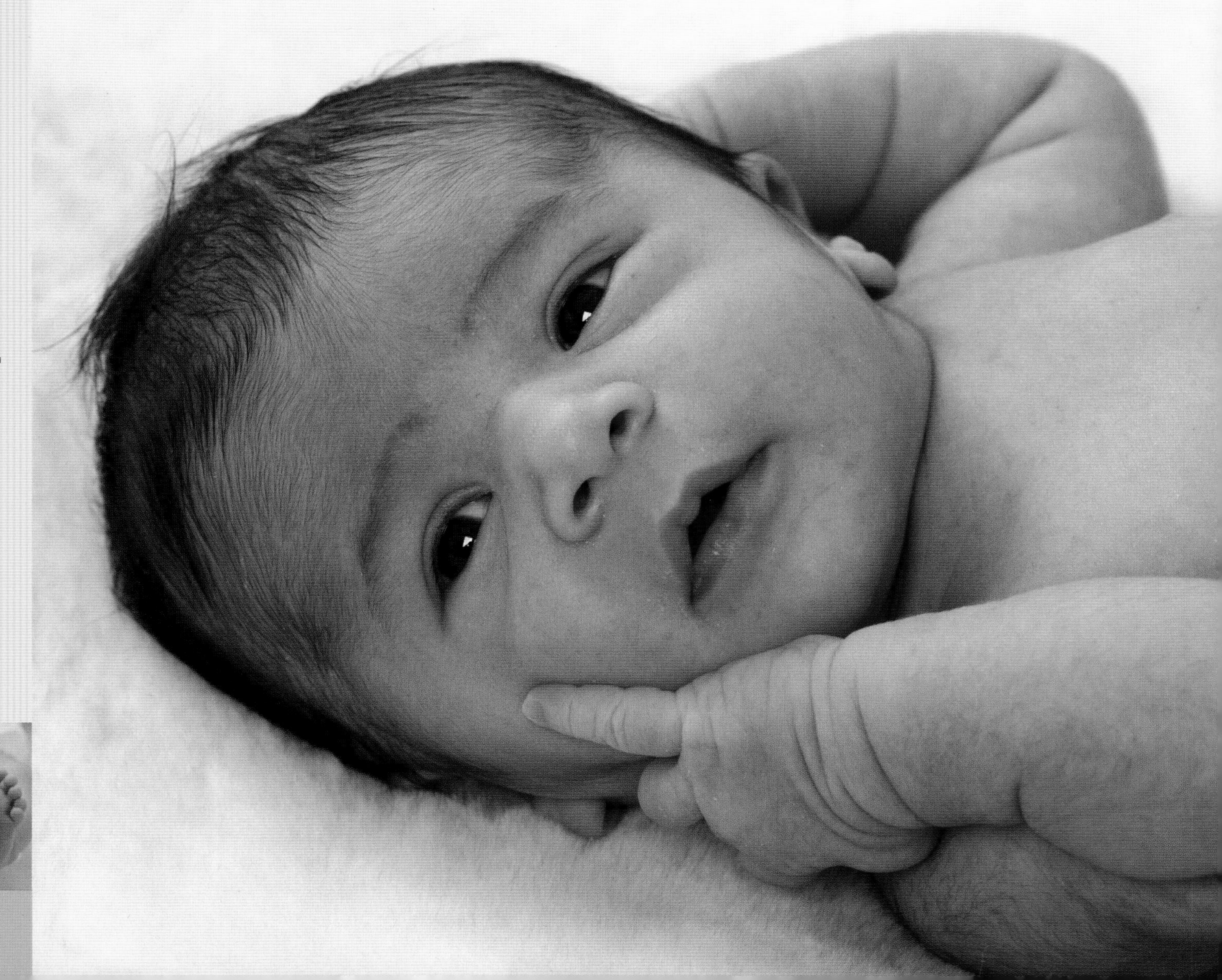

Apprendre à devenir parents

Votre bébé est aussi grand que votre avant-bras et pourtant, il est déjà le centre de votre univers. Bienvenue dans le monde des parents !

Personne ne peut vous préparer à affronter le bouleversement que représente l'arrivée d'un bébé. Même si vous avez déjà apporté des adaptations pratiques (installé un berceau dans votre chambre, réservé un tiroir pour les couches et un autre pour les pyjamas), le fait de vivre réellement avec votre bébé et d'en être totalement responsable peut néanmoins être déstabilisant.

Nouveaux horaires Vous remarquerez dès le début que le temps ne vous appartient plus, de jour comme de nuit. Durant les premières semaines en particulier, votre bébé aura besoin que vous vous occupiez de lui en permanence. Il se réveillera pour manger quand vous préféreriez dormir et il devra être changé lorsque vous viendrez enfin de vous asseoir. Cette période est exténuante physiquement et moralement, et vous passerez par différents états d'esprit tout en vous adaptant progressivement à votre nouveau rôle. Cependant, même lorsque vous êtes très fatiguée, pensez au plaisir que vous apporte votre bébé et à tout ce que vous allez apprendre en vous occupant de lui. Quand vous le connaîtrez mieux et aurez plus confiance en vous, votre vie sera plus calme et organisée. Vous ne retrouverez pas tout de suite vos 8 heures de sommeil, mais au bout de 3 mois, votre bébé dormira plus longtemps la nuit et moins la journée. Vers 12 mois, la plupart des enfants dorment 10 à 12 heures par nuit et font une ou deux siestes au cours de la journée, donc rassurez-vous, la vie « normale » finira par reprendre son cours.

Faites confiance à votre instinct En devenant parent, vous vivez l'expérience la plus enthousiasmante et la plus riche qui soit, mais en même temps, vous entrez dans un nouveau monde de doutes et d'inquiétudes. Mon bébé mange-t-il trop ou pas assez ? Est-ce que je joue assez avec lui ? Est-il malade ? Se développe-t-il normalement ? Est-il trop ou pas assez stimulé ? Il n'existe pas d'antidote à l'anxiété des nouveaux parents, mais les deux principaux points à retenir sont de faire confiance à son instinct et de ne jamais avoir peur de parler de ses soucis ni de demander de l'aide.

Responsabilité Vous serez surprise de vous découvrir très protectrice envers votre bébé : c'est votre instinct maternel qui se révèle !

N'oubliez pas que quels que soient les conseils que vous recevez, en tant que maman, vous êtes la mieux avisée pour vous occuper de votre bébé. Si vous n'arrivez pas tout de suite à comprendre ce qu'il vous demande par ses pleurs, ne vous inquiétez pas, cela viendra.

Parlez-en aussi à votre conjoint. Il n'est pas seulement une deuxième paire de bras, il partage également la responsabilité de votre bébé ; lui parler de vos inquiétudes vous soulagera. En cas de doute, la réaffirmation de votre implication commune est essentielle pour faire face aux exigences de votre statut de parents.

LES JUMEAUX

Apprendre à concilier

La responsabilité de deux (ou plusieurs) nouveau-nés peut être écrasante. Le papa et vous-même aurez besoin de beaucoup d'aide de la part de votre entourage. Essayez de vous concentrer uniquement sur vos bébés et oubliez les corvées de la maison pendant au moins les trois premiers mois. Déléguez la préparation des repas et l'organisation de la maison à votre famille, puis consacrez ce temps précieux à apprendre à connaître vos jumeaux et à répondre à leurs besoins.

À deux Chaque maman a besoin d'aide, mais avec des jumeaux, le partage des tâches est d'autant plus nécessaire.

Devenir une famille

Dès lors que vous avez un bébé, vous formez une famille. Les relations avec votre conjoint et votre famille s'en trouvent modifiées.

Cellule familiale L'arrivée d'un bébé crée un lien unique entre vous et votre compagnon tandis que vous vous efforcez de subvenir aux besoins de votre enfant et de vous en occuper.

Vous et votre compagnon Avant l'arrivée de bébé, chacun pouvait consacrer son temps libre à l'autre et s'adonner à ses propres loisirs sans se sentir retenu à la maison. Cependant, dès qu'un bébé arrive, votre temps pour l'autre et les loisirs est beaucoup moins prioritaire. Ce n'est pas grave, bien sûr, puisque votre enfant est le centre de votre univers mais, inévitablement, viendra un moment où vous commencerez à vous rendre compte combien votre vie a changé, en particulier au sein de votre couple.

Rappelez-vous que vous êtes tous les deux dans la même aventure. Vous serez fatigués et irritables, voire nerveux ou en larmes, il est donc plus important que jamais que vous puissiez vous reposer l'un sur l'autre. Continuez à vous parler et à vous consacrer du temps, même s'il ne s'agit que de 20 minutes par jour, pour prendre un repas assis ensemble, par exemple. Pensez que la fatigue des premiers jours ne dure pas et qu'il s'agit du début d'un voyage où chaque étape où vous vous efforcerez d'agir au mieux pour votre enfant (même lorsqu'il est assez grand pour prendre des décisions lui-même) vous rapproche et renforce votre relation.

Il est fréquent de rencontrer un point de tension dans les premiers mois lorsqu'un nouvel équilibre se met en place, notamment après la reprise du travail de l'un des deux parents. Celui qui reste à la maison peut se sentir moins indépendant tandis que la vie de celui qui travaille n'est pas très différente d'avant la naissance. Le bien-être de la famille au quotidien peut sembler une charge trop lourde à porter. À l'inverse, le parent qui travaille peut se sentir mis à l'écart ou isolé et avoir le sentiment que sa contribution pour faire vivre la famille le prive du plaisir d'être parent.

En réalité, chaque parent a un rôle essentiel pour le bien-être de la famille et il est important que vous vous aimiez, souteniez et respectiez mutuellement pour les choix que vous avez faits. La fin de semaine, essayez de dégager quelques heures de liberté à celui qui reste à la maison pour permettre au parent qui travaille de s'immerger dans la vie de famille.

Lorsque les deux parents décident de travailler et de s'occuper des enfants, des tensions peuvent naître à cause de la fatigue engendrée et de la rigueur de l'organisation que ce choix implique. Dans ce cas, vous devez partager autant que possible les tâches ménagères et être prêts à demander de l'aide à l'autre ou à une tierce personne lorsque vous en avez besoin.

Les tâches de l'un et de l'autre doivent être clairement définies pour éviter tout malentendu. Faites des listes ou des rappels, tous les matins si nécessaire, parlez-vous et soyez prêts à vous adapter.

Les frères et sœurs Si vous avez déjà d'autres enfants, l'arrivée d'un bébé entraînera un changement important dans leur vie. En effet, il est rare qu'une famille échappe complètement à toute forme de jalousie entre frères et sœurs (celle-ci peut ne pas apparaître immédiatement). Si vous montrez l'amour et le respect que vous avez l'un pour l'autre et pour tous vos enfants, ces derniers auront beaucoup plus tendance à vous imiter, même s'ils ont un peu de mal à vous par-

Rivalité dans la fratrie Le temps et l'attention accordés à vos autres enfants les aideront à accepter le nouvel arrivant plus facilement.

tager. Il est important de faire participer vos enfants aux soins du bébé, tout en réservant du temps pour chacun ; ceci vaut également pour les enfants de votre partenaire ou d'une union précédente.

Avec le temps, les frères et sœurs forment une fratrie solide qui vous apporte de l'aide et assure au bébé un amour inconditionnel, jusqu'à l'âge adulte.

Beaux-enfants Dans les familles recomposées, l'arrivée d'un nouveau-né rappelle immanquablement aux beaux-enfants que l'un de leurs parents a quitté leur famille originelle.

Certains voient ce bébé comme un ciment qui soude l'ensemble de la famille, l'ancienne et la nouvelle, et l'accueillent avec joie, mais d'autres lui en veulent. Laissez-les autant que possible jouer avec le bébé et vous aider à vous en occuper. Essayez d'éviter les termes comme « demi-frère » ou « demi-sœur », qui créent une distance. Parlez au contraire du plaisir qu'aura le bébé d'avoir un grand frère ou une grande sœur.

Si l'enfant de votre compagnon ou d'une autre union ne vit pas avec vous, conservez le même rythme de visite et prévoyez des activités que vous appréciez tous pour ces jours-là. Rassurez l'enfant et dites-lui que votre amour pour lui ne changera jamais.

La famille élargie Vous êtes devenus parents, mais vos parents, vos beaux-parents et vos frères et sœurs sont devenus grands-parents, oncles et tantes. En laissant une place à votre famille dans la vie de votre bébé et en assurant un contact régulier, vous lui permettez d'avoir un vrai sens de l'identité familiale et de se situer dans le monde.

De nos jours, nous sommes plus souvent éloignés de nos parents ou frères et sœurs que ne l'étaient nos ancêtres et il n'est pas toujours facile de passer du temps ensemble. Si c'est votre cas, envisagez de faire venir régulièrement vos parents et beaux-parents ou d'aller chez eux. Il peut être éprouvant d'emmener votre bébé dans votre famille mais c'est bénéfique. Les grands-parents qui voient régulièrement leurs petits-enfants et s'occupent d'eux activement tissent des liens beaucoup plus forts que ceux qui ne les voient que de manière brève et occasionnelle. Tout l'amour que vous et votre entourage éprouvez pour votre enfant ne peut que vous rapprocher.

Si vos proches résident loin de vous, vous pouvez utiliser les réseaux sociaux pour communiquer avec eux et échanger des photographies. Votre bébé grandira avec le sens des liens familiaux. Procédez de même avec les personnes qui vous sont chères, votre bébé mémorisera ainsi leur visage et sera davantage rassuré lorsqu'il les rencontrera pour la première fois.

Enfin, sachez que les bébés aiment beaucoup les visages. Montrez donc à votre enfant des photographies des membres de la famille en les nommant l'un après l'autre. C'est une excellente manière d'éveiller chez lui son sens de la famille élargie.

Liens familiaux L'implication de votre famille dans la vie de votre bébé vous sera d'une aide précieuse et permettra à votre enfant de tisser des liens forts et durables.

ÉLEVER SEULE SON ENFANT

Vous n'avez besoin que d'être deux, vous et votre enfant, pour former une famille. Même seule, vous pouvez lui apporter tout ce dont il a besoin : nourriture, vêtements... et surtout beaucoup d'amour. Vous êtes également la personne qui le connaît le mieux et votre instinct vous permettra de ne pas faire plus d'erreurs que quiconque s'aventure dans le monde de la parentalité pour la première fois. Ce n'est pas parce que vous êtes célibataire que vous êtes seule. Si vous vous sentez isolée, téléphonez à des amis, un membre de la famille ou une infirmière pour partager vos états d'âme. Au cours des toutes premières semaines, n'hésitez pas à demander de l'aide à votre entourage ; vous aurez même peut-être envie de vivre chez quelqu'un, vos parents par exemple, pour vos premiers pas de mère.

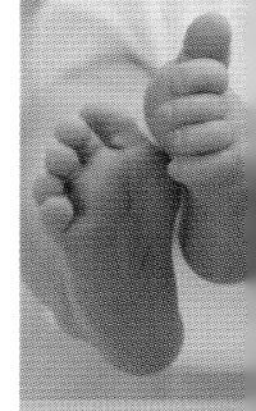

Méthodes d'éducation

Il n'existe pas de règle absolue quant à l'éducation. Votre propre méthode s'élaborera avec le temps.

Des parents parfaits Bien sûr, cela n'existe pas, mais avec beaucoup d'amour, de douceur et de persévérance, vous serez d'excellents parents.

Avant d'avoir votre bébé vous aviez peut-être des idées arrêtées sur la manière d'élever un enfant.

En réalité, à mesure que vous vous investissez dans votre nouveau rôle, certains des principes d'éducation qui vous paraissaient non négociables deviennent soudain secondaires tandis que d'autres gagnent de l'importance. Au-delà des impératifs fondamentaux (aimer, éduquer, nourrir, habiller votre bébé et répondre à ses besoins), il y a beaucoup à apprendre. Il est essentiel de discuter avec le papa de la façon dont vous souhaitez élever votre bébé et dont vous espérez qu'il se comporte dans les années à venir.

Une chose est sûre, dès que votre enfant va grandir, il saura très vite si l'un de vous est laxiste et l'autre strict et s'il peut, ou non, vous opposer l'un à l'autre. Essayez donc d'être le plus uni possible et transmettez un message clair et cohérent, quelle que soit la méthode d'éducation que vous décidez d'adopter.

Votre reflet Votre méthode d'éducation renvoie inévitablement à la manière dont vos parents vous ont élevés. De plus, elle se fera l'écho de votre propre culture, de vos valeurs et de votre foi (le cas échéant). Elle reflétera également vos personnalités : si vous êtes plutôt décontractés, il est probable que votre style d'éducation le soit aussi ; si vous êtes très organisés, votre méthode sera plus structurée. Aucune méthode ne fait autorité, mais vous devez être à l'aise avec celle que vous choisissez afin de vous y tenir et de procurer un environnement sûr pour le développement de votre bébé.

Mise en place de limites Un nouveau-né n'a pas encore l'acuité mentale pour distinguer le vrai du faux, le oui du non, le bien du mal. Mais dans quelques mois, il va commencer à explorer le monde en essayant d'atteindre et d'attraper ce qui l'entoure. Grâce à la mise en place progressive de limites, vous lui permettrez de découvrir son environnement tout en le protégeant.

De plus, à mesure que sa conscience s'éveille, vos limites le sécurisent au milieu du tourbillon déroutant des sens (vue, ouïe, goût, toucher et odorat). Il a besoin que vous le guidiez pour adopter un comportement et des actions appropriés. Il ne s'agit pas de devenir strict dans l'application de règles mais plutôt de structurer la vie de votre bébé et de déterminer le code moral de son comportement en termes de bien et de mal. Enfin, vos limites lui permettent de se sentir en sécurité.

Hors de danger Lorsque votre bébé se déplace, vous devez en permanence l'éloigner du danger. Expliquez-lui pourquoi certaines choses sont interdites et déplacez-le dans un endroit plus sûr.

Introduction de la discipline Au cours de la première année de votre bébé, il y a très peu d'occasions de dire « non ». Vous ne pouvez pas apprendre à un bébé à maîtriser son comportement à cet âge-là, car il est incapable de le faire ; la région de son cerveau qui contrôle le comportement social ne sera complètement développée que dans un an ou deux.

La « discipline » à ce stade doit donc se limiter à reprendre avec douceur ou à distraire votre enfant et à lui dire « non » uniquement lorsqu'il fait quelque chose de dangereux pour lui ou pour les autres.

Quelles que soient les limites établies, il est important de respecter le même type de réaction à chaque fois. « Répéter, retirer, distraire » est une méthode efficace.

Répétez l'interdiction (par exemple, « Ne touche pas le vase, il peut se casser »), puis retirez la tentation (enlevez le vase) ou éloignez votre bébé du danger, et enfin distrayez-le rapidement. La fois suivante, réagissez en utilisant la même séquence : répéter, retirer, distraire.

Grâce à la cohérence de vos mots et de vos actions, à partir de 9 mois, votre bébé associera certains ordres à des conséquences. C'est essentiel pour la petite enfance – lorsque tous les enfants essaient de repousser les limites –, car il saura ainsi que vous pensez ce que vous dites.

Dites-lui pourquoi En expliquant pourquoi votre bébé ne doit pas faire certaines choses, vous l'aiderez à comprendre.

Explications Lorsque vous demandez à votre bébé de ne pas faire quelque chose, dites-lui pourquoi de manière simple : « Ne touche pas le four, c'est chaud, aïe ! » en mimant l'action. Il ne comprendra pas tout, mais l'idée fera son chemin au cours de sa première année. Vous n'obtiendrez rien en vous fâchant contre votre bébé.

En grandissant, il écoutera et répondra plus volontiers lorsque vous êtes calme. Attirez son attention, parlez clairement et montrez-lui l'exemple.

L'AVIS... DU PÉDOPSYCHOLOGUE

Quand l'éducation devient-elle « pressante » plutôt qu'encourageante ? Nous vivons dans un monde de compétition et les parents chargent souvent l'emploi du temps de leurs enfants d'activités destinées à accélérer les étapes de leur développement.

Cependant, les enfants sont rarement pressés. Pour encourager votre enfant à apprendre, laissez-lui le temps d'explorer le monde par lui-même en lui donnant une certaine autonomie pour découvrir ce qui l'entoure et expérimenter le principe de cause à effet (que ce soit dans le domaine de l'action, du langage ou des sons). Il faut également le féliciter lorsqu'il fait une nouvelle découverte, qu'il se comporte bien ou qu'il apprend à faire quelque chose tout seul. L'apprentissage des enfants est meilleur lorsqu'il passe par le jeu, qu'ils sont heureux, calmes et qu'ils peuvent prendre leur temps. Si vous laissez à votre bébé beaucoup de temps pour jouer, que vous lui lisez des histoires, que vous chantez des chansons avec lui, il aura tout l'encouragement nécessaire pour développer son acuité mentale à son rythme.

AIDE-MÉMOIRE

Éducation positive

Quelles que soient vos valeurs et la façon dont vous souhaitez élever votre bébé, certains fondamentaux de l'éducation rendront votre approche plus efficace tandis que d'autres méthodes sont à éviter. L'éducation positive consiste à valoriser ce qui est bien chez votre enfant. Les enfants s'épanouissent sous les louanges et ils adorent qu'on leur prête attention. Si un bon comportement suscite des félicitations et une attention accrue tandis qu'un mauvais est réprimandé, ils s'attacheront vite au bon.

Caractéristiques essentielles de l'éducation positive

- Félicitez votre bébé lorsqu'il fait ce que vous lui demandez.
- Montrez-lui comme vous êtes fiers de lui. Même les petites choses méritent d'être soulignées par des applaudissements et des acclamations. Bébé adore ça et il voudra provoquer de nouveau ces réactions.
- Soyez cohérents dans vos règles et vos attentes et récompensez les comportements positifs.
- Montrez à votre enfant que vous l'aimez en lui donnant toute votre attention et des marques d'affection physiques.

Traits éducatifs à éviter

- Si vous êtes énervés, essayez de ne pas vous mettre en colère contre votre bébé. Si vous restez calmes, il va le rester aussi et sera plus enclin à réagir positivement.
- Il ne faut jamais critiquer votre enfant. Lorsqu'il sera plus grand, mettez l'accent sur le comportement (« Tu n'as pas prêté ton jouet ») et non sur lui-même (« Tu es égoïste »).
- Tenez-vous-en à vos règles et habitudes : votre bébé se sentira plus en sécurité s'il sait ce que vous attendez.

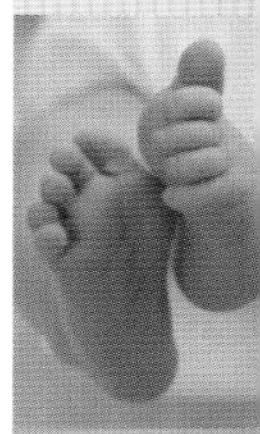

Vos droits et prestations

Après la naissance de votre enfant, vous devrez remplir des documents administratifs pour le déclarer et recevoir des aides.

Dans le flou ambiant qui accompagne l'arrivée d'un bébé, les démarches administratives sont probablement la dernière chose que vous ayez envie de faire. Néanmoins, il est impératif de respecter les délais prescrits pour la déclaration de votre enfant et l'envoi de certificats ou formulaires aux différents organismes concernés.

Déclaration de naissance Tout enfant né au Québec doit obligatoirement être déclaré auprès du Directeur de l'état civil qui inscrit sa naissance au registre de l'état civil du Québec. L'enfant pourra ainsi obtenir une carte d'assurance-maladie, un numéro d'assurance sociale (NAS) et un certificat de naissance. Les parents ont l'obligation de déclarer la naissance de leur nouveau-né dans les 30 jours suivant l'accouchement. L'accoucheur dresse le Constat de naissance. Il en remet un exemplaire aux parents accompagné de la Déclaration de naissance. Les parents peuvent remplir la Déclaration de naissance à l'hôpital ou à la maison. À l'hôpital, le personnel hospitalier l'expédiera au Directeur de l'état civil en même temps que le Constat ; à la maison, les parents sont responsables de l'envoi des documents directement au Directeur de l'état civil au plus tard 30 jours après la date de naissance de l'enfant. Il est à noter que si les parents ne sont pas mariés ou unis civilement, les signatures des deux parents sont requises pour établir leur filiation avec l'enfant. Des frais administratifs de 50 $ seront exigés à l'expiration des 30 jours, au bout d'un an, ils s'élèveront à 100 $! Par ailleurs, si la mère n'accouche pas dans un hôpital, il est de son ressort de communiquer avec le bureau du Directeur de l'état civil pour s'informer sur la façon de déclarer la naissance de son enfant.

Prestations familiales La Régie des rentes du Québec administre le Soutien aux enfants, une des mesures de la politique familiale du gouvernement du Québec pour aider financièrement les familles. Si votre enfant est né au Québec, vous n'avez pas de demande à faire pour recevoir le paiement de Soutien aux enfants. L'inscription de votre nouveau-né se fait de façon automatique dès que vous déclarez sa naissance au Directeur de l'état civil. Pour les autres cas, vous devez adresser une demande à la Régie. Pour ce faire, vous pouvez utiliser le service en ligne ou télécharger le formulaire *Demande de paiement de Soutien aux enfants* sur le site Internet de la Régie. La Régie calcule le montant du paiement de Soutien aux enfants auquel vous avez droit, chaque année, en fonction de quatre éléments : le nombre d'enfants de moins de 18 ans qui résident avec vous ; le nombre d'enfants en garde partagée ; votre revenu familial.

La prestation fiscale canadienne pour enfants (PFCE) est versée chaque mois aux familles admissibles pour les aider à subvenir aux besoins de leurs enfants. Elle est non imposable et varie selon le revenu familial, le nombre d'enfants, leur âge, leur situation familiale et la déduction pour frais de garde. L'admissibilité à la prestation est réévaluée chaque année selon les données de la déclaration de revenus de l'année précédente. Pour avoir droit à la PFCE, le parent demandeur doit habiter avec l'enfant et être reconnu résident du Canada aux fins de l'impôt sur le revenu.

Se renseigner sur les aides possibles En fonction de votre situation, vous avez droit à certaines aides. N'hésitez donc pas à vous renseigner afin de ne rien oublier.

BON À SAVOIR

Congé de paternité

La législation évolue pour prendre en compte l'implication plus active de nombreux pères dans l'éducation de leurs enfants. Un salarié a droit à un congé de paternité sans salaire d'une durée de 5 semaines continues à l'occasion de la naissance de son enfant. Ce congé n'est pas transférable à la mère et ne peut pas être partagé entre les deux parents. Le congé peut être pris à n'importe quel moment, mais il ne peut pas commencer avant la semaine de la naissance de l'enfant et doit se terminer au plus tard 52 semaines après.

Le congé de paternité vient s'ajouter au congé de cinq jours autorisé à l'occasion de la naissance d'un bébé, de l'adoption d'un enfant ou de celui de la conjointe ou lorsque survient une interruption de grossesse, à compter de la 20e semaine de grossesse. Les deux premières journées d'absence sont rémunérées si le père travaille pour un employeur depuis au moins 60 jours. Ce dernier doit être avisé le plus tôt possible. Ce congé peut être fractionné en journées, si le père le souhaite. Il ne peut être pris après l'expiration des 15 jours qui suivent l'arrivée de l'enfant à la résidence, ou, le cas échéant, l'interruption de la grossesse.

Le père peut aussi bénéficier d'un congé parental de 52 semaines, à partager ou non avec la mère.

Papa à l'action Le congé de paternité permet au papa de se confronter aux détails pratiques des soins de bébé au moment le plus utile.

Vos droits Les femmes enceintes bénéficient de divers droits. Prenez le temps de vous renseigner auprès du CLSC de votre quartier. Bien des femmes craignent d'être perçue différemment sur leur lieu de travail une fois qu'elles auront annoncé leur grossesse. Sachez qu'au Québec et au Canada, il est absolument interdit de licencier une femme enceinte ou de la rétrograder une fois rentrée de son congé de maternité. Il existe une protection juridique de la femme enceinte.

Le congé de maternité est une parenthèse, loin du monde du travail. Ce changement peut s'avérer perturbant, même si vous savez que vous serez bientôt occupée avec votre bébé. Selon la Loi sur les normes du travail, la salariée enceinte a droit au congé de maternité. Le congé s'étend sur une période maximale de 18 semaines continues sans salaire. Si la salariée le demande, l'employeur peut consentir à un congé de maternité d'une période plus longue. Le congé ne peut commencer qu'à partir de la 16e semaine avant la date prévue de l'accouchement. La mère et le père d'un nouveau-né ainsi que la personne qui adopte un enfant mineur ont droit à un congé parental sans salaire d'au plus 52 semaines continues. Durant ce congé, le Régime québécois d'assurance parentale assure une protection de revenu temporaire à l'un ou l'autre des parents biologiques ou adoptifs en lui versant, selon certaines conditions, des prestations parentales. Pour avoir droit à l'une ou l'autre de ces prestations, vous devez avoir accumulé au moins 600 heures d'emploi assurable depuis le début de votre dernière période de prestations.

Même si l'échéance vous semble lointaine, commencez à réfléchir à la reprise du travail après la naissance. Si d'un point de vue économique, vous vous sentez contrainte de reprendre à temps complet, envisagez tout de même la possibilité d'un temps partiel, voire de travailler à la maison un ou deux jours par semaine. Commencez également à réfléchir à la garde de votre bébé (voir p. 118).

ENFANTS HANDICAPÉS

La prestation pour enfants handicapés (PEH) est un supplément non imposable à la prestation fiscale canadienne pour enfants. Pour inscrire son enfant, il faut remplir le formulaire *Certificat pour le crédit d'impôt pour personnes handicapées* (T2201) et l'envoyer à l'Agence du revenu du Canada. Il peut être reçu en téléphonant à l'Agence ou téléchargé sur son site Internet.

En outre, le Soutien aux enfants de la Régie des rentes du Québec comprend un supplément pour enfant handicapé, accordé aux parents d'un enfant mineur ayant un handicap qui le limite de façon importante dans sa vie quotidienne, pendant une période prévisible d'au moins un an. Son montant, le même pour tous, est indexé chaque année. Consultez la rubrique « Les enfants » sur le site de la Régie.

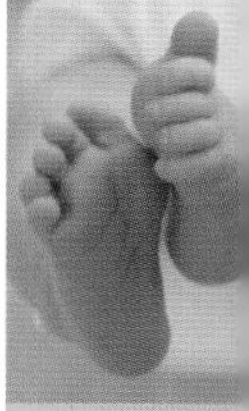

Comprendre votre enfant

MOIS APRÈS MOIS, VOUS DÉCOUVRIREZ LE FONCTIONNEMENT DE VOTRE BÉBÉ

Votre bébé a, bien sûr, son propre patrimoine génétique, mais il a néanmoins hérité de vous certaines de ses caractéristiques. Au cours de la première année, alors qu'il franchit les étapes de son développement et qu'il construit sa propre personnalité, vous allez découvrir le type d'enfant qu'il va finalement devenir.

L'héritage de votre enfant

L'entourage cherche toujours à deviner à qui ressemble votre bébé. En grandissant, vous reconnaîtrez des traits de chacun de vous.

Votre bébé a été conçu à partir de vos gènes et ceux de son père. Il a hérité de vous deux parce que vos ADN se trouvaient à l'intérieur des chromosomes qui l'ont créé. Ces chromosomes se sont divisés, puis combinés, donnant de nouveaux chromosomes composés d'un mélange de votre ADN et de celui de votre compagnon, créant ainsi des cellules qui n'appartiennent qu'à votre enfant.

De plus, votre propre ADN s'est formé à partir de celui de vos parents, c'est pourquoi certains enfants montrent des ressemblances frappantes avec l'un ou l'autre de ses grands-parents.

Gènes dominants et récessifs Certains traits physiques sont déterminés par la présence ou l'absence d'un gène dominant ou récessif ; vous pourrez donc prédire certaines caractéristiques de votre bébé. Par exemple, à la naissance ses yeux sont bleus ou gris, mais ils ne le resteront pas forcément. Si vous et votre conjoint avez les yeux bleus, votre bébé aura les yeux bleus parce qu'il aura hérité de vos deux gènes bleus récessifs. En revanche, si vous avez les yeux bruns et le papa les yeux bleus, vous devez observer vos parents pour déterminer le résultat. Si, par hasard, vous avez un gène brun et un gène bleu (ce qui vous donne les yeux bruns car le gène brun est dominant), il est possible que votre enfant ait les yeux bleus. Cependant, si vous avez deux gènes bruns, même si votre compagnon a les yeux bleus, votre bébé aura les yeux bruns parce qu'il héritera toujours d'un de vos gènes bruns dominants. D'autres caractéristiques suivent la même règle comme la couleur des cheveux (la couleur foncée est dominante, le blond ou le roux sont récessifs) ou leur nature (le gène bouclé est dominant, le gène raide est récessif).

Traits polygéniques Un trait polygénique est une caractéristique déterminée par une combinaison de gènes et non par un seul. La taille est par exemple un trait polygénique, il est donc difficile de prévoir la taille future de votre enfant. Pour vous aider, les experts disent qu'en prenant la taille moyenne des deux parents à laquelle on enlève 5 cm pour une fille et on ajoute 5 cm pour un garçon, on obtient une assez bonne idée de la taille de l'enfant à l'âge adulte. Cependant, les gènes eux-mêmes contiennent des déclencheurs dominants et récessifs, appelés allèles. Même si vous et votre compagnon êtes plutôt petits, vous pouvez néanmoins avoir des allèles « grand » (dominants) dans vos gènes, vos allèles « petit » (récessifs) sont simplement plus nombreux et donc dominent. Si votre bébé a hérité de gènes constitués principalement d'allèles « grand » et de très peu d'allèles « petit », il pourra finalement être plus grand. De plus, les traits polygéniques sont souvent influencés par des facteurs environnementaux tels que la nutrition. L'intelligence et la couleur de la peau sont également des traits polygéniques.

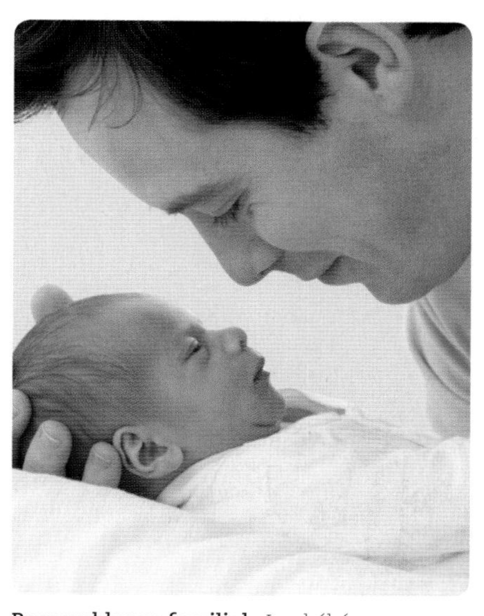

Ressemblance familiale Les bébés ressemblent souvent beaucoup plus à leur père au début, mais la ressemblance tend à s'atténuer lorsqu'ils grandissent.

L'AVIS... DU PÉDIATRE

Mon bébé sera-t-il musicien comme moi ou sportif comme son père ? En 2001, des généticiens de l'hôpital St Thomas à Londres, en collaboration avec l'Institute for Deafness du Maryland aux États-Unis, ont publié une étude portant sur des centaines de jumeaux qui étayent l'héritage de l'aptitude musicale. Il est certain que J. S. Bach venait d'une longue lignée de musiciens reconnus.

Il est donc probable que votre enfant soit musicien comme vous, surtout si vous encouragez son talent inné en lui faisant écouter des musiques variées et en lui offrant des instruments. De même, si vous êtes une grande sportive, vos enfants auront sûrement la structure physique et, par exemple, la coordination main-œil pour suivre vos traces. Mais les acquis jouent aussi inévitablement un rôle. Si vous êtes musicienne, vous encouragerez naturellement votre enfant à aimer la musique et si vous aimez le sport, vous le pousserez à pratiquer, ce qui, bien sûr, affinera son talent.

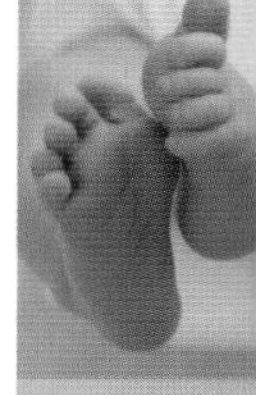

Le développement de votre bébé

La croissance au cours de la première année est extraordinaire. À aucun autre moment de la vie le développement est aussi visible.

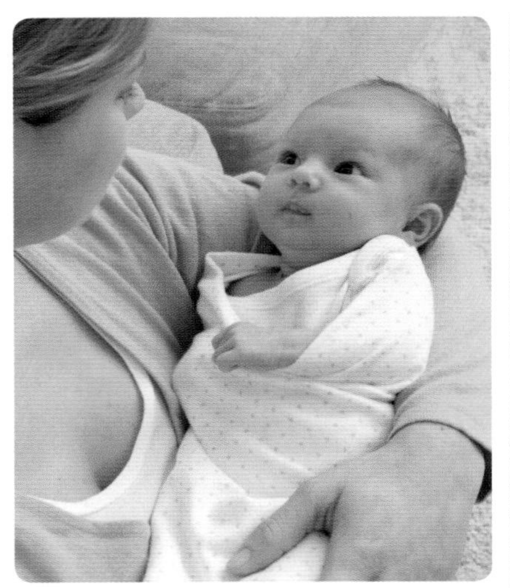

Mise au point en douceur Au début, votre bébé doit être très près pour voir votre visage ; à 8 mois, il identifie les personnes à travers une pièce.

L'AVIS... DU PÉDOPSYCHOLOGUE

Mon amour pour lui peut-il rendre mon enfant capricieux ? Les bébés ont besoin de se sentir en sécurité et vous et votre compagnon êtes les mieux placés pour vous en assurer. Si vous vous occupez beaucoup de lui, en jouant avec lui, en répondant à ses besoins, en étant à ses côtés et en lui faisant beaucoup de câlins et de bisous, il ne deviendra pas capricieux, il comprendra juste qu'il est le centre de votre monde. En se sentant en sécurité avec vous, il va acquérir la confiance nécessaire pour explorer le monde tout seul.

À mesure qu'il grandit, vous devez témoigner votre affection en établissant des limites : il n'est pas bon de toujours lui céder, il vaut mieux lui apprendre à évoluer en toute sécurité et à discerner le bien du mal.

Étapes du développement physique

L'évolution physique la plus impressionnante au cours de la première année de votre bébé concerne sa taille. À l'âge d'un an, il aura presque gagné 30 cm sur sa taille de naissance et il sera presque trois fois plus lourd. Parallèlement, son tonus musculaire et sa coordination se mettront en place : à 2 mois, il sera capable de tenir sa tête pendant quelques secondes et à 3 mois il pourra se retourner. Vers 6 à 7 mois, sa force musculaire sera suffisante pour qu'il tienne assis sans aide et, de la position assise, il apprendra à ramper (en général vers 6 à 9 mois) ; à un an il saura se tenir debout, peut-être sans aide, et pourra même peut-être marcher.

Sa motricité fine fera des progrès : à 3 mois, il frappe les objets et vers 8 à 10 mois, il tient un petit objet entre le pouce et l'index. Vers 10 mois, il utilise une tasse d'apprentissage ou à bec et boit avec de l'aide, et vers 12 mois il trace un trait sur une feuille de papier avec un gros crayon.

Ces grandes étapes du développement physique sont les plus évidentes, mais le corps de votre bébé change également de façon invisible.

Pendant la première année, son acuité visuelle s'affine : à sa naissance, sa vision est limitée aux objets situés entre 20 et 25 cm de son visage et vers un an, sa vision à distance s'est bien améliorée. Par ailleurs, il apprend rapidement à reconnaître les sons. À quelques mois seulement, il sait d'où vient un bruit et tourne même la tête dans sa direction.

Étapes des apprentissages précoces

Le cerveau de votre bébé a une certaine plasticité, ce qui signifie qu'il est capable de créer, d'adapter et de modifier ses circuits neuronaux en fonction des nouvelles expériences. Cette plasticité lui assure un développement intellectuel rapide.

Ainsi, quelques jours après sa naissance, il préférera votre visage à tout autre et il reconnaîtra votre odeur. Ces expériences le rassurent.

À 6 mois, ses capacités langagières se seront suffisamment développées pour qu'il reconnaisse son nom lorsque vous l'appelez, et à 9 mois, il compren-

Tenir sa tête Après quelques mois, les muscles du cou de votre bébé sont assez puissants pour qu'il soulève sa tête (à gauche). **S'asseoir** Vers 6 mois, il tient assis sans aide (au milieu). **Position debout** À un an, la plupart des bébés se tiennent debout avec un léger soutien (à droite).

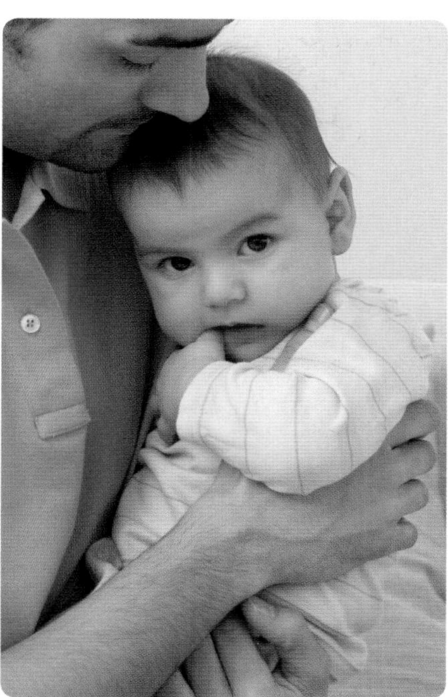

Bavardage Votre bébé adore échanger des regards, des « mots » et des rires (à gauche).
Ne pars pas Vers 6 à 8 mois, il va connaître la peur de la séparation, il préfère maman ou papa à toute autre personne et il est contrarié s'il doit aller avec quelqu'un d'autre (à droite).

dra lorsque vous direz « non » (même s'il n'obéit pas toujours) et pourra même regarder dans un livre l'image d'un objet que vous lui demanderez de trouver.

Puis il va commencer à produire des sons reconnaissables. Les premiers temps, il peut gazouiller ou produire des sons vocaliques étranges mais autour de 10 mois, on peut commencer à discerner un « mama » ou « papa », bien qu'il les utilise indistinctement pour chacun d'entre vous. Quoi qu'il en soit, à un an, il aura probablement intégré son premier mot signifiant, généralement « papa » (parce que les bébés prononcent plus facilement la consonne « p » que le son « m » nécessaire pour « maman »), même s'il peut également dire « gâteau » ou « chat » en premier.

Étapes du développement du comportement et de la personnalité À la fin de la première année de votre enfant, vous n'aurez plus un petit être mystérieux mais un jeune enfant qui montre déjà des signes de la personne qu'il va devenir.

Vous serez sûrement soulagée d'apprendre que son comportement vis-à-vis du sommeil va s'améliorer à mesure que la contenance de son estomac devient suffisante pour lui éviter de se réveiller. Vers un an, il devrait dormir toute la nuit, en étant couché vers 19 heures et se réveillant 12 heures plus tard.

Les premiers mois, il préférera certaines personnes à commencer par vous, son père, ses frères et sœurs ainsi que les autres personnes qui s'occupent de lui, et vers 6 mois il se méfiera des étrangers. À la même période, des traits distincts de sa personnalité se dessineront, comme les choses qui l'amusent et celles qui le contrarient. Il peut alors jeter les jouets qui l'agacent ou pleurer de colère.

À 8 mois, il croira que tout lui appartient et refusera que vous lui enleviez un jouet. Il sera toujours inquiet s'il doit vous quitter, mais il s'intéressera aux autres bébés et « discutera » avec les adultes à côté de lui.

Il veut faire plaisir et sera stimulé par votre amour et votre affection.

POTENTIEL DE RÉALISATION

Nous naissons tous avec un patrimoine génétique qui détermine nos forces et nos faiblesses relatives ainsi que certains traits de caractère. Néanmoins, la plupart des psychologues acceptent à présent l'idée qu'en dépit des prédispositions génétiques d'un bébé pour une activité, la manière dont il est élevé et les facteurs environnementaux (comme la qualité de son alimentation) influent également sur son développement. En jouant avec votre bébé, en lui lisant des histoires et en le laissant explorer le monde (en sécurité), vous mettrez en valeur son potentiel. Après le sevrage, faites-lui goûter tous les aliments et offrez-lui un environnement aimant et sécurisé qui lui permettra de se réaliser pleinement, en confiance. Vous pourrez ainsi cultiver les dons que la nature lui a accordés.

Garçons et filles Tous les enfants se développent à un rythme différent, indépendamment du sexe. Cependant, certains apprentissages précoces semblent plus faciles chez les filles que chez les garçons, pour d'autres c'est le contraire. Des études démontrent par exemple que les filles comprennent le langage et parlent plus vite et que leur motricité fine est plus développée (elles écrivent plus tôt). À l'inverse, les garçons sont plus physiques et leur motricité générale est souvent supérieure à celle des filles lors de l'acquisition de la marche.

Une étude de l'université de Cambridge indique que les garçons comprennent plus vite que les filles les lois du déplacement, comme la vitesse et la direction d'une balle qui roule. Les filles sont plus prudentes, les garçons plus intrépides.

Bien sûr, les choses s'homogénéisent inévitablement et la question de savoir si l'inné ou l'acquis est à l'origine des comportements stéréotypés des garçons et des filles fait toujours l'objet d'un débat animé.

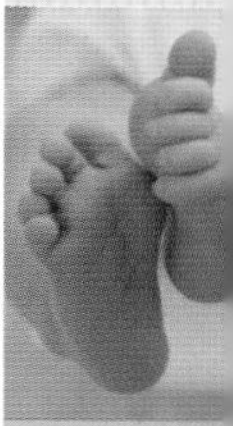

Le b.a.-ba de bébé

LA DÉCOUVERTE DES GESTES ESSENTIELS POUR S'OCCUPER DE VOTRE NOUVEAU-NÉ VOUS AIDERA À VOUS PRÉPARER POUR LES PREMIÈRES SEMAINES

Il y a énormément de choses à assumer immédiatement après la naissance, donc plus vous en apprendrez avant sur l'alimentation, le couchage, le change et la toilette de votre enfant, plus vous serez confiante et maître de la situation.

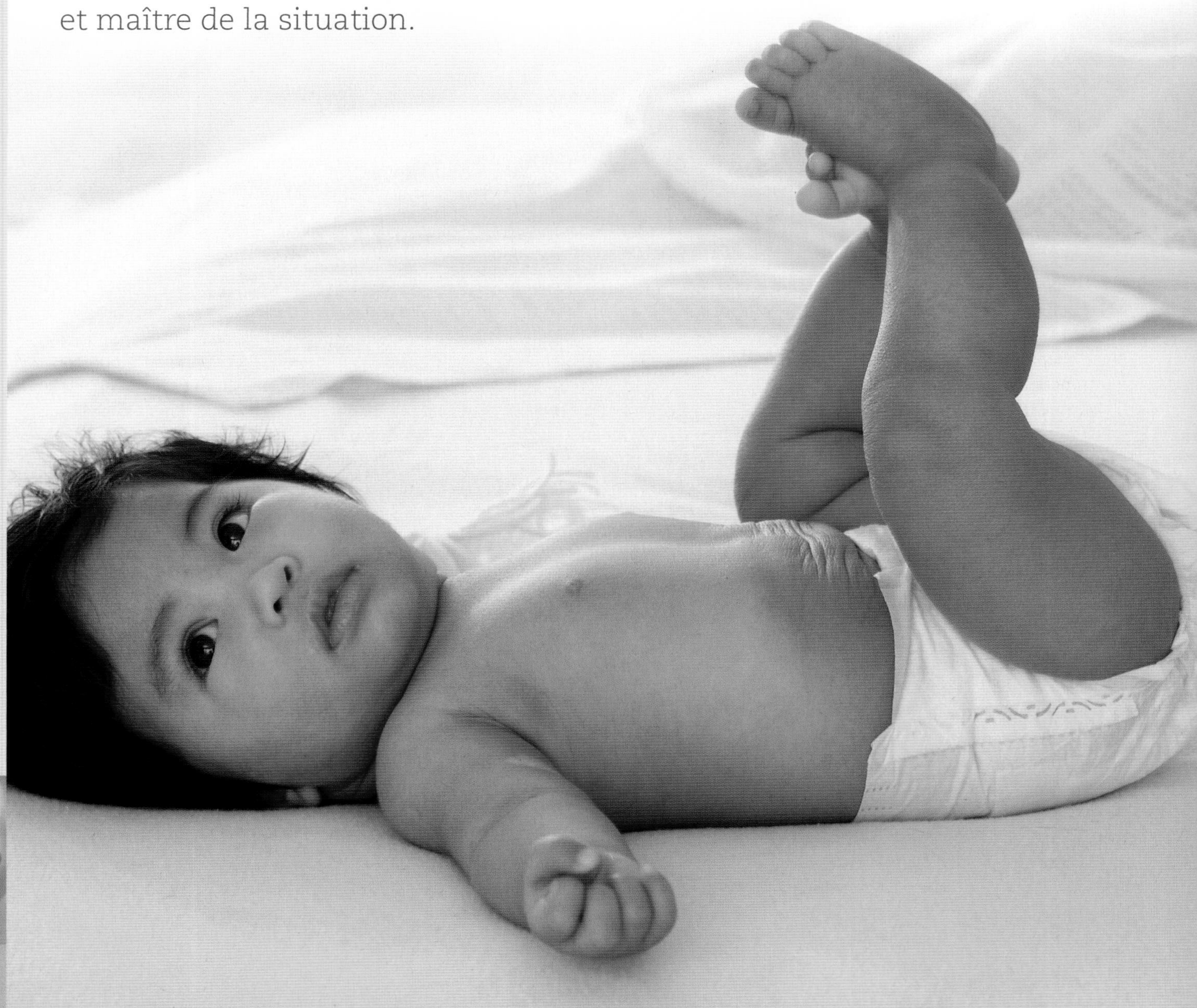

Nourrir votre nouveau-né

Le lait maternel ou maternisé apporte tous les nutriments dont votre bébé a besoin au cours des premiers mois.

Que vous choisissiez de le nourrir au sein ou au biberon, connaître les rudiments de l'alimentation des premiers mois est fondamental, d'autant que le lait constitue l'essentiel de l'alimentation de votre bébé durant la première année. Il est tout à fait normal et compréhensible d'être un peu nerveuse ou inquiète au sujet de l'alimentation. Vous souhaitez ce qu'il y a de mieux pour votre bébé afin qu'il débute le mieux possible dans la vie. Ce sera plus facile si vous savez à quoi vous attendre.

Pourquoi l'allaitement maternel? C'est la meilleure manière de s'assurer que votre nouveau-né reçoit tous les nutriments dont il a besoin, et il offre une foule d'avantages pour la santé (voir l'encadré, à droite). La composition de votre lait évolue pour répondre aux besoins de votre bébé qui grandit. Il contient de bonnes graisses (notamment des acides gras essentiels) qui sont nécessaires à sa croissance et à son développement optimal (en particulier cérébral), et son calcium est mieux utilisé par les bébés que celui du lait maternisé.

Le lait maternel contient certaines hormones et facteurs de croissance qui favorisent une prise de poids et un développement sains. Il réduit également le risque de diabète et d'obésité, dans l'enfance comme à l'âge adulte, et il protège contre les allergies, l'asthme et l'eczéma. On pense également que l'allaitement maternel réduit le risque de mort subite du nourrisson (voir p. 31), et qu'il permet de mieux tisser les liens affectifs. Une étude récente indique que l'allaitement maternel favorise le développement de la structure faciale de votre bébé et qu'il peut améliorer son élocution et sa vision.

Il est intéressant de savoir que l'allaitement maternel est considéré comme le « quatrième trimestre » en termes de croissance et de développement du cerveau. Vos anticorps se transmettent à votre enfant dans votre lait, l'aidant ainsi à rester en bonne santé jusqu'à la maturation de son système immunitaire.

Avantage pour vous L'allaitement n'est pas seulement bon pour votre bébé mais c'est également le choix le plus sain pour vous. En effet, il réduit le risque de développer un cancer du sein et de l'ovaire et vous permet d'être moins exposée à l'ostéoporose. Il semble de plus en plus certain que les femmes qui allaitent présentent un risque inférieur d'infarctus, de maladie cardiaque et d'accident vasculaire cérébral. L'allaitement consomme environ 500 calories par jour, il favorise donc la perte de poids postnatal et retarde le retour de couches. Enfin, il est très pratique : il n'y a pas de biberon à laver, rien à préparer et aucun matériel à transporter.

BON À SAVOIR

Des études ont démontré que les bébés nourris au sein sont moins sujets aux vomissements et aux diarrhées, qu'ils sont protégés contre les gastroentérites, les otites, les pathologies respiratoires, les pneumonies, les bronchites, les infections rénales et la septicémie (empoisonnement du sang). Le risque de constipation chronique, de coliques et d'autres troubles abdominaux est également réduit.

Des éléments du lait maternel sont également connus pour détruire les bactéries comme E. coli et la salmonelle et pour réduire le risque de pathologies cardiaques, d'obésité et d'anémie ferriprive. Sauf si vous ne pouvez pas pour différentes raisons (voir p. 28), c'est de loin la meilleure manière de nourrir votre bébé.

LA PREMIÈRE ANNÉE DE VOTRE BÉBÉ

Dans la plupart des cas, votre bébé ne boira que du lait jusqu'à environ 6 mois. Que vous choisissiez le biberon ou l'allaitement maternel, il aura besoin d'une quantité croissante de lait au fil des mois et le lait devra rester l'élément principal de son alimentation pendant la première année (voir p. 199).

La diversification commence habituellement vers 6 mois (voir p. 234-235), quand votre bébé commence à manger des bouillies très liquides, souvent des céréales infantiles mélangées à son lait habituel, des compotes de fruits et des purées de légumes. Lorsque ces aliments sont acceptés, d'autres peuvent être introduits, en particulier ceux qui sont riches en fer et en protéines, comme la viande, le poisson et les œufs. Vous pouvez changer la texture des aliments dès que votre enfant l'accepte, de la bouillie aux aliments en morceaux en passant par la purée. À la fin de l'année, votre bébé prendra quatre repas par jour.

Dans ce livre, nous vous guiderons à travers les étapes de la diversification en vous aidant à faire les bons choix au bon moment. Vous pouvez décider de choisir une alimentation autonome en introduisant des aliments solides, plutôt que des bouillies (voir p. 235).

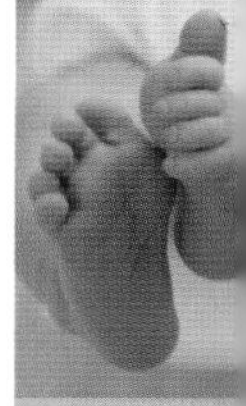

L'allaitement maternel

C'est un processus naturel simple : plus votre nouveau-né prend de lait, plus votre poitrine en produit.

AIDE-MÉMOIRE

Allaitement maternel

- L'allaitement sera beaucoup plus efficace si vous êtes détendue ; trouvez un endroit confortable pour vous asseoir et surélevez vos pieds.
- Les femmes qui allaitent ont besoin de vêtements qui s'ouvrent facilement. Un soutien-gorge d'allaitement, facile à dégrafer ou agrafer d'une seule main est également nécessaire.
- Votre bébé va téter jusqu'à satiété. S'il s'endort au bout de quelques minutes, réveillez-le doucement en lui caressant la joue.
- Vérifiez qu'il prend bien toute l'aréole dans sa bouche ; il va stimuler la production et la libération de lait en appuyant sur les sinus lactifères (voir à droite). S'il ne boit pas assez, les canaux finiront par s'engorger (voir p. 59), les mamelons seront douloureux et votre bébé aura faim !
- Ne vous inquiétez pas de la quantité que prend votre bébé. Son poids sera surveillé pendant les premières semaines. Tant qu'il prend du poids, que ses couches sont très mouillées (voir p. 44-45) et qu'il semble attentif lorsqu'il est éveillé, tout va bien.
- Il peut se passer un peu de temps avant que l'allaitement maternel devienne une expérience agréable, mais il devient plus facile après les premières semaines. Souvenez-vous que c'est ce qu'il y a de mieux pour votre bébé.

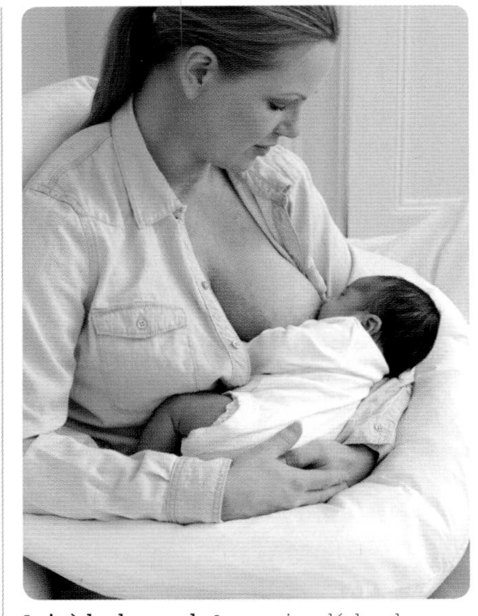

Lait à la demande La succion déclenche la libération de l'hormone prolactine qui stimule la production de lait.

Au cours de la grossesse, votre corps commence à se préparer à l'allaitement. Vos aréoles deviennent plus sombres (certains pensent qu'ainsi le bébé les voit mieux et que cela favorise l'allaitement). De petits boutons apparaissent et grossissent autour de l'aréole (les tubercules de Montgomery, qui produisent une sécrétion huileuse qui lubrifie les mamelons et les empêchent de sécher, de se craqueler et de s'infecter pendant l'allaitement). Le placenta stimule également la libération d'hormones qui déclenchent la production de lait.

Toutes les femmes naissent avec des canaux galactophores (qui transportent le lait à travers les seins) et au cours de la grossesse, ceux-ci se préparent à l'allaitement. La taille des glandes lactifères augmente, chaque sein pouvant peser jusqu'à 600 g en fin de grossesse.

Dans le sein, le système responsable de la lactation ressemble à un petit arbre. Les glandes lactifères forment des grappes dans le haut de la poitrine et produisent le lait. Le lait ainsi produit quitte les glandes par les canaux galactophores qui s'élargissent derrière l'aréole pour former les sinus lactifères. Ces derniers se vident par une vingtaine de petites ouvertures dans le mamelon. Le lait est libéré lors de la stimulation du mamelon par la succion du bébé.

Cette succion envoie un message à l'hypophyse (située dans le cerveau) qui libère de l'ocytocine, hormone procurant un sentiment de sérénité et d'amour, et qui incite vos cellules productrices de lait à se vider dans les canaux. Il s'agit du réflexe d'éjection du lait, qui peut également se déclencher lorsque vous entendez votre bébé (et parfois d'autres bébés !) pleurer ou même lorsque vous pensez simplement à lui.

Lorsque votre lait est éjecté, les gencives de votre bébé compriment les sinus qui commencent à se remplir de lait. S'il tète le mamelon plutôt que l'aréole entière, seule une petite quantité de lait sera tirée et vous serez peut-être gênée. C'est pourquoi il est essentiel que votre bébé attrape correctement le sein dès le début (voir page de droite). La succion stimule également des nerfs du mamelon qui envoient des messages à l'hypophyse pour qu'elle secrète de la prolactine.

Cette hormone s'assure que la production de lait répond toujours aux besoins de votre bébé. Plus la quantité de lait qui sort est importante, plus l'organisme en fabrique pour le remplacer. Il est donc possible de tirer du lait pour maintenir la production si vous ne pouvez pas donner le sein immédiatement.

Colostrum Vers la quinzième ou la seizième semaine de grossesse, vos seins commencent à produire du colostrum, premier lait que boira votre bébé. Épais liquide jaune, très nourrissant qui contient beaucoup de protéines, de glucides, de bonnes graisses et d'anticorps, il est très facile à digérer et a une grande valeur nutritive. Quelques cuillerées à thé de colostrum suffisent pour nourrir et hydrater votre bébé avant la montée de lait. En se déposant sur les parois intestinales, il protège le système digestif de votre bébé et l'aide à émettre ses premières selles (méconium), permettant ainsi l'excrétion de la bilirubine et réduisant le risque de jaunisse (voir p. 404).

Composition du lait maternel Au moment de la montée de lait, 2 ou 3 jours après la naissance (parfois un peu plus tard en cas de césarienne), vos seins sont tendus et parfois un peu douloureux. À chaque tétée, votre bébé reçoit deux types de lait. Le premier lait qui sort du sein, plus aqueux et légèrement bleuâtre, est appelé «lait de début de tétée». Riche en eau et pauvre en lipides, il hydrate votre bébé et étanche sa soif. Vient ensuite le «lait de fin de tétée», plus épais, riche en nutriments et plus calorique, qui apporte tout ce qui est nécessaire pour la croissance, le développement et l'énergie de votre bébé. Votre sein doit être plus mou à la fin de la tétée qu'au début.

L'AVIS... DU SPÉCIALISTE

Est-il utile d'allaiter mon bébé quelques jours seulement? Oui, absolument. Le lait maternel est le premier aliment parfait qui permet à votre bébé de bien démarrer.

Un des anticorps du colostrum (appelé sIgA) « tapisse » l'intérieur des intestins de votre nouveau-né d'un revêtement protecteur. Un bébé nourri au colostrum les premiers jours résiste mieux aux bactéries et aux virus et risque beaucoup moins de souffrir d'allergies.

COMMENT...

Mettre votre bébé au sein

Une caresse sur la joue ou le coin des lèvres va stimuler le réflexe de fouissement de votre bébé qui va ouvrir la bouche pour téter. Il faut ensuite s'assurer que la mise au sein est bien faite pour que l'allaitement soit plus confortable et efficace.

Lorsque votre bébé ouvre grand la bouche, approchez-le de votre sein. Il est important de ne pas faire l'inverse (mener le sein à l'enfant), au risque de ne pas avoir le dos bien droit et d'avoir des crevasses au niveau du mamelon. Sa langue doit s'abaisser et s'avancer et votre mamelon doit pointer vers le fond du palais lorsque vous le rapprochez de votre sein. Quand votre bébé est correctement mis au sein, il doit prendre tout le mamelon et une partie du sein dans la bouche. Si la position est bonne, son ventre est contre le vôtre – le fameux ventre contre ventre. Sa lèvre inférieure est ourlée vers l'extérieur et son menton est contre le sein. Son bras de dessous est replié et celui de dessus entoure le sein. Son nez doit être libre pour qu'il puisse respirer facilement.

Si votre bébé est bien mis au sein, vous devez entendre le son grave de la déglutition – et non un bruit sec – et le mouvement de sa mâchoire vous indique qu'il boit bien. Vos seins seront peut-être sensibles au début; certaines positions sont plus confortables (voir p. 58).

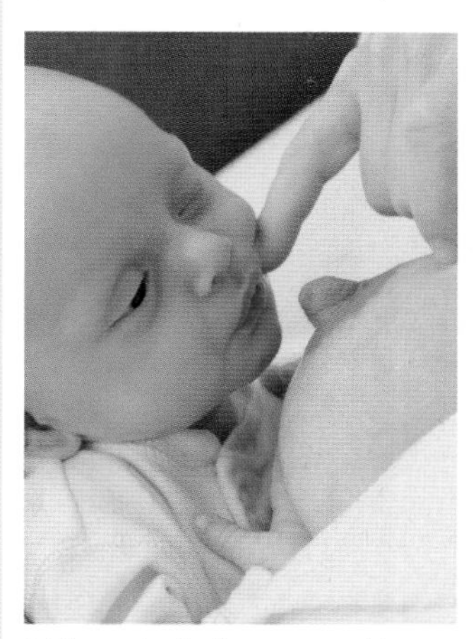

Réflexe de fouissement Aidez votre nouveau-né à trouver le mamelon en lui caressant la joue. Il va pincer les lèvres, prêt à téter.

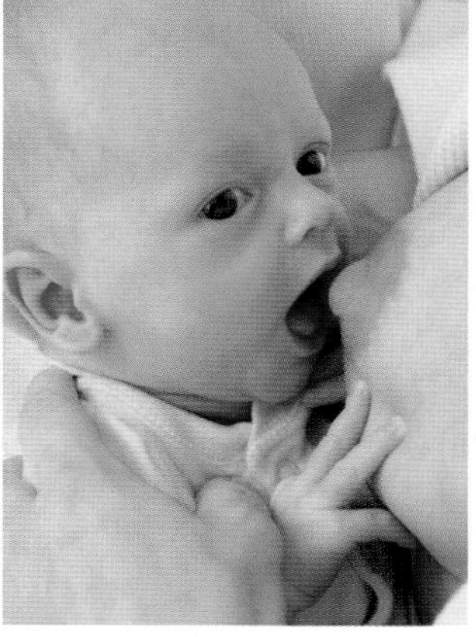

Pour réussir Vérifiez que sa langue est abaissée vers l'avant et que le mamelon pointe vers le palais avant de mettre votre bébé au sein.

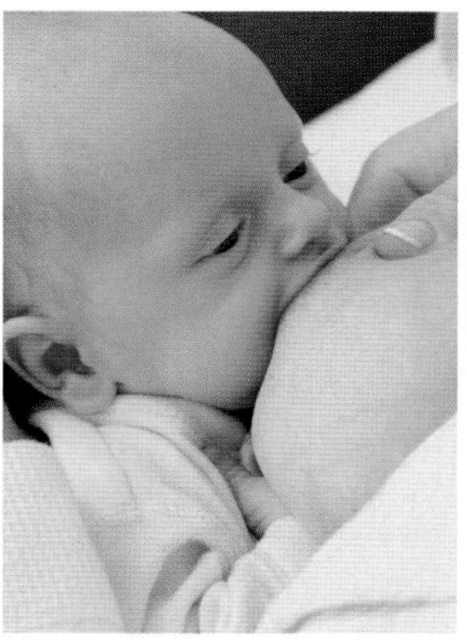

Mise au sein Assurez-vous que votre bébé prend le mamelon et une grande partie de l'aréole dans la bouche.

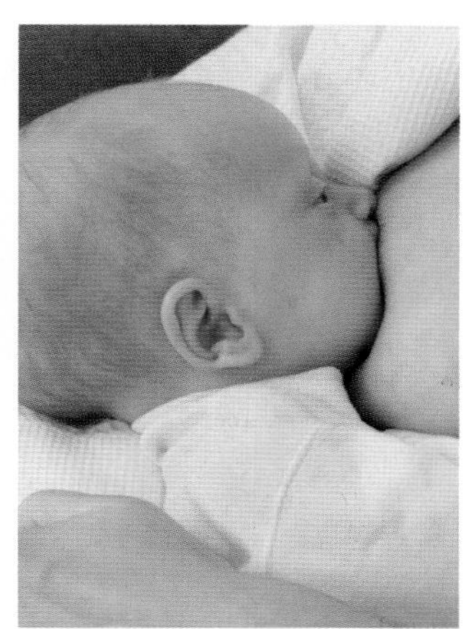

La bonne position Pour que votre bébé avale facilement, sa tête et son corps doivent être alignés et son menton doit toucher le sein.

Il est important que le sein soit complètement vidé à chaque tétée pour être sûre que votre bébé reçoit les deux types de lait. S'il prend seulement une petite quantité de lait de début de tétée, il aura rapidement faim et devra de nouveau être nourri.

Allaitement à la demande En nourrissant votre bébé à chaque fois qu'il réclame, vous favoriserez la production du lait dont il a besoin. Il peut être tentant de nourrir votre bébé à heures fixes, mais il risque d'être dérouté et affamé, et vous ne réussirez pas à répondre à sa demande (voir p. 58). Une bonne tétée dure environ 20 à 30 minutes, mais un nouveau-né a besoin que l'on s'occupe de lui toutes les 2 heures ; vous aurez donc l'impression de passer votre temps à le nourrir. S'il s'endort au sein ou s'il n'est plus concentré et regarde autour de lui, c'est sans doute qu'il n'a pas très faim. Il est préférable d'arrêter et de recommencer plus tard.

Obtenir de l'aide L'allaitement maternel n'est pas toujours facile au début. Vous pouvez demander de l'aide au médecin, à l'infirmière ou à un spécialiste de l'allaitement pour le mettre en place. Vous aurez également besoin de l'aide de votre compagnon. Vous allez passer de très longues heures à nourrir votre bébé, et avant que vous puissiez tirer un peu de lait à donner au biberon (voir encadré ci-dessous), le papa ne sera pas très impliqué. Il devra comprendre que vous allaitez votre bébé pour lui donner le meilleur départ possible. Des études ont démontré que l'entourage joue un rôle important dans la décision des mamans concernant l'allaitement. Celles qui sont aidées sont plus confiantes et ont tendance à allaiter plus longtemps.

TIRER SON LAIT

Lorsque votre production de lait est régulière – 4 à 6 semaines après la naissance –, vous pouvez commencer à tirer du lait. Vous gagnerez non seulement un peu de liberté, en permettant au papa de nourrir votre bébé de temps en temps, mais vous pourrez également congeler du lait que vous utiliserez lorsque vous reprendrez le travail.

Il n'est pas toujours facile de tirer du lait et vous aurez peut-être besoin d'essayer différents tire-lait (manuel, à piles ou électrique) ou de le faire à la main (voir p. 85) pour en obtenir assez. Si vous allaitez huit fois par jour, un biberon de 90 ml est suffisant pour une tétée, ne vous inquiétez donc pas si vous ne réussissez pas à en tirer plus au début.

Vous y arriverez mieux si vous vous installez au calme près de votre bébé ; si vous voyez que celui-ci prend uniquement un sein à chaque tétée, vous pouvez tirer le lait de l'autre sein en même temps.

Si votre bébé est prématuré, il ne pourra peut-être pas téter au sein au début ; dans ce cas, vous serez aidée pour tirer votre lait afin de mettre en route sa production et être prête lorsqu'il sera physiquement capable de téter.

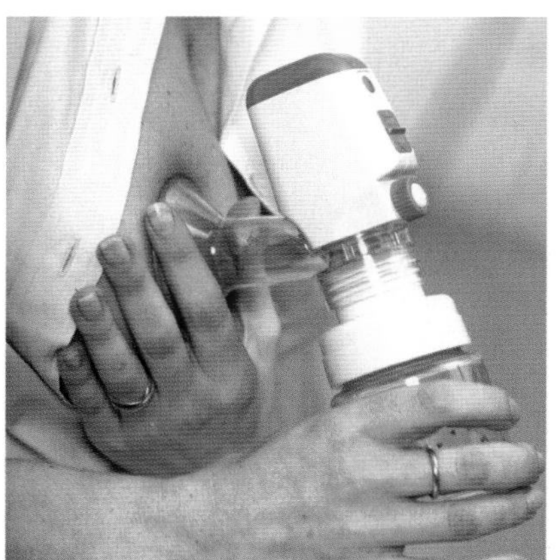

Tire-lait manuel Abordable, léger, silencieux et facile à utiliser – vous actionnez juste le piston pour tirer le lait (à gauche). **Tire-lait électrique** Automatique et donc plus rapide et pratique si vous devez tirer du lait assez fréquemment (à droite).

L'AVIS... DU SPÉCIALISTE

Est-il possible que je ne puisse pas allaiter au sein ? Presque toutes les femmes peuvent allaiter et ont assez de lait pour leur bébé, même celles qui ont de petits seins ou des mamelons rétractés. Ne vous inquiétez donc pas. Souvent, les femmes « décident » à l'avance que ce sera trop difficile, mais avec l'aide de votre compagnon et du médecin vous pouvez y arriver si vous le voulez.

L'allaitement maternel est impossible dans certains cas : quand vous prenez certains médicaments, qui pourraient être dangereux pour votre bébé, que vous souffrez d'une infection ou d'une maladie du sein (un cancer). Très rarement, certaines femmes n'ont pas assez de lait pour leur bébé, mais, avec les aides actuelles cela reste exceptionnel. Les femmes qui ont eu une réduction mammaire ont parfois du mal à allaiter ; il est également possible que votre bébé ne puisse pas être nourri au sein parce qu'il est prématuré, trop petit, qu'il a des difficultés de succion, une malformation (bec-de-lièvre), des problèmes digestifs, ou que son frein de langue est trop court. Si tel est le cas, vous pouvez tirer vous-même votre lait (voir encadré, à gauche).

L'allaitement au biberon

Si vous ne pouvez pas allaiter au sein, vous devrez vous familiariser avec l'art des biberons.

Tétée confortable Le contact visuel pendant que vous nourrissez votre bébé au biberon est très important, car il favorise le tissage des liens affectifs.

Les mamans qui ne peuvent pas allaiter, ou qui choisissent de ne pas le faire, ne doivent pas se sentir coupables. Il existe une grande variété de laits maternisés sur le marché qui favoriseront la croissance et le développement de votre bébé et l'allaitement au biberon (voir p. 59) permet de développer des liens affectifs avec votre bébé notamment par le regard.

Le matériel Vous avez besoin de 6 à 8 biberons, de tétines et de capuchons, d'une brosse pour les nettoyer, d'un stérilisateur, d'une mesurette, d'une boîte de lait maternisé et d'un chauffe-biberon. Il existe de nombreux types de biberons et de tétines : biberons anticolique, tétines « naturelles », à débit lent ou rapide. Essayez-les après la naissance de votre bébé pour voir ce qui lui convient le mieux.

Le nouveau-né tète avec des tétines à débit lent et passe à des tétines à débit plus rapide lorsqu'il grandit. Les tétines en silicone durent plus longtemps mais celles en caoutchouc ressemblent davantage au mamelon.

Pour la forme, vous avez le choix entre la tétine classique à bout rond, la tétine physiologique qui ressemble au mamelon ou une tétine plus plate qui convient mieux aux nouveau-nés.

Choix du lait maternisé La composition de la plupart des laits maternisés est assez similaire mais vous pouvez choisir un lait contenant des probiotiques, pour favoriser la digestion, ou des oméga 3 et 6 qui aident au développement du cerveau. Vous pouvez reconstituer le lait à partir d'une poudre ou l'acheter prêt à l'emploi. Le lait maternel contient deux types de protéines : le lactosérum et la caséine : 60 % de lactosérum et 40 % de caséine. Il est donc important de choisir un lait maternisé qui respecte cet équilibre.

Les laits maternisés qui contiennent un pourcentage supérieur de caséine sont plus difficiles à digérer. Le lait maternisé est conçu pour apporter à votre bébé la bonne quantité de nutriments essentiels, assurer une bonne digestion et répondre aux besoins de votre enfant en termes d'alimentation et d'apport liquide. Il est donc essentiel de suivre précisément les instructions du fabricant.

Le premier biberon De nombreux hôpitaux vous fournissent le lait pour votre nouveau-né, mais si vous avez une préférence pour une marque particulière, vous pouvez en apporter quelques portions prêtes à l'emploi (vous n'aurez pas le temps ni l'occasion de reconstituer du lait en poudre pendant votre séjour à la maternité). Vous aurez aussi besoin de biberons.

Tenez votre nouveau-né contre vous, peau contre peau, pour reproduire les conditions de l'allaitement maternel et regardez-le dans les yeux pour établir les liens affectifs. L'infirmière vous montrera les meilleures positions pour l'allaitement au biberon (voir p. 59). Au début, votre nouveau-né boira peu et souvent, mais ne le forcez pas à finir un biberon. Donnez-lui ce qu'il veut, quand il le veut.

L'AVIS... DE L'INFIRMIÈRE

Est-ce que je dois stériliser tout le matériel nécessaire pour nourrir mon bébé ? Il est important de laver soigneusement les biberons, bagues, tétines et capuchons avec de l'eau savonneuse à l'aide d'une brosse pour éliminer toute trace de lait. Rincez le tout avec de l'eau chaude et faites sécher le biberon en le posant à l'envers sur de l'essuie-tout. La préparation du biberon doit être réalisée dans un endroit propre, après lavage des mains. Les biberons doivent être préparés au dernier moment, car le lait est un milieu de culture favorable pour les bactéries et les champignons qui rendraient votre bébé malade. Si le biberon ne peut pas être consommé immédiatement, conservez-le au réfrigérateur à une température inférieure ou égale à 4 °C et ajoutez la poudre de lait au dernier moment.

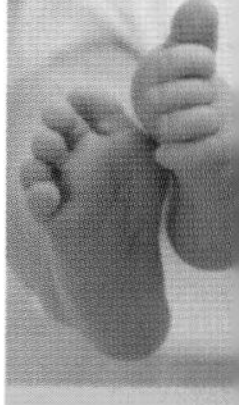

Le sommeil

Votre bébé va beaucoup dormir dans les mois qui viennent, il faut donc qu'il soit à l'aise et en sécurité pendant son sommeil.

L'AVIS... DU MÉDECIN

J'aimerais que mon bébé dorme dans notre lit mais n'est-ce pas dangereux? Cette question est très controversée, c'est donc à vous de peser le pour et le contre et de déterminer ce qui est le mieux pour vous. Les partisans du sommeil partagé le jugent pratique en cas d'allaitement maternel parce que votre bébé est facilement mis au sein et que vous vous assoupissez ensuite ensemble. Les bébés, rassurés par l'odeur familière et la respiration rythmée de la mère se calment mieux près d'elle. Certains chercheurs suggèrent que les bébés qui partagent le lit de leurs parents sont plus indépendants et assurés en grandissant. D'autres études mentionnent une diminution de l'incidence de la mort subite, peut-être parce que les bébés apprennent à imiter la respiration des adultes.

Cependant, certains experts disent que cette pratique doit être évitée avec des bébés de moins de 4 mois (voir encadré, ci-contre). Dans tous les cas, il faut faire extrêmement attention à ce que votre bébé ne soit pas écrasé et qu'il n'étouffe pas. Il ne doit pas partager le lit d'un parent qui a trop bu, a pris un médicament qui fait dormir ou qui fume. Pour protéger votre bébé, vous pouvez acheter un lit dont l'un des montants se baisse et que vous collez à votre lit. Certaines mamans trouvent que leur bébé a du mal à s'endormir tout seul par la suite. Le sommeil partagé a aussi des conséquences sur votre relation avec votre conjoint.

De nombreuses options s'offrent à vous pour le choix du premier lit de votre bébé; elles peuvent être très chères et parfaitement inutiles. À titre d'exemple, un berceau qui se balance semble une bonne idée pour calmer votre bébé la nuit, mais celui-ci peut s'habituer à être bercé pour s'endormir et avoir du mal à trouver ensuite le sommeil dans un lit. Quel que soit votre budget, les facteurs essentiels à prendre en compte sont la sécurité et le confort.

Petits lits Après avoir été comprimé dans votre utérus pendant des mois, votre bébé se calmera plus facilement et se sentira mieux dans un environnement restreint. C'est pourquoi son «premier» lit doit être assez petit pour qu'il s'y sente bien et à l'aise. Les experts recommandent à présent que votre bébé dorme dans la même pièce que vous pendant les premières semaines (au plus tard jusqu'au troisième mois). Si vous utilisez un moïse ou un berceau, choisissez un modèle rigide avec une assise bien stable, un matelas ferme aux dimensions exactes de la nacelle, des côtés rigides et qui soit conforme à toutes les normes de sécurité afin que votre bébé soit bien installé et qu'il ne risque pas de basculer s'il est agité. Aussi, faites attention à ne pas poser le moïse de votre bébé directement par terre en cas de chauffage par le sol, car il risque une hyperthermie. Au bout de 3 mois, installez votre enfant dans sa chambre, au calme, et placez un écoute-bébé pour le surveiller durant son sommeil.

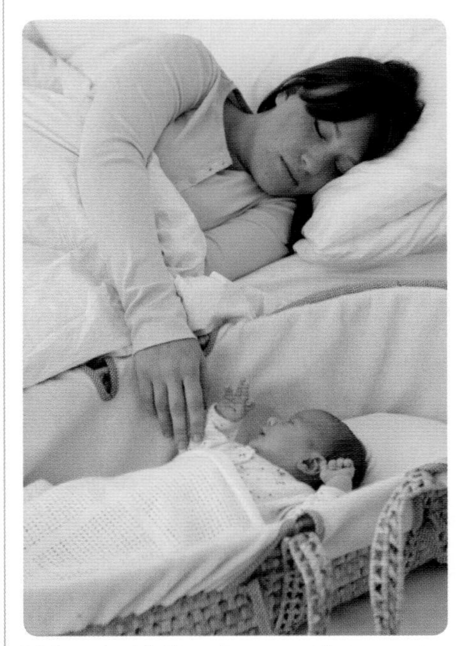

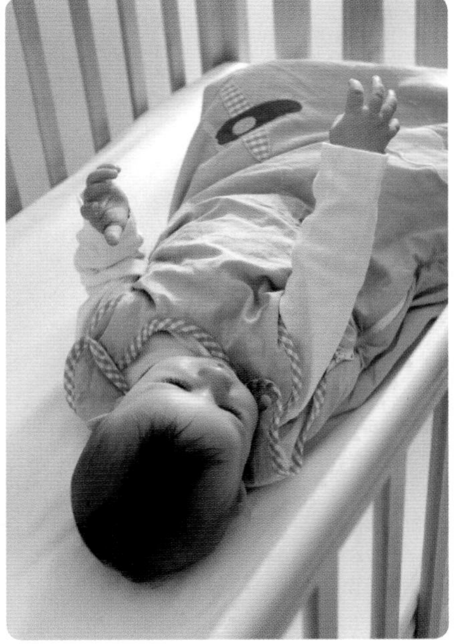

Moïse portable Un moïse permet de transporter votre nouveau-né pendant son sommeil. Attention néanmoins à ce qu'il ne soit pas trop «mou» (à gauche). **Gigoteuse** La gigoteuse est un bon moyen de garder au chaud les bébés plus âgés qui bougent beaucoup et repoussent toujours les draps.

Le premier lit ne durera que quelques mois, il est donc inutile de dépenser une fortune ! Si vous en achetez un d'occasion, il est recommandé d'acheter un nouveau matelas pour réduire le risque de mort subite (voir encadré, à droite).

Si vous optez pour un lit à barreaux, la hauteur intérieure doit être d'au moins 60 cm quand le sommier est en position basse et les barreaux doivent être espacés de 6 cm (voir p. 113). Le matelas peut être en mousse, en fibres naturelles ou creuses et il doit s'adapter parfaitement au berceau sans aucun espace sur les côtés. L'enveloppe du matelas doit être facile à nettoyer. Vous pouvez mettre un moïse dans le lit à barreaux tant que votre bébé est petit, le passage au lit plus grand en sera ainsi facilité.

La literie Vous avez besoin de deux ou trois alaises, de trois draps-housses, de trois draps et de deux ou trois couvertures. Des draps et couvertures en coton fin sont plus pratiques, car vous pouvez en ajouter (et en retirer) en fonction de la température. Les couettes et oreillers sont à éviter avant un an.

Quelle température ? Il est important que la température de la chambre de votre bébé reste fraîche. Son sommeil sera meilleur et le risque d'hyperthermie très réduit – un des facteurs supposés de mort subite du nourrisson. La température idéale se situe entre 16 et 20 °C. En général, si la pièce est à 18 °C, votre bébé a besoin d'un drap et de deux couvertures ou d'une gigoteuse demi-saison. Plus la chambre est chaude, plus le nombre d'épaisseurs diminue.

Rituels De nombreux bébés se sentent plus en sécurité lorsqu'ils dorment toujours au même endroit (pour la sieste comme pour la nuit). En créant un environnement familier que votre bébé associe au sommeil, vous l'aidez à dormir plus facilement et plus longtemps. Aménagez un espace sombre, au calme et sans distractions destiné au sommeil de votre bébé ou transportez son lit pour pouvoir le surveiller quand il dort dans la journée. Choisissez le bon moment pour coucher votre enfant ; s'il s'endort avant le repas, la faim risque de le réveiller rapidement de même si sa couche est sale ou si vous attendez de la visite, le bruit risquant d'interrompre son sommeil.

Certaines mamans préfèrent réserver le lit « classique » pour la nuit et utilisent un moïse, un landau ou une poussette pour la sieste. Cette méthode permet d'aider votre bébé à faire la différence entre le sommeil de jour (plus court) et celui de nuit (où vous espérez qu'il dorme au moins quelques heures).

Elle permet également une plus grande souplesse, car votre bébé peut faire sa sieste dans son landau où que vous soyez, chez des amis, à l'épicerie ou encore au parc lorsqu'il fait beau.

MORT SUBITE DU NOURRISSON (MSN)

La mort subite du nourrisson (MSN) est le décès inexpliqué d'un bébé. Elle survient plus fréquemment chez les nourrissons de moins de 4 mois mais peut toucher les bébés jusqu'à 1 an. La cause de la MSN est encore inconnue mais un grand nombre de recherches ont permis d'identifier les facteurs de risque et les mesures à prendre pour la prévenir.

La mort subite du nourrisson est rare, ne gâchez donc pas les premiers mois de votre bébé en vous inquiétant inutilement. Néanmoins, les conseils ci-dessous permettent de réduire le risque autant que possible.

- Couchez votre bébé sur le dos, les pieds contre le fond du lit. Utilisez plusieurs épaisseurs de draps et de couvertures en coton bien bordées. Évitez les couettes, édredons, traversins et oreillers.
- Laissez votre bébé tête nue afin qu'il n'ait pas trop chaud.
- Ne fumez pas pendant la grossesse et ne laissez personne fumer dans la même pièce – ou maison – que votre bébé. Ne vous assoupissez jamais avec votre bébé sur un canapé ou dans un fauteuil.
- Éviter la chaleur excessive en maintenant la température à 18 °C.
- Ne laissez jamais votre bébé s'endormir avec une bouillotte ou une couverture chauffante, à côté d'un radiateur, d'une cheminée ou en plein soleil.

Sommeil sûr Pour réduire le risque de MSN, votre bébé doit dormir sur le dos, les pieds au fond du lit.

- Évitez de dormir avec votre bébé s'il est prématuré (né avant 37 semaines) ou s'il pesait moins de 2,5 kg à la naissance.
- Ne partagez pas votre lit avec votre bébé si vous êtes fumeur, très fatigué, si vous avez récemment bu de l'alcool ou pris des médicaments qui font dormir.
- L'allaitement maternel réduit le risque de mort subite.
- Une tétine peut réduire de moitié le risque de mort subite. Mais ne l'utilisez pas chez un bébé nourri au sein de moins de 4 semaines et donnez-la-lui uniquement lorsqu'il va dormir.

Tout sur les couches

Votre bébé portera des couches pendant au moins deux ans, choisissez donc celles qui correspondent à votre mode de vie.

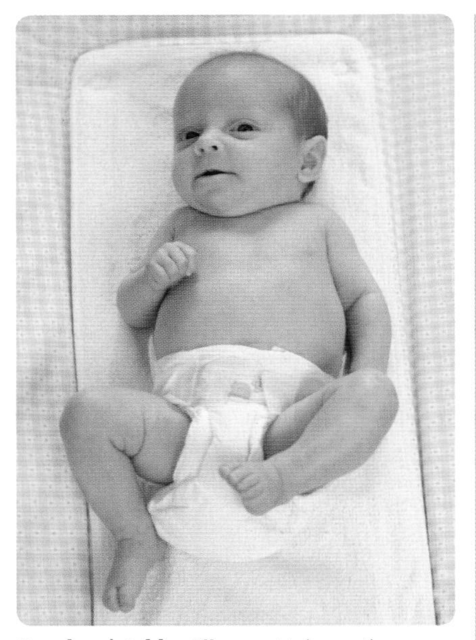

Couches jetables Elles sont très pratiques mais chères.

Il existe deux types de couches : les jetables et les lavables, chacun ayant ses avantages et ses inconvénients. De nombreux parents choisissent d'utiliser les deux : les jetables lorsqu'ils sortent ou sont en vacances, et parfois la nuit, parce qu'elles sont plus absorbantes, puis les lavables le reste du temps. Adoptez un système qui vous convient. Il est inutile d'essayer vertueusement de respecter l'environnement si vous êtes débordée et que vous finissez par utiliser une sécheuse peu « écologique » pour venir à bout de votre pile de lavage.

Si votre bébé est facilement irrité, il est préférable d'utiliser des couches jetables. Si votre budget est serré et que votre sens de l'organisation est légendaire, essayez les couches lavables. Il n'y a aucune solution parfaite. Tout est question d'équilibre et de commodité.

OÙ LE CHANGER ?

Même si vous avez aménagé une table à langer dans la chambre de votre bébé avec beaucoup de soin, ce n'est pas toujours pratique. Les bébés ont souvent besoin d'être changés sans attendre, au milieu d'une tétée ou lorsqu'un bruit caractéristique vous en signale l'urgence ! Il est utile d'avoir un sac à couches à portée de main ou d'installer de petits coins à langer dans les pièces où vous envisagez de nourrir votre bébé, à côté de son lit et là où vous jouez avec lui.

Remplissez un sac avec des couches, des lingettes, de la crème, des sacs à couches, des habits de rechange au cas où la couche a débordé et un matelas à langer pliant. Vérifiez les paniers chaque soir afin qu'ils restent propres et garnis !

Table à langer Une table à langer est idéale pour changer quotidiennement votre bébé à son réveil et au coucher.

Couches jetables Elles sont incontestablement plus pratiques, entraînent moins d'irritation et de fuites et le nombre de changes est réduit. Cependant, elles sont bien plus chères, produisent beaucoup de déchets et doivent être éliminées correctement. La majorité d'entre elles contiennent des produits chimiques.

De sa naissance à l'apprentissage de la propreté, votre bébé utilisera environ 5000 couches jetables, ce qui n'est pas sans conséquence sur l'environnement. Adoptez des couches sans agents blanchissants, source importante de pollution au cours de la fabrication et de la décomposition.

Les couches les plus respectueuses de votre bébé et de l'environnement sont celles qui ne contiennent aucun gel, parfum, colorant ni caoutchouc. Celles qui sont biodégradables à 50 % au moins réduisent le problème de l'enfouissement des déchets et celles qui utilisent des ressources renouvelables (la cellulose provenant d'arbres cultivés de façon durable) sont également plus écologiques.

Si vous choisissez les couches jetables, vous aurez besoin de 8 à 12 couches par jour, n'oubliez pas de faire des stocks ! Demandez à l'infirmière d'évaluer la taille et le poids probables de votre bébé afin de ne pas acheter un grand nombre de couches qui seront vite trop petites.

Achetez d'abord un ou deux paquets de couches « naissance », puis surveillez votre bébé pour savoir quand vous devrez passer à la taille au-dessus. Certaines couches sont échancrées pour éviter le frottement sur le cordon ombilical. La plupart des parents achètent des sacs à couches (biodégradables) pour jeter les couches à la maison et à l'extérieur. (Voir également « Comment mettre une couche jetable », p. 44.)

COMMENT…

Mettre une couche lavable

Les couches carrées en coton ou en éponge que l'on pliait et attachait avec une épingle, ce qui n'était pas facile avec un petit bébé pleurnicheur, ont disparu. Les couches lavables d'aujourd'hui existent dans différents styles et différentes couleurs et sont souvent équipées de pressions ou de Velcro efficaces et faciles à mettre.

Réservez un lieu propre et sec dans une pièce chaude pour changer votre bébé – idéalement sur une table à langer – et rassemblez tout ce dont vous avez besoin : une couche propre, de la ouate et de l'eau ou des lingettes, un seau ou un sac à couches pour la couche sale et de la crème protectrice si votre bébé est sujet aux irritations.

Si vous utilisez un insert jetable, mettez le sale dans les toilettes après avoir retiré la couche ; si vous utilisez un insert lavable, vous devrez secouer ou rincer les selles avant de le mettre dans le seau. Lorsque vous mettez la couche propre, ajustez-la suffisamment mais ne la serrez pas trop pour ne pas pincer la peau.

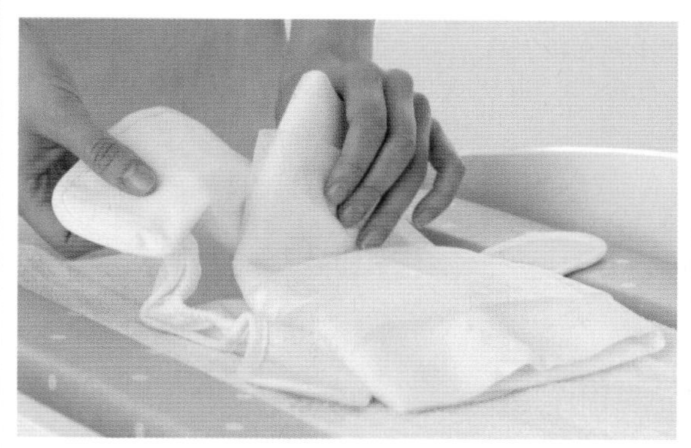

Préparez la couche Mettez la couche sur le matelas à langer et placez l'insert sur le dessus. Mettez-la de côté pendant que vous retirez la couche sale.

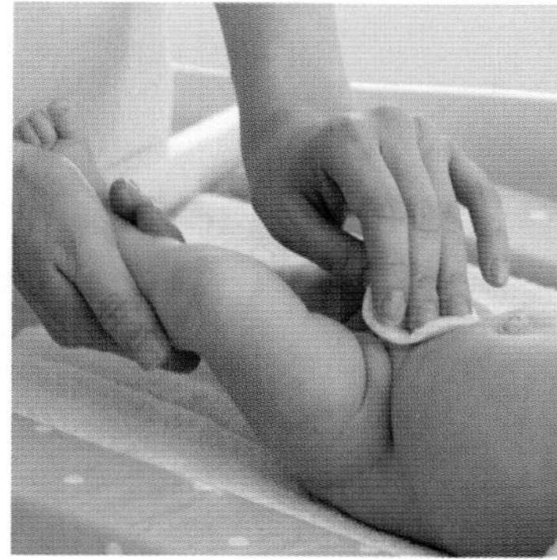

Nettoyez votre bébé Frottez soigneusement le siège avec de la ouate et de l'eau ou une lingette.

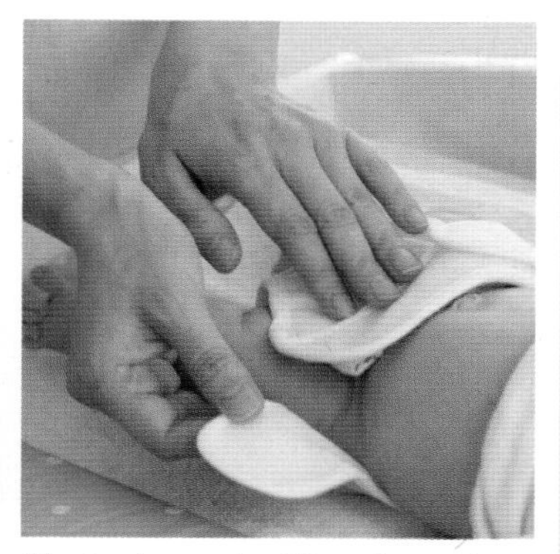

Ajustez la couche Glissez la couche sous votre bébé, rabattez la culotte extérieure et attachez les Velcro.

Couches lavables Respectueuses de l'environnement, ces couches en coton ou en chanvre produisent peu de déchets et consomment moins de matières premières pour leur fabrication. Offrant un confort indéniable aux fesses, elles permettent à la peau de votre bébé d'être au contact de fibres douces et naturelles. Néanmoins, les couches lavables consomment beaucoup d'eau et de détergents. L'entretien des couches prend du temps, donc utilisez-les si vous pouvez vous faire aider pour les lavages afin de ne pas vous retrouver submergée et à court de couches. Avec ce type de couches, votre bébé doit également être changé plus souvent, car celles-ci sont moins absorbantes.

Il existe deux principaux types de couches lavables. Les couches classiques comportent un insert intérieur et une culotte. L'insert intérieur peut être un lange classique qui nécessite des épingles ou des pinces, un rectangle préplié (qui doit également être attaché) ou une couche préformée. Par-dessus, vous placez une culotte conçue pour éviter les fuites. Il peut s'agir d'une culotte à remonter ou d'un modèle ressemblant aux couches jetables (généralement à Velcro).

Les couches tout-en-un (TE1) associent un insert intérieur cousu à une culotte imperméable. Elles ressemblent aux couches jetables. Certaines mamans les trouvent difficiles à laver et à faire sécher. De plus, elles ont tendance à fuir. Vous avez également besoin d'inserts jetables. Ce sont des voiles de protection qui établissent une barrière entre le tissu et la peau de votre bébé et retiennent les selles.

Pour améliorer l'absorption la nuit, vous pouvez utiliser des couches droites. Si vous choisissez les langes, n'oubliez pas les pinces. Le modèle auto-agrippant est une excellente solution pour remplacer les épingles, il est plus facile à attacher mais surtout évite les piqûres accidentelles. Enfin, vous avez besoin d'un grand seau muni d'un couvercle pour stocker les couches sales et d'un sac à couches en plastique quand vous êtes en déplacement.

Il existe plusieurs tailles de couches lavables en fonction du poids de votre bébé. Achetez environ 20 inserts et 3 ou 4 culottes pour commencer. N'en achetez pas trop, car votre bébé va grandir plus vite que vous ne le pensez.

À l'inverse, vous n'apprécierez pas de vous retrouver avec une seule couche propre et une pile de couches sales ! Bien qu'elles nécessitent un investissement important à chaque changement de taille, les couches lavables sont plus économiques à long terme.

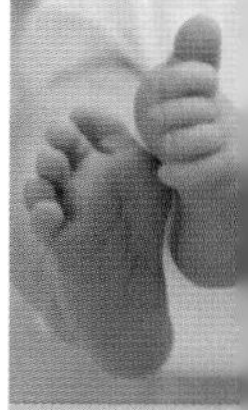

Matériel de base

Bien que la multitude d'articles vendus dans le commerce vous suggère le contraire, vous aurez besoin de peu de matériel.

Les repas

L'allaitement maternel ne requiert aucun matériel pour commencer ; néanmoins, quelques articles amélioreront votre confort et seront nécessaires pour tirer le lait (voir p. 28). D'autres sont incontournables pour allaiter au biberon.

Allaitement au sein

- 3 ou 4 soutiens-gorge d'allaitement de bonne qualité que vous pouvez ouvrir d'une main.
- Des coussinets contre les fuites.
- Des coupelles pour recueillir les fuites.
- Une crème contre les crevasses à base de lanoline que vous n'aurez pas à nettoyer pour la tétée.
- Un tire-lait, si vous souhaitez tirer votre lait et 2 ou 3 biberons (avec tétines et capuchons) pour le stocker. Vous pouvez en acheter plus si vous voulez congeler du lait en prévision de la reprise du travail.
- Un coussin d'allaitement pour plus de confort lors des longues tétées.

Allaitement au biberon

- 6 à 8 biberons ; prenez des petits biberons pour les nouveau-nés et pour les bébés qui prennent peu de lait par tétée.
- Des capuchons et des tétines.
- Une brosse.
- Un chauffe-biberon – pour pouvoir faire tiédir rapidement l'eau du biberon.

Dans la chambre

- Un moïse ou un berceau conforme à toutes les normes de sécurité. Ils seront vite trop petits, si votre budget est serré, faites-les-vous prêter et achetez directement un lit à barreaux.
- Un lit à barreaux, mais si vous utilisez d'abord un lit plus petit, cet achat peut attendre quelques mois.
- La literie (voir p. 31).
- Une table à langer. Toute surface dure à hauteur des hanches, y compris le dessus d'une commode, convient tout à fait. Si vous en achetez une, prenez-la avec un rebord pour éviter à votre bébé de tomber.
- Un matelas à langer – choisissez-en un confortable et facile à laver ; vous pouvez en acheter plusieurs pliants pour vos petits coins à langer.
- Un écoute-bébé ; à deux canaux, c'est idéal pour l'entendre et lui parler !
- Des couches et autres articles pour changer votre bébé (voir p. 32).
- Un transat, qui peut être déplacé de pièce en pièce.
- Une veilleuse, pour favoriser les tétées nocturnes, ou une lampe qui éclaire assez la pièce pour vous permettre de voir votre bébé mais qui ne le réveille pas complètement.
- Une commode ou des paniers de rangement.
- Un seau à couches (lavables) ou une poubelle à couches (jetables) – de préférence avec un couvercle !

Langes Il est indispensable d'en avoir quelques-uns pour protéger vos vêtements des régurgitations.

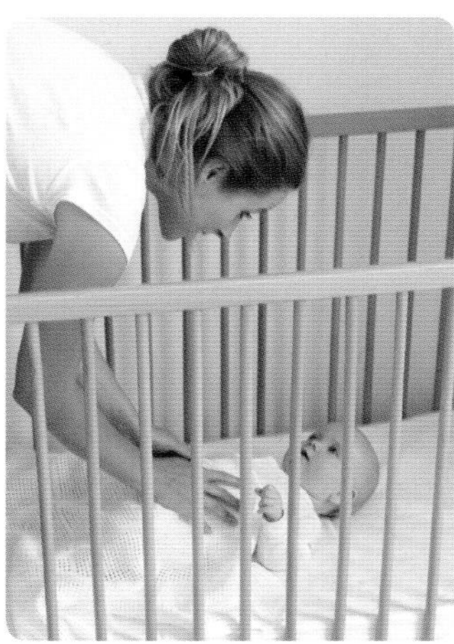

Lit C'est le meuble le plus important que vous achèterez. Il doit être sûr, confortable et solide.

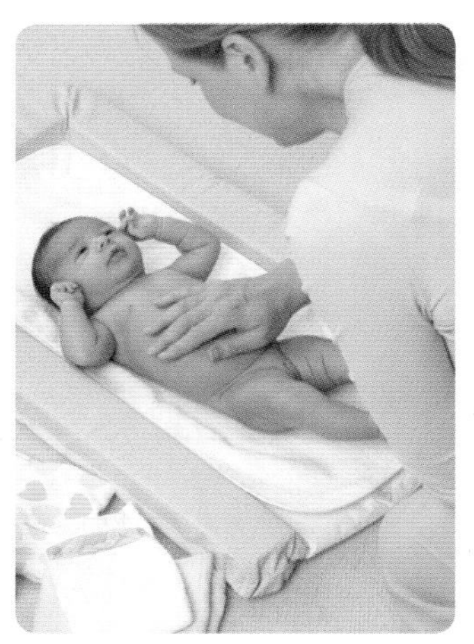

Matelas à langer Installez-en quelques-uns dans la maison et laissez-en au moins un pliant dans votre sac à couches.

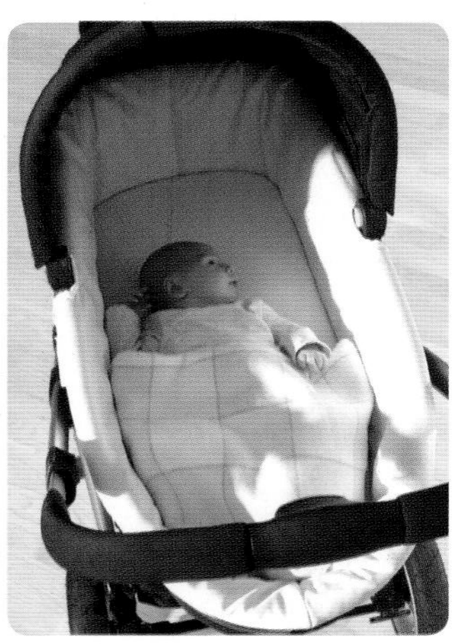

Sieste en extérieur Un landau est tout à fait adapté pour les siestes de votre bébé lorsque vous envisagez de sortir.

En balade

- Un siège d'auto adapté à l'âge de votre bébé, avec un harnais facile à fixer. Pour des raisons de sécurité, il est déconseillé d'utiliser des sièges d'occasion. Votre siège d'auto peut faire partie d'un combiné qui comprend une poussette et un landau à fixer sur une base unique.
- Un porte-bébé pour transporter votre bébé ou le calmer en gardant les mains libres. Choisissez-en un avec des bretelles larges pour ménager votre dos et, si le papa envisage de l'utiliser, essayez-le tous les deux.
- Un landau ou une poussette. Les bébés doivent être couchés à plat ; un landau classique offre un environnement parfaitement sécurisé. La plupart des poussettes peuvent être allongées, et donc utilisées dès la naissance ; vous pourrez relever le siège lorsque votre bébé tiendra assis. Optez pour une poussette équipée d'un harnais à cinq points et d'un double système de verrouillage du mécanisme de pliage. Elle doit être facile à plier, conforme à votre taille et à votre mode de vie. Si vous faites plus souvent du magasinage que du sport, l'encombrement sera plus important qu'une suspension renforcée. La première poussette de votre bébé doit être orientée face à vous.
- Un sac à couches. Idéal pour transporter tout le nécessaire de votre bébé lorsque vous sortez ; certains sont équipés d'un matelas à langer amovible. Les nombreuses poches vous permettent de séparer les biberons des couches et des vêtements propres.

La toilette

- Lingettes – choisissez des lingettes à l'eau, sans parfum ni produit chimique.
- Petites serviettes fines pour atteindre le fond des petits plis ou tampons d'ouate (les boules de ouate laissent parfois de la cellulose irritante pour la peau).
- Un produit deux-en-un cheveux et corps conçu pour les bébés. Vous en utiliserez très peu, l'achat d'un bon produit naturel vaut donc la peine.

Transat Ces sièges permettent au bébé de voir son environnement et leur léger balancement est rassurant.

- Des langes, avec lesquels vous essuyez les régurgitations et protégez vos vêtements quand vous nourrissez votre bébé et que vous lui faites faire son rot.
- Des bavettes lavables faciles à attacher. Ils sont utiles pour protéger les vêtements de votre bébé lorsque vous le nourrissez.
- Une baignoire de bébé – mais ce n'est pas indispensable. Il est tout à fait possible de laver votre bébé dans une baignoire normale ou dans l'évier de la cuisine. Achetez un tapis antidérapant si vous utilisez la baignoire et tapissez l'évier d'un vieux drap pour le confort de votre enfant. Si vous achetez une baignoire, choisissez-la solide, facile à remplir et à vidanger.
- Un thermomètre, si vous n'êtes pas sûre de savoir évaluer la température de l'eau du bain.
- 2 à 4 sorties de bain qui garderont au chaud et au sec la tête de votre bébé pendant que vous le séchez. Vous en utiliserez probablement deux si vous vous baignez avec lui (voir p. 57) et les autres peuvent être au linge sale !
- Une bassine pour la petite toilette (voir p. 45).

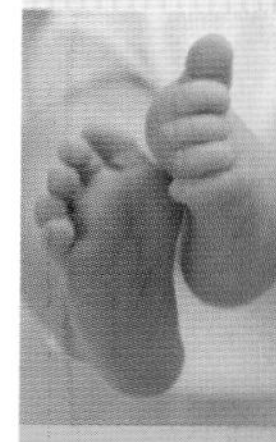

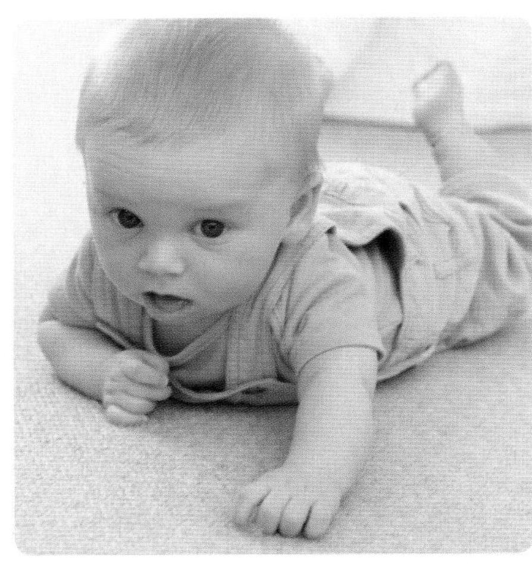

La première année de votre bébé file à toute allure et pourtant, chaque jour est une nouvelle aventure, ponctuée de joies et de larmes, de progrès incroyables et d'erreurs surprenantes. Il y a tant à apprendre ! Ce chapitre vous accompagnera jour après jour, soulignant les moments forts et les embûches que vous êtes susceptible de rencontrer sur le chemin. Du moment où votre bébé ne fera que manger et dormir à celui où il marchera à quatre pattes et communiquera avec vous, voici un éclairage original et perspicace sur les 12 premiers mois que vous n'oublierez pas (tout en restant un parent serein).

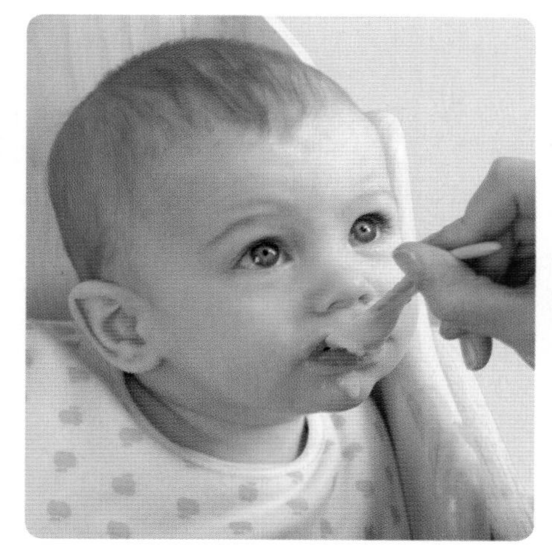

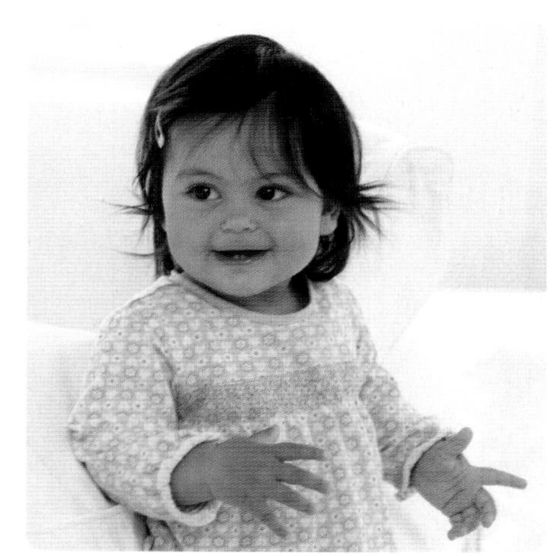

Votre bébé jour après jour

Votre bébé de 0 à 3 mois

SEMAINE 1 2 3 4 5 6 7 8 9 10 11 12 13 14 15 16 17 18 19 20 21 22 23 24 25 26

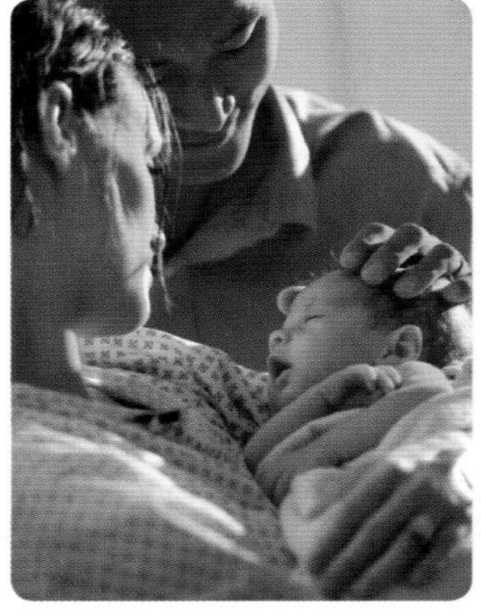

Nouveau-né sans défense Votre enfant est totalement dépendant, mais il reconnaît votre parfum et votre voix.

Soutien de la tête Un nouveau-né est incapable de tenir sa tête. Vous devrez soutenir sa tête et son cou délicatement pendant les premiers mois.

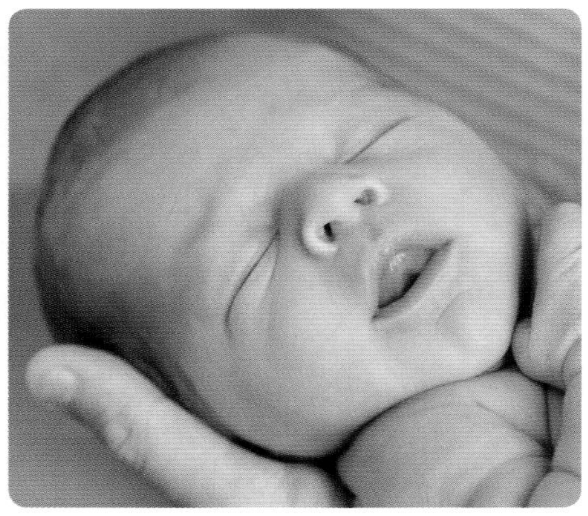

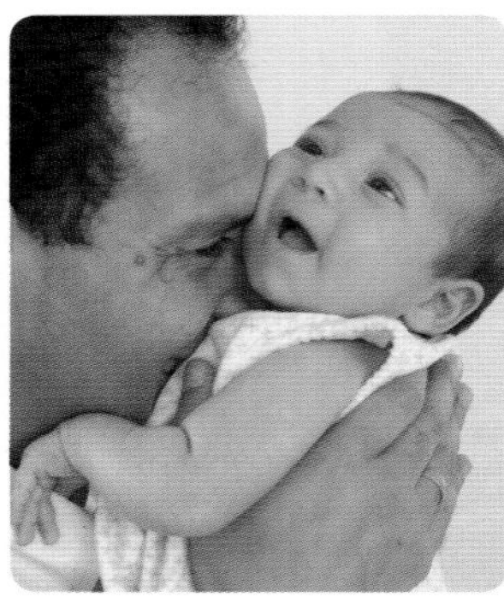

Tétées fréquentes Les bébés tètent beaucoup – l'allaitement à la demande stimule votre production de lait.

Contact physique Tenir et toucher votre bébé le sécurise et favorise son développement émotionnel.

Le saviez-vous ? Vers la fin du premier mois, la plupart des bébés sont réveillés 2 à 3 heures par jour.

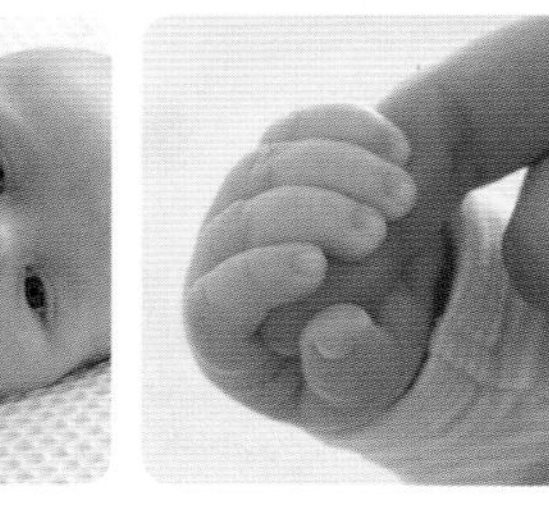

Réflexes intégrés Votre bébé naît avec des réflexes de survie. Les réflexes de fouissement, d'agrippement et de reptation sont présentés ici, mais il en existe beaucoup d'autres. Certains de ces réflexes disparaissent après les 3 premiers mois.

Vision trouble Votre bébé voit flou les premiers temps, mais il distingue votre visage à moins de 30 cm. Vers 6 semaines, il peut voir jusqu'à 60 cm.

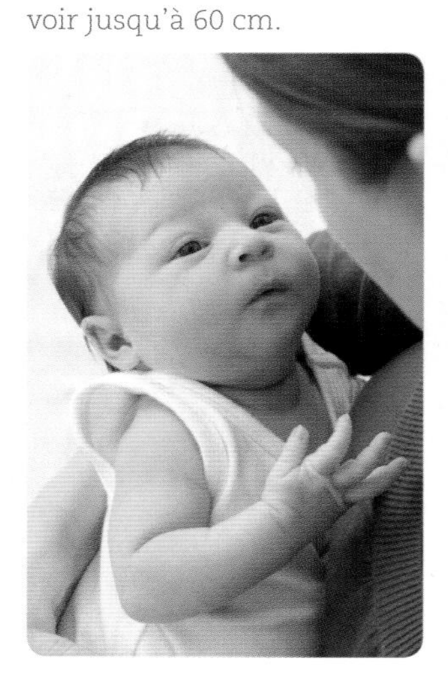

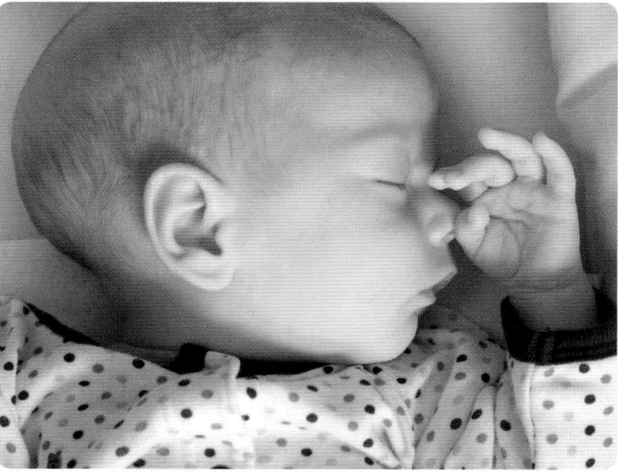

Le dormeur Au début, votre bébé dort 18 heures par jour puis 15 heures vers 3 mois. Il est cependant peu probable qu'il fasse déjà ses nuits.

Du nouveau-né sans défense au bébé souriant avec sa personnalité, le développement de votre bébé est stupéfiant.

Premier sourire En général, les bébés font leur premier vrai sourire entre 6 et 8 semaines, quand les muscles du visage se sont développés.

Tête haute Vers 8 semaines, votre bébé est capable de lever brièvement la tête – et parfois de la tourner – lorsqu'il est couché sur le ventre.

Le gazouilleur Votre bébé commence à produire ses premiers sons vocaliques comme « ooh-ooh » et « ah-ah ». Il ajoute parfois des consonnes : « a-reu ».

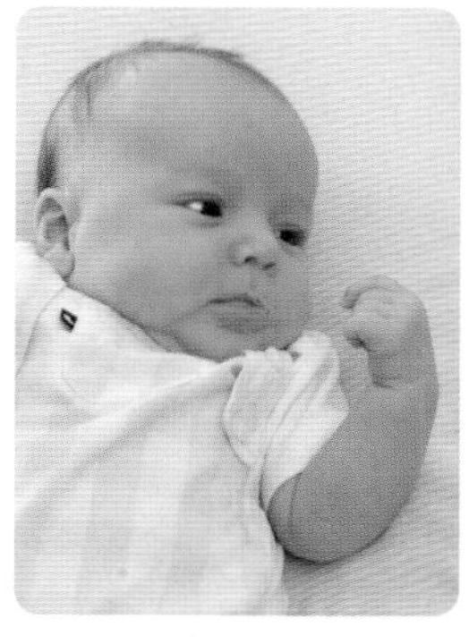

Découverte des mains Vers 2 mois, votre bébé découvre ses mains mais il ne réalise pas encore qu'elles sont à lui.

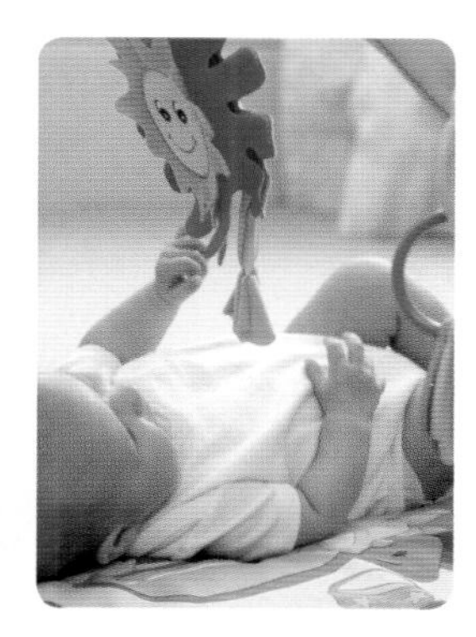

Main tendue Lorsqu'il a découvert ses mains, votre bébé commence à taper sur les objets à sa portée.

Le saviez-vous? À trois mois, les bébés sont souvent capables de lever la tête à 90° lorsqu'ils sont couchés sur le ventre.

Expressions Le visage de votre enfant de 2 à 3 mois exprime maintenant ce qu'il ressent, s'il est fatigué ou s'il a faim.

Prise en main Vers le troisième mois, votre bébé a une meilleure maîtrise de ses gestes. Il peut attraper un hochet assez solidement pour le secouer.

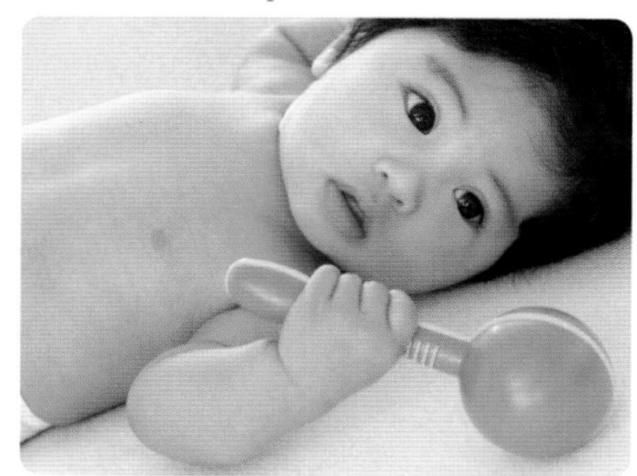

Les 7 premiers jours

CERTAINS BÉBÉS NAISSENT TRÈS CHEVELUS ET D'AUTRES PRESQUE CHAUVES

Le contact peau à peau avec votre bébé immédiatement après la naissance et dans les semaines et les mois qui suivent favorise les liens. Il stabilise aussi sa fréquence cardiaque et respiratoire et contribue au maintien de sa température corporelle.

Après l'accouchement

Pendant que vous admirez votre nouveau-né, le médecin ou l'infirmière vérifient que tout va bien.

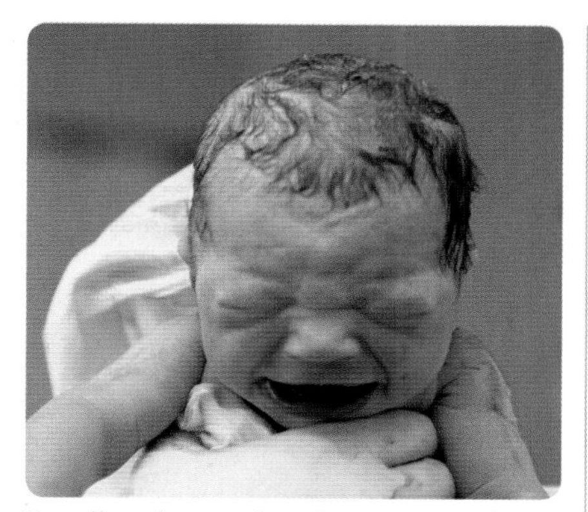

Premières impressions Les nouveau-nés ont souvent l'air fripés, mais cela disparaît en 1 ou 2 jours.

Après 9 longs mois de grossesse, vous pouvez enfin tenir votre bébé dans vos bras. Vous êtes submergée par différentes émotions : épuisée, vous passez des larmes à la joie, tout en ressentant fierté et amour intense. Vous êtes aussi craintive à l'idée de vous occuper de ce petit être fragile et anxieuse au sujet de sa santé et de son bien-être. La grossesse et l'accouchement sont des épreuves aussi physiques qu'émotionnelles et vous aurez besoin de temps pour vous en remettre. Les six semaines suivant l'accouchement sont une phase de convalescence.

L'aspect de votre bébé Ne soyez pas surprise si votre nouveau-né ne ressemble en rien à ce que vous aviez imaginé. Il est couvert de sang et d'une substance blanche et grasse, le vernix, qui protégeait sa peau dans le liquide amniotique. S'il a émis des selles au cours du travail, sa peau, ses cheveux et ses ongles peuvent être teintés d'une substance noire semblable à du goudron et appelée méconium. Les bébés prématurés sont également recouverts d'un duvet fin (le lanugo).

En raison d'une sécrétion d'hormones femelles à partir du placenta juste avant la naissance, de nombreux bébés, filles et garçons, ont la poitrine et/ou les organes génitaux gonflés. La tête de votre bébé est allongée, car son squelette se modifie pour passer le canal pelvien. Son nez est aplati et ses paupières gonflées ou même fermées. Si vous voyez ses yeux, ils sont bleus ou gris. Tous les nouveau-nés ont les yeux bleus, plus ou moins clairs en fonction de leur origine ethnique. La couleur définitive de l'iris apparaîtra entre 6 mois et 3 ans.

De nombreux nouveau-nés ont des taches de naissance sur les sourcils ou la nuque, et parfois des taches ardoise, d'origine ethnique. Ces taches sont de formes, de couleurs et de textures multiples.

LE SCORE D'APGAR

La respiration, la fréquence cardiaque, le tonus, la coloration et la réactivité du bébé sont testés 1 minute puis 5 minutes, voire 10 minutes, après la naissance : il s'agit du score d'Apgar. Chacun de ces indicateurs est coté de 0 à 2 et ces notes sont additionnées pour obtenir le score d'Apgar de votre bébé.

Un score de 7 ou plus à 1 minute est normal. Un score inférieur à 7 indique que le nouveau-né a besoin d'être pris en charge. De nombreux bébés ont besoin d'un peu d'aide pour respirer et réagir au monde extérieur. Ils sont pris en charge par les infirmières ou les médecins.

COMMENT...

Tétée de bienvenue

Même si vous n'envisagez pas d'allaiter votre enfant au sein, donnez-lui une première tétée dans l'heure qui suit la naissance pour qu'il reçoive du colostrum, concentré de nutriments, d'anticorps et d'autres éléments bénéfiques (voir p. 27). Ces derniers lui permettront de résister aux bactéries et aux virus. Cela réduit également le risque d'hémorragie importante et entraîne des contractions légères qui favorisent la rétraction de l'utérus.

L'infirmière vous aidera à adopter la bonne position pour allaiter pendant que votre bébé cherchera le sein et commencera à téter. Encouragez-le en l'allongeant à côté de vous. Votre nouveau-né doit ouvrir la bouche en grand et prendre toute l'aréole. C'est ce qu'on appelle la mise au sein (voir p. 27).

Directement au sein La tétée de bienvenue offre des avantages pour la santé de la mère et de l'enfant.

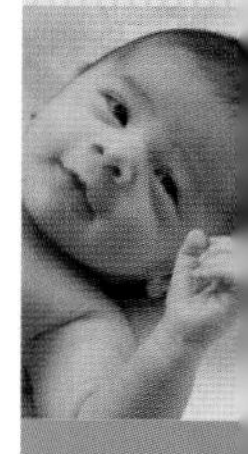

Votre nouveau-né et vous

Tandis que votre bébé s'acclimate à son nouvel environnement, le médecin ou l'infirmière s'assurent que vous récupérez bien.

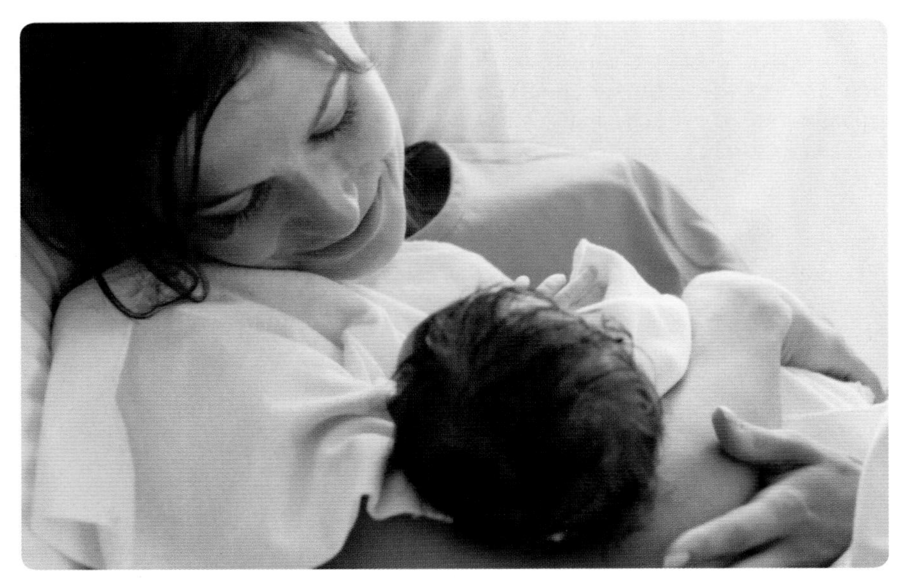

Les premières heures Vous pouvez à présent prendre le temps de faire connaissance avec votre nouveau-né, de l'admirer et de tisser des liens en le prenant dans vos bras.

Après l'effort de l'accouchement, vous sentant probablement sale et en sueur, vous rêvez d'une douche. Vous avez également besoin d'aller aux toilettes. L'urine risque de vous brûler la première fois, notamment si vous avez des points de suture. Pour atténuer la douleur, versez de l'eau tiède pendant que vous urinez.

Votre corps après l'accouchement C'est le moment pour vous de reprendre des forces; une boisson et une collation vous feront du bien.

L'infirmière vérifie votre pouls et votre pression artérielle pour s'assurer qu'ils sont normaux. Elle palpe doucement votre utérus pour voir s'il se rétracte, regarde si les pertes de sang ne sont pas excessives et examine votre périnée pour vérifier que des coupures ou des déchirures ne nécessitent pas de points. Elle prend également votre température. Une légère élévation après la naissance est normale, mais si elle persiste ou qu'elle s'élève, elle peut révéler une infection.

Vous subirez une analyse d'urine pour vérifier que vos reins fonctionnent correctement et on vous demandera si vous avez uriné. Les pertes sanguines vaginales (lochies) sont normales après la naissance. Les saignements sont habituellement plus épais que pendant les règles et il est fréquent de voir des petits caillots les premiers jours. Utilisez des protections hygiéniques «maternité» et non des tampons qui pourraient entraîner des infections.

Votre bébé après la naissance Au cours des 12 premières heures, en plus du score d'Apgar (voir p. 41), un médecin et une infirmière examinent votre bébé. Il s'éveille peu à peu dans les heures qui suivent sa naissance, ouvrant fréquemment les yeux et vous regardant fixement.

Sa tête, qui a généralement l'air d'être disproportionnée par rapport à son corps, peut révéler un bleu sur le cuir chevelu, provoqué par l'accouchement. Ses doigts et ses orteils minuscules ont des ongles et il peut avoir des petits boutons (voir p. 405). Après des mois recroquevillés à l'étroit dans votre ventre, ses bras et ses jambes sont repliés, mais ils se détendront vite. Votre nouveau-né réagit au son de votre voix et présente certains réflexes (voir p. 47). Il peut pleurer, dormir ou simplement observer son nouvel

APRÈS UNE CÉSARIENNE

Une césarienne est une opération importante et vous devez laisser à votre corps le temps de se remettre. Il est normal de trembler, d'être fatiguée, somnolente et nauséeuse ou de pleurer après l'intervention. On vous donnera des médicaments pour calmer la douleur. Si la césarienne n'était pas prévue, n'hésitez pas à en demander la raison à votre médecin. Votre organisme est affaibli par l'intervention. L'infirmière ou le médecin vous montreront comment allaiter confortablement votre bébé, aller aux toilettes, sortir du lit et porter votre enfant sans endommager la cicatrice.

L'équipe soignante vous encouragera à bouger pour prévenir la formation de caillots dans vos jambes. Mais reposez-vous autant que possible.

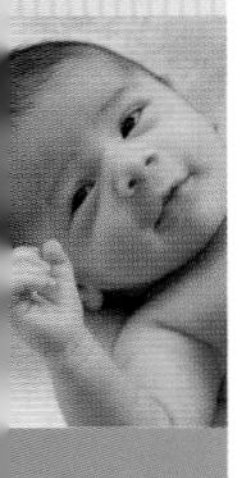

environnement, bien qu'il ne voit encore que très peu au-delà de 30 cm – la distance approximative de votre sein à votre visage lorsque vous le nourrissez. Les bébés nés tardivement ont parfois la peau ridée ou qui pèle (du fait de la faible quantité de vernix restant, la substance qui protège leur peau dans le placenta).

L'heure sacrée L'heure qui suit immédiatement la naissance est une étape importante dans le processus d'attachement entre la mère et l'enfant. Juste après la naissance, les modifications chimiques du cerveau des jeunes mamans intensifient leur désir de s'occuper de leur bébé.

Le fait de tenir le nouveau-né nu, peau à peau, à ce moment, favorise les liens, calme le bébé, augmente sa résistance aux infections et facilite le démarrage de l'allaitement.

Ne vous inquiétez pas si vous manquez ce moment privilégié, notamment si votre bébé doit recevoir des soins médicaux tout de suite après la naissance, évidemment prioritaires. Vous pourrez rattraper le temps perdu plus tard, en adoptant la méthode kangourou (voir p. 54).

Dans votre chambre Si la naissance s'est bien passée, vous rejoindrez votre chambre au bout de 2 ou 3 heures. Après un travail long, difficile ou une césarienne, vous resterez un peu plus longtemps en salle de naissance. Une fois seule avec votre bébé, profitez-en pour mieux faire sa connaissance, c'est forcément le plus beau bébé du monde !

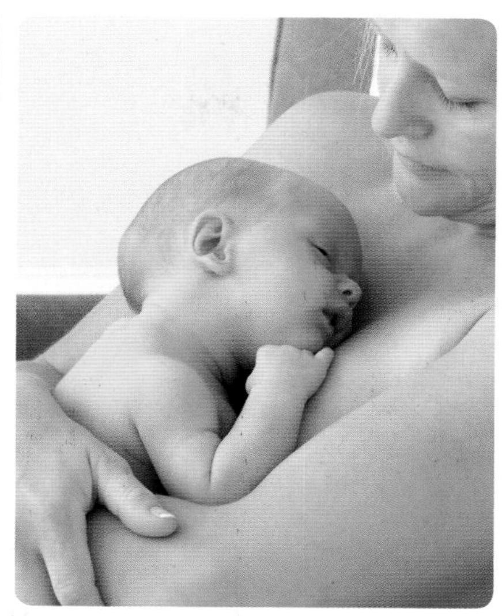

Moment privilégié Le contact de peau à peau est bénéfique pour vous et votre enfant.

EXAMEN DU NOUVEAU-NÉ

Votre bébé est examiné par le pédiatre ou l'infirmière pendant votre séjour à la maternité ou dans les 72 heures qui suivent un accouchement à domicile. Sa taille (du sommet de la tête au talon), son poids et son périmètre crânien sont mesurés. Ces informations sont reportées sur un graphique pour vous montrer où votre nouveau-né se situe par rapport aux autres.

Les battements du cœur de votre bébé ainsi que sa respiration sont contrôlés. Une palpation du ventre vérifie ses organes. L'orifice de l'anus est examiné et, si votre bébé est un garçon, le médecin regarde son pénis et vérifie que ses testicules sont descendus dans le scrotum. Un examen des yeux ainsi qu'un dépistage auditif sont également réalisés. Les réflexes, le tonus et la motricité sont testés et le cordon ombilical est examiné. Si ces tests ne sont pas effectués à la maternité, parlez-en à votre médecin.

Si tout va bien (et c'est en général le cas pour la plupart des bébés), votre enfant sera autorisé à rentrer à la maison. Son prochain examen aura lieu vers l'âge d'un mois (voir p. 94 et 95).

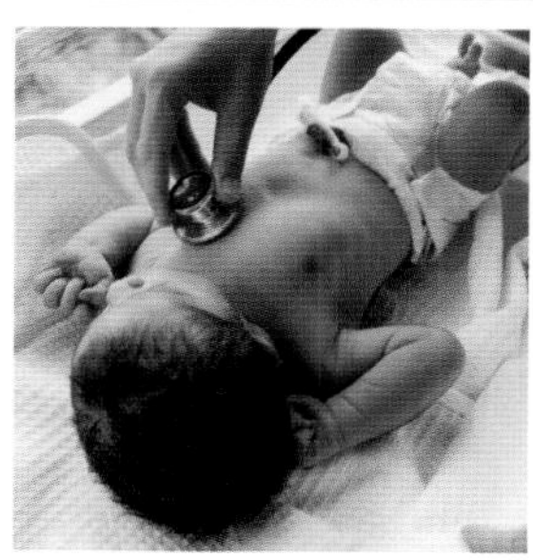

Le cœur et les poumons Avec un stéthoscope, le médecin écoute le cœur et les poumons de votre bébé afin de déceler une anomalie.

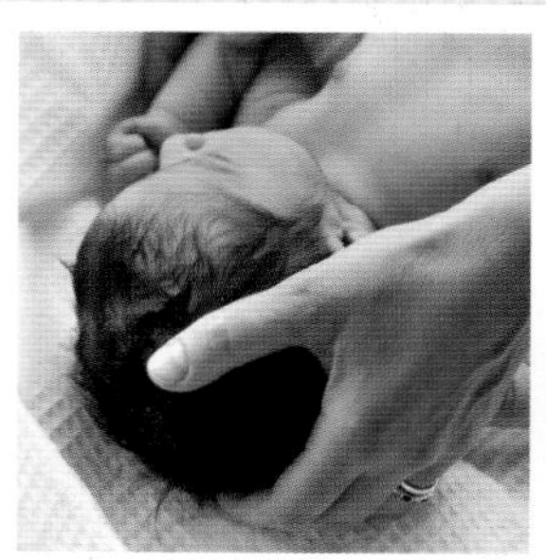

La forme de la tête La tête et les fontanelles (zones souples entre les os du crâne) sont examinées à la recherche d'irrégularités.

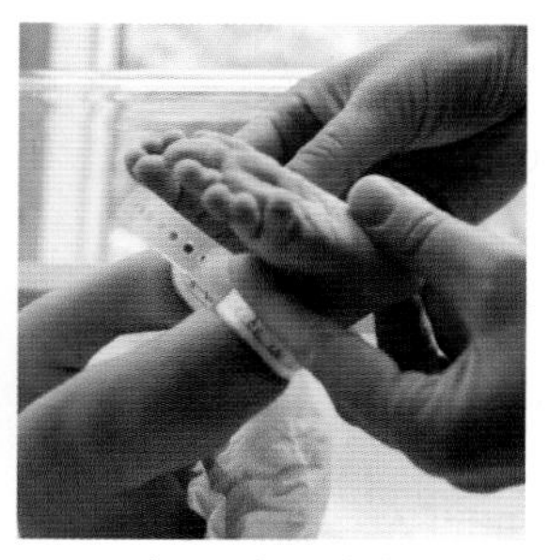

Les mains et les pieds La paume des mains et la plante des pieds sont vérifiées, les doigts et les orteils comptés et les réflexes testés.

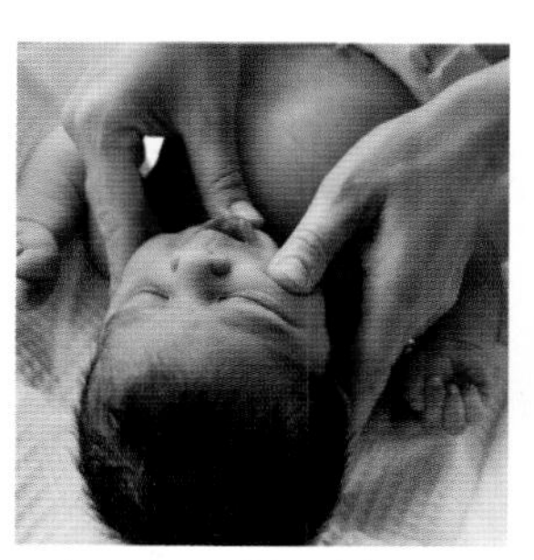

La bouche et le palais La bouche est examinée pour vérifier qu'il n'y a pas de fente palatine et que la langue bouge librement.

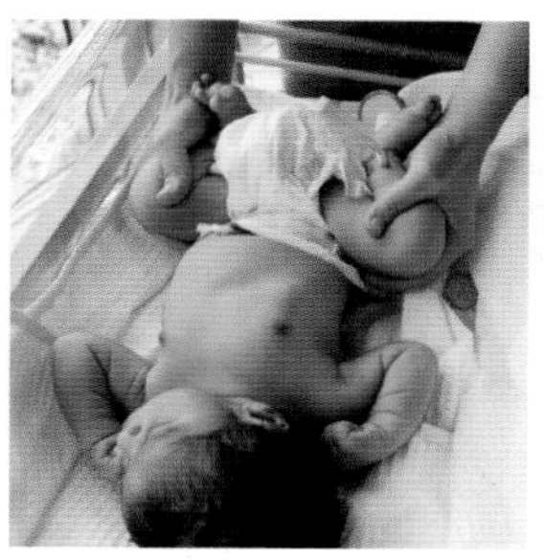

Les hanches Les jambes sont tournées pour vérifier la stabilité des articulations et rechercher un ressaut ou tout risque de luxation.

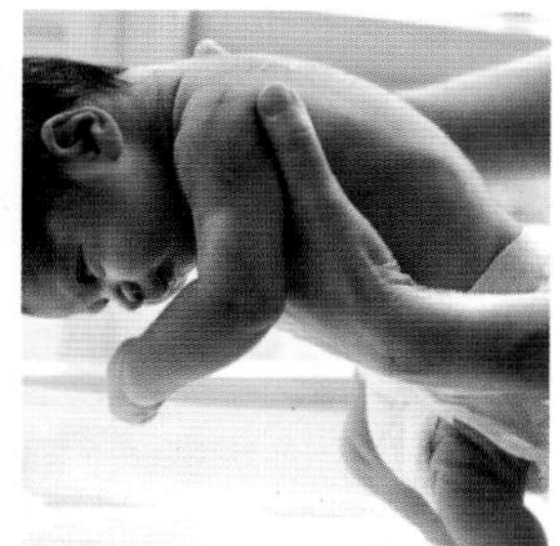

La colonne vertébrale Votre bébé est redressé pour vérifier que sa colonne vertébrale est droite et qu'elle ne présente aucune anomalie.

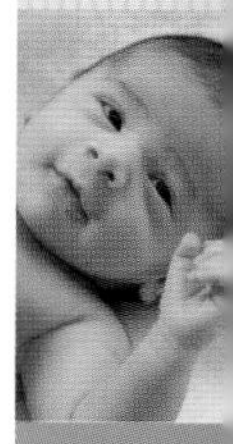

Premiers soins

Au début, vous aurez peut-être du mal à nourrir, changer et calmer votre nouveau-né, mais n'ayez pas peur, vous y arriverez vite.

Se familiariser avec l'allaitement Si vous donnez le sein, ne vous inquiétez pas si les premières tentatives semblent compliquées. Pendant les deux premiers jours, les tétés sont irrégulières, en particulier au cours des premières 24 heures où votre bébé se repose.

Nourrissez-le à la demande et n'espérez pas d'horaires réguliers. Au cours des deux ou trois premiers jours, vos seins vont produire principalement du colostrum. Il s'agit d'un liquide jaune très nourrissant, riche en anticorps et en globules blancs qui permettent de résister aux bactéries et aux virus. Il protège également votre bébé des allergies et dérangements intestinaux et empêche les agressions bactériennes contre le système digestif immature de votre nouveau-né. Vous ne sentirez rien de différent dans vos seins à ce stade parce que la quantité de colostrum nécessaire à votre bébé est très faible – il ne peut pas supporter plus de quelques cuillerées à thé à la fois dans son estomac.

Même si votre nouveau-né n'a pas besoin de beaucoup de lait, laissez-le téter aussi souvent qu'il veut pour stimuler la production du lait « crémeux », plus nourrissant, qui va apparaître dans un jour ou deux. En outre, cela prévient les tensions et l'engorgement des seins qui pourraient survenir à ce moment-là.

Poursuivez le contact peau à peau et encouragez votre bébé à bien prendre le sein, l'allaitement en sera plus confortable pour vous comme pour lui.

Si vous allaitez au biberon, votre enfant aura aussi besoin de téter souvent de petites quantités ; proposez-lui un biberon toutes les 2 ou 3 heures. Laissez-le téter le temps qu'il veut et ne l'obligez pas à finir son biberon.

COMMENT...

Mettre une couche jetable

Il est important de changer régulièrement la couche de votre bébé, car l'urine, associée aux bactéries des selles, va irriter ses fesses. Le changement des couches demande une certaine pratique, mais vous maîtriserez bien vite la façon de les ajuster (surtout après quelques fuites).

Commencez par regrouper tout le matériel dont vous avez besoin pour changer rapidement et facilement votre nouveau-né. S'il n'aime pas particulièrement être changé et proteste au contact d'un matelas en plastique froid, mettez une serviette pour qu'il se sente plus à l'aise.

Si votre bébé est une fille, n'oubliez pas de nettoyer ses fesses d'avant en arrière, en s'éloignant du vagin pour minimiser le risque d'infection. Si vous changez un garçon, protégez son pénis avec une compresse propre ou une couche pour ne pas vous faire arroser par surprise !

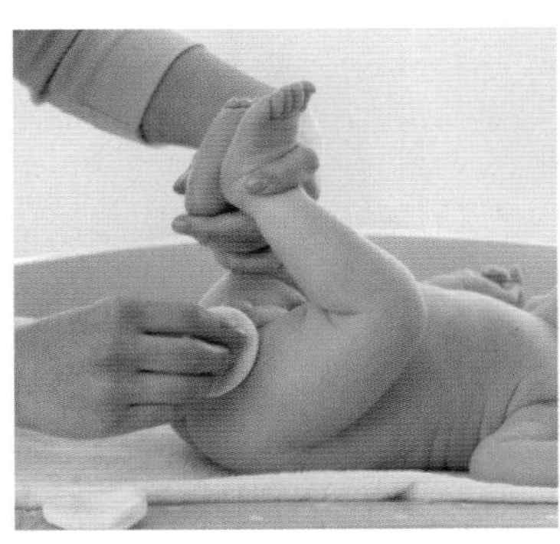

Nettoyer les fesses En le tenant par les chevilles, soulevez ses fesses et nettoyez-les avec une ouate humide.

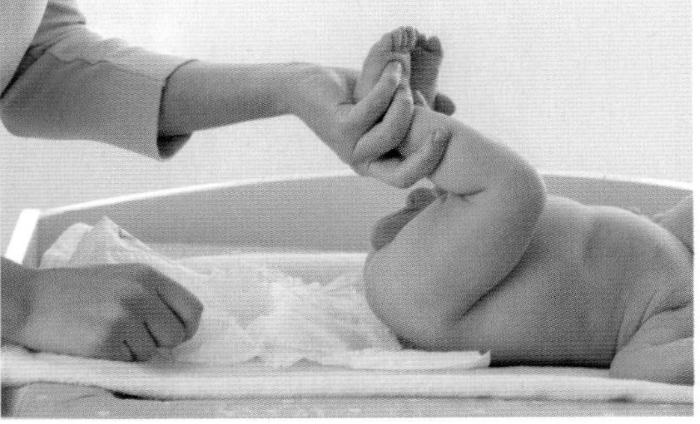

Mettre en place la couche Soulevez votre bébé et glissez la couche ouverte sous ses fesses en positionnant l'arrière de la couche (avec les attaches) au niveau de sa taille.

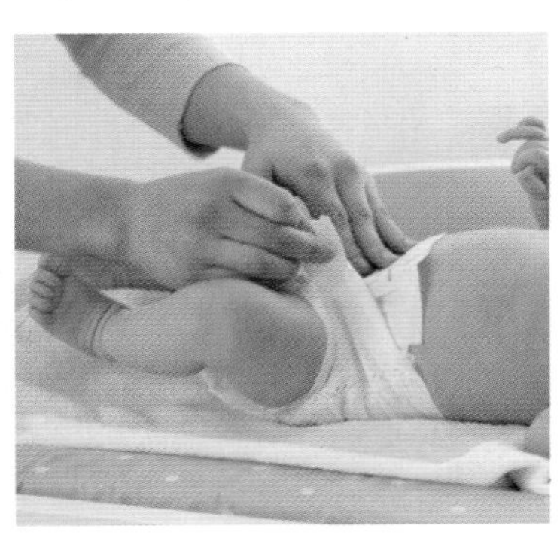

Fermer les attaches Rabattez les attaches vers l'avant. Veuillez à ce que le cordon reste à l'air libre.

COMMENT FAIRE...

La petite toilette

Elle peut remplacer le bain d'un nouveau-né et garder propre un bébé plus âgé entre deux bains. Elle consiste à le nettoyer de la tête aux pieds, en veillant tout particulièrement aux petits plis. Il est important de le faire chaque jour car les poussières, les saletés ou le lait peuvent s'y accumuler et irriter la peau sensible de votre nouveau-né. Elle évite également les infections cutanées.

Rassemblez tout ce dont vous avez besoin avant de commencer : une bassine d'eau tiède, une débarbouillette ou des tampons d'ouate, des compresses stériles pour nettoyer ses yeux, une serviette, une couche propre, du lait ou de la crème hydratante et des vêtements propres.

Sans enlever le cache-couche, nettoyez tout d'abord délicatement le visage, sous le menton, le cou, les mains et les pieds et enfin les fesses. Pour finir, retirez le cache-couche et nettoyez le ventre, en faisant attention au cordon ombilical (voir p. 51), puis sous les bras.

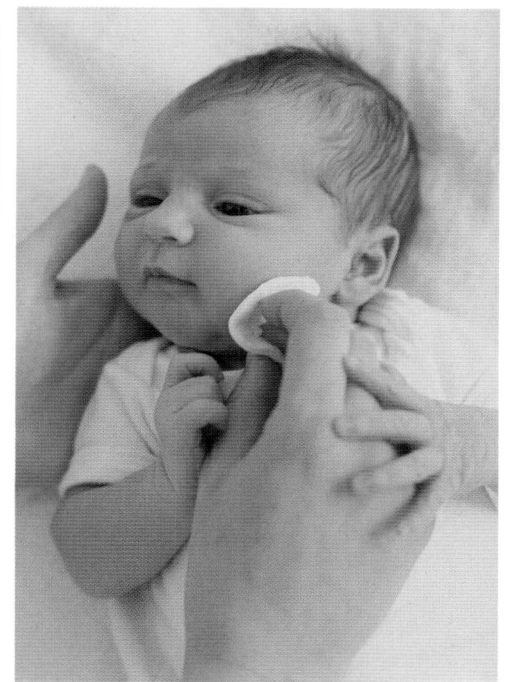

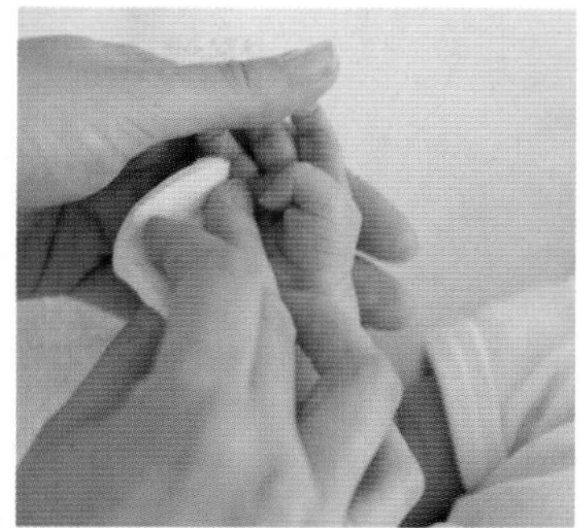

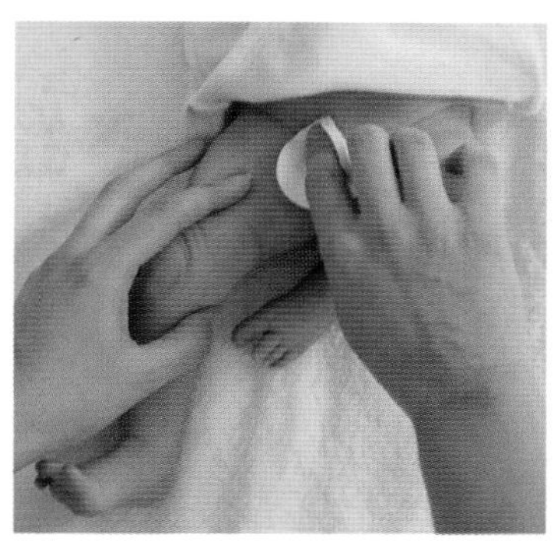

Le visage et le cou Nettoyez le visage et le cou, en utilisant une nouvelle ouate pour chaque œil, ainsi que derrière les oreilles (mais pas l'intérieur) (à gauche). **Les mains et les pieds** Veillez à nettoyer soigneusement entre les doigts et les orteils (en haut, à droite). **Les fesses** Nettoyez les fesses et les plis cutanés en changeant souvent de tampon d'ouate (en bas, à droite).

Les couches Votre nouveau-né a 8 à 10 selles par jour, vous devrez donc changer sa couche 8 à 10 fois par jour pour qu'il soit à l'aise et pour éviter que ses fesses soient irritées (érythème fessier). Les selles surviennent souvent juste après une tétée, mais si ce n'est pas le cas, ne vous inquiétez pas : tant qu'il émet au moins une selle par jour, tout va bien. Les tout premiers jours, votre bébé produira du méconium, une substance noire verdâtre semblable à du goudron qui remplissait ses intestins lorsqu'il était dans l'utérus.

Il est parfois difficile de voir si la couche de votre bébé est mouillée, mais son poids vous l'indique. Si elle est plus lourde qu'une couche propre, cela signifie que votre nouveau-né est bien hydraté.

Rester propre Vous devrez sûrement attendre 24 heures avant de donner le premier bain à votre bébé. En attendant, vous pouvez lui faire une petite toilette (voir l'encadré ci-dessus) en lavant la moitié supérieure de son corps et son siège – qui doit, quant à lui, être nettoyé à chaque change.

Peau à peau Si vous n'avez pas encore eu l'occasion de pratiquer le contact peau à peau, faites-le maintenant que vous avez un peu récupéré de l'accouchement. Il favorisera la mise au sein de votre bébé qui, à son tour, renforcera votre production de lait.

Le meilleur moment pour ce type de contact est la tétée. Si vous donnez le sein, dégagez le haut du vêtement de votre nouveau-né et mettez son ventre contre le vôtre. S'il ne fait pas trop froid, il peut rester en couche. Protégez-le des courants d'air en l'entourant d'une couverture ou d'un drap. Le contact peau à peau semble aplanir les difficultés rencontrées par certaines femmes durant les premiers jours de l'allaitement au sein.

Si vous allaitez au biberon, relevez votre haut pour permettre le contact peau à peau, afin de tisser des liens et d'aider votre bébé à se sentir en sécurité. Le papa peut également adopter cette pratique.

Lorsque votre bébé sera un peu plus grand, vous pourrez vous baigner avec lui pour établir ce contact, en particulier s'il a peur de l'eau. Cette méthode est aussi efficace lorsque votre nouveau-né a du mal à se calmer.

Si vous ne pouvez pas avoir un contact avec votre bébé dès les premières heures, ne vous inquiétez pas, les jours et les semaines que vous passerez ensuite avec lui vous permettront de développer des liens affectifs.

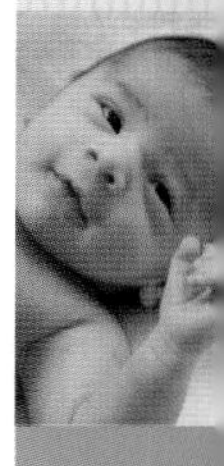

Trouver ses marques

Au début, il peut être déroutant de s'occuper d'un nouveau-né et de comprendre ce qu'il veut. Restez calme et suivez votre instinct.

Si votre accouchement s'est déroulé normalement ou si vous avez accouché à domicile, vous êtes déjà chez vous et vous pouvez présenter à votre bébé son nouvel environnement. Vous préférez garder votre nouveau-né auprès de vous la plupart du temps, d'ailleurs, les experts recommandent de le faire dormir dans votre chambre durant les premières semaines.

S'il est tentant de le prendre tout le temps dans les bras, il important que vous le laissiez aussi afin de vous reposer.

Même un accouchement facile est une épreuve physique et émotionnelle, et vous aurez besoin de temps pour récupérer.

Votre bébé exprime ses besoins et ses émotions en pleurant – il s'agit d'ailleurs de son tout premier langage. Ne vous inquiétez pas si vous avez du mal à décrypter le message que votre nouveau-né veut vous faire passer les premiers temps, grâce à votre instinct, cela viendra vite et vous serez bientôt capable de distinguer ses différents pleurs et de comprendre ainsi ce qu'il veut. Sachez que les premiers jours, il dort beaucoup et se réveille lorsqu'il a faim, ou simplement lorsqu'il veut être pris dans les bras.

Retour à la maison Le séjour à la maternité est de plus en plus court : 2 jours après un accouchement vaginal et 4 jours après une césarienne, si le médecin et la sage-femme jugent que votre enfant et vous-même allez bien et que vous vous en occupez sans problème. En maison de naissance, il dure environ 24 heures. Pour le voyage de retour, installez votre nouveau-né dans un siège d'auto. Il sera rassuré par votre présence à côté de lui à l'arrière. Il est essentiel de disposer dès la sortie de l'hôpital ou de la maison de naissance d'un siège d'auto pour transporter votre bébé de façon sécuritaire. N'hésitez pas à consulter une infirmière qui vous examinera ainsi que votre bébé (voir p. 50-51).

Allaitement Vous continuez à produire du colostrum, aliment idéal pour votre bébé. La quantité de lait nécessaire dépend des enfants, mais, en moyenne, un bébé de 2 jours prend un peu moins de 3 cuillerées à thé (14 ml) par tétée. Pour le moment, une tétée dure 40 minutes ou plus. Si vous avez mal aux mamelons ou que l'allaitement est douloureux, votre bébé n'est sûrement pas bien mis au sein. Assurez-vous qu'il prend toute l'aréole dans la bouche et que son ventre est contre le vôtre (voir p. 27). Si l'allaitement est désagréable, demandez de l'aide à une infirmière ou à un spécialiste de l'allaitement. Une crème contre les crevasses diminuera les désagréments. Choisissez-en une qui ne nécessite aucun rinçage avant la tétée.

COMMENT...

Porter votre nouveau-né

Vous êtes peut-être effrayée à l'idée de porter ce tout petit bébé, mais vous en prendrez vite l'habitude.

Votre nouveau-né n'est pas aussi fragile que vous le pensez, mais il est important de le porter avec douceur pour qu'il se sente bien et en sécurité. Tenez-le fermement pour éviter qu'il se jette en arrière. Le bébé naît avec le réflexe de sursaut (voir l'encadré ci-contre) et il écarte brusquement les bras si vous ne soutenez pas son cou et sa tête.

Les muscles de son cou sont faibles et il n'est pas à l'aise si ses membres ne sont pas soutenus ; bercez-le donc contre vous en enveloppant tout son corps.

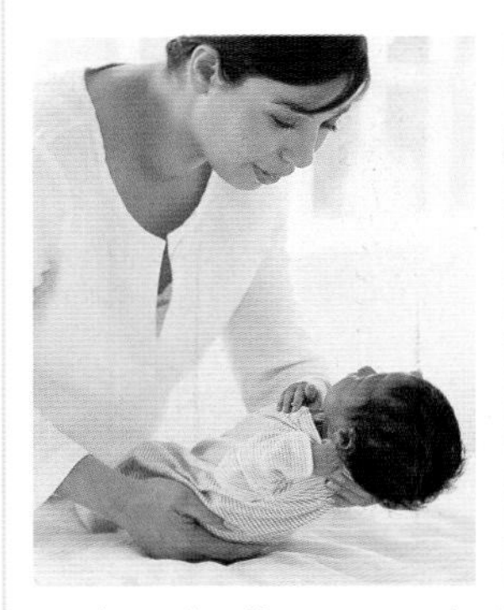

Soulevez-le Glissez une main derrière son cou pour soutenir sa tête, placez l'autre main sous ses fesses et soulevez-le doucement (à gauche). **Soutenez sa tête** Placez sa tête dans le creux de votre main, légèrement plus haut que le reste du corps (au milieu). **Sur le ventre** Portez votre bébé sur un bras en calant sa tête au creux de votre coude et en glissant l'autre bras entre ses jambes, vos deux mains se rejoignant sur son estomac (à droite).

LES RÉFLEXES DE VOTRE BÉBÉ

Votre bébé naît avec plus de 70 réflexes, qui sont autant de moyens naturels de se protéger et d'assurer sa survie. Certains de ces comportements sont spontanés, d'autres sont des réactions à des stimulations. La plupart disparaissent avant 6 mois. Les principaux réflexes sont :

- **Réflexe de Moro ou de sursaut** Si la tête ou le cou ne sont pas soutenus, votre bébé écarte les bras.
- **Réflexe d'agrippement palmaire.** Si vous mettez votre doigt contre la paume de sa main, il ferme le point et serre votre doigt.
- **Réflexe de succion** Votre bébé tète lorsqu'il a quelque chose dans la bouche.
- **Réflexe de fouissement** Si vous caressez la joue de votre bébé, il se tournera vers vous pour téter.
- **Réflexe de la marche** Si vous tenez votre bébé debout sur une surface plane et dure, il « marche » en avançant un pied devant l'autre.

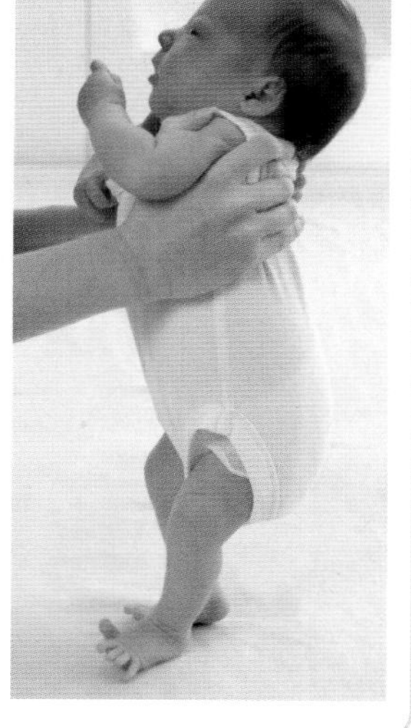

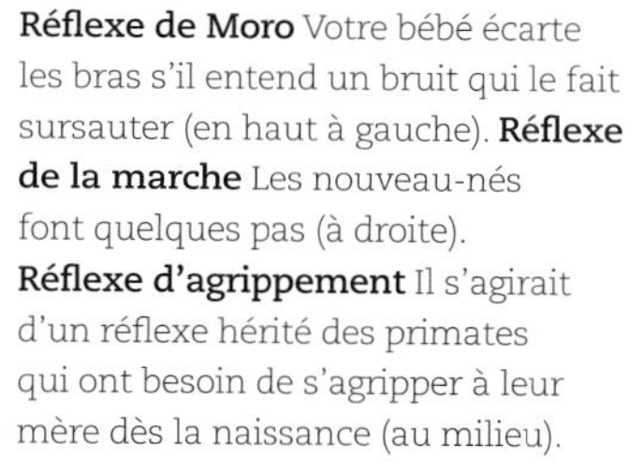

Réflexe de Moro Votre bébé écarte les bras s'il entend un bruit qui le fait sursauter (en haut à gauche). **Réflexe de la marche** Les nouveau-nés font quelques pas (à droite). **Réflexe d'agrippement** Il s'agirait d'un réflexe hérité des primates qui ont besoin de s'agripper à leur mère dès la naissance (au milieu).

Séchez soigneusement chaque mamelon en le tapotant avant d'appliquer une noisette de crème.

Si votre bébé est au biberon, il prendra peut-être plus de lait sans dépasser quelques cuillerées à thé (30 ml) à chaque tétée. L'allaitement au biberon est parfois plus rapide, mais ce n'est pas toujours le cas; il peut prendre entre 20 et 40 minutes.

Perte de poids Au cours de leur première semaine, les nouveau-nés perdent du poids. Les bébés nourris au sein perdent environ 7 à 10 % de leur poids de naissance et ceux au biberon 5 % en moyenne. Les bébés naîtraient avec un léger supplément pour assurer leur survie après la naissance, ce qui expliquerait cette perte pondérale. La plupart reprennent ce poids vers 10 à 14 jours. Si votre nouveau-né tète bien, s'il urine et défèque régulièrement et qu'il semble en bonne santé, il n'y a pas à s'inquiéter.

Dans la couche Votre bébé émet toujours du méconium, très collant et difficile à nettoyer. Vous pouvez retirer le plus gros à l'eau chaude et au savon, mais sur les organes génitaux, essayez de n'utiliser que de l'eau. L'urine de votre bébé doit être claire ou couleur paille; si elle fonce ou sent mauvais, parlez-en à un médecin. La présence de selles très blanches et/ou d'urines très foncées justifie un avis pédiatrique.

L'AVIS... DU MÉDECIN

Mon bébé semble souvent avoir le nez bouché lorsqu'il dort, il a tout le temps le hoquet et il grogne. Est-ce normal ? Les bébés sont des dormeurs très bruyants ; ils émettent des grognements, des gémissements, des petits cris et des hoquets. Votre enfant peut avoir une « respiration périodique » (avec des pauses qui durent jusqu'à 15 secondes) jusqu'à l'âge de 6 mois.

Dans son système respiratoire, notamment le nez, du mucus s'est accumulé après la naissance, ce qui entraîne reniflements, toux et grognement pour l'éliminer. Ceci disparaît normalement vers 4 à 6 semaines. Si son nez semble encombré et qu'il a du mal à téter, parlez-en à votre médecin ; votre bébé a peut-être un rhume ou une autre infection qui nécessite un lavage du nez au sérum physiologique (voir p. 408).

Comment prendre soin des organes génitaux de mon bébé ? Les organes génitaux de votre nourrisson sembleront gonflés pendant quelques semaines après la naissance en raison des hormones qui ont circulé dans son organisme pendant la grossesse. Vous devez les nettoyer délicatement à l'eau chaude pendant les premières semaines, vous pouvez ensuite utiliser un peu de savon à pH neutre spécial nourrisson. Nettoyez toujours d'avant en arrière chez les filles et autour du pénis et du scrotum en les soulevant chez les garçons en veillant à ne pas décalotter le prépuce. Si votre bébé a été circoncis, le médecin vous expliquera comment nettoyer la zone. Un léger écoulement est normal au début, mais consultez votre médecin s'il est jaune ou s'il sent mauvais. La survenue de fausses règles est possible dès les premières semaines chez les filles.

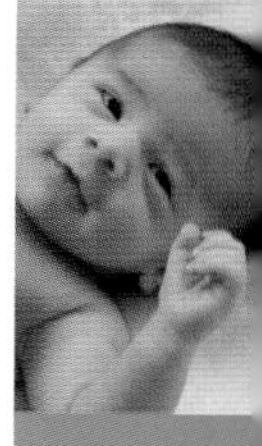

Votre nouvelle vie

Vous n'avez presque pas dormi depuis l'accouchement. Vous devez vous reposer autant que possible sinon, vous allez être vite épuisée.

Votre bébé semble incroyablement petit et fragile, mais, chaque jour, il grandit et reste éveillé plus longtemps. À ce stade, ses besoins sont assez simples. Grâce à votre présence ainsi qu'aux tétées et aux changes réguliers, il est content et se sent en sécurité.

Néanmoins, les nouveau-nés pleurent souvent beaucoup les premiers jours ; ils découvrent un environnement entièrement nouveau et les pleurs sont leur seul moyen de communiquer. C'est très déconcertant pour les nouveaux parents, en particulier lorsqu'ils ne comprennent pas ce qui ne va pas. La meilleure chose à faire est de passer en revue la liste des causes possibles et d'essayer de les résoudre (voir p. 68 et 69). Cela ne durera pas, et plus vous connaîtrez votre bébé, plus vous comprendrez ses pleurs et anticiperez facilement ses besoins.

Il est impossible de rendre un bébé « capricieux » ; à chaque fois que vous répondez à ses pleurs, vous tissez un lien solide avec lui, vous encouragez sa confiance et son sentiment de sécurité. Certains bébés crient plus que d'autres pour signifier que quelque chose ne va pas. Si le prendre dans les bras, le bercer, le nourrir ou le changer sont sans effet, vous pouvez essayer de réduire les stimulations autour de lui pour l'apaiser. Couchez-le sur le côté dans la pénombre d'une pièce calme. Tapotez régulièrement son dos jusqu'à ce qu'il s'endorme. N'oubliez pas de le remettre sur le dos ensuite. On se sent facilement impuissant lorsque l'on n'arrive pas à arrêter les pleurs de son bébé. Détendez-vous, rappelez-vous que c'est normal chez les bébés, et que cela ne remet pas en cause vos compétences en tant que parents.

Se faire aider Si vous avez l'impression que vous ne pourrez jamais prendre une douche ou un café chaud, bienvenue au club des jeunes mamans ! Les bébés ont le chic pour se réveiller ou avoir besoin de vous juste au moment où vous pensez vous poser. Pendant les premières semaines, il vous sera très précieux d'avoir de l'aide pour prendre votre nouveau-né ou le calmer quand il pleure, afin de vous permettre de vous reposer, de vous laver et de manger.

Si vous êtes épuisée et que vous ne supportez plus les pleurs incessants de votre bébé, demandez à votre entourage de prendre le relais quelques heures pour que vous puissiez dormir. Vous vous sentirez beaucoup plus opérationnelle après un bon repos.

Si votre enfant est angoissé à chaque fois que vous le couchez, portez-le contre vous dans un porte-bébé, ce qui libérera vos mains et le calmera. Programmez les douches, les repas et les siestes lorsque vous avez de l'aide à la maison sans vous sentir coupable. Vos hôtes seront ravis de passer du temps avec votre nouveau-né

COMMENT...

Reconstituer du lait en poudre

Il est essentiel de suivre à la lettre les instructions du fabricant. S'il y a trop de poudre, votre bébé sera constipé ou aura soif, s'il n'y en a pas assez ses besoins nutritifs ne seront pas couverts. Vous pouvez utiliser de l'eau minérale ou de l'eau froide du robinet, que vous pouvez ou non faire tiédir dans un chauffe-biberon. Attention au four à micro-ondes qui chauffe l'eau irrégulièrement et risque d'entraîner des brûlures. Il est préférable de préparer les biberons lorsque vous en avez besoin, d'autant que le lait en poudre se conserve hors du réfrigérateur tant qu'il n'est pas mélangé. Si vous devez en préparer à l'avance, conservez-les en haut du réfrigérateur, à 4 °C, et ne les gardez pas plus de 24 heures.

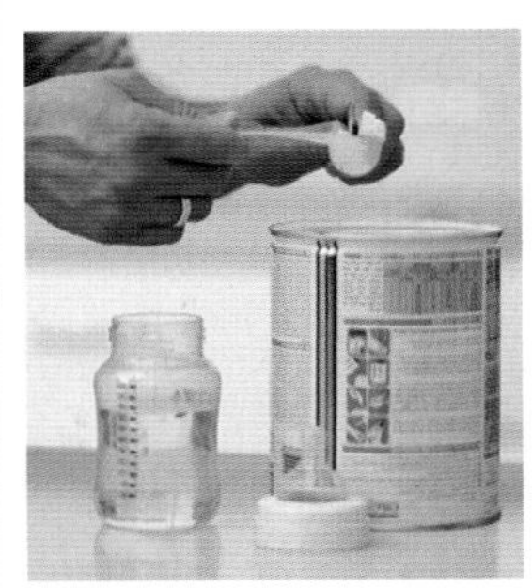

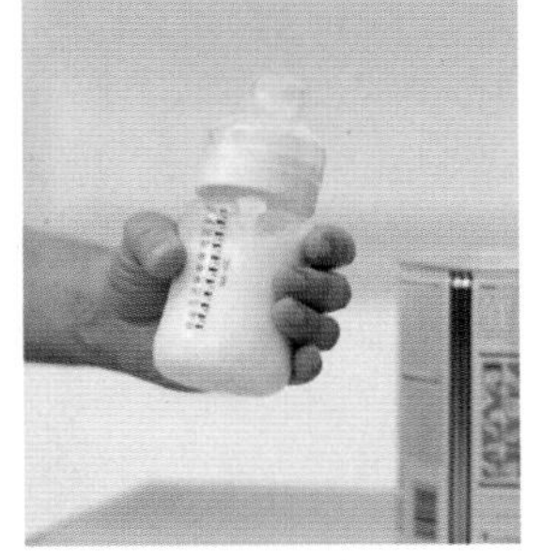

Bon dosage Arasez chaque mesure de lait en poudre (à gauche). **Ajout de la poudre** Ajoutez la poudre à l'eau tiédie ou à température ambiante du biberon (au milieu). **Mélangez bien** Secouez le biberon pour qu'il n'y ait plus de grumeaux (à droite).

COMMENT...

L'aider à faire son rot

La plupart des bébés avalent de petites quantités d'air pendant la tétée. Une fois dans l'estomac, elles entraînent des douleurs. Votre bébé peut également se sentir rassasié et ne pas boire assez. En le tenant contre vous, vous l'aidez à évacuer l'air emprisonné et améliorez son confort. Faites-lui faire un rot au milieu de la tétée (lorsque vous changez de sein, par exemple) ou après qu'il a bu environ 60 ml de son biberon et un à la fin.

Si votre bébé n'a pas fait de rot au bout de 5 à 10 minutes, n'insistez pas. Il peut ne pas en avoir à faire ou celui-ci peut venir plus tard.

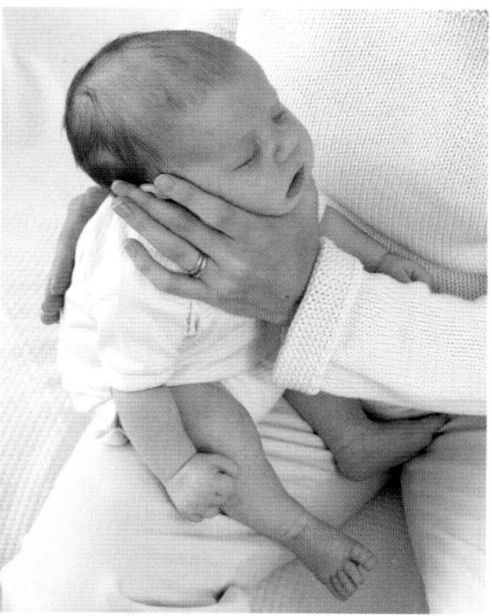

Tenez votre bébé contre votre épaule Massez-lui le dos jusqu'à l'arrivée du rot. Posez un lange sur votre épaule pour la protéger des régurgitations (à gauche). **Asseyez-le sur votre cuisse** Penchez-le vers l'avant en soutenant sa tête et tapotez doucement son dos (à droite).

L'AVIS... DE L'INFIRMIÈRE

Je devrais être sur un petit nuage maintenant que mon bébé est né, alors pourquoi suis-je aussi sensible et souvent en larmes? 60 à 80 % des jeunes mamans pleurent, se sentent incompétentes, épuisées et anxieuses dans les jours qui suivent l'accouchement. Souvent appelées « baby blues », ces émotions sont dues à la chute des hormones de la grossesse associée à l'apparition de celles induites par l'allaitement au sein. Vous serez peut-être en pleurs, irritable, frustrée et fatiguée, vous demandant comment y arriver. Cette situation peut durer entre quelques heures et 5 jours et vous risquez de ne pas vous sentir bien. Ne soyez pas gênée de pleurer ou d'être angoissée. Expliquer à votre compagnon ce que vous ressentez et acceptez toute l'aide qui vous sera proposée. Si vous n'allez pas mieux au bout d'une semaine, parlez-en au médecin ou à l'infirmière qui vérifieront s'il ne s'agit pas d'une dépression postnatale nécessitant une prise en charge.

Le jeune père peut également souffrir du « baby blues », inquiet face au changement de vie qu'implique l'arrivée de votre enfant.

et de vous aider à récupérer. Affichez une liste de « tâches » sur le réfrigérateur pour que chacun sache précisément comment vous aider.

Montée de lait Votre montée de lait surviendra peut-être aujourd'hui, ce qui signifie que vous commencerez à produire un lait de « transition », mélange de colostrum et de lait « crémeux », jaune et crémeux. Vos seins deviennent plus durs et parfois légèrement engorgés, ce qui complique la mise au sein de votre bébé. Faites-lui prendre toute l'aréole dans sa bouche (voir p. 27) et massez votre sein vers le bas pour libérer du lait et faciliter la prise du mamelon.

Dans les 10 jours qui viennent, la production de colostrum va baisser peu à peu et, lorsque votre bébé aura 2 semaines, votre lait sera « à maturité ». Votre organisme produit juste la quantité nécessaire aux besoins de votre nouveau-né, nourrissez-le donc aussi souvent que possible pour que la production réponde à la demande. Plus vous nourrissez votre bébé, plus vous produisez de lait. Vous allaiterez pendant 30 minutes à 1 heure à chaque tétée et votre enfant pourra parfois s'endormir au sein. Maintenez-le doucement éveillé en caressant sa joue. Lorsqu'il a fini, faites-lui faire son rot avant de le recoucher. La plupart des bébés allaités au sein prennent 8 à 12 tétées en 24 heures, ce qui signifie que vous devrez allaiter jour et nuit.

En cas de césarienne, la montée de lait peut être légèrement retardée, continuez de mettre votre bébé au sein et signalez les problèmes éventuels à l'infirmière qui suit votre nouveau-né.

La vie des mamans qui allaitent au biberon est plus simple en ce sens, car elles connaissent exactement la quantité de lait prise par leur bébé. Vous allaiterez également toutes les 2 à 3 heures et votre bébé prendra 30 à 60 ml par tétée pendant la première semaine ou jusqu'à ce qu'il pèse 4,5 kg. Un allaitement maternel se fait à la demande en préférant la fréquence à la durée des tétées.

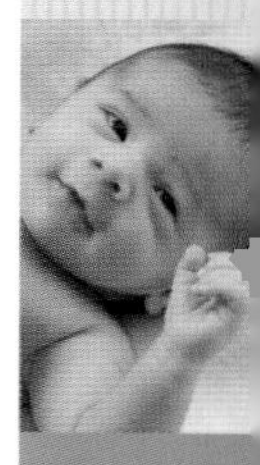

Examens

Dans la semaine qui suit la naissance, votre bébé et vous-même serez surveillés par une infirmière.

Visite de l'infirmière Une infirmière viendra vous voir pour vérifier que tout va bien et pour vous examiner ainsi que votre bébé.

Quand vous verrez l'infirmière au cours de la première semaine, vous pourrez lui poser toutes les questions qui vous viennent à l'esprit. Si vous allaitez au sein, elle vous donnera de précieux conseils. Chez vous, elle examinera également votre bébé et s'assurera qu'il est en bonne santé et qu'il commence à reprendre du poids. Parlez-lui de vos préoccupations. La responsabilité d'un nouveau-né est parfois inquiétante et il existe souvent des solutions simples aux différents problèmes.

Examen de la maman Si vous avez eu des points de suture, dus à une déchirure, une épisiotomie ou une césarienne, l'infirmière vérifie que la cicatrisation se passe bien. Elle va aussi vous interroger sur vos saignements (lochies) pour s'assurer qu'ils ne sont pas trop importants et palper votre ventre pour vérifier que votre utérus est bien contracté et qu'il retrouve peu à peu sa taille d'avant la grossesse. L'infirmière va s'assurer que votre température et votre tension sont normales.

N'hésitez pas à signaler les douleurs ressenties ou les problèmes rencontrés du fait de l'allaitement; les recommandations et les conseils d'un professionnel sont très rassurants.

L'infirmière doit aussi vérifier votre santé émotionnelle, ne soyez donc pas surprise si elle vous pose des questions personnelles sur ce que vous ressentez et la manière dont vous vous débrouillez. Répondez franchement à ses questions. La plupart des mamans ont du mal les premiers jours et il est important d'être aidée, le cas échéant, avant que la situation ne s'aggrave.

Examen du bébé L'infirmière pratique chez vous un examen complet : elle vous pose de nombreuses questions sur l'alimentation, le sommeil, les selles et les couches mouillées de votre bébé, indicateurs précieux de sa santé et de son bien-être et pèse votre nouveau-né pour s'assurer qu'il prend du poids.

Ne vous inquiétez pas s'il ne grossit pas aussi vite que vous le pensiez, car la prise de poids est généralement plus lente chez les bébés nourris au sein. Si le poids de votre bébé est préoccupant, vous en êtes informée et votre technique d'allaitement est revue. Très souvent, en améliorant la mise au sein et en laissant votre nourrisson téter plus longtemps, vous favoriserez la mise en route de la production de lait afin de couvrir ses besoins et favoriser une prise de poids régulière.

L'infirmière déshabille votre nouveau-né pour la pesée, regarde s'il a des boutons ou un érythème et vous donne des conseils. La peau marbrée est normale chez les nouveau-nés dans les premiers jours, mais si vous êtes inquiète, parlez-en. Le prochain examen médical aura lieu vers 2 mois mais n'hésitez pas à consulter votre médecin ou le CLSC (Centre local de soins communautaires) en cas d'inquiétude.

NE PAS OUBLIER

Le test de dépistage néonatal

Le quatrième jour après la naissance, votre bébé subit un test de dépistage systématique, appelé aussi test de Guthrie, pour la phénylcétonurie, la mucoviscidose, l'hypothyroïdie congénitale, l'hyperplasie congénitale des surrénales et, chez les enfants à risque, la drépanocytose. Il est habituellement pratiqué par l'infirmière qui prélève quelques gouttes de sang de votre nouveau-né pour les envoyer au laboratoire. Si votre enfant est sous antibiotiques, le test doit être pratiqué ultérieurement. Vous ne serez prévenue qu'en cas d'anomalies ou de doutes quant aux résultats pour faire un nouveau contrôle.

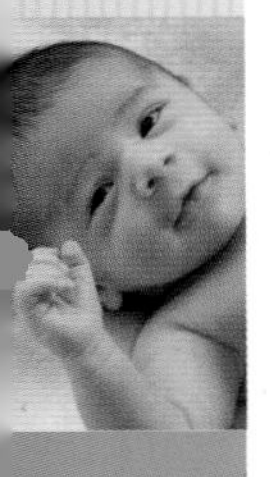

Le poids de votre bébé et tout ce qui concerne sa santé sont notés dans le carnet de santé qui vous est remis à la maternité, prenez-en soin. Si vous pensez avoir besoin d'une aide supplémentaire, demandez à une des infirmières du CLSC de venir chez vous. Elles sont d'une aide précieuse et rassurante pour celles qui ont du mal à s'adapter à leur nouvelle situation. Soyez franche avec elles, il n'y a aucune honte à admettre que vous avez du mal à vous en sortir lorsque vous êtes épuisée ou que votre nouveau-né pleure sans relâche. De même, n'ayez pas peur de pleurer ou d'exprimer vos inquiétudes. Ces professionnelles de la santé sont habituées à toutes sortes de situations et peuvent vous proposer une aide inestimable et des conseils utiles. Elles pourront vous expliquer ce qui va se passer dans le prochain mois en termes d'alimentation, de sommeil, de développement et sur la sécurité infantile. Notez toutes ces informations et demandez-leur quand vous devez appeler si votre enfant est malade.

Ne vous sentez pas obligée de réveiller votre bébé pour la visite; le plus souvent, une discussion et un coup d'œil suffiront. Ne vous préoccupez pas non plus du ménage et du rangement de la maison. La visite concerne votre bébé et vous-même, Il ne s'agit pas de vous décerner le prix de la meilleure maîtresse de maison.

COMMENT...

Prendre soin du cordon ombilical

Il est important que le cordon ombilical de votre bébé reste propre et sec. L'utilisation d'alcool, de désinfectants colorés, de talc n'est plus recommandée. Ils sont remplacés par l'eau tiède, éventuellement accompagnée d'un savon pour bébé si la zone est souillée.

Utilisez des couches échancrées, qui s'attachent sous le nombril afin d'éviter les irritations, ou repliez une couche ordinaire. Évitez les bains et ne mouillez pas le nombril lorsque vous lavez votre bébé, jusqu'à ce que le cordon soit tombé. Au début, le cordon ombilical peut sembler un peu sale. Si la zone entourant le nombril vire au rouge, suinte ou dégage une odeur nauséabonde, consultez votre médecin.

Le cordon ombilical va sécher, noircir et tomber entre 5 et 15 jours après la naissance. Il persistera une petite plaie ou irritation qui cicatrisera rapidement.

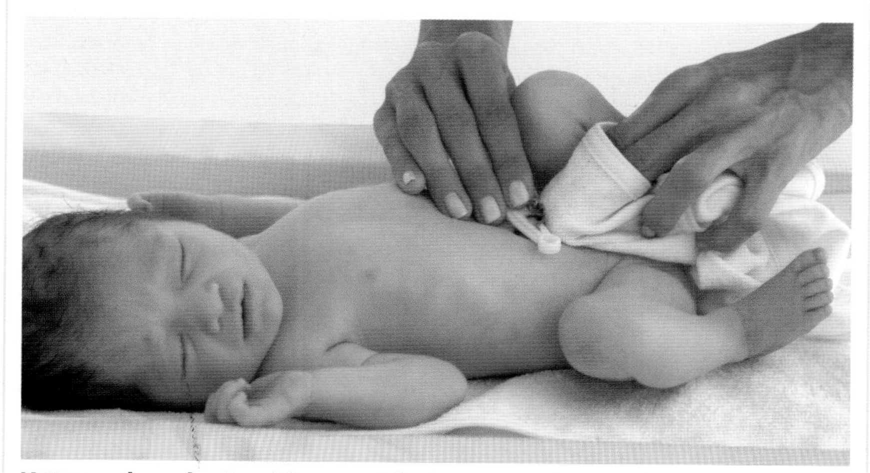

Nettoyage du cordon Pour éviter toute infection, nettoyez doucement la peau autour du cordon ombilical avec une débarbouillette humide. **Séchez** bien.

L'AVIS... DE L'INFIRMIÈRE

Mon bébé a-t-il la jaunisse? Environ les deux tiers des bébés nés à terme font un ictère (jaunisse) (voir p. 404) dans les tout premiers jours. Celui-ci est dû à l'accumulation de bilirubine dans le sang de votre nouveau-né. Pigment provenant de la dégradation naturelle des globules rouges, la bilirubine est recyclée et éliminée par le foie. Le foie du nouveau-né est encore parfois immature et a du mal à répondre aux sollicitations. Chez les bébés à la peau noire ou foncée, le jaunissement n'est visible que sur la paume des mains, la plante des pieds et le blanc des yeux. Le plus souvent, l'ictère disparaît en 10 jours environ. Pendant cette période, les yeux de votre enfant sont un peu jaunes. Placez-le à la lumière du jour et nourrissez-le souvent pour favoriser l'excrétion de bilirubine par son organisme.

J'ai des jumeaux. Est-ce que je pourrais produire assez de lait pour nourrir mes deux bébés? Beaucoup de jeunes mamans de jumeaux ont peur de ne pas avoir assez de lait. Or, l'allaitement maternel fonctionne sur le principe de l'offre et la demande; votre organisme produira le lait nécessaire à vos enfants, même dans les périodes de gros appétit lorsqu'ils font des poussées de croissance.

Est-ce que je dois réveiller mon bébé pour le faire téter? La plupart des parents hésitent à réveiller un bébé qui dort, car c'est souvent une occasion unique de dormir ou d'expédier les tâches ménagères; votre nouveau-né doit néanmoins être nourri fréquemment (toutes les 2 à 3 heures) pour boire la quantité de lait nécessaire à sa croissance et à son développement. Réveillez-le s'il dort plus longtemps. La mise au sein fréquente (idéalement 8 à 12 fois en 24 heures) favorise la mise en route de l'allaitement.

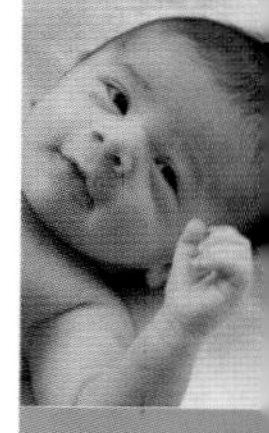

Tisser des liens

Les liens commencent à se tisser au cours de la grossesse et continuent au fur et à mesure que s'établit une relation forte entre vous.

Caresse légère Les caresses favorisent la prise de poids et atténuent la peur et l'anxiété chez votre enfant (à gauche). **Câlins avec papa** Laissez votre compagnon s'occuper souvent de votre enfant et passer du temps avec lui afin qu'il tisse des liens lui aussi (à droite).

Les liens affectifs sont un attachement intense entre les parents et leur nouveau-né. Ils commencent souvent à se tisser pendant la grossesse, par des contacts tactiles ou en parlant au bébé, ainsi que par les sentiments qui naissent jour après jour envers votre enfant. La relation évolue ensuite tout au long de la petite enfance, de l'enfance, de l'adolescence et même de la vie adulte. Ces liens nous incitent à aimer nos bébés, à ressentir de l'affection pour eux et à les protéger et les nourrir. C'est ce qui nous fait nous lever au milieu de la nuit pour leur donner à manger ! Ce rapport renforce aussi le sentiment de sécurité et d'estime de soi de votre bébé. Le peau à peau (voir p. 45) favorise ce processus. Le papa peut également pratiquer ce type de contact.

Un bébé est un être tactile et sensoriel. Le fait de le caresser libère de l'ocytocine. L'augmentation du taux de cette hormone est associée aux sentiments de bonheur, de détente et de sécurité. Pour certaines mères, tisser des liens ne va pas de soi, en particulier si l'accouchement a été difficile. Soyez patiente, regardez-le dans les yeux, tenez-le contre vous, parlez-lui et chantez-lui des chansons. Il réagira à votre odeur et à votre voix qui lui rappelleront son séjour dans votre utérus.

Les liens avec papa Papa a peut-être commencé à tisser des liens à la première échographie ou lorsqu'il a ressenti les premiers « coups de pied ». Souvent les papas passent moins de temps avec leur nouveau-né immédiatement après la naissance, il est donc important de leur laisser l'occasion de porter et de changer leur petite merveille. Laissez votre conjoint seul avec votre enfant et restez en retrait afin qu'il trouve son propre style. Aidez-le s'il le demande et vérifiez qu'il a tout ce dont il a besoin pour le changer, faire sa toilette et le coucher ; il le connaîtra ainsi aussi bien que vous et tissera ces liens si importants.

Les liens avec les jumeaux Les parents de jumeaux et de multiples trouvent parfois plus difficile de tisser des liens parce que la quantité d'énergie physique déployée pour les élever peut les priver de l'énergie émotionnelle nécessaire pour créer une relation. Comme pour un enfant unique, les liens n'apparaissent pas toujours spontanément et vous devez vous laisser le temps de ressentir un attachement fort pour vos jumeaux.

Faites attention si les liens avec l'un des bébés sont plus forts qu'avec l'autre. Cela arrive parfois si l'un réclame plus de temps et d'attention. Essayez de passer davantage de temps à jouer avec le bébé auquel vous vous sentez moins lié afin de mieux équilibrer votre proximité entre les deux bébés.

Vous pouvez aussi être plus proche d'un bébé et votre compagnon de l'autre. Ainsi les deux bébés trouvent la sécurité dont ils ont besoin pour leur bien-être émotionnel.

NE PAS OUBLIER

Suivi médical

Prenez dès aujourd'hui rendez-vous avec votre médecin traitant, le pédiatre de votre choix ou un CLSC pour mettre en place le suivi de l'enfant. La première visite permet de dresser un bilan (taille, poids, tension artérielle...) et de déceler toute anomalie éventuelle. Elle a lieu entre 6 et 8 semaines après l'accouchement (voir p. 94-95).

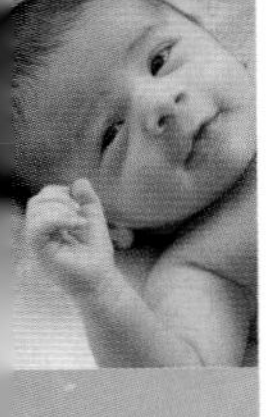

Petit dormeur

Quelle semaine ! Votre nouveau-né a sûrement passé son temps à dormir, entre deux tétées, même si vous en doutez !

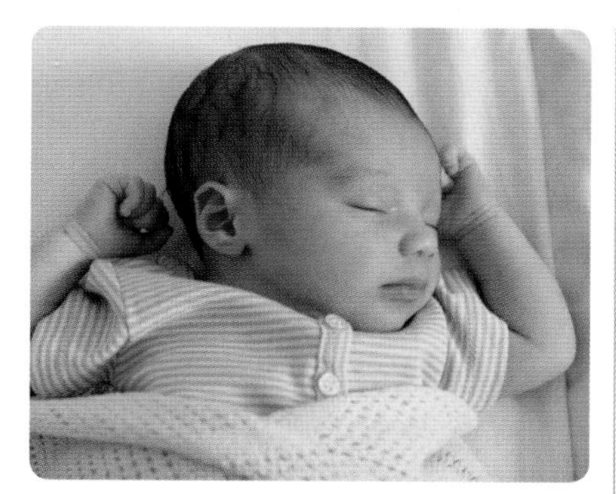

Le rythme de sommeil Très peu de nouveau-nés font leur nuit ; en moyenne, ils arrivent à dormir 5 heures d'affilée.

La plupart des nouveau-nés se réveillent toutes les 2 à 4 heures pour téter. Leur estomac est tout petit et ils se nourrissent exclusivement de lait qui se digère très vite. Votre bébé se réveille quand il a faim et dort quand il est fatigué ; vous ne pouvez rien y changer ! Autant avoir des attentes réalistes.

Si vous le nourrissez au sein, vous pouvez améliorer son sommeil en vous assurant qu'il remplit bien son estomac. Si possible, il doit prendre les deux seins à chaque tétée. Maintenant que vous avez du lait, il tétera à la demande pendant 5 à 15 minutes de chaque côté. Il doit vider un sein avant de passer à l'autre pour bien boire le lait de fin de tétée, riche en graisse.

Les bébés nourris au biberon ont tendance à dormir un peu plus longtemps, car le lait maternisé se digère plus lentement que le lait maternel.

La nuit et le jour De nombreux bébés restent éveillés plus longtemps au milieu de la nuit et dorment toute la journée. Au début, il est plus facile d'adopter son rythme, en dormant quand il dort. Pour commencer, vous pouvez essayer de marquer la différence entre la nuit et le jour en créant une atmosphère calme et peu bruyante au moment du coucher. Couchez-le quand il est encore réveillé. S'il s'endort au sein, il sera peut-être gêné par un rot. Laissez-le téter jusqu'à ce qu'il somnole, faites-lui faire son rot et mettez-le au lit avant qu'il soit totalement endormi.

Évitez de trop le couvrir. S'il fait chaud, un simple drap et une couverture devraient suffire, ajoutez des épaisseurs supplémentaires s'il a froid. Lorsqu'il se réveille la nuit, nourrissez-le et changez-le rapidement, sans trop parler.

Très important Avec le manque de sommeil, vous êtes angoissée et énervée. Non seulement ces émotions se transmettent à votre bébé mais en plus votre propre sommeil est moins réparateur. Essayez d'être calme quand vous le couchez. Cela ne durera pas, vos nuits seront bientôt les mêmes qu'avant.

COMMENT...

Emmailloter votre nouveau-né

Si votre bébé est surstimulé vous pouvez l'emmailloter pour le mettre au lit, cela lui évitera de se réveiller brutalement sous l'effet du réflexe de Moro (voir p. 47) qui peut le faire sursauter pendant son sommeil. Choisissez un drap en coton doux, il aura trop chaud dans une couverture épaisse. L'idée est qu'il se sente en sécurité et non de le maintenir au chaud. Laissez ses bras libres sauf s'il est trop agité, dans ce cas emmaillotez aussi ses bras dans le drap. Couchez votre nouveau-né sur le dos – la position ventrale est proscrite.

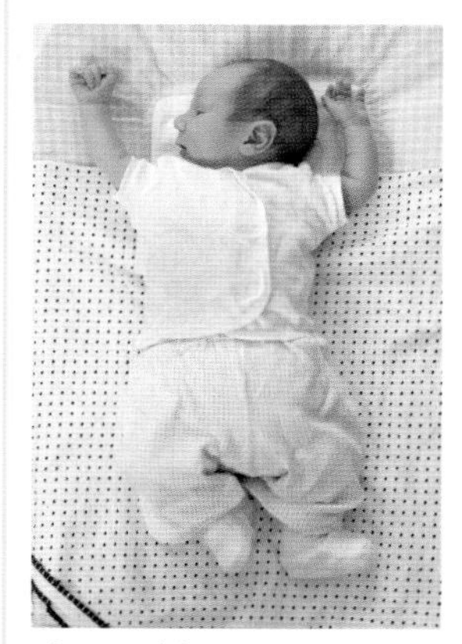

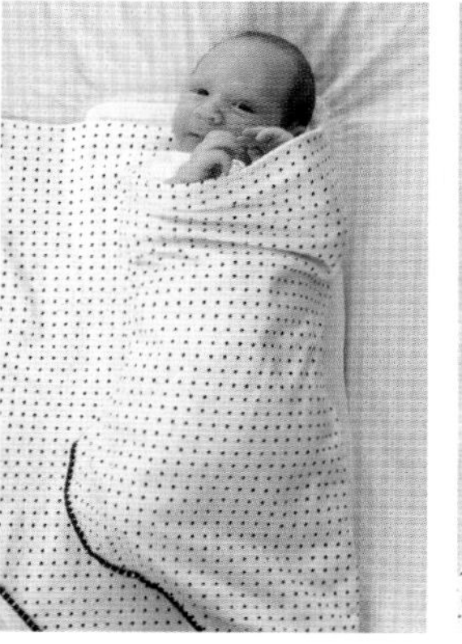

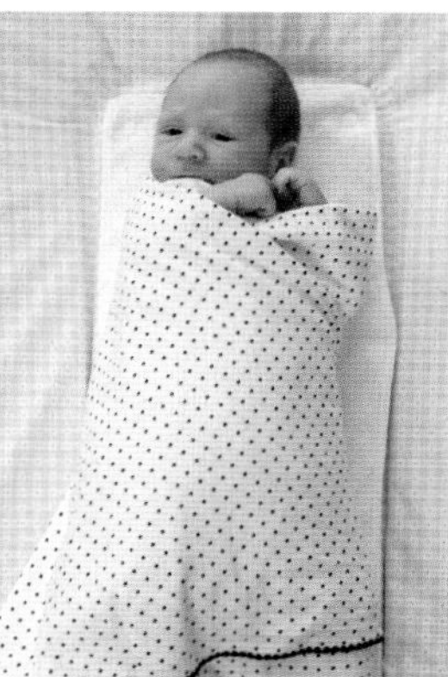

Bien positionner votre bébé Ouvrez un drap et pliez-le en diagonale pour obtenir un long bord droit. Déposez votre bébé en haut et au milieu (à gauche). **Premier repli** Ramenez l'un des côtés du drap et coincez-le sous le côté opposé du bébé. Ne serrez pas trop (au milieu). **Deuxième repli** Entourez votre bébé avec l'autre côté du drap, et bordez-le (à droite).

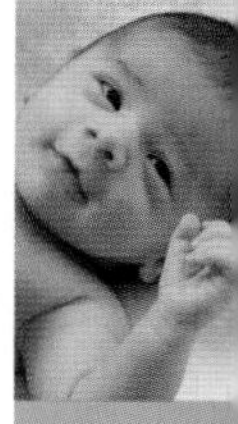

GROS PLAN SUR…

Votre bébé en soins spécifiques

Si votre bébé est né prématuré ou qu'il a souffert à la naissance, il a pu être mis dans une unité néonatale ou de soins intensifs afin de recevoir toute l'attention et l'aide médicale dont il a besoin de la part de médecins et d'infirmiers spécialisés.

Si votre nouveau-né doit recevoir des soins intensifs en urgence, vous ne pourrez pas profiter du contact peau à peau ni le mettre au sein juste après la naissance. Vous vous sentirez démunie sans votre bébé et très angoissée quant à son bien-être, surtout s'il est en couveuse. Ne vous laissez pas impressionner par l'activité incessante des infirmières et des médecins et par tous les fils et écrans : la couveuse le protège des infections, lui fournit l'oxygène dont il a besoin et surveille sa température, son taux d'oxygène, sa fréquence cardiaque ainsi que sa capacité pulmonaire.

Allaitez votre bébé S'il est incapable de téter au sein ou au biberon, des sondes seront placées dans sa bouche, son nez ou directement dans son estomac. Si vous voulez donner votre lait à votre bébé, vous devrez commencer à le tirer (voir p. 28) dès que possible après la naissance, même s'il ne peut pas encore le boire. Le lait maternel est incontestablement le meilleur choix pour un nouveau-né, prématuré ou non. Il contient des anticorps qui l'aident à lutter contre les infections et lui fournit tous les nutriments dont il a besoin pour renforcer son système immunitaire. L'idéal pour une croissance et un développement optimaux.

Le personnel hospitalier vous montrera comment tirer votre lait : la plupart des services possèdent une pièce spéciale avec des fauteuils confortables et un tire-lait électrique réservé à cet effet. Vous devrez tirer votre lait toutes les 2 heures environ pour déclencher la production régulière. Même si vous n'arrivez à tirer qu'une petite quantité de lait les premiers jours, c'est très important pour sa santé. Votre nouveau-né sera alimenté par une sonde, une seringue, un biberon ou une tasse jusqu'à ce qu'il puisse prendre le sein.

Lorsque vous mettez votre bébé au sein, même s'il ne tète pas vraiment, il apprécie d'être dans vos bras. Déposez un peu de votre lait sur le mamelon pour que votre bébé le sente et le goûte. Il aimera

MÉTHODE KANGOUROU

Tout contre Des études ont démontré les bienfaits pour les bébés d'être portés ainsi, peau à peau.

La méthode kangourou est une des meilleures façons de favoriser le développement d'un nouveau-né, qu'il soit prématuré ou à terme. Elle consiste à le porter contre votre poitrine, peau à peau, simplement vêtu d'une couche et d'une tuque. Tournez sa tête pour que son oreille soit contre votre cœur et serrez-le contre vous pour qu'il ressente votre chaleur et votre amour. Le nouveau-né se retrouve ainsi dans un environnement familier, proche de celui de l'utérus, tout en s'habituant peu à peu au monde qui l'entoure.

Cette méthode apporte beaucoup de bienfaits. En pratique, dans des études chez des nouveau-nés d'unités de soins spécifiques qui en bénéficient (même pour de courtes périodes quotidiennes), et comparés à ceux qui n'en bénéficient pas, on constate :

- une fréquence cardiaque plus stable
- une respiration plus régulière (réduction de 75 % des risques d'apnée du sommeil, qui entraîne un arrêt temporaire de la respiration)
- une amélioration du taux d'oxygène dans le sang
- une régulation de la température corporelle
- une prise de poids et un développement cérébral plus rapides
- des pleurs moins fréquents
- des périodes d'éveil plus longues
- un allaitement maternel plus efficace
- un tissage précoce des liens.

Un bébé porté selon la méthode kangourou grossit plus vite principalement parce qu'il peut dormir d'un sommeil profond et réparateur lorsqu'il est blotti contre sa maman. Il peut ainsi conserver son énergie pour se développer. Les papas peuvent eux aussi utiliser cette méthode et tisser des liens.

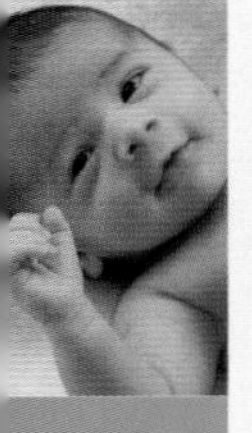

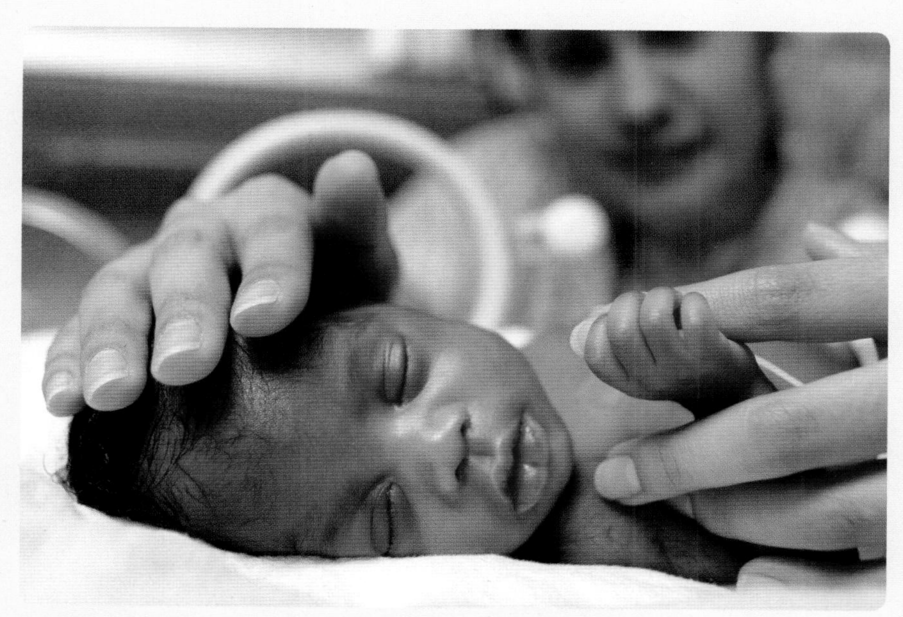

Touchez et caressez votre bébé, et passez le maximum de temps à lui parler et lui fredonner une chanson, vous favoriserez ainsi sa convalescence.

aussi recueillir quelques gouttes de lait dans sa bouche. N'attendez pas trop de la première tétée, car les bébés prématurés ou malades se fatiguent vite et doivent apprendre à téter. Si votre nouveau-né y prend goût, demandez au personnel si la mise au sein est correcte (voir p. 27).

Votre bébé a besoin de vous Même s'il semble extrêmement fragile et si vous êtes inquiète à l'idée de le porter avec tout le matériel qui l'entoure, il est essentiel d'offrir à votre nouveau-né le plus de contacts physiques possible. Il reconnaît votre voix et votre odeur et est rassuré par le battement de votre cœur et votre chaleur familière. Pour sa santé et son bien-être, prenez-le dans vos bras aussi souvent que possible ou caressez-le doucement dans la couveuse. Vous pouvez également le masser délicatement en commençant par les bras et les jambes, moins sensibles que le torse au début. Suivez les conseils du néonatologiste, car si votre contact régulier favorise la prise de poids, facilite la guérison et aide votre bébé à trouver un sommeil réparateur, chez certains grands prématurés, le toucher peut provoquer du stress.

Parlez-lui d'une voix calme, rassurez-le et chantez-lui des chansons ; votre voix l'apaisera et le stimulera positivement. Des chercheurs ont démontré qu'en parlant à votre nouveau-né, vous stimulez les connexions en développement dans son cerveau. Il se sent aussi plus détendu.

Participer Vous vous sentez peut-être perdue pour vous occuper de votre nouveau-né et préférez laisser le personnel médical le changer, le baigner et le nourrir ; mais vous aiderez votre bébé en vous impliquant dans ses soins quotidiens. Non seulement vous le rassurerez et tisserez des liens avec lui mais vous faciliterez aussi le retour à la maison. En cas d'appréhension, faites-vous expliquer comment le porter et accordez une attention particulière à l'hygiène.

Prenez soin de vous Reposez-vous aussi souvent que possible et prenez des repas nourrissants à heure fixe. Faites-vous aider par votre entourage et ne vous sentez pas coupable de ne pas pouvoir être avec votre nouveau-né 24 heures sur 24.

Tenez un journal où vous inscrirez vos sentiments ainsi que les étapes franchies par votre bébé. Avec le recul, ses progrès étonnants vous rassureront. Notez aussi les questions que vous souhaitez poser aux médecins et infirmiers, puis inscrivez leurs réponses. Nous n'intégrons pas toujours les informations qui nous sont données, il est pour cela préférable d'être reposé et apte à réfléchir.

Demandez si vous pouvez dormir dans l'enceinte de l'hôpital afin d'être en permanence en contact avec votre nouveau-né. Surtout, admettez qu'il est normal de ressentir de la culpabilité, de l'angoisse, de l'anxiété et toutes sortes d'émotions. Parlez-en avec votre conjoint et les professionnels de la santé de l'hôpital. Ils sont là pour vous aider, ainsi que votre bébé.

ACTIVITÉ D'ÉVEIL

Comme à la maison

Essayez d'interagir avec votre nouveau-né comme si vous étiez chez vous. Décorez sa couveuse de photos de famille, il reconnaîtra vos visages qui le rassureront lorsque vous ne pourrez pas être présents. Vous pouvez mettre une musique apaisante ou enregistrer votre voix à lui faire écouter pendant vos absences – en veillant à ce que le volume soit faible ; c'est rassurant et cela aide à créer des liens entre vous.

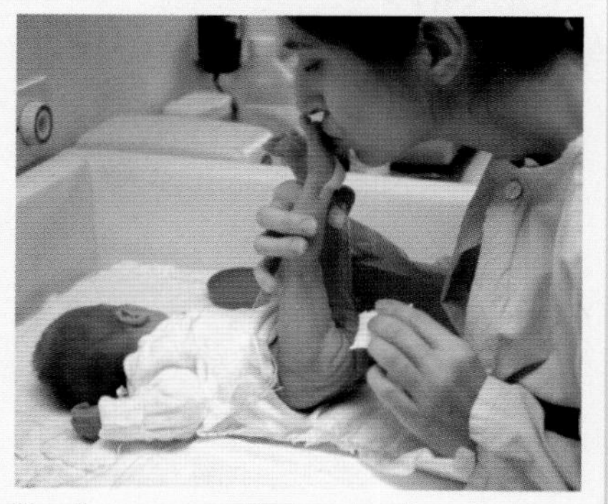

Touche personnelle Occultez le cadre hospitalier et imaginez que vous êtes chez vous.

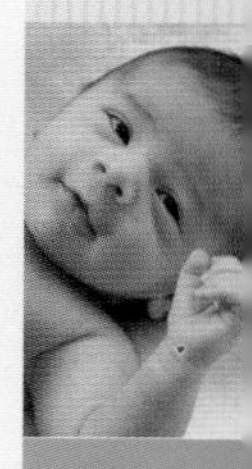

1 semaine

PENDANT LES PREMIÈRES SEMAINES, LES BÉBÉS PASSENT 90 % DE LEUR TEMPS À DORMIR

La vision de votre bébé est encore trouble, même s'il vous a reconnue peu de temps après la naissance. Lorsqu'il est réveillé, votre nouveau-né s'intéresse à son nouvel environnement, et à vous.
Il est fasciné par vos yeux et votre voix.

Votre bébé vous connaît

Votre voix et votre odeur lui sont familières depuis sa naissance, mais il reconnaît désormais votre visage et est rassuré lorsqu'il vous voit.

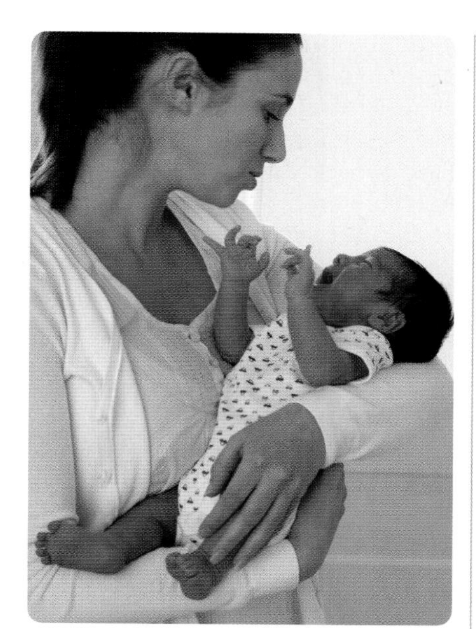

Communication Les pleurs sont le seul moyen pour votre nouveau-né de vous dire que quelque chose ne va pas.

Même si votre bébé est encore trop jeune pour voir distinctement votre visage, il vous reconnaît et aime par-dessus tout fixer votre regard. Des études ont démontré que les bébés fixaient plus longtemps et avec une plus grande attention les visages familiers ; il vous regardera donc intensément.

Quand vous le stimulez et l'intéressez, il arrête de bouger et vous regarde attentivement. Répondez à sa fascination et regardez-le dans les yeux. Le contact visuel est non seulement indispensable pour tisser des liens, mais il s'agit aussi d'une forme précoce de communication. Laissez-le vous découvrir, mettez votre visage à 30 cm du sien : c'est la meilleure distance d'accommodation pour lui. Vos yeux et la racine de vos cheveux offrent un contraste sur lequel les bébés aiment fixer leur regard. Il va aussi bientôt toucher votre visage.

L'attachement Dans les jours et les semaines qui suivent la naissance, les mamans et leurs nouveau-nés cherchent essentiellement à être ensemble. La poursuite du contact peau à peau rassure en effet votre bébé. Il reconnaît ainsi le bruit de votre cœur entendu dans l'utérus et votre odeur l'apaise beaucoup et l'encourage à téter. De plus, il découvre votre contact et la manière dont vous le portez renforce sa confiance et l'aide à se sentir en sécurité.

L'AVIS... DE L'INFIRMIÈRE

Pourquoi mon bébé pleure-t-il à chaque fois que je le couche ? Les nouveau-nés aiment être portés, en particulier dans les premières semaines lorsqu'ils s'adaptent à leur nouvelle vie. L'emmaillotement (voir p. 53) peut l'aider à se sentir en sécurité ; vous pouvez aussi le coucher et le caresser jusqu'à ce qu'il s'endorme. Sachez que les nourrissons pleurent entre une et trois heures par jour ; votre bébé est peut-être fatigué et a besoin de décompresser en pleurant.

COMMENT...

Donner le bain à votre bébé

La plupart des nourrissons aiment l'eau et le bain devient un moment très agréable de la journée. Assurez-vous que la pièce est suffisamment chauffée et ayez une serviette de toilette, une couche et des vêtements propres à portée de main. Remplissez à moitié une baignoire pour bébé avec de l'eau tiède à 37 °C (vérifiez la température à l'aide de votre coude ou d'un thermomètre). Dès que votre bébé est lavé, séchez-le vite pour qu'il n'attrape pas froid.

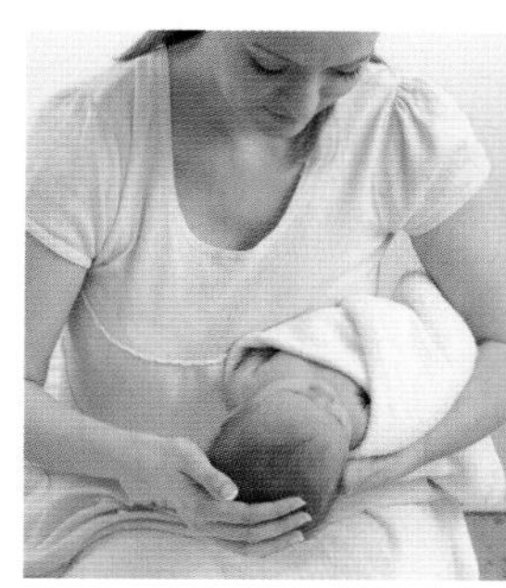

Enveloppez-le dans une serviette. Soutenez sa tête et ses épaules et mouillez-lui la tête.

Au bain Mettez votre bébé dans l'eau en soutenant sa tête, ses épaules et ses fesses.

Tout propre En soutenant toujours sa tête, mouillez-le. Lavez-le avec une débarbouillette ou une éponge.

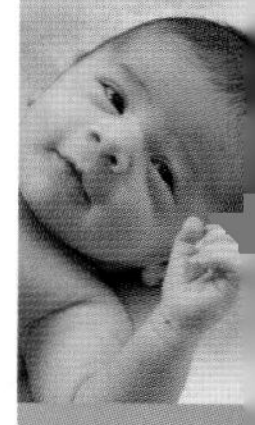

VOTRE BÉBÉ A 1 SEMAINE ET 1 JOUR

Un allaitement réussi

L'allaitement de votre bébé prend du temps, mais l'observation de sa croissance et de son développement vous récompense de vos efforts.

Allaitement au sein
L'allaitement au sein requiert un peu de pratique, tant pour vous que pour votre bébé. Pour qu'il prenne le lait dont il a besoin, il est essentiel que votre nouveau-né soit bien mis au sein. Lorsque vous maîtriserez la technique, il tétera ainsi plus efficacement, stimulant la production de la quantité de lait nécessaire, et vous rencontrerez moins de difficultés. Quelle que soit la position choisie, n'oubliez pas qu'il faut toujours mener l'enfant au sein – et non le sein à l'enfant. Sinon vos mamelons seront irrités, et vous aurez des crevasses. Gardez le dos bien droit et portez votre bébé à votre poitrine.

Il est fréquent de ressentir un pincement pendant les 10 premières secondes mais la douleur ne doit pas persister pendant toute la tétée. Si vous rencontrez des problèmes, n'hésitez pas à en parler à une infirmière ou à un spécialiste de l'allaitement. Comptez quelques jours pour que votre production de lait réponde aux besoins de votre bébé et un peu plus de temps pour vous sentir tout à fait à l'aise et confiante. Certaines mamans qui n'apprécient pas l'allaitement au sein au début sont contentes, 2 à 3 semaines plus tard, d'avoir persévéré.

COMMENT…

Adopter une bonne position pour allaiter

Pour que votre bébé prenne le sein correctement, il est important que vous adoptiez une bonne position. Vous devez être installée confortablement, le dos bien calé (utilisez des coussins). Essayez plusieurs positions et adoptez celle qui vous convient le mieux. La position classique est la « berceuse ». Vous êtes assise, son ventre est contre le vôtre. La position du « ballon de rugby », votre bébé se glissant sous votre bras, est intéressante si vos seins sont douloureux, car votre bébé n'appuie pas sur votre poitrine. Pour les tétées de nuit, ou après une césarienne, vous pouvez nourrir votre bébé, allongé à vos côtés. Vérifier que sa tête peut reculer légèrement quand il boit. Son menton doit toucher votre sein et il doit pouvoir respirer facilement.

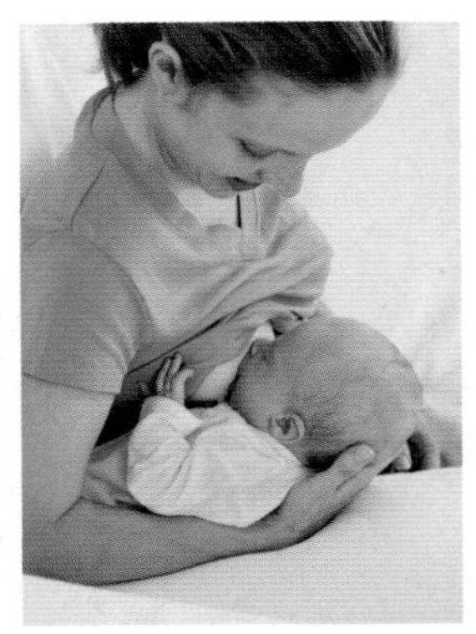

La « berceuse » Votre bébé sur les genoux, ventre contre ventre, calez sa tête au creux de votre bras. Allongez l'avant-bras pour le soutenir et repliez ses genoux contre vous (à gauche). **Le « ballon de rugby »** Glissez votre bébé sous votre bras, comme si vous teniez un ballon contre vous et soutenez son cou de la main (au milieu). **La position allongée** Allongez votre bébé face à vous et ramenez-le contre votre sein en l'entourant de votre bras (à droite).

Combien de temps dure la tétée? Ne cherchez pas à chronométrer vos tétées. Votre bébé tète le temps nécessaire pour boire la quantité de lait qu'il lui faut. Il vide parfois votre sein en 10 minutes. À d'autres moments, il peut somnoler et rester 20 minutes, ou plus, de chaque côté. Ne le bousculez pas. Il tète parfois simplement par plaisir, c'est une façon naturelle d'augmenter votre production de lait.

La plupart des nouveau-nés tètent 8 à 12 fois par jour. Pendant la première semaine, il peut être au sein toutes les 90 minutes ou faire une pause de 3 heures si la tétée l'a bien rassasié.

Vider chaque sein Il est préférable de vider un sein avant de passer à l'autre afin que votre bébé boive à la fois du lait de début de tétée, qui hydrate et étanche la soif, et du lait de fin de tétée, plus nourrissant. Cela permet aussi de prévenir certains problèmes, comme l'engorgement (voir encadré ci-contre). Si votre bébé ne vide pas les deux seins, commencez par le sein le plus plein à la tétée suivante pour être sûre que les deux soient finalement vidés. Notez le sein qui a été donné en dernier.

COMMENT...

Allaiter des jumeaux au sein

Vous pouvez commencer à nourrir vos bébés l'un après l'autre jusqu'à maîtriser l'allaitement au sein. Si vous adoptez cette méthode, la stimulation d'un sein peut entraîner une éjection de lait à l'autre sein (appelée « double éjection »). Mettez une coupelle à proximité pour recueillir le lait qui fuit, vous pouvez le congeler pour une utilisation ultérieure.

En cas d'allaitement simultané, n'oubliez pas que l'un des jumeaux tète souvent mieux que l'autre. Mettez ce bébé au sein en premier et prenez votre temps pour bien positionner le second. Ce dernier bénéficiera de l'éjection simultanée sans avoir à trop se fatiguer. S'ils sont petits, vous pouvez les caler tous les deux sur vos genoux, leur ventre contre le vôtre. Si c'est trop compliqué, essayez la position du « ballon de rugby » (voir l'encadré ci-contre), la tête au sein et le corps niché à vos côtés.

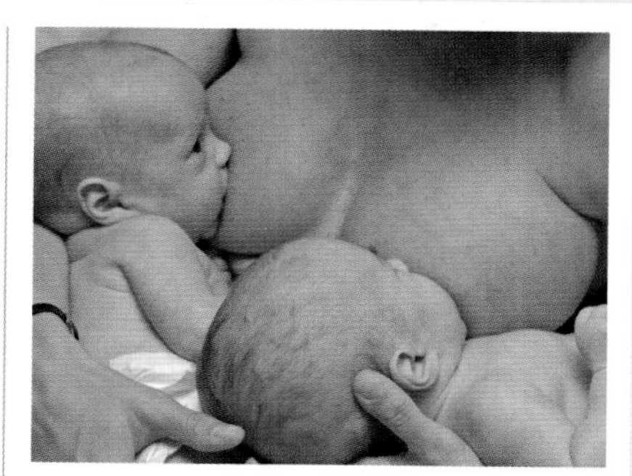

Position des jumeaux Cette maman associe la position de la « berceuse » et celle du « ballon de rugby ». Vous trouverez la position qui vous convient le mieux avec la pratique.

Allaitement au biberon

Il est aussi important d'être bien installée et au calme lorsque vous donnez le biberon. Asseyez-vous dans un siège confortable, le dos bien calé, de manière à pouvoir regarder votre bébé dans les yeux. C'est un moment privilégié pour tisser des liens, de manière encore plus naturelle si vous adoptez la position de l'allaitement au sein. Tenez votre nouveau-né contre vous pendant la tétée, il pourra ainsi entendre battre votre cœur, sentir votre odeur familière et être rassuré. Changez régulièrement de bras pour que votre bébé et vous-même soyez à l'aise.

Donner le biberon Tenez votre bébé dans une position semi-assise, en soutenant sa tête.

Position de votre bébé Prenez votre bébé sur vos genoux, puis calez-le au creux de votre bras, en position semi-assise, ni allongé, ni trop droit. Quand vous êtes prête à donner le biberon, s'il n'ouvre pas la bouche spontanément, caressez-lui les lèvres avec le bout de la tétine. Ne donnez pas le biberon quand votre bébé est couché, le lait peut passer dans les sinus ou l'oreille moyenne et entraîner une infection. Redressez-le légèrement. Pour éviter qu'il avale de l'air, penchez le biberon afin que la tétine soit toujours remplie de lait.

Votre bébé prendra entre 60 et 120 ml par tétée pendant les premières semaines et il aura faim toutes les 3 à 4 heures. Restez attentive à ses demandes : s'il veut plus de lait que d'habitude, c'est qu'il a faim.

AIDE-MÉMOIRE

Problèmes courants

La plupart du temps, une mise au sein incorrecte est à l'origine des désagréments de l'allaitement au sein. Un changement de position peut résoudre certains problèmes. Autres difficultés rencontrées :

Mamelons irrités ou crevassés En fin de tétée, étalez une goutte de votre lait sur le mamelon et mettez un coussinet de gel. Appliquez une crème hydratante, laissez vos seins « à l'air » après la tétée et changez fréquemment de coussinet.

Fuites Elles sont normales durant les premiers jours. Un sein peut fuir tandis que votre bébé tète l'autre et ses pleurs peuvent également stimuler l'éjection de lait. Les coussinets et la mise au sein fréquente évitent les fuites. Les choses s'améliorent vers 6 à 8 semaines.

Engorgement Une fois l'allaitement déclenché, une surproduction de lait peut s'accumuler dans les seins si la mise au sein n'est pas correcte ou si les seins ne sont pas vidés complètement. En cas de rougeur ou de douleur, nourrissez votre bébé plus souvent pour laisser le lait s'écouler. En l'absence d'amélioration, parlez-en à l'infirmière ou au médecin.

Mastite Inflammation ou infection du sein qui devient rouge ; elle s'accompagne de symptômes identiques à ceux de la grippe (fièvre). Le sein peut aussi être dur et douloureux. Continuez à allaiter votre bébé fréquemment, mais consultez votre médecin si vous n'allez pas mieux.

Mycose Cette infection du mamelon entraîne une douleur vive et lancinante au cours de la tétée. Votre médecin vous prescrira un gel et votre bébé sera aussi examiné.

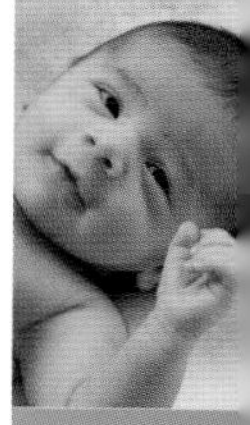

Le poids de votre nouveau-né

À cet âge, quelques grammes comptent, car c'est la régularité de la prise de poids qui importe.

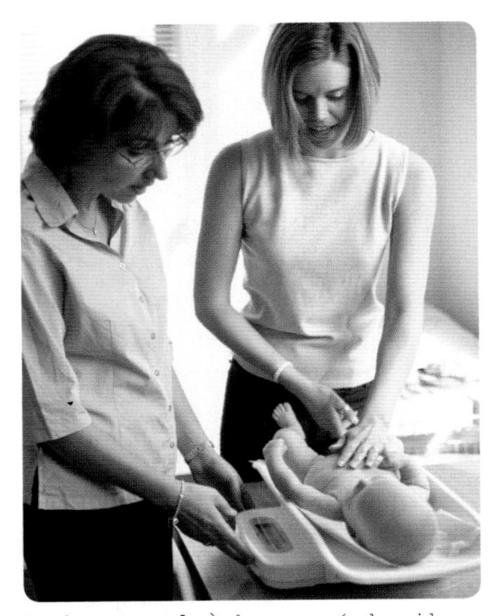

Pesée postnatale À chaque pesée, le poids de votre bébé est noté dans son carnet de santé. Tant que sa prise de poids reste dans la fourchette normale, tout va bien.

Si vous allaitez au sein, le poids de votre bébé vous préoccupe sûrement beaucoup. Comme vous ne pouvez pas voir la quantité de lait qu'il absorbe, vous craignez qu'il n'en ait pas assez. C'est particulièrement le cas s'il a perdu du poids la semaine précédente (ce qui est normal) et qu'il peine à le reprendre.

En général, il n'y a pas de raison de s'inquiéter : les difficultés de prise de poids chez le nouveau-né allaité exclusivement au sein sont fréquentes et passagères. Certains bébés mettent simplement un peu plus longtemps que les autres à commencer à prendre du poids. Souvent, après la montée de lait du quatrième jour, votre bébé prend environ 25 g par jour. La plupart des bébés récupèrent leur poids de naissance en 2 semaines, mais pour d'autres c'est plus long. Dans certains cas, quand le bébé ne grossit pas assez avec le lait maternel seul, il est parfois recommandé de lui donner des biberons de complément. À cet âge, le poids est un indicateur de bonne santé moins important que l'aspect général et le bien-être de votre bébé : s'il est éveillé, s'il se réveille pour téter, si sa couleur de peau et son teint sont normaux, s'il mouille 6 à 8 couches par jour et s'il fait au moins 2 à 5 selles par jour, tout va bien.

Si votre bébé semble léthargique, sans énergie et pâle, s'il mouille moins d'une couche par jour ou que ses urines sont foncées après le sixième jour, si, après la première semaine, sa peau devient plus jaune au lieu de pâlir et s'il est encore fripé, il est important de consulter un médecin pour s'assurer que l'allaitement est efficace. Continuez à le nourrir à la demande et il devrait bientôt reprendre du poids.

Si votre bébé est nourri au biberon, il devrait aussi prendre environ 25 g par jour jusqu'à l'âge de 3 mois. Vous devez lui donner 60 à 80 ml de lait 6 à 8 fois par jour : les nouveau-nés ont de petits estomacs et ne peuvent pas en avaler beaucoup plus par tétée. Il doit toujours rester un peu de lait dans le biberon à la fin de chaque tétée pour être sûr qu'il en ait eu assez.

COMMENT...

Couper les ongles de votre bébé

Les ongles poussent vite, il faut donc les couper pour éviter que votre bébé ne se griffe. Il est préférable d'attendre qu'il ait 1 mois, car ses ongles auront une consistance plus dure. Ceux des orteils poussent plus lentement, mais ils peuvent s'incarner. Si vous utilisez des ciseaux spéciaux ou un coupe-ongles pour bébés, vous ne risquez pas de le blesser. Coupez-lui les ongles quand il est calme. Vous pouvez aussi demander au papa de maintenir ses mains ou ses pieds pendant que vous œuvrez. Ne les coupez pas trop court, laissez toujours un peu de blanc. Les ongles des orteils doivent être coupés droits et ceux des doigts légèrement arrondis.

Ciseaux Utilisez des ciseaux spéciaux pour les bébés, à bouts ronds (à gauche).
Coupe-ongles Il est très pratique pour couper les ongles des orteils (à droite).

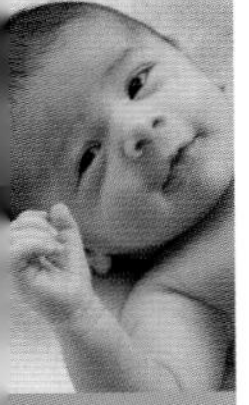

Les sorties

Si vous n'êtes pas encore sortie dehors avec votre nouveau-né, c'est le moment ! Ce sera très bénéfique pour vous deux.

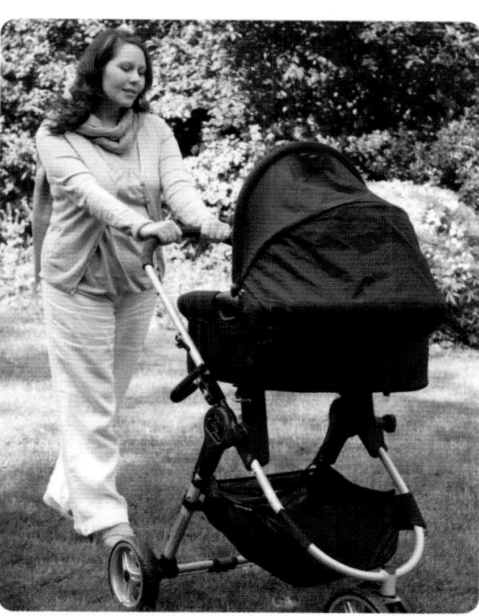

Le porte-bébé Dans un porte-bébé frontal, votre nourrisson est tout contre vous (à gauche). Vous pouvez en utiliser un dès la naissance, sous réserve que votre bébé soit d'un poids suffisant. **Le landau** Vous vous relaxerez en poussant le landau et le mouvement bercera votre bébé (à droite).

Il est tentant de s'enfermer et de rester à l'intérieur avec votre nouveau-né, mais offrez-vous une pause en prenant l'air et en changeant de paysage, cette sortie vous fera du bien. Le soleil favorise la production de vitamine D qui vous assurera, ainsi qu'à votre bébé, de bonnes dents, des os solides et un sommeil réparateur ; elle aide à lutter contre le baby blues.

Même si vous n'avez pas envie de marcher loin, une petite promenade au magasin d'à côté ou dans le parc voisin vous aidera à vous sentir moins isolée que si vous restez enfermée chez vous avec votre bébé.

Programmez votre sortie après une tétée, votre enfant sera plus calme. Habillez-le en fonction du temps. Mettez-lui la même quantité de vêtements que vous, plus une couche supplémentaire pour le protéger du vent. S'il fait froid, optez pour un pyjama, une combinaison chaude, une tuque et une couverture. Sa tête doit être chaude, au toucher, mais pas trop ; ses mains et ses pieds un peu plus frais. N'oubliez pas vos clés, votre cellulaire et votre porte-monnaie et surtout, profitez de ce bol d'air frais.

Matériel supplémentaire Si vous prévoyez de rester dehors plus d'une demi-heure, vous devez prendre d'autres affaires indispensables avec vous. Ne quittez pas la maison sans :

- **Des langes** Ils sont parfaits pour tout essuyer et vous pouvez en draper un sur votre épaule pour donner discrètement le sein.
- **Un sac à couches** Rempli de couches, de lingettes, de sacs en plastique pour les vêtements ou les couches sales, d'un change pour votre bébé, d'une crème protectrice et d'un matelas à langer pliant.
- **Du lait et des biberons** Si vous allaitez au biberon, prenez quelques portions de lait tout prêt et des biberons.
- **De l'eau et des gâteaux** Prenez une bouteille d'eau et quelque chose à manger au cas où vous vous sentiriez faible.

ANGIOME FRAISE

Également appelée angiome tubéreux, cette tache de naissance rouge vif est assez fréquente et pas du tout inquiétante. Elle se forme généralement sur la tête ou sur le cou mais peut se trouver n'importe où sur le corps ; elle est rarement présente à la naissance et apparaît dans les premières semaines. Il s'agit au début d'une petite zone plane rouge qui se développe pour ressembler à une fraise. Elle grossit jusqu'à 1 à 4 ans puis commence à s'estomper. Certaines peuvent persister jusqu'à 10 ans, mais la plupart ont disparu à l'âge scolaire, sans traitement. Si elles gênent la vision ou se situent dans un endroit délicat – au niveau du cou, par exemple –, un traitement pour les réduire peut être envisagé.

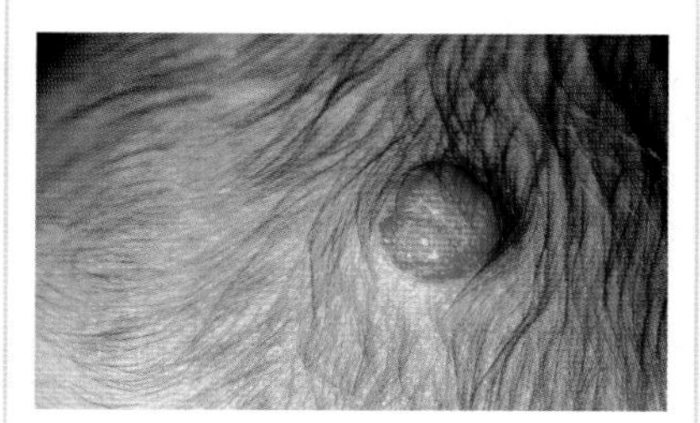

Tache de naissance Fraise résultant d'une excroissance de petits vaisseaux sanguins.

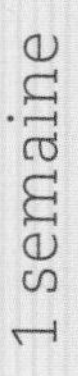

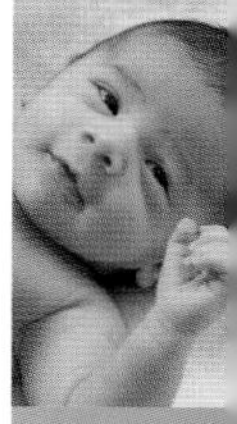

Prenez soin de vous

Votre bébé vous monopolise, mais ne négligez pas votre santé. En étant en forme, vous trouverez l'énergie nécessaire à une jeune maman.

Manger sainement Des salades équilibrées vous apportent des vitamines essentielles et vous aident à maîtriser votre poids.

Si vous avez du mal à trouver du temps pour cuisiner des repas équilibrés, vous devez cependant faire attention à votre alimentation. Le grignotage vous aidera à tenir entre deux tétées, mais votre santé et votre énergie en pâtiront.

Remplissez le réfrigérateur d'aliments sains à avaler sur le pouce : graines germées, amandes, fruits et légumes frais, yogourt, frappés aux fruits, fromage, œufs, pain complet et beaucoup d'eau ; de cette façon, votre glycémie restera stable et vous vous sentirez calme et détendue.

Il est très important de bien vous hydrater. Les mères qui donnent le sein ont besoin de boire 2,7 litres de liquide par jour : 70 à 80 % dans les boissons et 20 à 30 % dans l'alimentation, dont les frappés aux fruits et les laitages allégés. Si vous allaitez, il est préférable d'éviter les boissons caféinées, comme le café ou les colas, car la caféine passe dans le lait. Il est tout à fait possible de bien manger même quand on a peu de temps. Il suffit de quelques minutes pour préparer un bol de soupe et du pain complet, des œufs au plat ou un plat de pâtes. Manger cinq ou six portions de fruits et de légumes par jour vous assure un apport important en vitamine C, nécessaire pour absorber le fer, présent dans la viande rouge, les fruits secs, les légumineuses et les céréales complètes. Privilégiez les aliments pauvres en calories et riches en éléments nutritifs – viande blanche, pâtes aux légumes…

Si votre entourage vous propose de faire la cuisine, acceptez. Il n'y a aucune honte à se faire aider ; vous pourrez ainsi vous consacrer à votre nouveau-né et reprendre des forces.

Exercice L'accouchement n'est pas très loin, mais essayez de sortir prendre l'air et de bouger un peu. L'absence d'activité accentue la fatigue due au manque de sommeil. Faites de l'exercice et votre sommeil sera plus réparateur. Prenez l'habitude d'aller faire une promenade dans un parc ou de faire votre épicerie à pied plutôt que de prendre l'auto. Vous pouvez également vous inscrire à un cours de gymnastique postnatale.

Si vous avez eu une césarienne, vous n'avez peut-être pas très envie d'aller marcher, mais une petite escapade quotidienne (même dans le jardin) vous aidera à récupérer. Ne partez en promenade que si vous êtes sûre de pouvoir le faire. En cas de doute, demandez d'abord l'avis de votre infirmière ou de votre médecin.

L'AVIS... DU SPÉCIALISTE DE L'ALLAITEMENT

Que ne dois-je pas manger tant que j'allaite ? Vous pouvez manger normalement, mais si votre bébé commence à rechigner au sein ou à avoir des coliques lorsque vous avez mangé certains aliments, essayez de les éviter. Souvent, il s'agit d'aliments « producteurs de gaz », comme les oignons, l'ail, le brocoli et le chou, ayant un goût marqué (curry et chili) ou bien d'agrumes (y compris leur jus).

Puis-je utiliser des bouts de sein ? Ce n'est pas recommandé, car ils réduisent la quantité de lait reçue et par conséquent sa production.

Quelles sont les boissons à éviter ? L'alcool est à bannir dans les premiers jours, car il a une influence négative sur votre réflexe d'éjection et il est préférable de l'éviter ensuite (sauf occasionnellement, de façon très modérée). Limitez votre consommation de café à une tasse par jour : la caféine rend les bébés grognons et agités. Buvez des infusions, mais sans en abuser. La menthe par exemple, connue pour calmer les coliques des bébés et les aider à faire leur rot, réduit aussi la production de lait lorsque la maman en boit beaucoup.

Puis-je fumer ? Vous mettriez votre enfant en danger en le faisant. La nicotine contient des substances chimiques qui nuisent à sa santé. Des traces de fumée dans l'environnement de votre bébé augmentent le risque de mort subite, d'asthme et d'otites.

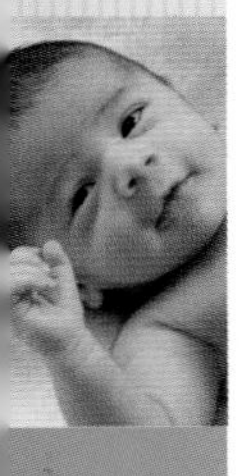

Vous connaissez votre bébé

Vous avez peur de ne pas réussir à remplir votre nouveau rôle. Ayez confiance : c'est vous qui connaissez le mieux votre bébé.

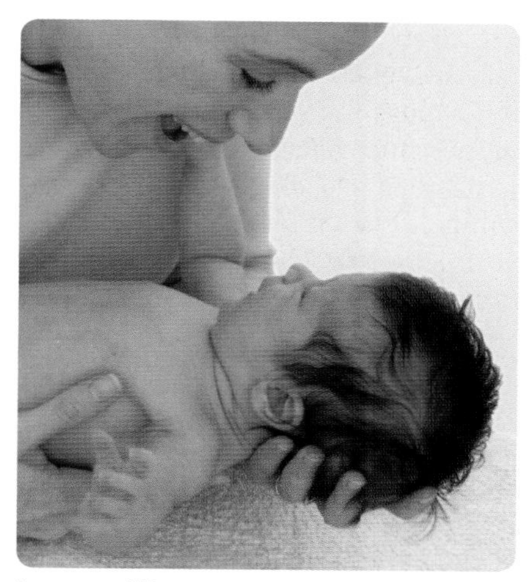

Jeux quotidiens Le contact visuel, les rires et les «discussions» tissent des liens entre votre enfant et vous.

Si les bébés étaient livrés avec un mode d'emploi, ces derniers jours auraient été plus faciles. Beaucoup de mamans trouvent cette période d'apprentissage compliquée et s'inquiètent de savoir si elles font ce qui est bien pour leur bébé. En cherchant à comprendre les besoins de votre nouveau-né, vous saurez y répondre. Déchiffrez les signaux qu'il vous envoie et vous le prendrez dans vos bras, le nourrirez, le changerez et le bercerez quand il en aura besoin.

Il n'y a pas une «bonne» manière de s'occuper de son enfant : il est unique et ce qui est bon pour un autre n'est peut-être pas bon pour lui. Ne comparez pas votre méthode d'éducation avec celle des autres mamans; plus vous connaîtrez votre bébé, mieux vous saurez ce qui lui convient, même si le contenu des livres ou l'avis de vos amis diffèrent de ce que vous pensez.

Si vous n'éprouvez pas de plaisir particulier à vous occuper de votre nouveau-né pour le moment, ne vous inquiétez pas et ne culpabilisez pas. Il n'est pas rare que de jeunes mamans et papas, aient l'impression d'agir machinalement sans recueillir précieusement chaque moment passé avec leur nouveau-né. Quelques rares parents ont du mal à consacrer autant de temps et d'énergie à un bébé. Si cela vous arrive, demandez de l'aide autour de vous et parlez-en à un professionnel de la santé. Il est possible que vous soyez épuisée : demandez à votre entourage de prendre le relais afin de vous reposer.

Ne mettez pas la barre trop haut et ne paniquez pas si rien ne se passe comme prévu. Avec un nourrisson, les jours se suivent et ne se ressemblent pas; soyez souple et revoyez parfois vos exigences.

L'AVIS... DE L'INFIRMIÈRE

Puis-je allaiter quand je suis malade? Vous n'en avez peut-être pas très envie, mais il faut continuer pour maintenir la production de lait. Vous ne transmettrez pas l'infection à votre bébé, mais plutôt les anticorps que vous fabriquez contre la maladie : il aura ainsi moins de risque de l'attraper. La plupart des antalgiques en vente libre sont compatibles avec l'allaitement, mais vérifiez la notice ou demandez conseil à votre pharmacien. Assurez-vous auprès de votre médecin que les médicaments que vous prenez régulièrement sont inoffensifs.

DANS LE MÊME LIT

Pour vos jumeaux, vous pouvez opter pour le lit partagé. N'ayez pas peur qu'ils aient trop chaud ou qu'ils s'étouffent. Des études ont démontré que les risques sont exactement les mêmes, que vos nouveau-nés partagent le même lit ou qu'ils dorment séparément.

Il est important de suivre les mêmes règles que pour un seul bébé. Assurez-vous par exemple que chaque jumeau est bien allongé dans le lit. Couchez-les sur le dos, soit tête-bêche, les pieds aux deux extrémités du lit, ou bien côte à côte, les pieds du même côté du lit.

La position côte à côte ne présente pas plus de risques, même si quelques échanges de «coups» involontaires sont prévisibles. En étant dans le même lit, les bébés se réconfortent et se sentent en sécurité. En gardant vos bébés dans votre chambre – tout au plus jusqu'à 3 mois –, vous réduisez le risque de MSN (voir p. 31). Il est alors beaucoup plus pratique d'avoir vos jumeaux dans le même lit.

Lit commun Vos jumeaux peuvent dormir dans le même lit, en toute sécurité, tête-bêche ou côte à côte.

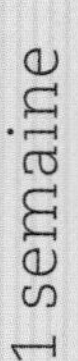

Réflexion sur la naissance

Les jeunes parents éprouvent le besoin de parler de l'expérience de la naissance, en particulier si tout ne s'est pas passé comme prévu.

Que vous ayez eu un accouchement étonnamment rapide et facile ou que la naissance de votre enfant ait été très médicalisée alors que vous la souhaitiez plus naturelle, vous aurez probablement envie d'en parler, en détail. La naissance est un bouleversement et une expérience riche en émotions. Il est normal d'être à la fois fière et perturbée et d'avoir besoin de comprendre le sens des événements.

Des couples peuvent être mécontents de l'accouchement qu'ils ont vécu et certains souffrent d'un traumatisme postnatal. Pour les femmes, la naissance a pu être plus longue, douloureuse ou compliquée que prévu. Pour les hommes, leur sentiment d'impuissance ou de détresse à la vue de leur compagne a pu fausser leur point de vue. Si votre conjoint n'a pas pu vous soutenir durant l'accouchement du fait d'un choc psychologique trop violent, il est impératif qu'il s'exprime. Vous auriez préféré que les choses se passent comme prévu ou différemment, vous vous demandez pourquoi certains gestes ont été nécessaires. À l'inverse, vous avez vécu un accouchement merveilleux, vous rayonnez et souhaitez partager votre histoire encourageante. Quoi qu'il en soit, cet accouchement s'est déroulé et, pour vous en souvenir et le comprendre, il est nécessaire d'en parler – avec votre conjoint, votre famille, les amies rencontrées dans les cours prénataux, les infirmières ou les médecins qui vous ont prise en charge.

Partage d'expériences Parler de la naissance à d'autres mamans, qui apprécieront de raconter leur propre expérience, peut être très bénéfique.

N'hésitez pas à parler au personnel médical et à poser des questions si certains détails de la naissance vous mettent mal à l'aise ou vous semblent confus. Les professionnels de santé sont là pour vous soutenir et ils comprennent que vos questions sont une manière d'accepter votre expérience. La naissance d'un bébé est merveilleuse et vous verrez que la plupart des gens seront fascinés d'apprendre comment votre enfant est venu au monde.

Voir le bon côté Quelle que soit votre expérience, regardez le bon côté des choses, vous avez donné la vie. Il est tout à fait normal d'être déçue, ou même de se sentir coupable, lorsque tout ne se passe pas comme prévu – en particulier quand les autres ont vécu une expérience plus agréable ou une naissance naturelle. Mais vous avez tout de même un bébé en bonne santé dans les bras et c'est ce qui compte. Soyez fière du merveilleux nouveau-né auquel vous avez donné la vie.

L'AVIS… DU MÉDECIN

Mon bébé a les yeux collés. Est-ce normal ? Beaucoup de nouveau-nés ont une petite infection des yeux, souillés par du sang ou d'autres liquides au moment de la naissance. Au réveil, il peut avoir de petites croûtes sur les cils et même des sécrétions au coin interne de l'œil. Nettoyez-lui les yeux en essuyant délicatement toutes les sécrétions. Cela disparaît habituellement tout seul, mais si les symptômes persistent après 3 jours, consultez votre médecin. Il peut être utile de masser les glandes lacrymales à l'angle interne de l'œil pour aider à la perméabilité du canal lacrymal.

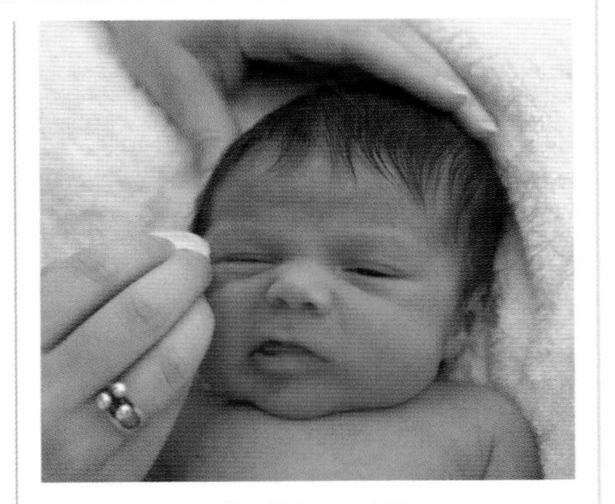

Nettoyer un œil collé Humidifiez une ouate pour chaque œil avec du sérum physiologique ou votre propre lait (qui contient des anticorps). Essuyez de l'intérieur vers l'extérieur.

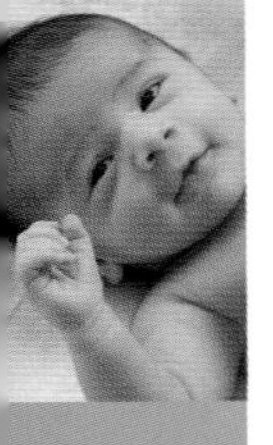

GROS PLAN SUR...

La récupération

Même un travail très facile peut vous avoir laissée endolorie et mal en point. Si vous avez eu des points de suture ou une césarienne, vous êtes peut-être somnolente. Certaines techniques vous aideront à récupérer.

Le plancher pelvien Le poids de votre bébé, du placenta et du liquide amniotique a exercé une pression importante sur votre plancher pelvien qui soutient les organes du pelvis. Pendant le travail et l'accouchement, cette région a aussi été étirée pour laisser passer la tête de votre bébé.

Si vous avez eu un gros bébé, une déchirure importante ou un accouchement assisté, votre plancher pelvien est relâché et faible, ce qui entraîne des fuites urinaires quand vous éternuez, toussez ou faites des efforts. C'est une incontinence d'effort qui touche environ la moitié des jeunes mamans mais qui est en général réversible. Cette faiblesse entraîne également une gêne et une sensation de pesanteur au niveau du vagin.

Vous pouvez améliorer la situation en pratiquant les exercices du plancher pelvien (dits de Kegel) dès que vous vous sentez assez à l'aise pour cela (le plus tôt est le mieux). Commencez par effectuer des exercices couchée sur le dos ou sur le côté. Voici ce qu'il faut faire :

- Inspirez et sur l'expiration, contractez doucement vos muscles du plancher pelvien vers le haut et l'intérieur, comme si vous vouliez arrêter d'uriner.
- Tenez la contraction pendant 4 ou 5 secondes, en inspirant et en expirant normalement, puis relâchez.
- Répétez l'exercice 5 fois (arrêtez si vous ne vous sentez pas bien), 5 ou 6 fois par jour. Essayez peu à peu de tenir la contraction pendant 10 secondes.

Il faut du temps pour que les muscles retrouvent la force même de bouger et que les nerfs étirés répondent. Même si vous avez l'impression qu'il ne se passe rien les premiers jours, vous favoriserez la circulation sanguine de la zone, accélérant la cicatrisation et la restauration du tonus musculaire. Ces exercices aident aussi à réduire les hémorroïdes.

Si vous avez eu une césarienne, ces exercices seront plus faciles à réaliser, car votre périnée sera moins douloureux. Il est cependant important de les pratiquer, la grossesse ayant affaibli vos muscles du plancher pelvien.

La sangle abdominale Les muscles de la sangle abdominale aident ceux du plancher pelvien à soutenir votre dos et votre pelvis. Faites travailler ce muscle pour retrouver votre silhouette d'avant grossesse et affiner votre ventre. Votre mal de dos en sera aussi soulagé. Vous pouvez commencer à tonifier votre abdomen en pratiquant des bascules du bassin (voir l'encadré ci-contre).

Soulagement rapide Si votre périnée ou votre cicatrice sont sensibles, une serviette humide remplie de glaçons ou une compresse de gel glacée réduiront l'inflammation et la douleur. Prenez des douches ou des bains chauds pour favoriser la circulation et la cicatrisation.

COMMENT...

Faire la bascule du bassin

Après un accouchement par voie basse et une fois que le médecin ou l'infirmière vous a donné leur aval, renforcez votre sangle abdominale grâce à la bascule du bassin. Allongez-vous sur le dos, les genoux pliés et les pieds posés à plat sur le sol. Placez les mains sur le ventre afin de sentir le travail musculaire. Contractez les muscles du ventre et plaquez le dos contre le sol. Serrez les fesses. Comptez jusqu'à 6, puis relâchez. En cas de césarienne, attendez 6 à 8 semaines avant de faire cet exercice. Pour améliorer la circulation sanguine, rentrez le ventre et tenez la position pendant 1 à 2 minutes.

Contractez les abdominaux et plaquez le bas du dos sur le sol ; imaginez que vous tirez votre nombril vers la colonne vertébrale. Faites 3 séries de 10 mais arrêtez si vous êtes fatiguée.

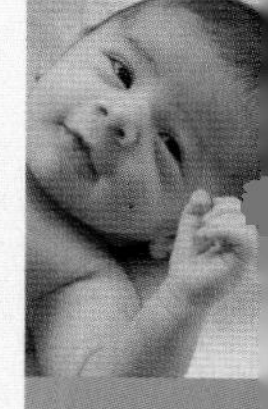

2 semaines

LES NOUVEAU-NÉS NOURRIS AU SEIN TÈTENT 8 À 12 FOIS PAR JOUR

Grâce aux longues et fréquentes tétées qu'il aime tant, votre bébé semble plus joufflu et a dû reprendre le poids perdu pendant la première semaine. Maintenant qu'il est plus fort et moins vulnérable, vous êtes plus à l'aise pour le porter.

Profitez de la vie de famille

Dans la famille, chacun a besoin de temps pour s'adapter au nouveau venu et il est bon pour tous de préserver l'unité familiale.

Temps partagé Donnez du temps et de l'attention aux grands, ils accepteront mieux le petit dernier.

C'est merveilleux de devenir une famille, rien ne sera jamais plus comme avant. Vous resserrez les liens avec vos propres parents qui découvrent le rôle de grands-parents et vous passez plus de temps avec la famille élargie. Si vous avez des enfants plus grands, ou issus d'une relation précédente, ils auront besoin de temps pour accepter le bébé et la nouvelle unité familiale. Veillez à ne pas monopoliser la conversation sur le nouveau-né pour que vos enfants ne se sentent pas délaissés. Vous êtes peut-être passés du statut de « conjoints » à celui de « conjoints et parents » et vos relations s'en trouvent modifiées. L'arrivée d'un bébé vous offre la chance de construire quelque chose de vraiment original.

Si vous avez d'autres enfants, vous serez tentés de vous relayer pour que l'un garde le bébé tandis que l'autre s'occupe des grands ; or, il est très gratifiant de passer du temps en famille, au complet. Que vous décidiez de regarder un film tous ensemble, d'aller au parc, de jouer aux cartes ou même de passer simplement un moment dans le jardin, vous entretenez les liens qui constituent le socle d'une vie de famille heureuse.

Chaque membre de la famille se sent valorisé par le temps passé ensemble. Même dans des activités aussi simples que la cuisine ou la vaisselle, chacun a le sentiment de participer à l'effort commun et d'avoir un rôle. L'affection, le jeu, la communication et la détente en famille favorisent aussi l'estime de soi et la dynamique familiale et créent de bons souvenirs.

JAUNISSE

La jaunisse, responsable du jaunissement de la peau et du blanc des yeux (voir p. 404), est fréquente chez les nouveau-nés, et notamment ceux qui sont nourris au sein. Elle disparaît toute seule en 2 semaines, mais 10 % des nourrissons en sont encore atteints au-delà. Il s'agit souvent d'un « ictère au lait maternel », mais elle peut également révéler une maladie du foie, par exemple, surtout si les selles sont blanches. Parlez-en à votre médecin : votre bébé a peut-être besoin d'une prise de sang et de suivre un traitement.

L'IMPORTANCE DES GRANDS-PARENTS

L'accueil des grands-parents dans la vie de votre bébé est une façon de fêter cette famille qui s'agrandit. Vous pouvez ou non apprécier leur aide, selon les relations que vous entretenez avec eux. Dites-leur ce dont vous avez besoin et la manière de vous aider. S'ils vivent à proximité, vos beaux-parents peuvent se charger de la cuisine et vos parents du ménage.

Les grands-parents ne peuvent généralement pas s'empêcher de donner des conseils. Acceptez-les de bonne grâce, mais ayez confiance dans vos propres compétences et suivez vos instincts de parents. Essayez de bien définir le rôle de chacun le plus tôt possible avec délicatesse et expliquez aux nouveaux grands-parents que vous seuls avez autorité sur tout ce qui concerne votre enfant, car vous êtes désormais parents.

Dans de bonnes mains Les grands-parents ont beaucoup d'amour à donner à leurs nouveaux petits-enfants. Les liens tissés entre eux sont ainsi très forts dès le début.

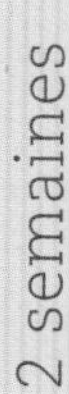

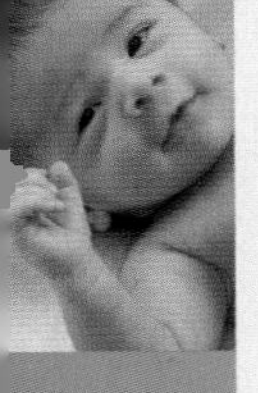

GROS PLAN SUR...

Les pleurs

Tous les bébés pleurent pour communiquer et il est difficile, au départ, de comprendre ce qu'ils veulent. Vous apprendrez vite à différencier les pleurs de votre enfant et trouverez facilement la meilleure manière de le calmer.

En moyenne, même le bébé le plus placide pleure entre 1 et 3 heures, mais certains semblent pleurer tout le temps ! Les premiers jours, vous serez déstabilisée par ses pleurs et aurez du mal à le calmer. Le mieux est de vous détendre et d'être logique. La plupart des nouveau-nés pleurent pour les mêmes raisons et il faut commencer par trouver ce qui ne va pas. Cependant, certains pleurs ne sont pas liés à un besoin fondamental. Votre anxiété ne fera que renforcer sa détresse ; les bébés perçoivent le stress et il aggrave la situation.

L'AVIS... DE L'INFIRMIÈRE

Comment puis-je savoir si les pleurs sont dus à des coliques ou à un reflux ? Environ un quart des nourrissons souffrent de coliques. La cause en est encore méconnue, mais elles sont liées à un excès de gaz et se caractérisent par des pleurs incontrôlables (souvent à la même heure du jour ou de la nuit) et un repli des genoux. Elles disparaissent souvent vers 3 mois. (Pour soulager des coliques, voir p. 77.)

Le reflux survient quand le contenu acide de l'estomac remonte dans l'œsophage, entraînant gêne et brûlure. Votre nouveau-né peut alors être très irritable. En cas de reflux, les pleurs surviennent pendant la tétée ou juste après ; avec les coliques, les pleurs empirent le soir. Le reflux peut aussi entraîner des régurgitations importantes. Si vous pensez que votre bébé a un reflux, parlez-en à votre médecin.

Pourquoi mon bébé pleure-t-il ?

Un bébé qui pleure n'est pas forcément malheureux, il ne fait que vous signaler ses besoins. Donc, si vous parcourez le salon pour la cinquantième fois en le serrant contre vous dans l'espoir de le calmer, soyez positive : votre enfant a le sens de la communication ! Il est temps de trouver pourquoi il pleure.

Pour calmer votre nouveau-né, procédez par tâtonnements. Ce qui marche un jour peut ne pas fonctionner le lendemain, ou bien vous trouverez une astuce efficace à chaque fois. Tous les parents excellent dans l'adaptation. Avec le temps, vous reconnaîtrez les pleurs de votre enfant, vous saurez s'il a faim, s'il se sent seul ou s'il est l'heure de la sieste. Vous saurez quand il a besoin d'un câlin ou de rester un peu tout seul. Il n'aimera peut-être pas être changé ou habillé, mais vous réussirez à rendre ces tâches amusantes ou à les réaliser très vite.

Faim Les bébés pleurent quand ils ont faim ou soif et ne s'arrêtent qu'une fois rassasiés. Au cours des poussées de croissance, quand vos seins ont du mal à répondre à la demande, votre bébé a plus d'appétit que d'habitude et pleure davantage. Laissez-le téter, cela le calmera et améliorera votre production de lait.

Trop chaud ou froid Les jeunes bébés ne savent pas réguler leur température corporelle. Vérifiez qu'il n'est pas trop couvert ou qu'il est assez habillé. En superposant des couches fines pour l'habillement et le couchage, il sera plus facile de le rafraîchir ou de le réchauffer

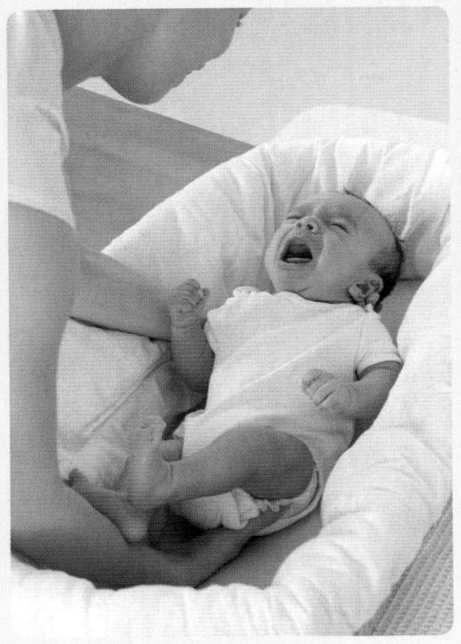

Attirer l'attention Les bébés ne pleurent pas sans raison ; en général, ils ont un vrai besoin qui mérite votre attention.

rapidement. S'il est mince ou petit, il a besoin d'être mieux couvert pour maintenir sa température. Les bébés potelés préfèrent être moins habillés.

Mouillé ou gêné Une couche mouillée ou sale est désagréable à porter. Certains bébés sont particulièrement sensibles et nécessitent l'application d'une crème protectrice. Si la peau de votre bébé est rouge, gonflée ou à vif au niveau du siège, il a un érythème fessier (voir p. 73). Laissez-le sans couche pendant quelques instants pour favoriser la cicatrisation.

Solitude Les bébés sont des êtres sociables qui adorent le contact. Votre bébé est stimulé et distrait par votre présence et il se sent en sécurité quand il sait que vous êtes là pour lui. N'hésitez pas à le prendre quand il pleure. Il manifeste un vrai besoin et il est important de le satisfaire.

Manque de stimulation Les bébés peuvent s'ennuyer. Si votre enfant est couché dans son lit ou dans le siège d'auto depuis des heures, il a besoin d'interaction ou de changer de paysage. Un petit jeu, une discussion, un déplacement dans un autre endroit de la maison ou un mobile au-dessus de son lit peut le distraire.

Surstimulation La stimulation favorise le développement, mais les bébés ont également besoin de périodes de calme pendant lesquelles ils consolident leurs compétences et les informations reçues. Ils doivent aussi se détendre pour bien dormir et s'adapter à leur nouvel environnement. Le jeu est merveilleux pour l'apprentissage, mais il faut éviter les longues périodes de stimulation. Si votre bébé est grognon, il est peut-être temps de l'aider à se calmer et à dormir. Une longue tétée ou un massage (voir p. 125) seront les bienvenus.

Fatigue Les bébés fatigués deviennent irritables et s'énervent. Votre bébé peut être perturbé s'il est trop stimulé ou s'il n'a pas la possibilité de se détendre et de se calmer pour dormir. S'il pleure sans raison apparente, se frotte les yeux et bâille, bercez-le, emmaillotez-le et couchez-le. Ne le couchez pas tant qu'il est énervé et en colère, il résisterait au sommeil, aggravant le problème.

Réconfort Parfois, les bébés ne savent pas ce qu'ils veulent. Ils ont juste besoin d'être réconfortés dans les bras de maman ou papa ou d'un contact physique. Si un câlin ou un massage peut suffire à calmer votre enfant, il préfère peut-être le réconfort de votre mamelon ou d'une tétine. Même si vous ne voulez pas encourager le « tétouillage », parfois rien d'autre ne marche.

Grognon ou malade? Si votre bébé ne se sent pas bien, il pleure; il peut aussi ne pas pleurer du tout, ce qui peut devenir un sujet de préoccupation. Prenez sa température (voir p. 394); s'il a de la fièvre, il a peut-être une infection et il vaut mieux consulter votre médecin. Pour des parents, il est presque impossible de diagnostiquer la maladie d'un nourrisson, donc s'il pleure et s'il est vraiment mal, faites-le examiner.

AIDE-MÉMOIRE

Quelques astuces pour calmer votre bébé grognon

- Les bébés aiment être portés et bercés. Si votre enfant s'endort plus facilement en étant bercé, installez-vous confortablement pour le balancer d'une main ou d'un pied.
- Si votre bébé a encore besoin de réconfort, mettez-le contre vous dans un porte-bébé pour qu'il entende battre votre cœur.
- Les sons rythmés, tels une musique douce ou même le bruit de l'aspirateur, calment beaucoup de bébés.
- Nombreux sont ceux qui aiment se sentir emmaillotés (voir p. 53). Essayez de le langer dans un drap de berceau.
- Certains ont besoin de téter pour s'endormir ou se calmer, et réclament à manger presque en permanence. Si votre bébé n'a pas faim, une tétine peut le réconforter.
- Apaisez-le en lui faisant un léger massage (voir p. 125).
- Si les pleurs commencent après la tétée ou après un changement de lait maternisé, parlez-en à l'infirmière qui suit votre bébé. Ce lait n'est peut-être pas adapté.
- Inspirez et détendez-vous. Si nécessaire, couchez votre nouveau-né pendant quelques minutes et quittez la pièce pour aller vous calmer. Les bébés qui pleurent sont épuisants et vous êtes peut-être à bout. Il n'y a aucun risque à le laisser dans un endroit sûr pour faire une petite pause.

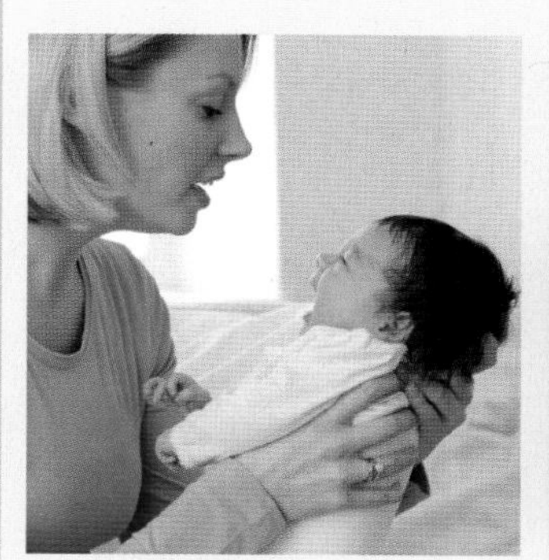

Discussion face à face Regardez votre bébé dans les yeux et parlez-lui pour le distraire.

Bercement Bercez doucement votre bébé en chantonnant pour le calmer et le réconforter.

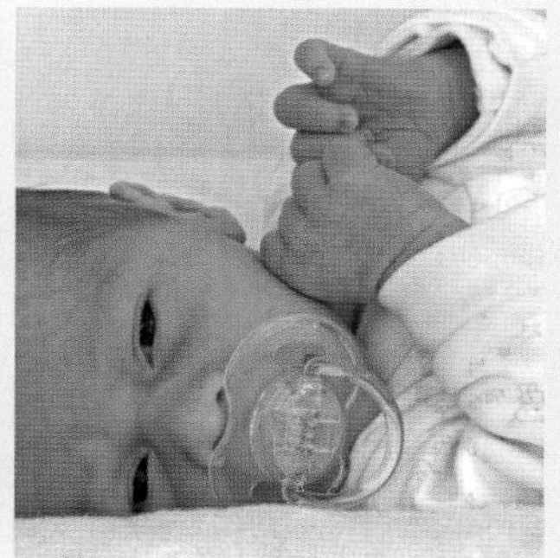

Tétine Les bébés aiment téter; une tétine calme un bébé agité ou énervé.

Porte-bébé Votre bébé adorera être porté ainsi, mais assurez-vous que sa nuque est bien soutenue.

VOTRE BÉBÉ A 2 SEMAINES ET 1 JOUR

Copieur

Votre bébé imite les expressions de votre visage, ouvrant la bouche et les yeux en même temps que vous, et reproduit le ton de votre voix.

Grimaces Exagérez les expressions de votre visage lorsque vous lui parlez pour qu'il vous imite plus facilement.

Une étude étonnante a démontré que lorsqu'un parent tire la langue et la déplace latéralement, son nouveau-né fait la même chose. Les chercheurs en ont conclu que l'imitation est l'outil d'apprentissage le plus efficace de la panoplie d'instincts de votre nouveau-né. Il apprend tout en regardant et copiant les personnes qui l'entourent. Vous le verrez « s'exercer » à ses nouvelles compétences jusqu'à ce qu'il les maîtrise.

Si vous faites souvent les mêmes grimaces en jouant, il les reconnaîtra et réagira de plus en plus rapidement. L'imitation montre que votre bébé traite déjà l'information d'une manière très élaborée : non seulement il doit déchiffrer ce que vous faites, mais aussi maîtriser les différentes parties de son corps pour apprendre à vous imiter. Ce processus commence dans les heures qui suivent la naissance et se poursuit au cours des premiers mois. Votre nouveau-né va aussi pleurer avec une intonation qui correspond à votre accent qu'il a entendu quand il était dans votre ventre. Des chercheurs ont démontré que les pleurs des bébés imitent la langue de leur maman (les nouveau-nés français pleurent avec un « accent » ascendant et les bébés allemands avec une intonation descendante). Il semble qu'ainsi les bébés cherchent à tisser un lien précoce avec leur mère.

VOTRE BÉBÉ A 2 SEMAINES ET 2 JOURS

Gazouillis

Votre bébé apprend déjà à parler. Ses « Oh ! » et « Ah ! » vont bientôt laisser place au babillage qui prépare le langage. Écoutez bien !

NE PAS OUBLIER

Rattachement à la RAMQ

Pour obtenir la carte d'assurance maladie de votre enfant, vous n'avez aucune démarche à effectuer auprès de la Régie de l'assurance maladie du Québec. C'est le Directeur de l'état civil qui transmet à la Régie, en toute confidentialité, les renseignements pertinents.

Si pleurer est incontestablement son principal moyen de communication, et probablement le plus efficace, votre nouveau-né va bientôt commencer à émettre de petits sons quand il est éveillé ; il est sensible aux intonations et répond par des gazouillis quand vous lui parlez, le stimulez ou lorsqu'il reconnaît votre visage ou la voix de son père.

Ses premiers sons sont des voyelles, souvent des « oh », des « ah » et des petits gazouillis. Quand il n'essaie pas de discuter avec vous, il éternue beaucoup et a souvent le hoquet !

Encouragez votre bébé à « communiquer », rapprochez-vous de lui pour qu'il voie votre visage et parlez-lui. Lorsqu'il émet un son, attendez un moment, puis « répondez » en l'imitant. Il commence à comprendre le principe de la communication et va répondre à cette interaction. Parlez-lui tout le temps ; racontez-lui ce que vous faites, quand vous changez sa couche par exemple. Il va écouter votre discussion et se familiarisera avec les mots que vous employez ; il pourra puiser dans ce vocabulaire riche quand il pourra parler à son tour.

Porter votre bébé

Porter votre enfant contre vous va non seulement l'apaiser et le rassurer mais aussi favoriser les liens entre vous.

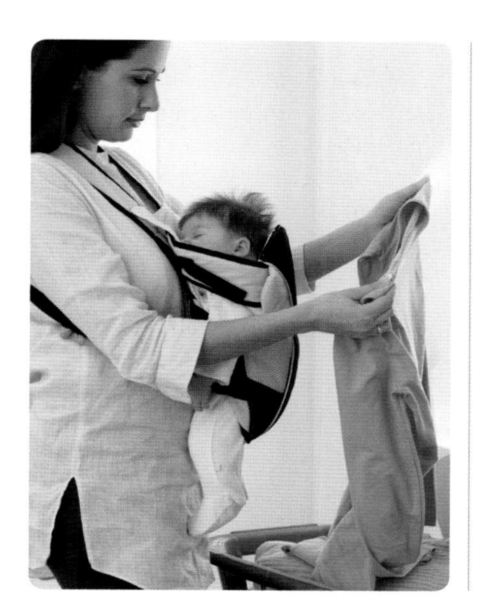

Mains libres Pour garder votre nouveau-né contre vous tout en accomplissant différentes tâches, le porte-bébé est idéal.

Votre bébé est resté comprimé dans votre ventre pendant des mois et il est donc devenu dépendant du toucher pour se sentir en sécurité. Après la naissance, le toucher reste important et rassurant pour lui. Des études ont démontré qu'il reste apaisant et aide les bébés à s'adapter à leur nouvel environnement. Il encourage les liens et favorise la croissance, le développement et même l'immunité. Les nouveau-nés ont besoin d'un contact rassurant permanent pour devenir des enfants heureux et en bonne santé. Des études dans des orphelinats ont démontré que les bébés élevés sans aucun contact physique ne se développent pas bien, ont une croissance lente et tendent à avoir des problèmes sociaux par la suite.

Rien n'est plus gratifiant et relaxant que d'avoir votre nouveau-né dans les bras pendant des heures, mais de nombreuses tâches ménagères et autres activités doivent être réalisées. Grâce au porte-bébé, vous pouvez mettre à profit un temps précieux et garder votre enfant près de vous tout en continuant vos activités. Votre bébé dormira sûrement plus longtemps s'il est porté ou bercé ainsi en entendant le battement familier de votre cœur. Votre rythme respiratoire le stimule et il est rassuré de pouvoir sentir que vous êtes là, tout près de lui.

APAISER VOTRE BÉBÉ PAR LE TOUCHER

Votre nouveau-né est très sensible à votre contact qui l'apaise et le rassure ; touchez-le souvent, en particulier lorsqu'il a besoin d'être réconforté et calmé. Tenez-le contre vous quand vous lui donnez le biberon ou le sein, idéalement en mettant sa peau nue contre la vôtre (voir p. 45).

Soyez tactile : caressez son visage, frottez son dos et effleurez son corps avec vos mains. Bercez-le ou prenez-le dans les bras quand il pleure. En laissant pleurer un nouveau-né, vous lui indiquez que vous n'êtes pas toujours là pour lui et il est inquiet. « L'éducation au sommeil » n'a pas sa place dans les premiers mois. Câlinez votre bébé après le bain, il sera ainsi détendu et prêt à dormir d'un sommeil profond et réparateur lorsque vous le coucherez.

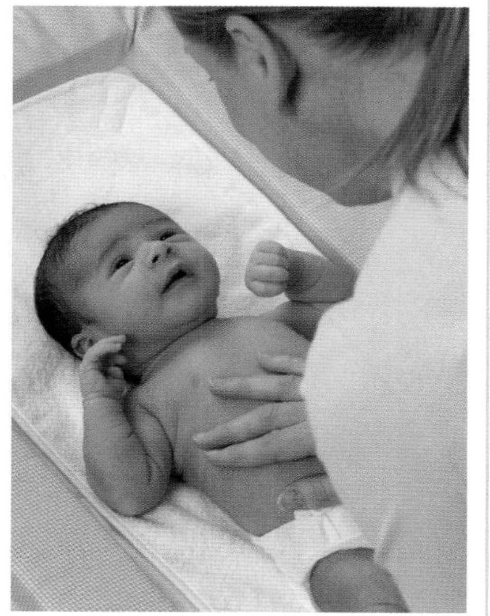

Caressez votre nouveau-né et parlez-lui lorsque vous le changez, il se sentira moins vulnérable.

L'AVIS... DU SPÉCIALISTE

Puis-je commencer à tirer mon lait? Vous pouvez tirer votre lait dès que vous vous sentez prête, mais il est préférable d'attendre que votre bébé ait 4 à 6 semaines. La production de lait en quantité suffisante et l'apprentissage d'une tétée efficace peuvent être longs à mettre en place. (Un biberon donné trop tôt peut entraîner une confusion sein-tétine, voir p. 89.)

De plus, pour le moment, votre nouveau-né tète 8 à 12 fois en 24 heures, vous laissant peu de temps pour tirer du lait sans entamer la quantité nécessaire pour la tétée suivante. Cela dit, si vous avez beaucoup de lait et vous voulez constituer une réserve de lait congelé pour une utilisation ultérieure, vous pouvez faire vos premiers essais.

VOTRE BÉBÉ A 2 SEMAINES ET 4 JOURS

Vous vous sentez seule ?

Votre conjoint a repris le travail et votre maman est rentrée chez elle, vous vous retrouvez seule pour la première fois avec votre bébé.

Il peut être difficile de vous occuper seule de votre bébé, sans personne pour le prendre dans les bras ou vous aider dans la maison, et les longues heures passées à nourrir votre nouveau-né et à en prendre soin sans conversation avec un adulte peuvent vous sembler également un peu ennuyeuses. Votre vie sociale vous manque aussi, ainsi que la compagnie de vos amis et de vos collègues avec lesquels vous aimiez discuter.

Cherchez des associations de jeunes parents dans votre région qui pourront vous aider et vous procurer un peu de compagnie. Si vous avez suivi des cours prénataux, organisez des rencontres avec les autres mamans, en accueillant tour à tour le groupe. Si les grands-parents habitent à proximité, vous pouvez leur rendre visite régulièrement. Discutez aussi de vos sentiments avec votre conjoint ; il pourra vous téléphoner plus souvent ou essayer de rentrer parfois plus tôt à la maison. Enfin, profitez de ces moments pour vous reposer un peu pendant que vous nourrissez votre bébé et, pourquoi pas, regarder quelques bons films !

L'AVIS... DE L'INFIRMIÈRE

Puis-je donner de l'eau à boire à mon bébé ? Les bébés nourris au sein reçoivent les quantités appropriées de liquide dans le lait maternel et n'ont besoin de rien d'autre. Le lait maternisé apporte la quantité nécessaire de liquide aux bébés nourris au biberon, mais s'il fait très chaud ou s'ils sont malades, vous pouvez leur donner un peu d'eau. Les solutions de réhydratation orale sont aussi très utiles.

VOTRE BÉBÉ A 2 SEMAINES ET 5 JOURS

Allaiter en public

La plupart des femmes qui choisissent d'allaiter au sein tranquillement chez elles sont un peu réticentes à le faire en public.

Allaitement discret Un haut ample permet de mettre facilement votre bébé au sein sans trop dévoiler votre poitrine. Vous pouvez ajouter un châle pour être plus à l'aise.

Si vous faites partie des nombreuses femmes qui, par pudeur, sont gênées à l'idée d'allaiter en public, il se peut que vous ayez évité de le faire jusqu'ici. Mais il n'y a aucune raison d'être inquiète, c'est un acte naturel pratiqué dans le monde entier.

Il y a de nombreux moyens d'allaiter discrètement : essayez de ne pas vous préoccuper de ce que pensent les autres et sachez qu'au Québec, aucune loi n'interdit l'allaitement en public.

Si vous avez peur de vous sentir mal à l'aise, exercez-vous au préalable devant un miroir, utilisez un porte-bébé en écharpe – qui permet d'allaiter en toute discrétion – et drapez un châle sur votre épaule pour couvrir vos seins et votre nouveau-né ; portez également des vêtements pour l'allaitement (voir p. 111) comme des hauts fendus horizontalement, vous pourrez ainsi y glisser votre bébé tout en restant couverte. Choisissez un soutien-gorge que vous pouvez dégrafer facilement, si possible d'une seule main. Mais surtout, essayez de vous détendre. Si vous êtes anxieuse et complexée, l'allaitement d'un bébé affamé risque de ne pas être facile.

La température de votre bébé

Les bébés ne savent pas réguler leur température corporelle, il est donc important de vérifier qu'ils n'ont ni trop chaud ni trop froid.

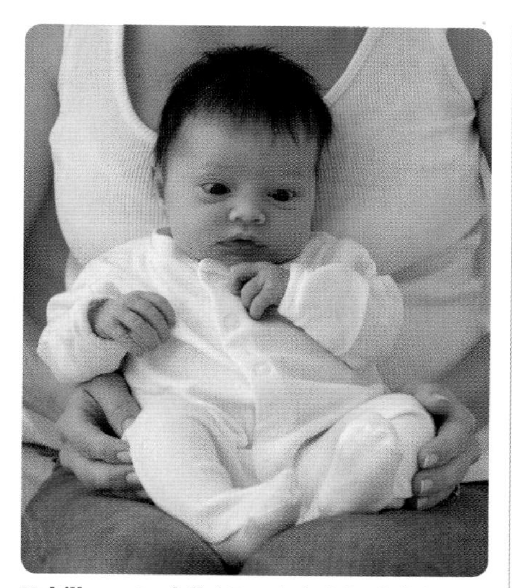

Habiller votre bébé En général, les bébés ont besoin d'une couche de plus que les adultes.

L'organisme des bébés est incapable de réguler efficacement leur température. Les pertes de chaleur s'effectuent au niveau de la tête lorsqu'ils ont très chaud, mais les parents doivent être attentifs afin de maintenir une bonne température.

Il est inutile de prendre la température de votre bébé (voir p. 395) sauf s'il est très chaud et qu'il semble avoir de la fièvre. Prenez plutôt l'habitude de poser votre main sur sa joue, qui doit être chaude au toucher, ou encore sur sa nuque, ses bras et son ventre avec le dos de la main. Superposez des couches de vêtements que vous pourrez ajouter ou retirer, si nécessaire.

Maintenez une température de 18 à 20 °C dans la chambre. Des études ont établi un lien entre pièces surchauffées et MSN (voir p. 31). La nuit, mettez-lui un cache-couche avec ou sans manche, un pyjama (plus ou moins chaud) et, si nécessaire, une gigoteuse. Dans la journée, votre enfant doit porter la même quantité de vêtements que vous, plus une couche supplémentaire. Évitez de mettre son transat près d'un radiateur, d'une cheminée ou sous les rayons directs du soleil. Éloignez-le des courants d'air. Vous pouvez lui mettre une tuque dehors quand il fait frais, mais les bébés ne doivent pas en porter au lit (à mois qu'ils soient très petits ou prématurés) : ils peuvent ainsi se rafraîchir, si nécessaire, par la tête. Les bébés ont souvent très chaud dans l'auto, ils n'ont pas besoin de couverture sauf s'il fait très froid ou que vous avez mis la climatisation. N'oubliez jamais d'ôter ses vêtements d'extérieur lorsque vous rentrez.

La plupart du temps, vous verrez clairement lorsque votre bébé a froid ou chaud et vous saurez vite s'il faut lui mettre un gilet ou retirer ses bas.

NE PAS OUBLIER

Contraception

Vous devez réfléchir au type de contraception que vous voulez utiliser et en discuter avec votre médecin. Le délai avant le retour de l'ovulation est très variable, il est important de ne pas prendre de risques. Vous pouvez être enceinte de nouveau dans les semaines qui suivent la naissance. Vos règles reviennent en général 4 à 10 semaines après l'accouchement si vous pratiquez un allaitement au biberon ou mixte. En cas d'allaitement au sein exclusif, jour et nuit, vous n'avez que 2 % de risque d'être enceinte pendant les 6 mois suivant l'accouchement en l'absence du retour des règles.

COMMENT...

Soigner un érythème fessier

Le contact avec l'urine et les selles irrite la peau délicate de votre nouveau-né et peut entraîner un érythème fessier. Pour l'éviter, changez souvent ses couches. Si ses fesses sont rouges, laissez-le jouer sans couche au moins deux fois par jour, pour aérer la zone. Si vous utilisez des couches lavables, faites un rinçage supplémentaire. Appliquez une crème hydratante, mais si l'érythème ne disparaît pas en quelques jours, consultez votre médecin qui vérifiera s'il y a une mycose et prescrira éventuellement une crème antifongique.

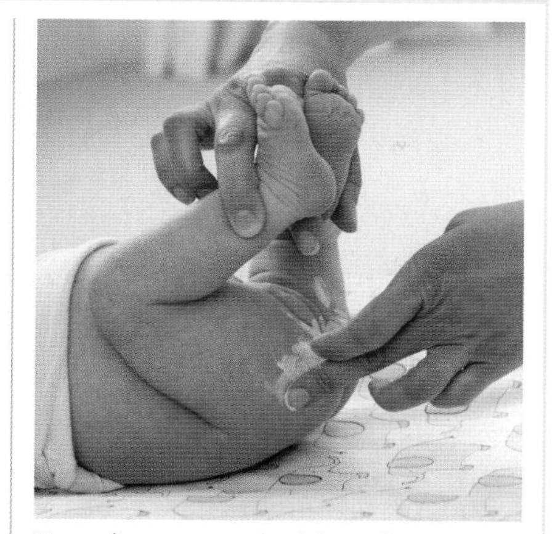

Une crème protectrice à base d'oxyde de zinc ou un lait hydratant, peuvent calmer l'inflammation et protéger la peau des fesses de votre bébé des couches souillées.

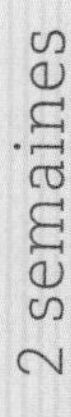

3 semaines

LES BÉBÉS PLEURENT, MAIS ILS NE PRODUISENT PAS DE LARMES AVANT L'ÂGE DE 3 SEMAINES ENVIRON

Désormais, vous pouvez prévoir quand votre bébé a faim, qu'il a besoin d'être changé ou de faire la sieste. Il dort environ 16 à 18 heures par jour et peut tenir 3 à 4 heures entre deux tétées. Son tonus musculaire s'est renforcé et il tourne la tête pour vous regarder.

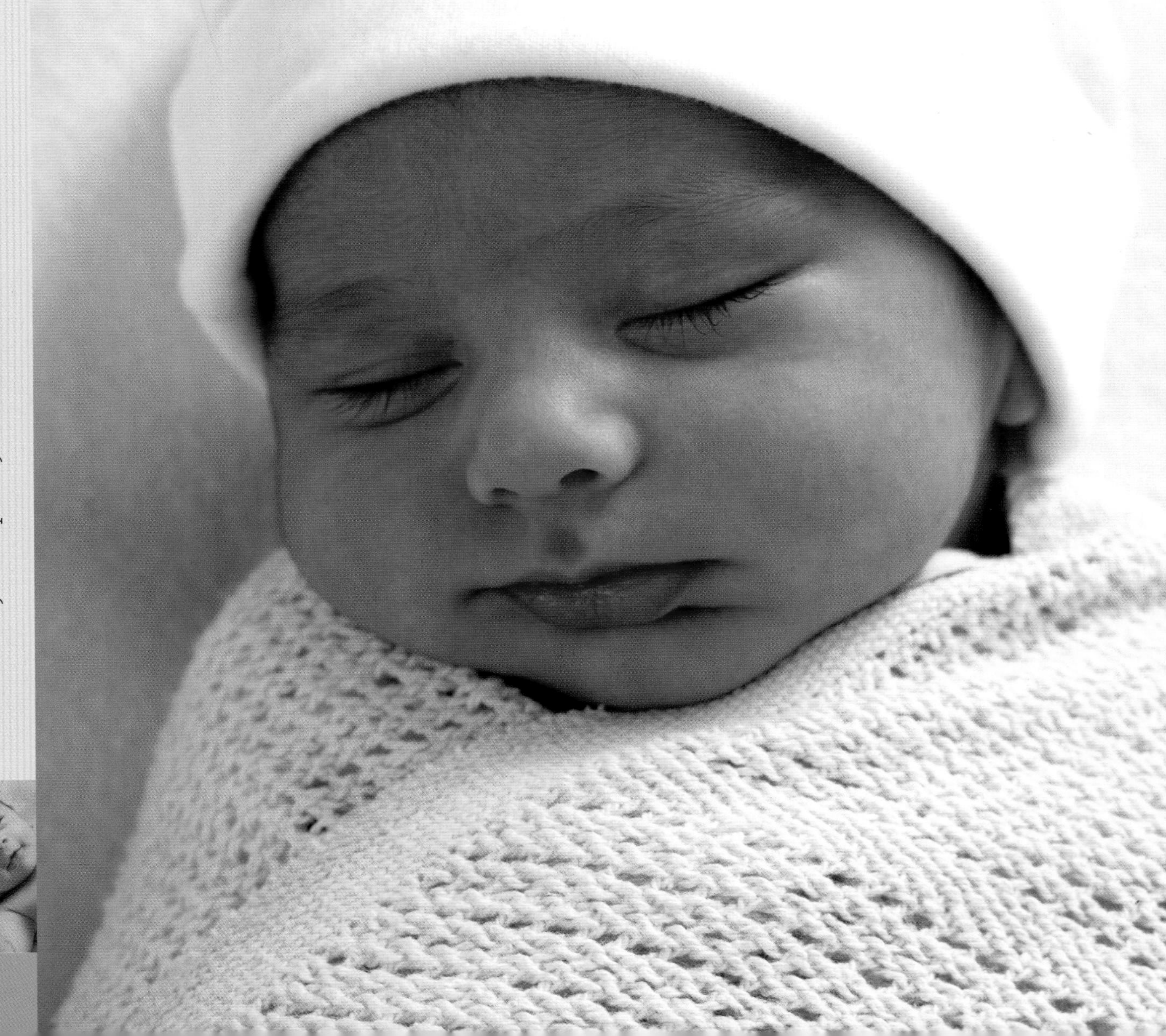

Moment d'éveil

Maintenant que votre nourrisson reste éveillé plus longtemps, stimulez ses sens et améliorez sa coordination par le jeu.

Tête-à-tête Établir un contact visuel avec votre bébé, rire avec lui et lui parler tout près stimulent ses capacités d'écoute et d'élocution.

Votre bébé de 3 semaines ne comprend pas encore le concept du jeu, bien sûr, mais à cet âge jouer signifie simplement s'éveiller et passer du temps avec vous. Le jeu lui donne l'occasion d'apprendre beaucoup plus que vous ne l'imaginez, il renforce vos liens et fortifie sa santé et son bien-être émotionnels.

Il est important de ne pas trop le stimuler; quelques séances de 5 à 10 minutes chaque jour, quand il est éveillé et calme suffisent et vous feront passer de bons moments qui contribueront à son développement complet. Adaptez le jeu à son humeur : s'il est éveillé et actif, essayez les applaudissements ou les chatouilles; s'il est plus calme, les discussions et le chant seront plus appropriés. L'essentiel est de s'amuser, privilégiez la joie et la bonne humeur et ne vous préoccupez pas de ce qu'il peut apprendre.

Les enfants savent rapidement distinguer les objets des êtres humains et interpréter le langage du corps. Ils comprennent aussi un peu plus chaque jour le monde qui les entoure. Le jeu est l'occasion idéale pour faire découvrir à votre bébé son environnement. Variez les jeux pour élargir son horizon et développer différentes parties de son corps et de son cerveau. Il s'amusera et sera heureux d'être avec vous et d'apprendre de nouvelles choses.

Les bébés s'exercent d'instinct. Votre enfant va essayer de reproduire ses dernières trouvailles après la fin du jeu; par exemple, si vous l'avez encouragé à tirer la langue et à faire des grimaces, il recommencera à chaque fois qu'il vous voit. Les bébés aiment les contrastes forts et préfèrent les dessins larges et vifs aux motifs délicats et doux. Gardez ces notions à l'esprit quand vous décorez sa chambre.

ACTIVITÉ D'ÉVEIL

Motifs noir et blanc

Quand votre nourrisson commence à interagir avec son environnement, les images très contrastées et les formes et motifs géométriques stimulent sa vision. Pour encourager cette sollicitation, fabriquez un mobile en noir et blanc en dessinant au marqueur sur des fiches des motifs et des formes (les bébés apprécient particulièrement les rayures et les angles) ou achetez un livre de bébé comportant ces dessins. Ces motifs sont plébicités les 6 premières semaines, car ils améliorent la poursuite oculaire de votre bébé et encouragent sa perception spatiale et visuelle. Ne jouez pas plus d'une minute ou deux par jour. Un excès de stimulation visuelle détournera votre bébé du « processus de familiarisation » qui consiste à connaître et à intégrer son nouvel environnement.

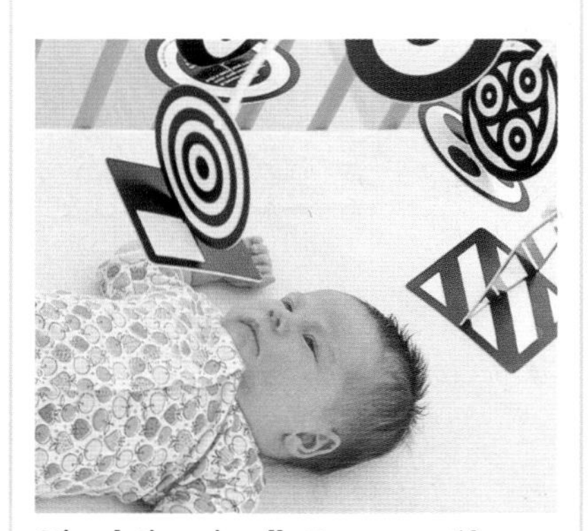

Stimulation visuelle De gros motifs mobiles attirent l'attention de votre bébé et stimulent sa capacité à accommoder.

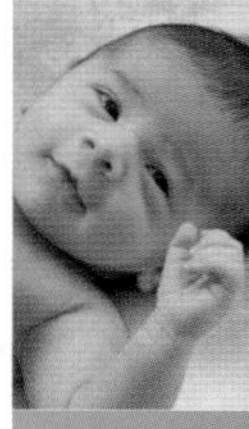

VOTRE BÉBÉ A 3 SEMAINES ET 1 JOUR

Mettre votre bébé au lit

Si vous arrivez à repérer le moment où votre bébé a besoin de dormir, il faut en profiter et le laisser glisser dans un sommeil paisible.

Un bébé trop fatigué est grognon et n'arrive pas à s'endormir. Couchez-le dès que vous voyez qu'il est fatigué, il s'assoupira plus vite et dormira profondément. En général, après une période d'éveil, votre bébé a besoin de faire une sieste. L'intervalle entre les siestes varie d'un enfant à l'autre, il est donc important de repérer les premiers signes de fatigue.

De jour comme de nuit, votre nourrisson a des périodes de somnolence où il s'endort plus facilement. Si vous ratez un créneau, vous devrez attendre le suivant pendant une bonne heure, car il entame un nouveau cycle éveil-somnolence-sommeil.

Surveillez votre nouveau-né : s'il bâille ou qu'il se frotte les yeux, c'est qu'il a sommeil ; vous pouvez donc le coucher. Il peut aussi pleurer un peu ou geindre sans raison et grogner ou ronchonner, doucement d'abord avant de finir par hurler. Certains bébés froncent les sourcils quand ils sont fatigués, d'autres se débattent, probablement de frustration ! N'essayez pas de le distraire ou de le garder éveillé lorsqu'il est fatigué. Il sera trop stimulé et mettra beaucoup plus de temps à se calmer, puis à s'endormir. Des périodes de sommeil calme alternent avec des périodes de sommeil agité toutes les 30 minutes.

L'AVIS... DU MÉDECIN

Mon bébé rejette un peu de lait après chaque tétée. Est-il malade ? Il est normal que les bébés régurgitent un peu de lait, l'air emprisonné dans l'estomac entraîne un peu de lait avec lui en remontant à la surface. Pour l'éviter, bougez doucement votre bébé après une tétée et lorsque vous lui faites faire son rot. S'il renvoie de grandes quantités de lait, il souffre peut-être d'un reflux (voir p. 401), il est préférable de consulter le médecin.

VOTRE BÉBÉ A 3 SEMAINES ET 2 JOURS

Faire une pause

Même si vous avez envie de prendre complètement en charge votre bébé, des pauses régulières vous feront du bien.

Du temps avec papa Le père doit aussi apprendre à connaître son bébé et à comprendre ses besoins.

Vous êtes une de ces nombreuses mamans qui ont du mal à déléguer, surtout si vous avez élaboré et testé des méthodes efficaces pour coucher, changer et calmer votre bébé. Néanmoins, il est important de recharger vos batteries et de récupérer complètement après l'accouchement. Prenez un bon bain, allez voir une amie, faites de l'exercice ou dormez un peu, un changement d'horizon et une pause dans les habitudes seront salutaires pour votre santé physique et émotionnelle.

Papa sera ravi de développer ses compétences paternelles et de passer du temps avec son bébé. Il osera plus s'occuper de lui, réduisant ainsi la pression qui pèse sur vos épaules. Choisissez le moment, ensemble, peut-être l'heure du bain ou le samedi matin quand il peut l'emmener chercher du pain dans le porte-bébé. Même de courtes périodes suffisent pour que leurs relations s'établissent, et que vous puissiez souffler.

Après 4 semaines, si vous allaitez toujours au sein, commencez à tirer votre lait (voir p. 28) pour que le papa puisse parfois le nourrir et profitez alors de votre récréation pour aller plus loin encore.

Allaitement à la demande

Votre bébé découvre ce qu'est la faim. En satisfaisant son appétit, vous le rassurez et l'aidez à se sentir plus en sécurité.

Alimentation et sécurité Laissez votre bébé téter quand il veut. Son estomac est encore petit et ne supporte que de faibles quantités de lait, il a donc besoin de téter régulièrement.

Il est important de continuer de nourrir votre bébé à la demande, que ce soit au sein ou au biberon. Il apprend ainsi à répondre à ses propres signaux de faim. Il réclamera lorsqu'il a faim ; en répondant à ce besoin basique, vous développez sa confiance et son sentiment de sécurité, mais vous lui apprenez également à manger quand il a faim. Même si cela est difficile à croire, cette attitude aide véritablement à prévenir des problèmes comme l'obésité.

Désormais, votre nourrisson peut attendre 3 à 4 heures entre deux tétées, mais ne soyez pas surprise si cela change brusquement. Les poussées de croissance et l'augmentation de l'activité physique dans la journée lui donnent faim et il semble téter de plus en plus souvent alors qu'il œuvre à augmenter votre production de lait.

COMMENT...

Soulager les coliques

Pour réduire les coliques (voir p. 68), faites-lui faire soigneusement son rot (voir p. 49). Donnez-lui un bain chaud pour le calmer puis massez-lui le ventre et le bas du dos en faisant des mouvements circulaires.

Un bébé nourri au sein réagit au régime alimentaire de sa maman. Limitez la quantité de produits laitiers que vous consommez et éviter les aliments industriels qui contiennent des protéines de lait, comme certains biscuits, gâteaux et tartes. Il est préférable d'éviter l'ail, les oignons, le chou, les asperges, les haricots blancs et le brocoli. Si vous nourrissez au biberon, choisissez un modèle anticolique qui permet de réduire la quantité d'air avalée par votre bébé. Vous pouvez aussi essayer un autre lait maternisé, mais consultez votre médecin qui vous conseillera un lait pauvre en lactose.

Le mouvement calme les bébés sujets aux coliques. Promenez-le en landau ou bercez-le doucement. Les coliques cèdent habituellement vers 3 mois, mais si vous êtes épuisée, parlez-en à votre médecin qui peut prescrire un antispasmodique léger. Il est indispensable d'appeler à l'aide quand la fatigue peut engendrer un mauvais comportement.

Contre les coliques Votre bébé se calmera peut-être en étant sur le ventre, à cheval sur votre avant-bras, l'autre main entre ses jambes. Essayez de marcher un peu.

VOTRE BÉBÉ A 3 SEMAINES ET 4 JOURS

Conseils divergents

Écoutez les conseils bien intentionnés de votre entourage mais ne vous sentez pas obligée de les suivre.

Vous serez étonnée de voir que tout le monde, de votre belle-mère aux commerçants de votre quartier, a des idées précises sur la manière de s'occuper d'un bébé et d'élever un enfant. Il est parfois très déconcertant de découvrir qu'aux yeux de certains, vous faites tout de travers.

Une des compétences les plus importantes à développer en tant que jeunes parents est de filtrer les conseils – constituez-vous une carapace, écoutez poliment et ignorez ce qui ne correspond pas à votre philosophie de l'éducation. Cela vous sera utile pendant toute l'enfance et l'adolescence de votre progéniture. Lorsque quelqu'un vous donne un conseil, quelle que soit son expérience, n'oubliez pas que les temps changent et que chacun a ses méthodes. Ce qui était recommandé il y a 20 ou 30 ans n'est peut-être plus d'actualité à présent. De plus, chaque bébé est différent et il est nécessaire de s'adapter à ses besoins. Faites-vous confiance et déclinez gentiment conseils et critiques. Essayez tout ce qui semble utile, adoptez éventuellement les astuces pratiques et bien pensées, mais campez sur vos positions et agissez comme vous l'entendez.

L'AVIS... DU MÉDECIN

De grandes plaques de peau sèche se détachent du cuir chevelu de mon bébé ? Est-ce de l'eczéma ? Votre bébé a des croûtes de lait, affection fréquente caractérisée par des plaques jaunâtres qui se détachent du cuir chevelu. Pour calmer les démangeaisons, massez le cuir chevelu à l'huile d'amande douce et faites-lui un shampoing pour bébé. Éliminez les croûtes qui se détachent avec une brosse souple sans toucher aux autres.

VOTRE BÉBÉ A 3 SEMAINES ET 5 JOURS

Petit explorateur

Votre bébé commence à s'intéresser aux nouveautés qui l'entourent et rien n'est plus fascinant pour lui que son petit corps.

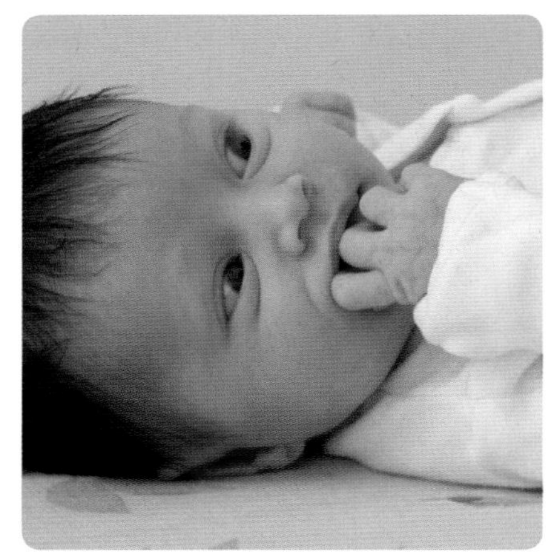

Exploration buccale Les bébés découvrent tout ce qui les entoure en le portant à la bouche.

À cet âge, votre bébé découvre ses mains et éventuellement ses pieds. Il met ses mains devant son visage, les admire et les porte à sa bouche. La succion et l'observation de ses mains l'amusent et développent sa coordination œil-main (amener un petit poing jusqu'à la bouche est loin d'être facile).

Ses mains sont dans son champ visuel et il peut maintenant les voir, c'est pourquoi il les trouve si intéressantes. Ces merveilleux « jouets » qui apparaissent et disparaissent de son horizon vont capter son intention pendant de longs moments. Mais il ne saura qu'elles lui appartiennent que dans plusieurs mois.

Grâce au renforcement des muscles de son cou, il va tourner la tête en réponse à des bruits et essayer de se positionner pour pouvoir vous voir et vous entendre.

L'étonnement et l'intérêt se lisent dans ses yeux lorsqu'un visage ou un jouet se trouve dans son champ visuel et il cherche à les suivre si vous le retirez. C'est l'ébauche de la poursuite (voir p. 81), lorsque les yeux et la tête suivent un objet qui bouge. Suspendez un mobile juste au-dessus du lit de votre bébé, pour que les éléments soient à 30 cm de lui. Vous verrez ses yeux bouger en haut, en bas et sur les côtés pour l'examiner en détail.

Changer de couches

Maintenant que vous avez pris vos marques, vous pouvez envisager quelques changements, par exemple utiliser des couches lavables.

Chouette, de l'aide Montrez à votre entourage comment changer les couches lavables.

De nombreux parents adoptent les couches jetables les premiers jours parce qu'elles sont plus pratiques et évitent de voir s'accumuler une pile de couches sales. Mais maintenant que la vie s'organise, vous pouvez intégrer le lavage des couches à votre emploi du temps ou chercher un service qui propose leur entretien. Les bébés grandissent très vite et si vous utilisez déjà des couches lavables, vous avez peut-être besoin d'un nouveau lot.

Si vous n'avez pas encore utilisé de couches lavables mais envisagez cette solution, c'est le moment idéal pour la transition. En effet, dès que votre bébé pèse 4,5 kg, vous pouvez acheter des couches ajustables qui serviront jusqu'à l'apprentissage de la propreté. Vous aurez au moins évité l'achat de la première taille de couches. En passant aux couches lavables maintenant, vous ferez des économies (les couches jetables sont plus chères) à long terme et vous protégerez l'environnement. Certaines études avancent que grâce à leur forme et à leur conception, elles maintiennent votre bébé dans une meilleure position (jambes écartées, comme une grenouille) pour le développement de ses hanches.

Les couches jetables présentent aussi des avantages : elles sont très absorbantes et faciles à mettre et à enlever. Même si vous préférez les couches lavables, vous pouvez utiliser les deux, car les couches jetables sont parfois pratiques lorsque vous n'êtes pas chez vous ou simplement lorsque vous êtes débordée et que laver et sécher les couches vous semble insurmontable.

NE PAS OUBLIER

Votre examen postnatal

Il ne reste que quelques semaines avant votre examen postnatal obligatoire au cours duquel votre infirmière s'assurera que vous êtes bien remise de l'accouchement (voir p. 94 et 95 pour plus d'informations). Cet examen peut être réalisé par une infirmière du CLSC auquel vous êtes rattachée en cas d'accouchement sans complication ; il est temps de prendre rendez-vous. Afin de ne pas les oublier, notez dès à présent toutes les questions qui vous viennent à l'esprit.

SOURIRE DE NOUVEAU-NÉ

Vous avez peut-être vu votre bébé sourire dans son sommeil ou faire un large sourire fugace de temps en temps. Il s'agit d'un sourire réflexe qui survient entre la naissance et 8 semaines environ. On dit que les nourrissons sont ainsi plus attirants et que cela donne envie de s'en occuper. Le sourire social, déclenché en réponse à un stimulus (votre visage souriant ou une chanson familière) est un sourire « acquis » qui survient habituellement vers 6 à 8 semaines mais parfois dès 4 semaines. Certains bébés, pourtant comblés, peuvent attendre 12 semaines. Vous reconnaîtrez le vrai sourire : tout son visage rit, y compris ses yeux.

Est-ce qu'il rit? Dans les premiers jours, le sourire d'un bébé est un réflexe inné et non une réaction volontaire.

4 semaines

LES BÉBÉS ONT PLUS DE 300 OS ; UN GRAND NOMBRE VA SE SOUDER AVEC LE TEMPS ET IL EN RESTERA 206 À L'ÂGE ADULTE

Même s'il a encore besoin d'un bon soutien, votre bébé commence déjà à essayer de tenir sa tête tout seul. Il peut même la lever brièvement lorsqu'il est contre votre épaule ou sur le ventre. Ses petits poings restent fermés pendant les premiers mois, mais il va bientôt ouvrir et fermer les mains.

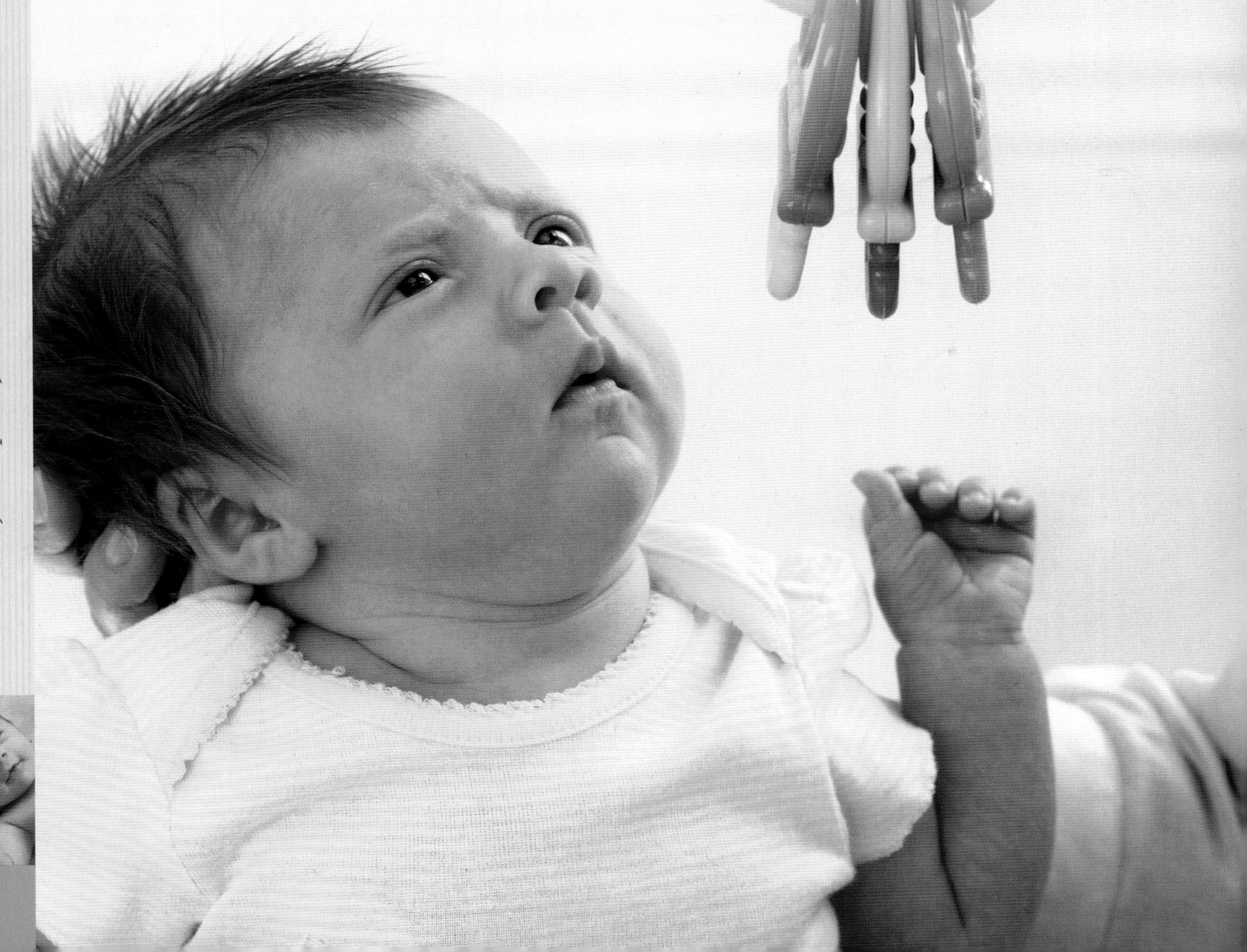

Suivre les objets des yeux

Sa capacité à « suivre » un objet en mouvement est un des développements les plus fascinants de la vision de votre bébé.

Accommodation des deux yeux Votre bébé sait accommoder, mais il ne voit pas de loin. Maintenez les objets à 30 cm de son visage.

Durant les premiers mois, les bébés regardent la plupart du temps vers la gauche ou vers la droite, mais rarement devant eux. Votre bébé tourne donc la tête pour fixer son regard, et il doit faire un grand mouvement pour garder les yeux sur un objet qui bouge. Il commence par suivre les objets en pivotant la tête horizontalement, parce qu'il est plus facile de la tourner dans ce sens que de haut en bas. Si vous passez un hochet devant ses yeux, il va tourner la tête sur le côté pour le suivre.

Par la suite, il va bouger les yeux indépendamment de la tête et développer sa vision binoculaire (avec les deux yeux). Ne vous inquiétez pas s'il louche parfois, dans les prochaines semaines sa coordination oculaire s'améliorera, car il maîtrisera mieux les nerfs et les muscles qui les empêchent de se croiser. Votre bébé suivra plus facilement des objets très contrastés – votre visage, par exemple, ou des lignes et des formes géométriques en noir et blanc qui attireront son attention et l'aideront à accommoder. Tenez l'objet dans son champ visuel et déplacez-le lentement d'un côté à l'autre. Ses yeux ne le lâcheront plus. Il suit plus facilement les mouvements lents que les mouvements rapides et saccadés.

Bientôt, vous constaterez qu'il suit les objets plus longtemps et qu'il leur accorde beaucoup plus d'intérêt. Vers 3 mois, vous pouvez commencer à l'entraîner à la poursuite verticale. Mais pour le moment, fêtez son fantastique progrès.

L'AVIS... DU MÉDECIN

J'ai des fuites urinaires quand je tousse ou quand je ris. Comment puis-je y remédier? Les ligaments et les muscles mettent du temps à retrouver leur tonus après l'accouchement. Comme tous les muscles, le plancher pelvien, qui soutient la vessie, doit travailler régulièrement. Si vous n'avez pas fait d'exercices (voir p. 65) pendant la grossesse, le renforcement de vos muscles sera plus long, mais il n'est jamais trop tard pour commencer. Une rééducation du périnée peut être prescrite par votre CLSC.

DIFFÉRENCIER DES VRAIS JUMEAUX

Les jumeaux

Même si tous les parents de jumeaux identiques disent qu'il y a des différences subtiles entre leurs bébés, la plupart ont parfois du mal à les distinguer, en particulier durant les premières semaines, lorsque la personnalité de chaque bébé n'est pas encore identifiée. Il est beaucoup plus facile de savoir qui est qui quand il y a une différence frappante, comme une tache de naissance, une tête plus chevelue ou un écart de poids.

De nombreux parents adoptent un code de couleurs vestimentaire, par exemple, rouge pour l'un et bleu pour l'autre. Vous pouvez leur laisser le bracelet d'identification jusqu'au choix de la couleur pour chacun. Ne vous inquiétez pas, dans quelques semaines, leurs minuscules différences seront évidentes et deviendront plus flagrantes à chaque mois qui passe. Prenez régulièrement des notes (sur une ardoise murale, par exemple) afin d'alterner les tétées ou les biberons et listez les particularités de chacun (notamment si l'un des deux bébés doit recevoir des soins précis).

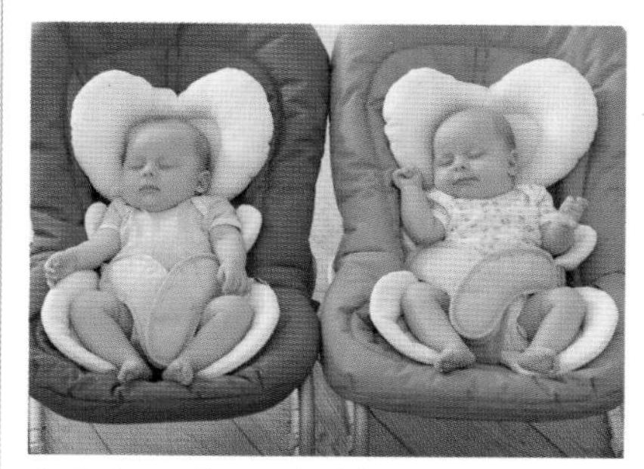

Code de couleurs Choisissez une couleur pour chaque bébé afin de les différencier.

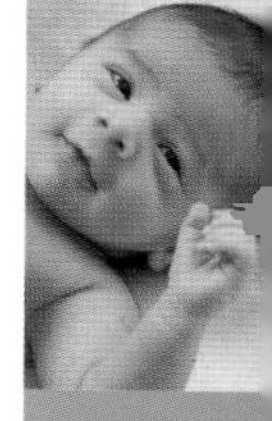

VOTRE BÉBÉ A 4 SEMAINES ET 1 JOUR

Allez prendre l'air

Acceptez toutes les offres de gardiennage. Même une heure sans s'occuper de votre bébé vous permet de recharger vos batteries.

Certes, vous êtes heureux d'être parents, mais il y a tout de même des moments où le quotidien avec votre nouveau-né est lourd à porter. Vous rêvez sans doute d'une conversation entre adultes et de sortir de la maison. De plus, être parents est une affaire délicate qui réclame beaucoup d'organisation, de négociation et d'entente.

Pour rester intense, votre relation a besoin d'être nourrie et confortée en permanence. Il est donc important que vous passiez du temps en tête à tête avec votre compagnon. Naturellement, vous pouvez organiser des soirées à la maison, mais il est agréable de sortir et se retrouver à deux, sans les inévitables interruptions liées à la vie avec un nouveau-né.

Vous pouvez confier votre nourrisson une heure ou deux aux grands-parents ou à une amie proche. Choisissez un moment où votre bébé a tété, qu'il est calme ou endormi. Profitez l'un de l'autre, ne parlez pas de votre enfant et des difficultés à s'en occuper. Évoquez éventuellement vos objectifs de parents, mais parlez surtout d'autres choses – de vos autres projets, par exemple – et conduisez-vous comme un couple et non comme des parents fatigués. Ce moment d'intimité permettra à votre relation de trouver un second souffle, et vous aussi !

L'AVIS... DU MÉDECIN

Quand mon bébé fera-t-il ses nuits ? La plupart des bébés ne font pas de nuit complète avant 6 à 12 semaines (parfois plus tard). L'estomac d'un nourrisson est petit, il digère rapidement les tétées et a donc besoin d'être rempli régulièrement, même la nuit. De plus, votre présence le rassure. Les bébés nourris au sein ont généralement un sommeil plus léger et se réveillent plus souvent. Pas de panique. Reposez-vous quand il dort et rassurez-vous, cela finira par passer.

VOTRE BÉBÉ A 4 SEMAINES ET 2 JOURS

Vive les sons

Votre bébé commence à reconnaître les sons qui l'entourent et à réagir aux bruits, forts ou légers, et surtout à la musique !

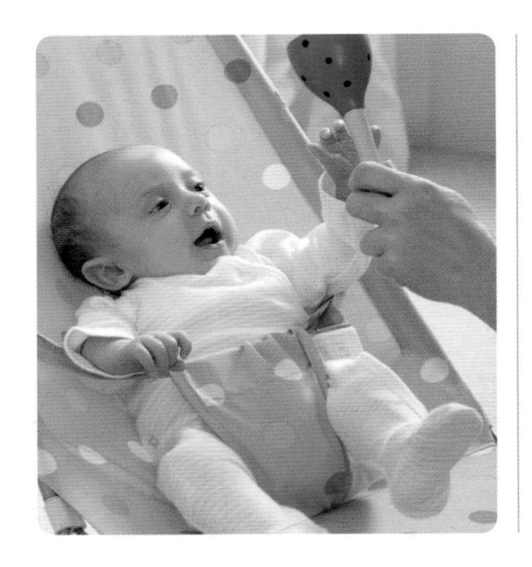

Votre bébé regarde et écoute attentivement lorsqu'un son l'attire. Il est attentif aux nouveaux bruits et tourne la tête pour découvrir leur origine. Le fracas le fait sursauter et les chuchotements l'apaisent. Observez sa réaction quand vous sifflez ou que vous tapez sur la table avec vos doigts. Mettez de la musique entraînante et regardez-le agiter ses jambes et écouter attentivement. Avec un air plus lent, il se calme et se détend. Certaines études démontrent que la musique influe sur le système nerveux du bébé, l'aide à s'endormir et atténue son angoisse.

Maracas Votre bébé aime beaucoup entendre de nombreux sons différents.

Pendant le jeu, la musique le stimule et l'amuse. Variez les styles en fonction de son humeur et de la vôtre, faites-lui découvrir les bruits du monde qui l'entoure. Votre bébé commence à associer les sons avec les activités qui les génèrent : en entendant l'eau couler, il réalise que c'est l'heure du bain. Imprégnez-le d'un environnement sonore et musical, il sera éveillé, intéressé et à l'affût de ce qui se passe autour de lui. L'absence de réaction à ces stimuli doit conduire à en parler au médecin pour vérifier l'audition.

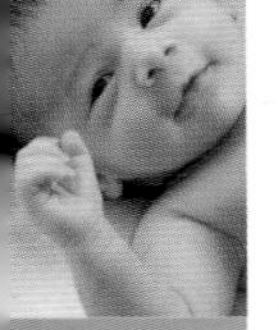

Jour et nuit

L'horloge interne de votre bébé est rarement réglée sur la vôtre : il reste éveillé de longues heures la nuit et dort toute la journée.

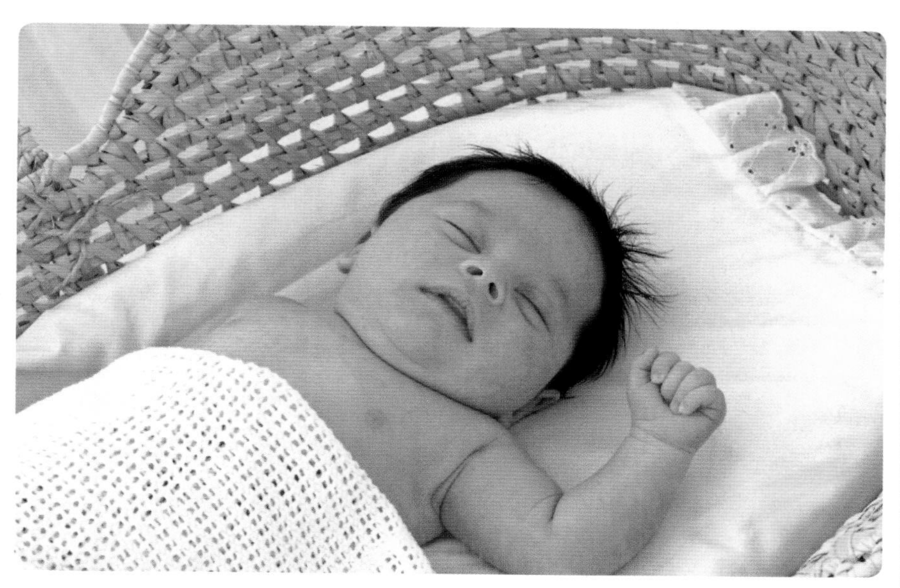

Sommeil de jour Pour que votre bébé fasse la différence entre le jour et la nuit, laissez la lumière entrer dans la chambre la journée et ne faites pas le silence total dans la maison.

Il est difficile de supporter un nourrisson très éveillé et alerte à chaque fois que vous essayez de dormir un peu. S'il est normal de dormir en même temps que votre bébé les toutes premières semaines, il faut maintenant lui faire adopter des habitudes de sommeil plus proches des vôtres.

Aidez-le à différencier le jour et la nuit en changeant de pratiques. Portez-le délicatement lorsqu'il se réveille la nuit et résistez à la tentation de jouer ou de lui parler. Après l'avoir nourri et changé, remettez-le dans son lit et montrez-lui clairement qu'on ne joue pas la nuit. Il va pleurer un peu les premiers temps mais comprendra vite le message.

Dans la journée, faites-le dormir dans un landau ou un moïse dans une pièce différente de sa chambre, bien éclairée et continuez vos occupations. La lumière agit sur l'hypophyse (située dans le cerveau) qui contrôle l'éveil et le sommeil : il dormira probablement moins longtemps que dans une chambre sombre, mais il sera ainsi plus fatigué quand vous le coucherez le soir. Il se réveillera aussi plus facilement au bon moment s'il y a un léger bruit de fond. Limitez les siestes à 4 ou 5 heures par jour.

Pendant la journée, stimulez-le : s'il passe la journée à dormir et à téter, il ne dormira sans doute pas longtemps la nuit. Lorsque les siestes sont trop longues, réveillez-le en discutant, jouant et chantant joyeusement et prévoyez des activités. Les bébés ont besoin de beaucoup dormir et alternent les périodes d'éveil et de sommeil. En journée, organisez dès à présent des plages d'activité entre les siestes. La nuit, au contraire, le calme absolu est de rigueur !

ACTIVITÉ D'ÉVEIL

Le mobile

Placé au-dessus du lit, du tapis d'éveil ou de la table à langer, un mobile stimule la vision de votre bébé et l'encourage à suivre les objets des yeux (voir p. 81), renforçant ainsi sa perception spatiale. Choisissez des couleurs vives, qui attirent son attention, et, si possible, un modèle qui tourne lentement. S'il est musical, c'est encore mieux. Il existe aussi des modèles lumineux projetant des motifs au plafond ou éclairant les personnages ou objets suspendus. Selon les moments, il calmera ou stimulera votre enfant.

Dans son moïse ou sur son tapis d'éveil, il joue en toute sécurité avec son nouveau jouet pendant que vous vous occupez de la maison.

Tournez manège Votre bébé fixe son attention sur le mobile situé au-dessus de son lit.

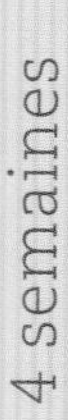

VOTRE BÉBÉ A 4 SEMAINES ET 4 JOURS

Des hauts et des bas

L'arrivée d'un bébé bouleverse la vie et les difficultés rencontrées au début sont parfois dures à affronter.

Coup de blues S'occuper d'un nouveau-né est très fatigant. Les sentiments mitigés des premiers jours sont parfaitement normaux.

Vous aviez sans doute imaginé une vie très heureuse avec votre bébé, mais la réalité peut être épuisante, voire étouffante. Les contacts avec vos amis et collègues vous manquent et vous vous sentez seule. Vous pouvez aussi être déstabilisée par le fait de ne rien réussir à faire de vos journées, en dehors de vous occuper de votre bébé, vous regrettez peut-être les jours où vous étiez libre.

Ne culpabilisez pas, cela ne veut pas dire que vous n'aimez pas votre enfant. C'est simplement l'adaptation à un nouveau mode de vie, totalement imposé par l'arrivée de votre bébé. Nous aimons souvent maîtriser notre vie, et avec un bébé, nous ne maîtrisons pas tout ! Organisez des rencontres – avec des amies qui ont des enfants du même âge ou d'autres mamans du quartier. Glissez votre enfant dans un porte-bébé et allez présenter votre bébé à vos collègues de travail. Prenez l'air et bousculez vos habitudes de temps en temps. Rassurez-vous, votre vie retrouvera bientôt un rythme régulier et plus prévisible.

Accordez-vous du temps. Demandez à votre conjoint de prendre les choses en main pendant une heure pour avoir du répit, lire un livre et prendre soin de vous – vous détendre dans un bain ou aller chez le coiffeur, par exemple.

VOTRE BÉBÉ A 4 SEMAINES ET 5 JOURS

Votre corps

Certaines mamans retrouvent rapidement leur silhouette, d'autres mettent un peu plus de temps. Soyez patiente !

N'enviez pas ces stars qui retrouvent leur silhouette dans les jours qui suivent la naissance, réjouissez-vous plutôt de ne pas avoir à vivre cette pression ! Beaucoup de jeunes mamans rayonnent quand leur corps commence à récupérer, même quand elles sont fatiguées. Leur ventre est un peu plus ferme et la plupart se rendent compte avec plaisir qu'elles ont retrouvé leur corps et qu'elles pourront bientôt abandonner les pantalons larges pour leur jean préféré. Si vous n'en êtes pas tout à fait là, pas de panique. Votre corps a mis 9 mois pour en arriver là, il lui faut du temps pour s'affiner. Si vos seins sont plus volumineux avec l'allaitement, soyez fière de vos formes séduisantes. Si vous avez des vergetures, elles s'atténueront avec le temps. Pour retrouver un ventre plat, travaillez vos abdominaux en faisant quelques exercices chaque jour. Essayez d'avoir une alimentation équilibrée, bougez, mais ne faites surtout pas de fixation sur votre ligne. Vous vous y attellerez lorsque vous aurez retrouvé une vie plus régulière.

L'AVIS... DU MÉDECIN

J'allaite au sein et mes règles sont revenues ! Est-ce normal ? Le retour de couches survient habituellement vers 6 mois, mais il peut survenir après 4 semaines ou au contraire, vers 1 an. Ne pensez donc pas que l'allaitement au sein constitue un moyen de contraception fiable. Une nouvelle grossesse pendant l'allaitement est possible.

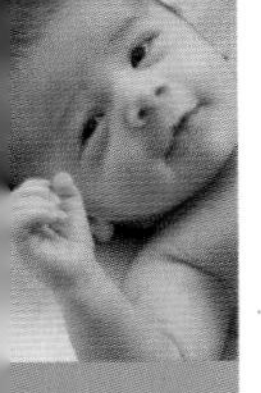

Tirez votre lait

En tirant votre lait, vous gagnerez un peu de liberté et votre compagnon pourra s'impliquer dans l'allaitement de votre bébé.

Moments uniques Le papa appréciera de nourrir votre enfant tandis que vous prenez un repos bien mérité.

Certaines mamans commencent à tirer leur lait pour continuer d'allaiter après la reprise du travail ou pour avoir une organisation plus souple et permettre à quelqu'un d'autre de donner parfois un biberon. Vous pouvez utiliser un tire-lait (voir p. 28) ou le faire manuellement (voir encadré à droite). Choisissez un moment où vous êtes détendue. Vous reconnaîtrez vite le moment de la journée où vous avez le plus de lait, les seins sont souvent très pleins le matin au réveil. Donnez un sein à téter à votre bébé et en même temps tirez le lait de l'autre sein. Ou encore, prenez un bain chaud, couchez votre bébé endormi dans son moïse à côté de vous et tirez ce qu'il reste.

Quand vous tirez votre lait, sa production augmente au bout de quelques jours. Tirez de petites quantités et laissez votre bébé téter souvent. Votre lait semble plus clair que le lait maternisé ou de vache, mais sa consistance est parfaitement adaptée à votre bébé. Congelé immédiatement, il se conserve jusqu'à 4 mois à – 18 °C. Stockez-le dans des biberons en plastique avec un bouchon de sécurité ou achetez des sachets stériles conçus à cet effet. Inscrivez la date sur le biberon ou le sachet afin de savoir jusqu'à quand l'utiliser. La congélation du lait maternel détruit certains anticorps (qui luttent contre les maladies) mais préserve sa valeur nutritionnelle. Pour le décongeler, mettez le biberon ou le sachet au réfrigérateur pendant une nuit ou dans un bol d'eau chaude. N'utilisez pas de micro-ondes ni de plaque de cuisson qui détruisent certains nutriments.

Le lait fraîchement tiré peut être conservé au réfrigérateur jusqu'à 5 jours à 4 °C ou moins, et jusqu'à 2 semaines dans le compartiment à glace. Avant de le donner à votre bébé, sentez-le et goûtez-le pour être sûre qu'il est toujours bon.

COMMENT...

Tirer son lait manuellement

Certaines femmes trouvent que tirer leur lait manuellement est plus facile qu'utiliser un tire-lait. Pour plus d'efficacité, tirez votre lait 1 heure après la tétée du matin. Lavez-vous les mains et assurez-vous de la propreté du récipient dans lequel vous allez récupérer le lait. Mettez-vous à l'aise, avec votre bébé à vos côtés. Un bain chaud vous détendra. Soutenez votre sein d'une main et utilisez l'autre pour le presser afin de faire descendre le lait dans les canaux galactophores vers l'aréole. À l'aide du pouce et de l'index, pressez le sein pour faire sortir le lait. Pressez et relâchez jusqu'à trouver le rythme qui vous convient. Le lait peut mettre quelques minutes à s'écouler. Si vous avez des difficultés, pensez à votre bébé ou touchez-le pour favoriser l'éjection. Déplacez vos mains autour du sein de temps en temps, afin de stimuler les sinus (voir p. 26) et vider tous les canaux.

Utilisez un bol propre ou un biberon pour recueillir le lait. Videz chaque sein pendant 5 minutes, jusqu'à ce que le flux se tarisse. Passez d'un sein à l'autre jusqu'à ce qu'ils soient vides. Notez la date si vous mettez le lait au congélateur.

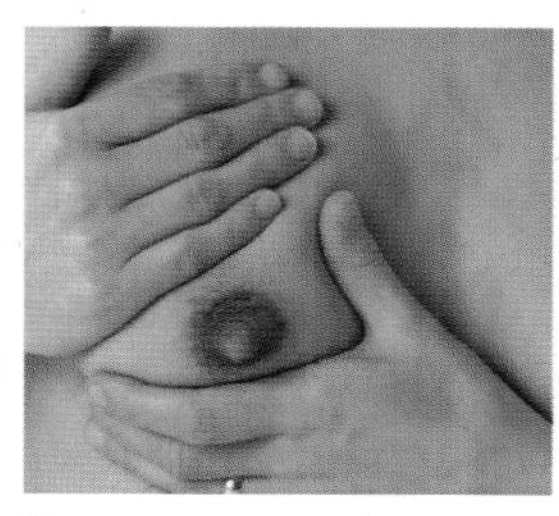
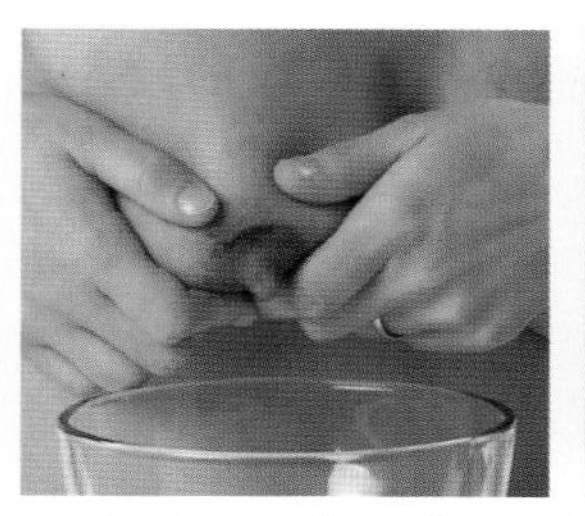

Pour commencer Soutenez votre sein d'une main. De l'autre, faites sortir le lait par les canaux galactophores vers l'aréole (à gauche). **Presser et relâcher** Pressez doucement le sein à l'aide du pouce et l'index, puis relâchez (au milieu). **Tirer et recueillir** Trouvez un rythme confortable et recueillez le lait dans un récipient propre (à droite).

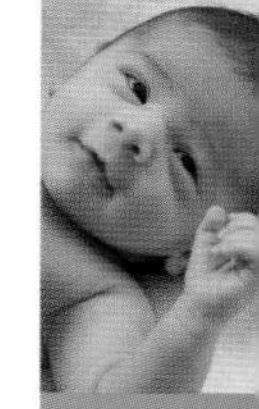

5 semaines

À LA NAISSANCE, LES YEUX D'UN BÉBÉ MESURENT ENVIRON 75 % DE LEUR TAILLE ADULTE

D'ici 3 mois, votre bébé va se mettre à réagir à certains sons, d'abord en tournant la tête et en changeant d'expression, puis en gazouillant. Il commence vraiment à communiquer.

Écouter et apprendre

La capacité d'écoute de votre bébé est assez sensible. C'est un auditeur attentif pour qui chaque son est une précieuse source d'information.

Écouter maman Votre bébé est votre auditoire le plus fidèle, il adore entendre votre voix.

C'est en écoutant que les jeunes enfants apprennent à connaître le langage, le rythme, le danger, les émotions et les sentiments. Dans le ventre, votre bébé entendait déjà votre voix. Maintenant qu'il l'entend chaque jour, il comprend le lien entre cette voix et son bien-être permanent. De plus, il la trouve très réconfortante. Il en est de même pour la voix de son papa. Comme il aime tant vous entendre, profitez-en, parlez-lui (voir p. 88) et chantez-lui des chansons en changeant ses couches, en lui donnant le bain... Il se sent vraiment en sécurité quand il entend que vous n'êtes pas loin.

Répétition de sons La répétition de sons aide les bébés à apprendre l'attente et la prévisibilité, en particulier lorsqu'elle s'accompagne d'actions répétitives comme le « Chats » dans « Trois petits chats » ou les chatouilles à la fin de « La petite bête qui monte ». Ils apprennent ainsi à faire le lien entre une séquence de bruits particulière et un effet donné. Certains experts pensent que le fait de répéter améliore la mémoire des bébés.

Nouveaux sons Des bruits inattendus peuvent faire sursauter votre bébé – il écarte les bras, ramène les genoux sur sa poitrine ou pleure. Il réagit ainsi à un cri ou une détonation, mais s'il est entouré de frères et sœurs bruyants, il apprendra vite à ne réagir qu'aux sons les plus forts.

Une réaction négative au bruit confirme que votre bébé entend bien. Si un chien aboie ou qu'un avion passe au-dessus de vous, commentez l'événement pour rassurer votre bébé et lui apprendre que chaque son a une signification.

Détecter un problème Votre voix doit normalement apaiser ou distraire votre bébé, même si la pause dans son activité est brève et que vous devez l'observer attentivement pour la noter. Si vous tapez dans vos mains derrière lui, il doit sursauter. S'il ne réagit pas la première fois, refaites ce test à un autre moment. Si vous pensez que votre bébé ne réagit pas à votre voix ou aux bruits forts, consultez votre médecin qui pratiquera un test auditif pour s'assurer que tout est normal.

Les bébés apprennent la plupart du temps simplement à ignorer les bruits alentours, en particulier s'ils se sentent en sécurité. Ils arrivent même à dormir dans un environnement bruyant. Les bébés nés à terme rencontrent rarement de problèmes d'audition si aucun membre de la famille n'en souffre.

ACTIVITÉ D'ÉVEIL

Écouter la musique

Certaines études suggèrent que les bébés exposés à différents styles de musique ont par la suite une bonne oreille musicale. Il semble que la musique – en particulier la musique classique – favorise le développement des voies neurologiques dans le cerveau du nouveau-né, améliorant ainsi le traitement et la stimulation des ondes alpha associées au sentiment de calme.

Faites écouter différents styles de musique à votre bébé : une musique entraînante le matin, des comptines lorsque vous jouez et une musique classique apaisante lorsque vous voulez le calmer avant de dormir.

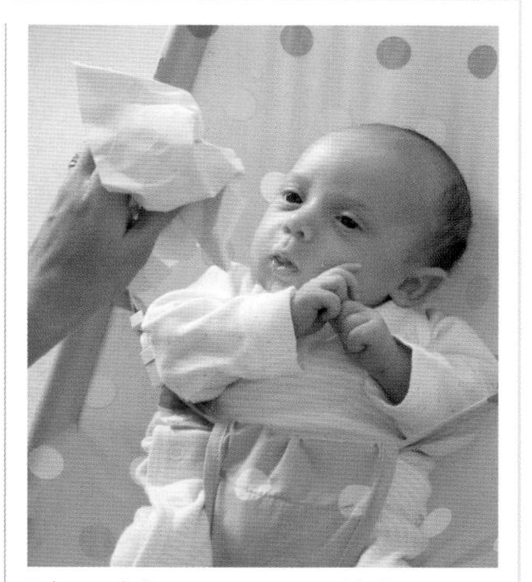

Découvrir les sons Pour son développement sensoriel, faites-lui entendre de nouveaux sons, comme le bruit du papier froissé.

VOTRE BÉBÉ A 5 SEMAINES ET 1 JOUR

Parler bébé

En parlant en permanence avec votre bébé, vous l'aidez à élaborer son langage et sa communication.

Vous serez surprise de vous entendre « parler bébé », en adoptant une voie aiguë et mélodieuse – et d'entendre votre nourrisson vous répondre. Il s'agit d'une méthode de communication instinctive et naturelle, appelée aussi *mamanais*, employée par les parents dans toutes les langues du monde. Des études ont démontré que les bébés préfèrent ce type de discours et y sont plus attentifs. Il encourage la communication parents-enfants et familiarise ces derniers aux rudiments de la langue. Le « parler bébé » attire l'attention de votre enfant, l'aide à repérer plus rapidement les mots et favorise son développement psychologique.

Vous vous sentez peut-être bête de parler lentement (ou même de babiller) d'une voix aiguë, avec un vocabulaire simpliste et très répétitif, mais c'est rassurant pour votre bébé qui va vite commencer à vous comprendre et acquérir ainsi les nuances de votre langue. Lui parler a une incroyable influence sur son développement, n'hésitez donc pas à discuter avec lui quand vous vous en occupez. Expliquez-lui au fur et à mesure ce que vous faites. Les premières fois, il ne comprendra pas le sens des mots, mais bien vite il apprendra que ces sons désignent vos actions ou les objets qui l'entourent.

Des études suggèrent qu'en parlant aux bébés, on les aide à identifier le début et la fin des mots, leur fournissant ainsi les clés pour développer leurs compétences langagières. La plupart des adultes, et même les enfants, adoptent instinctivement le « langage bébé » lorsqu'ils parlent aux bébés. Le bébé ne comprend pas le sens des mots mais intègre très vite l'intonation de la voix et ce que cela signifie.

VOTRE BÉBÉ A 5 SEMAINES ET 2 JOURS

Partager les tâches

Aujourd'hui, les papas s'occupent davantage de leur bébé qu'avant, commencez donc à déléguer.

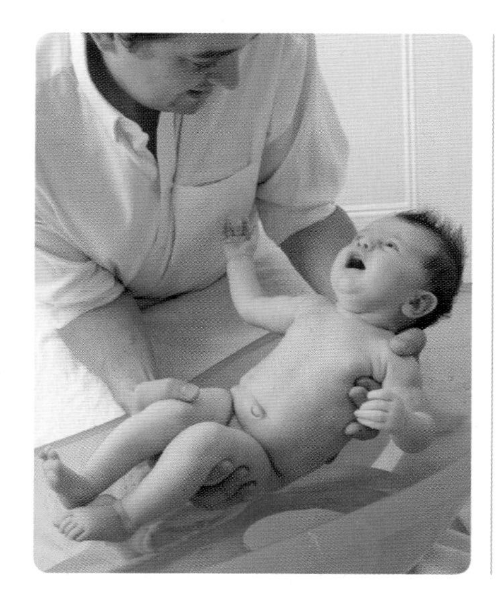

Au tour de papa En vous occupant tous les deux de votre bébé, vous apprenez chacun de nouvelles compétences.

En s'occupant tous les deux de votre enfant, vous passez chacun autant de temps avec lui et personne ne se sent délaissé ou moins confiant. Votre bébé apprécie aussi bien le contact de son père que le vôtre, car il vous connaît tous les deux et chacun élabore ses propres méthodes pour s'en occuper et le calmer.

Répartissez au mieux les soins de votre bébé et l'entretien de la maison. Le papa peut-il garder votre enfant pendant que vous faites l'épicerie ou lui donner le bain et le coucher tandis que vous préparez le souper ? Essayez de répartir équitablement les tâches les moins amusantes afin qu'il n'y ait aucun ressentiment entre vous. Lorsque votre conjoint s'occupe de votre bébé, évitez de le critiquer s'il agit différemment. Contentez-vous de lui donner quelques conseils dans les domaines que vous maîtrisez mieux.

Si votre bébé est nourri au biberon, vous pouvez partager les tétées (il est préférable que vous soyez les seuls à le faire les premiers jours, car c'est un moment essentiel pour tisser des liens). Si vous donnez le sein, lorsque l'allaitement est bien en place, vous pouvez tirer du lait pour que votre conjoint le nourrisse de temps en temps.

Comment donner un biberon

Que vous utilisiez du lait maternisé ou que vous tiriez votre lait, voici la méthode pour bien donner un biberon.

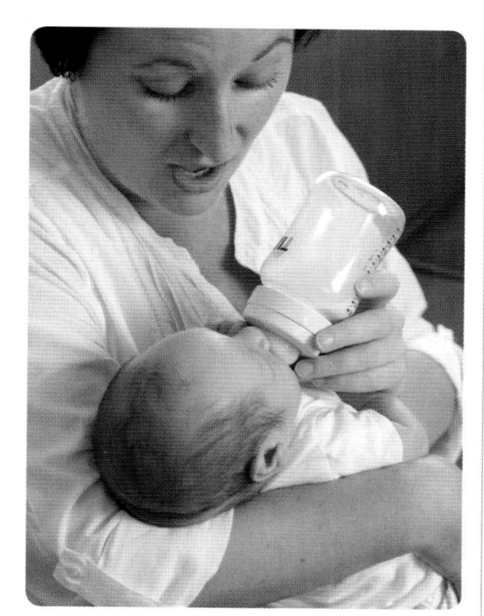

Incliner le biberon Pour éviter que votre bébé n'avale trop d'air, inclinez le biberon de façon à ce que la tétine soit toujours remplie de lait.

Si vous allaitez au sein, la plupart des spécialistes conseillent de ne pas donner de biberon avant 4 à 6 semaines pour éviter la confusion sein-tétine. Téter au biberon demande moins d'efforts et les bébés s'habituent à boire le lait plus vite. Si vous avez réussi à bien mettre en place l'allaitement au cours des six premières semaines, votre enfant saura plus facilement alterner entre le sein et le biberon.

Souvenez-vous que vous produisez du lait en fonction de la demande. S'il tète au biberon, il ne vous en réclamera pas et votre production cessera. Si vous envisagez de reprendre le travail, commencez à introduire dès maintenant un biberon de temps en temps. Certains bébés le refusent si l'on attend trop. Après avoir tiré votre lait (voir p. 28 pour le tire-lait et p. 85 pour la méthode manuelle et la conservation du lait maternel), proposez à votre bébé un biberon une fois par semaine afin de faciliter la transition. Réchauffez le lait à la bonne température (tiède, à tester en déposant quelques gouttes sur votre poignet), et jetez ce qui reste après la tétée. Ce n'est pas du gâchis : des bactéries pourraient se développer et entraîner une infection intestinale.

Même les bébés nourris au biberon dès la naissance ont parfois des difficultés. Si le vôtre a du mal à téter, vérifiez que la tétine n'est pas bouchée. Il existe deux types de tétines : à débit variable, qui permettent de choisir entre 3 vitesses et à débit unique, à choisir selon l'âge de l'enfant. S'il met plus de 20 minutes pour finir un biberon, prenez une tétine plus rapide. S'il s'étouffe ou recrache, la tétine coule trop vite.

COMMENT...

Commencer l'allaitement mixte

Choisissez un moment où votre bébé est calme et n'a pas trop faim. Certains boivent facilement au biberon, d'autres y sont plus hostiles. S'il est réticent, utilisez du lait tiré. Choisissez une tétine physiologique (proche de la forme du mamelon) à débit lent et mettez votre nourrisson contre votre peau pour qu'il sente votre chaleur. Vous devrez peut-être essayer plusieurs fois avant qu'il ne s'y fasse. Si vous n'y arrivez pas, demandez au papa de s'en occuper. Les bébés sentent parfois le lait de leur maman et comprennent que ce qu'on leur propose est différent. Sans elle, ils acceptent mieux la « différence », car l'expérience est totalement nouvelle. Il est préférable que la maman ne soit pas là quand on introduit le biberon avec difficulté. Profitez-en pour prendre un peu de temps libre en laissant le papa gérer. Si votre enfant est vraiment perturbé, reportez l'expérience et nourrissez-le au sein. Le biberon ne doit pas être associé à une mauvaise expérience.

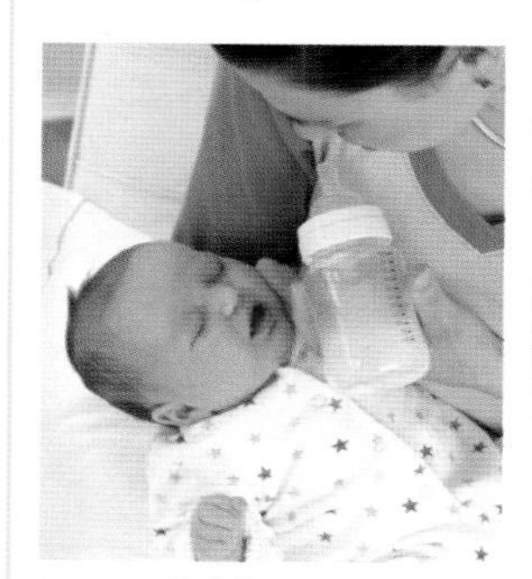

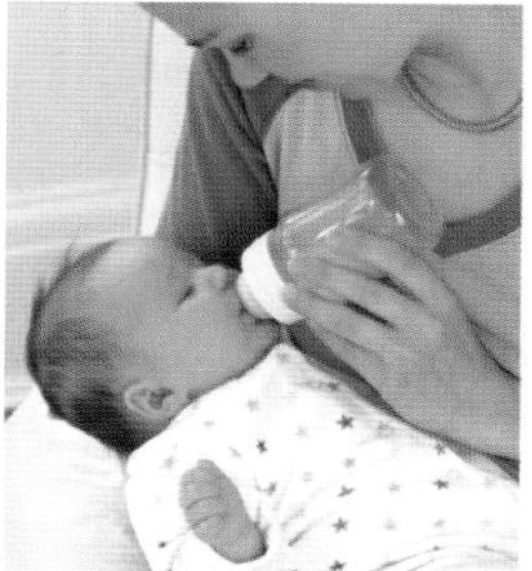

Donner le biberon Caressez sa joue pour déclencher le réflexe de fouissement et introduisez la tétine dans sa bouche (à gauche). **Pendant la tétée** Parlez-lui et faites une pause au milieu du biberon. Changez de côté pour reposer votre bras (au milieu). **Retirer le biberon** Glissez doucement votre petit doigt au coin de sa bouche pour l'arrêter de téter (à droite).

VOTRE BÉBÉ A 5 SEMAINES ET 4 JOURS

Temps calme

La sérénité de votre enfant dépend en partie de la vôtre, il est donc important de préserver un moment d'éveil dans le calme chaque jour.

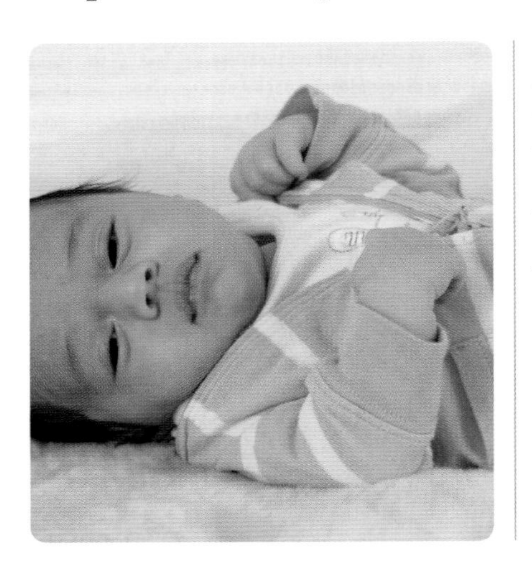

Moment calme Votre bébé ne doit pas être stimulé constamment et il a besoin d'explorer calmement le monde qui l'entoure.

Les nourrissons ne doivent jamais être mis à l'écart, même pour un court moment, mais cela ne signifie pas que vous devez stimuler votre bébé pendant toutes ses périodes d'éveil. Il est bon qu'il passe un peu de temps chaque jour à regarder autour de lui, à découvrir son environnement tout seul, sous peine d'être trop stimulé et grognon. Au début, l'équilibre peut être difficile à trouver, mais à mesure que vous décrypterez ses signaux, ce sera plus simple. Chaque jour, laissez votre bébé jouer dans la même pièce que vous, sous son arche d'éveil ou sur son tapis avec quelques jouets bien choisis à portée de main pendant quelques instants (environ 15 minutes). Laissez-le sur le dos pendant ces moments-là, mais assurez-vous de le mettre aussi chaque jour sur le ventre. Vous pouvez le surveiller tranquillement assise sur une chaise ou essayer de lire quelques pages. Ce type d'activité calme lui offre l'occasion de prendre goût à l'exploration de son environnement. Il vous permet aussi de vous reposer un peu.

VOTRE BÉBÉ A 5 SEMAINES ET 5 JOURS

Votre réseau social

Restez en contact avec vos amies pour partager votre expérience de la maternité et habituer votre bébé à voir de nouvelles personnes.

Les amies rencontrées aux cours prénataux ou dans des groupes maman-bébé vous permettront de tisser un réseau d'entraide utile. Il est très important de partager son expérience, d'échanger conseils et astuces et de pouvoir avoir une conversation entre adultes. Lorsqu'on est parents, il y a des hauts et des bas. Voir d'autres mamans dans la même galère vous permet de percevoir le côté drôle de vos expériences et réaliser que vos inquiétudes sont les mêmes pour tout le monde. Vous pouvez également chercher des solutions auprès d'adultes qui partagent vos préoccupations. L'expérience sera aussi bénéfique pour votre enfant qui sera stimulé par la conversation des grands et les activités des autres bébés. Il n'est pas encore près de jouer avec d'autres enfants, mais il sera fasciné par cette nouvelle expérience en découvrant de nouveaux visages et en entendant des voix différentes de son cocon familial.

Privilégiez les rencontres avec des personnes sympathiques, positives et qui respectent vos choix. Si vous avez le sentiment de ne pas être à la hauteur des attentes du groupe, il ne vous convient peut-être pas. L'expérience doit être constructive, vous donner confiance et vous aider à résoudre les petits problèmes rencontrés au début de la vie de parents.

L'AVIS... DU PÉDIATRE

Mon bébé n'aime pas être sur le ventre. Comment puis-je y remédier ? Les bébés doivent passer environ 30 minutes sur le ventre chaque jour pour développer leurs muscles, mais vous pouvez fractionner. Prévoyez trois séances de 10 minutes et, si votre nourrisson commence à râler, distrayez-le avec une chanson ou un jouet. Choisissez un tapis de jeu attrayant, mettez-vous sur le ventre aussi, caressez son dos et parlez-lui.

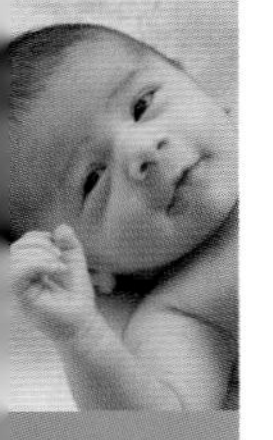

Au lit !

Maintenant que votre bébé a presque 6 semaines, il réagit bien au rituel du coucher et est content de se retrouver seul.

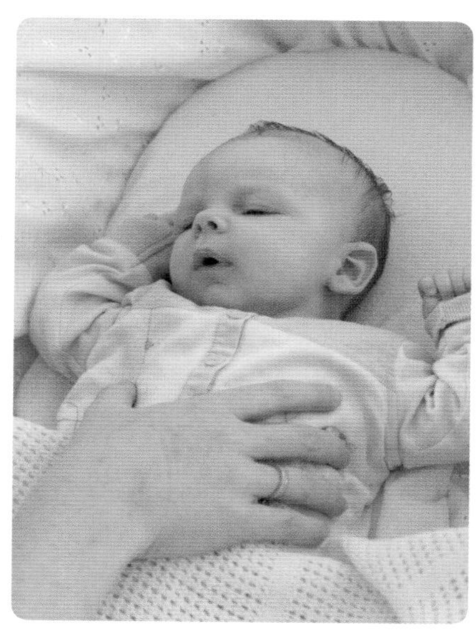

Le coucher Grâce au rituel du coucher, votre bébé se détend et s'endort mieux.

Votre enfant mettra sûrement encore un peu de temps avant de faire ses nuits et va continuer à se réveiller plusieurs fois pour une tétée ou un câlin. Quel que soit votre état de fatigue ou de frustration dû à ses réveils nocturnes, restez calme et répondez à ses besoins aussi vite que vous pouvez. Un bébé qui sait que ses parents viennent quand il le faut se sent en sécurité et trouvera plus rapidement un moyen de se calmer tout seul.

Grâce au rituel du coucher, votre bébé apprend à se calmer et à anticiper l'enchaînement des événements, puis finit par dormir plus longtemps d'un sommeil réparateur. Maintenez une atmosphère calme et tranquille, lavez-le, donnez-lui une tétée et couchez-le en chuchotant. Les bébés adorent entendre la même chanson tous les soirs : elle les aide à comprendre et à anticiper la suite avec plaisir.

Restez avec votre enfant si nécessaire, en le rassurant de votre présence. Ne marchez pas sur la pointe des pieds quand il s'endort, laissez-le entendre votre voix et les sons familiers de la maison. Il saura que vous êtes là et il apprendra à dormir dans un environnement bruyant, sans se réveiller en sursautant au moindre son. Les nourrissons ont besoin de faire des siestes pendant la journée et ils arrivent mieux à dormir la nuit quand ils sont bien reposés. Si vous couchez votre bébé au premier signe de fatigue (voir p. 76), vous éviterez qu'il ne « passe son heure ».

Enfin, n'essayez pas de contrôler le sommeil de votre bébé. Il a besoin d'un rituel chaleureux qui lui donne la confiance nécessaire pour s'endormir, et se rendormir s'il se réveille, en sachant que vous êtes là. Il est fréquent que les bébés pleurent pendant 1 à 3 heures le soir, à l'endormissement, surtout s'ils ont dormi la journée. C'est l'heure où ils se défoulent. Il est alors important de leur parler, de les rassurer et de respecter cette phase de défoulement.

LES CHEVEUX DE VOTRE BÉBÉ

À la naissance, les cheveux de votre enfant pouvaient être fins ou épais, clairs ou foncés, en bataille ou bien coiffés comme s'il sortait de chez le coiffeur. C'est totalement imprévisible ! Même si son papa et vous-même avez les cheveux blonds, il peut être brun et inversement. Très souvent, lorsqu'un bébé naît avec des cheveux, ils tombent dans les premiers mois. Ils sont alors remplacés par des cheveux ressemblant davantage à ceux de ses parents. À force d'être allongé sur le dos, une zone dégarnie peut apparaître à l'arrière du crâne ; c'est tout à fait normal, cela disparaîtra lorsque ses cheveux repousseront.

Lavez la tête de votre enfant avec un savon doux, l'utilisation d'un shampoing « spécial bébé » étant proscrite avant l'âge de 4 mois.

Cheveux épais Tous les cheveux de votre bébé risquent de tomber dans les 6 premiers mois et repousser d'une couleur ou texture différente (à gauche). **Cheveux fins** Les bébés nés sans cheveux, ou avec des cheveux très fins, peuvent rester ainsi jusqu'à 1 an (à droite).

6 semaines

VERS 6 OU 8 SEMAINES, LA PLUPART DES BÉBÉS SE METTENT À DORMIR PLUS LONGTEMPS LA NUIT QUE LE JOUR

C'est le moment où de nombreux bébés font une poussée de croissance qui leur donne faim : préparez-vous donc à des tétées supplémentaires. S'il est possible que votre nourrisson fasse son tout premier vrai sourire cette semaine, la plupart n'y arrivent souvent que vers 8 semaines.

Une poussée de croissance

À tout moment, votre bébé peut connaître une période de croissance très rapide et particulièrement intense.

Donne-m'en plus! Nourrissez votre bébé aussi souvent que nécessaire, la quantité de lait produite suivra le rythme.

Son sommeil est agité, il dort plus longtemps, et, surtout, il réclame plus souvent le sein : ces signes, surtout s'ils sont associés, ne trompent pas : votre bébé fait une poussée de croissance. De nombreuses mamans qui allaitent pensent à tort que l'agitation et les demandes de tétées indiquent une production insuffisante de lait ; en fait, si ces signes apparaissent vers 4 à 6 semaines, il s'agit sûrement d'une poussée de croissance.

Il peut alors être très difficile d'établir des horaires fixes d'allaitement et ceux qui s'étaient mis en place disparaissent, car votre nourrisson a toujours faim. Votre organisme va adapter sa production de lait à la demande croissante, il est donc important que vous nourrissiez votre enfant à chaque fois qu'il le réclame. Veillez bien à ce qu'il vide complètement chaque sein et boive ainsi du lait de fin de tétée, riche et nourrissant. En général, le rythme des tétées diminue à nouveau assez vite après la poussée de croissance, souvent en quelques jours seulement. Si votre bébé est nourri au biberon, pensez à augmenter la quantité que vous lui donnez, mais de 30 ml à la fois seulement. Demandez au médecin si vous n'êtes pas sûre.

Une baisse physiologique de la production de lait peut être observée vers 4 semaines, aussi il est important d'augmenter la fréquence des tétées pour stimuler la production lactée.

L'AVIS... DU SPÉCIALISTE DE L'ALLAITEMENT

Mon bébé semble toujours avoir faim. Est-ce que je peux lui donner un biberon de lait maternisé tout en lui donnant le sein? Si à présent votre production de lait doit être bien stabilisée, elle augmentera dans les mois à venir pour répondre aux besoins de votre bébé. Il va alors connaître une poussée de croissance et réclamer davantage de lait. Pour le satisfaire, il est important de le mettre au sein aussi souvent que nécessaire afin d'augmenter les quantités de lait produites. Laissez cependant s'écouler au moins 2 h 30 entre chaque tétée. Si vous lui donnez des biberons en plus, vos seins ne seront pas assez stimulés et ne produiront pas suffisamment. Essayez donc de l'éviter si vous souhaitez continuer à allaiter. Vos seins s'adaptent généralement en quelques jours, prenez votre mal en patience et nourrissez souvent votre enfant.

CHOISIR LA BONNE TAILLE

Si votre bébé pesait plus de 3,6 kg à la naissance, il n'a probablement jamais porté cette taille. En moyenne, la première taille de vêtement devient trop petite vers 5 à 8 semaines, parfois plus tôt. Si les vêtements commencent à être un peu serrés (en particulier aux pieds), passez à la taille supérieure.

Les vêtements en 3 mois devraient lui aller tout le mois, mais soyez prête à vous adapter. Si vous en achetez, emmenez votre bébé avec vous, mettez les vêtements devant lui et laissez de la marge pour le rétrécissement au lavage et la poussée de croissance à venir. En cas de doute, prenez la taille au-dessus. Il remplira le 6 mois en un rien de temps!

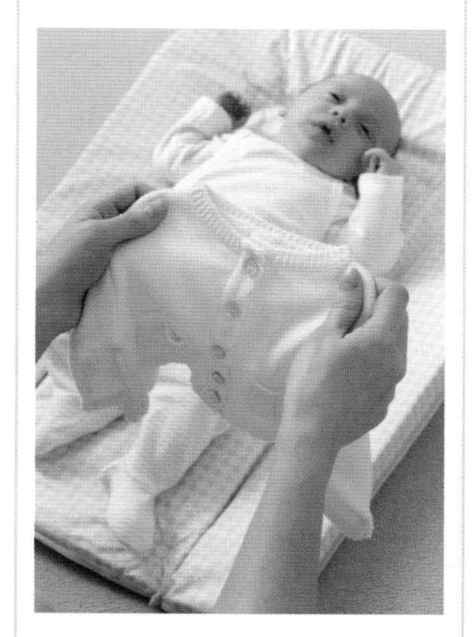

Voir large Mieux vaut des vêtements amples, donc tenez compte de la poussée de croissance et prenez une taille au-dessus.

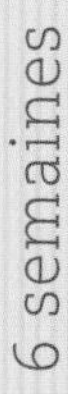

GROS PLAN SUR...

Votre consultation postnatale

La consultation postnatale a lieu 6 à 8 semaines après l'accouchement. Elle permet à votre médecin d'évaluer votre état de santé et celui de votre bébé, et de voir comment vous gérez votre nouvelle vie de maman.

L'AVIS... DU MÉDECIN

Le nombril de mon bébé est saillant. Y a-t-il un problème ? Il existe toutes sortes de tailles et de formes de nombrils. Si celui de votre bébé est très bombé quand il crie ou qu'il pleure, il y a peut-être une hernie ombilicale. Bénigne, elle peut survenir en cas de faiblesse musculaire autour de l'ombilic. La plupart des hernies ombilicales disparaissent toutes seules dans la première année, sans intervention médicale. Parfois, les bébés ont besoin d'une petite opération. Si le nombril du vôtre est saillant, parlez-en à votre médecin : en cas d'hernie, l'affection doit être surveillée, mais il y a peu de risques de complication. Il peut être suintant et rouge, justifiant alors un traitement local avec du nitrate d'argent pour permettre la cicatrisation d'un bourgeon ombilical.

Quand mes hémorroïdes vont-elles disparaître ? Les hémorroïdes disparaissent en général dans les mois qui suivent l'accouchement et vous pouvez accélérer la guérison en ayant une alimentation riche en céréales complètes, fruits et légumes, en buvant beaucoup d'eau et en ayant une activité physique (par exemple les exercices du plancher pelvien, voir p. 65). Quand vous êtes aux toilettes, soulevez les pieds pour mieux ouvrir votre intestin. Si c'est douloureux, sans amélioration ou que vous saignez, consultez votre médecin.

Poser des questions La consultation postnatale est l'occasion d'obtenir les réponses à vos questions concernant votre santé et celle de votre bébé. Préparez une liste à l'avance pour ne pas en oublier.

La consultation postnatale, obligatoire, est pratiquée par un médecin ou une infirmière.

Bilan médical Comme pour les consultations prénatales, votre médecin prend votre tension et, éventuellement, recueille un échantillon d'urines pour l'analyser. Six semaines après l'accouchement, votre pression artérielle doit être redevenue normale (inférieure à 140/90), même si vous avez souffert d'hypertension ou d'hypotension pendant la grossesse. Une analyse d'urines est demandée, en particulier en cas d'hypertension pendant la grossesse ou maintenant, de symptômes urinaires ou si vous avez eu un diabète gestationnel.

Si vous nourrissez votre bébé au sein, le médecin vous demande si tout se passe bien, si vous avez des crevasses ou si vos seins sont douloureux. Il peut aussi répondre à toutes vos préoccupations au sujet de l'allaitement maternel. Il pratique également votre examen clinique, vérifie que votre utérus a presque retrouvé sa taille normale et examine la tonicité de vos abdominaux. L'incontinence urinaire d'effort ou les fuites urinaires lorsque vous toussez, éternuez ou pratiquez une activité physique sont des phénomènes fréquents après un accouchement. Ne soyez pas gênée d'aborder ce sujet avec votre médecin qui vous prescrira des séances de rééducation périnéale.

Les médecins veillent à ce que les mères adoptent un régime alimentaire sain et pratiquent une activité physique après l'accouchement pour mieux récupérer et les aider à retrouver leur poids d'avant la grossesse. C'est pourquoi votre praticien va vous peser et vous donner de précieux conseils. Il est préférable d'attendre cette consultation pour entamer un programme d'exercices physiques soutenu afin de s'assurer que votre organisme s'est bien remis de l'accouchement.

Votre médecin vérifie vos points de suture et la cicatrisation de votre périnée si vous avez subi une déchirure ou une épisiotomie. Il vous demande si vos saignements vaginaux ont disparu, si vous avez déjà eu votre retour de couches, si vous avez repris des rapports sexuels et si oui, s'ils sont douloureux. C'est aussi le bon moment pour évoquer votre contraception et vos préoccupations éventuelles. Si votre dernier frottis remonte à plus de 3 ans, le médecin vous en prescrit un à faire lorsque votre bébé aura plus de 3 mois.

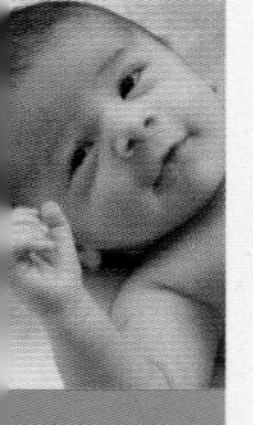

Votre bien-être émotionnel Le médecin vous demande comment vous vous sentez psychologiquement depuis la naissance, si vous avez eu des moments difficiles, si vous êtes bien entourée et soutenue, comment vous dormez et comment vous réagissez face à vos nouvelles responsabilités de mère. Aucune de ces questions n'a pour but de vous piéger, répondez aussi franchement que possible, parlez de vos inquiétudes ou préoccupations (quel qu'en soit l'objet) concernant votre bien-être ou celui de votre enfant.

Votre praticien sera particulièrement attentif aux signes éventuels de dépression postnatale survenant plusieurs mois après la naissance chez près de 10 % des femmes pour que vous puissiez être aidée au plus vite, en cas de nécessité.

Questions au sujet du bébé Tout en effectuant l'examen clinique de votre bébé, le médecin vous interroge sur son alimentation et vous demande si vous avez des inquiétudes sur son bien-être. Il vous questionnera aussi à propos de ses couches pour savoir s'il les remplit régulièrement et s'il a commencé à sourire. Avec un peu de chance, votre bébé répondra à cette question lui-même !

La plupart des bébés sont suivis régulièrement depuis la naissance et cette consultation n'est souvent qu'une formalité. Néanmoins, si le médecin a le moindre doute à propos de cet examen, il vous suggérera de revenir pour s'assurer que les problèmes potentiels sont pris en compte, ou qu'ils ont disparu.

APRÈS UNE CÉSARIENNE

Votre médecin vérifie que la cicatrice évolue bien et que vous n'avez pas de gêne. Six semaines après la naissance, la plupart des mamans assurent les tâches quotidiennes : donner le bain, faire le ménage, s'occuper du bébé et soulever des charges légères. Certaines trouvent encore difficile pendant longtemps de porter des charges lourdes et même d'avoir des relations sexuelles.

Ne vous forcez pas à faire des choses qui vous sont pénibles. Vous pouvez recommencer à conduire dès que votre médecin vous aura donné son aval.

AIDE-MÉMOIRE

Examen de votre bébé

Votre bébé subira un examen deux mois environ après l'accouchement. Comme vous devrez le déshabiller, optez pour des vêtements faciles à mettre et à enlever et emportez une couche propre.

- **Os, articulations et muscles** Le médecin allonge votre bébé sur le dos et mobilise doucement chaque jambe afin de vérifier que l'amplitude articulaire de ses hanches est normale. Il tend ses deux jambes pour vérifier que leur longueur est identique et vérifie que la colonne vertébrale est droite et que les autres articulations fonctionnent correctement. Il s'assure que les fontanelles sont normales (ni bombées, ni creusées : voir p. 99) ainsi que la tonicité des muscles du cou et de la tête, soit en observant votre bébé contre votre épaule, soit en le plaçant sur le ventre.
- **Cœur** Il ausculte votre bébé et vérifie son pouls pour s'assurer qu'il ne souffre pas d'un problème cardiaque congénital, notamment les pouls fémoraux.
- **Réflexes** Le médecin utilise des tests simples pour vérifier le développement des réflexes de votre bébé.
- **Yeux** Il vérifie que votre bébé ne souffre pas de problèmes congénitaux, comme la cataracte, en examinant ses yeux à l'ophtalmoscope, et qu'il suit les objets des yeux (voir p. 81).
- **Autre** Enfin, le médecin palpe l'abdomen de votre enfant à la recherche d'hernies. Si c'est un garçon, il vérifie que les testicules sont bien en place dans le scrotum.

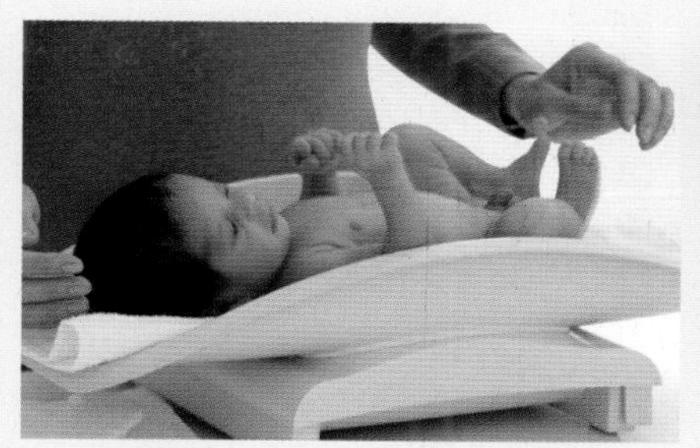

Pesée Votre bébé est pesé et son poids est reporté sur sa courbe de croissance en vérifiant que le rythme de sa prise de poids est correct pour son âge.

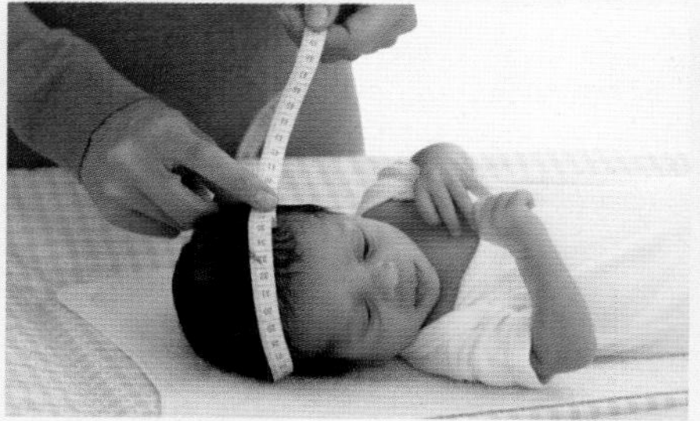

Examen de la tête La mesure du périmètre crânien est un bon indicateur de la croissance et de l'absence de problème internes.

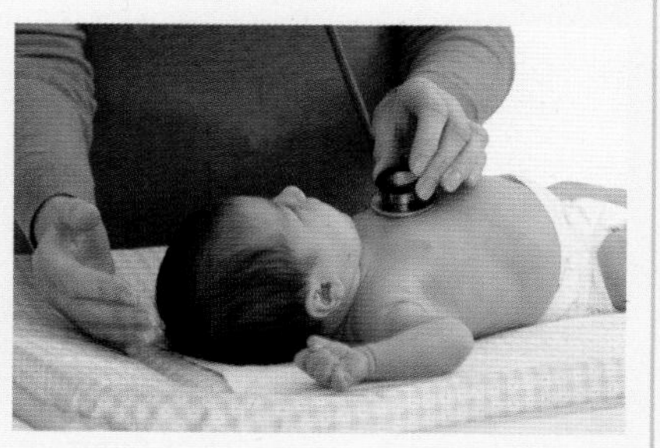

Examen du cœur En écoutant le cœur de votre bébé avec son stéthoscope, le médecin vérifie l'absence de bruit ou de murmures anormaux.

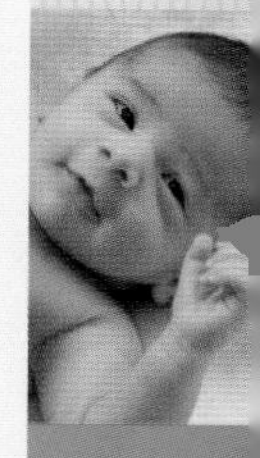

VOTRE BÉBÉ A 6 SEMAINES ET 1 JOUR

Petit charmeur

Le premier sourire de votre bébé est un moment précieux, car il indique que tout va bien et qu'il est heureux.

Les bébés ne sourient que lorsqu'ils sont prêts à le faire ; même le plus heureux ne peut décrocher sa première risette avant 7 semaines, parfois plus tard. Cependant, en parlant avec votre nourrisson, en lui souriant et en multipliant les contacts visuels, vous pouvez accélérer les choses. Les garçons semblent plus lents que les filles, mais ils ont tous besoin d'encouragement. Après ce premier sourire, votre enfant est tellement grisé par votre réaction qu'il recommence encore et encore.

Premier sourire Plus vous souriez à votre bébé, plus il essaiera de vous imiter et de sourire à son tour.

Les premiers sourires répondent à une stimulation auditive familière, comme le son de votre voix. Vers 2 mois, sa vision est plus nette et il va commencer à sourire en réaction à des choses qu'il voit, en général les personnes qu'il préfère : maman et papa.

Avec l'acquisition du sourire, votre bébé franchit une première étape en apprenant à communiquer autrement que par les pleurs. Ce premier sourire récompense merveilleusement tous vos efforts ! Bientôt il sourira à d'autres visages familiers, comme ses frères et sœurs et ses grands-parents. Plus vous vous extasierez devant ses risettes, plus il recommencera.

VOTRE BÉBÉ A 6 SEMAINES ET 2 JOURS

Des mouvements conscients

Votre bébé ne maîtrise pas encore très bien ses mouvements, mais il va essayer d'attraper ce que vous mettez à sa portée.

Toujours doté du réflexe d'agrippement, votre enfant saisit automatiquement tout ce qui est placé dans sa paume. Il prend aussi conscience du monde qui l'entoure et s'il voit quelque chose qui l'attire, il va probablement tendre les bras pour l'attraper.

Au lieu de rester à regarder un jouet, il va lever un bras vers lui de façon plutôt gauche. Il lui faudra du temps avant de pouvoir ouvrir la main et la refermer autour de l'objet dans un geste conscient, mais il peut tout à fait l'attraper par accident, même s'il effectue la plupart de ses mouvements avec le poing fermé. Il est maintenant temps de s'assurer qu'aucun objet à portée de main n'est susceptible de lui tomber dessus ou présenter un danger pour lui. Il peut attraper les cheveux, les lunettes, les bijoux ou les foulards, soyez donc vigilants et donnez-lui une variété d'objets faciles à saisir et à manipuler, ne requérant pas de dextérité fine.

Ses mouvements de pieds et de mains sont encore saccadés, mais, grâce au développement de ses muscles et de son système nerveux, ils deviendront progressivement plus fluides et intentionnels. Il commence également à bouger les pieds et les mains quand il est content ou excité.

Mains baladeuses Si vos cheveux sont à sa portée, il n'hésitera pas à vous les tirer !

VOTRE BÉBÉ A 6 SEMAINES ET 3 JOURS

Voir plus clair

La vision de votre bébé s'est incroyablement améliorée par rapport à ce qu'elle était à sa naissance.

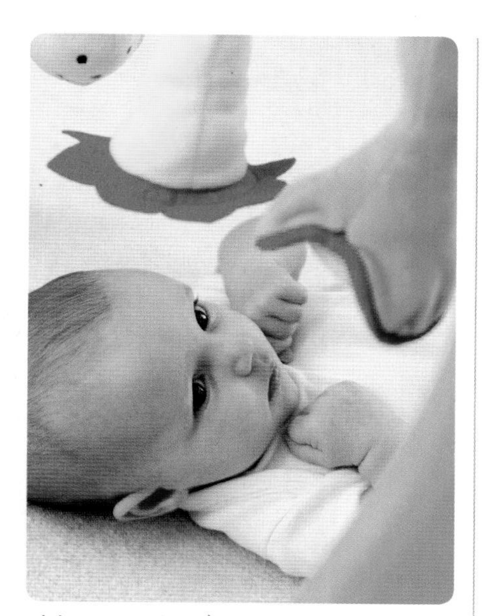

Vision en couleur À 6 semaines, le cerveau de votre bébé distingue le rouge, le vert et le jaune ; bientôt, il verra aussi le bleu.

À la naissance, votre bébé voyait seulement les objets situés à environ 30 cm, soit à peu près la distance entre votre sein et votre visage. Il perçoit maintenant jusqu'à 60 cm environ. Ce progrès important est principalement dû au développement de son cerveau, qui interprète de façon plus efficace les données et les transforme en images nettes. Les bébés passent beaucoup de temps à regarder des objets ordinaires sans rien faire, ce qui est une forme d'apprentissage. Vous verrez qu'il commence aussi à découvrir différentes parties de son corps, en particulier ses mains (voir p. 110).

À 6 semaines, les cellules binoculaires sont apparues : elles améliorent la perception de la profondeur. Néanmoins, votre bébé ne coordonne pas parfaitement ses mouvements oculaires et devra attendre un bon mois pour mieux voir les reliefs.

Couleurs et formes Il faut du temps pour que le cerveau distingue les couleurs, en particulier les nuances, c'est pourquoi les très jeunes bébés préfèrent les motifs noir et blanc et les contrastes clair/foncé très marqués.

Vers 6 semaines, le cerveau de votre enfant commence à distinguer le rouge, le vert et le jaune ; sous peu, il verra aussi le bleu. Il préfère les formes reconnaissables plutôt que les lignes droites. Selon certaines études, une région particulière du cerveau s'habitue précisément à reconnaître les visages, c'est pourquoi les bébés adorent les dessins simplifiés de visages, fixent leur attention sur un visage et apprennent à répondre à son sourire.

Mouvement Votre bébé doit désormais être capable de suivre un mouvement avec les yeux, même brièvement (voir Suivre les objets des yeux, p. 81).

NE PAS OUBLIER

Le passeport de votre bébé

Afin d'obtenir un passeport pour votre enfant, vous devez remplir le formulaire *Demande de passeport pour les enfants de moins de 16 ans*. Les deux parents doivent donner leur autorisation en signant le formulaire. Dans les cas de séparation ou de divorce, seul le parent qui a la garde légale de l'enfant peut demander un passeport pour celui-ci. Vous devez joindre à la demande de passeport le certificat de naissance de votre enfant qui présente les noms des parents. Pour les enfants nés au Québec, il s'agit du certificat de naissance grand format délivré par le Directeur de l'état civil.

L'AVIS... DU MÉDECIN

Un des testicules de mon garçon n'est pas descendu ; devra-t-il subir une opération ? Normalement, les testicules se développent dans l'abdomen de votre bébé et descendent dans le scrotum en deuxième moitié de grossesse. À la naissance, les testicules de votre bébé auraient dû être dans son scrotum. Ils restent parfois au niveau de l'aine, on parle alors de testicules non descendus. S'ils ne descendent pas, ils ne pourront pas produire de sperme plus tard et il existe un risque accru de cancer. Mais ne vous inquiétez pas, le plus souvent, ils descendent naturellement, en général avant 12 mois. Si ce n'est pas le cas, votre enfant devra subir une opération chirurgicale mineure, appelée *orchidopexie*, qui est habituellement pratiquée vers l'âge de 2 ans. Votre médecin va surveiller la situation et vous expliquer l'intervention.

Parfois, lorsque je change ou lave mon bébé, je remarque qu'il a une érection. Est-ce normal ? Oui, c'est normal. Le pénis est très sensible et tous les garçons ont des érections de temps en temps, certains plus que d'autres. Des érections ont même été observées alors que le bébé est encore dans l'utérus.

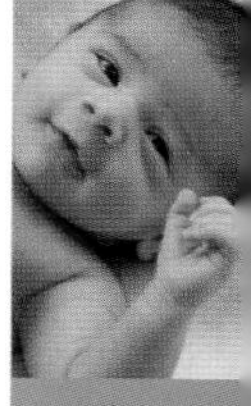

VOTRE BÉBÉ A 6 SEMAINES ET 4 JOURS

Une intimité retrouvée

Les moments d'intimité avec votre conjoint sont importants pour votre couple.

Entre 6 et 8 semaines après l'accouchement, votre organisme doit avoir presque complètement récupéré. Les déchirures et points de suture sont cicatrisés, les saignements (*lochies*) se sont arrêtés et votre vagin a retrouvé sa taille d'avant grossesse. Si vous avez eu une césarienne, la cicatrisation de l'incision doit être en bonne voie.

Cela ne veut cependant pas dire que le désir est revenu. En effet, dans les semaines, et même les mois, qui suivent l'accouchement, une chute importante du taux d'œstrogènes entraîne, chez la plupart des femmes, une sécheresse vaginale. Toutefois, pour beaucoup de jeunes mamans, la fatigue et l'adaptation à leur nouveau rôle sont plus souvent à l'origine de l'absence de désir que les hormones.

Si vous avez peur d'avoir mal, parlez-en à votre partenaire et dites-lui ce que vous souhaitez. Si vous n'êtes pas prête pour un rapport complet, contentez-vous des préliminaires. Soyez à l'écoute l'un de l'autre et redoublez de patience. Si vous souhaitez avoir des relations, commencez doucement, en utilisant un lubrifiant pour faciliter la pénétration.

Enfin, sachez qu'un rapport peut déclencher votre réflexe d'éjection et qu'il est possible que vous ayez une fuite de lait. Pensez à prendre un moyen de contraception, même si vous comptez sur l'allaitement exclusif pour éviter une naissance.

VOTRE BÉBÉ A 6 SEMAINES ET 5 JOURS

À chaudes larmes

Si votre bébé pleure toute la journée, courage : des études démontrent que les pleurs sont à leur apogée à cet âge.

Pleurs fréquents Vers 6 semaines, les pleurs sont plus forts que jamais, mais ils devraient s'atténuer vers 3 mois.

Les bébés ont de nombreuses raisons de pleurer (voir p. 68-69), mais en général ils réclament de l'attention (un câlin, par exemple), une tétée ou que l'on change leur couche. À 6 semaines, il peut y avoir aussi d'autres raisons.

Certains médecins pensent que les coliques (voir p. 68) atteignent leur plus haut niveau à 6 semaines, entraînant des crises de larmes particulièrement pénibles, surtout le soir. Si c'est le cas pour votre bébé, il n'y a pas grand-chose à faire sinon attendre et se dire que cela se calme nettement vers 3 mois.

En cas de poussée de croissance (voir p. 93), votre enfant est plus affamé et agité. Selon certaines théories, les pleurs inciteraient votre organisme à produire plus de lait pour répondre à ses besoins croissants. L'apprentissage de nouvelles compétences, comme le sourire, et l'allongement du temps d'éveil, fatiguent les jeunes bébés et pleurer leur permet de décompresser. Quand votre nourrisson comprendra mieux ce qui se passe, les pleurs diminueront.

Vous pouvez le porter en écharpe ou le bercer doucement pour le rassurer. Pas de panique, cette phase ne durera pas. Demandez de l'aide à votre entourage si vous avez besoin de souffler pendant une heure ou deux ; vous pourrez alors faire la sieste ou prendre l'air, au calme.

Si vous n'en pouvez plus, votre médecin peut vous aider en prescrivant à votre enfant, si nécessaire, un léger antispasmodique. Les coliques s'améliorent en général vers 12 ou 13 semaines.

Commencez la gymnastique

Si vous avez obtenu l'aval de l'infirmière lors de la consultation postnatale, c'est le moment de reprendre le sport à votre rythme.

Gymnastique adaptée Certains cours de yoga postnatal s'adressent aussi au bébé. Le yoga peut vous aider à renforcer les muscles du dos, du ventre et du plancher pelvien.

Avant tout, n'oubliez pas que chaque organisme est unique et réagit à sa manière à la grossesse ! Soyez pragmatique. Si vous étiez mince et tonique avant d'être enceinte, si vous êtes restée active, vous avez toutes les chances de retrouver rapidement votre ligne, mais rien n'est joué d'avance. Quelle que soit votre forme, fixez-vous des objectifs réalistes et n'en attendez pas trop, trop vite. Vos abdominaux ayant perdu en tonicité, vous devez y remédier pour éviter d'avoir mal au dos et améliorer votre circulation sanguine. Vous ne retrouverez probablement jamais exactement votre corps d'avant, mais avec le temps et un peu d'effort, vous serez de nouveau en forme, tonique et en bonne santé.

Allez-y en douceur La grossesse et la naissance sont des événements naturels, mais on oublie facilement qu'ils ont fait subir un grand traumatisme à l'organisme. Mettez-vous à la gymnastique, en commençant tranquillement. Vos articulations et ligaments resteront lâches pendant 3 à 5 mois, tenez-vous-en aux exercices à faible impact et évitez ceux qui sont trop énergiques ou saccadés et qui pourraient vous blesser. Consacrez du temps avant et après la séance aux étirements pour vous échauffer et récupérer. Si vous avez mal, arrêtez-vous immédiatement.

Combien, à quelle fréquence ? Commencez par faire 5 à 10 minutes d'exercices tonifiants par jour et environ 20 minutes de gymnastique douce 3 fois par semaine. Vous pourrez augmenter progressivement quand vous vous sentirez plus en forme. Ne cherchez jamais à dépasser vos limites.

Vous devrez composer entre vos séances de gymnastique et votre bébé : essayez de faire une série d'exercices quand votre conjoint est à la maison, ou de partager avec une amie la garde de vos enfants quand l'autre va à la gymnastique. Vous pouvez aussi emmener votre nourrisson à une séance de cardio-poussette dans un parc. N'oubliez pas vos exercices de bascule du bassin et de renforcement du plancher pelvien (ou « de Kegel », voir p. 65) pour prévenir l'incontinence postnatale.

Enfin, le yoga peut vous aider à tonifier votre corps. Des cours spécialisés adaptent les postures du yoga au fait que vous ayez récemment accouché. Si vous avez accouché par césarienne, vous devrez patienter encore 2 mois avant de commencer le yoga.

BON À SAVOIR

Les fontanelles

Les deux régions souples entre les os du crâne de votre bébé s'appellent les fontanelles. Elles permettent à ces os de glisser l'un sur l'autre lorsque la tête traverse le canal pelvien. À l'arrière, la fontanelle postérieure, triangulaire, se fermera lorsqu'il aura 4 mois tandis que celle située au sommet (la fontanelle antérieure, en forme de losange) persistera jusqu'à entre 9 et 18 mois. Le cerveau est protégé par une membrane épaisse, mais il est important de faire attention à ces zones souples.

Il est normal de voir la tête de votre bébé battre au rythme de son cœur. Les fontanelles gonflent légèrement lorsqu'il crie, mais elles redeviennent ensuite normales. Contactez votre médecin si elles sont plus bombées que d'habitude ou si elles se creusent. Une fontanelle affaissée, signe de déshydratation, indique que votre enfant a besoin de téter plus régulièrement. Si les fontanelles sont bombées, il faut vérifier l'absence de surpression dans son cerveau.

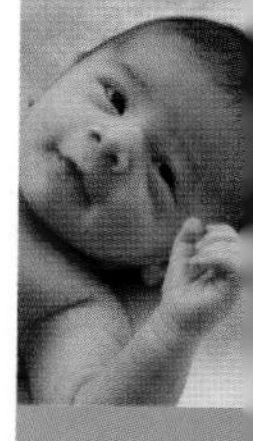

7 semaines

LES BÉBÉS COMMENCENT PAR ARTICULER DES VOYELLES, COMME « AH » ET « EUH »

Si votre bébé sourit et agite frénétiquement les bras quand il vous voit, il n'est peut-être pas aussi amical avec les inconnus. C'est parce qu'il commence à se souvenir des personnes et des objets. Quand il ne les connaît pas, il devient anxieux et a besoin d'être rassuré.

VOTRE BÉBÉ A 7 SEMAINES

Questions de sécurité

Maintenant que votre bébé maîtrise un peu mieux ses mouvements, mettez hors de portée tout ce qui pourrait le blesser.

Grâce aux astuces suivantes, vous ferez de votre maison un havre de sécurité pour votre petit explorateur.

Assurez-vous de toujours bien soutenir, positionner et porter votre bébé, pour qu'il ne vous échappe pas d'un mouvement brusque ou qu'il ne roule pas hors du lit. Ôtez tous les fils électriques et les cordons de rideaux ou de stores de la chambre de votre bébé et des pièces où il joue, mange ou est changé. Il risquerait de s'étrangler avec et, s'il porte des fils électriques à sa bouche, il pourrait recevoir une décharge électrique. Recouvrez les prises électriques de cache-prise ou placez des meubles lourds devant pour que votre enfant n'y touche pas. Ne laissez jamais à sa portée de médicaments, petits objets faciles à avaler, plantes ou sacs en plastique. Attachez-le toujours lorsqu'il est dans son transat ou dans son siège d'auto, même lorsqu'il dort et ne bouge pas. Évitez de le laisser seul, même pour quelques instants, sauf s'il est sur une surface plane et sans danger (de préférence par terre) ou attaché sur son siège ou dans sa poussette. Supprimez les draps et les couvertures de son lit, ainsi que les oreillers.

DOUDOU

Maintenant que votre bébé a la capacité mentale de se souvenir d'objets familiers, vous pouvez lui donner un doudou. Un jouet ou un lange doux sont parfaits, achetez-en deux au cas où il en perdrait un. Prenez son doudou à chaque fois que vous le calmez, il l'associera ainsi au réconfort. Grâce à lui, il apprendra à s'apaiser seul à l'aide d'un accessoire qui le rend heureux, le rassure et le détend.

VOTRE BÉBÉ A 7 SEMAINES ET 1 JOUR

Nouveaux sons

Votre petit futé a déjà élargi son vocabulaire et utilise les sons à deux syllabes comportant parfois une consonne.

Votre bébé passe sa vie à gazouiller, roucouler et même glousser. Au début, les gazouillis mélodieux semblent aléatoires, puis vous remarquerez vite qu'ils sont dirigés vers vous quand vous lui parlez. Il est ravi de communiquer avec vous, son papa et tous les membres de la famille. Son babillage constitue sa première tentative de discours et, comme il répète les sons qu'il a appris, son vocabulaire de bébé fera des progrès considérables dans les semaines et les mois à venir.

Votre enfant acquiert les bases de la conversation et l'art de l'écoute et du dialogue. Selon les linguistes, les bébés peuvent distinguer des syllabes proches, comme « ma » et « na » dès 4 semaines. Vous pouvez favoriser son apprentissage en répétant après lui les sons qu'il prononce. Il sera content de voir que vous comprenez ce qu'il essaie de dire ou l'émotion qu'il tente de transmettre. Vous verrez qu'il est plus réactif en compagnie de gens qu'il connaît.

Les bébés commencent par les sons vocaliques, comme « ah », « eh », « euh » et « oh » (les plus faciles). Ils produisent ensuite des voyelles doubles, « ah-eh » et « oh-ah », avant l'apparition de consonnes comme « g » ou « m ». « Ahh-gueu » est le « mot » favori de votre nourrisson pour exprimer son plaisir, mais vous devrez encore attendre un peu avant d'entendre son premier « ma-ma-ma ».

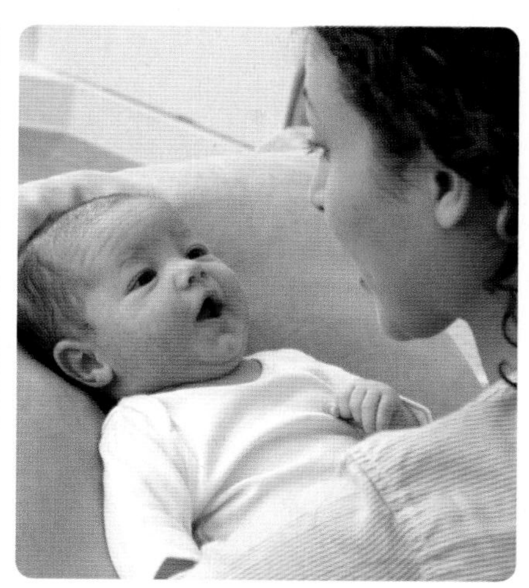

Le faire parler Encouragez votre enfant à communiquer en « discutant » avec lui.

VOTRE BÉBÉ A 7 SEMAINES ET 2 JOURS

Bébé actif

Votre bébé maîtrise de mieux en mieux ses muscles : il gigote beaucoup plus, agite les jambes et se tortille dans tous les sens.

C'est le bon moment pour commencer à utiliser une arche d'éveil. Votre bébé maîtrise beaucoup mieux son corps et adore frapper dans des jouets suspendus, arrivant même parfois à les toucher. Il essaie d'atteindre les objets, et arrive quelquefois à les attraper, même s'il lui faudra encore du temps pour pouvoir refermer sa main sur eux de manière intentionnelle. Si vous mettez quelque chose dans sa main, il le tient et, avec un peu de chance, il ne le lâche plus.

Il agite frénétiquement les bras et les jambes quand il est excité ou en colère, et le changement de sa couche devient alors une véritable épreuve. Il peut réagir à la musique en ralentissant ses mouvements lorsqu'elle est calme, et en s'agitant comme un diable lorsqu'elle est plus rythmée. Il est maintenant très à l'affût de son environnement et cherche à être aussi actif que possible.

Tout à la découverte de l'utilisation de son corps, il peut rester éveillé la nuit pour affiner ses compétences. Heureusement qu'il est bien au chaud dans sa gigoteuse, car une couverture et des draps deviendraient vite un champ de bataille.

Si la fixation de son mobile est basse, relevez-la d'un cran, car il pourrait le faire tomber avec les pieds.

L'AVIS... DU MÉDECIN

Est-ce que je peux donner une tétine à mon bébé? Utilisée avec discernement, la tétine est sans danger pour sa santé ou son développement; si elle l'aide à se calmer, pourquoi pas. Si vous le nourrissez au sein, veillez cependant à ne pas donner une tétine à votre bébé qui pleure alors qu'il a vraiment faim, au risque de réduire votre production de lait. Donnez-lui sa tétine uniquement quand vous cherchez à le calmer ou à le réconforter.

VOTRE BÉBÉ A 7 SEMAINES ET 3 JOURS

Les formes et les couleurs

Votre bébé est très intéressé par les formes et les motifs complexes, et voit maintenant davantage de couleurs.

Votre bébé peut désormais fixer un objet des deux yeux et préfère les couleurs au noir et blanc, ainsi que les formes et les motifs compliqués. Il sait désormais distinguer les objets des êtres humains. Il aime toujours les visages, le vôtre, celui de son entourage et aussi celui des autres bébés, mais il est très intrigué par les objets très colorés et contrastés qu'il observe pendant de longues minutes.

Jouets colorés Votre bébé aime regarder les objets très colorés, en particulier s'ils représentent un visage. Un mobile placé dans son champ visuel va forcément attirer son regard.

Encouragez-le à regarder les objets qui l'intéressent, ainsi les connexions de son cerveau se multiplieront et sa vision s'améliorera encore. Suspendez un nouveau mobile au-dessus de son berceau et fixez-en un à son tapis d'éveil, assez près pour qu'il le voie.

Votre bébé reste éveillé plus longtemps et a donc davantage l'occasion de découvrir son environnement. Avant, il ne voyait que le noir et blanc ou les couleurs vives, maintenant, il reconnaît des motifs captivants et une grande variété de couleurs, c'est pourquoi les jouets pour bébé sont multicolores.

GROS PLAN SUR…

Les vaccins de votre bébé

La médecine préventive consiste principalement à vacciner votre bébé contre des maladies qui pourraient l'atteindre gravement plus tard. Il est important de suivre le calendrier de vaccination qui vous sera donné.

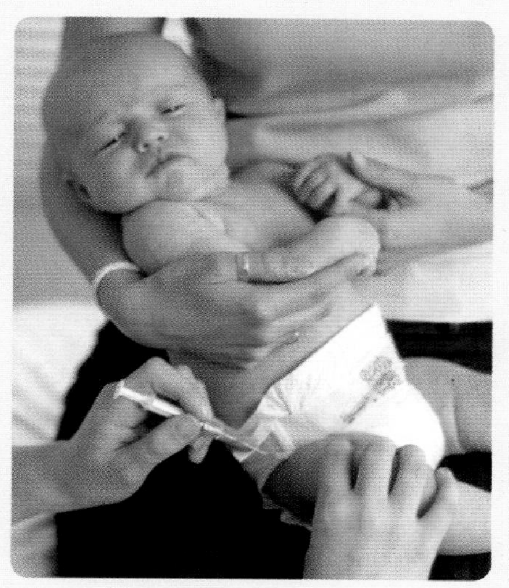

Adoucir l'épreuve Tenez fermement votre bébé pendant l'injection pour le rassurer.

Le système immunitaire d'un bébé développe son immunité permanente contre les maladies en les attrapant, or, certaines sont dangereuses et présentent un risque important de complications ou de décès. Dans les prochains mois, votre nourrisson sera donc vacciné pour le protéger de maladies graves. Ceci contribue également à éradiquer ces maladies au sein de la population générale.

Les vaccinations commencent à 2 mois et préparent l'organisme de votre enfant à se battre contre des maladies qu'il pourrait attraper plus tard. Par exemple, le vaccin contre la poliomyélite incite le système immunitaire à produire des anticorps contre ce virus, qui reconnaîtront la maladie si elle pénètre dans l'organisme et seront prêts à la combattre.

La plupart du temps, les vaccins confèrent une immunité permanente, mais certains nécessitent un rappel tous les 10 ans environ. Après un vaccin, des symptômes atténués de la maladie surviennent parfois, cependant le risque de complication est bien moindre que si votre bébé avait attrapé la vraie maladie. Vous craignez peut-être que l'association de plusieurs vaccins surcharge son organisme, mais il n'y a aucun risque. Son système immunitaire s'est développé et le protège déjà d'un grand nombre de microbes avec lesquels il est en contact permanent. Il supportera très facilement les injections combinées existantes.

Votre enfant ne peut être vacciné que s'il est en forme. Il faut donc éviter les périodes où il a de la fièvre, où il est en convalescence (après une varicelle, par exemple) ou celles où il subit un épisode allergique. Il y a un faible risque d'effets secondaires, comme une légère fièvre et certains symptômes atténués de la maladie contre laquelle votre enfant vient d'être vacciné. Si les réactions allergiques sont rares, il est classique de constater une certaine sensibilité, un gonflement et une rougeur au site d'injection. Votre bébé sera peut-être grognon et difficile, et il dormira plus que d'habitude. Vous pouvez lui donner de l'acétaminophène et une tétée pour le calmer. Contrairement aux propos de certains médias, la sécurité des vaccins est bien établie.

Conserver la trace Le médecin note les vaccinations (y compris la marque du vaccin et le numéro du lot injecté) de votre bébé dans son carnet de santé. De votre côté, vous pouvez également noter les symptômes ou les effets secondaires.

AIDE-MÉMOIRE

Les vaccins

2 mois :

- 1re injection du vaccin pentavalent (diphtérie, tétanos, coqueluche, poliomyélite, *Haemophilus influenzae* b [responsable d'une infection bactérienne qui entraîne des pneumonies ou des méningites])
- Infection pneumococcique, 1re injection

4 mois :

- 2e injection du vaccin pentavalent
- Infection pneumococcique, 2e injection

6 mois :

- 3e injection du vaccin pentavalent

12 mois :

- Infection pneumococcique, 3e injection
- ROR (rougeole, oreillons et rubéole), varicelle
- Infection au méningocoque C

18 mois :

- 4e injection du vaccin pentavalent
- ROR (rougeole, oreillons et rubéole)

Remarque : Si votre bébé était prématuré ou s'il a souffert de problèmes de santé, il est possible que votre médecin recommande la vaccination contre la grippe saisonnière. Il existe également un vaccin contre les gastro-entérites à rotavirus.

Mettez votre nourrisson en confiance Donnez-lui une tétée avant l'injection pour qu'il soit calme. Détournez son attention en lui donnant une tétine. Le vaccin est très rapide, en quelques secondes tout est terminé et il est possible qu'il ne s'en aperçoive même pas. S'il pleure, prenez-le dans vos bras et parlez-lui doucement. Il sera très vite rassuré.

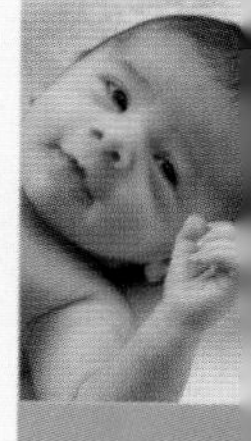

Des tétées plus régulières

Votre bébé a trouvé son rythme, prend plus de lait à chaque tétée et tient plus longtemps entre deux.

Tétées fréquentes À cet âge, les bébés nourris au sein prennent 7 à 9 tétées par jour.

Le lait est toujours la principale source de nutriments et de liquide de votre bébé, et il le restera pendant les prochains mois. Il est donc important de ne pas mettre en place un rythme trop rigide qui le laisse affamé ou assoiffé. Le lait maternel se digère plus vite que le lait maternisé, votre nourrisson aura donc besoin de tétées plus nombreuses que ses copains nourris au biberon ; heureusement, l'intervalle entre deux tétées augmente peu à peu. Les bébés nourris au biberon font souvent des nuits plus longues, mais ce n'est pas une raison pour changer de mode d'allaitement.

Si possible, videz les deux seins à chaque tétée : votre enfant reçoit ainsi le bon équilibre entre liquide et nutriments (voir p. 27) ; parfois un seul sein lui suffit. Notez les heures de tétées et le sein que votre bébé a pris en dernier, pour vous souvenir de celui qu'il faut proposer en premier à la tétée suivante et observer le rythme de l'allaitement. S'il ne prend pas autant de poids que prévu, il est possible qu'il « tétouille » un peu trop souvent au lieu de prendre une bonne tétée complète.

Si votre enfant est au biberon, notez les heures de tétées et la quantité absorbée à chaque fois pour savoir combien il a pris dans la journée. À cet âge, la plupart des bébés prennent 6 à 8 biberons de 120 à 180 ml en 24 heures. Si le vôtre prend beaucoup plus ou beaucoup moins, parlez-en à l'infirmière ou au médecin.

Vous pouvez tout à fait modifier le rythme de votre bébé ; nourrissez-le à la demande pendant la journée, puis réveillez-le juste avant d'aller vous coucher pour le caler et vous offrir un peu de sommeil supplémentaire. Vous pouvez aussi le faire téter avant un long trajet ou pour vous adapter au rythme de la famille et le nourrir aux heures les plus pratiques.

L'AVIS… DU MÉDECIN

Mon bébé n'a pas l'air bien après son biberon et il a la diarrhée. Dois-je changer de lait maternisé ? Si votre bébé a régulièrement la diarrhée ou des vomissements et qu'il ne grossit pas avec son lait maternisé habituel, il faut en chercher la cause. Certains enfants sont allergiques aux protéines du lait de vache et d'autres n'en digèrent pas les glucides (ce qui est très différent, il s'agit de l'intolérance au lactose, voir encadré ci-dessous). Avant, on remplaçait le lait de vache par du lait de soya, mais cette substitution est à éviter, car il est également allergisant. Deux types de laits existent : les hydrosats (pour les enfants allergiques aux protéines de lait de vache) et les laits hypoallergéniques (pour les bébés dont les parents ont des réactions allergiques).

INTOLÉRANCE AU LACTOSE

Les enfants intolérants au lactose souffrent de troubles digestifs comme des diarrhées, des vomissements et des coliques.

L'intolérance au lactose est due à un déficit en lactase, enzyme qui aide l'organisme à digérer les sucres du lait (y compris ceux du lait maternel). La véritable intolérance au lactose est très rare au Québec chez les bébés nés à terme et s'il n'y a pas d'antécédents dans votre famille, il y a peu de risque que votre enfant en souffre. Les deux parents transmettent le gène de la maladie à leur bébé, qui souffre de diarrhée importante dès la naissance parce qu'il ne tolère pas le lactose présent dans le lait maternel ou maternisé. Cette affection est un peu plus fréquente chez les prématurés quand le taux de lactase n'a pas pu atteindre les valeurs normales de la fin du dernier trimestre de grossesse.

Parfois, une intolérance au lactose survient pendant une courte période après une infection intestinale. Dans ce cas, votre généraliste prescrit un lait maternisé sans lactose qui soulage les troubles digestifs pendant la cicatrisation de l'estomac.

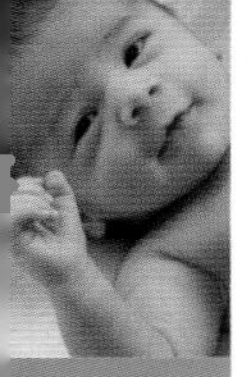

VOTRE BÉBÉ A 7 SEMAINES ET 5 JOURS

Le plaisir du bain

Si votre bébé n'appréciait pas les bains jusqu'à présent, avec quelques jouets et de belles éclaboussures, il va adorer !

Faites de l'heure du bain un moment ludique qui permet à votre bébé de bien terminer la journée et d'être bien disposé pour se coucher. Évitez de baigner votre nourrisson juste avant ou après manger, car il sera moins coopératif le ventre vide et la position ventrale peut favoriser les régurgitations. Ne le laissez jamais sans surveillance dans son bain. La température de la pièce où vous lavez votre enfant doit être comprise entre 24 et 27 °C et sans courant d'air. Il s'intéresse désormais beaucoup plus à ce qui l'entoure : ajoutez donc quelques jouets auxquels il donnera des coups de pieds. Il va être épaté et tout excité à la vue des vagues formées par le battement de ses jambes. Éclaboussez-le doucement : cela va beaucoup lui plaire et il s'intéressera au mouvement de l'eau. Chantez, riez et parlez d'une voix enjouée pour qu'il associe l'heure du bain à une activité rassurante. Il sourira et s'amusera d'autant plus qu'il vous verra sourire. Chanter une chanson pour le détendre ou en choisir une qu'il associera à l'heure du bain peut l'aider à rester calme et de bonne humeur.

Maintenant qu'il bouge davantage, assurez-vous de bien tenir votre bébé, car il se tortille comme une anguille. Ne prolongez pas trop le bain, quelques minutes suffisent amplement. Sortez-le et enveloppez-le rapidement dans une serviette chaude pour qu'il n'attrape pas froid.

Si votre enfant est toujours réticent, baignez-vous avec lui. Préparez tout à côté de la baignoire pour enfiler votre peignoir de bain et le sécher en premier. Votre compagnon peut le porter quand vous entrez et sortez de l'eau. Souvenez-vous que les bébés ne supportent pas une eau aussi chaude que nous : réglez la température à 37 °C.

VOTRE BÉBÉ A 7 SEMAINES ET 6 JOURS

Bien dormir la nuit

Si, au début, vous vous contentiez d'une petite sieste quand votre bébé dormait, vous rêvez désormais d'une bonne nuit de sommeil.

Même si vous aimez nourrir votre bébé, il est épuisant d'être réveillée la nuit, et notamment si vous avez du mal à vous rendormir. Si votre enfant dort dans votre chambre, vous pouvez le nourrir vite et bien, à moitié endormie. Si sa couche n'est pas trop mouillée, changez-le plus tard. Aussi curieux que cela paraisse, vous le nourrirez bientôt la nuit en pilote automatique, sans vraiment vous réveiller !

Si vous ne parvenez pas à vous rendormir, faites les exercices de respiration ou de relaxation appris pendant la grossesse en évitant de penser aux heures de sommeil que vous perdez. Évitez de boire de l'alcool ou des boissons caféinées le soir. Préférez les repas légers avant d'aller vous coucher. Prenez un verre de lait chaud, un morceau de fromage ou même du blanc de poulet; ces aliments contiennent du tryptophane, un acide aminé qui favorise le sommeil. Si vous allaitez au sein, avec un peu de chance, il peut passer dans votre lait et bien faire dormir votre bébé aussi !

Enfin, une heure avant d'aller au lit, prenez un bain tiède (pas trop chaud, car il serait stimulant) et détendez-vous en lisant un livre, en écoutant de la musique douce ou en faisant des exercices de relaxation. Lors du coucher, installez-vous confortablement et veillez à ce qu'il ne fasse ni trop chaud ni trop froid dans votre chambre. La journée, aérez cette pièce pour y renouveler l'air.

Se reposer pour récupérer Il est essentiel de préparer son organisme à un bon sommeil.

8 semaines

LE RÉFLEXE D'AGRIPPEMENT PRÉSENT À LA NAISSANCE PERSISTE PENDANT LES PREMIERS MOIS

Ses muscles se renforçant, votre bébé peut se redresser légèrement lorsqu'il est sur le ventre. Il « découvre » ses mains et les trouve tout à fait fascinantes. Il cherche à atteindre et attraper les choses mais ne réussira que dans quelques semaines.

Son système immunitaire

Maintenant qu'il a 2 mois, votre bébé a besoin de vous pour le protéger des maladies.

À la naissance, le système immunitaire rudimentaire de votre bébé l'aide à combattre de nombreux virus et bactéries. Son sang contient des taux élevés d'anticorps que vous lui avez transmis pendant la grossesse et que vous continuez à lui transmettre si vous le nourrissez au sein. À 2 mois, cependant, la « réserve » d'anticorps de votre nourrisson commence à s'épuiser et il tombe plus facilement malade. C'est le moment de commencer le programme de vaccination (voir p. 103) pour le protéger de maladies potentiellement dangereuses.

Si vous le nourrissez au sein, vous continuez à protéger votre enfant grâce aux cinq principaux types d'anticorps. Le lait maternel contient aussi des globules blancs particuliers, appelés *lymphocytes*, qui aident votre bébé à lutter contre les maladies. L'immunité actuelle de votre nourrisson est appelée *immunité passive*, car elle lui est transmise et qu'il ne la fabrique pas. Elle le protège des maladies contre lesquelles vous êtes immunisée. En fait, on observe que les bébés nourris au sein sont moins souvent malades, présentent des symptômes atténués lorsqu'ils le sont et font moins d'otites. Le système immunitaire de votre bébé commence à fonctionner dans les premières semaines, mais il ne sera mature que dans l'enfance, ce qui explique ses nombreux rhumes !

Hygiène Un environnement propre protège votre bébé des maladies. Il ne s'agit pas d'inonder la maison de solutions antibactériennes mais simplement de nettoyer scrupuleusement tout ce qu'il peut mettre à la bouche (biberons, anneaux de dentition, matériel pour la tétée et tétines). Vous éviterez ainsi une prolifération de bactéries pouvant entraîner une indigestion et préviendrez la transmission des virus des autres membres de la famille.

Filtrer les visites Il peut paraître absurde de refuser des visiteurs malades (rhume ou autre), mais c'est salutaire durant les premières semaines, car le système immunitaire de votre bébé est encore si immature qu'un simple rhume peut s'aggraver. Les infections bactériennes peuvent aussi être très dangereuses pour les nourrissons. Demandez aux visiteurs (et aux membres de la famille) de se laver les mains régulièrement, de jeter les mouchoirs usagés et d'éviter de porter votre nourrisson jusqu'à leur guérison.

Ces précautions aident à maintenir votre enfant en bonne santé jusqu'à ce que son système immunitaire soit plus efficace. Les bébés malades ne mangent pas beaucoup et la moindre perte de poids a des retentissements sur leur développement. Par précaution, si votre bébé est fiévreux, consultez un médecin (voir p. 401).

Un œil attentif La fièvre n'est pas une maladie mais une alerte qui traduit presque toujours une infection. Si votre bébé est fiévreux et que son état s'aggrave, appelez votre médecin.

L'AVIS... DU MÉDECIN

Comment savoir si mon bébé a une otite ? C'est difficile à dire sans voir un médecin. Les otites sont particulièrement fréquentes après un rhume, mais leurs symptômes spécifiques sont peu nombreux. L'oreille n'est pas rouge, et si certains bébés se frottent ou se tiennent l'oreille quand ils ont mal, beaucoup le font aussi quand ils sont fatigués. Une otite peut être à l'origine de pleurs, d'irritabilité, de fièvre, de vomissements et même de diarrhées (voir p. 411). Si l'oreille coule, le tympan est probablement perforé. Votre bébé peut alors se sentir mieux, mais il reste important de consulter un médecin. On ne prescrit pas systématiquement d'antibiotiques, car la plupart des otites sont virales, mais plus l'enfant est malade, plus il est susceptible d'en recevoir, et c'est souvent le cas chez les bébés. L'acétaminophène et les câlins atténuent la douleur.

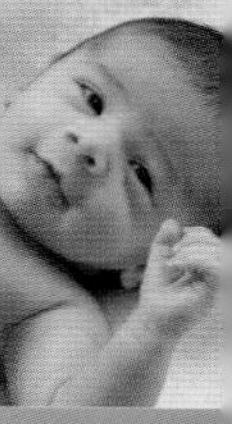

VOTRE BÉBÉ A 8 SEMAINES ET 1 JOUR

Sur son trente-six

Il est idiot de dépenser des fortunes en vêtements de bébé, mais pour une occasion particulière faites-vous plaisir et prenez des photos !

Si vous avez réussi à ne pas dévaliser le rayon enfant jusqu'à présent, profitez d'une occasion particulière pour acheter une jolie tenue à votre nourrisson. Avant de vous précipiter sur les volants et les rubans, pensez à la nature de l'événement. Si votre bébé risque de passer de bras en bras et de rester toute la journée en dehors de son cadre habituel, choisissez quelque chose de pratique. Achetez une tenue confortable, qui ne le grattera pas et peut être retirée facilement pour le changer. Évitez les petits boutons, les ceintures ou les cols serrés, ou tout ce qui limite les mouvements de votre enfant ou qui lui tiendra trop chaud. Vous devez pouvoir le déshabiller facilement s'il a chaud pour enlever une épaisseur de vêtement.

N'achetez pas trop cher une tenue qui pourrait finir au fond de votre sac, au bout de quelques heures, en raison d'une fuite de couche. De même, choisissez toujours un vêtement lavable. L'idéal est de prendre des habits qui peuvent être associés ou dissociés sur place, si vous avez besoin de changer votre nourrisson. Emportez aussi une tenue de rechange, au cas où. Pour plus de fantaisie, harmonisez les couleurs des vêtements de votre bambin avec ceux de ses frères et sœurs.

LES JUMEAUX

Habiller des jumeaux

Si vous devez habiller des jumeaux pour une occasion spéciale, cherchez sur Internet ou dans des braderies spécialisées pour éviter de payer le prix fort. La plupart des vêtements chics ne sont portés qu'une ou deux fois et certains, reçus en cadeau, ne sont jamais mis : vous pouvez donc trouver votre bonheur pour une somme très modique.

VOTRE BÉBÉ A 8 SEMAINES ET 2 JOURS

Développement de la mémoire

Votre bébé développe sa « mémoire de reconnaissance » qui lui permet de se souvenir des personnes et des objets familiers, et de les identifier.

Connexion directe Votre bébé identifie des objets et des personnes et enregistre beaucoup d'informations.

Dès la naissance, ou juste après, votre bébé était capable de reconnaître votre voix et votre odeur, et il a rapidement montré sa préférence pour les visages familiers. À présent, il est capable de faire des associations générales. Par exemple, si sa grande sœur lui fait toujours la même grimace, votre bébé va essayer de l'imiter quand il la voit. Si vous sortez un hochet, il va le regarder avec attention, attendant qu'il produise son bruit familier. Il commence aussi à vous associer au lait et au réconfort. Votre bébé met aussi en place des associations s'appuyant sur le lien récurrent entre une action et un sentiment. Si vous lui tendez les bras, il anticipe, entre autres, le sentiment d'être réconforté. Dans les mois à venir, ces connexions se multiplieront et il va réagir à des histoires ou des chansons qu'il connaît.

Cette mémoire relève d'un instinct naturel et protecteur, qui aide les nourrissons à créer un attachement fort avec les principales personnes qui s'occupent d'eux. Le souvenir et la préférence des visages et des objets familiers est une méthode pour se protéger du danger.

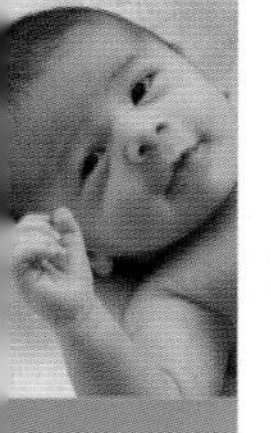

Alimentation saine

Même si vous en avez assez de traîner les kilos de votre grossesse, il n'y a aucune urgence à faire un régime.

Bien manger Il est important de manger des fruits et des légumes, riches en nutriments.

Toutes les jeunes mamans ont besoin d'une alimentation nutritive et saine. Un régime maintenant, en particulier si vous allaitez, peut entraîner des carences (susceptibles de déclencher maladies, fatigue et sautes d'humeur). Si votre poids vous préoccupe, votre plaisir d'être mère en sera affecté. Adoptez une alimentation à base de fruits et légumes, céréales complètes (pain complet et pâtes ou riz complets), protéines (viande maigre, laitages, œufs, poissons, fruits à coque, graines et légumineuses) et bonnes graisses (huile d'olive et de tournesol, avocat et poissons gras). Ce régime sain vous apportera les nutriments essentiels dont vous avez besoin pour être en bonne santé, et qui passeront dans votre lait, améliorant aussi l'alimentation de votre bébé.

L'AVIS… DU NUTRITIONNISTE

Combien de calories supplémentaires dois-je manger chaque jour si j'allaite au sein ? Les mamans qui allaitent brûlent 500 calories supplémentaires par jour, mais vous n'êtes pas obligée de les compenser. Si votre régime alimentaire est identique à celui d'avant la grossesse, vous perdrez naturellement 450 g environ par semaine, sans rien faire, car vous puiserez dans vos réserves de graisse. Si vous faites un peu d'exercice, vous perdrez même un peu plus. Il vaut mieux ne pas penser aux calories : si vous veillez à manger sainement, vos kilos s'envoleront sans effort.

STIMULER VOTRE ÉNERGIE

Pour garder votre énergie face aux exigences des premiers mois, mangez peu et souvent. Du fromage allégé avec des tranches de pommes, une galette de riz avec du beurre allégé ou des abricots secs vous aideront à tenir entre les repas et activeront votre métabolisme. Pour être en forme et en bonne santé, voici quelques conseils :

- Faites un peu d'exercice chaque jour.
- La marche, la natation, la gymnastique ou le yoga renforcent les muscles, brûlent les graisses et augmentent votre métabolisme.
- Hydratez-vous. La soif est souvent confondue avec la faim et l'allaitement donne envie de boire. Vous devez consommer 2,7 litres par jour pour compenser les pertes.
- Acceptez les plats préparés par des amis et prenez l'habitude de cuisiner en grande quantité lorsque vous en avez le temps. Avec un nourrisson, il est toujours pratique d'avoir des repas déjà prêts. Si votre congélateur est rempli de soupes, de plats cuisinés ou de muffins aux fruits, vous mangerez mieux et vous serez moins tentée par des plats tout prêts, trop gras ou trop salés. Il est aussi facile de faire une petite salade que de réchauffer un plat préparé.
- N'hésitez pas à prendre des collations saines. Coupez à l'avance des carottes, du céleri et du concombre et gardez-les dans de l'eau citronnée pour conserver leur fraîcheur. Achetez des sauces crudités allégées ou du houmous. Si vous rêvez de sucré, mixez un frappé aux fruits frais, mangez deux carrés de chocolat noir ou préparez un bol de céréales complètes avec de la compote de fruits et un yogourt.

L'énergie du fruit Des collations régulières et nutritives pendant la journée vous aident à conserver votre énergie.

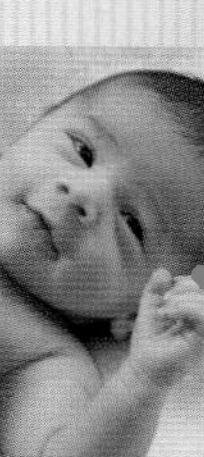

VOTRE BÉBÉ A 8 SEMAINES ET 4 JOURS

Dormir comme un bébé ?

Votre bébé tient plus longtemps entre deux tétées et dort plus profondément la nuit. Vous allez pouvoir mieux vous reposer aussi.

Pour faire en sorte que votre bébé dorme bien la nuit, assurez-vous qu'il est à l'aise. On met facilement toujours le même pyjama et la même gigoteuse, nuit après nuit, mais il est important de vérifier la température. Un bébé qui a froid ou chaud se réveille fréquemment, même s'il est fatigué. Maintenez une température fraîche dans sa chambre, même en hiver, et mettez-lui un pyjama plus ou moins épais et une gigoteuse. S'il fait chaud, laissez-le en couche avec un cache-couche. Un ventilateur, éloigné du lit, favorise la circulation d'air et produit une légère brise, mais ne l'orientez pas face au lit de votre enfant. Si vous voulez passer une bonne nuit de sommeil, vérifiez que votre bébé est bien avant d'aller vous coucher.

L'utilisation de la gigoteuse évite que votre enfant ne se réveille au milieu de la nuit parce qu'il s'est découvert en remuant. Il est peut-être un peu grand maintenant pour être emmailloté, mais s'il continue à être réveillé en sursaut par des mouvements brusques, pensez-y (voir p. 53).

La gigoteuse réduit également le risque de mort subite du nourrisson, car elle évite que votre bébé ne s'étouffe avec un drap ou une couverture. Choisissez-en une molletonnée pour l'hiver ou en coton pour l'été qui s'attache facilement au niveau des épaules pour faciliter les changements de couche. Elle doit être adaptée à l'âge et à la taille de votre enfant, et sa capacité thermique (qui se mesure en *togs*, comme pour les couettes) à la température de la chambre.

VOTRE BÉBÉ A 8 SEMAINES ET 5 JOURS

Fascination des mains

Le « jouet » favori de votre bébé est pour l'instant sa propre main, qui entre et sort de son champ visuel pour son plus grand plaisir.

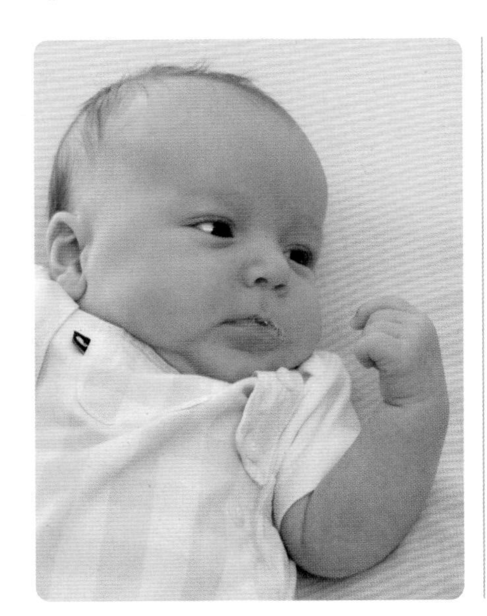

Meilleure dextérité À présent, votre bébé maîtrise mieux le mouvement de ses mains.

Votre bébé commence à ouvrir et à fermer les mains et les regarde, fasciné, pendant de longs moments ; il s'applique à les porter à la bouche et tente d'atteindre votre visage ou votre sein. Il peut même chercher à frapper les objets qui pendent de son arche d'éveil ou un hochet, si vous le lui tendez en attirant son attention, ou bouger les deux mains pour le toucher.

Votre enfant est un petit être sensible qui aime tâter de nouvelles textures. Il se frappe le visage sans faire exprès, ou tape sur votre sein, son doudou ou tout ce qui passe à sa portée. Il est fasciné lorsque vous lui donnez un objet d'une nouvelle matière, un morceau de fourrure douce ou un anneau de dentition texturé, par exemple. Tout est nouveau et intéressant, et ses mains comme sa bouche sont les meilleurs outils pour le découvrir.

Laissez à votre bébé la possibilité de regarder ses mains et découvrez ce qu'il est capable de faire. Laissez-le tenir un hochet pendant un moment (il va sûrement le laisser tomber) et attachez-lui un bracelet hochet pour attirer son attention. Aussi fascinantes soient-elles, ses mains deviennent assez frustrantes quand il s'agit d'apprendre à frapper ou saisir, car il ne vise pas encore très bien. Proposez-lui un hochet à deux poignées qu'il pourra plus facilement faire passer d'une main à l'autre.

Vêtement d'allaitement

Si vous donnez le sein depuis le début, vous avez sûrement hâte d'abandonner les chandails amples et les soutiens-gorge d'allaitement.

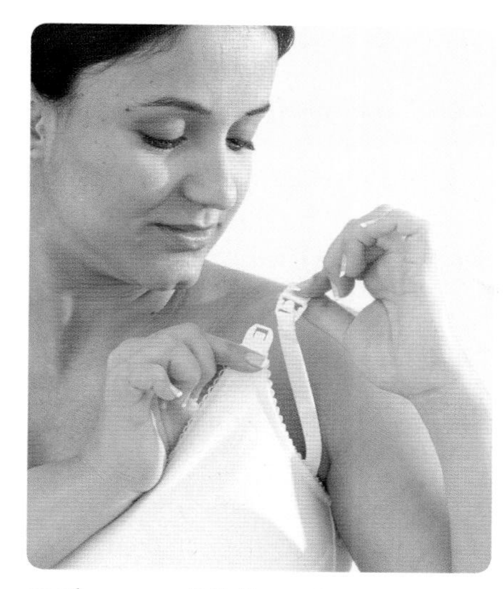

Soutien-gorge d'allaitement
Le modèle de base convient parfaitement, mais il en existe de plus seyants.

Soutien-gorge d'allaitement La plupart des femmes qui allaitent commencent par porter des soutiens-gorge simples, lavables et sans froufrou. Il est inutile d'acheter autre chose au début, surtout si vous utilisez de la crème d'allaitement, et que vous avez des fuites de lait. Il n'y a aucune raison de changer ou d'acheter de nouveaux soutiens-gorge, mais n'oubliez pas que votre poitrine change de taille au cours des premiers mois. C'est pourquoi il est judicieux de mesurer régulièrement votre tour de poitrine pour être sûre de porter la bonne taille. Si vous avez besoin de renouveler vos dessous, il existe maintenant une gamme variée de lingerie de maternité, glamour et colorée : c'est une bonne occasion de vous faire plaisir.

Vêtements d'allaitement C'est à peu près la même chose. Au début, vous privilégiez le confort, puis lorsque vous commencez à vous sentir à l'aise, l'envie d'acheter des vêtements « normaux » dans vos magasins préférés revient. Vous pouvez suivre la mode tout en allaitant ; optez simplement pour des hauts cache-cœurs ou des chandails décolletés et évasés, que vous pouvez soulever et rabattre sur votre bébé qui tète. En choisissant du coton ou d'autres matières naturelles, vous n'aurez pas trop chaud avec votre nourrisson collé à vous pendant de longs moments. Prenez le temps d'essayer vos achats, car votre taille peut avoir changé. Il existe également des magasins et des boutiques en ligne qui vendent des gammes de vêtements stylisés conçus pour les mamans qui allaitent.

ACTIVITÉ D'ÉVEIL

Jouer avec les sons

Les hochets sont des jouets fantastiques pour les nourrissons. À mesure que votre enfant découvre le monde qui l'entoure, il va être fasciné par la vue et le bruit de son jouet favori.

En achetant à votre enfant un hochet qui s'attache au poignet ou un modèle à placer dans sa main, vous lui offrirez un premier jouet idéal. Il apprendra la coordination œil-main et développera son tonus musculaire en cherchant à l'agiter. Choisissez un hochet très coloré qui fait facilement du bruit. Le but est que votre bébé arrive à s'en servir lui-même, même s'il ne s'agit pas d'un effort conscient.

La plupart des jouets finissant dans sa bouche, choisissez un objet doux et lavable. Il doit être facile à tenir pour une petite main. Attention : les mouvements de votre nourrisson sont encore très saccadés et il peut facilement se cogner la tête en jouant sous l'effet de l'excitation.

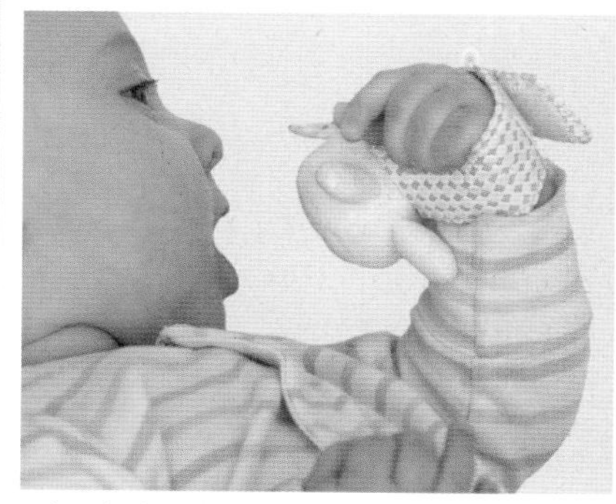

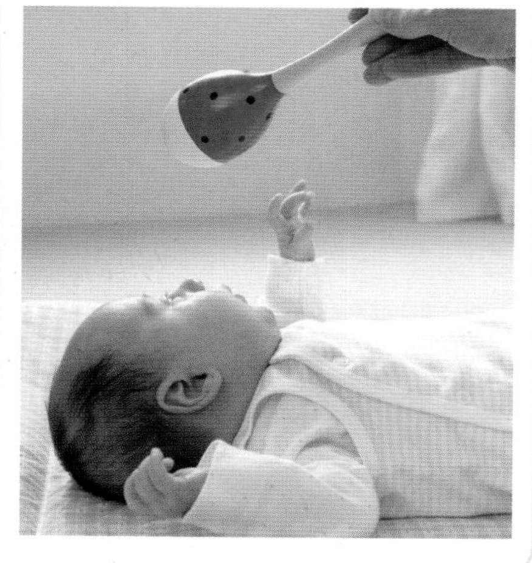

Stimulation sensorielle Votre bébé voudra aussi goûter son jouet (ci-dessus). **Joie du hochet** Offrez-lui un hochet assez léger pour qu'il le tienne tout seul (à droite).

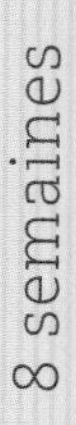

9 semaines

À 9 SEMAINES, VOTRE BÉBÉ VOIT BIEN LES CONTRASTES ET PEUT MÊME REPÉRER UN OURSON BLANC SUR UN CANAPÉ DE LA MÊME COULEUR

Désormais votre bébé va prendre environ 150 à 200 g par semaine. Il a besoin de dormir pour grossir ; des études montrent que l'hormone de croissance est sécrétée à 80 % pendant le sommeil. S'il grossit vite, il va bientôt pouvoir dormir dans un lit à barreaux.

Le lit à barreaux

Avant de mettre votre bébé dans un lit, mettez son moïse dedans pour l'aider à se familiariser avec son nouvel environnement.

À 3 mois, votre nourrisson peut encore être à l'aise dans son moïse mais il peut également en toucher les côtés, ce qui le réveille. Si c'est le cas, il est temps de passer au lit à barreaux. Ce type de lit peut-être perturbant si votre bébé est habitué à un environnement étroit et douillet. Familiarisez-le progressivement avant de l'y coucher pour une nuit entière.

N'utilisez pas de lits anciens de plus de 30 ans, car ils ne répondent pas aux normes de sécurité actuelles. Ils peuvent notamment comporter des barreaux trop espacés, de la peinture au plomb, des échardes... Laissez votre enfant jouer dans son lit en toute sécurité pendant que vous rangez ou repassez des vêtements dans la même pièce. Un mobile, quelques jouets éparpillés ou un miroir de bébé fixé sur le côté vont attirer son attention. Il va s'habituer à l'endroit et le reconnaîtra quand viendra le moment d'y dormir. Un tour de lit est également indispensable durant les premiers mois pour éviter que votre enfant se cogne la tête.

Avant de faire le changement, mettez le moïse dans le lit à barreaux (ou à côté) pendant quelques nuits. Le moment venu, si votre bébé semble un peu déconcerté, mettez-le dans le lit pour les siestes en pleine journée. Il verra ainsi ce qui l'entoure et sera plus confiant. Lorsqu'il s'endort facilement dans la journée, vous pourrez l'y mettre aussi la nuit.

L'AVIS... DE L'INFIRMIÈRE

Où dois-je installer le lit de mon bébé ? Pendant les premières semaines et jusqu'à 3 mois, gardez le lit de votre enfant dans votre chambre pour réduire le risque de mort subite du nourrisson (MSN, voir p. 31). Placez-le à l'écart des rayons directs du soleil, loin de la fenêtre, des cordons de rideaux, des radiateurs, lampes, étagères et des décorations accrochées aux murs.

Puis-je utiliser un matelas d'occasion ? Même si le lit a déjà servi, achetez toujours un matelas neuf qui s'adapte parfaitement pour empêcher votre bébé de glisser entre le lit et le matelas. Vérifiez qu'il est conforme aux normes de sécurité en vigueur et qu'il ne contient pas de retardateur de flammes bromé (PBDE).

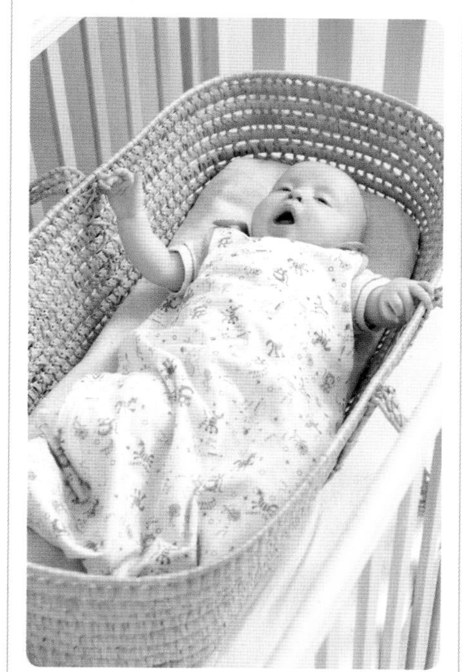

Un lit de grand Votre bébé s'adaptera plus facilement au changement si vous placez son moïse dans le lit pendant quelques nuits.

AIDE-MÉMOIRE

Le lit de votre bébé

Si vous n'avez pas encore acheté de lit, c'est le moment ! Votre enfant y dormira jusqu'à 2 ans, le cadre et les lattes doivent donc être solides et robustes, sans bords irréguliers ni éléments pointus. Ayez à l'esprit les éléments suivants :

- Si vous achetez un nouveau lit, vérifiez qu'il est conforme aux normes de sécurité québécoises en vigueur. L'espace entre les barreaux ne doit pas dépasser 6 cm. Évitez les découpes décoratives à la tête ou au pied du lit dans lesquelles votre bébé pourrait se coincer.
- La plupart des lits ont des parois latérales et un sommier réglables en hauteur pour faciliter le coucher et le lever de votre bébé.
- Un rail de protection dentaire, généralement en plastique transparent non toxique, recouvre parfois les montants horizontaux du lit pour protéger les gencives de votre nourrisson (et le lit) lorsqu'il fait ses dents et commence à mordiller.
- En montant le lit, vérifiez que boulons et vis sont solidement fixés et bloqués afin d'éviter tout risque d'effondrement du lit mais surtout d'égratignure ou d'étouffement de votre bébé.
- N'oubliez pas que les lits fabriqués ou peints il y a plus de 30 ans ont été recouverts d'une peinture au plomb nocive. En dépit de leur charme, ne les utilisez pas et remplacez-les.

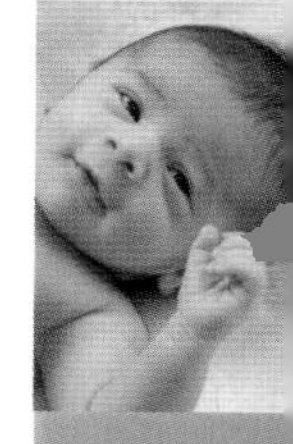

Dépression postnatale

Si votre baby blues ne passe pas, que vous vous sentez toujours épuisée ou énervée, vous faites peut-être une dépression postnatale.

Baby blues persistant Si vous êtes encore énervée, déprimée ou au bord des larmes, consultez un professionnel de la santé.

Environ 3 jours après la naissance, les changements hormonaux provoquent des bouleversements émotionnels chez la plupart des mamans, qui souffrent alors de baby blues (voir « L'avis... de l'infirmière », p. 49). Normalement tout doit rentrer dans l'ordre en quelques semaines. Si vous êtes nerveuse et que vous manquez d'énergie, vous souffrez peut-être d'une dépression postnatale (DPN).

Qu'est-ce que la DPN? Vous vous sentez angoissée à mesure que les semaines passent? Vous avez l'impression que les autres mamans y arrivent et pas vous? Vous vous affaiblissez chaque jour que votre enfant grandit? Vous souffrez probablement de dépression postnatale. La DPN peut durer quelques semaines, voire quelques mois et plus vite vous vous ferez aider, plus vite vous irez mieux. Les signes caractéristiques de la dépression postnatale sont les suivants :

- Se sentir épuisée à peine levée.
- Pleurer souvent, manquer d'entrain et être triste.
- Culpabiliser et avoir honte de ne pas être heureuse ou de ne pas aimer assez son enfant.
- Être hyperangoissée pour son bébé.
- Avoir peur d'être seule ou de sortir.

La dépression postnatale touche une ou deux mamans sur 10. L'essentiel est de reconnaître que vous n'allez pas bien et de demander de l'aide dès que possible. Le médecin généraliste reconnaîtra votre situation et saura comment vous aider, souvent en vous mettant en relation avec des services de soutien locaux. Le médecin peut vous prescrire des antidépresseurs, et vous conseiller une aide psychologique.

Psychose puerpérale Très peu de femmes (environ une à trois pour 1 000) souffrent de psychose postnatale. Parmi les symptômes : dépression grave, délires (peur de la conspiration, d'être possédé ou que les autres le soient), hallucinations et incapacité à penser clairement. Si vous ressentez ces troubles, consultez votre généraliste. Entre antidépresseurs ou antipsychotiques et psychothérapie, la psychose postnatale se traite en général en quelques semaines.

BOULEVERSEMENTS HORMONAUX APRÈS LA NAISSANCE

La relaxine, hormone sécrétée pendant la grossesse, amollit le collagène et l'élastine des tissus et reste dans votre organisme 5 mois après la naissance. Si vous allaitez, la prolactine, hormone de la lactation, a un effet similaire. En conséquence, vos gencives sont plus sensibles et saignent facilement. Vous êtes aussi plus sujette aux caries. Consultez votre dentiste pour un détartrage et un bilan de santé buccale.

Côté pileux, après la grossesse, les follicules entrent dans une « phase de repos » qui entraîne une chute de cheveux importante entre la 6e et la 30e semaine postnatale. Quand vous retrouvez votre taux d'hormones d'avant la grossesse, vos cheveux repoussent.

L'allaitement maternel influe sur les os. Les mamans qui allaitent perdent 3 à 5 % de leur masse osseuse mais la retrouvent dans les 6 mois qui suivent le sevrage. Ceci n'a aucune conséquence néfaste puisque l'allaitement maternel prévient l'ostéoporose (amincissement des os). Cependant, les mamans ont besoin d'un apport important en calcium dans leur alimentation (environ 1 250 mg/jour).

Le brossage et l'utilisation de la soie dentaire protègent vos dents et vos gencives.

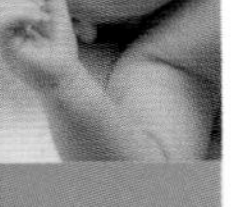

VOTRE BÉBÉ A 9 SEMAINES ET 2 JOURS

Rassembler toute la famille

Encouragez les relations avec votre famille élargie qui vous soutiendra dans les années à venir.

Au cours des derniers mois, de nombreux membres de votre famille sont venus admirer le dernier-né et fêter son arrivée. Si, jusqu'à présent, vous vous êtes peu reposée sur la famille élargie, la rencontrant uniquement lors des grandes occasions, tout ceci va changer.

Vous avez déjà constaté le renforcement des liens avec vos parents depuis la naissance de votre bébé. Vous notez maintenant l'importance qu'auront les autres membres de la famille dans la vie de votre enfant. La relation que votre nourrisson tisse avec les membres de la famille, proche ou éloignée, enrichira sa vie à tous les niveaux, et notamment d'un point de vue affectif.

Encouragez ces rapports et organisez des visites fréquentes. Cependant, les relations peuvent être tendues si vous recevez de nombreux conseils non sollicités et que vous vous occupez de votre bébé différemment de la façon dont les générations précédentes ont procédé. Incitez les membres de la famille bien intentionnés à respecter vos idées et méthodes, même s'ils ne les approuvent pas. Il est essentiel de leur permettre d'établir une relation affective avec votre enfant.

Si vous êtes une mère célibataire, votre famille sera encore plus précieuse, pour son soutien, ses conseils et son amour. Il est difficile d'élever un enfant seule. Vous avez parfois l'impression de ne pas avoir l'occasion de parler du développement ou des étapes de votre bébé, ni de vos soucis. C'est un bonheur de les partager avec votre famille, qui l'aime aussi et est fière de lui.

Rester proches Un lien étroit avec votre famille élargie enrichira la vie de votre bébé.

VOTRE BÉBÉ A 9 SEMAINES ET 3 JOURS

Petit distrait

Votre bébé est fasciné par tout ce qui l'entoure. Il est difficile d'attirer son attention pour le nourrir et le changer.

En ce moment, votre bébé se laisse vite distraire, ce qui peut être problématique lorsque vous l'allaitez. S'il a tendance à tourner constamment la tête pendant la tétée et que vous devez le maintenir au sein, essayez de le nourrir au calme, dans une pièce qui offre le moins de distractions possible.

Pendant les tétées, éteignez la télévision et parlez calmement à votre bébé en le regardant dans les yeux pour qu'il se concentre sur vous – et non sur ce qui se passe autour. Tenez sa tête de votre main libre pour le maintenir dans la bonne position et repositionnez-le doucement mais fermement s'il tourne la tête. Essayez de le nourrir quand il a vraiment faim et qu'il a besoin d'une longue tétée. S'il « tétouille » et cherche du réconfort, il sera moins concentré et vous devrez le remettre constamment au sein ou au biberon.

Assurez-vous que l'endroit où vous changez votre nourrisson est sûr, car il peut gigoter et se retourner pour voir ce qui se passe ailleurs. Ne laissez pas d'objets fragiles à sa portée. Il risque aussi de résister si son attention est attirée ailleurs. Suscitez son intérêt quand vous le changez en rendant le moment plus captivant. Suspendez un mobile audessus de la table à langer ou fixez un hochet à son poignet. Il aura ainsi des choses à regarder pendant que vous vous occupez de lui. Parlez-lui, chatouillez-le et dépêchez-vous pour ne pas avoir à lutter trop longtemps avec ce bébé gigoteur !

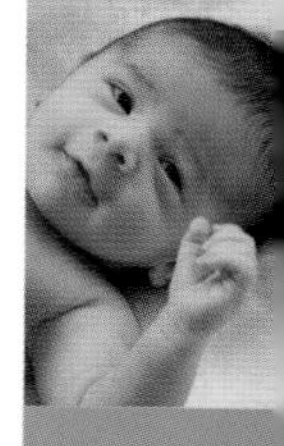

VOTRE BÉBÉ A 9 SEMAINES ET 4 JOURS

La vie en couleurs

Désormais, votre bébé discerne un grand nombre de couleurs et sa perception de la profondeur apparaît, étape clé vers la vision en 3D.

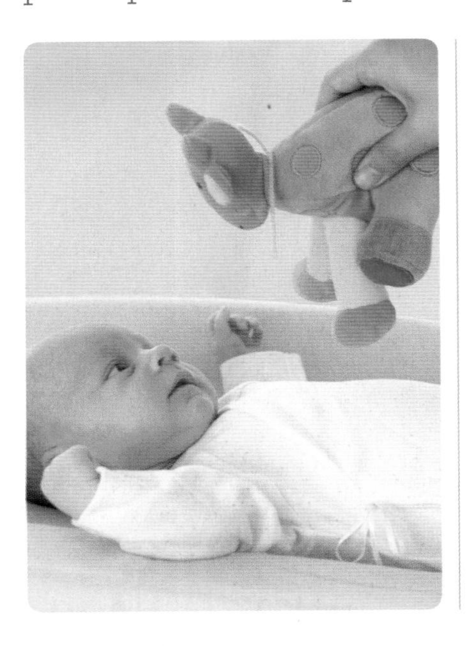

Votre nourrisson est fasciné par toutes les couleurs qu'il peut maintenant voir et se tourne d'instinct vers des jouets aux couleurs vives. Il est particulièrement attiré par les couleurs primaires et adore regarder les images très contrastées.

Sa perception de la profondeur ne sera complète que dans 4 mois (en général, vers 6 mois), mais à mesure du développement de son cerveau et de sa coordination, il discernera la position, la taille et la forme d'un objet pour finalement réussir à l'attraper. Il déterminera également si des objets sont plus près ou plus loin que d'autres, mais ses yeux doivent d'abord apprendre à travailler ensemble. Pour le moment, il ne distingue que les caractéristiques de votre visage, c'est pourquoi il cherche à toucher votre bouche ou vos yeux.

Vive les couleurs! Les couleurs vives attirent immédiatement l'attention de votre bébé.

Sa perception de la profondeur va s'améliorer lentement. Durant les premières semaines, ses yeux bougent ensemble mais ne sont pas toujours coordonnés. Il ne voit donc pas le monde dans son ensemble. Le fait de loucher par intermittence n'est pas anormal avant l'âge de 6 mois en raison d'une mauvaise coordination musculaire des yeux.

Percevoir la profondeur lui permettra de se rendre compte du dénivelé d'un escalier et d'éviter de s'y précipiter, mais vous devrez continuer à veiller à sa sécurité, car la curiosité sera plus forte que tout.

VOTRE BÉBÉ A 9 SEMAINES ET 5 JOURS

Hygiène et allergies

La prévention des maladies passe par une bonne hygiène, mais ne soyez pas obsédée par la lutte antibactérienne.

Le lien entre utilisation exagérée des produits de nettoyage antibactériens et augmentation de l'incidence des allergies est bien établi : le système immunitaire de votre bébé ne peut se développer correctement s'il n'a pas à lutter. Les allergies sont un signe de dysfonctionnement du système immunitaire et tout ce qui entrave son développement dans l'enfance peut rendre votre bébé plus sensible. Elles se traduisent par une réaction excessive de l'organisme face à certaines substances étrangères appelées allergènes. L'idée générale est de nettoyer sans stériliser. Ainsi, l'environnement de votre nourrisson ne contient pas de germes nuisibles et permet à son système immunitaire de se développer.

Utilisez de l'eau chaude et du savon ordinaire pour laver ses jouets. Choisissez si possible des produits d'entretien naturels, ceux trop chimiques pouvant également déclencher une réaction allergique et surcharger son système immunitaire sensible. Le savon et l'eau suffisent pour garder une maison propre.

Il n'est pas anormal que votre enfant éternue et tousse souvent, il évacue simplement les particules de l'environnement extérieur qui pénètrent dans son nez. Ne vous inquiétez pas s'il y a un peu de poussière; des études ont montré qu'une exposition précoce aux acariens prévient l'allergie. Ceci s'applique également aux poils d'animaux (voir aussi «Les animaux domestiques», p. 128).

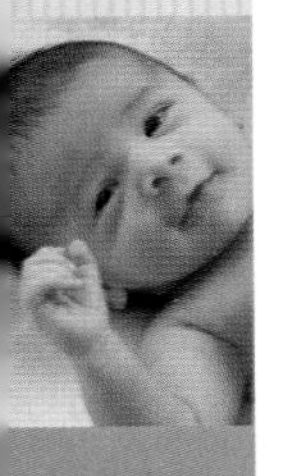

VOTRE BÉBÉ A 9 SEMAINES ET 6 JOURS

Se répartir les rôles

Votre vie a été bouleversée et vous êtes peut-être surprise ou déconcertée par l'altération de la dynamique de votre couple.

Malgré tout l'amour que vous portez à votre bébé, si vous travailliez avant sa naissance, vous êtes peut-être déconcertée par votre nouvelle vie et envieuse de votre conjoint qui travaille à l'extérieur pendant que vous vous occupez de votre enfant. Votre carrière est mise entre parenthèses et, bien qu'il soit plus intéressant financièrement pour vous de rester à la maison tant que votre enfant est petit, vous vous inquiétez peut-être des conséquences de ce choix sur votre évolution professionnelle future.

De plus, vous trouvez probablement plus logique de prendre davantage en charge les tâches domestiques. Cela déséquilibre la manière dont vous percevez votre relation et l'égalité dans votre couple. En outre, si vous choisissez de ne pas retravailler, votre indépendance financière ne sera plus la même et vous aurez peut-être du mal à vous y habituer.

Il est important de définir le rôle de chacun. Lorsque vous reprendrez le travail, vous ne pourrez pas assumer seule vos obligations professionnelles, la charge de la maison et celle d'un enfant. Répartissez équitablement les tâches pour alléger le fardeau. Les conjoints ne se rendent pas toujours compte de la complexité de la vie avec un nourrisson et à quel point les journées filent vite. Parlez d'argent et de la manière dont chacun peut en disposer. Exprimez ce que vous ressentez afin de régler les griefs avant qu'ils ne deviennent des problèmes insolubles.

Se sentir utile Même si vos rôles ont évolué, dans la mesure du possible, il est important de partager les responsabilités de la vie de famille.

L'AVIS... DU MÉDECIN

J'ai eu une césarienne, la cicatrisation est complète, mais je me sens toujours faible et fatiguée. À quand le retour à la normale? La récupération après une césarienne varie d'une femme à l'autre. Si la cicatrice visible guérit en 6 semaines, certaines femmes mettent 6 mois pour retrouver leur énergie. Des sensations d'engourdissement sont assez fréquentes et peuvent persister longtemps après l'intervention. Prenez chaque jour comme il vient, et, comme toute jeune maman, reposez-vous quand vous en ressentez le besoin. Si vous avez des douleurs dans la région pelvienne ou que vous êtes fatiguée, parlez-en à votre généraliste : certaines causes (anémie, dépression postnatale) peuvent être traitées.

J'ai remarqué quelques taches de sang après des relations sexuelles. Dois-je m'inquiéter? Elles sont parfois dues à la simple mobilisation du col, encore en cours de cicatrisation ou à l'orgasme (responsable de contractions utérines). Elles peuvent aussi être liées aux variations hormonales ou à l'utilisation d'une pilule contraceptive. Parfois, des excroissances cutanées qui saignent à cause du frottement se forment à l'endroit des déchirures ou des incisions. Certaines infections, dues à la bactérie *Chlamydia* notamment, peuvent également être en cause. Si vous saignez après les rapports sexuels, consultez votre généraliste.

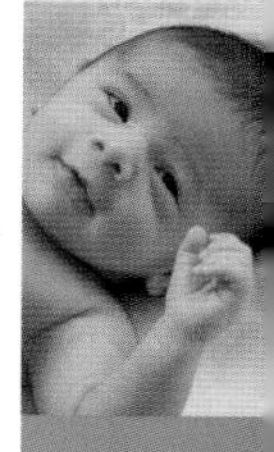

GROS PLAN SUR…

La garde de votre bébé

La reprise du travail peut vous sembler loin, il est néanmoins important de réfléchir au mode de garde pour lequel vous opterez, ce choix ne pouvant pas être fait dans l'urgence. Il doit être préparé dès la naissance de l'enfant.

Avant de choisir un service de garde, vous devez déterminer vos attentes, vos besoins et ceux de votre enfant en répondant à quelques questions. Souhaitez-vous que votre enfant bénéficie d'un cadre familial ou d'une organisation collective ? Recherchez-vous un service de garde situé près de votre domicile ou de votre travail ? Avez-vous un horaire de travail inhabituel ? Souhaitez-vous avoir une place à contribution réduite ou préférez-vous bénéficier du crédit d'impôt pour frais de garde d'enfants ? Les services de garde appliquent un programme éducatif qui vise le développement global et harmonieux de l'enfant : son plein épanouissement sur les plans affectif, physique et moteur, social et moral, cognitif et langagier. Les services de garde veillent enfin à la santé et à la sécurité des tout-petits, notamment en leur offrant une saine alimentation, une bonne hygiène ainsi qu'un milieu visant à les protéger des infections et des blessures. Les services de garde sont fournis par des prestataires de services qui peuvent être des centres de la petite enfance, des garderies qui détiennent un permis délivré par le ministère de la Famille et des Aînés ou des responsables d'un service de garde en milieu familial reconnus par un bureau coordonnateur. Une personne offrant des services de garde à six enfants ou moins n'est pas tenue de détenir un permis ou d'être reconnue par un bureau coordonnateur.

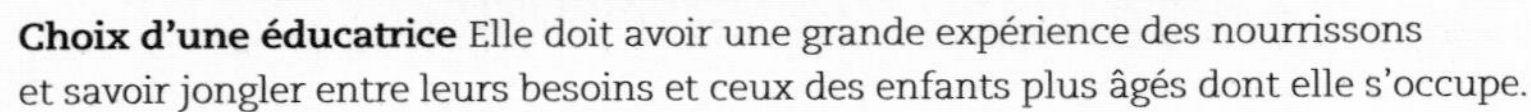

Choix d'une éducatrice Elle doit avoir une grande expérience des nourrissons et savoir jongler entre leurs besoins et ceux des enfants plus âgés dont elle s'occupe.

Centre de la petite enfance (CPE) Un CPE est une coopérative ou un organisme sans but lucratif titulaire d'un permis et dont le conseil d'administration est composé au moins aux deux tiers de parents usagers. Il offre des services de garde à 7$ par jour.

Garderie Une garderie est une personne physique ou morale, titulaire d'un permis, qui fournit des services de garde dans une seule installation. Elle a l'obligation de former un comité consultatif de parents. Certaines garderies ont conclu une entente avec le ministère de la Famille et des Aînés et offrent des places à 7$ par jour. D'autres garderies ne sont pas subventionnées et peuvent fixer elles-mêmes la contribution de leur choix. Dans ce cas, les parents peuvent bénéficier d'un crédit d'impôt pour frais de garde d'enfants.

Service de garde en milieu familial La garde en milieu familial est un service fourni par une personne dans une résidence privée. Lorsque cette personne est reconnue par un bureau coordonnateur de la garde en milieu familial, elle offre des services de garde éducatifs à un maximum de six enfants, dont deux peuvent avoir moins de 18 mois. Si elle est assistée d'un autre adulte, elle peut

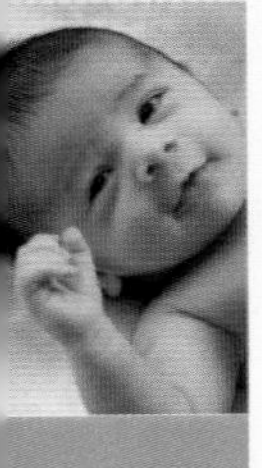

recevoir jusqu'à neuf enfants, mais pas plus de quatre enfants de moins de 18 mois. Elle offre généralement des services de garde à 7 $ par jour. Si cette personne n'est pas reconnue par un bureau coordonnateur, elle ne peut pas recevoir plus de six enfants. Elle fixe elle-même le tarif. Là encore, les parents peuvent bénéficier du crédit d'impôt.

Visite des lieux Avant de confier votre enfant à un service de garde, rencontrez la personne responsable ainsi que les autres adultes qui s'occuperont de lui. Posez des questions au sujet de l'âge des enfants qui le fréquentent, du programme éducatif et de la qualité des repas. Dans le cas d'un CPE ou d'une garderie, vérifiez si le permis délivré par le ministère est affiché. Observez l'environnement dans lequel vivra votre enfant et intéressez-vous aux activités proposées ainsi qu'aux mesures mises en place afin d'assurer sa santé et sa sécurité. En milieu familial, assurez-vous que la personne responsable est reconnue par un bureau coordonnateur si elle reçoit quotidiennement plus de six enfants.

Autres solutions Il est parfois possible de bénéficier d'une flexibilité des horaires de travail, grâce au télétravail par exemple, lorsque les enfants sont petits, en comblant les trous par une aide extérieure (jeune fille au pair ou autre).

Vous pouvez également partager l'emploi d'une garde à domicile avec une ou plusieurs autres familles, en alternant ou non le lieu de garde des enfants. Cette opportunité vous permet de réduire les coûts élevés de l'emploi d'une éducatrice à plein-temps et offre à votre enfant un compagnon de jeu. La garde partagée fait l'objet d'un contrat et fait de vous un employeur.

Certains grands-parents sont heureux de garder leurs petits-enfants. Mais, afin d'éviter toute tension, discutez des modalités et soyez reconnaissants, ne considérez pas ça comme un dû. La rémunération n'est pas obligatoire, mais vous devez être souple tout en vous assurant que vos principes d'éducation seront respectés. Une bonne communication est la garantie d'un bon fonctionnement. Mais cette situation peut également engendrer du ressentiment de part et d'autre et doit donc être envisagée avec précaution.

Enfin, vous pouvez songer à travailler à temps partiel ou à modifier vos horaires pour limiter le recours à une garde extérieure. Ainsi, si vous travaillez de 7 heures à 15 heures et que votre conjoint assure le créneau du matin, vous n'aurez besoin que de 5 heures de garde quelques jours par semaine. Étudiez les différents scénarios avec votre compagnon et assurez-vous d'être d'accord tous les deux. Si vous êtes mère célibataire, essayez de trouver une solution de rechange en cas de retard, s'il est malade ou si la personne qui le garde n'est pas disponible une journée. Pour une maman isolée, la responsabilité d'un bébé peut parfois être écrasante, acceptez toutes les propositions d'aide pour les moments où vous ne pouvez pas être là.

En de bonnes mains Vous serez plus sereine en laissant votre bébé si vous avez de bons rapports avec la personne qui va s'en occuper.

AIDE-MÉMOIRE

Choisir une garderie

Pour choisir une garderie, fiez-vous à votre instinct. Si les enfants sont heureux et le personnel chaleureux, vous avez probablement trouvé la bonne. Privilégiez les garderies avec :

- Un ratio personnel-enfant élevé. Le nombre maximum d'enfants pris en charge par adulte est fixé par la loi, mais il peut y avoir un meilleur ratio.
- Une organisation qui sépare les différentes tranches d'âge, afin que la prise en charge des nourrissons ne soit pas perturbée par celle des plus grands.
- Une politique de discipline qui corresponde à vos valeurs.
- La présence permanente de personnels ayant l'expérience des premiers secours et des maladies infantiles. Assurez-vous que les éventuels problèmes de santé de votre bébé seront pris en charge efficacement.
- Un personnel expérimenté et bien formé, au courant des dernières pratiques en matière de nutrition et de développement de l'enfant.
- Un personnel chaleureux et affectueux qui s'intéresse aux enfants.
- Un personnel référent pour chaque enfant, pour le suivi des besoins individuels.
- Une politique et une mise en pratique claires en termes de sécurité.
- Un large éventail de jouets propres et de livres adaptés à l'âge des enfants accueillis.
- De nombreuses occasions de stimulation.
- Un endroit calme pour la sieste et un lieu propre pour les repas.
- Une volonté d'informer les parents des progrès quotidiens de leur bébé.
- Une politique d'ouverture : vous pouvez passer à tout moment.

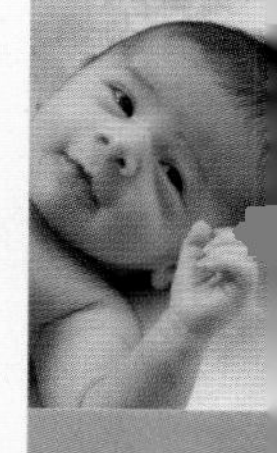

10 semaines

COMME LES BÉBÉS DORMENT SUR LE DOS, ILS DOIVENT PASSER DU TEMPS À PLAT VENTRE POUR RENFORCER LE HAUT DU CORPS

Si quelque chose d'intéressant, un jouet par exemple, attire l'attention de votre bébé, il va chercher à l'atteindre. S'il n'est pas encore capable d'attraper précisément des objets, sa coordination œil-main va s'affiner. Désormais, votre bébé est plus sociable et il commence à « parler » en gazouillant.

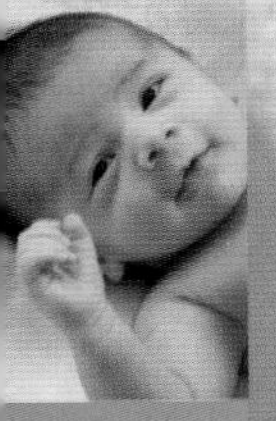

Son cycle de sommeil

Vous pensez avoir endormi votre bébé, mais il s'agite et se réveille. Que se passe-t-il lorsque votre nourrisson s'endort ?

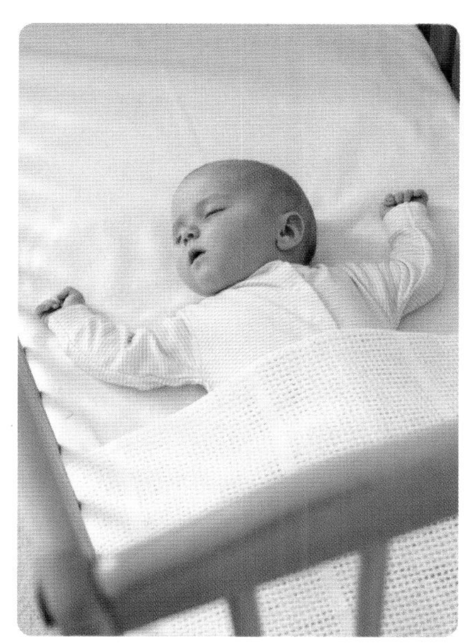

Beaux rêves Des activités calmes au moment du coucher aident votre bébé à s'endormir.

Comme les adultes, les bébés connaissent deux phases de sommeil : le sommeil profond (sans mouvement oculaire) et le sommeil paradoxal (avec des mouvements oculaires rapides). Lors du sommeil profond, le corps et l'esprit sont calmes, la respiration profonde et les membres détendus et relâchés alors qu'en phase de sommeil paradoxal, les yeux bougent sous les paupières et le cerveau est plus actif, c'est le moment des rêves.

Sommeil et activité cérébrale S'il est fatigué et détendu, l'adulte est capable de tomber dans un sommeil profond en quelques minutes. Chez l'adulte, sur une nuit de 8 heures, les phases de sommeil profond (75 %) et de sommeil paradoxal (25 %) se succèdent toute la nuit. Au cours des premiers mois, un bébé dort environ 18 heures par jour, dont la moitié en sommeil paradoxal. Il semble qu'une quantité importante de sommeil paradoxal soit nécessaire lors de la courbe rapide d'apprentissage et de croissance pour permettre au cerveau de mettre en place de nouvelles interconnexions complexes. Lors du sommeil paradoxal, le flux sanguin du cerveau double presque lorsque le cerveau est actif, alors que votre bébé semble se reposer. Au cours de cette phase, votre nourrisson semble agité, avec des battements de paupières, des mouvements du visage, des bras et des jambes.

Il faut attendre 20 semaines pour que le nourrisson adopte des rythmes de sommeil régulier avec des cycles de sommeil profond et paradoxal. Pour le moment, il passe environ 35 % de son sommeil en phase paradoxale et 65 % en phase de sommeil profond.

Que faire alors ? Dans la mesure du possible, il est préférable de coucher votre bébé juste avant qu'il ne sombre dans le sommeil paradoxal, afin qu'il apprenne à s'endormir tout seul. Lorsqu'il dort, évitez de le déplacer au risque le réveiller instantanément.

S'il semble sur le point de se réveiller, résistez à la tentation de lui caresser la joue ou de lui parler, car vous allez surtout de le perturber. Laissez-le au calme, il aura ainsi plus de chances de se rendormir. S'il dort dans votre chambre, il sera de toute façon rassuré par votre présence.

Lorsque votre bébé grandit, ses cycles de sommeil paradoxal s'allongent. Il dormira bientôt plus profondément pendant cette période et sera moins susceptible de se réveiller.

L'AVIS... DU PÉDIATRE

Mon bébé rêve-t-il ? Des études suggèrent que les bébés ne commencent pas à rêver à la naissance mais dans l'utérus. Les rêves surviennent lors du sommeil paradoxal (voir à gauche), lorsque votre enfant ne dort pas très profondément et que son cerveau est actif ; ses heures de sommeil paradoxal étant bien plus importantes que les nôtres, il rêve fréquemment. En général, ses rêves se nourrissent de ses expériences de la journée et consolident l'apprentissage, les émotions et le développement. Il peut parfois faire de mauvais rêves, mais votre voix rassurante aura tôt fait de le calmer.

Puis-je éduquer le sommeil de mon bébé ? Votre nourrisson dort autant qu'il en a besoin et ne sera pas prêt à dormir toute la nuit sans tétée avant plusieurs semaines. Les méthodes d'éducation du sommeil commencent habituellement après plusieurs mois ; les parents incitent alors leur bébé à dormir plus longtemps la nuit en ne lui accordant pas trop d'attention pendant cette période. Il ne s'agit pas de le laisser pleurer mais de l'aider à se sentir suffisamment en sécurité pour s'endormir, en sachant que maman et papa sont à côté. Vous pouvez déjà adopter un rituel du coucher apaisant, un bain, une tétée et une histoire, pour que votre nourrisson commence à associer cette séquence rassurante à l'endormissement.

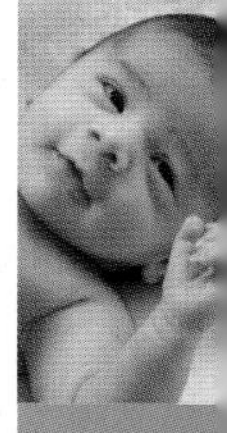

VOTRE BÉBÉ A 10 SEMAINES ET 1 JOUR

Dans le mille !

La coordination œil-main de votre bébé se développe vite. Il s'exerce beaucoup pour que ses bras et ses jambes fassent ce qu'il veut.

L'AVIS... DU MÉDECIN

Pourquoi mon bébé siffle-t-il ? C'est le signe d'un rétrécissement des voies aériennes, mais il est difficile d'en déterminer l'origine. Cette affection n'est pas rare, car ces voies sont étroites chez le bébé. La cause la plus fréquente est un rhume, mais il en existe d'autres comme la bronchiolite (voir p. 408), plus grave. Si le sifflement persiste, si votre bébé a de la fièvre, ne tète pas ou a des difficultés à respirer, consultez immédiatement votre généraliste.

Jusqu'à présent, votre nourrisson frappait son arche d'éveil avec des mouvements désordonnés. À 10 semaines, il comprend peu à peu que lorsqu'il touche quelque chose, cela bouge. Il commence à saisir le rapport de cause à effet. En cherchant à atteindre un jouet, il transmet d'importantes informations à son cerveau quant aux mouvements de ses muscles et de son corps. Désormais, il va frapper et attraper volontairement tout ce qu'il voit.

Allongez votre bébé à plat ventre et, tout en le surveillant, placez un jouet un peu à l'écart pour l'inciter à l'attraper ; il apprend ainsi à se déplacer pour obtenir ce qu'il veut. Aidez-le à saisir le jouet en le plaçant dans sa paume, il refermera les doigts autour par réflexe.

Mettez votre enfant sous son arche d'éveil afin qu'il s'exerce à attraper facilement un ou plusieurs jouets suspendus. Il aimera encore plus l'expérience s'il réussit de temps en temps ! Lorsqu'il est sur le dos, tenez des jouets à sa portée et attirez son attention. Bientôt, il pourra les atteindre plus précisément et les rapprocher de lui. Votre enfant verra ses capacités motrices augmenter s'il a l'occasion de s'exercer.

VOTRE BÉBÉ A 10 SEMAINES ET 2 JOURS

À plat ventre

Pour sa sécurité, votre bébé doit dormir sur le dos, mais il a besoin d'être à plat ventre pour renforcer la musculature du haut du corps.

Autour de 10 à 11 semaines, votre bébé peut rester à plat ventre et lever la tête pour regarder en haut ou sur le côté. Il commence en poussant vers le haut à l'aide des avant-bras. Il lui faudra encore un ou deux mois pour avoir assez d'assurance pour pousser avec les bras et les mains.

Cette étape importante de son développement constitue le début de la motricité qui se poursuivra avec les roulades pour finir par la reptation. Laissez votre nourrisson un moment à plat ventre quand il est éveillé. En effet, des études ont démontré que, depuis que les bébés sont couchés sur le dos, ils doivent passer plus de temps sur le ventre pour s'exercer. Restez toujours à proximité quand votre bébé est à plat ventre. Les muscles de sa nuque sont encore faibles et incapables de tenir sa tête longtemps. Une station prolongée dans cette position peut l'angoisser ou le déconcerter et il aura besoin de votre aide. Mettez des jouets autour de lui pour l'encourager à les atteindre ou à commencer à se déplacer (voir « Dans le mille ! », ci-dessus). S'il n'apprécie pas de rester par terre, vous pouvez l'y inciter en douceur en le couchant contre votre poitrine tandis que vous êtes allongée sur le sol. Il sera heureux de voir votre visage souriant quand il lève la tête.

Musculation Votre bébé peut désormais lever la tête pour voir ce qui l'entoure.

En balade

La vue de votre bébé s'améliore de jour en jour. Offrez-lui de nombreuses occasions d'explorer le monde qui l'entoure.

Petite promenade Les bébés sont rassurés de voir depuis la poussette leur maman et le monde fascinant qui les entoure.

Si vous n'avez pas encore utilisé de poussette, vous pouvez désormais envisager d'en avoir une qui permette à votre bébé de se tenir assis en étant soutenu. Certaines poussettes sont conçues pour être tournées vers l'avant, tandis que d'autres modèles sont orientés vers vous, pour que votre nourrisson vous voie.

Certains spécialistes préfèrent cette dernière solution, car elle permet à votre bébé de continuer à tisser des liens avec vous, d'apprendre de vos discussions et expressions faciales et d'être réconforté par votre présence. Dans l'autre sens, votre enfant est incité à regarder ce qui se passe autour. S'il est déconcerté par votre absence, adressez-vous à lui en marchant, penchez-vous et caressez son visage pour lui rappeler votre présence. De temps à autre, accroupissez-vous devant la poussette et parlez-lui pour le rassurer. Il apprend beaucoup par la parole, le contenu, le ton et le rythme de votre voix même s'il ne comprend pas la signification des mots.

La sécurité Attachez toujours soigneusement le harnais et vérifiez que votre enfant est bien maintenu et non affalé. Placez ses fesses un peu plus en avant, pour l'aider à basculer confortablement vers l'arrière. Vous pouvez aussi acheter un repose-tête pour qu'il se sente mieux tenu. Une bonne poussette peut s'incliner complètement pour pouvoir allonger votre bébé, si possible sans le réveiller.

N'oubliez pas de mettre le frein quand vous vous arrêtez, même si le terrain semble plat. Un accident est vite arrivé. Évitez d'accrocher à la poignée des sacs lourds qui pourraient faire basculer la poussette. Il est préférable d'investir dans un modèle qui dispose d'un rangement sous le siège. Les poussettes pliantes, n'offrant qu'une position assise, sont déconseillées avant 6 mois.

Pour les mamans de multiples, il existe des poussettes doubles (ou triples), certaines étant plus pratiques que d'autres. D'aucuns aiment le système « en ligne » (tandem), car il permet de passer dans des endroits plus étroits. Mais il est lourd et difficile à manœuvrer.

Les poussettes « côte à côte » ont souvent la préférence, car les bébés se voient, s'entendent et communiquent facilement. Cette forme de « divertissement » n'a pas de prix si une sortie est plus longue que prévu. Mais la largeur de ce modèle ne lui permet pas de passer partout.

Enfin, pour ménager votre dos, optez pour un modèle de poussette qui se plie sans vous baisser.

ACTIVITÉ D'ÉVEIL

Livres en tissu et en bois

Les livres aux couleurs vives, illustrés de visages de bébés ou d'animaux sont parfaits à ce stade de développement de votre nourrisson qui va adorer regarder les images.

Les livres résistants, en tissu ou pour le bain, sont pratiques, car ils se nettoient facilement. Votre enfant peut s'amuser avec tout seul. Le bébé sera fasciné par ceux dont les pages comportent différentes textures. Encouragez-le à les toucher. Inventez vos propres histoires ou répétez le nom de l'objet sur la page pour lui apprendre.

Jolis et drôles Les livres aux couleurs et textures variées plairont à votre bébé et l'amuseront.

Décrypter ses signaux

Il bat des jambes ? Il plisse le front ? Comprendre ce que vous dit votre bébé peut éviter bien des larmes.

Devine ce que je veux dire Sucer ses doigts indique la fatigue, la faim ou la vigilance (à gauche). **Au dodo!** Le bâillement signifie qu'il est temps d'aller dormir (à droite).

L'AVIS... DU MÉDECIN

Mon bébé semble constipé, est-ce possible? Les selles des bébés peuvent être très différentes, mais un changement par rapport à la consistance habituelle de celles de votre enfant indique un problème. Leur fréquence varie de trois selles quotidiennes à une selle tous les 2 jours.

En général, les bébés nourris au sein ne sont pas constipés, car le lait maternel contient tout ce qu'il faut pour que les selles restent molles. Il est normal que les bébés poussent pour déféquer. Cependant, certains signes confirment la constipation : selles dures comme des billes, poussée sans défécation, parfois présence de sang frais dans la couche due à une petite déchirure de l'anus. En cas de saignement, consultez votre généraliste.

Apprendre à décrypter les signaux physiques et faciaux de votre bébé et y répondre est la première forme de communication entre vous. Si à chaque fois vous lui donnez ce qu'il veut dès qu'il se manifeste, votre bébé comprendra que ses besoins sont satisfaits sans qu'il pleure. Il va élargir son répertoire de signaux et de gestes et, bientôt, commencera à anticiper votre réponse en souriant. Il développe ainsi ses compétences en communication et il commence à croire vraiment que vous viendrez quand il aura besoin de vous.

Repérer les signaux Les premiers temps, votre défi consiste à apprendre à lire et à interpréter les signaux de votre nourrisson. Vous savez déjà probablement reconnaître la signification des différents pleurs en fonction de leur intonation. Ainsi, «Je suis fatigué» ou bien «J'ai faim» n'ont plus de secret pour vous. Il est temps de repérer certains signaux plus spécifiques, verbaux ou non. Guettez les battements de jambes, un visage qui rougit ou des mouvements du poing, indicateurs d'un bébé trop stimulé, frustré ou en attente d'être changé. En se frottant les yeux, en bâillant ou en mettant les doigts dans la bouche, votre enfant vous dit qu'il est fatigué. Si vous remarquez à nouveau ces gestes, préparez-vous à le coucher. En comprenant mieux les signaux de votre bébé, vous pourrez répondre plus rapidement à ses besoins.

Dans ces échanges avec son entourage, votre bébé n'est pas passif, il manifeste ses propres potentialités, son tempérament, plus ou moins actif ou placide. Une nouvelle relation se construit désormais entre vous, parents, et votre enfant.

On joue ou pas? Votre bébé vous envoie également des signaux lorsqu'il est prêt à jouer ou qu'il a besoin de temps pour décompresser tranquillement tout seul. On parle de signaux «d'approche» et de «retrait». Si votre nourrisson se tait, vous regarde, vous tend les bras, bouge doucement les bras et les jambes, tourne les yeux (grands ouverts) ou la tête vers vous, gazouille, sourit, babille et lève la tête, il s'agit de signaux d'approche classiques. Il est en mode d'interaction et vous le dit!

S'il détourne la tête, cambre le dos, se tortille ou bat des jambes, vous repousse, détourne les yeux, plisse le front, a le hoquet, fronce les sourcils, il s'agit alors de signaux de retrait. Votre enfant a besoin d'une pause. Il peut vouloir arrêter de jouer, de téter ou même d'être pris dans les bras. Il est temps de changer d'activité ou de lui faire faire une sieste.

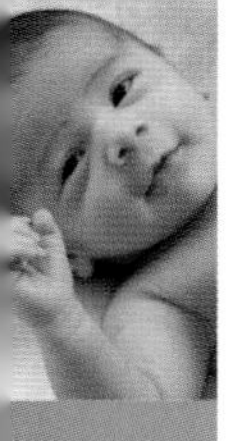

VOTRE BÉBÉ A 10 SEMAINES ET 5 JOURS

Les massages

Les massages peuvent détendre et calmer votre bébé, atténuer la gêne des rots et des coliques et faciliter un sommeil réparateur.

Si vous souhaitez apprendre la technique, il existe de nombreux cours de massage pour bébés. Mais vous pouvez aussi avoir recours aux petites caresses que vous faites chaque jour à votre enfant comme frotter son dos pour le calmer ou jouer avec ses mains et ses pieds. L'objectif est avant tout de passer un bon moment ensemble et d'offrir à votre bébé le plaisir de votre contact chaleureux.

Choisissez un moment où votre nourrisson est détendu. Évitez les moments juste après une tétée ou lorsqu'il a faim. Assurez-vous que la pièce est assez chaude et allongez votre bébé confortablement sur une surface douce. Pour commencer, caressez ses bras et ses jambes, puis massez légèrement son ventre dans le sens des aiguilles d'une montre. Pendant le massage parlez-lui et regardez ses signaux : s'il n'est pas content, arrêtez. Essayez d'associer différentes caresses pour voir ce qu'il préfère.

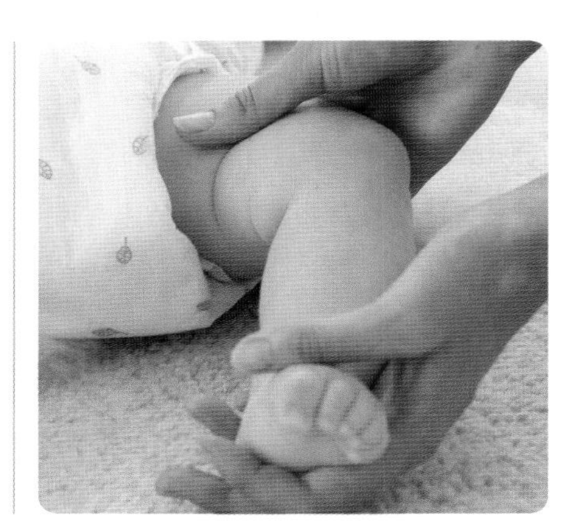

Jambes et pieds Serrez doucement la hanche avant de frotter la cheville et le pied.

VOTRE BÉBÉ A 10 SEMAINES ET 6 JOURS

Votre bébé devient sociable

Votre bébé sourit de plus en plus et vous « parle » en gazouillant. Peu à peu, votre bébé se sociabilise.

Votre conjoint, vous-même et vos autres enfants avez une grande influence sur la sociabilité de votre bébé. Quand vous lui parlez, attendez sa réponse et répondez à votre tour. Vous lui apprenez ainsi la communication à double sens.

Les sourires de votre bébé deviennent plus fréquents. Désormais, il sourit non seulement en réponse à votre sourire mais peut-être aussi en réaction à votre voix. Il commence également à sourire aux autres adultes qui lui sourient. Tous ces signes montrent que votre enfant élargit désormais son réseau social. Passez beaucoup de temps avec lui dans la journée. Regardez-le dans les yeux, reproduisez ses expressions, parlez et attendez sa réaction.

À cet âge, les bébés savent si un visage est connu ou étranger et commencent même à exprimer une préférence pour certaines personnes. Aidez votre bébé à être à l'aise au milieu de personnes connues en veillant à ce que grands-parents et amis lui fassent beaucoup de câlins, de sourires et lui parlent. Il est également fasciné par les autres bébés et fixe souvent leur visage, parfois en leur souriant. Il faudra du temps (environ deux ans) avant que votre enfant se fasse de vrais amis, mais ces interactions précoces sont utiles à la sociabilité à long terme.

Plus sociable Encouragez votre bébé à être sociable avec vos proches.

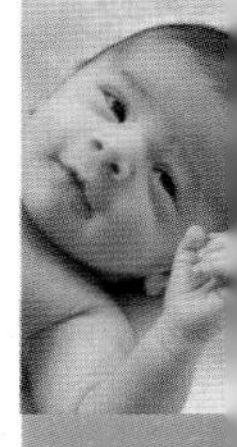

11 semaines

LA BOUCHE D'UN BÉBÉ COMPREND PLUS DE TERMINAISONS NERVEUSES PAR MILLIMÈTRE CARRÉ QUE N'IMPORTE QUELLE AUTRE PARTIE DU CORPS

La bouche de votre bébé est très sensible : il explore le monde en y portant tout ce qu'il trouve. Il apprend aussi par le regard. Son cerveau comporte des « neurones miroir » qui lui permettent d'imiter les expressions du visage et les mouvements.

VOTRE BÉBÉ A 11 SEMAINES

Écouter + regarder = apprendre

Votre bébé écoute et regarde : il apprend ainsi à s'adapter à son nouvel environnement et tout ce qui l'amuse nourrit son cerveau.

À la naissance, de nombreuses cellules cérébrales sont déjà reliées pour permettre au nouveau-né d'effectuer des tâches essentielles comme téter et déglutir. Dès lors, tous ses sens sont imprégnés d'informations qui établissent des connexions et lui permettent d'apprendre. Il est prêt à vous répondre, à imiter les expressions de votre visage et à produire un son quand vous parlez.

En reproduisant à votre tour ses mimiques ou les bruits qu'il émet, vous apprenez à votre enfant à exprimer ses sentiments sans parler, et il découvre que d'autres peuvent faire comme lui. Les psychologues pensent que ceci est essentiel dans le développement de son individualité, de sa reconnaissance des autres et de son sens de l'appartenance. À 11 semaines, votre nourrisson glane de plus en plus d'informations sur ce qui l'entoure et élabore une image détaillée de son environnement. Qu'il voie ses frères et sœurs danser en rythme ou regarde une lumière puis s'en détourne, son cerveau est bombardé d'impulsions nerveuses à mesure qu'il établit des connexions entre musique et mouvement ou entre clarté et obscurité.

Pensez à le stimuler visuellement. À cet âge, privilégiez les couleurs vives. Inutile d'investir dans des jouets chers ou compliqués. Mettez-le devant un miroir, ou asseyez-le à l'ombre à côté d'un moulin de papier coloré qui tourne dans la brise.

Jeu de miroir Votre bébé est fasciné par son propre reflet dans un miroir.

VOTRE BÉBÉ A 11 SEMAINES ET 1 JOUR

Sortie en famille

Une sortie familiale permet de changer de cadre ; votre bébé découvre ainsi un nouvel environnement.

Votre bébé s'intéresse de plus en plus à ce qu'il voit et sent autour de lui. Une sortie va ainsi vous détendre et procurer à votre nourrisson de nouvelles sensations et le stimuler. Trouvez un endroit qui convienne à toute la famille : votre enfant peut découvrir pour la première fois la campagne ou la maison avec jardin de ses grands-parents. Optez pour des trajets assez courts pour qu'il ne passe pas trop de temps en auto et qu'il soit de bonne humeur pour apprécier la sortie.

Profitez-en pour lui faire découvrir des odeurs ou des sons et lui montrer de nouvelles choses. Il va s'amuser à vous regarder pique-niquer et admirer le mouvement des feuilles et des branches, allongé avec vous sur une couverture sous les arbres. Une promenade en poussette dans un parc ou dans une rue calme va le fasciner.

Ces activités en famille, chez vous ou ailleurs, vous permettent de faire le plein de souvenirs et d'anecdotes, en particulier sur les réactions de votre bébé à ces nouvelles expériences. Vous pourrez faire de ces moments partagés une tradition et une bonne habitude à conserver.

Prenez plein de photographies : en grandissant, votre enfant adorera les regarder et voir ce qu'il faisait quand il était petit. De plus, ces moments passent vite et votre enfant change de jour en jour. Vous pourrez ainsi constater son évolution rapide en regardant les photographies prises durant les semaines précédentes et en ayant ainsi davantage de recul que lorsque vous observez votre bambin au quotidien.

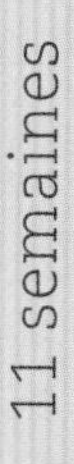

VOTRE BÉBÉ A 11 SEMAINES ET 2 JOURS

Les animaux domestiques

Vous devez faire attention à vos animaux de compagnie mais aussi à ceux de vos proches face à votre bébé.

Votre enfant est encore bien trop petit pour s'intéresser aux animaux domestiques. Quand le moment sera venu, son sens de la responsabilité se développera quand il vous regardera prendre soin d'eux. Pour le moment, n'oubliez jamais que même le chien le mieux éduqué est imprévisible et qu'avec un bébé vulnérable dans les parages, rien n'est jamais acquis.

Les chiens, en particulier, peuvent devenir jaloux du petit nouveau. Pour éviter ce problème, il est préférable d'habituer votre chien aux enfants avant la naissance de votre bébé. Si vous en avez un, occupez-vous spécialement de lui quand vous le pouvez pour qu'il ne se sente pas délaissé. Continuez de le sortir régulièrement et donnez-lui ses repas aux heures habituelles pour que la présence du bébé ne le perturbe pas trop. Il ne doit pas monter à l'étage si votre nourrisson y dort (installez une barrière si nécessaire).

Votre enfant a presque 3 mois et a pris l'habitude d'attraper et de tirer les objets qui sont à sa portée. S'il s'agit de la queue ou de l'oreille d'un animal, il risque une mise en garde en règle : le chien va le mordiller et le chat le mordre ou le griffer. Il ne faut donc jamais laisser votre bébé seul avec un animal ; laissez Médor dehors quand votre enfant joue dans une pièce. Un animal ne doit en aucun cas entrer dans la chambre de votre nouveau-né et dormir dans le lit de votre bébé. Les chats, en particulier, peuvent rechercher la chaleur d'un berceau (ou d'un landau), ce qui les rend particulièrement dangereux, car l'enfant risquerait d'étouffer. Par précaution, vous pouvez utiliser un filet de protection antichat.

Assurez-vous que les vaccins de vos fidèles compagnons sont à jour et qu'ils n'ont ni vers ni puces. Certains parasites entraînent une toxocarose, respectez donc une hygiène stricte pour minimiser le risque d'infection. Ne laissez jamais un animal lécher votre bébé, en particulier son visage. Si vous rendez visite à des amis qui ont des animaux, respectez les mêmes précautions et ne quittez jamais votre enfant des yeux.

ACTIVITÉ D'ÉVEIL

Dansons maintenant !

Y a-t-il un air sur lequel vous aimez particulièrement danser ? Si oui, pourquoi ne pas l'écouter régulièrement dans le cadre d'activités avec votre bébé ? Mettez votre morceau favori, votre nourrisson dans les bras et balancez-vous en musique avec lui tout en douceur. Tant que votre enfant est en sécurité, les mouvements peuvent être rythmés ou calmes selon la musique. Ne mettez pas le son trop fort au risque d'endommager l'ouïe de votre enfant. Votre bébé va adorer la sensation de tourner dans les bras costauds de papa et peut même glousser pendant qu'il valse.

Il apprendra ainsi à associer la musique à une expérience positive avec ses parents et se sentira bien en l'entendant, même si vous êtes au travail.

Chanter et danser Les bébés aiment être bercés en musique, et à cet âge, ils ne se préoccupent pas de votre technique !

AIDE-MÉMOIRE

Consignes de sécurité avec un animal

Si vous avez un chat, placez un filet de protection sur le lit de votre bébé.

Ne laissez jamais votre chien ou votre chat seul avec votre enfant : au moindre mouvement ou tape, l'animal pourrait le mordre ou le griffer.

Lavez-vous les mains après avoir touché la nourriture ou les récipients de votre animal pour réduire le risque de transmission de maladies comme la salmonellose. Lavez les gamelles dans un évier distinct.

Les reptiles sont associés à une forte incidence de salmonellose contractée par manipulation. Certains spécialistes recommandent de ne pas en posséder si l'on a des enfants de moins de 5 ans.

VOTRE BÉBÉ A 11 SEMAINES ET 3 JOURS

Découverte par la bouche

La bouche de votre bébé lui donne de nombreuses informations sur la saveur, la texture et la consistance de tout ce qu'il « goûte ».

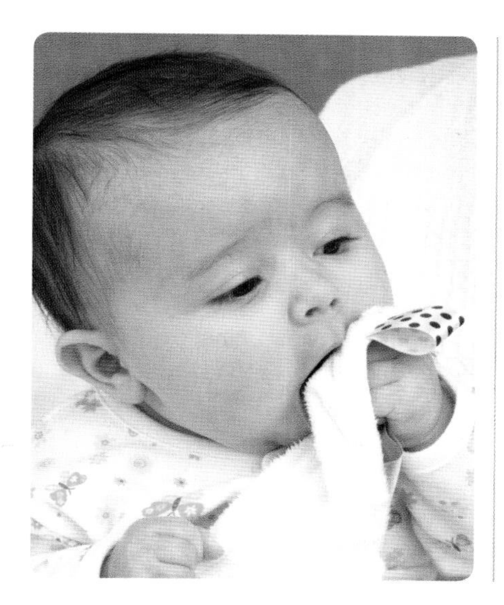

Désormais, votre bébé suce ses doigts et essaie d'attraper des objets pour les porter à la bouche. Il va s'amuser à explorer chaque élément, découvrir son goût et sa résistance à la pression quand il mord dedans. Cette phase va durer au moins jusqu'à 2 ans. Le besoin de « goûter » est un mode d'exploration pour votre enfant, résistez donc à la tentation de l'empêcher de mettre à sa bouche tout ce qui lui passe sous la main, sauf, bien sûr, s'il s'agit de choses toxiques, coupantes ou suffisamment petites pour l'étouffer.

Découverte du monde Votre bébé porte à la bouche des objets pour les goûter et ainsi les découvrir.

Mettre à la bouche permet à votre nourrisson de s'exercer à bouger la langue, les lèvres et la mâchoire et de mieux en maîtriser la motricité. Cela favorise le développement de l'élocution, la mastication et la déglutition. Assurez-vous de ne rien laisser à sa portée en dehors des jouets spécialement conçus pour lui permettre de mordiller et faire ses gencives. Les anneaux de dentition, qui font aussi souvent office de hochets, sont pratiques, car particulièrement adaptés à ses petites mains.

Si votre nourrisson suce le coin d'un jouet en tissu ou d'un lange, il est probable qu'il se réconforte et s'en serve comme une sorte d'alternative à la tétine.

VOTRE BÉBÉ A 11 SEMAINES ET 4 JOURS

Protéger la peau de votre bébé

Les bébés ont souvent la peau sèche, des boutons et des irritations, il est donc important d'en prendre soin.

La peau des bébés est plus fine, plus sensible et moins grasse que celle des adultes, elle a donc tendance à s'assécher, en particulier l'hiver lorsque l'air intérieur est sec et surchauffé. Installez un humidificateur dans la chambre de votre enfant pour rendre l'air moins sec.

Si votre bébé a la peau sèche, préférez la douchette en évitant de le laisser longtemps dans l'eau, surtout si elle est très calcaire. Évitez d'utiliser du savon ou du bain moussant et lavez-le simplement à l'eau tiède. Ne laissez pas trop longtemps votre nourrisson dans l'eau, car cela assèche davantage la peau. Après le bain, séchez-le et appliquez une crème hydratante ou émolliente hypoallergénique. Vous pouvez aussi choisir une méthode naturelle et lui passer un peu d'huile d'olive ou de liniment.

Les résidus de lessive peuvent entraîner des irritations ; par conséquent, utilisez des lessives et des adoucissants pour bébé et effectuez un rinçage supplémentaire pour ses affaires. Pour prévenir les irritations cutanées, ne lui mettez pas de vêtements en laine, puis évitez les fibres synthétiques comme le Nylon.

Si des boutons apparaissent sur le visage de votre bébé, il s'agit d'acné du nouveau-né ; elle est fréquente et peut apparaître à tout moment entre 2 semaines et 3 mois. N'y touchez pas : elle disparaîtra toute seule.

Si votre bébé a des rougeurs autour du cou, sous les aisselles ou sur les fesses, ce sont sûrement des boutons de chaleur. Retirez ses vêtements pour laisser circuler l'air et rafraîchir sa peau. Parfois, des plaques rouges sont le signe d'une candidose (voir p. 405), ce qu'une consultation chez votre médecin vous confirmera.

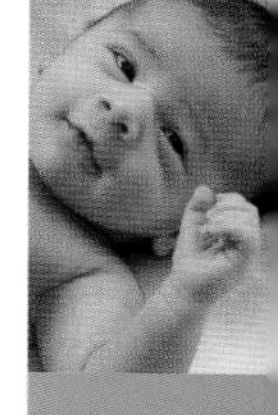

VOTRE BÉBÉ A 11 SEMAINES ET 5 JOURS

Surveiller la courbe de poids

La prise de poids de votre bébé est probablement stable à présent, mais il est rassurant de le faire peser de temps en temps.

Chaque bébé est différent, mais la plupart prennent en moyenne 120 à 200 g par semaine jusqu'à 6 mois. À cet âge, le poids de naissance a généralement doublé et la prise de poids ralentit peu à peu.

Pendant les trois premiers mois, les bébés nourris au sein grossissent plus vite, mais le rapport s'inverse ensuite et, à 12 mois, ils pèsent en général 0,5 kg de moins que ceux élevés au lait maternisé. Les bébés nourris au sein sont généralement moins potelés que ceux qui sont élevés au biberon.

Certaines mamans vont au CLSC (où travaillent des infirmières et des médecins) pour faire suivre et peser leurs bébés durant les premiers mois. Vous pouvez y rencontrer d'autres jeunes mamans et poser des questions aux professionnels de la santé pendant la pesée de votre bébé. Son poids est noté sur son carnet de santé et reporté sur sa courbe de croissance. S'il suit à peu près la même courbe de référence, tout se passe bien. Les poussées de croissance ou les maladies peuvent faire monter ou descendre la courbe d'un percentile, mais, globalement, elle doit rester régulière. Si tout va bien, il est conseillé de faire peser votre enfant une fois par mois environ.

Si la prise de poids de votre bébé chute ou, au contraire, augmente de manière importante sur une période prolongée, parlez-en à votre médecin. Les causes des variations de poids sont très diverses et ils pourront déterminer s'il y a un problème. Il ne faut cependant pas faire une fixation sur le poids lui-même, car c'est la courbe qui importe.

VOTRE BÉBÉ A 11 SEMAINES ET 6 JOURS

Vers la position assise

Les muscles de la nuque de votre bébé sont maintenant assez forts pour soutenir le poids de sa tête pendant quelques secondes.

Muscler sa nuque Porter votre bébé afin qu'il regarde derrière votre épaule l'incite à lever la tête et regarder autour.

La capacité à tenir assis nécessite de la force et de l'équilibre, car votre bébé doit pouvoir soutenir sa nuque et son dos. Cette position implique une bonne coordination de plusieurs membres. En effet, il doit trouver comment utiliser ses jambes pour se stabiliser et ses bras pour éviter de basculer en avant. Même s'il risque de ne pas réussir à tout faire en même temps avant 7 mois, il peut commencer à s'exercer.

S'il arrive à se redresser assez bien, il va devoir développer la stabilité de sa nuque pour s'asseoir. Pour ce faire, vous pouvez le mettre à plat ventre ou le porter contre votre épaule : il lèvera alors la tête pour regarder derrière vous.

Pour avoir un dos solide, il faut un tronc stable. Afin de renforcer celui de votre enfant, vous pouvez le caler dans une position assise inclinée. Mettez des coussins derrière et sur les côtés pour qu'il ne se fasse pas mal s'il bascule. Ne laissez jamais votre nourrisson dans cette position sans surveillance. Il va vite se fatiguer : remettez-le donc sur le dos dès qu'il manque d'énergie et qu'il devient grognon.

Le plat ventre (voir p. 122) est parfait pour renforcer ses bras : mettez-le dans cette position pendant quelques instants chaque jour.

Une fois votre bébé assez costaud pour tenir sa tête pendant un bon moment, il lui suffira de s'entraîner pour trouver son équilibre, amorti par un tas de coussins en cas de chute.

GROS PLAN SUR...

Voyager avec un nourrisson

Désormais, votre bébé est plus résistant et s'adapte à tout : si vous envisagez de partir, c'est le bon moment. Avec un minimum de préparation, il n'y a aucune raison pour que vous ne profitiez pas d'une pause détente en famille.

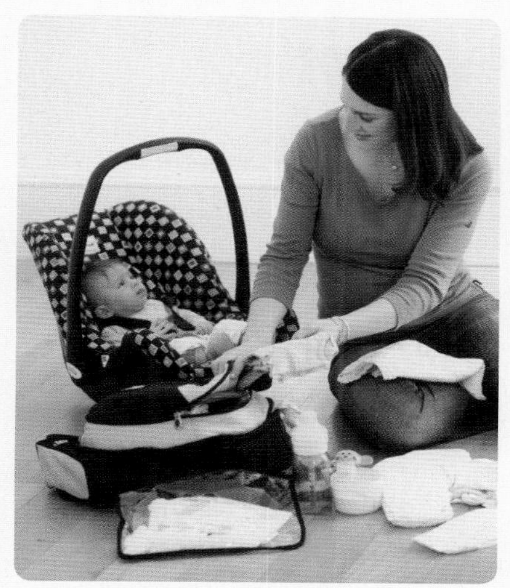

Penser à tout Être prête à toute éventualité est la clé du succès pour voyager avec un bébé.

Beaucoup de jeunes parents préfèrent éviter de voyager avec un nourrisson, trouvant qu'il est déjà assez compliqué de s'occuper d'un nouveau-né à la maison. Maintenant que votre bébé a presque 3 mois, il devrait être un parfait voyageur. Il est moins fragile et se préoccupe peu de l'endroit où il dort. Il est encore trop jeune pour avoir un rythme bien établi et une petite entorse aux habitudes ne devrait pas trop le perturber.

Prévoir à l'avance Si votre bébé a l'habitude de dormir dans un lit à barreaux, emportez votre lit de voyage ou réservez-en un à l'avance dans l'hôtel où vous allez séjourner afin qu'il soit dans votre chambre dès votre arrivée. Si vous louez une auto, il est important de réserver un siège d'auto avant de partir.

Si vous voyagez à l'étranger, vous devez avoir un passeport pour votre bébé (il n'est plus possible d'inscrire votre enfant sur votre passeport, chaque voyageur doit désormais avoir un document personnel pour partir à l'étranger). Consultez votre médecin pour savoir si votre nourrisson n'est pas trop jeune pour recevoir les vaccins obligatoires dans certains pays. Celui contre la fièvre jaune n'est en effet pas sans danger pour les moins de un an.

Voyage en auto D'une certaine manière, les trajets en auto sont les plus simples : si votre coffre est assez grand, vous n'avez qu'à charger tout ce dont vous avez besoin. Installez des pare-soleil pour protéger les yeux et la peau de votre bébé. Ôtez-lui son chapeau et son manteau quand il est dans l'auto. Assurez-vous que le siège d'auto est bien fixé sur la banquette arrière et que les ceintures de sécurité sont correctement tendues. Si le trajet est long, essayez d'éviter les heures de forte circulation, et envisagez de rouler la nuit quand votre bébé est susceptible de dormir et d'attendre plus longtemps entre deux tétées.

L'AVIS... DU MÉDECIN

Mon bébé peut-il voyager en avion en toute sécurité? Oui, à partir de 2 jours, mais en pratique, si vous voyagez en dehors du Canada, vous devrez attendre qu'il ait un passeport. Après une césarienne, patientez 10 jours avant de prendre l'avion. La réglementation variant selon les pays, renseignez-vous auprès de votre compagnie aérienne.

Voyage en avion Avant le départ, vérifiez la politique de votre compagnie en matière de bagages. Les couches, crèmes, affaires de bébé, lait maternisé, matériel d'allaitement et autres pèsent lourd, et si vous ne payez pas pour un siège supplémentaire pour votre bébé, réglez à l'avance les excédents de bagages, plutôt que de vous voir demander des frais exorbitants au moment de l'enregistrement. Si vous le pouvez, pesez vos valises avant de partir, pour être sûre de ne pas dépasser la franchise autorisée.

Vous avez le droit d'emporter la quantité de lait pour bébé et d'eau minérale (dans un biberon) nécessaire pour la durée du voyage dans votre bagage à main. Dans certains cas, elle peut être supérieure à 100 ml. On peut vous demander de vérifier le liquide (ou la nourriture) en le goûtant.

En général, vous pouvez emmener votre bébé en poussette jusqu'à la porte de l'avion, ensuite vous devez la plier pour la mettre en soute. Vous pouvez aussi utiliser un porte-bébé.

Donnez à votre enfant une tétée au décollage et à l'atterrissage : la déglutition évite les maux d'oreilles dus aux variations de pressurisation de la cabine. La plupart des avions disposent d'une table à langer.

PALUDISME

L'OMS déconseille d'emmener des enfants dans des zones touchées par le paludisme. Si vous décidez d'y aller, demandez à un spécialiste comment protéger votre bébé et vous-même, en particulier si vous allaitez au sein. Consultez immédiatement en cas de fièvre pendant ou après un voyage en zone impaludée, même si vous avez pris toutes les précautions nécessaires.

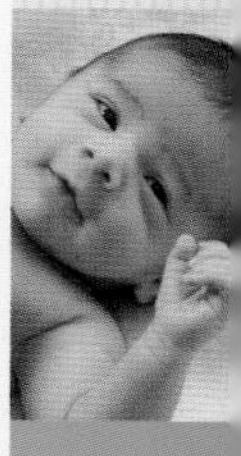

12 semaines

LES TRAITS DE CARACTÈRE PRÉSENTS DÈS LA NAISSANCE DESSINENT LA PERSONNALITÉ DE VOTRE BÉBÉ.

Votre bébé voit mieux et sa vision en trois dimensions s'affine. Sa force musculaire s'est accrue et il découvre avec surprise qu'il peut basculer du plat ventre sur le dos. Il aime battre des jambes, ce qui renforce ses muscles en préparation de la reptation et de la marche.

Bébé grandit !

Vers 3 mois, votre bébé va avoir une seconde poussée de croissance : préparez-vous à une nouvelle frénésie de tétées…

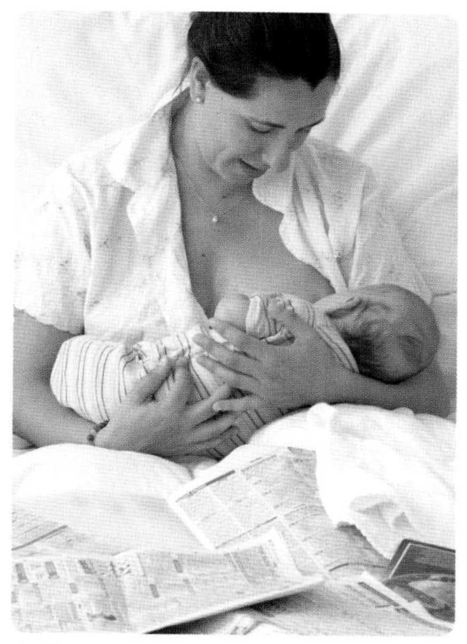

L'offre et la demande Lors d'une poussée de croissance, votre bébé réclame plus souvent à manger et votre production de lait augmente en conséquence, s'ajustant ainsi aux besoins de votre enfant.

Il y a 6 semaines, lors de la précédente poussée de croissance (voir p. 93), vous aviez passé de longues heures à nourrir votre bébé au sein ou lui aviez donné davantage de lait maternisé pour répondre à son appétit vorace. Il était plus agité, ou dormait plus que d'habitude, signes classiques d'une poussée de croissance auxquels il est difficile de faire face la première fois.

Maintenant que vous avez pris vos marques, vous devriez être moins surprise. Votre bébé peut réclamer toutes les 2 heures pendant quelques jours, ce qui est épuisant, mais ne luttez pas et laissez faire la nature. Si vous allaitez au sein, prenez des collations santé, buvez beaucoup d'eau et prenez un bon livre à lire pendant les tétées. Votre organisme va augmenter la quantité de lait produite pour répondre aux besoins de votre nourrisson.

Allaitement au biberon Vous aurez besoin de préparer un biberon supplémentaire pendant la journée ou d'augmenter la dose de chaque biberon de 30 ml. Agissez en fonction de l'appétit de votre bébé et faites attention à ne pas le suralimenter. Votre bébé ne doit pas prendre plus de 150 ml de lait par kilo et par jour. Donc, s'il pèse 6 kg, vous ne devez pas lui donner plus de 900 ml en 24 heures. Gardez quelques boîtes de lait maternisé dans votre placard, en dépannage.

Sommeil Votre bébé va dormir davantage la journée et être plus agité la nuit, durant laquelle il se réveillera plus souvent. Ses siestes peuvent également être écourtées s'il a faim. Ces perturbations dureront quelques jours mais votre nourrisson finira par retrouver un rythme de sommeil normal. Essayez de vous reposer quand il dort pour vous ressourcer.

LES JUMEAUX

Gérer les poussées de croissance

Avoir deux bébés en pleine poussée de croissance en même temps ou à la suite l'un de l'autre est épuisant. Les rythmes sont perturbés, un des jumeaux se réveille fréquemment pour téter (car il fait sa poussée de croissance), et l'autre pas. Pour vous soulager, tirez du lait pour que quelqu'un d'autre puisse donner au petit glouton une tétée supplémentaire.

Une autre solution consiste à réveiller le bébé qui dort lorsque son jumeau en pleine poussée de croissance a besoin d'être nourri, même si c'est pour une tétée plus courte. D'après de nombreuses mamans, le bébé moins affamé boit peu et souvent, mais en général, cela lui convient parfaitement. Cependant, après la fin de la poussée de croissance, revenez au rythme de tétées habituelles pour les deux bébés. Surtout, reposez-vous quand vos jumeaux dorment. Votre entourage pourra s'occuper du reste de la maison. Pensez également à bien vous hydrater ; vous aurez besoin d'au moins 2 litres par jour.

Double travail Nourrir deux bébés en pleine croissance va exiger de vous une grande patience et beaucoup d'énergie.

VOTRE BÉBÉ A 12 SEMAINES ET 1 JOUR

Voir plus loin

Tout ce que voit votre bébé est nouveau et intéressant : il va se mettre à observer des objets plus éloignés.

Votre bébé est fasciné par les mobiles, le papier peint, les tableaux, ses frères et sœurs, ses parents et les animaux de compagnie. À 3 mois, il a une bonne vision binoculaire et la coordination de ses yeux ne cesse de progresser. Il louche moins, et lorsqu'il suit du regard un objet qui ne se déplace pas trop vite, le mouvement est plus fluide.

Sa perception de la profondeur s'améliore aussi, grâce à la maturation des cellules nerveuses des yeux et du cerveau : il perçoit désormais le monde en trois dimensions. Il voit ce qui est situé à plusieurs mètres de lui et distingue la forme de votre visage quand vous entrez dans la pièce.

Stimulez sa vision et amusez-le en lui proposant des tas de choses à observer. Portez-le dos contre vous pour qu'il puisse voir ce qui l'entoure et montrez-lui les choses du doigt. Appelez-le de l'autre côté de la pièce et voyez comme il est content quand il découvre votre visage ! Mettez-vous un peu plus loin et agitez des jouets sonores pour qu'il se retourne et les regarde.

Vers 12 semaines, de nombreux bébés louchent de temps en temps. C'est une phase normale du développement et il est inutile de s'inquiéter. Si votre enfant continue de loucher après 6 mois, une consultation chez un ophtalmologiste s'impose. Il est important de traiter tout strabisme persistant au-delà de cet âge afin d'éviter l'apparition de problèmes visuels. Un strabisme non corrigé peut en effet faire d'un « œil fainéant » un « œil paresseux ». L'œil peu utilisé devient alors plus faible.

VOTRE BÉBÉ A 12 SEMAINES ET 2 JOURS

Demi-tour

Votre bébé est sur le point de se retourner du ventre sur le dos. Surveillez-le, au cas où il jouerait les acrobates !

Roulades Vers 3 mois, les mouvements de votre bébé deviennent plus fluides. Il relève la tête et les épaules et fait des roulades pour se rapprocher de vous ou d'un jouet.

Le plat ventre (voir p. 122) aide votre nourrisson à renforcer les muscles qu'il utilise pour faire des roulades. Les bébés se retournent plus facilement du ventre sur le dos et commencent donc souvent par cette « figure ». La plupart du temps, il ne s'agit pas d'un effort conscient, c'est simplement dû au hasard.

Habituellement, ils ne se retournent pas avant 12 semaines, mais quand ils commencent, ils ne s'arrêtent plus. Surveillez donc ce qui entoure votre enfant afin qu'il ne roule pas sur un objet susceptible de le blesser. Ne le laissez jamais seul sur le lit ou sur la table à langer, même pour une seconde. Certains bébés ne se retournent jamais : cette étape du développement n'est pas indispensable.

La personnalité de votre bébé

Votre bébé aura son propre caractère, mais vous pourrez tirer le meilleur de lui-même en identifiant son type de personnalité.

Âme sensible Les bébés sont généralement timides et ont besoin d'être rassurés (à gauche).
À l'aise D'autres apprécient l'interaction et réagissent mieux en présence de visiteurs (à droite).

Dans les premières semaines, votre enfant commence à affirmer sa personnalité. Il peut être facile à contenter, émotif ou alors un peu bougon et difficile à calmer. Si vous avez déjà des enfants, vous serez surprise de voir combien le caractère de votre petit dernier peut être différent des autres.

La personnalité de votre enfant est forgée par l'association de traits hérités, de ses besoins présents et de son environnement, y compris la façon dont vous réagissez avec lui. Demandez à vos parents si vous ressembliez à votre nourrisson à son âge : peut-être étiez-vous placide ou difficile à apaiser, comme lui. Votre comportement vis-à-vis de lui et son état d'esprit peuvent influer sur ses réactions au quotidien.

Si votre bébé est calme, affectueux et souriant, vous trouverez plus facile de vous en occuper et de lui répondre ; en revanche, s'il est plus agité, peut-être perturbé par des coliques, vous devrez être particulièrement attentive à ses besoins, passer du temps à le calmer et instituer des activités comme les massages (voir p. 125), susceptibles de le détendre et l'apaiser.

Certains bébés sont moins sociables et surstimulés par les regroupements de personnes et les environnements bruyants et animés. Si votre nourrisson a l'occasion de rencontrer de nouvelles têtes dans une ambiance chaleureuse et accueillante, il surmontera vite sa peur naturelle.

Votre bébé peut être énergique et apprécier l'exercice physique, ou au contraire calme et préférer rester allongé sur le dos en prenant son temps. Il peut s'énerver facilement et avoir besoin d'organisation pour se sentir rassuré. Chaque bébé est unique. Cherchez à connaître et à comprendre la personnalité du vôtre vous aidera à adapter vos réactions et à choisir les activités qui lui conviennent. Ne lui collez pas d'étiquette, prenez-le comme il est et il s'épanouira sous votre protection.

SOLEIL ET SÉCURITÉ

Les bébés ont besoin de vitamine D (fabriquée par la peau lorsqu'elle est exposée aux rayons du soleil) pour avoir des os et des dents solides, mais leur peau délicate est sujette aux coups de soleil et ils ont vite trop chaud. Évitez l'exposition directe au soleil et gardez votre bébé à l'intérieur aux heures les plus chaudes (entre 10 heures et 16 heures). Utilisez une crème protectrice hypoallergénique, avec un indice de protection élevé (indice de protection de 30 à 50), qui fait écran au soleil au lieu de le filtrer. Elle doit protéger contre les rayons UVA et UVB et être appliquée 10 minutes avant l'exposition ; l'opération est à renouveler régulièrement. Mettez un chapeau à votre bébé et laissez-le à l'ombre. Multipliez les tétées si vous allaitez au sein ; si votre bébé est nourri au lait maternisé, proposez-lui de l'eau.

Soleil en toute sécurité Protégez la peau délicate de votre bébé avec un chapeau et une crème solaire adaptée.

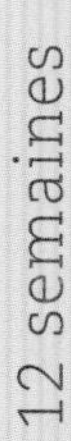

Quand les parents travaillent

Si vous devez reprendre le travail, vous allez devoir mettre en place une organisation rigoureuse.

Retour au travail La reprise du travail est une étape importante ; laissez-vous du temps pour vous adapter.

Certains parents ont des emplois dont ils ne peuvent s'absenter longtemps et leur congé de maternité ou de paternité est donc réduit ; vous avez peut-être aussi fait le choix personnel de reprendre le travail alors que votre bébé est encore tout petit. L'essentiel est que vous vous sentiez prête et que les conditions de reprise vous conviennent (opter pour un temps partiel peut aider à concilier au mieux travail et famille).

Si c'est le cas, soyez aussi pragmatique que possible. Quel que soit le moment où vous reprendrez votre activité, vous vous sentirez probablement coupable, même si vous n'avez pas le choix. Vous serez rassurée par le bien-être de votre bébé lorsque vous aurez trouvé une personne en qui vous aurez confiance pour le garder.

Même si vous avez eu une journée de travail épuisante, occupez-vous d'abord de votre enfant en rentrant : jouez avec lui et passez du temps ensemble. Ces retrouvailles quotidiennes renforceront vos liens.

Attendez qu'il soit endormi pour vous occuper de la maison. Réfléchissez à la possibilité de recourir à une femme de ménage, même provisoirement, le temps de vous adapter à ce nouveau rythme. Ne vous inquiétez pas si votre intérieur n'est pas impeccable ; pour l'instant, la priorité est de vous occuper de votre bébé et de répondre à ses besoins.

Faire des compromis Mettez en place un système de répartition équitable des tâches avec votre conjoint ou un membre de la famille afin que l'entretien de la maison soit assuré correctement sans trop d'effort de la part de chacun. De même, n'hésitez pas à vous faciliter la vie. Si vous n'arrivez pas à cuisiner un repas chaque soir, prenez des plats préparés, nutritifs et sains, que vous pourrez glisser dans le four en rentrant à la maison. Pour passer du temps avec votre bébé, vous devrez sûrement faire des compromis sur vos exigences habituelles, mais dites-vous que ce sera bénéfique pour toute la famille.

Surtout, ménagez-vous. Au début, vous serez peut-être affolée et inquiète de ne rien pouvoir faire comme avant, mais c'est normal. Avec le temps, une organisation va se mettre en place et vous trouverez comment concilier au mieux travail et vie de famille. Vous serez récompensée plus tard du temps que vous consacrez maintenant à votre bébé et à votre compagnon. Avec une vie de famille solide et équilibrée, vous vous sentirez plus forte.

NE PAS OUBLIER

Préparation

Conservez le contact avec votre employeur et vos collègues. Deux ou trois semaines avant de reprendre le travail, interrogez-les sur ce qui s'est passé en votre absence. Il vous faut en outre annoncer la couleur. Vous étiez peut-être entièrement dévouée à votre entreprise avant la naissance de votre bébé, mais il va maintenant falloir que cela change.

L'AVIS... DU MÉDECIN

Je suis encore très fatiguée, est-ce que cela peut être dû à une anémie ? C'est possible, mais la plupart du temps, cette sensation ne vient pas d'une anémie (due à une carence en fer) mais au fait que les mamans essaient d'affronter les défis de la maternité sans dormir suffisamment. Il peut aussi s'agir d'un signe de dépression postnatale (voir p. 114) ou d'hypothyroïdie. L'anémie entraîne aussi les symptômes suivants :

- Essoufflements.
- Palpitations cardiaques.
- Envie compulsive d'aliments ou de textures particulières, comme des légumes croquants ou de la glace.
- Goûts alimentaires différents.
- Langue douloureuse.
- Maux de tête.

Si vous présentez l'un de ces symptômes ou êtes excessivement fatiguée, consultez votre médecin.

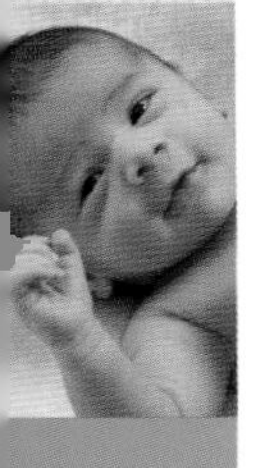

VOTRE BÉBÉ A 12 SEMAINES ET 5 JOURS

Siestes et sommeil nocturne

Si votre bébé reste maintenant éveillé plus longtemps en journée, il a encore besoin de trois siestes et d'une bonne nuit de sommeil.

Vers 3 mois, votre bébé dort environ 15 heures sur 24 heures, dont 10 heures la nuit (probablement entrecoupées d'une ou deux tétées) et cinq réparties entre les trois siestes de la journée.

Certaines mamans se plaignent que leur bébé ne fasse pas la sieste. En établissant un bon rituel de sommeil, votre nourrisson finira par adopter un rythme de plusieurs siestes en journée et une longue nuit de sommeil. Les enfants qui ne se reposent pas assez le jour sont trop stimulés et mettent plus longtemps à s'endormir le soir. Couchez régulièrement votre bébé pendant la journée, même s'il s'agite et joue dans son lit : il prendra l'habitude de la sieste. S'il dort plus de 10 heures la nuit, vous pouvez le réveiller le matin pour l'aider à « programmer » son horloge biologique. Il pourra ainsi faire des siestes en journée qui le détendront et stimuleront son énergie et sa bonne humeur. En instaurant un rythme régulier, vous devez tenir compte du rythme naturel de votre enfant (pour manger et dormir), de sa personnalité innée (certains bébés ont besoin d'une journée structurée) et des besoins du reste de la famille.

L'AVIS... DE L'INFIRMIÈRE

Mon bébé ne semble jamais fatigué, en particulier à l'heure du coucher. Comment puis-je l'endormir ? Le bébé trouve souvent un second souffle au moment d'aller au lit. C'est le signe qu'il est trop fatigué et tire son énergie de l'adrénaline. Couchez-le une demi-heure plus tôt, quand il est vraiment fatigué et surveillez ses signaux de sommeil. Une musique douce l'aidera aussi à s'endormir.

VOTRE BÉBÉ A 12 SEMAINES ET 6 JOURS

Petit gigoteur

Votre bébé a plus de force dans les jambes. Sa coordination s'améliore et il aime tant gigoter qu'il se réveille la nuit pour s'exercer !

En étendant les jambes et en battant des pieds, votre nourrisson prépare ses muscles à la reptation, à la marche et même aux roulades. Il accroît ainsi son tonus et découvre son corps. Pour l'aider, mettez des jouets colorés à proximité de lui, dans un environnement qu'il peut explorer en toute sécurité. Par la suite, sa curiosité naturelle l'encouragera à se déplacer, mais c'est maintenant qu'il acquiert les compétences et la force pour atteindre les choses qui l'intéressent.

Le plat ventre favorise surtout le développement du haut du corps, la nuque et les bras et permettra plus tard à votre bébé de replier les jambes pour pousser dessus. Quand il est sur le dos, il perfectionne son pédalage et de nombreux mouvements de jambes. Tenez-le en position debout, légèrement en appui sur ses jambes : il va naturellement rebondir, mais même s'il vous semble solide, ne le lâchez pas !

Les bébés battent des pieds quand ils sont excités mais aussi frustrés. Ils font ainsi beaucoup d'exercices qui stimulent leur développement. Désormais, vous devrez être très vigilante : votre enfant gigote davantage et se sert de ses jambes pour se déplacer. Il peut même commencer à « ramper » d'un point à un autre. Gardez donc toujours une main sur lui lorsque vous le changez pour ne pas qu'il tombe de la table à langer, du lit ou du canapé.

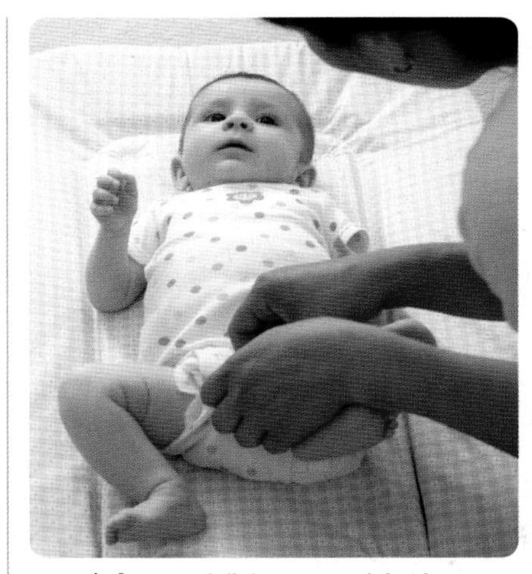

Des pieds, votre bébé vous empêche de mettre ou d'enlever ses vêtements quand vous le changez.

13 semaines

SOUVENT, LES BÉBÉS REGARDENT ATTENTIVEMENT LES OBJETS QUI LES INTÉRESSENT, COMME S'ILS VOULAIENT EN MÉMORISER CHAQUE DÉTAIL

Votre bébé entre dans son quatrième mois. Ses capacités de socialisation s'épanouissent et il aime « discuter » avec vous. Votre enfant est né avec toutes ses dents de lait encore sous les gencives. Les premières vont commencer à percer, en lui faisant mal.

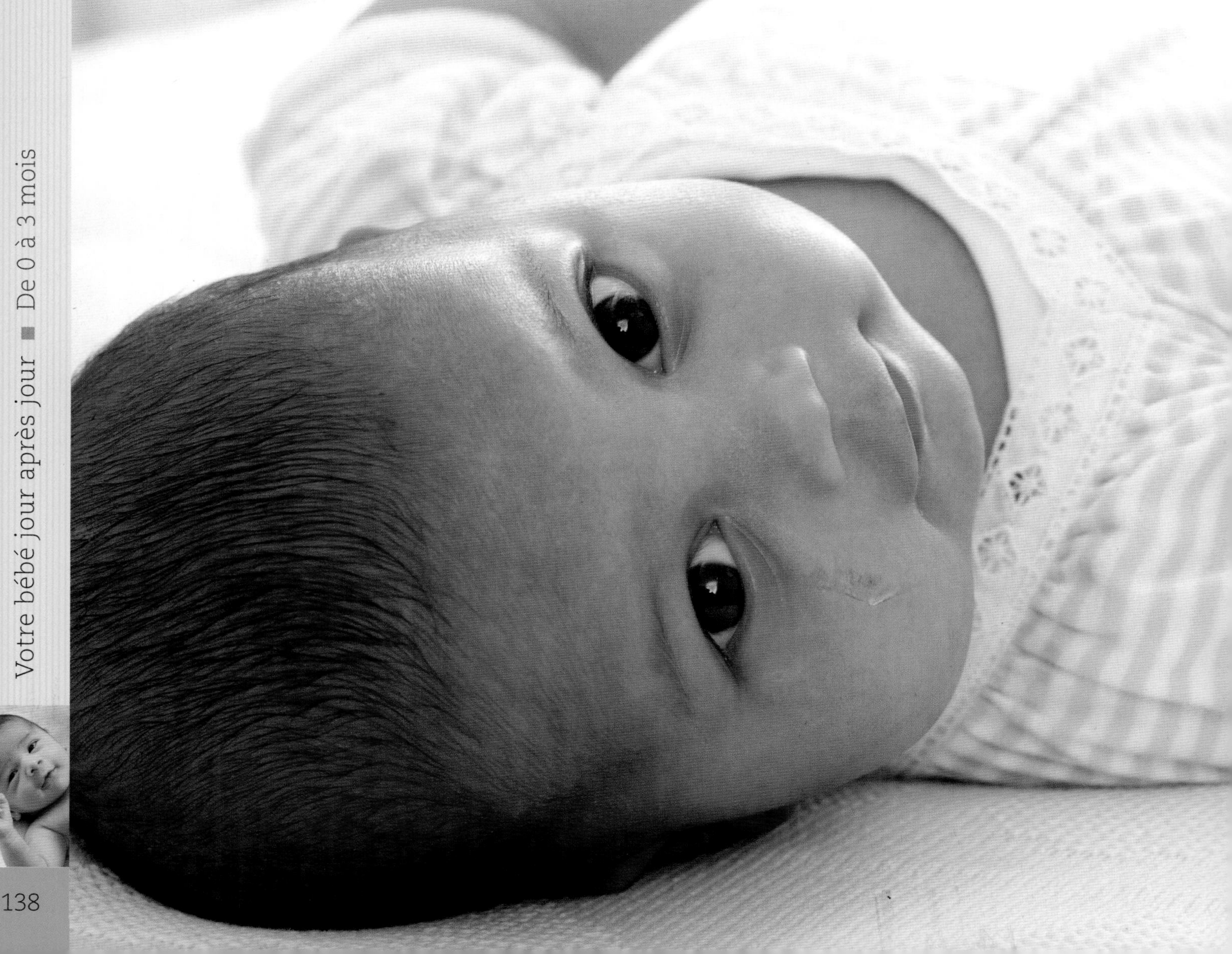

VOTRE BÉBÉ A 13 SEMAINES

Petit babilleur

Les premières tentatives de discours de votre bébé sont pour lui une nouvelle façon de communiquer avec vous : répondez-lui !

Moulin à paroles Encouragez votre bébé en lui donnant l'occasion de parler et en lui montrant votre joie quand il le fait.

Communiquer est un besoin fondamental, pour le nourrisson comme pour ses parents. Votre bébé adore engager la conversation avec vous et écoute attentivement quand vous lui parlez. Il aime par-dessus tout s'exercer à reproduire les nouveaux sons qu'il a appris. Babiller est une étape importante de son développement global et de l'acquisition du langage. Il essaie de reproduire les sons du ou des langues qu'il entend autour de lui, sans créer de mots reconnaissables. C'est un peu comme prononcer phonétiquement les lettres de l'alphabet ! Il rassemble et consolide tous ses sons pour pouvoir les utiliser efficacement quand il sera prêt.

À la naissance, le larynx de votre nouveau-né était situé en haut de la gorge, pour lui permettre de respirer tout en avalant. Désormais, il est en train de descendre et le pharynx apparaît au cours de la première année : partie du système respiratoire située dans la gorge, il est très important pour la vocalisation. Lorsque le larynx est en place, il émet tous les sons utilisés dans le discours humain.

Le développement de votre enfant peut être régulé par les interactions avec l'environnement et l'entourage. Par conséquent, il est important d'aider votre enfant à enrichir sa « banque de sons » en discutant avec lui aussi souvent que possible. Même si vous n'avez pas l'impression qu'il écoute, il enregistre tout. Donnez-lui régulièrement l'occasion d'utiliser sa voix et encouragez-le quand il le fait.

VOTRE BÉBÉ A 13 SEMAINES ET 1 JOUR

Poussées dentaires et sommeil

Quand les premières dents de votre bébé commencent à sortir, il se réveille la nuit, car il a mal et met longtemps à se rendormir.

Pour la majorité des bébés, la poussée dentaire est une expérience désagréable. Votre nourrisson se réveille fréquemment la nuit, rongeant son poing, frappant ses oreilles ou pleurnichant. Un bébé nourri au sein va vouloir téter pour être réconforté et ne pourra s'endormir sans, même si c'est au milieu de la nuit.

Si le lien entre poussée dentaire et épisodes de diarrhée n'est pas certain, la plupart des parents constatent des selles plus molles lorsqu'une dent s'apprête à percer et remarquent que les couches doivent être changées plus souvent. Si votre bébé fait une dent, assurez-vous qu'il va bien avant de le coucher. Donnez-lui un bain tiède et massez doucement son visage autour du menton, pour détendre la zone et atténuer l'inflammation. Vous pouvez lui donner de l'acétaminophène pour nourrisson et frotter sa gencive avec une goutte de gel dentaire. (Suivez les recommandations du fabricant pour connaître la quantité de gel à utiliser. Si vous la dépassez, cela pourrait être dangereux pour la santé de votre bébé.) Donnez-lui une tétée avant de le coucher et assurez-vous qu'il boit autant que possible pour ne pas être réveillé trop tôt par la faim. S'il se réveille la nuit, donnez-lui de l'acétaminophène et du gel dentaire, en respectant un délai d'au moins 6 heures entre les prises, et massez-lui le menton. Faites-lui plein de câlins, soyez patiente, cela ne durera pas.

Il peut être légèrement fébrile mais jamais au-delà de 38,5 °C. Un avis médical est nécessaire si la fièvre monte ou si elle dure plusieurs jours.

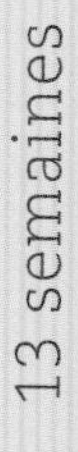

VOTRE BÉBÉ A 13 SEMAINES ET 2 JOURS

Coucou-caché

Progressivement, votre bébé va se rendre compte qu'un objet qu'il ne voit pas peut pourtant être là ; certains jeux l'aideront à le comprendre.

Je suis là... Votre bébé pense que vous êtes partie quand il ne vous voit pas, mais il apprend peu à peu que vous ne « disparaissez » pas.

La compréhension du fait que les objets continuent à exister même quand on ne peut pas les voir, les entendre ou les toucher s'appelle la *permanence de l'objet*; c'est une étape importante de la première année de votre bébé. Le terme a été utilisé pour la première fois par Jean Piaget, psychologue pour enfants, qui pensait que la plupart des bébés comprenaient ce concept entre 8 et 12 mois. Cependant, chaque enfant est différent, et certains commencent à l'appréhender vers 4 mois. Les jeux de type « coucou-caché » sont amusants, car votre bébé est surpris à chaque fois que vous dissimulez votre visage derrière vos mains pour réapparaître comme par magie. Ils font aussi appel à sa mémoire : votre enfant apprend à anticiper et il est excité à l'idée de voir votre visage réapparaître et de vous entendre dire « Coucou ! ». Si vous laissez vos mains sur votre visage plus longtemps, il va tendre les bras pour vous inciter à les enlever. Apprendre qu'une chose, y compris vous, peut toujours être là même quand il ne la voit pas est bénéfique pour sa sécurité psychologique. Quand vous disparaissez pour quelques instants, il est moins inquiet.

VOTRE BÉBÉ A 13 SEMAINES ET 3 JOURS

Plus stable

Votre bébé ne peut pas encore rester assis sans soutien, mais il aime être dans cette position pour voir le monde sous un autre angle.

Votre bébé va bientôt commencer à acquérir la force et la coordination musculaire nécessaires à la position assise. S'il lève la tête lorsqu'il est à plat ventre et se retourne avec assurance, vous pouvez lui proposer des jeux pour l'y préparer. Par exemple, calez-le dans une position stable sur une surface confortable, puis donnez-lui des hochets colorés à attraper ou encouragez-le à tendre la main pour saisir un tissu passé autour de ses jambes. À chaque fois qu'il se penche, il affine son équilibre, mais s'il bascule, soyez prête à le retenir et mettez des coussins autour de lui pour amortir sa chute.

Quand vous le calez, ne le laissez jamais seul, même quelques instants. Tant que ses muscles, sa coordination et son équilibre sont incertains, il se fatigue vite et s'énerve. Surveillez donc les signes indiquant qu'il préférerait un jeu moins ardu. À cet âge, il n'est peut-être pas prêt à ce type d'activité : ce n'est pas grave du tout. Les bébés s'assoient en moyenne à 6 mois, mais certains ne franchissent cette étape que vers 10 mois.

Bon poste d'observation Profitez qu'il soit calé en position assise pour lui tenir un livre qu'il pourra regarder facilement.

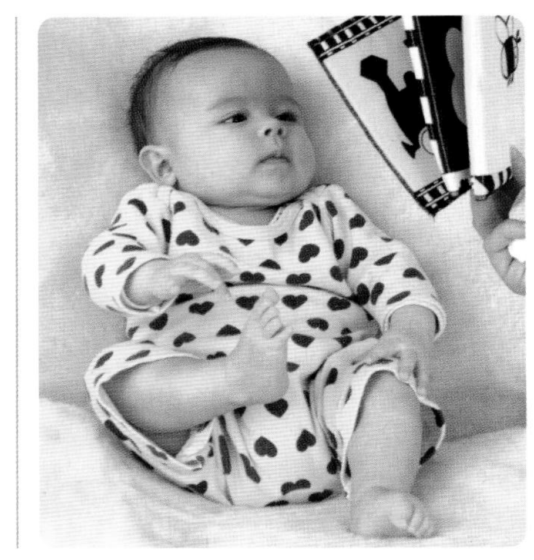

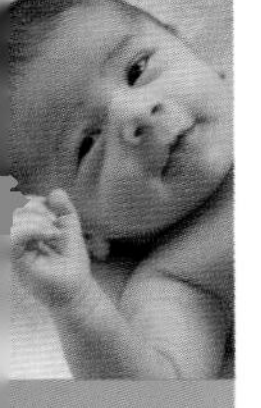

Ce que votre bébé n'aime pas

D'aussi bonne composition soit-il, un bébé passe toujours par le stade où il exprime ce qu'il aime, mais aussi ce qu'il n'aime pas…

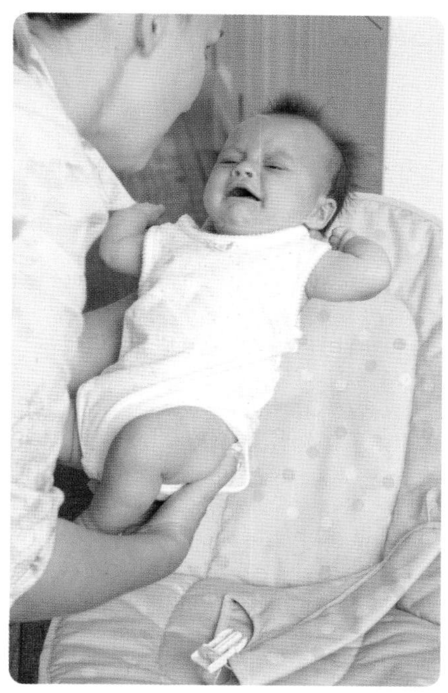

Changement d'air Il ne veut plus de son transat ? Il y est peut-être resté trop longtemps. Mieux vaut le changer de place.

La mémoire de votre bébé progresse et il commence à faire des associations positives et négatives. Son visage s'illumine quand il vous voit rentrer dans la pièce ; il sourit à son grand frère et gazouille en apercevant son arche d'éveil. Dans le même temps, le siège d'auto déclenche des pleurs de protestation immédiats ; il résiste farouchement au plat ventre et vos tentatives de le laisser seul dans son lit la nuit se terminent par des pleurs ! Il commence à savoir ce qu'il veut et donne son opinion. Parlez-en autour de vous, vous verrez que les bébés de 13 semaines ont beaucoup d'aversions : le lit, le chien de la famille, le coucher, le porte-bébé, le bain, s'habiller et même faire son rot.

Associations positives Au début, le meilleur moyen de lutter contre les aversions est de créer des associations positives. Peut-être que votre bébé est resté trop longtemps dans son siège d'auto : de courts trajets au son des comptines, avec un jouet en tissu ou un livre cartonné à ses côtés devraient faire la différence.

Changez légèrement vos habitudes s'il montre une aversion pour le bain ou le coucher. Il peut s'énerver quand il comprend que l'heure du dodo approche : essayez alors de briser la routine. Prenez un bain avec lui, regardez-le dans les yeux et caressez-le. S'il n'aime pas être mis au lit, restez à côté, prenez-le dans vos bras ou emmaillotez-le. Assurez-vous qu'il n'a pas trop chaud ou retirez le lange une fois qu'il est endormi. Racontez-lui des histoires à voix basse, fredonnez ou chantez pour qu'il se sente en sécurité ; et surtout, restez calme et détendue, si vous êtes nerveuse, vous risquez de lui transmettre votre stress.

La distraction aide souvent à résoudre les aversions de la journée. Suspendez un mobile au-dessus de la table à langer, ornez le siège d'auto de nouveaux jouets, orientez votre enfant vers l'extérieur dans le porte-bébé, habillez-le dans un endroit différent tout en jouant au « Pouce part en voyage ». Vous pouvez aussi placer un miroir dans son lit pour qu'il se voie avant d'aller dormir.

Le guider en douceur C'est un stade du développement par lequel vous devez passer. La plupart des activités que les bébés refusent sont nécessaires. Vous devez donc guider votre enfant discrètement, gentiment et patiemment. Parlez-lui d'une voix calme, faites-le rire, maintenez le contact visuel et essayez de maîtriser vos propres frustrations ; à l'avenir, vous aurez bien d'autres occasions de lui montrer que vous comprenez ce qu'il ressent et pourquoi (ce qui valide ses émotions), mais apprenez-lui que certaines choses doivent être faites. Jusqu'à ce qu'il puisse s'exprimer lui-même par des mots, négocier et comprendre pourquoi il doit faire des choses qu'il n'aime pas, vous allez devoir désamorcer des situations critiques en faisant preuve de beaucoup de créativité !

L'AVIS… DE L'INFIRMIÈRE

Mes jumeaux n'aiment pas les mêmes activités ; que puis-je faire pour qu'ils soient tous les deux occupés et contents ? Encouragez les jeux en solo. Installez séparément chaque bébé avec une activité qu'il aime. Passez régulièrement de l'un à l'autre pour qu'ils restent occupés tout en étant rassurés par votre présence.

Il est bon que vos bébés expriment leur propre caractère, même s'il est difficile de répondre à des besoins très différents. Si l'un déteste le bain, faites-lui une petite toilette et mettez-le dans son transat pendant que vous baignez l'autre qui apprécie ce moment. Si l'un est difficile à coucher, mettez l'autre au lit en premier et ajoutez un nouvel élément au rituel du dodo pour l'autre. En grandissant, chacun regardera avec intérêt ce que fait l'autre, et souhaitera probablement participer. Soyez aussi souple et créative que possible dans votre organisation, et n'oubliez pas que c'est provisoire.

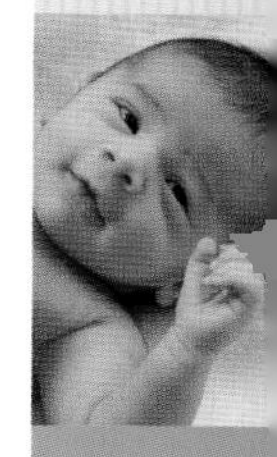

VOTRE BÉBÉ A 13 SEMAINES ET 5 JOURS

Une organisation sur mesure

À 13 semaines, les habitudes de sommeil et d'alimentation de votre bébé sont plus prévisibles : adoptez donc un rythme qui vous convient.

Lier l'utile à l'agréable Votre bébé sera content de jouer dans son transat pendant que vous êtes occupée à côté, tout en étant rassuré par votre présence.

Désormais, votre bébé est un peu plus flexible, car il tient plus longtemps entre deux tétées et ses périodes de sommeil sont plus longues. Vous êtes moins dépendante de ses besoins tandis qu'il s'adapte beaucoup plus facilement à un rythme qui vous correspond mieux. De nombreuses mamans trouvent cette évolution très positive.

Vous pouvez maintenant prévoir à quel moment il aura faim et lui donner une tétée avant de sortir dîner avec des amies ou magasiner. Lorsqu'il est éveillé et content, vous pouvez l'installer dans son transat avec quelques livres cartonnés ou sous son arche d'éveil entouré de jouets pendant que vous expédiez quelques tâches ménagères, passez un coup de téléphone ou lisez vos courriels. Modifiez de temps en temps son programme ; il s'adaptera plus facilement et vous aurez davantage de liberté. Si les rituels rassurent les nourrissons, car ils leur apprennent à anticiper, ils peuvent aussi devenir étouffants et vous empêcher d'envisager la moindre activité sociale à l'heure du dîner tant que votre bébé fait sa sieste.

N'hésitez pas non plus à vous octroyer un peu de temps libre en faisant appel à votre entourage. Partagez à tour de rôle le rituel du coucher avec le papa. Chacun trouvera une technique pour endormir votre bébé qui s'adaptera aux différentes méthodes. La vie deviendra vite plus facile !

BON À SAVOIR

Coliques

Si votre bébé pleure souvent et si vous êtes persuadée qu'il a des coliques, rassurez-vous, elles disparaissent souvent à cet âge et la gêne, la douleur et les pleurs s'arrêteront bientôt complètement. Des adaptations diététiques peuvent apporter des améliorations (lait sans lactose, lait acidifié...).

Parfois, les coliques peuvent durer jusqu'à 4 mois ou plus. Si c'est le cas et que rien ne soulage votre enfant, consultez votre médecin pour vérifier que le problème n'a pas une autre cause, comme un reflux gastrique.

ACTIVITÉ D'ÉVEIL

Récréation

Votre bébé aime beaucoup découvrir ses jouets, confortablement assis sur vos genoux. Encouragez-le à toucher, attraper, examiner des jouets de différentes matières et formes, qui produisent des sons variés. Activez un jouet musical ou agitez un hochet au-dessus de votre enfant puis à côté de lui et encouragez-le à l'attraper. Ces activités favorisent la coordination œil-main, la maîtrise musculaire et l'aptitude à attraper en ouvrant la main et en refermant les doigts autour d'un jouet.

Nouveau jeu Votre nourrisson sera intrigué si vous remplissez puis videz une boîte de jouets, il s'amusera à les attraper lui-même.

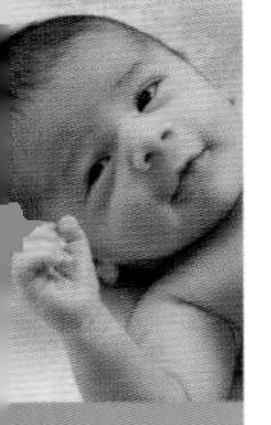

Jouets à partir de 3 mois

S'il peut s'amuser avec des jouets qu'il attrape, secoue et presse, votre bébé est prêt pour de nouvelles aventures !

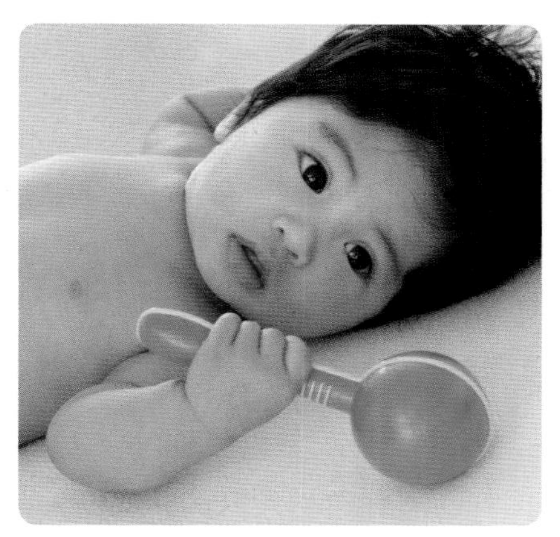

Grande agitation Un hochet est un jouet idéal à présent, car, en le secouant, votre bébé découvre qu'il fait du bruit.

Votre bébé perd ses premiers réflexes et maîtrise mieux ses bras, ses mains et ses doigts. Son mobile, son tapis d'activité et ses jouets aux textures variées sont encore importants pour son développement, mais vous pouvez ajouter de nouvelles matières, de nouveaux sons et même des boutons qu'il peut presser avec votre aide. Donnez-lui un hochet ou un jouet qui couine pour qu'il apprenne qu'il peut agir sur les choses. Il va adorer les agiter, les presser et les secouer pour faire du bruit ; au fil des mois, il finira par comprendre le rapport de cause à effet.

Il aimera également les jouets colorés qui produisent de la lumière et des sons (comme les projecteurs musicaux ou les jouets avec des boutons). À cet âge, les jouets avec des visages sont aussi fascinants. Votre nourrisson les aimera beaucoup, surtout si vous l'aidez à s'identifier en lui montrant les différentes parties du visage du jouet, puis les vôtres et enfin les siennes en les nommant.

Il est bon que les bébés puissent maîtriser facilement un jouet tout en en découvrant un autre plus compliqué. S'il n'est entouré que de jouets difficiles, votre enfant va se décourager et ne s'amusera pas. Ne vous débarrassez donc pas de ses anciens jouets favoris.

JOUETS ET SÉCURITÉ

Donnez toujours à votre bébé des jouets adaptés à son âge. Les jouets réservés aux enfants de plus de 3 ans comportent de petits éléments qu'il pourrait avaler s'ils se détachaient. Assurez-vous que les coutures des jouets en tissu sont solides (y compris au niveau des étiquettes).

N'utilisez pas de ficelle ou d'élastique pour attacher les jouets au parc ou au lit de votre enfant, car il pourrait se coincer les doigts. Souvenez-vous que votre nourrisson ne peut pas encore faire la différence entre un jouet et un ustensile, assurez-vous donc de mettre hors de sa portée tout ce qu'il ne doit pas mettre à la bouche. Si vous avez des enfants plus grands, rangez les jouets dans des endroits différents, et apprenez à vos aînés à ne pas laisser leurs jouets à portée du bébé pour éviter qu'il avale quelque chose.

Le plus important est de ne jamais laisser votre nourrisson sans surveillance avec quoi que ce soit à sa portée ou sous la surveillance de quelqu'un qui n'est pas assez mûr pour s'assurer qu'il ne met rien à la bouche qui puisse l'étouffer.

AIDE-MÉMOIRE

Jouets rigolos

Vous resterez toujours le « jouet préféré » de votre bébé et le temps que vous passez avec lui est précieux pour son développement psychologique. Mais certains jouets qu'il affectionne sont également intéressants à ce stade de son développement.

- Les hochets ont toujours du succès et aident votre enfant à maîtriser ses mouvements.
- Les livres en tissu avec différentes matières à toucher ainsi que les livres cartonnés le fascinent, car chaque page est différente.
- Des cubes contenant des surprises le divertiront sans fin. Assurez-vous qu'ils sont assez gros pour qu'il les attrape. Le bruit de la pile de cubes qui s'effondre ravira votre enfant qui apprendra à les empiler avec plaisir.
- Les jouets qui couinent, laissent couler l'eau et flottent égaient l'heure du bain. Ceux qui s'attachent à la poussette occuperont votre nourrisson pendant les trajets.
- La boîte à musique qui joue une comptine ou une musique rythmée et se déclenche lorsqu'il la touche lui plaira énormément.
- Les jouets qui apparaissent quand on appuie sur un bouton lui offriront des heures d'amusement et encourageront sa coordination œil-main.

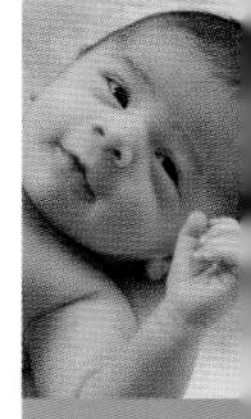

Votre bébé de 4 à 6 mois

SEMAINE 1 2 3 4 5 6 7 8 9 10 11 12 13 **14 15 16 17 18 19 20 21 22 23 24 25 26**

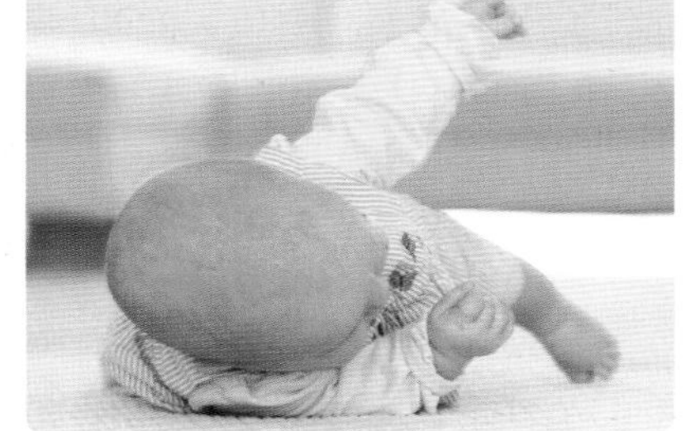

Volte-face Votre bébé va rapidement apprendre à se retourner. La plupart des nourrissons se retournent d'abord du ventre sur le dos avant de maîtriser le mouvement inverse, plus difficile.

Le saviez-vous ? Certains bébés ne se retournent pas : ils sautent cette étape et passent directement à la position assise ou rampent.

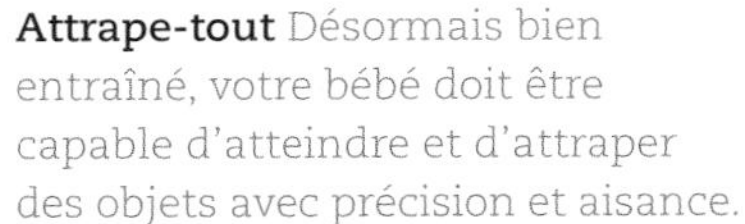

Attrape-tout Désormais bien entraîné, votre bébé doit être capable d'atteindre et d'attraper des objets avec précision et aisance.

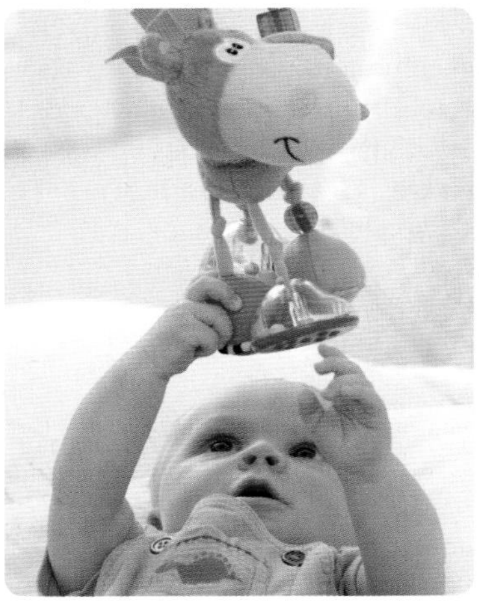

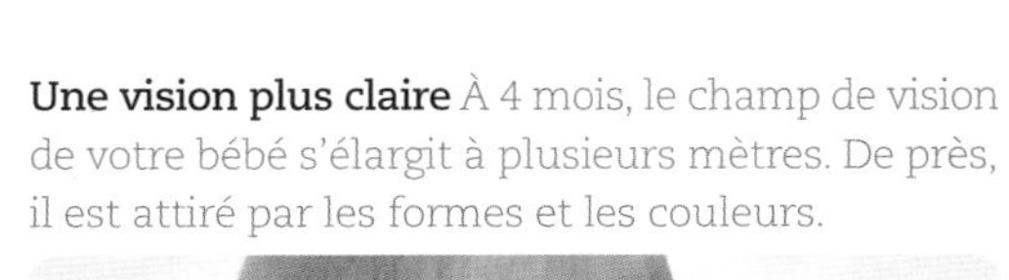

Une vision plus claire À 4 mois, le champ de vision de votre bébé s'élargit à plusieurs mètres. De près, il est attiré par les formes et les couleurs.

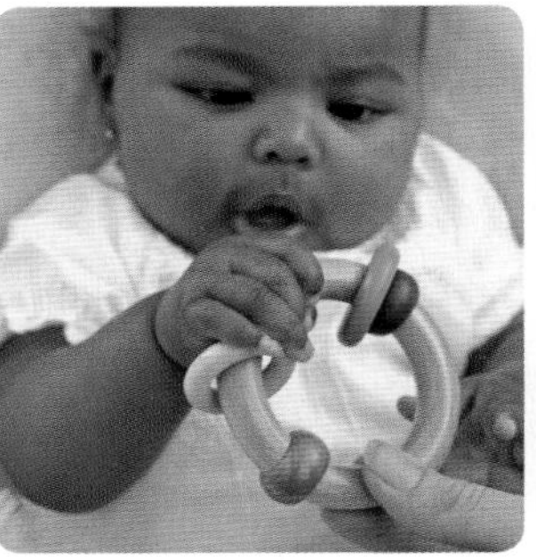

Petit explorateur Votre bébé attrape et observe tous les objets qui l'intéressent, avant de les porter instinctivement à la bouche pour une exploration plus poussée.

Le saviez-vous ? La bouche de votre bébé comporte de nombreuses terminaisons nerveuses : elle constitue donc un moyen idéal de découvrir les objets.

Premiers rires Vous serez heureux d'entendre ses premiers rires au quatrième mois. Vous trouverez alors bien des façons de l'amuser.

Votre bébé découvre, rit et interagit davantage avec vous, tout en gagnant en mobilité et en coordination.

27 28 29 30 31 32 33 34 35 36 37 38 39 40 41 42 43 44 45 46 47 48 49 50 51 52

Le grand bain Lorsque votre bébé devient trop grand pour sa petite baignoire, passez au grand bain. Il appréciera la sensation d'être dans l'eau tout en étant maintenu.

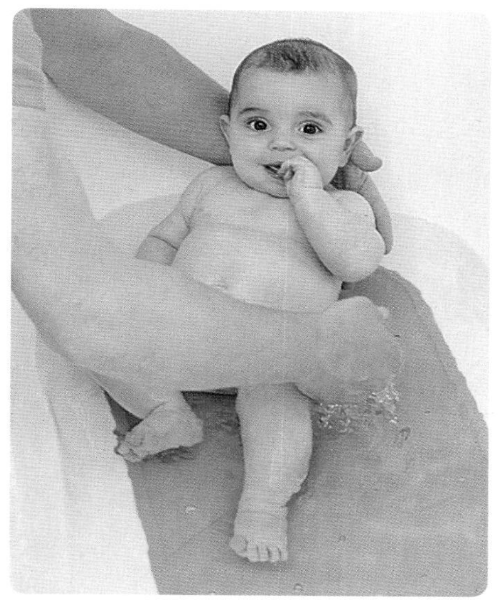

Le rituel du coucher Votre bébé dort 8 heures par nuit mais peut encore se réveiller pour une tétée. Un rituel au coucher permet de calmer votre enfant et favorise de bonnes habitudes de sommeil.

Le début de la diversification Vers 6 mois, votre enfant est prêt pour la diversification : il peut manger des aliments solides en plus du lait.

Babilles et «bubulles» Votre bébé développe ses capacités langagières en essayant de nouveaux sons, comme des petits «brrr».

Assis et bien calé Vers la fin du cinquième mois, votre enfant maintient correctement sa tête et se tient assis s'il est bien soutenu.

Le saviez-vous? À ce stade, certains bébés se tiennent debout; d'autres préfèrent être allongés sur le dos et agiter les jambes.

En mouvement Vers 6 mois, votre bébé se prépare à se déplacer en se mettant à quatre pattes ou en se retournant sur le ventre pour atteindre un jouet.

14 semaines

LES GROS MOTIFS SONT PLUS FACILES À VOIR POUR VOTRE BÉBÉ, CAR SA VISION N'EST PAS ENCORE NETTE

Votre enfant dort maintenant plus longtemps, ce qui vous permet de suivre un rythme plus prévisible et vous laisse du temps pour penser à vous. Quatre mois après votre accouchement, vous avez retrouvé des forces alors pourquoi ne pas vous (re)mettre à l'exercice physique ?

Se remettre en forme

Votre bébé ne marche pas encore, mais lorsque le moment viendra, vous devrez être rapide, agile et très résistante !

Vous motiver pour pratiquer une activité physique peut vous sembler difficile, surtout si vous avez dû vous lever dans la nuit ou si vous manquez de temps pour vous. Lorsque vous avez une demi-heure de libre, l'idée d'enfiler vos runnings et de faire des exercices ne vous séduit pas forcément... Pourtant, plus tôt la pratique d'une activité physique régulière fera partie de votre quotidien, mieux vous vous sentirez. Le sport offre aux jeunes mamans de nombreux bénéfices, notamment des os, des muscles et des articulations plus solides et en meilleure santé, une diminution de la graisse corporelle et une maîtrise plus efficace du poids, un meilleur équilibre, une meilleure coordination et une plus grande agilité, ainsi qu'une diminution des risques de dépression postnatale.

Même si vous n'avez jamais fait d'exercice, le fait d'avoir un enfant peut vous faire comprendre à quel point il est important que vous restiez en forme, pour son bien.

Reprendre une activité sportive Quelques longueurs rapides à la piscine publique, un jogging dans un parc, une partie de tennis avec une amie sont de bonnes façons de faire de l'exercice.

Quels types d'exercices ? Quatorze semaines après l'accouchement, votre corps a récupéré suffisamment pour faire des exercices de gymnastique douce. Le vélo, la natation, la danse, la méthode Pilates et le yoga constituent une bonne option. Adoptez un rythme qui vous essouffle légèrement tout en vous permettant de discuter. Ne repoussez pas vos limites au-delà de ce que vous pouvez supporter et si vous avez mal, arrêtez-vous.

Faire garder votre bébé Faites garder votre enfant le temps de votre séance de sport. Le « facteur bien-être » lié au fait d'avoir fait quelque chose pour vous-même peut être la juste récompense d'une petite heure de séparation. Si vous ne pouvez pas vous rendre à un cours de sport, vous pouvez participer à une séance de « cardio-poussette » qui vous permettra de rencontrer d'autres mamans tout en faisant de l'exercice.

Si l'idée de confier la garde de votre enfant à quelqu'un qui a passé peu de temps avec lui et qui le connaît peu vous dérange, essayez de trouver un cours ou de vous rendre dans une salle de sport lorsque le papa est à la maison. Ce sera l'occasion pour eux d'un moment seul à seul, ce qui est très bénéfique. De nombreux cours destinés aux mamans, auxquels vous pouvez assister avec votre bébé, sont également organisés dans les centres communautaires ainsi qu'en extérieur. Ces cours sont une bonne occasion de rencontrer d'autres mamans ayant les mêmes préoccupations que vous.

LE FACTEUR BIEN-ÊTRE

Il est très facile, dans les premières semaines qui suivent la naissance, d'être totalement absorbée par votre rôle de maman et d'oublier que vous aussi avez besoin d'attention. Cette semaine, convenez avec votre compagnon d'un moment où il s'occupera de votre enfant pour vous laisser aller chez le coiffeur, ou vous faire faire une pédicure, un soin du visage ou un massage. Faites une activité que vous aimez, allez dîner avec des amis ou offrez-vous une séance de cinéma. Quoi que vous choisissiez, vous devez prendre cette sortie comme un plaisir, quelque chose de fabuleux. Veillez aussi à ce qu'il s'agisse d'une activité qui nécessite une réservation, afin de ne pas être tentée d'annuler.

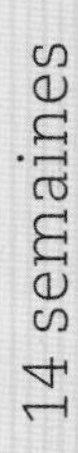

VOTRE BÉBÉ A 14 SEMAINES ET 1 JOUR

C'est rigolo !

Votre bébé vous a enchantée par ses sourires ces dernières semaines ; il ne tardera pas à vous faire fondre avec ses premiers rires.

Chatouilles Beaucoup de bébés rient lorsqu'on les chatouille. Jouez en chatouillant votre bébé pour l'inciter à rire avec vous.

Tous les prétextes sont bons pour faire rire votre bébé. Les nourrissons sont très réactifs au contact visuel. Pour commencer, le mieux est de regarder votre bébé droit dans les yeux. Chatouillez-le ensuite sous les orteils ou les bras, ou bien en pinçant doucement ses cuisses dodues. Il vous répondra probablement par des cris aigus ou un petit rire qui vous indiquera qu'il trouve cela amusant. Comme votre bébé soutient de mieux en mieux votre regard et interagit de plus en plus avec vous, essayez de faire une grimace pendant que vous lui chatouillez les cuisses ou les orteils afin d'ajouter à la dimension humoristique du jeu et provoquer ainsi le rire.

Les bébés sont plus enclins à s'impliquer et à se souvenir des choses lorsque plusieurs de leurs sens sont stimulés. Ainsi, si vous émettez des sons amusants pendant que vous chatouillez votre enfant, il y a plus de chances qu'il trouve cela drôle et laisse échapper un rire.

VOTRE BÉBÉ A 14 SEMAINES ET 2 JOURS

Tisser des liens

Votre bébé reconnaît désormais votre visage, votre voix et votre odeur. Lorsqu'il vous entend parler ou chanter, il sait que vous êtes tout près.

À sa naissance, l'odorat et l'ouïe de votre bébé étaient déjà bien développés. À 14 semaines, sa vue s'améliore considérablement. Cette semaine, vous pourrez remarquer que lorsque vous vous déplacez à travers la pièce, il vous suit davantage du regard, car ses muscles oculaires exercent désormais un meilleur contrôle. Comme il se rend mieux compte de vos allées et venues, il peut montrer son mécontentement ou se mettre à pleurer s'il ne vous voit plus.

Parlez-lui d'une voix rassurante quand vous vous éloignez. Si vous quittez la pièce un instant, dites-lui que vous serez de retour dans une seconde : bien qu'il n'en comprenne pas encore vraiment le sens, il commencera bientôt à faire le lien entre ce que vous lui dites et ce que vous faites. Lorsque vous revenez dans son champ de vision, souriez-lui pour lui montrer que tout va bien.

Alors que votre bébé commence à comprendre qu'il est une personne différente de vous, le fait d'avoir un objet réconfortant auprès de lui peut le rassurer. Un doudou peut vous simplifier la vie, en particulier au moment du coucher. Il est judicieux d'avoir deux doudous identiques pour pouvoir laver le premier lorsqu'il est sale et le remplacer par l'autre. Votre bébé peut également être attaché à son odeur ; assurez-vous donc qu'il ne le rejette pas une fois lavé.

L'AVIS... DU PÉDIATRE

Mon bébé bave, pourquoi ? Tous les bébés bavent de temps en temps, certains plus que d'autres : c'est tout à fait normal et cela n'a rien d'inquiétant. Le fait de baver disparaît avec le temps. La plupart des bébés bavent davantage lorsqu'ils font leurs dents, sont enrhumés ou ont le nez bouché. La salive contient des protéines protectrices qui agissent comme une barrière antibactérienne. Le fait de baver peut donc s'avérer très utile lorsque votre bébé atteint l'âge où il porte tout à la bouche.

Roulades involontaires

Certains bébés commencent à se retourner dès 14 semaines, mais c'est souvent involontaire.

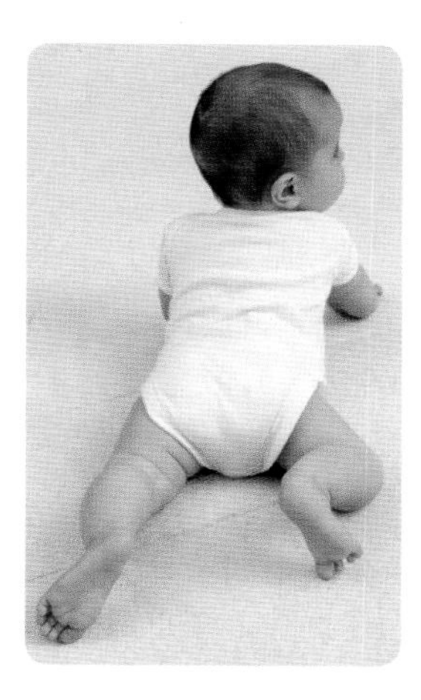

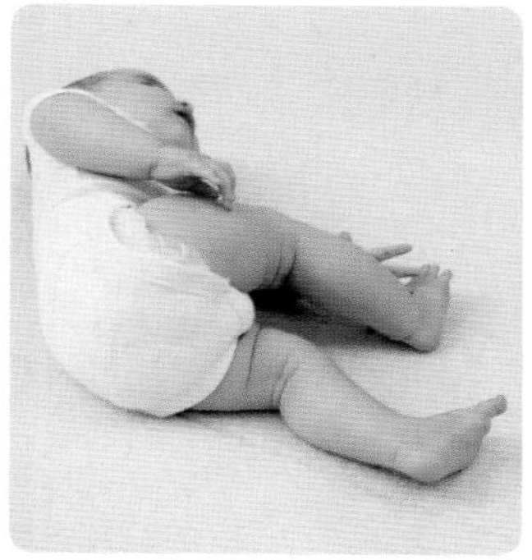

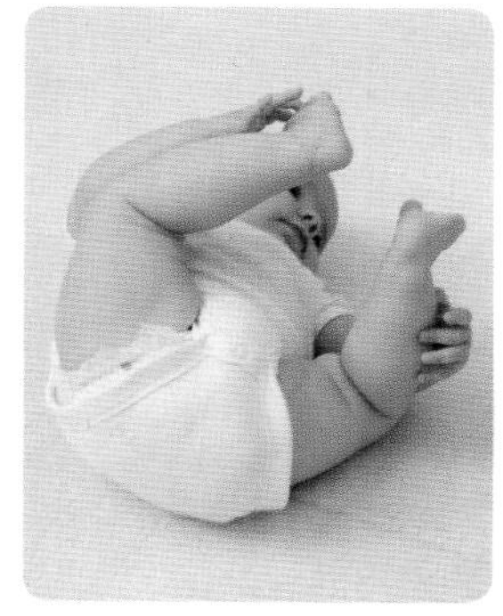

À plat ventre, prêts... roulez! Pour se remettre sur le dos tout seul, il suffit à votre bébé de prendre appui sur un bras et de se balancer légèrement d'un côté sur l'autre.

Une fois que votre enfant a réussi à se retourner du ventre sur le dos (voir p. 134), il va s'exercer à l'art de la roulade... dans les deux sens ! La plupart des bébés réussissent à se retourner vers 6 ou 7 mois, il est donc inhabituel qu'ils y parviennent si tôt, mais cela arrive. Que votre bébé se soit retourné une fois ne signifie pas qu'il maîtrise l'exercice : chaque tentative requiert de la force musculaire, de la coordination et de l'anticipation.

L'encourager à se retourner Votre bébé peut être prêt à se retourner, mais ne vous inquiétez pas s'il en est toujours à la préparation de ce mouvement. Le positionner sur le ventre quelques minutes en l'encourageant à lever la tête et à pousser avec ses mains est un bon exercice à ce stade. Comme il est plus facile pour votre bébé de se retourner du ventre sur le dos, mettez-le à plat ventre. S'il peut se tenir sur un bras, choisissez un jouet facile à attraper et présentez-lui sur le côté, légèrement au-dessus de lui, hors de portée. Par vos sourires, encouragez-le à renverser la tête en arrière pour regarder l'objet et l'attraper.

Lorsqu'il l'atteint, déplacez le jouet un peu plus loin derrière lui et essayez de faire en sorte qu'il s'étire dans sa direction en l'incitant à se mettre sur le dos. S'il y parvient, félicitez-le à grand renfort de câlins, d'applaudissements et de sourires rassurants, surtout s'il semble un peu perplexe après ce qu'il vient de se passer... et n'oubliez pas de lui donner le jouet ! Incitez-le à se retourner des deux côtés afin qu'il ne développe pas une préférence.

Se retourner en toute sécurité Dès que votre bébé peut se retourner, ne le laissez jamais seul sur une surface surélevée. Changez-le sur un matelas disposé sur le sol et non plus sur la table à langer. Gardez une main sur lui lorsque vous attrapez des choses, afin qu'il reste à sa place. Ne laissez jamais votre enfant sans surveillance dans un endroit non sécurisé pour lui. Vous seriez surprise par la distance qu'il est capable de parcourir en roulant. Rangez tous les petits jouets et objets domestiques hors de sa portée et rappelez aux enfants plus âgés de ne pas laisser traîner leurs affaires.

ACTIVITÉ D'ÉVEIL

Se retourner du dos sur le ventre

Votre bébé ne peut se retourner du dos sur le ventre que lorsque le réflexe qui le pousse à étendre son bras quand il tourne la tête disparaît grâce à une meilleure coordination. Il lui faut aussi assez de tonus musculaire pour soutenir sa tête, son corps et ses jambes, et suffisamment de coordination pour rentrer les bras de sorte qu'ils ne gênent pas le mouvement. Pour l'encourager à se retourner du dos sur le ventre, positionnez-le sur le dos et placez un jouet à côté de lui, légèrement hors de sa portée. Faites-lui attraper le jouet. S'il s'étire suffisamment, son centre de gravité va se déplacer pour l'entraîner sur le ventre.

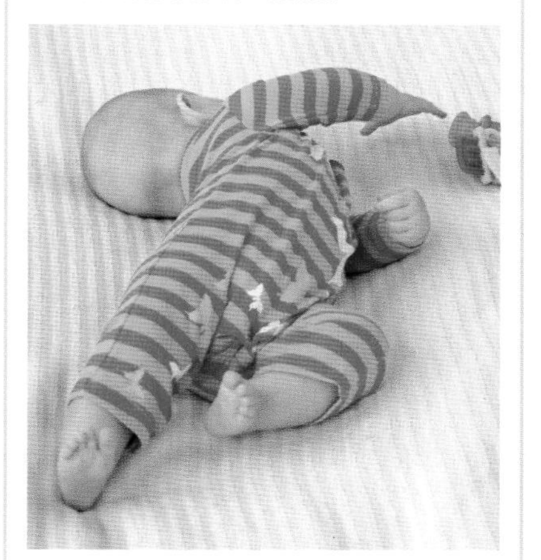

Attraper Une fois que votre bébé sait s'incliner et faire pivoter son corps, il apprend vite à adapter ce mouvement pour se retourner du dos sur le ventre.

L'avenir financier de votre bébé

Il vous semble peut-être un peu tôt pour épargner pour votre bébé, mais un peu d'anticipation peut s'avérer vraiment payante plus tard.

Renseignez-vous Quel que soit le type d'investissement que vous choisissez de faire pour votre enfant, prenez le temps de vous renseigner pour trouver les meilleures solutions.

L'AVIS... DU MÉDECIN

Les fesses de ma petite fille sont irritées et son vagin présente des rougeurs. Que se passe-t-il? Elle peut avoir une candidose, une infection fongique courante exacerbée par l'environnement chaud et humide de sa couche. Elle se développe chez les filles comme chez les garçons, et provoque irritation et démangeaisons. Parfois, l'éruption cutanée s'accompagne de petites pustules blanches. Tâchez de garder la zone propre. Tamponnez les plaques ou les boutons avec une ouate humide plutôt que de les laver (ce qui irrite encore plus). Changez fréquemment la couche en laissant votre bébé « les fesses à l'air » avant de lui en remettre une propre. Si la candidose ne disparaît pas en quelques jours, consultez votre médecin. Il peut vous prescrire une crème antifongique.

Mais pourquoi penser au financement des études de votre enfant ou même à l'achat de sa première auto alors qu'il a à peine 14 semaines? Cela peut sembler un peu prématuré, mais épargner dès maintenant pour son avenir vous permettra de réaliser de moins gros efforts financiers que si vous l'envisagiez plus tard. Une épargne minime et régulière peut se transformer en une coquette somme d'ici à ce que votre enfant atteigne ses 18 ans. Plus tôt vous commencez, plus longtemps votre investissement pourra fructifier.

Il est également possible que certains proches comme les grands-parents veuillent vous confier une somme à investir pour votre enfant. Bien que vous puissiez simplement épargner de l'argent sur des comptes que vous détenez déjà, il peut aussi être judicieux d'opter pour un produit bancaire au nom de votre enfant afin de bénéficier de modalités fiscales spécifiques. Votre fils ou votre fille devra atteindre sa majorité pour disposer de cet argent, mais celui-ci demeure disponible à tout moment pour ses représentants légaux. Pour détenir un compte courant et le gérer lui-même, votre enfant devra attendre ses 14 ans. Les parents doivent néanmoins donner leur accord et se porter caution. Afin de limiter tout risque d'incident bancaire, certains établissements proposent des cartes de paiement avec autorisation préalable. Les retraits et les paiements ne peuvent alors être effectués que dans la limite de la somme disponible sur le compte.

Régime enregistré d'épargne-études (REEE) Il s'agit d'un type de compte d'épargne, qui croît sans imposition, jusqu'à ce que l'enfant entreprenne son éducation postsecondaire. Pour chaque bénéficiaire, la limite cumulative est de 50 000 $. Vous pouvez obtenir davantage d'argent sur ce REEE grâce aux programmes de la Subvention canadienne pour l'épargne-études et du Bon d'études canadien, si vous êtes admissible.

Fonds de placement et obligations Un fonds de placement a pour vocation de générer un bon retour sur investissement sur le marché des changes, offrant la possibilité d'une rémunération plus importante mais avec un plus grand risque de perte de valeur de votre capital. Les sommes versées dans les fonds de placement sont notamment investies dans des titres d'entreprise et des actions. Vous pouvez choisir la durée de vie de votre placement, et donc attendre que votre enfant ait 18 ans pour encaisser les dividendes. La revente précoce d'actions de fonds de placement peut se solder par un retour sur investissement négatif. Si vous envisagez d'investir, contactez un conseiller financier.

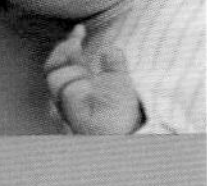

VOTRE BÉBÉ A 14 SEMAINES ET 5 JOURS

Structurer son rythme

Les tétées permanentes et les cycles de sommeil imprévisibles de votre bébé devraient être révolus à présent.

L'estomac de votre bébé peut maintenant contenir assez de lait pour lui permettre de dormir plus longtemps, ce qui facilite la mise en place d'un rythme plus régulier. Le matin, n'hésitez pas à le réveiller pour sa première tétée. S'il se réveille en même temps que vous, il est probable qu'il dorme lorsque vous voudrez vous reposer le soir.

À 14 semaines, la plupart des bébés ont besoin de téter six à huit fois en 24 heures. Si votre bébé se réveille dans la nuit pour une tétée, essayez de le réveiller juste avant d'aller vous coucher. Ne le stimulez pas trop afin qu'il soit suffisamment calme pour se rendormir, et qu'il puisse dormir plus longtemps. En journée, un temps de jeu après la tétée l'aidera à distinguer la nuit et le jour.

En moyenne, à cet âge, un bébé dort 10 heures par nuit et 5 heures en journée, mais chaque enfant est différent. Si cela convient au vôtre, essayez de lui faire faire une sieste en milieu de matinée, une dans l'après-midi et, si nécessaire, un somme en début de soirée. Si vous voulez le coucher vers 20 h, prévoyez seulement deux longues siestes dans la journée.

Bonjour! Réveiller votre bébé pour sa première tétée l'aidera à s'adapter à vos habitudes de vie.

VOTRE BÉBÉ A 14 SEMAINES ET 6 JOURS

Jeux physiques

Maintenant que votre bébé est plus fort, le faire sauter sur vos genoux ou le chatouiller vont l'aider à prendre conscience de son corps.

Qu'il soit à plat ventre, qu'on le chatouille ou qu'on le fasse sauter, votre enfant profitera de ces instants pour faire des mouvements amples et prendre conscience de son corps. Asseyez-vous avec lui sur le sol et maintenez-le entre vos jambes, puis empilez des cubes souples. Il essaiera de les atteindre pour les taper, et adorera les voir s'écrouler sur ses pieds.

Votre bébé aime aussi être balancé s'il est bien soutenu. S'il proteste, arrêtez ou ralentissez le rythme. S'il peut tenir sa tête, soulevez-le en l'air, puis lorsque vous le ramenez vers vous, frottez son petit nez contre le vôtre.

Vous pouvez également essayer les jeux aquatiques. Dans une baignoire ou une pataugeoire, asseyez-vous en le tenant fermement entre vos bras. Laissez-le éclabousser et versez-lui de l'eau sur les bras à l'aide d'un arrosoir en plastique. Tenez-le en permanence et ne le laissez jamais sans surveillance à proximité de l'eau.

Attention à ne jamais secouer votre enfant ou lui faire faire des lancers en l'air et des mouvements brutaux du cou et de la tête, au risque de provoquer des lésions neurologiques graves («bébés secoués»).

Grimaces Tenez votre bébé près de votre visage lorsque vous faites des grimaces, des sons amusants ou pour un «bisou d'esquimau».

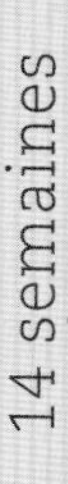

15 semaines

JUSQU'À 6 OU 7 MOIS, VOTRE BÉBÉ ATTRAPE SYSTÉMATIQUEMENT TOUT CE QU'IL PEUT ATTEINDRE

Votre enfant développe sa perception de la profondeur : il remarque donc des objets de plus en plus éloignés. Il tente d'attraper tout ce qui se trouve à sa portée mais manque encore de précision. Il babille avec vous, même s'il se montre un peu plus timide avec les gens qu'il ne connaît pas.

Poussées dentaires et appétit

Bien que la première dent de votre bébé soit encore loin de percer, il peut ressentir les symptômes d'une poussée dentaire.

Un bébé contrarié La plupart des bébés qui font leurs dents sont irritables et agités. Ils souffrent parfois lorsque la dent perce la gencive.

Tout comme les poussées dentaires peuvent avoir une incidence sur le sommeil de votre enfant (voir p. 139), elles peuvent également perturber son alimentation. Beaucoup de nourrissons perdent alors l'appétit, car leurs gencives sont très douloureuses. Si votre bébé a les joues et les gencives rouges, s'il bave beaucoup, mordille ses jouets ou ses doigts plus que d'habitude ou si son sommeil est perturbé, il est possible qu'une dent soit en préparation. Chez certains, la poussée dentaire s'accompagne d'une faible fièvre (inférieure à 38,5 °C). Mais si votre enfant a de la fièvre, ou s'il ne semble pas bien, ne partez pas du principe que ceci est lié à une poussée dentaire. Consultez un médecin afin de vous assurer qu'il n'a pas d'infection nécessitant un traitement.

Chaque dent transperce la gencive et devient visible. Si vous passez votre doigt propre dans sa bouche, vous pouvez sentir une petite bosse et la zone peut sembler irritée et enflammée.

Certains bébés nourris au sein réclament des tétées « de confort » lorsqu'ils font leurs dents. Bien que ces tétées supplémentaires désorganisent votre allaitement, c'est le seul moyen de calmer votre bébé. D'autres trouvent la tétée inconfortable, pleurent et prennent le sein puis le rejettent. Votre bébé devrait se sentir mieux en deux ou trois jours et reprendre une alimentation normale.

Les bébés nourris au biberon peuvent aussi être agités lors de la tétée ou prendre moins de lait que d'habitude. Un peu de gel dentaire avant la tétée peut soulager la douleur pour lui permettre de prendre son lait. Donnez-lui de l'acétaminophène si nécessaire. Si vous êtes inquiète, parlez-en à votre médecin.

L'AVIS... DU SPÉCIALISTE

Mon bébé a une dent et me mord quand je le nourris ! Comment puis-je l'en empêcher ? Il est fréquent que les bébés mordent lorsqu'ils découvrent leurs nouvelles dents. Si c'est le cas, retirez-le de votre sein en disant « aïe ! » puis remettez-le au sein. Il comprendra la signification de ce mot ; cela peut le surprendre et être suffisant pour l'empêcher de recommencer. Il y a plus de chances qu'il vous morde lorsqu'il n'a pas faim : retirez-le de votre sein dès qu'il a suffisamment tété. A-t-il un rhume ou les voies nasales congestionnées ? Si c'est le cas, il est possible qu'il essaie de retenir votre mamelon avec les gencives et les dents alors qu'il respire par la bouche. Des lavages de nez répétés sont indispensables avant la tétée.

NE PAS OUBLIER

Anneaux de dentition

Achetez des anneaux de dentition ne contenant pas de PVC, à placer au réfrigérateur ou au congélateur. Ils seront d'un grand soulagement si les gencives de votre bébé sont irritées ou enflammées. Même si sa première dent ne perce pas tout de suite, l'habituer à mordiller un anneau de dentition peut atténuer les symptômes lorsque la poussée débutera.

Soulagement par le froid Gardez des anneaux de dentition au réfrigérateur pour soulager la douleur de votre bébé.

VOTRE BÉBÉ A 15 SEMAINES ET 1 JOUR

Le rôle des grands-parents

Si vos parents ou beaux-parents le souhaitent et s'en sentent capables, vous pouvez leur confier votre bébé pour vous reposer toute une nuit.

Une grande famille Des grands-parents enrichiront la vie de votre bébé, en particulier si ces liens se développent de façon précoce.

Maintenant que le rythme de votre bébé est plus régulier, que vous avez des repères (notamment pour l'allaitement) et que vous répondez plus facilement à ses besoins, vous pouvez avoir envie de vous accorder un peu de temps avec votre conjoint. Si ses grands-parents sont capables de garder votre bébé la nuit, vous pouvez prévoir une sortie au théâtre, un souper au restaurant ou même de ne pas dormir chez vous : une véritable pause qui vous permettra de vous consacrer exclusivement l'un à l'autre.

Certains parents appréhendent de laisser leur bébé trop tôt; d'autres considèrent cette séparation si bénéfique pour leur relation qu'elle vaut bien quelques angoisses. Laisser vos parents et vos beaux-parents vous aider permettra à votre enfant de développer avec eux une relation aimante et solide. Les grands-parents, quant à eux, prendront certainement beaucoup de plaisir à passer du temps et tisser des liens avec lui. Toutefois, laisser votre enfant pour la première fois est un choix très personnel. S'il vous semble que le moment est opportun pour sortir, ou si vous êtes invitée à un mariage, confiez votre bébé à ses grands-parents qui le garderont chez vous ou chez eux, selon votre choix. À cet âge, il dormira certainement où qu'il se trouve. Donnez aux grands-parents les consignes pour s'en occuper : quand le faire téter et changer sa couche? Comment l'endormir? Que faire s'il se réveille?... Assurez-vous qu'ils savent comment le consoler s'il se met à pleurer. Il est important que vous ayez le sentiment d'avoir abordé tous les cas de figure. Une fois que vous leur aurez laissé des instructions claires et les numéros à appeler en cas de besoin, vous n'aurez plus de raison de vous inquiéter.

NE PAS OUBLIER

Enregistrer la voix de votre bébé

L'idée de pouvoir oublier un jour le son des gazouillis de votre enfant peut vous sembler inconcevable, mais à mesure qu'il grandira, chaque étape de son développement vous absorbera tellement que vous perdrez le souvenir de ces tentatives de communication si attendrissantes. Cette semaine, prenez le temps de l'enregistrer lorsqu'il babille. Vous pouvez même le faire régulièrement en notant la date à chaque fois. Enregistrez-le sur un support numérique et envoyez les fichiers par courriel à votre famille et vos amis, ou archivez-les simplement pour vous plonger plus tard dans ces souvenirs.

GRANDS-PARENTS ÉLOIGNÉS

Si les grands-parents vivent loin, il se peut qu'ils attendent une invitation pour vous rendre visite, chose à laquelle vous n'avez peut-être pas pensé. Faites en sorte de les impliquer en discutant avec eux sur Skype, votre bébé sur vos genoux, ou envoyez-leur chaque semaine des courriels pour les tenir au courant de ses progrès en joignant des photos récentes. N'oubliez pas de leur raconter toutes ses «premières fois». Enfin, malgré la distance, la relation de votre enfant avec ses grands-parents peut être très enrichissante pour lui, et ce, jusqu'à l'âge adulte. En commençant tôt, ces liens auront toutes les chances de se consolider.

Connectés En regardant des vidéos de votre bébé, ses grands-parents peuvent suivre son développement et s'attacher à lui.

VOTRE BÉBÉ A 15 SEMAINES ET 2 JOURS

Encourager la socialisation

Votre bébé gazouille en votre compagnie et apprécie de rencontrer de nouvelles personnes si elles lui sont présentées en douceur.

Naturellement, les bébés préfèrent la personne qui s'occupe le plus souvent d'eux, et parce qu'il n'existe justement rien de tel que ce lien si intense et si fort, vous pouvez faciliter les choses pour le papa et le reste de votre famille en encourageant les capacités de socialisation de votre enfant. À 15 semaines, il est prêt : ses capacités de socialisation se développent rapidement, et tout ce que vous lui montrez l'aide à aller dans ce sens.

Veillez à lui donner l'exemple en interagissant positivement avec votre entourage. Après une journée bien remplie passée exclusivement avec vous, votre bébé adorera voir quelqu'un d'autre et jouer avec lui. Laissez le temps à votre compagnon de se poser quelques instants lorsqu'il rentre, mais ne gardez pas votre bébé pour vous. Un câlin à trois peut être une bonne transition : votre enfant transfère ainsi son attention sur son autre parent. Passez autant de temps que possible en famille pour qu'il se rende compte de votre interaction positive. Vous êtes son premier professeur et il vous imitera.

Des études suggèrent que lorsque les parents sont sociables, leur bébé a plus de chances de l'être aussi. Selon le tempérament de votre bébé, il sera plus ou moins enclin à aller vers d'autres adultes. Soyez attentive à ses besoins, et s'il est réticent, présentez-lui les inconnus en douceur, sans le brusquer. Si nécessaire, écourtez vos visites jusqu'à ce qu'il soit en confiance.

Veillez à ce que le papa et vous-même vous occupiez équitablement de votre enfant. Tant que vous suivez globalement le même rituel, peu importe que vous n'appliquiez pas tout à fait les mêmes techniques. Du moment qu'il passe du temps avec vous deux, il ne vous en voudra pas si l'un de vous le change ou chante sa comptine favorite différemment.

VOTRE BÉBÉ A 15 SEMAINES ET 3 JOURS

La lecture : une habitude

Le développement de la vue et des aptitudes de compréhension de votre bébé signifie qu'il est désormais capable d'apprécier les livres.

Lire un livre à votre enfant favorise la communication, développe ses capacités d'écoute, stimule sa mémoire, enrichit son vocabulaire et introduit des concepts tels que le « sens de l'histoire » (essentiel à la lecture plus tard). Les livres lui offriront une vision enthousiasmante de son monde, plein de couleurs, de chiffres, de formes, de visages, d'animaux…

Asseyez-vous avec lui pour feuilleter des livres au moins une fois par jour. Encouragez-le à regarder et à écouter à mesure que vous décrivez les images ; soulevez les parties détachables pour qu'il voie ce qui se trouve en dessous. Changez d'intonation pour exprimer les émotions et ainsi captiver son attention : cela lui permettra d'interagir avec vous et favorisera un bon développement émotionnel.

Les bébés adorent la répétition, ne soyez pas surprise s'il réclame toujours le même livre. En répétant les mêmes histoires, vous renforcerez ses capacités de mémorisation, alors n'hésitez pas !

À cet âge, votre bébé porte quasiment tout à la bouche : choisissez donc des livres qui puissent être mordillés. Des livres solides, colorés, avec des rimes, des images de bébés et d'animaux et des éléments interactifs (tels que des volets à soulever et des textures) vont l'attirer et l'impliquer dans l'histoire.

L'heure de la lecture Habituez votre bébé à lire pour qu'il continue lorsqu'il sera plus grand.

Atteindre et attraper

Votre bébé sait maintenant que ses mains lui appartiennent : il va donc s'exercer à attraper tout ce qui peut l'être.

S'entraîner jusqu'à la perfection
Plus votre bébé s'exercera à atteindre et à attraper des objets, plus il gagnera en précision.

Votre bébé tente d'attraper et tapote des objets depuis quelques semaines. Il a compris que ses mains lui appartiennent : son but est désormais de les diriger vers un objet sans avoir à les regarder.

Dès qu'il pourra diriger ses mains en toute confiance, il sera capable d'atteindre et de saisir un jouet coloré, de petite taille, facile à attraper. S'il est fort probable qu'il le porte directement à la bouche, votre enfant peut aussi l'observer pendant un moment, le lâcher (souvent par accident) et le saisir de nouveau.

À ce stade de son développement, il atteint et attrape les objets en même temps. Encore incapable de corriger ses erreurs, s'il ne peut pas s'emparer d'un objet du premier coup, il recommence en essayant de l'atteindre et de le saisir simultanément. Il referme alors sa main dès qu'il se rend compte qu'il a atteint l'objet tant convoité. Sa coordination œil-main s'améliore à chaque tentative.

Pour encourager votre bébé, placez autour de lui des jouets légers et solides qui tiennent facilement dans une main. Veillez à ce qu'ils soient tous faciles à attraper et que leur forme, leur texture et leurs extrémités soient adaptées à la paume de sa main. Présentez-lui des objets statiques ou animés (des jouets qui vibrent ou roulent pour attirer son attention). Félicitez-le de ses efforts et rapprochez les jouets s'il se décourage. Essayez cependant de ne pas intervenir ni de faire les choses à sa place. Il doit s'entraîner et apprendre de ses erreurs afin d'affiner ses capacités.

Dès que votre bébé peut attraper les choses, tous les objets dangereux doivent être rangés hors de sa portée. Éloignez votre sac à main (il peut contenir de petits objets qu'il pourrait avaler), les boissons ou les aliments chauds, les animaux, les ficelles et les cordes, les fils électriques, les plantes, les médicaments, tout ce qui est dur ou non hygiénique (et qui risque de finir dans sa bouche).

ACTIVITÉ D'ÉVEIL

Tapent, tapent petites mains

Même s'il vous faudra attendre qu'il ait 7 ou 8 mois pour savoir taper dans les mains, les « jeux de mains » où vous prendrez doucement ses mains pour faire « bravo » lui feront découvrir qu'il peut les ramener devant lui. Chantez-lui une chanson tout en le faisant taper des mains. Laissez-les retomber, puis applaudissez.

Incitez votre bébé à attraper vos mains, une dans chacune des siennes, puis rapprochez-les : il tape maintenant avec vos mains ! La comptine « Tapent, tapent petites mains » est idéale pour cette activité. Il l'associera aux gestes et sera prêt à les reproduire dès qu'il sera capable de taper réellement des mains, dans quelques mois.

Applaudir et chanter Les bébés apprécient la dimension théâtrale et le dynamisme liés au fait de taper dans les mains en chantant ou en jouant.

VOTRE BÉBÉ A 15 SEMAINES ET 5 JOURS

Que voit votre bébé ?

La vue de votre enfant ne cesse de s'améliorer. S'il est toujours attiré par les couleurs vives, il devient sensible aux contrastes plus subtils.

À presque 4 mois, la vue de votre bébé est plus nette et il est désormais capable de voir les objets à travers une pièce, même s'il préfère encore regarder les gens de près. Continuez donc à multiplier les contacts visuels au cours des tétées.

Les yeux de votre enfant bougent lentement et en même temps ; ils suivent les objets et les gens dans un espace donné.

Un nouveau regard À ce stade, votre bébé peut percevoir la profondeur et distinguer les couleurs beaucoup plus précisément.

Si vous remarquez un strabisme ou tout autre problème, parlez-en à votre médecin ou à un ophtalmologiste.

Votre bébé est maintenant capable de distinguer des contrastes plus subtils, entre le rouge et l'orangé par exemple, mais les nuances des teintes pastel lui échappent encore. Vous remarquerez également que ses yeux commencent à changer de couleur. Les yeux les plus clairs peuvent passer par différentes nuances avant d'atteindre leur couleur définitive à environ 6-9 mois.

VOTRE BÉBÉ A 15 SEMAINES ET 6 JOURS

Amitiés changeantes

L'arrivée d'un bébé bouleverse votre vie et vos centres d'intérêt. Certaines de vos amitiés peuvent alors être fragilisées.

La plupart de vos amis ou des membres de votre famille seront heureux de discuter avec vous des joies et des difficultés liées au rôle de parents, et partageront votre enthousiasme à l'égard de votre bébé. D'autres, se trouvant à une étape différente de leur vie, pourront trouver vos nouvelles préoccupations effarantes et se demanderont ce que vous avez encore en commun. L'idée de voir se détériorer (voire se terminer) des relations si solides peut vous affecter profondément, mais il est normal qu'une amitié connaisse des variations. Vous vous constituerez peut-être même un nouveau cercle d'amis lors des cours prénataux, par exemple, avec qui vous aurez certainement plus de points communs à ce moment-là.

Les amis de longue date restent néanmoins précieux : faites l'effort de rester en contact avec certains d'entre eux. Prenez le temps de sortir avec eux sans votre bébé et de leur montrer de l'intérêt. Essayez de parler très peu de votre bébé et concentrez-vous sur ce que vous avez en commun. S'ils ne partagent pas votre passion, vos amis n'en sont pas moins intéressants : rappelez-vous l'époque où les couches et les poussées dentaires ne vous enthousiasmaient pas non plus !

Votre amitié continuera d'évoluer, et vous pourrez les soutenir lorsqu'ils auront des enfants à leur tour. Laissez donc couler les choses et dites-vous qu'il ne s'agit que d'une mauvaise passe.

L'AVIS... DU MÉDECIN

Mon bébé suce son pouce. Est-ce un problème ? Environ 80 % des bébés sucent leur pouce ou leurs doigts. Leur cerveau produit alors des endorphines (« hormones du bien-être ») qui les apaisent. Si votre enfant suce son pouce, cela montre qu'il apprend à se réconforter lui-même, ce qui est très utile. Ne vous inquiétez pas pour ses dents non plus : si vous le faites abandonner cette habitude avant que ses dents de lait ne tombent (vers 5 ans), cela n'aura pas de conséquences durables. La plupart des enfants délaissent leur pouce vers 3 ans.

16 semaines

À CET ÂGE, LES BABILLAGES DES BÉBÉS SONT TOUS LES MÊMES, QUELLE QUE SOIT LA LANGUE QU'ILS ENTENDENT

À présent plus costaud, votre bébé apprécie davantage d'être à plat ventre. Il ne va pas tarder à pousser sur ses bras pour se mettre en appui dessus, ne serait-ce que quelques secondes. Il va aussi produire de plus en plus de sons, voire peut-être enchaîner deux syllabes !

Regarde qui parle !

Votre bébé commence à associer les sons et les syllabes afin qu'ils ressemblent à des « mots » qui n'ont cependant pas encore de sens.

Conversation Vous pouvez inciter votre bébé à parler en imitant les sons et les « mots » qu'il prononce ainsi que les expressions de son visage.

Cette semaine, vous remarquerez peut-être que votre bébé développe ses aptitudes vocales : de nombreux sons sont désormais entrés dans son « langage » et il babille plus lorsqu'il joue tout seul. Il est possible qu'il grogne, gazouille ou pousse des petits cris aigus de façon inopinée.

Les consonnes se glissent à présent dans son vocabulaire et donnent de curieux mots. Par ailleurs, votre bébé commence à comprendre que la façon dont votre bouche bouge a une incidence sur le son que vous produisez.

Vous pouvez encourager le développement des aptitudes verbales de votre bébé en lui répondant lorsqu'il émet ses petits bruits. Il apprendra ainsi les rudiments du langage et de la conversation, c'est-à-dire parler et écouter. Attention néanmoins à ne pas le surstimuler, il a aussi besoin de moments de repos.

Exposé au langage depuis qu'il est dans votre ventre, votre bébé est né avec une compréhension très limitée des schémas sonores et des différents sons, qu'il va désormais essayer de reproduire. Vous allez vous rendre compte qu'il imite les intonations que vous prenez lorsque vous lui parlez, et que ses babillages ressemblent de plus en plus à un langage.

Bébé bilingue Si on parle plusieurs langues à la maison, n'hésitez pas à passer régulièrement de l'une à l'autre. Selon des études, le fait d'être exposé très tôt à plusieurs langues a une incidence sur le développement cérébral et prolonge la réceptivité aux nouvelles langues. Ceci est d'autant plus vrai chez les bébés qui entendent plusieurs langues dès leur première année de vie. Ainsi, parler à votre enfant en plusieurs langues favorise son apprentissage. Choisissez celle dans laquelle vous vous sentez le plus à l'aise. L'un de vous peut parler dans sa langue natale, et l'autre dans celle du pays où vous résidez. Votre bébé s'adaptera et apprendra à utiliser chacune d'elles selon qu'il est à la maison ou à l'extérieur.

Certains pensent que les enfants qui apprennent deux langues peuvent avoir un retard de langage. Ça n'est généralement pas le cas, et, si cela arrive, il faut rechercher un réel problème d'élocution. En cas de doute, consultez votre médecin.

ACTIVITÉ D'ÉVEIL

Ça balance !

La partie du cerveau qui permet de percevoir le mouvement et l'équilibre est appelée l'aire vestibulaire. À mesure qu'elle se développe, elle permet à votre bébé de garder la tête droite et, à terme, de maintenir son équilibre lorsqu'il est assis ou debout. Balancez votre bébé de haut en bas, doucement en jouant, pour favoriser le développement de ce système : votre enfant adorera cette activité ! Des études suggèrent que ce type de mouvement contribue à améliorer l'équilibre des bébés, leur motricité générale ainsi que la perception des mouvements dans la perspective de la reptation ou de la marche. Essayez d'inclure cet exercice dans vos jeux quotidiens.

Hissez haut ! Soulevez votre bébé en l'air pour favoriser son sens de l'équilibre et du mouvement.

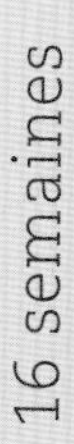

VOTRE BÉBÉ A 16 SEMAINES ET 1 JOUR

Parent : à chacun son style

En 16 semaines, vous vous êtes forgés votre opinion sur la façon dont vous souhaitez élever votre enfant, mais vous pouvez l'affiner.

Lorsque l'on est parent, il est toujours difficile de savoir s'il faut suivre ou non les conseils et les recommandations des autres. Certains sont foncièrement contre la tétine, d'autres pensent que vous auriez dû commencer l'apprentissage de la propreté quasiment dès la naissance. Ça n'est pas votre façon de voir les choses ? Ne vous inquiétez pas, et cultivez la philosophie du respect : « C'est votre façon de faire, j'ai la mienne ».

En tant que parents, vous devez toujours veiller à ce que votre bébé évolue au sein d'une famille à l'écoute, aimante et chaleureuse. S'il est encore trop tôt pour imposer des règles ou punir, le moment est bien choisi pour discuter avec votre compagnon de votre rôle de parents. Parlez de la façon dont chacun de vous a été élevé, car cela va désormais influer sur votre comportement. Déterminez ce qu'il faut faire et ce qu'il faut éviter. Essayez de trouver des compromis qui conviennent à tous les deux.

Certaines personnes peuvent vous sembler particulièrement vindicatives à l'égard de vos méthodes : apprenez à négocier ces interventions par un silence digne. Il est toujours utile d'écouter l'opinion des autres, mais si votre conjoint et vous-même êtes d'accord sur la façon d'élever votre enfant, vous êtes tout à fait en droit de continuer ainsi et de suivre votre instinct.

VACCINATIONS DES 4 MOIS

L'heure du deuxième cycle de vaccination de votre bébé est venue (voir p. 103). À 4 mois, il doit recevoir sa deuxième dose du vaccin pentavalent contre la diphtérie, le tétanos, la coqueluche, la poliomyélite et l'*haemophilus influenzae* de type b (Hib). Une deuxième dose du vaccin contre l'infection à pneumocoque doit aussi lui être injectée. La vaccination contre le méningocoque C peut être débutée avant ou vers 12-16 mois. Consultez votre médecin afin que les vaccinations de votre bébé soient à jour.

VOTRE BÉBÉ A 16 SEMAINES ET 2 JOURS

Un appétit grandissant

Les activités de votre bébé lui donnent de l'appétit : il va réclamer sans cesse le biberon ou rester de longues heures au sein.

Plus de lait À présent, votre bébé tète davantage pour compenser une activité qui s'intensifie et une croissance rapide.

De plus en plus actif, votre bébé a besoin d'énergie et manifeste donc davantage d'appétit. Si vous donnez le sein, nourrissez-le à la demande. Si vous avez opté pour l'allaitement artificiel, donnez-lui 30 ml de lait supplémentaire dès qu'il commence à finir son biberon. S'il ne semble pas encore rassasié, donnez-lui 30 ml de plus. Ne dépassez pas 150 ml par kilo et par jour. Si vous avez des doutes, parlez-en à votre médecin. Entre deux tétées, vous pouvez également proposer de l'eau : votre bébé a peut-être simplement soif.

Le lait couvre encore tous ses besoins nutritionnels ; ne soyez donc pas tentée d'introduire déjà les aliments solides, son système digestif ne sera pas prêt pour une alimentation de ce type avant qu'il ait au moins 17 semaines. Si vous envisagez une diversification alimentaire avant ses 6 mois, parlez-en à votre médecin : il vous aidera à déterminer si votre enfant est prêt (voir p. 162-163).

L'importance du jeu

Jouer avec votre bébé contribue à son développement et favorise une bonne complicité entre vous dans les années à venir.

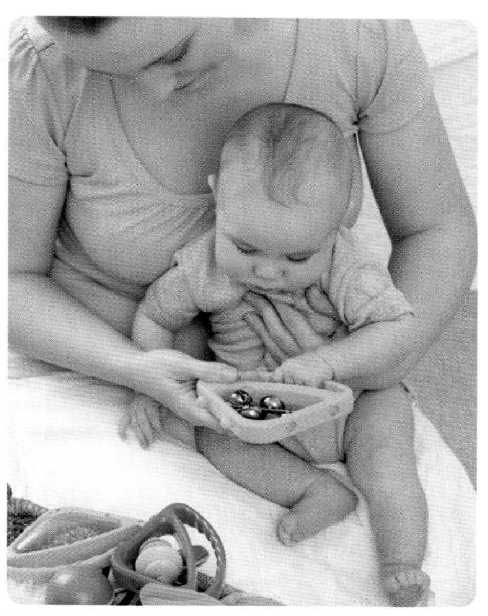

Des jouets sonores Les bébés adorent les jouets qui font beaucoup de bruit. Plus c'est bruyant, plus c'est amusant!

Jouer avec votre enfant contribue à son bien-être émotionnel, et cela consolide notamment l'estime de soi et la confiance. Le jeu est une composante essentielle du bon développement d'un bébé, car il est l'occasion de développer ses capacités motrices, cognitives, perceptives et de socialisation. Il favorise la créativité, l'imagination, l'indépendance, et aide l'enfant à découvrir de nouvelles choses, à résoudre des problèmes, et surtout à se détendre et à s'amuser.

C'est en jouant que votre bébé découvre le monde qui l'entoure. Chaque fois qu'il entend, voit, touche, goûte, ou sent quelque chose, des messages sont envoyés à son cerveau, stimulant la création d'importantes connexions mentales. Plus vous proposerez à votre enfant d'activités différentes, plus ses connexions cérébrales seront nombreuses, et la répétition de ces activités ne fera que renforcer ces associations. Les jeux physiques (voir p. 151) favorisent entre autres la motricité générale et la perception spatiale, tandis que les livres, les boîtes à forme, les hochets, les jouets « de cause à effet » et les « conversations » encouragent son développement cognitif, sa coordination œil-main ainsi que sa motricité fine. En variant les types de jeu, vous stimulerez votre bébé et contribuerez à son équilibre. Toutefois, ne tombez pas dans le piège de la stimulation à tout prix et ne faites pas de chaque session de jeu une occasion d'apprentissage.

Le jeu doit être détendu, spontané et amusant. Une partie de chatouilles apprendra autant à votre bébé qu'une série d'images « éducatives » aux couleurs chatoyantes. Le jeu ne doit jamais être structuré : laissez-le se dérouler naturellement en encourageant votre bébé à tenter de nouveaux exploits, à apprécier votre compagnie, à découvrir son environnement, à se détendre et à s'amuser. Le plus important est de consacrer le plus de temps possible à votre enfant : vous contribuerez à son bien-être émotionnel en étant simplement là pour lui.

ACTIVITÉ D'ÉVEIL

Jouer avec les objets du quotidien

Votre bébé peut très bien s'amuser avec les objets que vous utilisez vous-même, pour vous imiter. Les tasses en plastique sont idéales à empiler et faire s'écrouler. Donnez à votre enfant une cuillère ou une spatule en bois propre (elle doit être légère afin d'éviter qu'il ne se blesse en frappant avec sur sa tête) et un bol en plastique pour qu'il « mélange ». Déchirez un grand morceau de papier et laissez-lui découvrir sa texture et le bruit qu'il produit lorsqu'il est froissé. Évitez les objets dangereux, comme les bouteilles en plastique encore dotées de leur bague ou les ustensiles en bois peints.

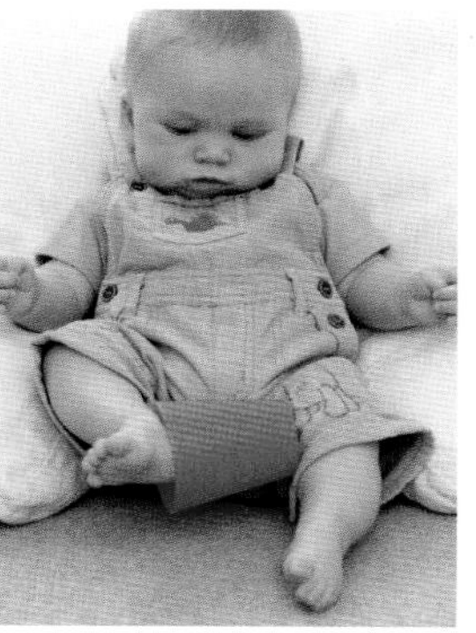

Un monde captivant Les objets du quotidien sont fascinants pour votre bébé. Il peut s'amuser à peu près avec tout, du moment que cela n'est pas dangereux pour lui.

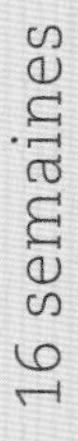

GROS PLAN SUR...

La diversification

En matière de diversification, les avis et les conseils contradictoires ne manquent pas. Cette double page vous explique de quoi il s'agit, vous aide à décider quand commencer et dresse la liste de ce dont vous aurez besoin le moment venu.

AIDE-MÉMOIRE

Matériel nécessaire pour la diversification

- Une chaise haute ou un siège qui se fixe sur votre table de salle à manger. Optez pour une chaise haute robuste munie d'un harnais ou d'une sangle à cinq points et d'un réducteur pour maintenir confortablement les plus petits gabarits. Un plateau amovible est un plus (voir p. 220).
- Deux ou trois petits bols en plastique, de préférence avec un pied ventouse pour plus de stabilité.
- Deux ou trois cuillères pour bébé en plastique avec une petite « tête » facile à mettre en bouche.
- Une timbale en plastique ou à bec (en choisir une « à débit lent »).
- Des bavettes.
- Un robot de cuisine ou une moulinette.
- Un hachoir électrique est utile pour les aliments que le robot de cuisine rend pâteux et les aliments à peau épaisse comme les petits pois.
- Un bac à glaçons souple muni d'un opercule ou des petits pots avec couvercles pour congeler les purées préférées de votre bébé.
- Des étiquettes autocollantes ou des sacs de congélation pour noter le contenu et la date de préparation.

Qu'est-ce que la diversification ?

Il s'agit de l'introduction progressive d'autres aliments que le lait dans le régime alimentaire de votre bébé. Parfois également appelée « alimentation complémentaire » ou « sevrage », elle ne vise en aucun cas à inciter votre nourrisson à arrêter le lait : celui-ci reste une des composantes principales de son alimentation. Toutefois, à mesure que votre bébé grandit et devient plus actif, il a besoin de nutriments supplémentaires présents dans d'autres aliments pour rester en bonne santé et bien se développer.

Comment savoir quand commencer ?

Au cours des prochaines semaines, certains signes pourront vous indiquer que votre bébé est prêt pour une alimentation solide. Il aura peut-être toujours faim et vous constaterez que ses tétées habituelles ne le rassasient plus, ou bien il commencera à se réveiller la nuit, affamé. Il est possible que certaines mamans autour de vous aient déjà commencé la diversification et que vous vous demandiez si vous devriez en faire autant. Votre propre mère vous a peut-être dit que l'alimentation complémentaire était introduite bien plus tôt à son époque, et que cela ne vous a pas fait de mal ! Tous ces facteurs peuvent vous inciter à diversifier de façon précoce, mais est-ce vraiment le bon moment ou devriez-vous attendre encore ?

Le ministère de la Santé et l'Organisation mondiale de la santé (OMS) recommandent d'attendre. L'allaitement exclusif est recommandé jusqu'à 6 mois, notamment pour des raisons pratiques : il est beaucoup plus facile de commencer la diversification si votre bébé peut tenir assis sur une chaise haute, manger à la cuillère, voire saisir lui-même les aliments pour les manger.

Sucer son pouce Les bébés manifestent parfois le fait qu'ils sont prêts à passer à une alimentation solide en suçant leur pouce ou leur poing.

Néanmoins, pour certains spécialistes, attendre les 6 mois de l'enfant n'est pas une bonne idée. Des données montrent que cela augmente le risque de carence en fer et d'allergies. Il est admis que les réserves en fer commencent à chuter vers 6 mois : si votre bébé commence à peine à manger des purées de fruits et de légumes à ce moment-là, il est fort probable que ses apports en fer ne couvrent pas ses besoins. Les recommandations les plus récentes indiquent qu'il est souhaitable de maintenir l'allaitement exclusif jusqu'à 6 mois et que l'alimentation solide doit être introduite entre 4 mois (17 semaines) au plus tôt et 6 mois au plus tard.

L'allaitement doit être poursuivi tout au long de la diversification, et en particulier au début. Ces recommandations vont dans le sens de certaines études qui indiquent que l'introduction

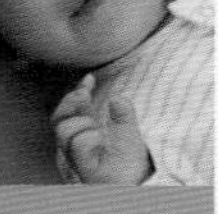

d'aliments contenant du gluten entre 5 et 7 mois tout en maintenant l'allaitement maternel peut réduire le risque de maladie cœliaque, de diabète de type 1 et d'allergie au blé. Par ailleurs, il n'est pas nécessaire de retarder l'introduction des aliments très allergènes, comme les œufs ou le poisson, au-delà de 6 mois.

D'autres études suggèrent que les bébés dont l'alimentation est diversifiée avant 6 mois sont plus à même d'apprécier une plus large palette de saveurs (notamment les légumes et le poisson) que ceux pour qui la nourriture solide est introduite à 6 mois ou plus. En effet, jusqu'à 6 mois, les bébés acceptent volontiers les nouveaux arômes, goûts et textures. Au-delà, ils deviennent plus réticents.

Le bon moment Tous les enfants sont différents, et le vôtre doit être prêt pour que vous commenciez à introduire les aliments solides. S'il est en forme, heureux et s'il grandit bien alors qu'il est nourri exclusivement au lait, il n'est pas nécessaire de diversifier pour le plaisir.

Les aliments solides doivent être introduits au plus tôt à 4 mois (17 semaines). Avant cet âge, votre bébé ne dispose pas des enzymes nécessaires pour digérer et extraire les nutriments, ces mâchoires et sa langue ne sont pas assez développées pour « mâcher » et avaler, et ses reins ne sont pas assez matures. Il doit aussi avoir perdu son réflexe d'extrusion (qui le pousse à ressortir avec sa langue tout ce qui entre dans sa bouche) et disposer des capacités motrices requises pour faire passer avec sa langue les aliments à l'arrière de sa bouche.

Âgé d'au moins 17 semaines, votre bébé est prêt pour une alimentation solide si :

- Il tient assis tout seul, ce qui favorise la digestion et réduit le risque d'avaler de travers (fausse-route).
- Il montre un intérêt pour la nourriture, et essaie même d'attraper des aliments.
- Il a plus d'appétit que d'habitude ou n'est souvent pas rassasié après la tétée.
- Il se réveille pour une tétée alors qu'il faisait ses nuits.
- Il a doublé son poids de naissance.
- Il maîtrise les mouvements de sa tête.
- Il essaie de mettre des objets dans sa bouche et les « mâchouille » au lieu de les repousser avec sa langue.
- Il « mastique ».
- Parlez-en avec votre médecin : il vous dira si le moment est venu ou non, et vous donnera des conseils.

Le bon rythme Si vous débutez la diversification avant 6 mois, vous pouvez progresser tranquillement. Si vous attendez l'âge recommandé, vous devrez passer assez rapidement des purées de fruits et de légumes (voir p. 190-191 et p. 234-235) aux laitages, viandes, poissons, œufs, céréales et féculents (voir p. 254-255). En effet, à ce stade votre bébé aura besoin du fer contenu dans les aliments riches en protéines. D'ici ses 10 mois, introduisez de nouvelles textures (aliments hachés, morceaux) et orientez-vous vers une alimentation plus complète (voir p. 310-311).

DIVERSIFICATION ET PRÉMATURÉS

Si votre bébé est né prématurément (avant 37 semaines), il peut être préférable de diversifier son alimentation tôt. En effet, les bébés prématurés ou de faible poids à la naissance n'ont pas bénéficié des nutriments présents dans l'utérus lors des dernières semaines de grossesse. Chaque nourrisson doit être traité individuellement et les conseils relatifs à la diversification alimentaire dépendent de ses antécédents, de sa courbe de croissance et de sa prise de poids. En règle générale, chez les prématurés, la nourriture solide est introduite entre 5 et 8 mois après la naissance. Il est important que le bébé contrôle suffisamment bien sa tête. Si votre enfant présente un reflux gastro-œsophagien, l'alimentation solide peut être commencée un peu plus tôt afin d'en calmer les symptômes. Demandez l'avis de votre médecin.

Mâchouiller Votre bébé mâchouille souvent les objets ? Il est peut-être bientôt temps pour lui de commencer à manger des aliments solides.

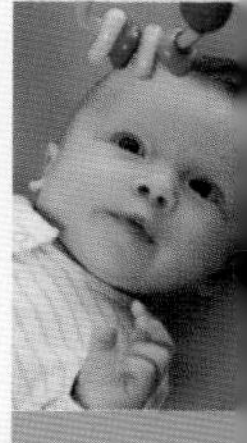

VOTRE BÉBÉ A 16 SEMAINES ET 4 JOURS

De longues nuits de sommeil

Leur estomac pouvant contenir plus de nourriture, la plupart des bébés dorment plus longtemps la nuit.

À partir de 4 mois, votre bébé peut dormir jusqu'au petit matin sans avoir besoin de téter. S'il continue à se réveiller, il a peut-être besoin d'un peu de réconfort. Assurez-vous qu'il a bien mangé et qu'il a fait son rot au moment d'aller au lit (s'il se réveille, vous saurez qu'il n'a pas faim) : malgré cela, il est possible qu'il tète un peu avant de se rendormir. Bien qu'en aucun cas néfaste pour lui, cette habitude se traduira pour vous par de nombreuses nuits entrecoupées qui vous épuiseront.

Pour encourager votre bébé à ne plus réclamer de tétée de confort au milieu de la nuit, proposez-lui une autre forme d'apaisement : chantez-lui une berceuse et rassurez-le. Cela peut suffire à le rendormir. Habitué à prendre des « collations » dans la nuit et à être porté régulièrement dans les bras, votre enfant peut être un peu réticent à cette nouvelle approche. Prenez-le, mais ne le faites pas téter à moins qu'il semble vraiment affamé.

Encouragez-le à se calmer tout seul. Rejoignez-le lorsqu'il vous appelle pour qu'il sache qu'il peut compter sur vous. (Le laisser pleurer peut empirer les choses : il finira par apprendre à ne pas pleurer mais ne sera pas nécessairement heureux ou rassuré.) S'il comprend que vous êtes là et que vous le réconforterez s'il en a besoin, il apprendra à se rendormir tout seul. Soyez attentive à ses besoins et, au cours des prochaines semaines, attendez-vous à ce qu'il dorme plus longtemps entre deux réveils, jusqu'à ce qu'il parvienne à dormir une nuit entière… ou presque.

VOTRE BÉBÉ A 16 SEMAINES ET 5 JOURS

Rester en forme

Activité intense, nuits sans sommeil… Vous êtes épuisée. Quelques changements dans votre hygiène de vie vous aideront à récupérer.

Alimentation saine Essayez de faire trois repas équilibrés par jour, composés de viande, de laitages, de fruits, de légumes et de glucides.

Prenez soin de vous pour être en forme. Les baisses d'énergie sont souvent liées à un manque de sommeil, une activité physique insuffisante ou à une mauvaise alimentation. Si vous vous sentez fatiguée, il vous faut agir dans l'un ou plusieurs de ces domaines. Promener votre bébé au grand air vous aidera à vous sentir plus tonique et à mieux dormir.

C'est tout aussi important que de bien manger. Beaucoup de mamans sont si désespérées à l'idée de ne plus rentrer dans leurs vêtements d'avant-grossesse, ou si occupées par leur bébé qu'elles ne se nourrissent pas correctement. Optez pour une alimentation équilibrée qui vous procure une source d'énergie durable, comme une pomme de terre vapeur avec du poisson ou une soupe de légumes accompagnée de pain complet et de beurre. Lorsqu'on allaite, il est particulièrement important de bien manger, car l'alimentation a une incidence sur la qualité du lait.

Prenez le temps de vous détendre avant d'aller au lit, couchez-vous plus tôt et prévoyez de faire plus de choses le matin. Multiplier les corvées le soir vous épuisera et vous énervera, ce qui n'est pas favorable à un sommeil réparateur. Prenez soin de vous pour pouvoir vous occuper de votre bébé. Si votre épuisement devient profond ou si vous avez du mal à gérer, consultez votre médecin. Il est possible que vous souffriez d'une carence en fer (responsable d'une anémie), d'une hypothyroïdie, voire d'une dépression postnatale.

Prêt à ramper

L'âge moyen pour commencer à ramper se situe entre 8 ou 9 mois, mais votre bébé s'entraîne déjà à exécuter certains mouvements.

Les prémices de la reptation La position à plat ventre permet de muscler les bras et les jambes en prévision de la reptation.

Au cours des prochaines semaines, votre bébé va commencer à relever la tête lorsqu'il est à plat ventre, à pousser sur la pointe des pieds pour voir s'il peut se propulser en avant, et à se mettre en appui sur les bras. Il se préparera aussi à se retourner, et pourra même réussir à passer du ventre sur le dos. Chaque fois qu'il exécute un mouvement, il apprend où se situent les différentes parties de son corps et s'entraîne à les faire fonctionner ensemble.

Lorsqu'il est à plat ventre, il peut bouger les bras et les jambes comme s'il rampait et, bien qu'il ne puisse pas se propulser en avant, il peut avancer en se balançant sur le ventre. Ceci contribue à développer la coordination nécessaire pour ramper. Il tortille son torse pour réaliser certains mouvements, et regarde autour de lui, la tête relevée et le buste en appui sur les avant-bras ou les mains. Il est intéressé par tout ce qui l'entoure, mais même s'il a hâte de se déplacer, il ne rampera pas avant de savoir tenir assis tout seul, parfois au-delà de 6 mois.

Le fait d'avancer simultanément une jambe et un bras est un acquis assez sophistiqué en termes de coordination et de motricité globale, et la plupart des bébés ne maîtrisent pas cette technique avant leur première fête. Ne vous inquiétez pas si votre enfant ne rampe jamais : certains sautent cette étape et passent directement à la marche, puis se relèvent directement en prenant appui sur les meubles au lieu de se mettre d'abord à quatre pattes.

Depuis qu'il est préconisé de coucher les bébés sur le dos, il a été constaté que la reptation est acquise bien plus tardivement. Encouragez votre bébé à passer du temps sur le ventre et à bouger les jambes en vous installant à côté de lui et en l'amusant lorsqu'il est dans cette position. Quand il est sur le dos, vous pouvez aussi suspendre des jouets au-dessus de lui et l'inciter à donner des coups de pied dedans, ou lui prendre les jambes pour décrire doucement des cercles. Ces activités l'aideront à ramper lorsque, dans quelques mois, il aura acquis suffisamment d'équilibre, de force et de coordination.

ACTIVITÉ D'ÉVEIL

Attraper un jouet

Agitez un jouet hors de portée de votre bébé lorsqu'il est assis ou à plat ventre afin de lui faire travailler sa coordination œil-main et les capacités nécessaires pour ramper. Ne l'éloignez pas trop de lui et s'il ne parvient pas à l'attraper malgré tous ses efforts, rapprochez le jouet et incitez-le à réessayer afin qu'il ne se sente pas frustré et qu'il n'abandonne pas.

Pouvoir de détermination Votre bébé peut se mettre spontanément à ramper, poussé par le désir d'attraper un objet qu'il ne peut atteindre. Vous serez étonnée de sa persévérance !

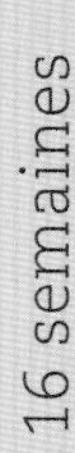

17 semaines

VOTRE BÉBÉ PEUT DÉSORMAIS SUIVRE DES YEUX LE MOUVEMENT D'UN OBJET, DE HAUT EN BAS

Votre enfant a passé beaucoup de temps à plat ventre et a développé ses muscles : il est à présent plus stable lorsqu'il est assis. Beaucoup plus habile de ses mains, il parvient à garder les objets plus longtemps mais ne sait pas encore les lâcher avec précision.

Gymnastique

Votre bébé a maintenant plus de force et de coordination, et peut ainsi découvrir des parties de son corps qu'il ne pouvait atteindre jusque-là !

Des pieds à croquer À ce stade, la souplesse de votre bébé est en plein développement : il peut prendre des postures dignes d'un maître yogi, qu'un adulte aurait du mal à adopter.

À la naissance, les bébés sont très souples. Leurs os et leurs cartilages flexibles leur permettent de se recroqueviller dans l'utérus et de passer par la filière pelvi-génitale avant de voir le jour. Jusqu'alors, votre nourrisson n'avait ni la force ni la motricité générale suffisante pour exploiter cette souplesse innée, mais sa capacité à se contorsionner va désormais très vite se développer.

Vous pouvez l'aider à travailler sa souplesse en jouant à « coucou-caché ». Levez ses deux jambes en même temps puis écartez-les en douceur en disant « coucou » ! Vous pouvez également jouer avec ses bras.

Force et coordination Votre bébé est nettement plus fort à présent : les muscles de son cou soutiennent complètement sa tête, et ceux de son buste et de son dos lui permettent de tenir assis en appui pendant 15 minutes. Les études montrent que les bébés apprennent d'abord à contrôler les muscles les plus proches de leur torse. Votre enfant apprendra donc à bouger le bras au niveau de l'épaule avant d'essayer de le plier au niveau du coude, puis de tourner les poignets. Les mouvements précis des doigts, ou motricité fine, viendront en dernier. Dès lors, votre bébé saura attraper un objet à deux mains et après l'avoir examiné, il le mettra probablement dans sa bouche. Maintenant que les muscles de son dos et de son cou sont plus solides, votre bébé adorera « jouer au cheval ». Asseyez-le sur vos genoux et chantez « Au pas, au trot, au galop » en le faisant sauter délicatement sur vos genoux pour imiter le pas, le trot et le galop du cheval ; ces jeux favorisent le développement musculaire et amusent les enfants comme les parents !

NE PAS OUBLIER

La vitamine D

La vitamine D est naturellement présente dans le lait maternel. Essentiellement dérivée de l'alimentation, et notamment des poissons gras ou de certaines céréales, elle est également sécrétée par la maman lorsque celle-ci s'expose au soleil. Le lait maternisé contient aussi de la vitamine D.

Toutefois, les bébés nés de parents noirs ou asiatiques peuvent manquer de vitamine D (leur peau bronzée en bloque la sécrétion déclenchée par les rayons du soleil).

Des observations récentes ont montré que le risque de carence en vitamine D pourrait être accru chez les bébés nourris au sein, ce qui peut entraîner un rachitisme, maladie qui fragilise les os. Les recommandations actuelles préconisent donc une supplémentation en vitamine D chez les bébés nés à terme allaités au sein, dès la naissance et jusqu'à la fin de la cinquième année. Chez les prématurés, les doses préconisées sont plus élevées.

Ces compléments sont également conseillés, à doses plus faibles, de 0 à 5 ans, chez les bébés nourris au biberon, les laits maternisés étant déjà enrichis en vitamine D mais ne suffisant pas à combler tous les besoins de l'enfant.

Il sera également bénéfique de donner des compléments de vitamine D à la maman.

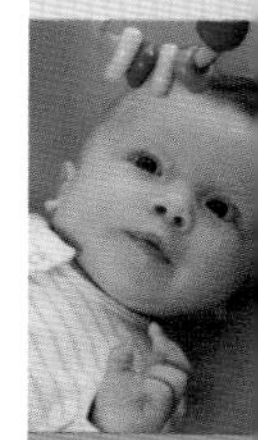

VOTRE BÉBÉ A 17 SEMAINES ET 1 JOUR

Prendre confiance en soi

À 4 mois, votre bébé se construit une image de lui-même qui influencera la façon dont il se verra et dont il percevra le monde.

L'AVIS... DE L'INFIRMIÈRE

Je dois reprendre le travail, puis-je allaiter partiellement? Oui. Vous pouvez même poursuivre l'allaitement au sein exclusif si vous avez la possibilité d'utiliser un tire-lait et de conserver votre lait au frais. Autrement, remplacez les tétées que vous ne pouvez donner vous-même par du lait maternisé, et allaitez votre enfant le matin et le soir. Votre production de lait s'adaptera en conséquence (voir p. 179).

À cet âge, la meilleure façon de montrer à votre bébé qu'il est aimé et considéré est de répondre à ses besoins dès que possible. S'il a faim, faites-le téter, s'il a froid, couvrez-le, si sa couche est sale, changez-le sans attendre. Faites-lui comprendre que s'il se sent seul, vous lui ferez un câlin; s'il s'ennuie, vous jouerez avec lui. Bien que certains préconisent de laisser les bébés pleurer, des études démontrent que les enfants dont les besoins sont satisfaits rapidement deviennent des adultes plus confiants.

Votre nourrisson doit comprendre que le moindre de ses apprentissages quotidiens est important et mérite d'être remarqué (et donc, répété). Lorsqu'il donne des coups de pieds dans son arche d'éveil ou produit des sons, félicitez-le et souriez-lui pour qu'il comprenne qu'il a fait quelque chose de bien. S'il parvient à faire passer un objet d'une main à l'autre, montrez-lui votre enthousiasme! Embrassez-le, câlinez-le ou applaudissez chaque fois qu'il réussit : il saura ainsi qu'il est une petite personne pleine de talent, capable de faire des choses remarquables et qui progresse continuellement, ce qui l'aidera à développer une certaine estime de lui-même.

VOTRE BÉBÉ A 17 SEMAINES ET 2 JOURS

Jouer seul

Pour son développement, il est important que votre bébé apprenne à s'occuper seul. Encouragez donc ce comportement.

Votre enfant apprécie votre présence (qui lui est très bénéfique), mais il a aussi besoin de passer du temps seul pour comprendre qu'il est indépendant de vous. Positionnez-le sous son arche d'éveil ou sur un tapis posé au sol avec quelques jouets facilement accessibles. Laissez-le un court instant afin qu'il explore son environnement et apprenne à s'amuser tout seul.

Au fil des semaines, rallongez les périodes où vous le laissez s'occuper seul. Surveillez-le et sachez interpréter les signaux qu'il vous envoie : vous devez venir le chercher avant qu'il ne s'énerve ou se mette à pleurer.

Pour sa sécurité, gardez toujours un œil sur lui. Il peut très bien apprendre à jouer seul même si vous êtes à côté. Il sera d'autant plus content et disposé à jouer en solitaire plus longtemps s'il est rassuré par votre présence.

Apprendre à s'occuper seul aujourd'hui facilitera les choses lorsqu'il sera plus grand : il sera alors davantage susceptible de trouver un jeu lui-même et d'y jouer seul plutôt que de vous solliciter sans cesse.

Développer son indépendance
Multipliez les occasions pour votre bébé de jouer tout seul en gardant un œil sur lui.

Entre l'inné et l'acquis

Le caractère de votre bébé est modelé tant par son environnement que par ses gènes. Faites-lui prendre un bon départ !

Aptitudes naturelles Que votre bébé semble naturellement curieux ou assez actif, une interaction positive quotidienne avec vous peut l'aider à s'épanouir et à développer de nouvelles capacités.

Que le caractère et le développement de votre bébé soient prédéterminés ou non par ses gènes ou qu'ils soient influencés par ses expériences et son environnement (l'inné ou l'acquis) reste un éternel débat. Autrefois, les opinions étaient plutôt tranchées ; aujourd'hui, l'idée que l'interaction entre notre patrimoine génétique et nos acquis détermine la façon dont nous évoluons est plus généralement acceptée.

L'environnement de votre bébé et les soins que vous lui prodiguez chaque jour conditionnent donc la manière dont il interagit avec vous et les autres, et dont il développe ses aptitudes. Ceci se vérifie notamment pendant la petite enfance, car la stimulation d'un bébé et l'attention qui lui est portée ont une incidence sur le développement de son cerveau. En tant que mère, vous prodiguez à votre enfant amour, confort, nourriture et stimulation ; votre rôle dans son développement positif est donc incontestable.

Il est possible que les gènes de votre nourrisson favorisent certains de ses traits de caractère (il est peut-être particulièrement habile ou attiré par la musique) : pour qu'ils se développent, son environnement doit être sécurisant et stimulant. À ce stade, votre enfant apprend très vite et ses sens sont « bombardés » de nouvelles informations en permanence. Vous devez l'aider à tirer parti de chaque nouvelle expérience et veiller à ce qu'il soit assez stimulé sans être submergé. Une interaction positive quotidienne avec votre bébé est censée favoriser le développement de son cerveau ; vous l'aiderez à s'épanouir si vous répondez à ses besoins. En revanche, ne pas être à l'écoute de votre enfant ou limiter le temps d'interaction avec lui peut le rendre moins confiant et favoriser certains traits de caractère négatifs.

Parler, jouer et interagir avec votre bébé est essentiel pour son éducation – à condition que tout se déroule dans la joie et la bonne humeur –, mais il est aussi important de ne pas le submerger. Vous devez vous adapter à ses besoins, comprendre lorsqu'il en a assez et le laisser grandir à son rythme. Il aura ainsi le temps de traiter chaque nouvelle information, de consolider chaque nouvel acquis tout en sachant que vous êtes là pour l'aider si nécessaire.

L'AVIS... DU PÉDOPSYCHOLOGUE

Au cours de la première année, filles et garçons se développent-ils différemment ? Il existe des différences entre filles et garçons, mais elles sont plutôt visibles pendant l'enfance et au-delà. La première année, on observe de nombreuses disparités en termes de personnalité et de développement selon le sexe, mais elles sont davantage liées à la comparaison de deux individus qu'à celle de deux sexes.

Néanmoins, il existe une différence significative qu'il est important de connaître. Des études ont démontré que les garçons sont plus sensibles aux tensions familiales (conflits entre adultes ou déprime des parents). Ils sont plus enclins à réagir à ce type de situation par une attitude triste, effacée ou agressive alors que les filles semblent moins affectées. Cette différence entre les sexes reste mal expliquée. En cas de déprime ou de tensions familiales, vous pouvez demander de l'aide : elle sera bénéfique non seulement pour vous, mais aussi pour vos enfants, et en particulier votre petit garçon.

VOTRE BÉBÉ A 17 SEMAINES ET 4 JOURS

Soins dentaires

Entre 4 et 7 mois, votre bébé percera sa première dent. Dès le départ, il vous faudra en prendre soin.

Premiers brossages Servez-vous d'une brosse à dents pour bébé ou d'une compresse humide pour prendre soin de sa première dent.

La première dent de votre nourrisson ne tardera pas à percer. Il s'agit en général d'une des deux incisives centrales inférieures (les incisives centrales supérieures apparaissent ensuite). Même si elles finiront par tomber (généralement à partir de 6 ans) pour être remplacées par des dents définitives, les dents de lait sont importantes, car elles permettent à votre bébé de parler et de manger correctement. Vous devez donc en prendre soin dès le début afin d'éviter toute infection et de donner à votre bébé de bonnes habitudes d'hygiène dentaire qu'il gardera tout au long de sa vie. Des dents saines sont aussi très importantes pour le développement du langage et l'esthétique – deux points essentiels pour la confiance en soi d'un enfant.

Le brossage des dents ne devient nécessaire qu'au cours de la deuxième année. La prévention des caries dentaires peut-être proposée par l'adjonction de petites quantités de fluor quotidiennement.

Par ailleurs, ne laissez pas votre bébé s'endormir avec un biberon dans la bouche, car le lait (maternel ou maternisé) contient du sucre qui restera sur ses dents toute la nuit et risque de les abîmer. Proposez-lui de l'eau plutôt que des jus de fruits ou des sirops qui contiennent beaucoup de sucre.

VOTRE BÉBÉ A 17 SEMAINES ET 5 JOURS

Tenir des objets

Il n'y a pas si longtemps, votre bébé était seulement capable de passer ses doigts autour des objets. À 17 semaines, il les tient avec assurance.

Votre bébé est désormais capable d'attraper les choses avec assurance. S'il fait encore appel au réflexe de préhension (présent depuis sa naissance, qui le pousse à saisir tout ce qui se trouve dans sa paume), il peut tenir des objets plus longtemps et les agiter. Proposez-lui des hochets ou des timbales pour développer sa dextérité. Il adorera attraper des balles et les jeter pour les voir rouler au sol (assurez-vous qu'elles sont assez grosses pour ne pas qu'il les mette dans la bouche).

Il est intéressant de constater qu'à cet âge les bébés saisissent les objets beaucoup mieux qu'ils ne les relâchent : ils ne posent les choses que s'ils sentent que l'objet se trouve à nouveau sur une surface dure, comme le sol.

Il commence à passer les objets d'une main dans l'autre. Il n'y a pas encore de latéralisation précise. Il est surtout important de voir si un enfant utilise ses deux mains à l'identique, surtout chez le prématuré, pour dépister d'éventuels troubles de la motricité fine.

Développer ses aptitudes Plus les capacités de préhension de votre bébé se développent, plus il tient les objets longtemps dans ses mains.

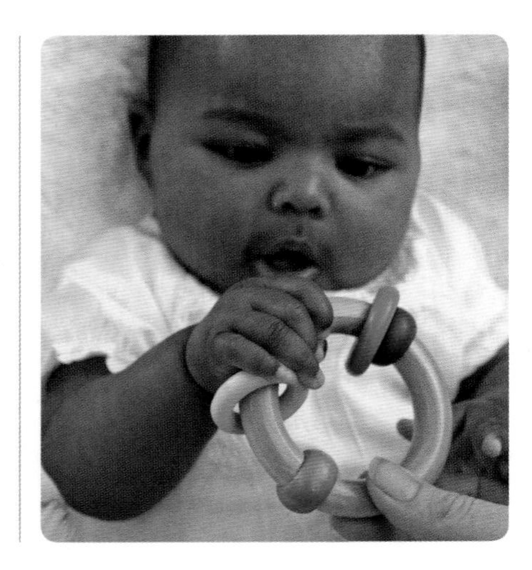

Activités programmées

Aujourd'hui, les bébés n'ont que l'embarras du choix : dès l'âge de 4 mois, il existe des activités d'apprentissage pour chaque enfant !

Si vous cherchez une activité structurée qui vous incite à sortir de chez vous et vous fasse rencontrer d'autres mamans, pourquoi ne pas essayer un cours pour bébés ? Le choix est vaste : cherchez sur Internet ou dans les journaux locaux pour voir ce qui est proposé près de chez vous. Certains de ces cours peuvent être assez chers, d'autres, comme les initiations au chant organisées dans les bibliothèques publiques, sont souvent gratuits.

Gym pour bébés Bien que la plupart des programmes soient proposés à partir de 6 mois, certains débutent dès 4 mois. Ces cours ont de plus en plus de succès : ils visent à aider les bébés à développer leurs muscles grâce à des exercices (des roulades, par exemple), avant même qu'ils ne sachent ramper.

Développement sensoriel Ces programmes proposent aux bébés des expériences visuelles, auditives et tactiles qui favorisent l'apprentissage et le développement. Spectacles lumineux, bulles, jeux musicaux et marionnettes figurent parmi les animations possibles. Les activités sont nombreuses et conviennent particulièrement aux bébés (et aux mamans) qui s'ennuient facilement !

Musique De nombreux cours ont pour but d'initier les bébés à la musique par le biais de chansons ou de comptines, de danses ou d'instruments de percussion. Les bébés aiment découvrir de nouveaux sons, mais à cet âge, leur temps de concentration reste assez court. Leur maman risque donc d'apprécier la séance bien plus qu'eux !

Yoga pour bébé Les cours de yoga sont réputés pour favoriser le sommeil des bébés. En général, une séance inclut des étirements et des mouvements (balancements, roulades et mises en appui) visant à renforcer le tonus musculaire des enfants et à développer leur coordination et leur souplesse. Dans certains cours, mamans et bébés peuvent s'exercer ensemble.

LES PAPAS AUSSI ONT LE BLUES

Les données sur la dépression postnatale (DPN) chez les mamans ne manquent pas, mais saviez-vous qu'un papa sur dix souffre de dépression après la naissance d'un enfant ? Même s'il n'existe pas de déclencheur hormonal chez les hommes, les facteurs de DPN sont identiques à ceux des femmes : manque de sommeil, isolement et modification de la relation de couple. À ces paramètres s'ajoutent chez les papas des responsabilités financières plus lourdes et la difficulté de concilier leur rôle de père et leurs impératifs professionnels. Ils peuvent aussi se sentir blessés si leur compagne, peut-être involontairement, minimise leur aptitude à s'occuper de leur bébé. Cette dépression se manifeste par de l'épuisement, des angoisses, de l'irritabilité, des difficultés de concentration et une diminution de l'appétit. Si ces symptômes persistent, il est indispensable de consulter un médecin et d'en parler à vos proches.

ACTIVITÉ D'ÉVEIL

En haut, en bas

Votre bébé est à présent capable de suivre des yeux le mouvement vertical d'un objet. Pour qu'il s'exerce, faites monter et descendre un jouet coloré devant lui. Commencez par le maintenir immobile jusqu'à ce qu'il s'y intéresse, puis dirigez doucement l'objet vers le bas et regardez les yeux de votre bébé pendant qu'il suit le mouvement. Une fois le bas de son champ de vision atteint, remontez lentement l'objet tout en décrivant ce que vous faites. Optez d'abord pour des mouvements lents afin que son regard puisse rester concentré sur l'objet.

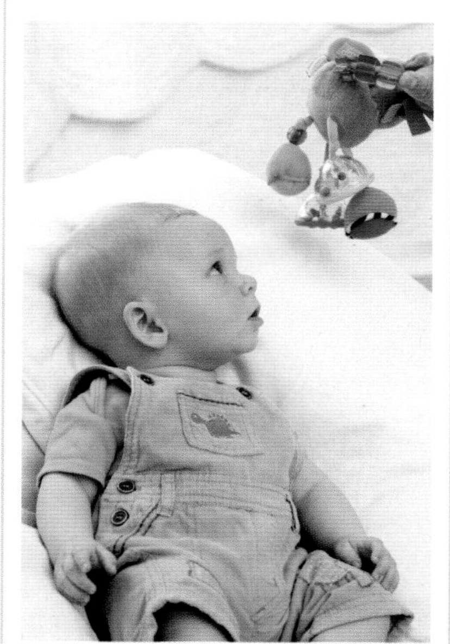

Suivi vertical La perception des mouvements verticaux se développe après celle des mouvements horizontaux.

18 semaines

L'OUÏE DE VOTRE BÉBÉ S'EST AFFINÉE : IL EST DÉSORMAIS SENSIBLE AUX CHANGEMENTS D'INTONATION

Votre bébé essaie de tout attraper et explore ce qui lui passe sous les yeux. Son oreille aussi est très attentive : il sait d'où proviennent certains sons et fait des associations, par exemple entre une comptine et les gestes qui vont avec.

Commenter son environnement

Expliquez à votre bébé ce que vous faites et ce qui se passe autour de lui pour l'aider à mettre vos mots sur des concepts.

Comptez les marches quand vous montez l'escalier, les jouets quand vous les rangez et les petits orteils de votre bébé lorsqu'il est dans le bain. Montrez du doigt son ventre, ses yeux, ses doigts et les vôtres. Nommez tout ce qui se trouve autour de lui. Votre bébé enregistre tout ce que vous lui dites et il ne tardera pas à avoir la capacité intellectuelle d'accéder à ces informations et de les utiliser.

La répétition est de loin la meilleure façon de favoriser l'apprentissage. S'il vous a entendu compter des dizaines de fois « 1, 2, 3, 4 » quand vous montiez l'escalier, il comptera facilement lorsqu'il sera plus grand, car il se souviendra de ce qui vient après. Chaque fois que vous l'habillez, nommez les parties de son corps. Il commencera alors sans doute à reproduire les sons de base des mots que vous employez. Même s'il n'en comprend pas encore le sens, votre bébé est un grand imitateur et se met déjà à associer les sons et les objets.

Parler à votre bébé de ce que vous faites durant la journée favorise non seulement le développement de son langage mais l'aide aussi à comprendre le fonctionnement des choses, l'ordre des événements et le déroulement de certaines activités comme cuisiner, nettoyer ou faire l'épicerie. Dites-lui ce que vous préparez pour le souper, montrez-lui les ingrédients et expliquez-lui ce que vous faites. Montrez-lui le robinet lorsque vous remplissez la baignoire, l'interrupteur sur le mur, et expliquez-lui comment cela fonctionne. Parlez-lui de ce que vous allez faire dans la journée et des personnes que vous allez voir, mais ne l'inondez pas de paroles pour autant, il a aussi besoin de ne pas être sollicité en permanence !

Apprendre des mots Montrez du doigt votre nez puis celui de votre bébé et dites « nez ». Posez sa main sur votre nez et répétez. Il montrera bientôt son nez tout seul lorsque vous l'y inviterez.

Décrire ses émotions Vous pouvez aider votre bébé à développer son intelligence émotionnelle en donnant à votre visage certaines expressions et en les nommant. Décrivez par exemple les émotions qu'il semble éprouver : s'il pleure, dites « triste », s'il rit, dites « content ». La plupart de ses émotions se manifestent pour lui sous forme de sensations physiques. Veillez donc à le réconforter lorsqu'il ressent manifestement quelque chose de fort : cela l'aidera à comprendre qu'ensemble vous êtes capables de gérer ces sentiments.

L'AVIS... DU PÉDOPSYCHOLOGUE

Mon bébé veut toujours être dans mes bras. Est-ce normal? Votre bébé est habitué au confort physique de vos bras et a encore besoin de ce réconfort de votre part. Vous pouvez cependant lui apprendre à abandonner vos bras quelques instants. Encouragez-le à s'amuser avec ses jouets en vous asseyant avec lui sur son tapis et en lui montrant comment ils fonctionnent. Éloignez-vous un peu, mais revenez s'il vous réclame, caressez son dos, puis repartez.

Au fil du temps, éloignez-vous de plus en plus, en lui parlant pour que votre voix le rassure. Il ne tardera pas à comprendre que même si vous n'êtes pas à proximité immédiate, vous êtes toujours là, prête à venir vers lui s'il en a besoin. S'il est contrarié et que vous ne pouvez pas venir le chercher immédiatement, rassurez-le en lui parlant. D'une voix réconfortante, dites-lui que vous êtes là : il commencera à rester seul plus longtemps et réclamera moins les bras.

VOTRE BÉBÉ A 18 SEMAINES ET 1 JOUR

Questions de lait

Si vous nourrissez votre bébé au biberon et qu'il semble sans cesse avoir faim, optez pour un lait maternisé « pour gros mangeurs ».

NE PAS OUBLIER

Vaccin antigrippal

La plupart des bébés n'ont pas besoin d'être vaccinés contre la grippe saisonnière, mais une injection peut être conseillée en cas d'épidémie liée à une souche virulente, chez les bébés de plus de 6 mois. Cette vaccination doit être effectuée chez les bébés atteints de maladies cardiaques ou pulmonaires dès l'âge de 6 mois.

Votre bébé nourri au biberon a consommé jusqu'à présent uniquement du lait premier âge, spécialement formulé pour se rapprocher le plus possible de la composition du lait maternel et être facilement digéré. Il est bon de continuer de donner ce lait à votre enfant durant ses six premiers mois. Le lait de vache non maternisé est fortement déconseillé, car il est vingt fois moins riche en fer que les laits maternisés et il est trop riche en protéines.

Toutefois, si votre enfant n'est plus rassasié après son biberon, même en ayant augmenté la dose, vous pouvez envisager d'utiliser un lait de satiété. Ces laits contiennent plus de caséine, de fer, de vitamines et d'acides gras utiles au bon développement de son cerveau et prolongent donc la sensation de satiété, alors que leur teneur calorique est identique à celle d'un lait normal. Demandez conseil à votre médecin avant de changer de lait.

Si vous passez à un lait de satiété, suivez précisément les instructions du fabricant. Cette transition peut constiper votre bébé ; le cas échéant, proposez-lui de l'eau en plus de ses biberons habituels.

VOTRE BÉBÉ A 18 SEMAINES ET 2 JOURS

Comptines à gestes

Les comptines sont une façon amusante de développer la coordination, la mémoire, le langage et même la socialisation de votre bébé.

En chantant, vous aidez votre enfant à identifier et réagir à certains sons, timbres de voix, intonations ou schémas langagiers, ce qui lui plaira bien davantage que de simples paroles. Les comptines « Pomme de reinette », « Une souris verte » et « Ainsi font, font, font » sont idéales, car elles incitent votre bébé à chanter tout en faisant des gestes. Montrez-lui comment bouger les mains tout au long de la chanson, et répétez les paroles pour l'aider à les mémoriser.

Rimons en chœur Demandez à une amie de chanter une comptine à votre bébé : cela lui sera familier tout en lui semblant nouveau, car elle sera chantée par quelqu'un d'autre.

Donner du sens aux sons

Le cerveau de votre bébé établit des connexions entre ce qu'il voit et ce qu'il entend. Tous les jours, il découvre de nouveaux sons.

Relier son et action Les jeux qui associent des mots et des actions aideront votre bébé à comprendre que les deux sont souvent liés.

À 18 semaines, votre bébé se familiarise avec les sons. Il est habitué à votre voix, aux grelots de son hochet ou au grincement des portes. Il commence aussi à associer les objets et les sons, et sa capacité d'anticipation se développe : lorsqu'il entend votre voix et comprend que vous allez arriver, il pousse de petits cris. Votre enfant a peut-être franchi une nouvelle étape en associant, de façon beaucoup plus élaborée, ce qu'il entend à ce qu'il sait du monde qui l'entoure. Si vous le préparez à taper des mains, il s'attend probablement à ce que vous lui chantiez « Tapent, tapent petites mains », car il a appris à associer cette chanson aux gestes qui l'accompagnent. Il sera donc surpris si vous tapez sans chanter alors qu'il attendait des paroles familières. Lorsque vous parlez, il regarde le mouvement de votre langue et de vos lèvres : il commence à relier les sons produits avec le mouvement qu'elles décrivent. Laissez-le se concentrer sur votre visage lorsque vous lui dites ou lui chantez quelque chose afin qu'il développe cette aptitude. Les sons aigus et puissants peuvent effrayer votre bébé ; ceux plus familiers l'apaiseront. Vous pouvez donc le calmer dans une ambiance bruyante et animée en lui chantant doucement une chanson qu'il affectionne : en se concentrant sur votre voix, il se détendra plus facilement. Il est probable que votre enfant associe sa chanson préférée au fait d'être bercé : pour le calmer avec cette berceuse, vous devrez donc le bercer également. Par ailleurs, ces changements auditifs subtils signifient que votre bébé comprend mieux vos intonations de voix. Lorsque vous êtes contente, il l'est aussi ; si vous êtes stressée, cela va l'affecter et peut l'angoisser. Un langage corporel positif (le regarder face à face et multiplier les contacts visuels lorsque vous lui parlez) favorisera votre communication.

L'absence de répétition et de réaction aux sons doit faire rechercher un trouble de l'audition.

ACTIVITÉ D'ÉVEIL

Cris d'animaux

Il n'y a rien de plus fascinant pour un bébé que des sons inhabituels. Les cris d'animaux sont parfaits pour stimuler votre nourrisson et l'aider à comprendre que chaque animal a un cri différent. Montrez-lui des images et expliquez-lui que la vache fait « meuh », le mouton « bê », la poule « cot, cot, codet »... Prenez une voix exagérée et montrez-lui vos lèvres pour qu'il voie la forme que prend votre bouche pour former les sons. Montrez l'image de l'animal, ou un jouet qui en a la forme, pour qu'il fasse le lien. Même s'il ne reproduira les cris d'animaux qu'après sa première fête, les entendre et les apprendre dès aujourd'hui l'amusera beaucoup.

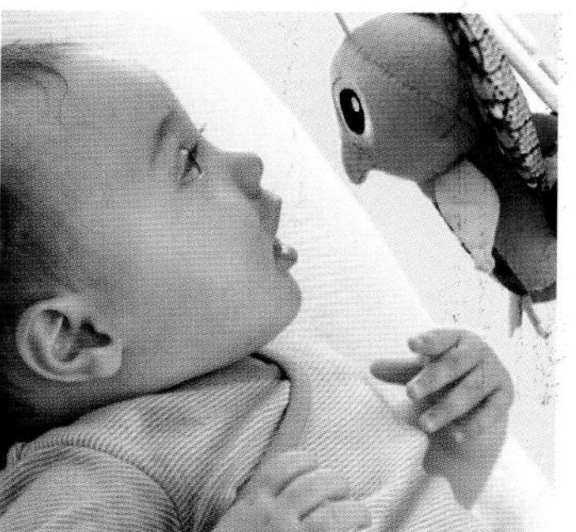

Associer le son et l'image Lorsque vous imitez un animal, montrez-en l'image à votre bébé (ou un jouet à son effigie) afin qu'il associe l'animal et son cri.

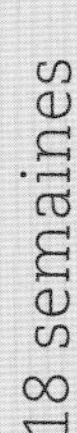

VOTRE BÉBÉ A 18 SEMAINES ET 4 JOURS

Rires en cascade

Votre bébé a d'abord émis de petits rires, aujourd'hui il rit de bon cœur. La moindre chose le fait rire aux éclats, et il ne s'en lasse pas !

Les grimaces, les chatouilles, ou même le fait de cacher votre visage derrière vos mains puis de réapparaître en disant « coucou » font éclater de rire votre bébé. Plus vous répétez la chose, plus il trouve cela hilarant ! Votre enfant développe simplement sa capacité à anticiper : il commence à prévoir ce qui va se passer après un événement donné. Dès lors, il peut, par exemple, rire au moment où vous mettez les mains sur vos yeux. Certains bébés commencent à rire entre 8 et 10 semaines, d'autres « gloussent » de plaisir ou de surprise aux environs de 12 ou 14 semaines. Ceci marque une étape importante : votre bébé est en train de développer son langage et ses aptitudes de socialisation. Il a appris à communiquer en pleurant, en gazouillant ou en grognant : à présent, il apprend à interagir par le rire. Encouragez-le en multipliant les occasions de rire. Parfois, la meilleure façon de l'arrêter de pleurnicher sera de vous mettre un chapeau rigolo sur la tête ou d'adopter une démarche cocasse. Sur le plan physique, le rire produit des substances chimiques dans le cerveau de votre bébé qui le mettront de bonne humeur et le rendront heureux et confiant.

Amusements et rires Multipliez les amusements au quotidien pour donner l'occasion à votre enfant de rire avec vous.

VOTRE BÉBÉ A 18 SEMAINES ET 5 JOURS

S'endormir tout seul

Si votre bébé a l'habitude d'être bercé ou de téter avant de dormir, vous devez lui apprendre à s'endormir tout seul.

De nombreux parents ne parviennent pas à mettre en place un rituel du coucher quand leurs enfants sont petits et préfèrent les bercer. Ainsi, le bébé associe ses parents au sommeil et est incapable de s'endormir tout seul. Lorsqu'il se réveille au milieu de la nuit, il s'inquiète de ne plus les voir et réclame leur présence pour se rendormir. Si vous encouragez votre bébé à se rendormir sans vous, il parviendra à retrouver son sommeil à chaque fois qu'il se réveille et se reposera donc mieux. Ceci ne signifie pas que vous devez le laisser pleurer : recouchez-le alors qu'il est encore éveillé en lui faisant comprendre qu'il doit associer son lit à l'endormissement.

Couchez-le après une tétée ou une histoire et veillez à ce qu'il soit bien installé. Baissez la lumière et caressez-le. Souhaitez-lui bonne nuit d'une voix calme, quittez la pièce et voyez comment il se comporte. S'il lutte, revenez dans sa chambre et caressez-le de nouveau, en lui parlant doucement pour le rassurer.

Retournez le voir chaque fois qu'il vous appelle mais, si possible, évitez de le prendre dans les bras ou de le bercer pour qu'il s'endorme. Il finira par comprendre qu'il peut dormir sans crainte, rassuré par l'idée de savoir que vous viendrez le voir s'il a besoin de vous. La présence d'une veilleuse peut être utile pour le rassurer. Ne prenez pas votre enfant dans votre lit quand il a du mal à s'endormir. Cependant, s'il ne se calme pas et continue vraiment à pleurer, prenez-le dans vos bras et faites-lui un câlin avant de le recoucher. S'il pleure tous les soirs après avoir été rassuré, il a peut-être mal quelque part ou ressent une gêne. Le cas échéant, consultez votre médecin ou votre infirmière.

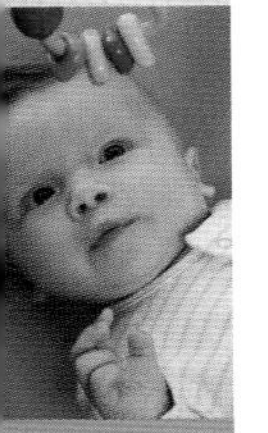

Des couches et des fuites

Les fuites arrivent de temps en temps, mais si elles deviennent habituelles, vous devez envisager d'utiliser d'autres couches.

Les « accidents de couche » font partie du jeu lorsqu'on a un bébé (les « cacas explosifs » sont un rituel de passage pour tout parent). Cependant, lorsque les fuites sont récurrentes, il faut envisager de changer de taille, de marque ou de type de couche.

Assurez-vous d'abord que la taille des couches que porte votre bébé est adaptée. Celle-ci est déterminée en fonction du poids, mais elles se chevauchent et varient d'une marque à l'autre ; vous pouvez donc être amenée à en essayer plusieurs sortes pour trouver la bonne taille. Idéalement, la couche doit être bien ajustée autour des cuisses sans les serrer, et maintenir confortablement la taille sans être trop lâche ni froncer. S'il s'agit de fuites d'urine, la couche est certainement trop grande, s'il s'agit de selles, elle est probablement trop petite.

Assurez-vous également de changer votre bébé assez souvent. Sa couche doit désormais être changée un peu moins fréquemment que chez un nouveau-né (toutes les deux heures et demie environ). Néanmoins, s'il semble gêné ou si sa couche est pleine, changez-le plus souvent. Une couche pleine de selles doit être changée immédiatement pour que leur acidité n'irrite pas la peau délicate de votre bébé.

Les problèmes de couches se posent surtout la nuit. La vessie de votre bébé est désormais plus grosse et peut donc contenir de grandes quantités de liquide : votre enfant urine donc régulièrement la nuit. S'il remplit sa couche toutes les nuits au point de se réveiller et de mouiller son pyjama et son lit, vous pouvez ajouter une protection urinaire dans sa couche (jetable ou lavable) pour absorber l'excédent d'urine. Vous pouvez aussi essayer d'utiliser des couches ultra-absorbantes « spécial nuit ». Par ailleurs, si vous utilisez des couches jetables, vous pouvez essayer une autre marque, uniquement pour la nuit, pour voir si elles sont plus efficaces.

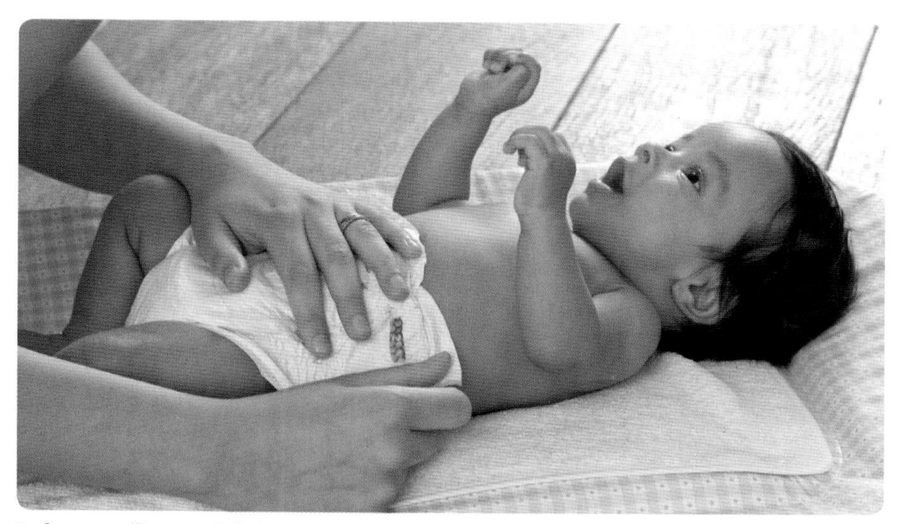

La bonne taille Votre bébé grandit et a besoin de couches plus grandes : assurez-vous que sa couche est ajustée confortablement autour de ses cuisses et de sa taille, sans trop le serrer.

L'AVIS… DU MÉDECIN

Mon bébé a la diarrhée. Comment y remédier ? Chez les bébés, les diarrhées ont des origines très diverses : le plus souvent, elles sont liées à une gastro-entérite, plus rarement à une intolérance au lait. Elles peuvent aussi faire suite à un traitement par antibiotiques. La diarrhée peut être dangereuse pour un bébé, car elle entraîne très vite une déshydratation. Consultez votre médecin si vous constatez que votre enfant a plus de 4 selles dans la même journée et qu'elles sont molles ou liquides, en particulier s'il vomit ou refuse de téter, s'il a de la fièvre, s'il est fatigué ou s'il y a du sang dans ses selles. Allaitez votre enfant à la demande ou proposez-lui de l'eau, ou mieux, une solution de réhydratation en petites quantités mais souvent, si vous le nourrissez au biberon : il est important qu'il absorbe le plus de liquide possible.

Mon bébé tousse beaucoup la nuit. Que puis-je faire ? Le plus souvent, la toux est liée à un rhume. Les sécrétions de sa bouche coulent dans sa gorge, ce qui induit une irritation et provoque la toux. Surélevez légèrement la tête de son matelas pour le soulager un peu. L'obstruction des voies respiratoires par une infection, telle qu'une bronchiolite, est une autre cause de toux récurrente et exacerbée la nuit. Consultez votre médecin si votre bébé a du mal à respirer, s'il n'a plus d'appétit, s'il a de la fièvre, s'il est somnolent, s'il ne se sent pas bien ou s'il tousse depuis plus d'une semaine.

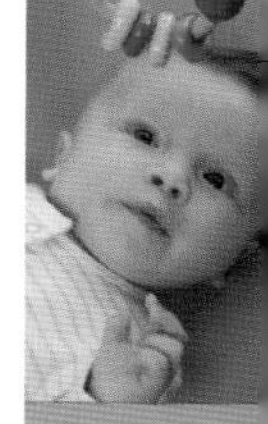

19 semaines

LES BÉBÉS REPRODUISENT LES EXPRESSIONS DU VISAGE ET APPRENNENT AINSI À COMMUNIQUER EUX-MÊMES LEURS ÉMOTIONS

Votre bébé est désormais plein d'énergie et adore les jeux physiques, comme lorsque vous le faites rebondir sur ses jambes. Il apprécie aussi les activités plus calmes. Connaître son langage corporel vous aidera à mieux comprendre ses humeurs.

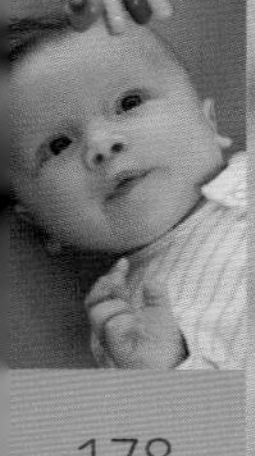

Allaiter en travaillant

Reprendre le travail n'implique pas d'arrêter l'allaitement. Avec une bonne organisation, vous pouvez continuer à allaiter.

Si vous reprenez le travail de façon précoce et prévoyez de tirer votre lait, vous devrez l'anticiper quelques semaines auparavant. Il faudra d'abord informer votre employeur de votre intention, par écrit, afin qu'il puisse vous proposer un endroit sûr et adapté pour vous permettre de tirer votre lait. Il est recommandé aux entreprises de mettre à disposition des jeunes mamans un lieu discret, lumineux et confortable (les toilettes ne sont pas un lieu adapté) et de leur permettre de dégager du temps au cours de leur journée de travail pour tirer leur lait. La fréquence à laquelle vous tirerez votre lait dépend de l'âge de votre bébé et du nombre de tétées. Discutez-en d'abord avec votre employeur pour organiser votre temps de travail. Il doit également veiller à ce que vous disposiez d'un réfrigérateur pour y stocker votre lait.

Essayez de commencer à tirer votre lait plusieurs semaines avant votre retour au travail, afin que vous puissiez vous entraîner et perfectionner votre technique. Assurez-vous également que votre bébé n'a plus de difficulté à prendre le biberon : habituez-le progressivement plusieurs semaines avant votre reprise.

Si vous prévoyez de n'allaiter que partiellement et de donner à votre enfant du lait maternisé pendant la journée, vous devrez réduire peu à peu le nombre de tétées pour éviter que vos seins ne s'engorgent. Supprimez-en une tous les 4 ou 5 jours jusqu'à ce que la fréquence soit adaptée à votre journée de travail. Vous devrez respecter ce rythme autant que possible les fins de semaine et durant les vacances pour que votre production de lait reste constante.

S'organiser En plus de votre tire-lait, vous aurez besoin de biberons et de blocs réfrigérés pour les rapporter chez vous une fois remplis.

NE PAS OUBLIER

Faire une boîte à souvenirs

Son bracelet de naissance, une mèche de cheveux, des clichés de vos échographies, un enregistrement de ses gazouillis, un carnet où vous noterez ses premières fois et même une empreinte de main ou de pied sont autant d'éléments qui viendront enrichir la boîte à souvenirs de votre bébé. Remplissez-la au fil des années pour garder une trace de ces moments inoubliables. Rangez-y tout ce qui vous évoquera quelque chose, comme ses premiers cache-couche et hochet. En réunissant ses souvenirs si particuliers, vous pourrez, dans quelques années, vous offrir un merveilleux voyage dans le temps.

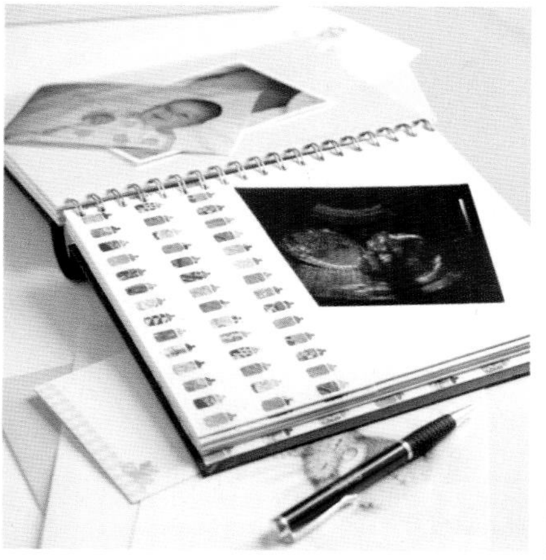

Souvenirs à collectionner Rassemblez des objets qui vous aideront à vous souvenir des premières années de votre enfant. Retracez les étapes les plus importantes dans un album.

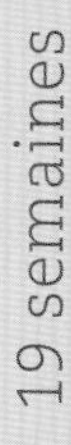

Votre bébé face aux infections

Les bébés tombent souvent malades, mais leurs symptômes indiquent que leur système immunitaire fonctionne et se renforce constamment.

Signes de maladie Toute perturbation dans les habitudes alimentaires, le sommeil ou les réactions de votre bébé vous alertera sur son état de santé.

Chaque fois que votre bébé attrape un virus, un rhume par exemple, son système immunitaire est stimulé pour le combattre, ce qui induit un ensemble d'effets secondaires (toux, nez qui coule, voire fièvre) que nous identifions comme des symptômes. Si son organisme livre un dur combat pour éliminer l'infection, il demeure important de surveiller votre enfant lorsqu'il n'est pas bien.

Il est normal que les bébés soient davantage sujets aux infections au cours de leur première année de vie, car les défenses immunitaires qu'ils ont acquises *in utero* disparaissent au bout de quelques mois. Grâce aux anticorps présents dans le lait maternel, l'immunité persiste plus longtemps chez les bébés nourris au sein.

À la naissance, le système immunitaire des nouveau-nés est immature ; il se développe au cours de la première année. Ne vous inquiétez donc pas si votre bébé enchaîne les infections. Tant qu'il continue à prendre du poids, à être en forme entre deux maladies et qu'il s'éveille correctement, tout va bien. Si vous avez des doutes, parlez-en à votre médecin.

La meilleure façon de prévenir les maladies est d'éviter les rassemblements de personnes, où il est susceptible de multiplier les infections, et de vous assurer que votre entourage se lave les mains avant de jouer avec lui. De plus, ne fumez pas à proximité de votre enfant.

Si vous allaitez, continuez comme si de rien n'était : le lait maternel renforce les défenses immunitaires de votre bébé en lui transmettant vos propres anticorps.

Un sommeil réparateur est également essentiel pour l'efficacité du système immunitaire. Votre bébé a encore besoin de 15 heures de sommeil sur 24 heures. Enfin, lorsque votre enfant abordera l'alimentation solide, veillez à toujours lui donner des aliments frais, sains et nutritifs. Même s'il ne perçoit que peu de saveurs au début, toutes les vitamines et tous les minéraux qu'il puisera dans son régime alimentaire contribueront à sa santé et son bien-être.

Votre bébé n'est pas bien : quels sont les signes? Si vous pensez que votre enfant est malade ou que vous ne savez pas comment le soigner, consultez votre médecin. Si votre bébé ne mange plus, montre des éruptions cutanées ou a de la fièvre, consultez immédiatement, car l'état de santé des bébés se détériore rapidement.

AIDE-MÉMOIRE

Est-il malade ?

Beaucoup de parents savent instinctivement quand leur bébé est malade. Si votre nourrisson se met à pleurer sans raison, est plus fatigué que d'habitude, pleurniche, ne joue pas, ou si vous remarquez un changement dans ses habitudes alimentaires, il est possible qu'il soit malade. Connaître les principaux signes vous permettra de réagir rapidement et de consulter si nécessaire.

Signes les plus visibles :

- Fièvre (plus de 39 °C).
- Diarrhées ou vomissements.
- Éruptions cutanées ou contusions.
- Peau moite, marbrée et pâle.
- Pleurs faibles ou aigus.
- Attitude inhabituellement calme.
- Présence de sang dans les selles.

Signes moins visibles :

- Il dort anormalement longtemps.
- Il ne dort pas ou se réveille toutes les heures.
- Il ne sourit pas à ce qui le fait généralement sourire.
- Il est irritable ou grognon.

Consultez systématiquement un médecin si votre bébé :

- A des difficultés à respirer.
- A des mouvements anormaux avec troubles de la conscience.
- A les contours de la bouche bleus.
- Semble abattu ou faible.
- Présente une fontanelle gonflée ou creusée.

VOTRE BÉBÉ A 19 SEMAINES ET 2 JOURS

Poursuivre les exercices

Continuez à faire des exercices de renforcement du plancher pelvien ; l'entretien de ces muscles est essentiel.

Si vous pratiquez encore régulièrement ces exercices (dits « de Kegel ») ainsi que les bascules du bassin (voir p. 65), bravo ! Continuer de renforcer votre plancher pelvien et intensifier vos exercices abdominaux vous sera très utile désormais. Porter un bébé, même tout petit, de façon prolongée, peut fatiguer votre dos et être douloureux, mais vous souffrirez moins si vos abdominaux sont musclés.

Il n'est pas trop tard pour commencer à pratiquer ces exercices, qui non seulement vous aideront à améliorer votre posture et à réduire vos lombalgies persistantes, mais amélioreront aussi votre circulation sanguine et aideront votre bassin à reformer vos fibres musculaires en ramenant les muscles vers l'avant. Vos ligaments, dont ceux de votre bassin, sont devenus plus élastiques au cours de la grossesse pour vous permettre de mettre au monde votre bébé. Il est donc nécessaire que vous vous exerciez régulièrement pour remettre en place ces muscles fondamentaux.

Faites des exercices du plancher pelvien tous les jours pour renforcer les muscles qui soutiennent l'utérus et la vessie. Ceci vous permettra de vous remuscler dans l'optique d'autres grossesses et afin d'éviter les fuites urinaires lorsque vous toussez ou riez. Vous pouvez les pratiquer indéfiniment : dès lors qu'ils deviennent une habitude, vous ne penserez plus à l'effort que vous fournissez.

Continuez également à pratiquer vos bascules du bassin pour remuscler vos abdominaux. De même, rentrer votre ventre en tenant la position pendant quelques secondes vous aidera à retrouver un ventre plat et à vous tenir correctement, ce qui vous évitera les maux de dos. Profitez du temps de jeu de votre bébé pour vous exercer ! Positionnez-le sous son arche d'éveil, et faites basculer votre bassin huit à dix fois, une à deux fois par jour.

VOTRE BÉBÉ A 19 SEMAINES ET 3 JOURS

Sensations tactiles

Les sens de votre bébé continuent à s'éveiller. Son toucher, en particulier, lui en apprend beaucoup sur son environnement.

Montrez à votre bébé comment caresser ses jouets tout doux, faites-lui sentir le froissement du papier ou laissez l'eau tiède du robinet couler entre ses doigts. À cet âge, les livres, les tapis de jeux et les jouets aux textures différentes ont beaucoup de succès : votre bébé adore toucher son canard en caoutchouc et les plumes duveteuses d'un poussin en peluche. Laissez-le se rouler dans l'herbe ou apprécier le contact du tapis ou de sa couverture. Mettez des mots sur ce qu'il ressent (« doux », « râpeux », « dur », « lisse »...), cela l'aidera à mieux découvrir son univers.

Jeux d'eau Lavez les mains de votre bébé au robinet, pour le laisser apprécier l'eau couler entre ses doigts.

Stimuler le toucher de votre bébé aiguise sa curiosité, améliore sa mémoire et son temps de concentration, et favorise le développement de son système nerveux, car il s'intéresse ainsi à ce qui l'entoure. Il apprendra également à être plus en confiance face à des situations inattendues, car son environnement suscitera davantage sa curiosité que sa crainte.

Vous lui proposerez bientôt des aliments solides : tout un monde à explorer ! S'il a déjà eu l'occasion de découvrir de nouvelles textures, il sera moins intimidé par une purée d'avocat ou un biscuit.

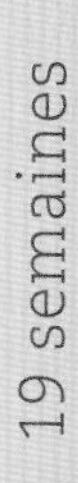

VOTRE BÉBÉ A 19 SEMAINES ET 4 JOURS

Chutes

Aussi attentive que vous soyez, les accidents peuvent arriver. S'il s'agit d'une petite chute, ne vous inquiétez pas : les bébés sont très résistants.

Un bisou et on oublie tout Un câlin et des bisous réconfortants aideront votre bébé à se remettre d'un petit accident.

Une seconde d'inattention, un faux pas ou une chute avec votre bébé dans les bras, et c'est l'accident. Bien que sans gravité, la plupart des parents sont mortifiés lorsque leur bébé fait une chute, submergés par la culpabilité et l'angoisse à l'idée des blessures qu'ils auraient pu causer à leur enfant chéri.

La plupart des bébés ressortent de ce genre d'accidents presque totalement indemnes. Sans minimiser l'importance de toujours surveiller votre nourrisson lorsqu'il fait des roulades ou de le porter et de le déplacer avec précaution, essayez de ne pas trop vous angoisser s'il tombe. S'il pleure immédiatement, ou presque, il est très probable que tout aille bien, en particulier s'il vous fait un sourire peu après et reprend son comportement habituel.

Cependant, les blessures peuvent parfois être plus sérieuses. Consultez donc un médecin si votre bébé présente une grosse bosse après sa chute, notamment au niveau de la tête, ou s'il a du mal à bouger l'un de ses membres.

S'il vomit ou devient anormalement somnolent, ou si vous êtes inquiète concernant la gravité de sa chute, consultez un médecin de toute urgence.

VOTRE BÉBÉ A 19 SEMAINES ET 5 JOURS

Partage des tâches

Adoptez l'esprit d'équipe pour faire la vaisselle, plier le linge ou répondre aux besoins de votre bébé.

C'est un fait : votre compagnon et vous-même n'allez probablement jamais avoir le même point de vue sur tous les problèmes auxquels vous serez confrontés en tant que parents, tout comme vous aurez certainement du mal à trouver l'organisation idéale pour vous répartir les tâches ménagères. De plus, vous pouvez mettre au point une stratégie qui vous donne à chacun l'occasion de vous illustrer dans les activités pour lesquelles vous êtes doués.

La coexistence de styles d'éducation différents n'est pas nécessairement propice aux disputes. Tout ce que votre compagnon ou vous-même pourrez apporter sera autant d'enrichissements et de chances pour votre bébé. Ne soyez pas critique lorsque votre conjoint fait quelque chose différemment : s'il y a une chose que vous apprendrez en tant que parents, c'est qu'il n'y a pas une seule « bonne » façon d'éduquer et de prendre soin de son enfant. Respectez vos différences et soyez prêts à quelques compromis. L'expérience sera formatrice pour tous les deux et votre relation n'en ressortira que renforcée.

Préparez ensemble une liste de choses à faire : inscrivez-y tout ce qui doit être fait. Qu'aimez-vous faire ? Vous êtes une lève-tôt qui accepte sans problème de jouer dès l'aube ? Chacun de vous peut-il s'occuper de votre bébé un soir sur deux ? Pour trouver des solutions aux difficultés que rencontre votre couple au quotidien, il suffit de communiquer et de s'organiser. Essayez de résoudre ces problèmes pour éviter d'exacerber les frustrations, et ne pas détériorer votre relation. En tant qu'équipe, vous devez offrir à votre bébé la meilleure vie de famille possible.

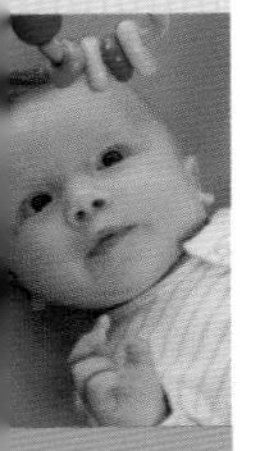

Langage corporel

Jusqu'à ce que votre bébé puisse communiquer par la parole, observez son attitude pour interpréter ce qu'il essaie de vous dire.

Expression corporelle Décrypter le langage corporel de votre bébé vous aidera à savoir ce qui ne va pas et comment y remédier.

Chaque jour, votre enfant et vous apprenez à mieux vous connaître. Non seulement son langage corporel vous paraît plus explicite, mais votre capacité à l'interpréter s'améliore aussi. Comprendre les signes qu'il vous envoie (voir p. 124) peut vous être précieux pour anticiper ses changements d'humeur et dévier son attention avant qu'il ne fonde en larmes.

Oui, je boude Tout comme les adultes, les bébés peuvent être contrariés et se sentir frustrés. Ils froncent les sourcils, grimacent ou font la moue. Si le visage de votre bébé semble s'assombrir, réfléchissez à ce qui peut bien le chagriner. Vous lui avez peut-être proposé des jouets qui ne lui plaisent pas, ou bien il estime que ce n'est pas le moment de changer sa couche ou de le déshabiller pour le bain. Il peut être également hypersensible aux stimuli sensoriels. Ainsi, trop de bruit, de lumière ou une mauvaise odeur peuvent le déranger. Un mal-être dû à des vêtements inconfortables ou à un lait maternel au goût différent peut aussi expliquer sa mauvaise humeur. Remédiez à ces problèmes ; un peu de distraction et les amusements qui le font généralement rire devraient ensuite suffire à le remettre de bonne humeur.

Parfois, les bébés froncent le nez pour témoigner leur aversion. Peut-être que votre nourrisson ne veut plus de cet agaçant hochet, refuse d'être porté par cet inconnu ou n'apprécie pas ce que vous avez mangé au souper, car votre lait n'est pas à son goût. Regardez son nez !

S'il courbe le dos et fléchit les doigts et les orteils, les yeux grands ouverts, il a peut-être mal quelque part. Faites-lui faire un rot pour vous assurer que cela n'est pas dû à la présence d'air dans son estomac. S'il est nourri au biberon, pensez à ses dernières selles : il est possible qu'il soit constipé (voir p. 403).

Stop ou encore? Si votre enfant dévie volontairement son regard du vôtre, est agité et tourne la tête lorsque vous jouez avec lui, il a peut-être besoin d'une pause. C'est le moment d'essayer une activité plus tranquille qui l'aidera à se calmer : couché dans son lit sous son mobile ou au sol sous son arche d'éveil, laissez-le avoir un « moment à lui ». Vous vous apercevrez peut-être qu'il se cache les yeux avec les mains ; c'est sa façon d'éviter le trop-plein de stimulation et de bruit, car il n'a pas encore compris qu'il peut atténuer le son en mettant les mains sur les oreilles ! S'il agite les jambes dans tous les sens et qu'il respire vite, il est probablement excité et heureux. Dans ce cas, un jeu animé et une partie de chatouilles seront très appréciés !

ACTIVITÉ D'ÉVEIL

Fais ce que je fais

Votre bébé a un sens inné du mime. Il apprend à exprimer ses émotions et à contrôler les muscles de son visage, de sa bouche et de sa langue en copiant ce que vous faites. Tirez-lui la langue et observez votre bébé essayer d'en faire autant. Applaudissez ses efforts : il est possible qu'il ne se soit pas rendu compte d'avoir réussi. Ouvrez grands les yeux en faisant une grimace amusante et recommencez jusqu'à ce que vous remarquiez qu'il essaye de vous imiter. Votre bébé prendra bientôt lui-même l'initiative de ce jeu avec vous.

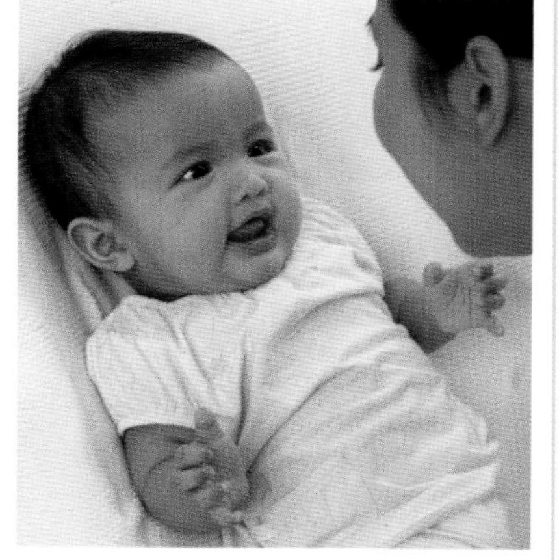

Copieur Ayez des mimiques expressives : votre bébé essaie de les imiter !

20 semaines

SI LES TÉTÉES NE LE SATISFONT PLUS, VOTRE BÉBÉ EST MAINTENANT PRÊT POUR LA DIVERSIFICATION

Si votre enfant vous préfère, cela signifie qu'il se sent en sécurité dans vos bras. Certains bébés sont ravis d'être portés par n'importe qui et de communiquer avec quiconque se trouve près d'eux, tandis que d'autres sont plus réticents. Laissez le vôtre exprimer sa personnalité.

Parents en compétition

Élever un enfant ne doit pas faire l'objet d'une compétition. Chaque bébé grandit et évolue au rythme qui lui convient.

Apprécier les groupes Être en compagnie d'autres parents et d'autres bébés peut être une bonne chose pour vous et votre enfant, tant que les comparaisons ne vous contrarient pas.

Le contact avec d'autres parents ayant des enfants du même âge permet de bénéficier d'un certain soutien et de conseils d'éducation, tout en vous donnant l'occasion d'avoir une vie sociale. Si ces rencontres sont généralement positives, elles peuvent cependant parfois donner lieu à quelques signes de rivalité. Il est normal de parler des différentes étapes franchies par son bébé et de les comparer. Pour des parents, être fiers de son enfant est très positif mais attention aux insinuations de supériorité lorsqu'un bambin est un peu en avance sur les autres. Évitez de tomber dans cet état d'esprit : n'oubliez pas que votre bébé grandit à son rythme, fort de ce que vous lui apprenez et de l'affection que vous lui portez.

Choisissez bien vos amis, évitez ceux qui vous donnent l'impression que votre enfant n'est pas aussi bien que le leur.

Voir d'autres bébés évoluer vous permet de songer au développement du vôtre. Si vous constatez des écarts visibles et importants entre votre enfant et d'autres du même âge, demandez conseil auprès d'un professionnel de la santé. Il devrait vous rassurer. Toutefois, dans les rares cas où un retard de développement est identifié, consulter de façon précoce reste ce qu'il y a de plus efficace.

Votre bébé est unique ; il s'éveille, apprend, grandit à son rythme et s'illustre dans certains domaines plus que d'autres. Par ailleurs, les enfants qui rampent ou parlent tôt ne réussissent pas nécessairement à tout faire de façon précoce. Réjouissez-vous de l'individualité de votre bébé et des étapes qu'il franchit : il deviendra un enfant équilibré, confiant et capable d'exploiter ses capacités.

PRÉMATURÉS ET JUMEAUX

Si votre enfant était prématuré, tenez compte de son âge corrigé pour déterminer s'il franchit normalement les étapes de son développement. Les bébés prématurés mettent parfois plus longtemps à s'éveiller. Dans la plupart des cas, ils ont rattrapé leur retard au moment d'entrer à l'école, et continuent à franchir les étapes aussi bien que leurs camarades.

De même, évitez de comparer vos jumeaux. Il est fréquent que l'un des deux soit un peu en avance par rapport à l'autre : un héritage du partage des ressources et de l'espace dont ils avaient déjà l'habitude *in utero*. Là encore, réjouissez-vous de leurs personnalités et de leurs réussites individuelles, et offrez à chacun le soutien dont il a besoin pour faire de son mieux au moment qui lui convient.

Individuels Les jumeaux développent leurs capacités à un rythme différent. Sachez apprécier la réussite de chacun.

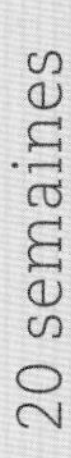

VOTRE BÉBÉ A 20 SEMAINES ET 1 JOUR

Êtes-vous bien à l'écoute ?

Vers 20 semaines, il se peut que votre bébé utilise des sons pour essayer de vous dire quelque chose. À vous de deviner quoi…

Avant d'employer des mots, les bébés se créent souvent un vocabulaire de sons dont l'interprétation se révèle parfois difficile. Votre nourrisson peut notamment expérimenter certains sons en vous imitant. Par exemple, si vous dites toujours « bravo ! » lorsque vous changez sa couche, il se peut qu'il se mette à dire « vooo » chaque fois que vous le langez. Il peut aussi émettre un son particulier lorsqu'il est fatigué : il s'agit généralement d'un grognement ou d'un gémissement plaintif. Il essaiera peut-être de vous dire qu'il a faim en claquant des lèvres et en babillant plaintivement tout en essayant de prendre la position qu'il adopte pour téter. S'il a envie de s'amuser, il peut gazouiller ou pousser de petits cris pour attirer votre attention.

Il se sert de sa voix et de ses capacités à créer différents sons pour vous indiquer ce qu'il veut et ce dont il a besoin, et il est important que vous l'écoutiez, lui répondiez et soyez attentive à ses désirs.

Comprendre le message À l'instar des sons que votre bébé émet, ses intonations et son langage corporel vous indiquent s'il veut continuer à jouer, s'il est fatigué ou s'il a faim. En lui répondant rapidement et en interprétant ses sons, ses expressions et ses mouvements, vous le rassurez et lui montrez que vous comprenez ce qu'il essaie de vous dire. Répondez à votre tour par des mots, et attendez sa réaction : il acquerra ainsi le principe de l'échange et les capacités d'écoute essentiels à toute conversation. Écoutez attentivement ses babillages, vous vous apercevrez qu'il répète sans cesse certains sons : répondez et encouragez-le, cela lui donnera l'envie de communiquer davantage. S'il vous est parfois difficile de comprendre ce que votre enfant essaie de vous dire, observez son langage corporel, suivez son regard, pointez du doigt les objets qu'il est susceptible de convoiter et repérez un éventuel changement dans son expression. S'il regarde avec insistance son doudou en émettant le même son par exemple, répétez ce son et donnez-lui le doudou. Si vous avez deviné, il vous fera un sourire. Tout au long de la journée, nommez les objets, vos activités et même vos sentiments : votre bébé mémorise ainsi des mots dont il se servira lorsque ses capacités langagières se développeront, et tente déjà de les interpréter lui-même. Ces « conversations » sont une étape importante de son développement cognitif et langagier et lui permettront de dire ses premiers mots vers 12 mois.

DIX BELLES CHOSES À SE RAPPELER LORSQU'ON EST PARENT…

Lorsque vous êtes épuisée, rappelez-vous pour quelles raisons être parent est si merveilleux !

- L'immense fierté d'avoir créé la vie.
- Cette émotion qui vous submerge lorsque votre bébé vous sourit.
- Revivre votre enfance. Bien qu'il soit encore tout petit, quel bonheur d'anticiper tout ce que vous allez partager.
- Se rendre compte que c'est pour toujours… effrayant mais fascinant aussi ! Faire passer les besoins d'autrui avant les siens est libérateur.
- Ces incroyables câlins !
- Regarder les choses pour la première fois à travers les yeux de votre enfant.
- Redécouvrir le rire : vous n'aviez jamais réalisé à quel point le rire d'un bébé est contagieux !
- Partager une nouvelle complicité avec votre compagnon.
- Voir vos parents craquer eux aussi pour votre nourrisson.
- La première fois que votre bébé dira « mama » ou « papa » – il parlera de vous !

Bébé d'amour Petits rires, cris ou « brrr » : des tentatives de communication attendrissantes qui font fondre tous les adultes, et en particulier les parents !

VOTRE BÉBÉ A 20 SEMAINES ET 2 JOURS

Jouer dans la journée

Plus votre bébé apprécie les moments de jeu au cours de la journée, plus il apprend et plus vos liens se renforcent.

Jeu spontané Tout bon rythme de vie inclut un peu de temps pour jouer ensemble.

À mesure que votre bébé grandit, ses temps de jeux deviennent de plus en plus importants. Ils lui permettent de dépenser son énergie débordante et le poussent à se servir de ses muscles, affiner sa coordination et mieux prendre conscience de la façon dont il peut bouger les membres. Le jeu constitue en outre une bonne occasion d'apprentissage et d'éveil dans un contexte amusant et détendu, et se révèle être une excellente façon de renforcer votre relation.

Votre bébé anticipera avec joie vos temps de jeu. Réfléchissez à différentes façons de l'amuser ou de le stimuler, et posez-lui quelques défis. Vous pouvez le faire valser dans vos bras, éloigner ses jouets pour qu'il leur donne des coups de pieds, ou fabriquer des bulles de savon qu'il essaiera d'attraper. Proposez-lui de sentir différentes odeurs, par exemple en frottant entre vos mains un peu de lavande, de menthe ou de cannelle.

Il est important que le jeu reste un moment amusant et insouciant, car votre enfant apprendra mieux dans un contexte calme mais joyeux. Certains parents s'inquiètent du fait que leur bébé n'évolue pas aussi vite que les autres et profitent des temps de jeu pour le pousser à franchir les étapes avant qu'il ne soit prêt. Évitez d'agir ainsi.

VOTRE BÉBÉ A 20 SEMAINES ET 3 JOURS

Des modèles pour votre bébé

Les adultes sont les premiers professeurs de votre enfant, mais ils sont aussi des modèles qui lui montrent l'exemple.

En tant que parents, vous êtes déjà sensibles aux besoins de votre bébé et à même de reconnaître s'il a besoin d'un câlin, s'il veut s'amuser, s'il a faim ou s'il a besoin d'être changé. Vous lui apportez les soins quotidiens et l'amour inconditionnel essentiels à son bon développement émotionnel. Par ailleurs, les autres adultes de son entourage (grands-parents, tantes, parrain...) constituent pour lui d'autres modèles. Vous avez tous une influence sur lui et, au fil du temps, il apprendra à reproduire vos gestes. Certes, il peut sembler encore trop tôt pour donner l'exemple à votre nourrisson et les résultats ne seront visibles que lorsqu'il aura grandi, mais votre enfant apprend en permanence. Il est donc important de commencer dès maintenant à lui montrer l'exemple. Tous les adultes de son entourage peuvent donc lui enseigner des vertus essentielles comme l'empathie ou les bonnes manières ou encourager l'optimisme, le sens des responsabilités et l'interaction sociale. Votre enfant observera ces caractéristiques et finira par les adopter.

Si vous élevez seule votre bébé, demandez à un membre de votre famille ou à un ami proche d'être proche de lui. Il est réconfortant de savoir que quelqu'un d'autre veille sur lui et d'avoir une personne avec qui partager ses inquiétudes ou le bonheur de voir son bébé grandir. Il est aussi important qu'un homme de la famille puisse jouer un rôle de référent masculin sans remplacer cependant l'image paternelle.

Votre enfant est en apprentissage constant et s'imprègne principalement de son environnement – et de la façon d'interagir avec celui-ci – par son entourage. En mettant à sa disposition des modèles forts, aimants et responsables, il bénéficiera d'un soutien solide et de multiples influences qui le guideront à travers l'enfance et jusqu'à l'âge adulte.

VOTRE BÉBÉ A 20 SEMAINES ET 4 JOURS

Siestes en journée

Certains bébés peuvent désormais faire une sieste de moins par jour, mais d'autres ont toujours besoin de leurs trois siestes quotidiennes.

Vous avez peut-être remarqué que votre bébé a du mal à s'endormir au moment de sa sieste de fin d'après-midi ; il préfère alors jouer ou s'agiter au lieu de se reposer. S'il réussit à s'endormir, il se peut qu'il soit moins disposé à aller au lit le soir et mette plus de temps à s'apaiser.

Votre nourrisson a encore besoin de 15 heures de sommeil en 24 heures, réparties en plusieurs siestes au cours de la journée et en un temps de repos plus long, la nuit. À cet âge, il est probablement prêt à faire deux siestes plus longues en journée, plutôt que trois ou quatre de courte durée. Comme il est capable de tenir plus longtemps entre deux tétées, ces siestes peuvent donc désormais se rallonger. En règle générale, la sieste de fin d'après-midi est la première à disparaître. À cet âge, les bébés se contentent d'un somme en milieu de matinée et d'une sieste un peu plus importante après le dîner. Ils sont également plus joueurs : ne pensez donc pas que votre enfant est prêt à sauter sa sieste juste parce qu'il a du mal à se calmer. Il a peut-être simplement besoin d'un petit rituel pour l'encourager à dormir. S'il ne s'endort pas et préfère jouer, il n'a probablement pas besoin de dormir. Il n'y a alors aucune raison de l'empêcher de passer un moment calme dans son lit ; le fait de se retrouver seul lui permettra de se détendre (et vous aussi !).

La première fois que vous lui supprimez sa sieste, il se peut qu'il ait du mal à atteindre l'heure du coucher sans somnoler ou devenir grognon. Il peut donc être nécessaire de le mettre au lit une demi-heure plus tôt.

VOTRE BÉBÉ A 20 SEMAINES ET 5 JOURS

Échanger de l'affection

À cet âge, votre bébé adore que vous lui accordiez de l'attention, mais il apprend aussi à vous donner de l'amour en retour. Profitez-en !

À bout de bras Votre bébé adore être contre vous et commence à vous tendre les bras. Si vous portez des bijoux, il les voudra aussi !

L'échange de simples gestes d'affection entre votre bébé et vous témoigne de la consolidation de votre relation. Si au début les signes de tendresse (bisous, câlins, massages et caresses) n'étaient portés que dans un sens, à présent, votre nourrisson maîtrise de mieux en mieux son corps et répond à l'attention que vous lui consacrez. Il va commencer à recevoir et donner en échange, par exemple en mettant ses bras autour de votre cou ou en criant de plaisir lorsque vous le chatouillez. Très vite, il vous tendra les bras pour que vous le preniez ou lui fassiez un câlin. Ce geste précoce marque un tournant dans le développement de ses capacités de communication. En y répondant immédiatement, vous lui montrerez qu'il vous a bien fait comprendre ses besoins et l'encouragerez à communiquer avec vous.

Votre bébé vous montre également son affection lorsqu'il se blottit contre vous et que vous le serrez fort en retour. Soutenez sa tête et laissez-le la poser sur votre épaule ce qui lui permettra de contempler son environnement tout en se sentant en sécurité dans vos bras.

Continuez à interagir avec lui de façon positive, donnez-lui beaucoup d'attention et communiquez. Vous recevrez en échange toute son affection, ce qui renforcera les liens qui vous unissent.

Prendre des initiatives

Chaque jour, votre enfant a besoin de temps pour expérimenter et explorer les choses lui-même et à son rythme.

Des jouets adaptés Pour que votre bébé puisse s'amuser tout seul, donnez-lui des jouets faciles à manipuler.

Le temps est venu de permettre à votre bébé de jouer seul quelques instants. Votre rôle consiste à lui donner ses jouets et à le surveiller sans intervenir pendant quelques minutes. En jouant seul, il dirige son attention à sa guise, et peut donc toucher, porter à la bouche ou observer ses jouets aussi longtemps qu'il le souhaite. Les jeux en solo ne doivent cependant pas constituer son unique façon de jouer : vous écouter lui parler de son environnement, s'amuser et interagir avec vous demeure ce qu'il y a de plus bénéfique pour lui.

Lorsqu'il joue tout seul, installez-le assis, bien soutenu par des coussins, couché sur le dos sur son tapis, ou attaché dans sa poussette ou son transat. Placez quelques jouets à sa portée, en veillant à ne pas en mettre trop pour ne pas le submerger. Donnez-lui des objets adaptés à son âge, comme des éléments qui pendent (ceux que l'on trouve sur les arches d'éveil, par exemple), et qui resteront toujours à sa portée, pour ne pas le frustrer.

Lorsqu'il joue sans vous, votre bébé n'a de cesse d'essayer d'atteindre son but : il agite les jambes en l'air pour toucher l'un des personnages pendus à son arche d'éveil ou appuie sur les boutons de son jouet de poussette. Il est possible que ses essais restent infructueux un peu plus longtemps que d'habitude, mais ne le laissez pas s'énerver et intervenez s'il a besoin de vous. S'il est contrarié ou se retrouve dans une position hasardeuse, soyez prête à lui venir immédiatement en aide. Les temps de jeu en solo doivent être de courte durée et vous devez rester à proximité et attentive, même si vous n'intervenez pas.

COMMENT...

Calmer un bébé trop stimulé

Il est important que vous aidiez votre bébé à s'apaiser s'il est trop stimulé. Vous devrez être à son écoute pour comprendre comment le calmer. Parfois « un temps seul » peu suffire. Essayez de l'allonger sur le dos dans son lit. Enclenchez son mobile pour qu'il regarde autour de lui ou donnez-lui quelques livres faciles à manipuler (ou à mâchouiller) et laissez-le se détendre paisiblement avec éventuellement une musique de fond.

Votre bébé peut aussi avoir besoin de réconfort. Asseyez-le sur vos genoux et chantez-lui sa berceuse préférée ou une comptine évoquant le repos. Parlez-lui doucement en caressant son dos : le contact physique a un effet apaisant sur le système nerveux.

En général, les bébés trop stimulés réagissent favorablement à un environnement sombre et frais. Fermez les volets et baissez le chauffage, ouvrez la fenêtre ou déshabillez-le un peu pour l'aider à se rafraîchir (tout en gardant un œil sur lui, car il pourrait rapidement s'enrhumer).

Signes de surstimulation Lorsqu'il a besoin d'un temps calme, votre bébé évite les contacts visuels, courbe le dos ou se tortille quand il est dans vos bras.

GROS PLAN SUR...

Les premières saveurs de votre bébé

Il est temps pour votre bébé de passer à la nourriture solide ? Prendre de bonnes habitudes dès le premier jour rendra l'expérience plus agréable pour vous comme pour lui et l'encouragera à découvrir de nouvelles saveurs.

AIDE-MÉMOIRE

Un bon début

Les bébés commencent par manger des purées de fruits ou de légumes, ainsi qu'un peu de céréales, sous forme de farines infantiles qui peuvent être mélangées au lait. Introduisez d'abord les légumes : les enfants qui commencent par les fruits ont tendance à refuser les saveurs plus prononcées et à développer un goût marqué pour le sucré. Variez les légumes colorés : orange, jaunes ou verts !

- **Purées de légumes :** pommes de terre, carottes, haricots verts, épinards, courgettes, blancs de poireau
- **Purées de fruits :** pommes, poires, bananes, pêches, nectarines
- **Céréales infantiles** (peuvent contenir du gluten après 4 mois)
- **Consistance :** les premières purées doivent être liquides, vous pourrez les épaissir progressivement.
- **Fréquence des repas :** une fois par jour la première semaine si vous diversifiez avant 6 mois, ou pendant quelques jours seulement si votre bébé a plus de 6 mois.
- **Quand ?** après une tétée pour qu'il ne soit pas affamé et qu'il soit calme.
- **Quantité :** de 1 à 2 cuillerées à thé et davantage lorsqu'il se sera habitué (voir p. 234-235).

Nouvelles saveurs Choisissez des aliments sains et savoureux et mixez-les en purée.

Attendez que votre bébé soit alerte sans être trop affamé, afin qu'il ne soit pas contrarié de ne pas voir arriver son lait habituel. En règle générale, il est judicieux d'attendre une heure après la dernière tétée. Mettez-le dans sa chaise haute ou son transat, en ayant pris soin de tout préparer à l'avance pour ne pas le laisser assis tout seul trop longtemps. Sa purée de fruits ou de légumes doit être tiède : vérifiez la température en en déposant un peu sur l'intérieur de votre poignet.

Manger à la cuillère Servez-vous d'une cuillère pour prendre un peu de purée et portez-la contre ses lèvres. S'il ouvre la bouche, introduisez doucement la cuillère. Votre bébé va d'abord « sucer » le contenu de la cuillère plutôt que d'utiliser ses lèvres pour l'attraper. Gardez la cuillère dans sa bouche jusqu'à ce qu'il l'ait vidée de son contenu. S'il ne le fait pas, écrasez doucement la cuillère sur ses gencives supérieures pour que la purée coule dans sa bouche. Ne vous étonnez pas s'il semble un peu déstabilisé ou s'il recrache. (S'il le fait à plusieurs reprises, il n'a peut-être pas perdu son réflexe d'extrusion qui le pousse à repousser avec sa langue tout ce qui est introduit dans sa bouche. Le cas échéant, vous devrez attendre quelques semaines avant de réessayer.) S'il n'ouvre pas la bouche, étalez un peu de purée sur ses lèvres. Il finira par sortir la langue pour la lécher. À l'aide de la cuillère, enlevez la purée qui a coulé sur son menton et ramenez le tout dans sa bouche avant de prendre une nouvelle cuillerée de purée. Lors des premières tentatives, la plupart des bébés ne prennent qu'une ou deux cuillerées, ne vous attendez donc pas à ce qu'il mange le bol entier. S'il semble réticent, arrêtez. Il est essentiel que vous preniez votre temps et appréciez l'expérience ensemble.

Parlez à votre bébé lorsque vous lui présentez la cuillère ; ouvrez la bouche pour lui montrer comment faire. Pour lui faire voir que c'est vraiment délicieux, vous pouvez aussi goûter vous-même en prenant une autre cuillère. La plupart des bébés étant de bons imitateurs, il suivra votre exemple. Laissez votre enfant jouer avec la nourriture : même si c'est salissant, cela fait partie de son apprentissage. Il peut tremper ses doigts dans la purée et les sucer. Les premiers temps, ne proposez à votre enfant qu'une ou deux cuillerées par jour, à l'occasion d'un seul repas. Présentez-lui un nouvel aliment chaque jour et si ça ne lui plaît pas, essayez de l'introduire ultérieurement. (Pour plus d'informations sur le déroulement de la première étape de la diversification, voir les pages 234-235.)

Manger tout seul Certaines mamans ignorent l'étape de la cuillère et encouragent leur bébé à manger seuls. Cette méthode ne convient pas aux nourrissons de moins de 6 mois, car ils n'en ont pas la capacité. (Voir les pages 234-235 pour en savoir plus sur l'alimentation autonome.)

Notez chaque aliment que vous proposez à votre bébé lorsque vous commencez la diversification ainsi que ses éventuelles réactions. Introduisez ces aliments de préférence le matin ou au dîner, car il est alors plus facile de surveiller les réactions de votre enfant pendant la journée.

COMMENT...

Préparer des purées

Pour préparer vos premières purées, faites cuire à la vapeur les fruits ou les légumes de votre choix jusqu'à ce qu'ils soient tendres.

Un robot de cuisine vous permettra de préparer une large gamme de purées ; vous pourrez y fixer un bol de mixage plus petit pour les quantités réduites. Vous pouvez également vous servir d'un mélangeur à main ou d'un hachoir pour obtenir la consistance voulue. Les premiers « plats » doivent être presque liquides pour que votre bébé puisse les avaler sans peine. Vous pouvez ajouter un peu de son lait habituel ou de l'eau pour diluer une purée trop épaisse.

Préparez vos purées en quantité, laissez-les refroidir puis congelez-les en portions dans des récipients adaptés. Les bacs à glaçons sont particulièrement adaptés aux portions pour bébé. En cuisinant à l'avance, vous pourrez proposer tous les jours des saveurs différentes à votre enfant et lorsque vous manquerez de temps, vous aurez toujours sous la main des purées délicieuses. Pour préserver les nutriments, mettez un couvercle sur les bacs à glaçons ou les boîtes de congélation. Placez-les au congélateur à – 18 °C ou moins dans les 24 heures. Vous pouvez conserver vos purées au congélateur pendant 1 mois.

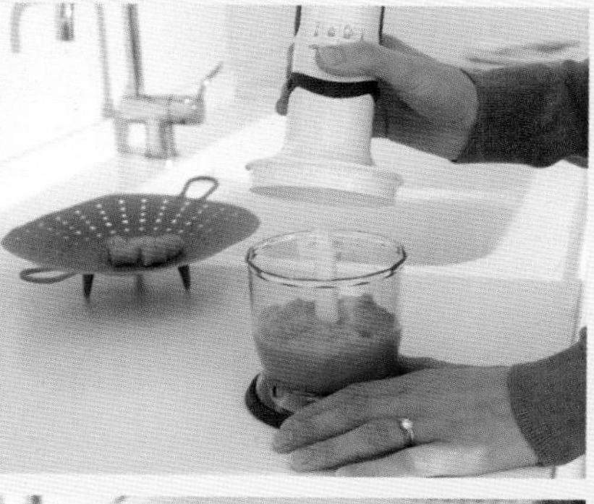

Cuire à la vapeur Pelez les légumes et coupez-les en dés. Mettez-les dans un panier vapeur disposé dans une casserole remplie d'eau bouillante et faites-les cuire jusqu'à ce qu'ils soient tendres (ci-dessus). **Mixer** Laissez-les refroidir, puis mixez (en haut, à droite). **Congeler** Répartissez la purée dans des récipients adaptés, fermez-les et étiquetez-les en inscrivant la date et le contenu, puis placez au congélateur (à droite).

L'AVIS... DU NUTRITIONNISTE

Puis-je donner du jus de fruits à mon bébé pour commencer la diversification ? Non. Qu'ils soient nourris au sein ou au biberon, les bébés n'ont pas besoin de jus de fruits avant de commencer à manger solide. Jusqu'à un an, ils doivent boire principalement du lait ou de l'eau plate. Boire du jus de fruits ne leur apprend pas à mâcher avant d'avaler et ne contribue pas à développer les muscles de leur mâchoire et de leur langue. De plus, le jus de fruits bu au biberon peut détériorer la dentition naissante de votre bébé, car il « tourbillonne » dans sa bouche avant d'être avalé. Si vous donnez du jus de fruits à votre bébé avant qu'il n'ait commencé à manger solide, diluez-le avec de l'eau (à raison de 1:10) pour réduire la teneur en sucre et proposez-le-lui dans une timbale.

Quels sont les aliments que mon bébé ne peut pas manger avant 6 mois ? Si les recommandations officielles ont préconisé pendant longtemps d'éviter le gluten et autres aliments potentiellement allergènes avant 6 mois, certaines études ont démontré que l'introduction du gluten entre 5 et 7 mois tout en maintenant l'allaitement maternel peut réduire le risque de maladie cœliaque, de diabète de type 1 et d'allergie au blé. Par ailleurs, si vous allaitez, ne retardez pas l'introduction des aliments très allergènes comme les œufs, le poisson ou les produits laitiers au-delà de 6 mois, car rien ne démontre que cette introduction tardive réduit les allergies. (Voir pages 234-235 pour en savoir plus sur les aliments à éviter jusqu'à un an.)

Puis-je réchauffer les purées au four à micro-ondes ? Oui, mais veillez à bien les mélanger avant de les servir, car certaines zones peuvent être plus chaudes que d'autres.

21 semaines

VERS 5 MOIS, LES BÉBÉS AIMENT SOUVENT PASSER PLUS DE TEMPS À JOUER TOUT SEULS

Alors que vous vous émerveillez de ce que votre bébé maîtrise un peu mieux chaque jour, lui peut être frustré par ce qu'il ne réussit pas à faire. Tout en l'accompagnant dans son apprentissage, n'oubliez pas de prendre soin de vous. Mangez sainement, reposez-vous suffisamment et prenez le temps de faire un peu de sport.

Introduire le gobelet

Si votre bébé tient assis avec un soutien, essayez de le faire boire dès maintenant avec une tasse d'apprentissage.

L'introduction précoce de la tasse d'apprentissage peut faciliter la diversification alimentaire : plus votre bébé boira longtemps au biberon, plus il aura du mal à l'abandonner. Les tasses d'apprentissage peuvent aussi être pratiques chez des bébés nourris au sein qui refusent le biberon, car ils sont généralement mieux disposés à boire le lait maternel ou maternisé au gobelet. Si les recommandations préconisent d'introduire la tasse d'apprentissage à 6 mois, certains bébés l'acceptent spontanément à 5 mois tandis que d'autres ne s'y intéressent que bien plus tard (néanmoins, l'usage du biberon est à décourager au-delà de 2 ans). Pour pouvoir boire à la tasse, votre bébé doit être capable de tenir assis avec un soutien, car dans le cas contraire, il risquerait de s'étouffer avec le liquide. Donner une tasse d'apprentissage à votre bébé ne signifie pas abandonner le sein ou le biberon, il s'agit simplement d'un autre moyen de le faire boire.

Bien en main Au début, aidez votre bébé à tenir la timbale ; quand il aura gagné en dextérité, il sera capable de le faire lui-même.

Le bon gobelet Choisissez une tasse en plastique rigide munie d'un couvercle qui ne risque pas de se casser en tombant par terre. Essayez plusieurs modèles afin de trouver celui dont les poignées et le bec conviennent à votre enfant : certains bébés préfèrent tenir la tasse en la serrant entre les paumes des mains et d'autres aiment se servir des poignées. Ceux nourris au biberon préfèrent parfois les becs souples (qui rappellent la tétine) tandis que les bébés élevés au sein préfèrent souvent les becs plus durs et rabattables qui libèrent plus facilement le liquide. Nombreux sont les bébés frustrés par un gobelet nécessitant une forte succion. Pensez également qu'un modèle à bas débit facilite l'introduction de la tasse car votre bébé peut avoir des haut-le-cœur au début.

Qu'y mettre ? Lorsque votre enfant passera à la nourriture solide, il sera ravi de boire un peu d'eau pendant ses repas. Si vous nourrissez votre bébé au biberon, il n'est pas nécessaire de mettre du lait dans la tasse. Versez-y plutôt un peu d'eau et invitez-le à boire quelques gorgées. Lorsqu'il commencera à manger des aliments solides, vous pourrez lui proposer une tasse d'eau pendant les repas et réserver le biberon (ou le sein) au lait. Les bébés n'ont pas besoin de jus de fruits ni de sirops, car le sucre qu'ils contiennent peut abîmer leur dentition naissante.

AIDE-MÉMOIRE

L'art de la tasse d'apprentissage

- Les premières fois que vous proposez une tasse d'apprentissage à votre nourrisson, mettez juste une petite quantité de liquide dans le gobelet, car il ne sera pas capable d'en boire beaucoup à la fois. Il sera aussi plus facile pour lui d'apprendre à tenir la tasse si elle n'est pas trop lourde.
- Montrez-lui comment la porter à ses lèvres et inclinez-la doucement pour qu'il puisse prendre une gorgée.
- Mettez-lui une grande bavette : votre bébé n'avalera certainement qu'une petite quantité du liquide qu'il aura dans la bouche et le reste coulera sur son menton et ses vêtements !
- S'il ne parvient pas à tenir correctement la tasse, aidez-le en la soulevant délicatement par le fond lorsqu'il essaie de boire.
- Si votre enfant tourne la tête pour vous indiquer qu'il n'en veut plus, ne le forcez pas. Vous ressaierez le lendemain ou la semaine suivante.
- Nettoyez soigneusement la timbale, le couvercle et le bec à la main avec de l'eau savonneuse ou au lave-vaisselle.
- Ne laissez jamais votre enfant sans surveillance lorsqu'il boit à la timbale, car il risque de s'étouffer.

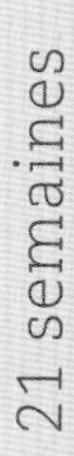

VOTRE BÉBÉ A 21 SEMAINES ET 1 JOUR

Roulades en toute sécurité

Il est temps de sécuriser votre maison. À 5 mois, certains bébés traversent une pièce en faisant des roulades, et cela va très vite !

Si votre bébé sait se rouler par terre, vous pourriez être surprise de voir le chemin qu'il est capable de parcourir en quelques secondes. Assurez-vous que rien ne peut le blesser sur sa route.

Vérifiez bien vos sols et retirez tout ce que vous ne voulez pas qu'il mette à la bouche, soit parce que c'est sale, soit parce qu'il risque de s'étouffer ou de se blesser avec. Ôtez également tout ce qui est susceptible de lui tomber dessus ou de le blesser s'il s'en empare, comme les fils de lampes ou de téléphone qui pendent. Pensez que le champ de vision de votre bébé est plus bas que le vôtre : mettez-vous à plat ventre pour repérer les dangers qui se cachent sous la table basse ou le canapé afin que rien n'échappe à votre vigilance. Rappelez à vos autres enfants de ne pas laisser traîner leurs jouets.

Lorsque vous changez sa couche, le séchez après le bain ou l'habillez, faites-le à même le sol afin qu'il ne puisse pas tomber lorsque vous allez chercher quelque chose. Si vous n'avez pas d'autre choix que l'installer sur une surface surélevée (lorsque vous utilisez une table dans un lieu public, par exemple), gardez une main sur lui en permanence.

L'AVIS... DE L'INFIRMIÈRE

Dois-je stériliser les jouets de mon bébé ? Les biberons et les tétines peuvent être stérilisés de temps en temps. Votre bébé a besoin d'être exposé à certains germes pour renforcer son système immunitaire : tout est donc question de bon sens. Si le chien a léché un de ses jouets ou si quelqu'un de malade l'a touché, lavez-le à haute température au lave-vaisselle ou à la laveuse, ou stérilisez-le avant de le lui redonner.

VOTRE BÉBÉ A 21 SEMAINES ET 2 JOURS

Un bébé frustré

Certains bébés sont déterminés à aller de l'avant. Ils veulent en faire plus que ne leur permettent leurs capacités physiques et sont frustrés !

Alors que certains enfants se contentent de rester assis et de contempler le monde, d'autres veulent courir avant de savoir marcher ! Si le vôtre est du genre à toujours vouloir être dans l'action, vous devrez vous armer de patience pendant la difficile période où il apprendra à devenir plus mobile. Attendez-vous à des larmes de frustration lorsque en position assise, il tendra les bras vers l'avant pour se mettre en appui et s'écroulera. Anticipez une crise en restant près de lui pour l'aider s'il se retrouve « coincé » à plat ventre, par exemple. Même si c'est difficile à vivre au quotidien, il faut l'accepter comme faisant partie de l'apprentissage, sans quoi votre bébé se contenterait d'être assis sagement. Votre enfant sera globalement plus heureux lorsqu'il saura ramper.

Efforts récompensés La frustration de votre bébé disparaîtra lorsqu'il parviendra à atteindre son but.

Bien sûr, vous devrez parfois l'aider à se calmer. S'il commence à être vraiment contrarié, il est préférable d'intervenir. S'il essaie d'atteindre un jouet, rapprochez-le légèrement pour qu'il puisse s'en emparer lui-même, et s'il se retrouve « coincé » sur le ventre, venez le repositionner.

Il est important qu'un bébé s'habitue à la frustration pour l'accepter plus tard !

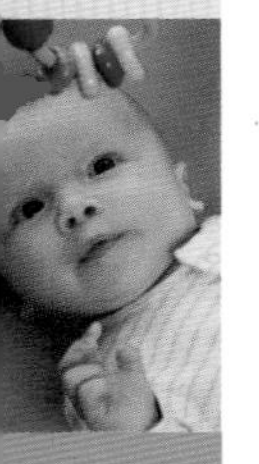

Rester connecté

Être parent est à la fois merveilleux et stressant. Le chemin peut parfois sembler difficile, mais il existe de nombreuses ressources.

Partage d'expériences Les forums en ligne vous permettent d'échanger avec d'autres parents au moment qui vous convient.

Échanger avec d'autres papas et mamans peut être très enrichissant, non seulement pour les nouveaux parents, mais aussi pour ceux d'enfants plus âgés. En partageant expériences et conseils, vous pouvez vous rassurer ou rassurer les autres à propos de situations auxquelles il peut être difficile de faire face lorsqu'on est isolé.

Si vous êtes jeunes parents et que peu de vos amis ont des enfants, les groupes parents-enfants de votre région sont également un bon moyen de rencontrer d'autres familles. Les réunions ont généralement lieu dans des centres communautaires : consultez donc les tableaux d'affichage de votre secteur et la presse locale pour en savoir plus. Vous pouvez également vous renseigner sur Internet (voir aussi la rubrique Ressources, p. 416-417). Certains CLSC organisent des ateliers d'éveil pour les enfants permettant aux parents de rencontrer d'autres familles.

Structures d'aide aux familles gérées par le gouvernement Les CLSC offrent soutien et conseils aux parents. Leur personnel peut répondre à toutes les questions liées à la santé et au bien-être des mamans et des bébés. Ces centres vous orienteront également sur le mode de garde le mieux adapté à vos besoins. Outre les consultations pédiatriques, certains proposent des conseils diététiques, des ateliers dédiés aux parents et des informations sur la prise en charge des enfants ayant des besoins spécifiques.

En l'absence de centre proprement dit, des consultations et des interventions du CLSC peuvent également être organisées dans votre municipalité.

Ressources Internet Ces dernières années, les réseaux sociaux ont connu une véritable explosion. Les innombrables forums de discussion et autres blogs sont une véritable source d'informations sur la parentalité. Certains sites regorgent de conseils très divers allant de l'alimentation au sommeil. Vous y trouverez également des informations relatives aux initiatives locales et aux associations présentes dans votre région.

Des sites comme *www.mamanduquebec.net*, *www.mamanpourlavie.com* ou *www.supermamans.com* proposent des informations pratiques et des forums par région, et permettent de partager votre expérience par le biais de blogs ou d'espaces de discussion. Mais ils ont surtout l'avantage de créer des communautés : si votre bébé vous inquiète ou s'il ne s'éveille pas comme vous vous y attendiez, vous trouverez sur ses sites de nombreux parents qui ont connu la même chose et pourront vous donner des conseils pratiques, ou du moins vous rassurer et vous comprendre. En général, l'inscription est gratuite. Si vous n'avez pas d'ordinateur à la maison, certaines bibliothèques publiques ou centres communautaires peuvent vous permettre d'accéder à Internet.

BON À SAVOIR

Parent solo

Qu'il s'agisse de conseils sur les modes de garde possibles pour votre enfant ou sur la façon d'organiser les rencontres avec son père (ou sa mère), les sites destinés aux familles monoparentales vous aideront à faire face aux difficultés. La plupart regorgent d'informations concernant les prestations familiales, ainsi que de témoignages et de conseils, par exemple sur la façon de concilier vie professionnelle et rôle de parent. Ils proposent également des dossiers téléchargeables ou des conseils par téléphone ou par courriel. Si vous vous inscrivez, la plupart mettent à disposition des forums ou vous pouvez partager vos inquiétudes et vos réussites avec les autres parents solos. Vous pouvez vous référer à la Fédération des associations de familles monoparentales et recomposées du Québec, dont voici le site : www.fafmrq.org.

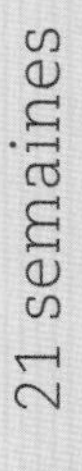

VOTRE BÉBÉ A 21 SEMAINES ET 4 JOURS

Son cerveau se développe

Les expériences de votre bébé créent dans son cerveau des milliards de connexions neuronales qui l'aideront à comprendre le monde.

Les bébés naissent avec une panoplie complète de cellules cérébrales qui leur serviront toute leur vie, mais, au début, seules quelques connexions existent entre elles. Chaque semaine, ce que votre nourrisson voit, entend, touche, sent ou goûte et la façon dont il le fait crée une connexion unique (ou « voie neuronale »), établissant ainsi des milliers de liaisons en quelques mois seulement. Ces connexions complexes constituent le fondement de la pensée, des sentiments et du comportement. Elles contribuent également au développement psychologique de votre enfant, comme la vision des couleurs, la maîtrise de la pince fine et son fort attachement envers vous. L'environnement de votre bébé et l'attention que vous lui portez influencent aussi la façon dont ces liaisons s'établissent. Plus vous lui offrirez d'expériences, plus son cerveau absorbera d'informations. Ainsi, en lui parlant, vous aidez son cerveau à développer les voies du langage et, en étant attentive à ses besoins, vous contribuez à développer les composantes émotionnelles de son cerveau, établissant ainsi les bases d'une relation durable.

BON À SAVOIR

Cellules cérébrales

Les bébés naissent avec plus de 100 milliards de cellules cérébrales, ou neurones, qui ne se reproduisent pas. Les expériences des cinq sens de votre bébé modèlent son cerveau et forment des connexions entre ces cellules. Vers 3 ans, il aura établi près de 1 000 milliards de milliards de connexions.

VOTRE BÉBÉ À 21 SEMAINES ET 5 JOURS

Diversion plutôt que discipline

À cet âge, vous ne pouvez rien expliquer à un bébé : s'il fait quelque chose qu'il ne doit pas, le meilleur stratagème reste la diversion.

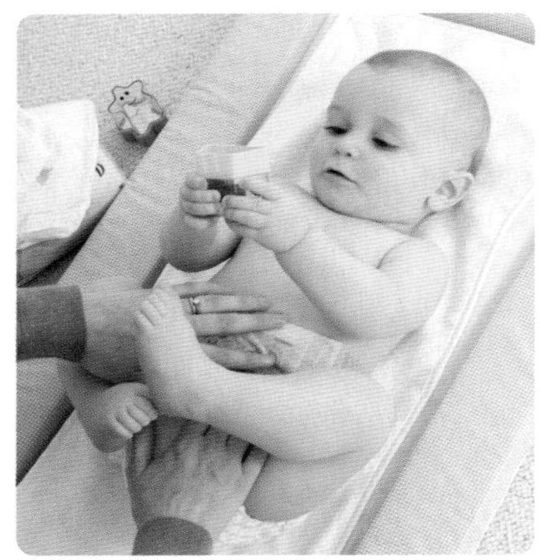

Tactiques de diversion Occupez votre bébé avec son jouet fétiche pour qu'il reste calme et coopératif.

À 21 semaines, si votre bébé n'est pas sage, il n'en a pas conscience. Ses « bêtises » sont le résultat de son extrême curiosité et de ses investigations dans les rapports de cause à effet. Vous aimeriez sans doute lui inculquer quelques principes de prudence, mais pour le moment, la méthode la plus efficace reste la diversion. S'il s'empare d'un objet inadapté pour lui et le mâchouille, enlevez-le-lui en lui en offrant un plus sûr.

De même, s'il parvient à atteindre quelque chose qu'il ne doit pas toucher, par exemple une tasse de café s'il est assis avec vous à table, éloignez simplement l'objet et détournez son attention sur l'un de ses jouets. Les bébés sont des girouettes ; votre enfant risque de changer d'avis après un instant de réflexion.

Accompagnez chaque diversion d'un « non » ferme mais calme. Au fil des mois, il finira par intégrer la signification du « non ». Soyez cohérente sur les comportements que vous sanctionnez d'un « non » pour ne pas semer la confusion dans son esprit. Enfin, ne vous mettez jamais en colère et ne recourez pas à la punition physique. Votre enfant apprendra mieux dans un environnement sûr, aimant et enrichissant et vous écoutera davantage s'il vous fait confiance. Si vous criez, il va pleurer, mais si vous êtes calme, cohérente et ferme, il commencera à comprendre où sont les limites.

Rechargez vos batteries

Il est primordial que vous restiez toujours en forme. Si vous vous sentez fatiguée, voici quelques conseils pour refaire le plein d'énergie.

Prendre l'air Une promenade vivifiante en poussette dans un parc est un bon exercice pour vous et stimulera votre bébé. Proposez à une amie de vous y retrouver pour vous motiver !

Prenez un bon déjeuner Essayez de prendre le temps de déjeuner tous les jours avec un bol de céréales, un yogourt ou un jus de fruits frais. Si vous n'avez pas le temps de manger chez vous, emportez une banane ou un petit pain que vous dégusterez sur le chemin.

Buvez beaucoup d'eau Fixez-vous l'objectif de 8 verres par jour (plus si vous allaitez). Vous pouvez boire de l'eau, des jus de fruits frais (pas plus d'un verre par jour), du lait, des boissons sans caféine et du potage. Les jus de fruits et de légumes apportent également beaucoup d'eau.

Faites de l'exercice Marcher à vive allure pendant 30 minutes accélérera votre rythme cardiaque et votre circulation sanguine et vous donnera un regain d'énergie.

Respirez profondément En inspirant profondément, vos poumons sont mieux oxygénés, ce qui a un effet énergisant. Accroupie, les mains sur les genoux, gardez le dos droit mais détendu, et la tête droite, respirez lentement et profondément par le nez, puis soufflez doucement en vidant tout l'air de vos poumons. Recommencez trois à cinq fois de suite.

Douchez-vous « à l'écossaise » Si vous supportez les variations de température, alternez eau chaude et eau froide. Ceci activerait la circulation sanguine, augmentant ainsi l'oxygénation de l'organisme, ce qui a un effet revigorant.

Prenez des collations santé Évitez les collations trop riches en sucre. Préférez un bol de muesli ou un yogourt avec un fruit.

SIESTES REVIGORANTES

Être maman est une excellente excuse pour renouer avec la sieste ! Les études montrent que l'organisme est conçu pour intégrer un temps de repos de courte durée dans l'après-midi : ceci redonne de l'énergie et améliore de façon significative les fonctions cognitives. Lorsque vous couchez votre bébé pour sa sieste de l'après-midi, faites-en une vous aussi. Une sieste plus longue (d'une heure, une heure et demie) vous fera plonger dans un sommeil plus profond, ce qui vous donnera un excellent regain d'énergie pour le reste de l'après-midi. Toutefois, si vous avez des choses à faire pendant que votre bébé dort, contentez-vous d'une microsieste de 20 minutes, qui suffira à vous redynamiser sans que vous ne vous réveilliez étourdie. Réglez votre réveil pour ne pas avoir à vous soucier de l'heure.

Microsieste Si vous êtes fatiguée, pourquoi ne pas faire une sieste pendant que votre bébé dort ?

22 semaines

LES BÉBÉS ONT LA FORCE DE TENIR ASSIS AVANT D'ACQUÉRIR L'ÉQUILIBRE : ILS ONT DONC BESOIN DE SOUTIEN DANS UN PREMIER TEMPS

Votre enfant tient désormais correctement sa tête et se tient assis s'il est très bien soutenu. Il commence à comprendre que les objets animés bougent de façon autonome, tandis que les objets inanimés ne le font que s'ils sont tenus, poussés ou tirés par quelqu'un.

Le lait, encore et toujours

Même si votre bébé commence à manger des aliments solides, le lait reste l'élément essentiel de son alimentation.

Au cours des prochains mois, ses habitudes alimentaires vont changer au fur et à mesure que vous introduirez de nouveaux aliments aux saveurs et textures variées. Cette évolution ira de pair avec le développement de sa capacité à mâcher, avaler et digérer. Ceci ne signifie pas pour autant que le lait perdra de son importance ; il sera même le composant essentiel de son alimentation.

Lorsque vous commencez à diversifier l'alimentation de votre bébé, vous ne lui donnez d'abord que quelques cuillerées de purée très liquide (voir p. 190-191), certes saine et nourrissante, mais le lait continue d'apporter à votre enfant les nutriments, les graisses, les protéines et les glucides dont il a besoin.

Alors que votre bébé passera progressivement des premières saveurs à des repas complets réguliers (voir p. 234-235 et 254-255), vous pourrez peu à peu réduire le nombre de tétées ou le temps passé à le faire téter (et donc la quantité de lait ingérée). Fiez-vous à lui : s'il réclame, vous devrez le faire manger !

Jusqu'à un an, les bébés ont besoin d'au moins 500 à 600 ml de lait maternel ou maternisé par jour, ce qui implique des tétées régulières. Pensez également que le lait ajouté à ses purées est comptabilisé dans sa consommation journalière.

Tétées de confort Bien au-delà des besoins nutritionnels que lui apporte son lait habituel, votre bébé aime le réconfort que lui offre la succion. À partir de 22 semaines, les nourrissons ont encore besoin de beaucoup de contact physique pour favoriser leur développement émotionnel. Aussi, en continuant à nourrir votre enfant au sein ou au biberon, vous l'aidez à établir des associations positives entre la nourriture et les sentiments d'amour et de sécurité.

L'expérience de la tétée et celle de l'alimentation solide sont si différentes que certains bébés sont un peu réticents lors des premières expériences. Cependant, s'ils acceptent cette diversification assez vite et finissent par apprécier les textures et les saveurs qu'ils découvrent, ils se sentiront rassurés s'ils peuvent toujours avoir leur lait.

Il est préférable de déshabituer peu à peu votre enfant du sein ou du biberon, de sorte que maman et bébé puissent tous deux s'adapter physiquement (en cas d'allaitement maternel) et émotionnellement à ce changement. Pour diminuer le nombre de tétées, il est conseillé de commencer par la moins importante et la plus facile à supprimer, peut-être celle du midi. La plupart des mamans aiment conserver les tétées du matin et du coucher le plus longtemps possible.

Aliment de base Le lait maternel ou maternisé constitue toujours l'essentiel de l'alimentation de votre bébé.

L'AVIS… DU PÉDIATRE

Quand serai-je en mesure de savoir si mon bébé est droitier ou gaucher ? Vous devrez attendre que votre bébé ait au moins 18 mois avant d'observer une nette préférence, et s'il se sert indifféremment des deux mains, il est possible qu'il ne fasse pas de choix définitif avant l'âge de 5 ou 6 ans. Le fait d'être droitier ou gaucher est déterminé lorsque l'un des hémisphères du cerveau devient dominant : si le côté droit prévaut, votre bébé sera gaucher et inversement. Il est toutefois rare que les bébés montrent une préférence au cours de leur première année. Ils ont plutôt tendance à saisir les choses avec la main qui se trouve le plus près de l'objet.

On dénombre environ 10 % de gauchers, une caractéristique sur laquelle la génétique a certainement une incidence. Si votre compagnon et vous-même êtes gauchers, votre enfant a 45 à 50 % de chances de l'être aussi. Essayez de ne pas influencer sa préférence, car cela peut avoir une incidence sur son équilibre psychologique et perturber ses capacités d'écriture plus tard.

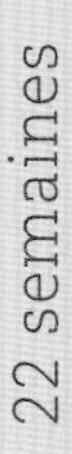

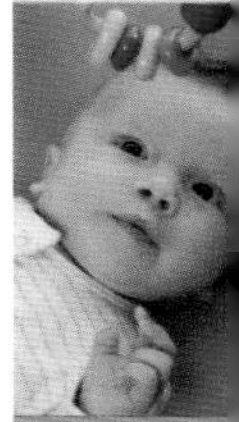

VOTRE BÉBÉ A 22 SEMAINES ET 1 JOUR

Ça gigote !

Votre bébé a tant de choses à faire et de nouvelles aptitudes à développer qu'il peut avoir du mal à rester en place. Amusons-nous !

Savoir l'amuser Un peu de fantaisie suffit souvent à faire oublier à votre bébé qu'il n'aime pas qu'on le change !

Changer la couche de votre bébé, l'habiller ou même le faire téter peut devenir plus compliqué lorsque son environnement le distrait. Ce comportement fait partie de son développement normal et peut durer plusieurs mois si vous ne trouvez pas moyen de rendre plus amusantes les activités qui ne sont pas à son goût.

Essayez de le surprendre. Changez d'endroit pour l'habiller ou le préparer pour le bain. Un petit bouleversement dans ses habitudes peut l'intriguer et lui faire oublier ses techniques de fuite. Placez un mobile au-dessus de sa table à langer et quelques jouets à proximité pour attirer son attention. Parlez-lui ou bien chantez, en maintenant le contact visuel pendant que vous le préparez. Comptez ses orteils, chatouillez son menton, évoquez les couleurs de ses vêtements tout en faisant ce que vous avez à faire aussi rapidement et efficacement que possible !

S'il s'agite lorsqu'il tète, mettez en place une « association pour la tétée » qui véhicule plaisir, confort et détente, comme une nouvelle berceuse. Chantez-la-lui chaque fois que vous voudrez l'apaiser pour téter, il comprendra vite qu'il est temps de se calmer et d'apprécier ce moment intime et tranquille avec sa maman. De plus, lorsqu'il tétera dans un environnement plus bruyant et plus stimulant, sa berceuse lui permettra de se concentrer.

VOTRE BÉBÉ A 22 SEMAINES ET 2 JOURS

Surveiller la prise de poids

Il est normal de vous inquiéter de savoir si votre bébé a un poids normal et grandit correctement pour son âge.

Aujourd'hui, on parle beaucoup de l'obésité de l'enfant. Il est possible que vous soyez inquiète, car votre bébé est un peu trop potelé. La plupart des parents sont rassurés par la pesée régulière de leur bébé. En général, si leur enfant reste sur la courbe de croissance correspondant à sa corpulence de naissance ou s'en rapproche, tout va bien.

Si vous allaitez, votre bébé est moins susceptible d'avoir des problèmes de poids : les enfants nourris exclusivement au sein sont rarement en surpoids. S'il semble trop petit ou trop mince, le peser régulièrement aura pour intérêt de déceler d'éventuels problèmes. Mais tant qu'il est alerte, actif pendant la journée, qu'il dort bien, qu'il mange et remplit ses couches normalement, il n'y a pas lieu de s'inquiéter.

Si vous le nourrissez au biberon, votre enfant peut être plus enclin à prendre du poids, simplement parce qu'il est facile de manger plus que nécessaire. Lorsque vous commencerez la diversification, veillez à réduire sa consommation de lait en conséquence. Gardez bien à l'esprit que le lait nourrit et hydrate votre bébé, mais est aussi une source de réconfort pour lui. Le nombre de tétées devra donc être réduit progressivement au cours des prochains mois afin que votre enfant s'adapte physiquement et émotionnellement.

Si la corpulence de votre bébé vous préoccupe, parlez-en à votre médecin ou votre infirmière qui vérifiera son poids et sa taille. La courbe de croissance de votre bébé peut varier la première année, mais elle suit généralement le tracé attendu. Certains bébés perdent leur apparence dodue lorsqu'ils deviennent plus actifs, et d'autres, plus sveltes, s'étoffent au cours de l'enfance.

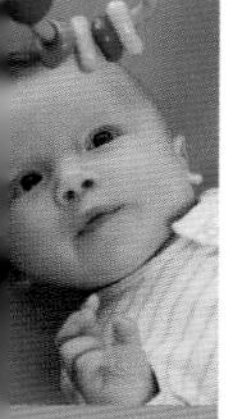

Au chant du coq

Alors que votre bébé commençait à peine à faire ses nuits et que vous pensiez vous reposer, il se réveille désormais très tôt… pour jouer !

Si votre bébé se lève souvent de bonne heure, évaluez ses habitudes et ses besoins en termes de sommeil pour voir si vous pouvez mieux adapter ses horaires. Vous devez être consciente qu'à cet âge, la quantité de sommeil nécessaire varie d'un bébé à l'autre : certains parviennent à dormir 11 heures d'affilée, d'autres 8, tandis que quelques-uns se réveillent encore dans la nuit pour une tétée. Si vous le couchez à 20 h et qu'il se réveille tous les jours, en pleine forme à 5 h, essayez de le mettre au lit plus tard. Toutefois, ne soyez pas tentée d'éliminer une sieste, car votre enfant en a encore besoin de deux ou trois par jour, et cela ne l'aidera pas à dormir plus longtemps la nuit. Vous pouvez néanmoins les limiter afin qu'il ne dorme pas au-delà de 16 h, sans quoi il pourrait avoir du mal à se calmer pour aller au lit.

Assurez-vous que ces réveils précoces ne sont pas liés à quelque chose qui le perturbe dans son environnement comme la lumière du jour. Installez alors un rideau occultant. Si son sommeil est perturbé par d'autres membres de la famille qui se lèvent tôt, essayez de faire le moins de bruit possible.

Veillez à ce que votre bébé soit physiquement actif durant la journée, avec suffisamment de temps de jeu et de stimulation. S'il est assis et non stimulé pendant de longues périodes, il sera moins fatigué le soir. (Notez par ailleurs qu'il n'est pas bon pour un bébé de rester trop longtemps assis.) Un bon équilibre entre stimulation et repos le fatiguera suffisamment pour qu'il dorme bien la nuit et fasse régulièrement la sieste, ce qui le maintiendra en forme tout au long de la journée. Cela lui fournira aussi plus d'informations à « consolider » pendant son sommeil.

S'il aime jouer seul quelques instants lorsqu'il se réveille, laissez-lui de quoi s'occuper, comme un livre en tissu ou une peluche. Ce que vous lui donnez ne doit présenter aucun danger (pas de lanières ni de rubans qui pourraient l'étouffer). Néanmoins, s'il se réveille et veut que vous vous occupiez de lui, allez le voir et faites le téter, changez-le ou jouez avec lui, selon ses besoins. Si vous pensez qu'il s'agite sans toutefois se réveiller vraiment, bercez-le, caressez-le, chantez-lui une berceuse, murmurez ou tapotez-le pour qu'il se calme. Si rien n'y fait, vous devrez vous résoudre à vous lever aussi et à profiter de son entrain, même si vous, vous seriez bien restée sous la couette !

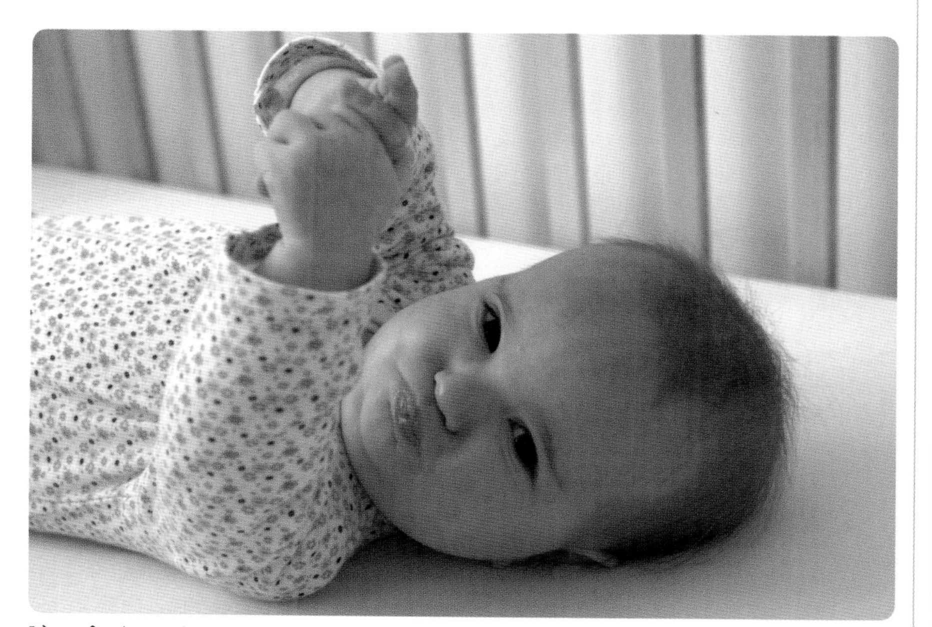

Lève-tôt Si votre bébé se réveille un peu trop tôt, vous devrez adapter légèrement ses habitudes pour l'encourager à se lever à une heure plus décente !

JUMEAUX

Debout !

Même si vos jumeaux font à présent leur nuit, il est possible qu'au cours des prochaines semaines ou des prochains mois l'un se réveille avant l'autre et le dérange. Peut-être que l'un des deux a besoin de plus de sommeil ou a déjà adopté des habitudes de sommeil plus régulières. Bien qu'il soit important pour eux, et pour vous, de synchroniser autant que possible leurs temps de sommeil, le fait que l'un des deux se réveille bien plus tôt peut aussi faciliter la séparation. Si vos jumeaux partagent toujours le même berceau, il est temps pour eux d'être séparés durant la nuit.

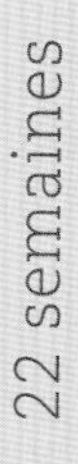

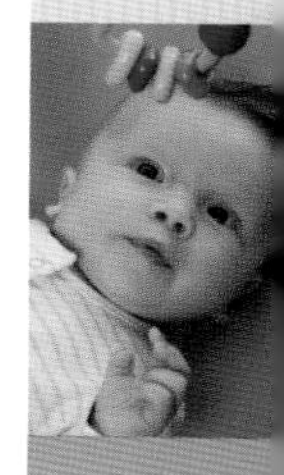

VOTRE BÉBÉ A 22 SEMAINES ET 4 JOURS

Ce qui est petit est mignon...

Plus la vue de votre bébé s'améliore, plus son intérêt pour les petites choses grandit : cadrans téléphoniques, poignées, boucles d'oreille...

Cette semaine, vous remarquerez l'intérêt et l'excitation que suscitent chez votre bébé les pois de sa salopette, les yeux de son ourson ou les attaches de votre sac à couches. En fait, les plus petites choses vont désormais attirer son attention et il tendra naturellement le bras pour les toucher et tenter de les attraper à pleine main. À ce stade, il n'est pas encore capable de tenir un objet entre le pouce et l'index. La « pince fine » n'apparaît en effet qu'entre 8 et 10 mois ; il se peut donc qu'il ait l'air un peu gauche. Toutefois, il s'entraîne dur et développe ainsi sa motricité fine. À présent, votre enfant peut aussi tendre le bras pour attraper des objets d'une seule main, les tenir, les examiner et probablement les porter à la bouche pour les sucer.

Encouragez sa curiosité en lui donnant de nombreux objets à saisir et à explorer. Les boules en plastique transparent contenant des « surprises » à l'intérieur, les jouets au design travaillé, ou les tableaux d'activité munis de boutons, de touches ou de poignées le fascineront.

Méfiez-vous toutefois de ses nouvelles aptitudes. Éloignez tout ce qui est plus petit que son poing afin d'éviter qu'il ne s'étouffe et surveillez-le bien. Assurez-vous que les boutons sont bien cousus sur les vêtements (les vôtres comme les siens), et évitez de laisser à sa portée votre sac à main ou quoi que ce soit qui puisse contenir des objets dangereux pour lui. Attention aux jouets des aînés !

VOTRE BÉBÉ A 22 SEMAINES ET 5 JOURS

Un apprentissage très rapide

Votre bébé continue à faire d'étonnants progrès. Vous serez surprise par sa capacité d'apprentissage et de mémorisation.

Bip-bip Votre bébé ne fait pas encore le lien entre le fait d'appuyer sur les touches et d'entendre la sonnerie du téléphone, mais il y parviendra bientôt s'il répète ce geste.

Votre bébé répète toujours les mêmes gestes et les mêmes sons. La répétition est pour lui ce qu'il y a de mieux pour s'imprégner de son environnement physique et social. En outre, le développement de la capacité de raisonnement de votre bébé nécessite de répéter les choses pour que ses voies neuronales traitent correctement l'information. Bien qu'à cet âge l'interaction sociale soit le meilleur moyen de stimuler ses sens et renforcer sa sécurité émotionnelle, votre bébé appréciera aussi d'explorer les choses de façon indépendante – à son rythme –, d'essayer de comprendre et d'expérimenter. Si vous ramassez son jouet chaque fois qu'il le fait tomber, par exemple, il s'attendra à ce que vous le fassiez systématiquement. Si vous le laissez le faire tout seul, il acquerra un tas de précieuses aptitudes, comme la coordination œil-main, la motricité fine et une certaine forme d'autonomie.

Donnez à votre enfant des jouets avec lesquels il peut s'amuser seul : il ne progressera pas plus vite si vous lui donnez des jouets destinés à des enfants plus âgés. C'est en maîtrisant certaines aptitudes avec ses jouets habituels que ses voies neuronales se développent et qu'il acquiert la confiance nécessaire pour s'orienter vers des jeux plus compliqués.

Dans le grand bain

Si la petite baignoire devient trop étroite pour votre enfant, il est temps de lui faire découvrir celle « de grand ».

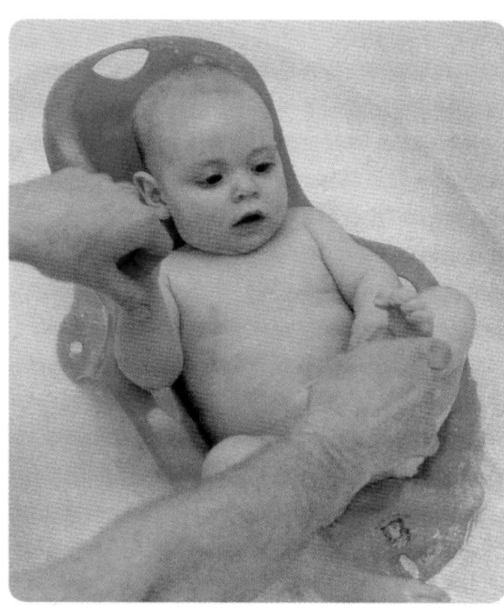

Tapis antidérapant Un tapis en caoutchouc empêchera votre bébé de glisser (à gauche).
Transat de bain Il vous permettra d'avoir les mains libres pour laver votre bébé (à droite).

Certains bébés s'accommodent tout de suite de la grande baignoire, appréciant la liberté de pouvoir éclabousser partout ; d'autres sont intimidés par l'espace dont ils disposent et peuvent avoir besoin de s'habituer progressivement. Vous seule savez comment votre bébé va réagir ; si vous pensez qu'il risque d'avoir peur, commencez par mettre sa petite baignoire dans la grande. Vous pouvez aussi prendre le bain avec lui pour l'aider à se familiariser.

La première fois que vous mettez votre bébé tout seul dans la grande baignoire, assurez-vous que tout est sécurisé. Disposez un tapis antidérapant au fond de la baignoire. La température de l'eau doit être d'environ 37 °C. Mettez une débarbouillette sur le robinet pour retenir les gouttes d'eau chaude et éviter que votre bébé ne se brûle. Lorsqu'il est dans l'eau, surveillez-le en permanence et ne le laissez jamais seul une seconde.

Faites en sorte que le bain soit aussi amusant et relaxant que possible : mettez des jouets de bain à sa portée et donnez-lui-en de nouveaux. Faites-les danser sur l'eau et montrez-les-lui qui ruissellent. Parlez-lui doucement, car votre voix risque de résonner dans la salle de bains et s'il montre des signes d'anxiété, chantez-lui une chanson.

Transats de bain Vous pouvez utiliser un transat de bain qui vous permettra de soutenir votre enfant en toute sécurité, tout en ayant les mains libres pour le laver. Les sièges de bain ne sont pas adaptés aux bébés de moins de 6 mois, car l'enfant doit être capable de tenir assis sans soutien afin de ne pas glisser. Optez pour un transat de bain ergonomique, incliné et conçu pour soutenir la tête, les épaules et le dos de votre enfant, spécialement adapté aux jeunes bébés qui ne tiennent pas encore assis.

COMMENT...

Laver les cheveux d'un bébé réticent

Si, comme la grande majorité des bébés, le vôtre n'aime pas qu'on lui lave les cheveux, versez-lui de l'eau tiède sur la tête pendant le bain pour qu'il s'habitue à la sensation, et distrayez-le avec un jouet pendant que vous lui lavez discrètement les cheveux. Tout en le retenant d'un bras, versez une goutte de savon ou de shampoing pour bébé sur ses cheveux puis maintenez une débarbouillette humide contre son front pour empêcher l'eau ou la mousse d'entrer dans ses yeux. Massez ses cheveux, mouillez une autre débarbouillette, puis essorez-la au-dessus de sa tête. Continuez jusqu'à ce qu'il n'y ait plus de mousse. Vous pouvez également acheter une tasse rince-shampoing spécialement conçue pour empêcher l'eau de couler sur le visage. Pendant que vous lui lavez les cheveux, parlez-lui d'une voix apaisante afin qu'il se sente calme et détendu.

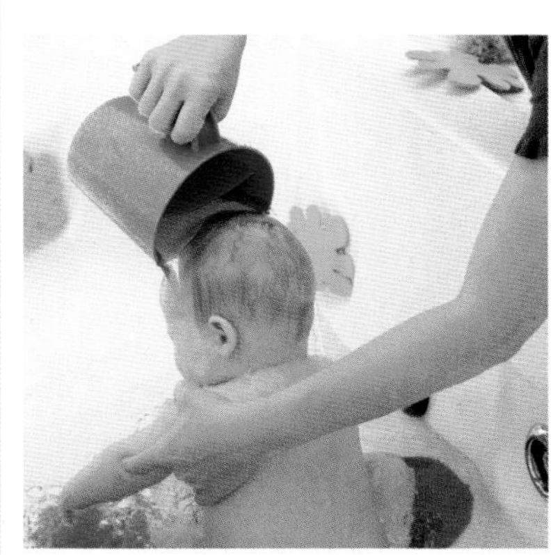

Pas de larmes Évitez de faire couler l'eau sur le visage de votre bébé.

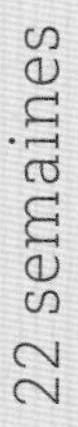

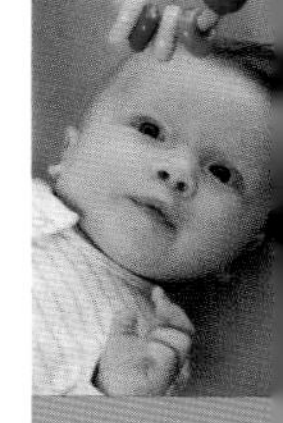

23 semaines

C'EST À PEU PRÈS À CET ÂGE QU'UN BÉBÉ COMMENCE À DISTINGUER LES NUANCES PASTEL

Votre bébé se souvient désormais de ce qui va suivre dans un enchaînement d'actions et reconnaît les visages qui lui sont familiers. Il imite très bien les expressions de votre visage et apprend à reproduire les sons. Il observe les mouvements de votre bouche pour prendre vos intonations.

Apprendre en imitant

Vos activités fascinent votre bébé : il imite tout ce que vous faites. Il adorera la version miniature des objets que vous utilisez.

Les bébés apprennent en imitant leur entourage et aiment les jouets adaptés à leur âge qui évoquent les objets du quotidien qu'ils voient chaque jour. Des clés en plastique, des bols, des cuillères, des casseroles, des poêles et des téléphones factices, ou même une guitare pour bébé leur offriront des heures et des heures de jeu. Le plaisir d'apprendre en s'amusant.

Montrez à votre bébé comment remuer dans son bol. Faites semblant d'avoir une conversation téléphonique, chacun parlant dans son propre combiné. Apprenez-lui à jouer du tambour comme son grand frère ou à faire tinter ses fausses clés. Il donne ainsi du sens à son univers et ces activités lui permettent de vivre ses expériences en toute sécurité.

Choisissez des versions jouets ou de vrais objets, comme des bols ou des spatules, parfaitement propres et faciles à manipuler, afin que votre bébé ne se blesse pas et ne soit pas exposé aux germes. En effet, même s'il est ravi de jouer avec vos clés, elles finiront forcément dans sa bouche, ce qui est dangereux pour lui, car elles sont couvertes de germes et peuvent être suffisamment tranchantes pour lui faire mal. Plus vous répétez les activités et les sons, mieux il comprendra le monde qui l'entoure et plus sa mémoire (et sa capacité à retrouver l'information) se développera.

Imitation vocale À environ 5 mois, les bébés ont non seulement la capacité d'imiter les gestes et les expressions du visage mais aussi les sons. Vous remarquerez peut-être que votre enfant fredonne lorsqu'il « remue » une cuillère dans un bol, comme vous le faites lorsque vous cuisinez. Il peut produire des sons plus forts et empreints d'excitation lorsqu'il « parle » au téléphone, et même se mettre à « chanter » lorsqu'il joue du tambour ou de la guitare.

Les vocalisations de votre bébé prennent la même intonation que les vôtres lorsque vous réalisez telle ou telle activité. Il émettra par exemple des gazouillis calmes au moment du coucher, où il est habitué à votre voix douce et à sa berceuse préférée et criera pendant qu'il joue.

Il est intéressant de noter que votre bébé commencera aussi à reproduire l'intonation de votre voix : imitant chacun de vous, ses interactions vocales avec vous seront différentes de celles qu'il aura avec son père, dont la voix est peut-être plus grave. Reproduisez les sons émis par votre bébé, pour qu'il vous imite à son tour.

Allô! Faire semblant d'avoir une conversation téléphonique est une activité qui encourage votre bébé à reproduire ce qu'il voit dans la réalité, ce qui stimule son imagination et sa créativité.

L'AVIS... DU PÉDOPSYCHOLOGUE

Puis-je dire « non » à mon bébé ? Oui, vous pouvez dire « non », mais employez ce mot de façon judicieuse et seulement si vous l'associez à une action. Les bébés commencent à comprendre le « oui » et le « non » entre 9 et 12 mois. En l'utilisant dès maintenant, vous le préparez à franchir cette étape. Si vous associez le « non » à une action, comme éloigner votre enfant du four pour l'empêcher de le toucher, vous lui apprenez que « non » signifie qu'il doit arrêter. Il cherche votre approbation : « oui » et « non » deviendront bientôt des signaux clairs qui lui indiqueront ce que vous acceptez qu'il fasse ou non.

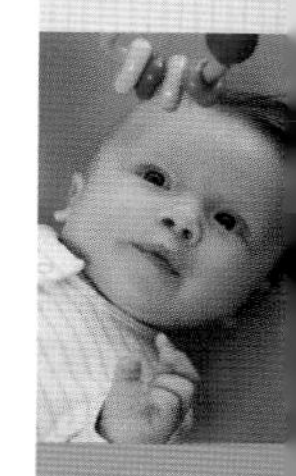

VOTRE BÉBÉ A 23 SEMAINES ET 1 JOUR

Mémoire et répétition

La mémoire de votre bébé se développe rapidement. Il se souvient de l'enchaînement d'actions répétées et anticipe ce qui va se passer.

Le visage de votre bébé s'illumine lorsqu'il aperçoit un livre qu'il connaît bien : il va même peut-être en tourner les pages et vous inciter à en faire autant pour voir la suite de l'histoire. Il va commencer à se souvenir de l'enchaînement de certains événements et va, par exemple, s'enthousiasmer lorsqu'il vous verra sortir ses jouets ou même en rechercher un avec lequel il s'est déjà bien amusé.

Votre bébé retiendra avant tout ce qu'il verra répéter le plus souvent ainsi que les choses qui susciteront chez lui le plus d'intérêt et d'attention. Il se souviendra des actions qu'il vous aura vu faire plusieurs fois et les reproduira. À travers la répétition, il apprendra où sont ses jouets, comment mettre en route la musique de son arche d'éveil et sur quel bouton de son jeu il faut appuyer. La répétition est la façon la plus efficace d'encourager votre enfant à mémoriser et à apprendre : ne vous attendez pas à ce qu'il se souvienne des choses après une seule tentative.

Ses capacités de mémorisation sont encore rudimentaires. À cet âge, la solidité de ses souvenirs dépend de la fréquence à laquelle il a vécu une même expérience. S'il peut reconnaître et anticiper une histoire qui lui est familière, il n'en fera pas autant avec une autre qu'il n'a entendue qu'une ou deux fois ; de même, il maîtrisera plus rapidement un jouet que vous lui donnez souvent. Ce besoin de répétition explique aussi pourquoi il sera heureux de voir sa mamie qui le garde régulièrement mais résistera davantage à un câlin d'un membre de la famille qu'il ne croise qu'à de rares occasions.

VOTRE BÉBÉ A 23 SEMAINES ET 2 JOURS

Bébé émotif

Votre bébé n'hésite pas à exprimer ses émotions. Il est aussi capable de percevoir et d'exprimer vos humeurs !

Votre bébé peut jeter un jouet par frustration ou se mettre en colère, pleurer ou se montrer anxieux lorsque vous quittez la pièce. Il peut être enthousiaste et heureux, gazouiller et crier quand il joue avec son grand frère ou que son père le chatouille et, l'instant d'après, devenir grognon et s'énerver parce que le jeu a pris fin ou qu'il en a assez. Il n'est pas encore capable de contrôler et de comprendre ses émotions : elles sont simplement là et peuvent parfois le submerger. Si vous gardez cela à l'esprit, vous vous sentirez moins frustrée par ses sautes d'humeur.

Émotions fortes Votre bébé ne peut pas encore comprendre ni contrôler ses émotions et passe du rire aux larmes en un instant.

Depuis son plus jeune âge, votre bébé est également sensible à vos émotions, et a souvent des réactions similaires aux vôtres. Si vous êtes stressée et angoissée, il peut se mettre à pleurer ou devenir grognon, mais si vous êtes contente, il sera souriant et enjoué.

Il est donc essentiel que vous restiez calme, même si vous êtes contrariée. Des études suggèrent que les enfants absorbent le stress, ce qui les angoisse à leur tour. Si votre bébé est souvent stressé par vos émotions, ceci peut avoir une incidence sur sa capacité à mémoriser et à apprendre, et déclencher chez lui une hypersensibilité vis-à-vis des situations difficiles. Il risque donc d'avoir du mal à gérer le stress lorsqu'il sera plus grand.

Bien nourrir votre bébé

Ses besoins alimentaires sont différents des vôtres : il est important d'en connaître les bases avant de commencer la diversification.

Richesses de la nature Les fruits et les légumes de toutes les couleurs sont essentiels pour nourrir sainement votre bébé.

Pour préparer la diversification alimentaire de votre bébé, réfléchissez aux principes de base de son alimentation. Ce régime sera différent du vôtre, car votre enfant a des besoins spécifiques. En effet, son alimentation doit lui apporter les nutriments adaptés et l'énergie nécessaire pour bien grandir et être en forme. Dans la seconde moitié de sa première année de vie, l'alimentation de votre bébé doit intégrer quatre principaux composants : graisses, glucides, vitamines et minéraux, puis protéines.

Graisses Par rapport à sa taille, votre bébé a des besoins énergétiques élevés. Le lait maternel ou maternisé lui procure un apport important en graisses, véritable concentré d'énergie (calories). Lorsque vous introduisez ses premières saveurs (voir p. 190-191), associez-les au lait habituel de votre bébé : non seulement le goût lui est familier mais cela lui apporte aussi plus de calories, grâce aux lipides et aux glucides (lactose) contenus dans le lait. Au cours de sa première année, vous pouvez introduire les produits laitiers. Ils doivent être au lait à 3,25 %, car si son estomac est tout petit, votre bébé a d'importants besoins énergétiques.

Glucides Le lactose, sucre caractéristique du lait, est le principal glucide présent dans le lait maternel, ce qui explique sa saveur sucrée. Le lait maternisé contient également du lactose. Au fur et à mesure de la diversification, votre bébé découvrira les féculents et d'autres sucres naturels dans les fruits, les légumes et les céréales. Bien qu'ils ne constituent pas une source d'énergie aussi concentrée que les graisses, les aliments riches en glucides contiennent des vitamines, des minéraux et des phytonutriments. Avec l'introduction de nouveaux aliments, votre bébé boira moins de lait et son régime alimentaire s'appauvrira progressivement en sucres pour devenir plus riche en féculents.

Protéines Toutes les cellules de l'organisme contiennent des protéines et le lait en apporte énormément. Il est cependant essentiel d'intégrer dans son régime des aliments riches en protéines, car ils sont une source importante de vitamines et de minéraux. La viande rouge, par exemple, contient du fer et du zinc. Les protéines d'origine végétale, comme le tofu, sont faciles à mixer et constituent une excellente source de fer et de calcium.

Vitamines et minéraux Ils sont essentiels pour la santé. Les fruits et les légumes en regorgent : plus l'éventail de couleurs est large, mieux c'est. Intégrez assez tôt les légumes verts, comme les brocolis ou les épinards, pour que votre bébé s'habitue à leur saveur.

AIDE-MÉMOIRE

Le bon équilibre

La liste suivante recense, pour les quatre principales catégories d'aliments, ceux que vous devez intégrer dans l'alimentation de votre bébé.

- **Graisses :** fromage ; yogourt ; beurre ; lait de vache (pour cuisiner) ; œufs ; huile d'olive ou de colza ; poissons gras (saumon, maquereau et sardine).
- **Glucides :** céréales infantiles ; pommes de terre ; aliments contenant du gluten, comme le blé, le seigle, l'orge et l'avoine (généralement après 6 mois), suivis par les pâtes et le pain.
- **Vitamines et minéraux :** bâtonnets de carottes cuites (tendres), petits pois, maïs doux et concombre. Les fruits doivent être consommés sans ajout de sucre. Mélangez par exemple des morceaux de banane, de poire, du raisin épépiné et des bleuets (ouverts en deux pour éviter tout risque de suffocation) à des fruits secs (pruneaux, abricots ou figues séchés émincés).
- **Protéines :** viandes rouges maigres (bien cuites) ; poulet et dinde (choisissez les morceaux les plus foncés, car ils contiennent plus de fer) ; filets de poisson blanc ou poissons gras (saumon, sardine ou thon à l'huile) ; lentilles, haricots beurre, petits pois cuisinés, purée de pois chiches, œufs durs.

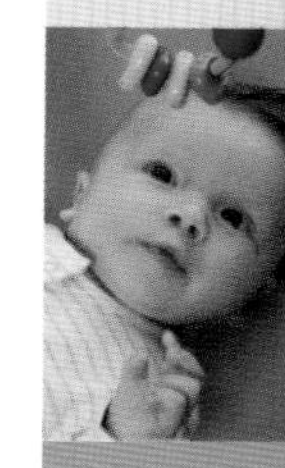

VOTRE BÉBÉ A 23 SEMAINES ET 4 JOURS

Jouer avec les autres

Même si votre bébé ne jouera véritablement avec les autres que bien plus tard, à 23 semaines, il est très content de s'amuser à côté d'eux.

Votre bébé est fasciné par les visages et touche probablement les autres enfants avec étonnement, même s'il n'interagit pas encore avec eux. Il est intéressé par les sons qu'ils produisent et ce qu'ils font, puis il développe de nouvelles aptitudes en les observant et les imitant. Une étude a montré que les bébés de cet âge copient les autres. Votre bébé peut se mettre à pleurer s'il en voit un autre pleurer, ou sourire et parler à d'autres enfants. Les rencontres régulières avec d'autres bébés ou les jeux avec ses frères et sœurs sont pour lui des occasions d'interaction sociale, qui établissent les bases de ses futures relations. Bien qu'il soit encore trop tôt pour parler de socialisation, il apprend et voit se mettre en place toutes sortes de relations.

Même entouré par d'autres enfants, votre bébé sera probablement absorbé par son propre jeu et vous vous demanderez peut-être s'il n'est pas un peu timide. Mais ceci ne fait que refléter le stade de son développement. Les nouveaux visages et les nouvelles expériences impliquent également une phase d'adaptation ; une fois que les expériences sociales lui sont familières et qu'il s'en souvient comme étant agréables, il ne demande qu'à les répéter.

Rencontres ludiques Jouer avec d'autres enfants initie votre bébé au partage et lui permet de découvrir de nouveaux jouets.

VOTRE BÉBÉ A 23 SEMAINES ET 5 JOURS

Qui c'est, ce bébé ?

Votre nourrisson ne comprend pas le concept du « toi » et « moi ». Pour le moment, son identité est indissociable de la vôtre.

L'AVIS... DU MÉDECIN

Mon bébé suce son pouce en permanence. Perdra-t-il cette habitude prochainement ? Pour un bébé, sucer son pouce est très réconfortant : c'est un moyen pratique de se calmer tout seul. Le pouce irrite plus les parents qu'il n'est mauvais pour leurs enfants : ne vous inquiétez donc pas. Votre bébé abandonnera cette habitude lorsqu'il sera prêt et qu'il aura trouvé d'autres moyens d'apaisement. Jusqu'à l'âge de 5 ans, rien ne prouve que sucer son pouce est néfaste pour les dents.

Votre bébé expérimente en permanence les mouvements de son corps : il est capable d'imiter des gestes simples et est captivé par ses interactions avec vous, même s'il ne s'identifie pas encore comme une personne distincte.

Mettez-le devant un miroir et voyez comme il s'enthousiasme devant ce « nouveau bébé ». Il ne se rend pas compte qu'il s'agit de son reflet, même s'il vous reconnaît et sait qu'il est dans vos bras... comme celui qu'il voit en face de lui ! Il se peut qu'il tourne la tête vers vous, puis vers votre reflet et *vice versa* en essayant de toucher.

Votre enfant commencera à se reconnaître en tant qu'individu au plus tôt à partir de 16 mois. C'est le stade de la différentiation, au cours duquel il réalisera finalement qu'il est une personne différente de vous, capable de faire des choix et même de vous désobéir !

Entre 16 mois et 2 ans, vous risquez de connaître la fameuse « période du non » où il affirme fortement ses désirs et sa personnalité. Sa réponse préférée à chacune de vos requêtes sera alors « non » ! Cette phase d'opposition systématique peut durer de quelques jours à plusieurs mois. Le plus souvent, votre enfant n'exprime pas un vrai refus mais s'accorde un délai de réflexion. Il réagit ainsi pour la première fois comme un individu à part entière.

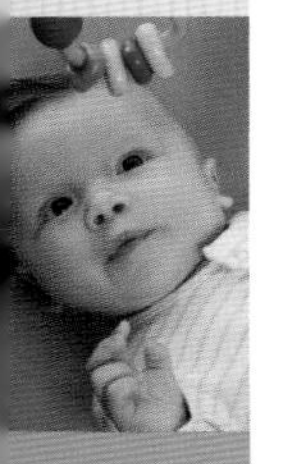

Être une femme avant tout

Vous aimez votre bébé et adorez vous en occuper, mais vous avez aussi besoin d'un peu de temps sans lui... juste pour être vous.

Tous les parents ont besoin de temps à eux pour faire des activités, discuter entre adultes et se sentir exister en dehors de leur rôle de mère ou de père. Être épanouie en dehors de votre relation avec votre bébé vous rendra non seulement plus heureuse et détendue, mais fera aussi probablement de vous une meilleure maman. Il n'est bon ni pour votre bébé ni pour vous de vous sentir isolée et de ne jamais prendre le temps de vous ressourcer.

Sans aller jusqu'à multiplier les nouveaux projets et les activités sous peine d'engendrer fatigue et frustration, il est très bénéfique de trouver un équilibre qui vous laisse le temps d'avoir d'autres centres d'intérêt et de ne pas vous renier en tant qu'individu.

Votre bébé a presque 6 mois et vous pouvez certainement le confier quelques heures à une gardienne, un membre de la famille ou une amie. S'il a commencé la diversification, il est probablement capable de tenir un peu plus longtemps entre deux repas : il sera ravi de prendre un biberon ou quelques cuillerées de purée avant que vous partiez et pourra ainsi patienter jusqu'à votre retour.

Si vous êtes une adepte de la lecture, prenez simplement le temps de vous prélasser avec un bon livre. Vous pouvez aussi prévoir des séances régulières de gymnastique. Si vous avez des ambitions professionnelles ou songez à une reconversion lorsque vous reprendrez le travail, vous pouvez aussi vous renseigner sur les formations disponibles. Même une sortie entre amis, où vous ne parlerez pas seulement d'enfants, peut vous faire du bien et vous rappeler que, si votre rôle de parent est primordial, vous avez aussi d'autres choses qui comptent dans votre vie et qui méritent d'être préservées.

Discutez avec votre compagnon pour que chacun de vous puisse avoir du temps libre pour ses propres activités. Vous pouvez également faire des choses ensemble pour renforcer votre relation. Il n'y a rien d'égoïste à essayer de s'épanouir. Enfin, n'oubliez pas que vous êtes un modèle pour votre bébé. Si vous avez une vie équilibrée et épanouie, où les intérêts personnels et la famille ont chacun un rôle important, il sera mieux à même de suivre votre exemple et d'avoir par la suite une vie sociale des plus riches.

L'AVIS... DU PÉDOPSYCHOLOGUE

Mon bébé pique une crise lorsque je m'intéresse à mes autres enfants. Est-ce normal ? À cet âge, vous êtes le centre de son univers et il pense que vous lui appartenez. Il ne comprend pas que vous avez d'autres responsabilités et n'a pas encore la notion du partage. Faites-le participer lorsque vous êtes avec vos autres enfants, parlez-lui et encouragez les autres à en faire autant. Tant que l'on s'intéresse à lui, il est content. Si vous jouez avec un autre enfant, installez-le à proximité avec quelques jouets pour qu'il s'amuse pendant que vous êtes occupée. Montrez régulièrement de l'affection à tous vos enfants pour que votre bébé s'y habitue. Vous partager finira ainsi par devenir naturel.

Des moments pour soi Avoir du temps pour vous détendre et ne vous soucier de personne à part vous permettra de recharger vos batteries. Vous serez ainsi en forme pour retrouver votre bébé.

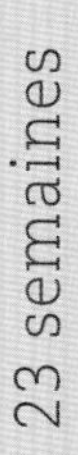

24 semaines

PLUS LEUR MÉMOIRE SE CONSOLIDE, PLUS LES BÉBÉS ANTICIPENT CE QUI VA SE PASSER

Si votre bébé a perdu ses cheveux au cours de ses premiers mois, il peut sembler chauve par endroits. Ces zones dégarnies peuvent aussi être dues au fait qu'il dort toujours dans la même position, mais ses cheveux repousseront lorsqu'il se tiendra davantage droit.

VOTRE BÉBÉ A 24 SEMAINES

Raconte-moi une histoire

À cet âge, votre bébé commence à anticiper avec joie les moments où vous lui lisez des histoires et il veut participer.

Il adore les histoires qu'il connaît bien et anticipe ce qui vient ensuite. Il va taper sur le livre ou essayer de s'en emparer pour montrer son intérêt ou, si vous arrêtez de lire ou éloignez le livre, manifester son mécontentement en fronçant les sourcils ou en se mettant à pleurer. En plus du plaisir que cela lui procure, la lecture fait découvrir à votre enfant un vocabulaire plus riche et différentes intonations. Elle le familiarise avec la forme des lettres et des mots et lui apprend à suivre un enchaînement d'événements. Tout cela contribue au développement du langage et constitue une bonne préparation pour son futur apprentissage de la lecture.

Si vous avez des jumeaux, vous pouvez leur lire une histoire lorsqu'ils sont ensemble. Toutefois, prenez le temps de lire avec chacun d'eux afin de leur donner l'occasion d'avoir un moment seul à seul avec vous et de développer leurs propres préférences de lecture. Installez l'un des jumeaux sur le sol avec d'autres livres pendant que vous lisez une histoire à l'autre, ou demandez au papa de lire pour l'un pendant que vous lisez pour l'autre. Même si les parents de multiples ont peu de temps à consacrer à la lecture, c'est pourtant très bénéfique en termes d'aptitudes de langage et d'apprentissage, en particulier si les bébés sont nés prématurément.

Lecteur impliqué Encouragez votre bébé à découvrir les livres en lui faisant tourner les pages, soulever les rabats, toucher le papier…

VOTRE BÉBÉ A 24 SEMAINES ET 1 JOUR

Tentatives et échecs

Lorsque votre bébé rencontre des difficultés, résistez à la tentation de voler à son secours ! Laissez-le apprendre de ses erreurs.

Il est normal que vous ayez envie de vous précipiter pour aider votre enfant et le consoler lorsqu'il est frustré par ses limites physiques. Pourtant, les bébés apprennent mieux en répétant les choses, en essayant, en se trompant et en étant guidés dans de nouvelles activités : ainsi, ils maîtrisent les capacités nécessaires pour atteindre leurs objectifs.

Il peut être difficile de trouver le bon équilibre entre lui venir en aide et ne pas intervenir trop tôt. Votre bébé peut faire tomber un jouet à plusieurs reprises, ne pas être capable de mettre ses doigts dans la bonne position pour activer un jouet, ou encore avoir du mal à tourner les pages de son livre.

Essayez toutefois de ne pas tout faire à sa place. La première fois qu'il tente un mouvement ou une activité, guidez-le : vous pouvez lui tenir la main ou soutenir son corps dans la bonne position pendant qu'il s'exerce. La fois suivante, laissez-le essayer seul et ne l'aidez pas (ou peu). Poussez des exclamations lorsqu'il tente quelque chose de nouveau et saluez ses tentatives infructueuses d'un « presque » ou d'un « oooh » encourageant. S'il se sent frustré, intervenez et évaluez s'il est en train de tenter une action qu'il n'a pas la capacité de faire à ce stade de son développement. Si tel est le cas, vous devrez l'aider un peu plus longtemps. S'il reçoit de l'attention lors de ses tentatives et s'il est souvent encouragé par son entourage, votre bébé sera plus enclin à poursuivre ses efforts. Cela renforcera ses aptitudes de résolution des problèmes, sa confiance, son efficacité et le rendra fier de lui !

GROS PLAN SUR…

Les dents de votre bébé

Les dents commencent à pousser à l'intérieur des gencives dès les premiers stades de la grossesse. À présent, la première des 20 dents de lait peut percer. Certains nourrissons sont très gênés tandis que d'autres font leurs dents en bavant à peine.

Lui brosser les dents Rendez le brossage des dents amusant pour votre bébé et donnez-lui l'habitude de les laver matin et soir.

L'AVIS… DU MÉDECIN

Est-ce normal que mon bébé ait la diarrhée lorsqu'il fait ses dents ? Bien qu'il n'y ait aucune raison à cela, les selles de certains bébés tendent à être molles quand ils font leurs dents. Si ces diarrhées sont de courte durée, il n'y a pas à s'inquiéter, mais ne partez pas du principe que les poussées dentaires sont la cause directe de diarrhées. Si votre bébé continue à avoir des selles molles, que leur nombre est supérieur à quatre par jour, qu'il ne semble vraiment pas bien ou que sa température dépasse 38,5 °C, vous devez consulter un médecin pour déceler une autre origine à ces dérangements.

Il est rare que les bébés naissent avec des dents, mais cela arrive. La plupart commencent à faire leurs dents entre 4 et 8 mois et d'autres seulement à 12 mois (la moyenne se situe vers 6 mois).

Les incisives inférieures (dents situées en bas, devant) sont les premières à percer, suivies des incisives supérieures, 1 mois plus tard environ. Entre 9 et 12 mois, apparaissent les incisives latérales supérieures (en haut, de chaque côté des incisives centrales). Les incisives latérales inférieures sortent à peu près 1 mois plus tard, puis les canines (dents pointues de chaque côté des quatre incisives inférieures et supérieures) vers 16 mois. Les prémolaires apparaissent souvent avant les canines, et les molaires (tout au fond de la bouche) peuvent ne pas sortir avant l'âge de 24 mois. Entre 2 ans et 3 ans et demi, votre enfant aura toutes ses dents de lait.

Il arrive que les dents aient du mal à percer, notamment les prémolaires, et qu'une boule jaune ou bleutée apparaisse dans la gencive. Il s'agit d'un kyste ou hématome de friction qui n'est pas dangereux. Il faut également noter la fréquence des infections (otites, notamment) au moment de la sortie des dents, sans que l'on en connaisse l'origine.

Prendre soin de ses dents Dès que l'ensemble de la dentition se met en place, généralement vers 20-24 mois, brossez-la régulièrement (voir p. 170). Optez pour un modèle spécialement conçu pour les bébés, doté de poils extrasouples. Déposez sur la brosse une toute petite quantité de dentifrice pour enfant à faible teneur en fluor (1 000 ppm). Le fluor permet de renforcer l'émail des dents et de les rendre plus résistantes aux attaques acides et bactériennes, contribuant ainsi à prévenir les caries. N'en utilisez pas trop et ne laissez pas votre bébé avaler le dentifrice.

Attendez au moins une demi-heure après le repas avant de laver les dents de votre bébé pour permettre à la salive de jouer son rôle antibactérien. Brossez doucement par mouvements circulaires en insistant sur les gencives car c'est à cet endroit que la plaque dentaire se forme.

Si votre bébé n'aime pas qu'on lui brosse les dents, faites-en un jeu. Vous devrez lui brosser les dents jusqu'à 3 ans, ensuite il devra s'autonomiser.

Visite chez le dentiste Votre praticien vous dira à quel moment votre bébé doit avoir sa première visite. Mais si ses dents poussent correctement et semblent en bon état, vous pouvez certainement attendre.

VOTRE BÉBÉ A 24 SEMAINES ET 2 JOURS

Une maman très sensible

Les mamans ont souvent tendance à pleurer à la moindre occasion. Lisez donc ce qui suit... en retenant vos larmes.

Un fait divers, une image poignante, un dessin animé pour enfant ou même un épisode de votre série télévisée favorite, il semble que ces temps-ci tout est prétexte à sortir votre boîte de mouchoirs. Cette hypersensibilité, en particulier envers tout ce qui touche aux enfants, fait partie intégrante du fait de devenir mère. Ceci est peut-être lié à une empathie plus forte en tant que maman : l'amour intense pour vos propres enfants vous rend plus sensible à la souffrance des autres et en particulier à la vulnérabilité des plus jeunes. Si vous parlez avec des amies qui sont aussi mamans, vous vous rendrez probablement compte qu'elles sont aussi sensibles que vous.

Toutefois, si votre propension à pleurer s'accompagne d'un syndrome prémenstruel très marqué (SPM) et que vous êtes en train de sevrer votre bébé, votre état est certainement lié à des changements hormonaux. L'arrêt de l'allaitement peut entraîner une variation des taux d'hormones, en particulier de la prolactine, qui stimule la production de lait et contribue à vous faire vous sentir calme et détendue. La diminution de la sécrétion de cette hormone et l'augmentation des taux de progestérone et d'œstrogènes peuvent entraîner certains symptômes. Optez donc pour un sevrage progressif. Les baisses de moral ou le sentiment d'agression et de colère associés au SPM disparaissent généralement une fois les hormones stabilisées. Si vous continuez à vous sentir irritée et triste, consultez votre médecin : vous souffrez peut-être de dépression postnatale et il pourra vous aider.

VOTRE BÉBÉ A 24 SEMAINES ET 3 JOURS

Sans les mains !

Dès que votre bébé sait se tenir assis, il peut davantage s'exercer à se servir de ses mains et progresse rapidement.

La position assise sollicite les muscles du dos, des cuisses et de la nuque. À 6 mois, un bébé peut généralement tenir assis avec un appui. Le fait de pouvoir se servir de ses deux mains, puisqu'il n'a plus besoin d'être en appui dessus pour se stabiliser, permet à votre bébé de mieux travailler sa coordination œil-main.

Au cours des prochaines semaines, il va développer son aptitude à faire passer ses jouets d'une main à l'autre. Il va peut-être aussi prendre un jouet dans chaque main pour les frapper l'un contre l'autre ou examiner chacun d'eux avec intérêt avant d'en laisser tomber un pour se concentrer sur l'autre.

La capacité à utiliser simultanément les deux mains pour manipuler un objet est appelée la coordination bilatérale. Elle se développe généralement au cours de la première année.

Toute activité nécessitant l'emploi des deux mains permettra à votre nourrisson de s'exercer. Les jouets dotés de cadrans rotatifs, de languettes, de boutons poussoirs ainsi que les tableaux d'éveil, boîtes à formes, blocs de construction et anneaux à empiler qui suscitent toutes sortes de mouvements des mains seront parfaitement appropriés et deviendront ses jeux favoris.

Exploration à deux mains Donnez à votre bébé des jouets qui nécessitent l'emploi de ses deux mains pour développer sa coordination bilatérale.

Ça a l'air bon, maman !

Votre bébé regarde ce que vous mangez avec envie et tend la main pour que vous lui fassiez goûter : mais y est-il autorisé ?

Pas pour toi ! Mieux vaut retarder autant que possible l'introduction des aliments pour adultes, comme les biscuits.

Votre bébé vous regarde manger et semble intéressé par la nourriture ? Cela indique qu'il est prêt à commencer la diversification. Cependant, dans un premier temps, tous les aliments que vous mangez ne sont pas adaptés à votre bébé, et certains doivent être évités bien plus longtemps encore. Si l'objectif de la diversification est d'habituer votre enfant à la nourriture familiale, vous devrez aussi adapter vos plats pour qu'ils lui conviennent. En effet, les aliments que mangent les adultes contiennent des ingrédients qui ne sont pas nécessairement bons pour les plus petits.

Trop de sel Beaucoup d'aliments, en particulier les aliments transformés, contiennent du sel. Les reins des bébés ne sont pas encore suffisamment matures et ne peuvent pas supporter plus de 1 g de sel par jour avant l'âge d'un an. Ceci englobe le sel naturellement présent dans les légumes, les céréales et le lait maternel. Sachez qu'un petit sachet de chips contient 0,5 g de sel et que quelques petits bouts de pizza peuvent facilement dépasser la quantité journalière recommandée pour votre bébé.

Pas assez de gras Vos yaourts allégés sont fantastiques pour que vous gardiez la ligne, mais ne contiennent pas assez de graisses (et donc de calories) pour permettre à votre bébé de grandir et d'être actif. Les produits laitiers entiers, y compris le lait de vache que vous pouvez utiliser pour cuisiner, sont importants jusqu'à l'âge de 2 ans et leur consommation doit ensuite être progressivement réduite jusqu'à 5 ans.

Trop de sucre Votre bébé est né avec un goût inné pour le sucré, d'où l'importance d'introduire d'abord des légumes et des aliments savoureux. Les sucres ajoutés peuvent encourager votre bébé à manger davantage de sucré ce qui non seulement déséquilibrera son alimentation mais augmentera aussi le risque de caries.

Trop de fibres Si les tartines de pain complet et compote de pomme sont saines pour vous, évitez de donner à votre bébé des aliments trop riches en fibres sous peine de changer ses couches plus souvent. Vous devez l'encourager à manger beaucoup de fruits et de légumes mais veillez à ne pas exclure les aliments plus caloriques. Les fruits, légumes et céréales favorisent la sensation de satiété, il est donc facile de remplir l'estomac d'un bébé avec des aliments faibles en calories. C'est pourquoi il est judicieux de mélanger son lait habituel aux premières saveurs de votre bébé et d'introduire d'autres aliments plus riches dès qu'il les a acceptées.

Édulcorants Ces substituts ont été mis au point pour aider les adultes et les enfants plus âgés à réduire leur consommation de sucre ajouté et à diminuer le risque de caries. Ils ne sont pas adaptés aux bébés ni aux jeunes enfants. Limitez les boissons et les aliments qui en contiennent.

Alcool Certains desserts pour adultes peuvent contenir de l'alcool que votre bébé n'est pas capable d'assimiler, veillez donc à ne pas le laisser y goûter.

L'AVIS... DU NUTRITIONNISTE

Diversifier tôt l'alimentation de mon bébé risque-t-il de le prédisposer aux allergies ? La plupart des bébés ont un système digestif qui peut tolérer des aliments de base dès 17 semaines, mais il est recommandé de diversifier vers 6 mois. Si vous envisagez d'introduire l'alimentation solide plus tôt, consultez d'abord votre médecin. Les recommandations officielles suggèrent d'éviter les aliments allergènes comme le blé, les œufs, l'arachide et les fruits rouges, exotiques et à coque, les coquillages et le poisson, chez les bébés de moins de 6 mois, car leur consommation plus précoce pourrait augmenter le risque d'allergie. Mais des recherches récentes suggèrent que les bébés devraient passer plus tôt à l'alimentation solide pour favoriser la tolérance et diminuer le risque allergique. (Voir pages 162-163 et 241 pour plus d'informations sur les allergies alimentaires.)

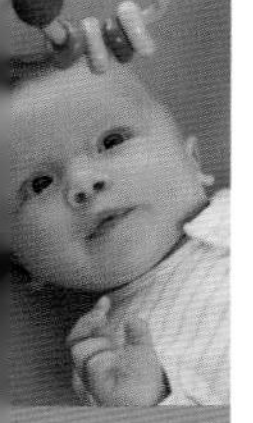

VOTRE BÉBÉ A 24 SEMAINES ET 5 JOURS

Sons répétitifs

Vous pouvez encourager votre bébé à reconnaître les sons et les mots en lui parlant constamment et en nommant les objets du quotidien.

À cet âge, la répétition des mots et des sons est une composante essentielle du développement du langage de votre bébé. Vocalisations, babillages et enchaînements de sons l'amusent beaucoup. Il est très occupé à essayer de contrôler sa bouche, ses lèvres et sa langue pour former des sons. De votre côté, vous devez lui parler régulièrement, lui montrer des gestes naturels ou interagir avec lui en écoutant ses babillages, en les lui répétant puis en attendant qu'il vous « réponde ». Vous développerez progressivement sa compréhension du langage en lui montrant, tous les jours, que les mots sont comme des « étiquettes » associées à chaque objet ou personne. N'hésitez donc pas à répéter « nounours » à chaque fois qu'il aperçoit un ourson en peluche ou « papa » quand son père entre dans la pièce : c'est une excellente façon d'établir le lien entre quelque chose ou quelqu'un et le mot qui les désigne. Vous pouvez aussi jouer à « yeux-nez-bouche » en prenant les mains de votre bébé et en les posant sur vos yeux, votre nez… tout en les nommant.

Le familiariser dès maintenant avec les sons l'aidera à mieux reconnaître les mots plus tard et à franchir les étapes suivantes.

L'AVIS… DU MÉDECIN

Dans un lieu public, mon bébé peut-il jouer dans un bac à sable en toute sécurité ? Il doit être surveillé, mais il appréciera probablement l'expérience et apprendra beaucoup en regardant les autres enfants et en observant la texture du sable. Choisissez un bac à sable régulièrement nettoyé. Assurez-vous qu'il ne met pas de sable dans la bouche et lavez-lui les mains quand il a fini de jouer.

VOTRE BÉBÉ A 24 SEMAINES ET 6 JOURS

Éveil à la nature

Qu'il soit sur un tapis dans le jardin ou dans vos bras pour une balade champêtre, votre bébé adore voir et entendre ce qui se passe dehors.

Ami de la nature Faites découvrir à votre bébé tout ce que la nature donne à voir, sentir et toucher.

Le plein air est une source de fascination pour les bébés. Installez votre enfant sur une couverture, à l'ombre, dans le jardin, ou dans un endroit sûr dans un parc environnant, et laissez-le apprécier l'air frais et la richesse des textures et des activités qui s'offrent à lui. Veillez à ce qu'il ne se fasse pas piquer par un insecte et que rien de dangereux ne risque de lui tomber dessus (des marrons, par exemple). Montrez-lui un écureuil qui saute de branche en branche, un oiseau dans le ciel, un canard dans la mare ou une petite coccinelle posée sur une feuille, toujours en les nommant.

Incitez-le à toucher l'herbe soyeuse, les pétales délicats d'une fleur, du sable ou l'écorce rugueuse du bois. Tenez-le debout, pieds nus, pour qu'il puisse sentir l'herbe ou le sable entre ses orteils, tout en continuant à enrichir son vocabulaire. Nommez ce qui l'entoure en employant des mots comme « dur » ou « doux » pour décrire les différentes textures.

Suscitez son intérêt en lui donnant une multitude de choses à voir, à sentir et à toucher. Ces activités stimuleront ses sens. Chaque nouvelle expérience augmentera sa connaissance du monde et l'amusera beaucoup !

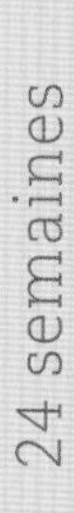

25 semaines

LES BÉBÉS COMMENCENT À SAISIR DES OBJETS À PLEINE MAIN VERS 8-10 MOIS, LORSQU'ILS DÉVELOPPENT LA PINCE FINE

Votre enfant est de plus en plus mobile et fait appel à ses aptitudes manuelles en plein éveil pour atteindre et saisir des objets. Il se familiarise aussi avec le rapport de cause à effet et comprend très vite que lorsqu'il pousse un ballon, il roule.

Nouvelles aventures

Maintenant que votre bébé est plus éveillé et que ses repas sont plus faciles à prévoir, vous pouvez organiser de plus longues sorties.

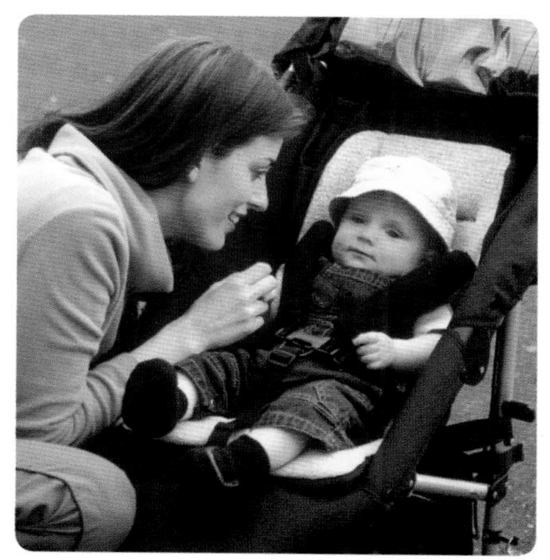

À la découverte du monde Arrêtez-vous régulièrement quand vous promenez votre bébé pour qu'il observe ce qui l'entoure.

L'AVIS... DU MÉDECIN

Un ami a la varicelle. Nous l'avons vu récemment : mon bébé peut-il l'avoir attrapée ? C'est possible, mais les jeunes bébés contractent rarement la varicelle. Il n'y a pas d'immunité efficace transmise pour la varicelle et contrairement à d'autres maladies infectieuses, le bébé est incomplètement protégé contre la varicelle les premiers mois de sa vie. Cependant, il ne se gratte pas ou peu et risque donc d'avoir moins de cicatrices. Les symptômes se manifestent généralement dans les 15 jours qui suivent l'exposition à la varicelle, et durent entre 7 et 12 jours. Si votre bébé l'a contractée, il va être fatigué, un peu fiévreux et aura peu d'appétit. De petits boutons rouges apparaîtront sur le buste ou sur le visage. Consultez alors votre médecin.

À presque 6 mois, votre bébé est plus attentif à ce qui se passe autour de lui et plus réceptif aux nouvelles expériences. De votre côté, vous le connaissez de mieux en mieux et vous avez plus de facilité à anticiper ses besoins. Vous pouvez donc, occasionnellement, vous aventurer à faire des sorties plus longues, car vous saurez quand il est nécessaire de faire une halte pour le nourrir ou le changer. Il est donc peut-être temps d'aller voir des amis un peu éloignés, d'organiser une rencontre avec d'autres mamans et bébés ou de passer la journée en famille au bord de la mer.

Rendre visite à ses grands-parents aidera votre bébé à mieux les connaître : plus il sera habitué à eux et à leur maison, plus il sera facile de prévoir de l'y laisser. De même, la compagnie d'autres mamans et bébés vous fera du bien à tous les deux. Alors pourquoi ne pas réunir un groupe parents/enfants sur un site historique de la région et y passer la journée ?

À cet âge, les enfants adorent le plein air et sont fascinés par les parcs, les aires de jeux et les plages (à condition qu'ils aient un abri qui les protège du sable, de la chaleur et des rayons du soleil). Votre bébé apprécie aussi les activités où il peut observer d'autres enfants, comme les parcs de jeu intérieurs qui incluent des zones séparées spécialement conçues pour les tout-petits.

Si vous envisagez de prendre les transports en commun avec votre bébé pour la première fois, vérifiez d'abord que vous pourrez voyager sans difficulté avec une poussette : la gare est-elle dotée d'ascenseurs ? la poussette doit-elle être pliée pour monter dans le bus ?

ÊTRE PRÉPARÉE

Les sorties avec votre bébé peuvent être très agréables pour vous deux, en particulier si vous êtes parée à toute éventualité. Rien ne peut mieux gâcher une sortie que de ne pas avoir de rechange pour son enfant ou de manquer de jouets pour le distraire s'il devient grognon. Assurez-vous d'emporter tout ce dont vous avez besoin, et même un peu plus, dans l'éventualité d'un changement de dernière minute. Veillez à ce que votre sac à couches contienne assez de couches, de nourriture (si vous avez commencé la diversification), de lait maternisé (si vous donnez le biberon), de jouets et de doudous ainsi que des vêtements de rechange pour vous deux (plus des vêtements chauds).

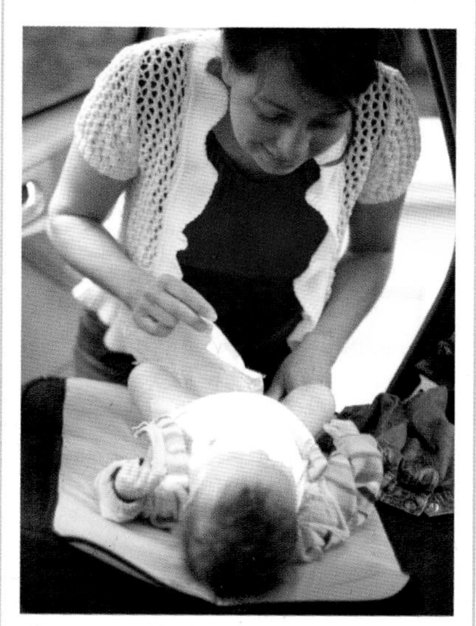

Change rapide Des vêtements faciles à enfiler vous permettront de changer rapidement votre bébé en extérieur.

Tenir sur ses jambes

Votre bébé adore rebondir sur ses jambes lorsqu'il est debout, ce qui le muscle et le prépare à ramper et marcher.

Apprendre à tenir debout Faites rebondir votre bébé sur vos genoux pour développer son équilibre et muscler le bas de son corps.

À présent, les jambes de votre bébé peuvent probablement soutenir son poids lorsque vous le tenez debout. Il s'agit là d'un bon exercice qui l'aide à renforcer ses os et ses muscles. S'il ne faut en aucun cas forcer un enfant qui n'est pas prêt, vers 7 mois, la plupart des bébés adorent se tenir debout (et rebondir sur leurs jambes). Notez cependant que certains n'aiment pas être en appui sur leurs jambes et préfèrent se laisser tomber sur les fesses : en général, ces bébés-là marchent plus tard. Beaucoup de parents sont inquiets lorsqu'ils commencent à faire tenir leur bébé debout; ils craignent par exemple qu'il ait les jambes arquées (du moins, c'est ce que leur grand-mère leur a dit !). Ce qui suit répondra aux questions que vous pouvez vous poser à ce stade.

Jambes arquées Tenir votre enfant debout et le laisser rebondir ne déformera pas ses jambes. La plupart des bébés ont les cuisses dirigées vers l'extérieur et les chevilles vers l'intérieur, ce qui peut faire penser qu'ils ont les jambes arquées. Ceci correspond à la position que prennent les jambes dans le ventre de la mère pour occuper au mieux l'espace disponible afin de se développer.

À partir du moment où votre enfant commence à se tenir debout puis à marcher, ses os grandissent et se remodèlent pour supporter son poids, et ses jambes deviennent alors plus fortes et plus droites. À 3 ans, elles devraient ne plus être arquées et être bien droites, comme les jambes d'un adulte. Si vous êtes inquiète ou si vous remarquez une dissymétrie entre ses deux jambes, parlez-en à votre médecin qui pourra identifier tout problème éventuel.

Jambes fluettes Les parents de bébés menus, dont les cuisses et les mollets sont fins, sont souvent inquiets du fait que les jambes de leur enfant n'aient pas la force suffisante pour soutenir son poids. Il n'y a pas de quoi s'affoler : s'il tient en appui sur ses jambes lorsque vous le soutenez, tout va bien. Ses muscles se développeront à force de mouvements et de jeux. Être à plat ventre l'incitera à replier les jambes sur les genoux et à se propulser en avant.

Pieds plats Tous les bébés semblent avoir les pieds plats, d'une part en raison de leur aspect potelé qui masque la courbure du pied et d'autre part parce que la voûte plantaire ne se développe qu'après 3 à 4 ans.

L'AVIS... DU PÉDIATRE

Mon bébé semble avoir une jambe plus courte que l'autre et ne se met pas en appui dessus lorsque je le tiens debout. Pourquoi ? Votre bébé a peut-être une luxation congénitale de la hanche (LCH), liée à une anomalie anatomique du col du fémur et du bassin au niveau du cotyle. Vers 3 semaines et demie, une échographie des hanches est nécessaire. Toute anomalie à l'examen médical (ressaut ou asymétrie) et/ou sur l'échographie impose un avis orthopédiatrique en urgence. Un à 3 % des nouveau-nés présentent une LCH : elle touche plus fréquemment les filles et est héréditaire. Elle est aussi plus courante en cas de naissance par le siège ou multiple, et chez les bébés qui ont un pied bot ou une autre malformation des pieds.

Dès la naissance, tous les bébés font l'objet d'un dépistage de la LCH. Cette anomalie pouvant se développer au-delà de 8 semaines, consultez votre médecin si vous êtes inquiète, notamment si vers 7 mois votre bébé ne prend appui que sur une seule jambe (ou ne prend pas appui sur ses jambes), si l'une semble plus courte que l'autre, ou s'il tourne toujours un pied vers l'extérieur lorsqu'il est debout. Après 4 mois, une radiographie du bassin peut confirmer le diagnostic de LCH. Avec une prise en charge précoce, le pronostic est excellent : la plupart des bébés qui ont une LCH ne marchent pas plus tard que les autres.

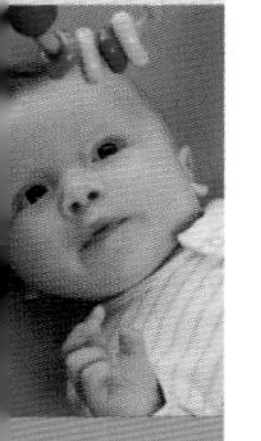

VOTRE BÉBÉ A 25 SEMAINES ET 2 JOURS

Émotions partagées

Vos sentiments ont une incidence sur votre bébé : il est important de le protéger des émotions négatives et d'insister sur ce qui est positif.

Vous remarquerez peut-être que votre bébé vous regarde attentivement s'il perçoit de la tristesse ou de la frustration dans votre voix. Si vous vous mettez en colère au téléphone, il se peut qu'il arrête ce qu'il est en train de faire et se retourne pour voir si tout va bien. S'il voit que vous êtes triste, contrariée, stressée ou en colère, il peut se mettre à crier et tendre les bras pour que vous le preniez. Il ne comprend pas vos changements d'humeur, mais veut que vous soyez heureuse parce que cela le rend heureux. Il se sent encore comme votre prolongement direct et vos émotions le guident. Lorsque vous êtes triste et angoissée, il devient plus collant et a besoin d'être réconforté : situation paradoxale car la dernière chose dont vous avez besoin lorsque vous n'avez pas le moral est un bébé grognon ! Mais il vous rappelle simplement qu'il est là. Certains experts pensent que ce « radar » correspond à un instinct primitif qui permet aux bébés de s'assurer que leur mère n'est pas trop préoccupée et ne les oublie pas !

Votre enfant devient plus sensible à vos humeurs au fur et à mesure qu'il découvre le monde. Il vous observe et cherche des indices sur la façon de réagir à chaque nouvelle situation. Lorsque vous vous emportez ou êtes frustrée, il apprend que c'est l'attitude qu'il doit avoir dans ce cas-là. Si vous êtes joyeuse et sociable avec les autres, il sera plus enclin à adopter cet état d'esprit. Même si personne ne peut être en permanence d'humeur égale, essayez de garder une voix et des expressions du visage enjouées et positives. Votre bébé ne s'en trouvera que plus rassuré et apprendra à bien réagir aux situations difficiles.

VOTRE BÉBÉ A 25 SEMAINES ET 3 JOURS

Touche-à-tout

Regarder votre bébé explorer le monde est merveilleux, mais veillez à garder les objets potentiellement dangereux hors de sa portée.

Des objets fascinants Votre bébé est attiré par des objets dangereux comme des ciseaux ou des clés aux extrémités pointues.

Les bébés affectionnent particulièrement les sacs à main. Votre enfant vous voit régulièrement fouiller dans le vôtre et en sortir un tas de choses intéressantes : boissons, suces, clés d'auto, téléphone cellulaire et même quelques jouets ! Il essaiera de jeter son dévolu sur ce fascinant trésor dès qu'il en aura l'occasion !

Vos détergents sont sous l'évier ? Vous rangez des objets que ne doit pas toucher votre bébé (ciseaux, sécateurs, ficelle, colle) dans des tiroirs situés à sa hauteur ? Votre enfant voudra imiter ce qu'il vous voit faire et ira chercher tous ces objets lui-même, mais surtout, il voudra satisfaire sa curiosité naturelle et étayer sa connaissance du monde.

Il pensera peut-être que c'est une bonne idée de manger le terreau de votre plante en pot, de glisser son hochet dans le lecteur de DVD ou de faire tomber le fer à repasser en tirant sur le fil qui pend. Il y a tant de choses à découvrir !

Il est donc plus important que jamais de le surveiller et vous devrez peut-être réfléchir à la façon dont votre maison est sécurisée. Votre bébé aura besoin de plusieurs années pour comprendre ce qui est dangereux, vous devrez donc prendre toutes les précautions pour que votre maison ne présente aucun risque. Soyez aussi très vigilant lorsque vous allez dans une maison qui n'est pas aussi sécurisée pour votre bébé que la vôtre.

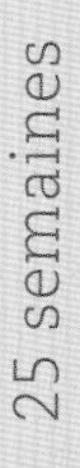

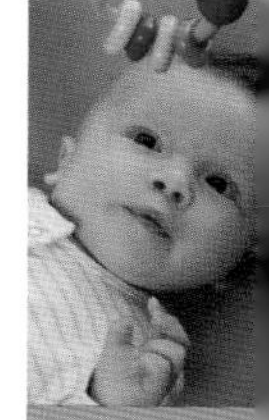

VOTRE BÉBÉ A 25 SEMAINES ET 4 JOURS

« Mama », « papa »

À 25 semaines, votre bébé répète des sons et utilise davantage de consonnes. Il commence par des « ma-ma-ma » et des « pa-pa-pa ».

Le premier « mama » ou « papa » de votre bébé n'a aucun sens pour lui : il a juste réussi à enchaîner certains sons. Votre réaction enthousiaste va cependant l'encourager à répéter et lorsque vous répondrez à ses appels, il finira par comprendre (dans 3 ou 4 mois) que « mama » c'est vous ! Ne soyez pas surprise si « papa » est le premier vrai mot de votre bébé. L'apprentissage des consonnes dures comme P et D se fait avant celui des consonnes douces, comme N et M : « papa » a donc de grandes chances d'avoir la primeur.

Mama ! La première fois que votre bébé dit « mama », il ne le fait pas exprès. Il le répète ensuite pour votre plus grand plaisir !

Votre enfant adore lorsque vous répétez ses babillages et apprend beaucoup quand vous nommez les objets et les gens : cela renforce l'idée que chaque chose peut être désignée par un mot, concept qu'il maîtrisera dans quelques mois. À ce stade, parler est un jeu ; il découvre les sons en utilisant ses cordes vocales, sa langue et ses dents. Tous les nourrissons suivent le même schéma de développement du langage, quelle que soit leur langue maternelle. Des milliers de bébés à travers le monde émettent donc les mêmes sons ! Votre nourrisson produit les sons qui l'intéressent et l'amusent, et les répètent s'ils provoquent une réaction ou simplement parce que ça lui plaît !

VOTRE BÉBÉ A 25 SEMAINES ET 5 JOURS

Chaises hautes

La chaise haute aide votre bébé à développer ses aptitudes à manger correctement et lui permet de prendre son repas à table, en famille.

Une chaise haute est un meuble fondamental : vous devez donc connaître les critères essentiels pour faire votre choix.

Côté pratique Elle doit être facile à nettoyer (un plateau amovible est plus facile à laver et à essuyer) et adaptée à la taille de votre cuisine. Si vous manquez de place, préférez un modèle pliable ou sans plateau, qui peut être installé contre une table. Certaines chaises peuvent être réglées en hauteur ce qui est utile si, par exemple, vous n'avez pas de table de salle à manger : vous pouvez alors la baisser et l'accoler à une table basse. Vous pouvez aussi opter pour un modèle transformable en table et en chaise pour enfant.

Confort De préférence, choisissez une assise rembourrée ou sur laquelle il est possible d'ajuster un coussin réducteur afin de maintenir votre bébé droit. Les coussins amovibles et lavables sont parfaits : achetez-en deux, afin d'en avoir toujours un disponible lorsque vous nettoyez l'autre. Une chaise munie d'un repose-pieds et d'accoudoirs réglables est utile lorsque votre bébé grandit.

Sécurité Assurez-vous que la base de la chaise est suffisamment large pour qu'elle ne puisse pas basculer. Votre équipement doit être doté d'un harnais de sécurité à cinq points que vous devez systématiquement utiliser : les bébés ont une étonnante capacité à s'extraire des chaises hautes. Enfin, vérifiez que le siège pliable est muni d'une sécurité pour éviter que votre enfant ne se coince les doigts ou ne tombe. Du matériel d'occasion peut très bien faire l'affaire mais assurez-vous qu'il est conforme aux normes de sécurité en vigueur.

VOTRE BÉBÉ A 25 SEMAINES ET 6 JOURS

Du changement dans les tétées

Vous songez peut-être à arrêter l'allaitement maternel, à passer à un allaitement mixte sein/biberon ou à changer de lait maternisé.

Si vous allaitez et que vous êtes sur le point de reprendre le travail, vous pouvez vous organiser pour tirer et conserver votre lait les jours où vous travaillez (voir p. 179) si vous ne voulez pas opter pour un allaitement mixte sein/biberon en fonction de votre emploi du temps et des besoins de votre bébé.

Si votre nourrisson a du mal à prendre le biberon, essayez d'humecter la tétine avec un peu de vôtre crème d'allaitement habituelle ou de mélanger le lait maternisé avec votre lait maternel pour rendre le goût plus familier. Vous pouvez aussi essayer de changer de tétine ou de lui donner son lait dans une tasse d'apprentissage. Si vous passez directement au lait maternisé, il est possible que vous deviez essayer différentes marques avant de trouver celui qui plaît à votre bébé.

PRÉVOIR L'ARRÊT DE L'ALLAITEMENT MATERNEL

Si vous avez une date précise pour arrêter l'allaitement prochainement, commencez à remplacer le sein par le biberon. En effet, un arrêt brutal peut perturber votre bébé par la disparition de sa principale source de réconfort et de subsistance, ce qui vous contrariera vous aussi. Par ailleurs, l'arrêt soudain de l'allaitement peut provoquer un engorgement des seins et induire une mastite (une infection microbienne qui s'introduit par une crevasse du mamelon). Diminuez plutôt progressivement le nombre de tétées au sein sur plusieurs semaines en les remplaçant par un biberon (supprimez une tétée tous les 4 ou 5 jours).

Commencez par celle du goûter. Si quelqu'un de votre entourage peut donner le biberon à votre bébé dans une autre pièce afin qu'il ne sente pas l'odeur de votre lait, c'est encore mieux. En général, les dernières tétées à disparaître sont celles du soir et du matin que votre enfant associe à la sécurité, aux câlins et à la satisfaction.

Si vous devez arrêter l'allaitement soudainement et que vos seins engorgés vous font mal, tirez votre lait en veillant à n'extraire que la quantité nécessaire pour vous soulager sous peine d'activer d'autant plus la production. Il se peut que vous ne vous sentiez bien qu'au bout de plusieurs jours et que votre lait mette quelques semaines à disparaître complètement. (Pour plus d'informations sur l'arrêt de l'allaitement maternel, voir p. 274-275.)

Du sein au biberon Faites la transition en douceur pour qu'il ait le temps de s'adapter.

Nouveau lait maternisé Il n'est pas nécessaire que vous fassiez passer votre bébé à un lait de suite (deuxième âge) ou un lait de satiété car il peut continuer à prendre son lait maternisé habituel jusqu'à 12 mois. Toutefois, que vous passiez de l'allaitement maternel au lait maternisé ou que vous ayez toujours donné le biberon à votre enfant, s'il semble avoir faim même après une bonne tétée, vous devriez peut-être envisager de changer de lait. À quantité équivalente, les laits de suite sont plus nutritifs ; ils sont notamment enrichis en fer, sel minéral dont votre bébé aura de plus en plus besoin. Cependant, il abandonnera progressivement son lait habituel au profit d'aliments solides qui, à travers une alimentation saine et variée, lui procureront vitamines et minéraux et le rendront ainsi moins dépendant du lait pour se nourrir.

Ceci dit, si votre enfant a du mal à accepter la nourriture solide, choisissez un lait destiné aux bébés plus âgés, plus calorique, et donc plus rassasiant, contenant aussi davantage de fer, d'huiles oméga et de vitamine D.

Quel que soit le lait que vous choisissez, il doit convenir à votre bébé afin que celui-ci continue de prendre du poids normalement. Le lait de vache (entier) n'est pas adapté aux moins de 12 mois mais vous pouvez l'utiliser pour cuisiner car les laitages sont autorisés dès le début de la diversification. Votre médecin et votre infirmière vous conseilleront sur les laits infantiles et l'alimentation.

26 semaines

LES YEUX DE VOTRE BÉBÉ FONCTIONNENT DE PAIR POUR QU'IL PERÇOIVE LE MONDE EN TROIS DIMENSIONS

Plus que jamais, votre bébé a besoin de faire des siestes en journée ; quelle que soit sa technique pour se déplacer, elle lui demande beaucoup d'énergie et l'épuise littéralement ! Ses jambes sont peut-être capables de soutenir son poids si vous le tenez debout, mais ne le forcez pas.

À vos marques, prêts…

Votre bébé est sur le point de se lancer ! Qu'il fasse des roulades ou marche à quatre pattes, il entre dans une nouvelle phase de mobilité.

L'AVIS... DE L'INFIRMIÈRE

Puis-je utiliser une aire d'activité ? Les aires d'activité développent la motricité fine, les capacités à résoudre les problèmes, l'imagination et l'indépendance. Une aire d'activité en dur, au milieu de laquelle votre bébé est assis, entouré de cadrans à tourner, de volets à rabattre, de formes en tous genres et de boutons sonores peut le stimuler et l'amuser. Les aires d'activité fixes conviennent bien aux bébés qui tiennent assis sans aide et peuvent, pour la plupart, être réglées en hauteur pour qu'ils puissent atteindre les différents éléments tout en restant assis. Une fois que l'enfant commence à tenir debout ou à marcher, la sécurité du matériel n'est plus garantie.

Mon bébé commence à ramper : puis-je le laisser dans son parc pour qu'il ne risque rien ? Dès que votre bébé devient mobile, un parc l'empêche d'explorer ce qui l'entoure. Il y a donc de fortes chances qu'il proteste bruyamment en se voyant enfermé. À ce stade de son développement, il est important de lui donner autant de liberté que possible pour découvrir et bouger. Essayez de lui faire un petit coin sécurisé où il pourra se dépenser librement (sous surveillance, évidemment). Il y a cependant des moments où vous ne pourrez pas le surveiller en permanence. Pour être sûre qu'il ne risque rien (quand vous prenez votre bain, par exemple) et si vous avez la place, un parc peut être utile.

Tout en mouvement Quand votre bébé commence à ramper ou à marcher à quatre pattes, les tapis lui offrent une protection confortable pour ses séances d'entraînement.

À cet âge, il est encore tôt pour commencer à faire des roulades ou ramper : certains bébés ne s'y aventurent pas avant 8 ou 9 mois, voire plus, notamment chez les prématurés ou les multiples. Toutefois, certains nourrissons commencent déjà à bouger, il est donc bon de s'y préparer.

Les bébés essaient de se déplacer de différentes façons. Bien que le passage de la position assise à la reptation, puis au quatre-pattes, et enfin à la marche implique plusieurs étapes du développement, beaucoup ont leur propre programme et trouvent simplement le meilleur moyen d'y arriver.

Certains se balancent en appui sur les mains et les genoux pour avancer ou reculer tandis que d'autres se déplacent sur les fesses et ne passent jamais par le quatre pattes. D'autres encore se roulent par terre, ondulent sur le ventre ou progressent à plat ventre en tirant sur les bras. Il y a aussi ceux qui rampent en arrière plutôt qu'en avant et ceux qui sautent l'étape du quatre-pattes et se hissent contre les meubles pour essayer de marcher. Si vous avez des jumeaux, vous remarquerez peut-être qu'ils se déplacent de différentes façons et, bien sûr, dans différentes directions !

En route vers l'indépendance Ce n'est pas tant la façon dont votre bébé se déplace qui importe, mais le fait même qu'il se déplace. Progression vers l'indépendance psychologique et physique, la mobilité est une étape du développement qui doit, évidemment, être franchie avant que votre bébé sache marcher. Elle lui permet de découvrir à son rythme son environnement, de satisfaire sa curiosité, de s'amuser et de développer sa coordination, son équilibre et sa force musculaire. En outre, bouger est bon pour son cœur et ses poumons, le met de bonne humeur, et favorise un sommeil profond et réparateur. Encouragez votre bébé à être mobile : il appréciera l'exercice physique, comprendra comment fonctionne son corps et s'amusera beaucoup.

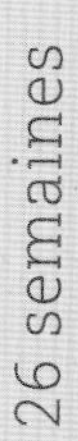

VOTRE BÉBÉ A 26 SEMAINES ET 1 JOUR

Découvrir les aliments solides

Si vous commencez à donner à votre bébé autre chose que du lait, laissez-lui du temps pour qu'il s'adapte à manger à la cuillère.

Nouvelles saveurs et textures Manger des aliments solides à la cuillère est une expérience totalement nouvelle pour votre bébé : il a besoin de temps pour s'y habituer.

AIDE-MÉMOIRE

Les clés du succès

Pour que vous commenciez tous les deux la diversification sur de bonnes bases, voici quelques conseils :

- Choisissez un moment où votre bébé n'est ni fatigué ni affamé : le mieux est après une petite tétée.
- Soyez particulièrement détendue et de bonne humeur.
- Attendez-vous à une crise de larmes et à de multiples réactions, mais ne cédez surtout pas à la panique.
- Félicitez votre bébé et encouragez-le à chaque bouchée.

Au début, vous donnez à votre bébé des purées très liquides à base de céréales infantiles et de lait, de fruits et de légumes. Leur consistance étant très semblable à celle du lait, il les aspirera dans la cuillère. Au fur et à mesure qu'il s'habituera à manger ainsi, vous pourrez commencer à épaissir ses plats en y mettant moins de lait ou en ajoutant un peu de céréales infantiles. Ces dernières sont un bon moyen de commencer l'alimentation solide car elles ont un goût neutre, sont faciles à digérer et la plupart sont enrichies en vitamines et en minéraux.

Selon l'âge auquel vous diversifiez et la façon dont votre bébé accepte les aliments, il se peut qu'il ne prenne qu'une ou deux cuillerées par jour pour commencer.

Toutefois, s'il semble en vouloir davantage, donnez-lui en plus. S'il en a assez, il tournera la tête, s'énervera ou fermera la bouche. S'il refuse en bloc, arrêtez-vous et réessayez le lendemain.

Il est important que les repas soient un moment de plaisir pour établir dès le départ un bon rapport à la nourriture. Veillez également à proposer à votre enfant des aliments variés, même ceux que vous n'aimez pas. N'ajoutez ni sel ni sucre pour rehausser le goût. Le sel est dangereux pour les bébés car leurs reins sont incapables d'éliminer de grandes quantités de sel et l'ajout de sucre leur est inutile. Contentez-vous de lui donner le goût des saveurs simples.

Un bon départ Si ses premiers repas ont surtout pour but « d'être goûtés », cela ne signifie pas pour autant qu'ils ne doivent pas être nutritifs. L'un des aspects les plus importants de la diversification est la découverte d'aliments sains aux textures et aux goûts différents. Plus votre bébé apprendra à manger des légumes tôt, par exemple, plus il sera susceptible de continuer à en manger en grandissant. Ce n'est donc pas en lui donnant sa compote de pomme préférée à la place de la purée de brocoli qu'il dédaigne que vous lui apprendrez à aimer le brocoli. N'oubliez pas qu'il répond aux signaux que vous lui envoyez : si vous n'aimez pas le brocoli, il peut s'inspirer de vous.

Proposez-lui un nouvel aliment tous les jours, et s'il le refuse, réessayez plus tard. Plusieurs tentatives peuvent être nécessaires avant que votre enfant considère un aliment comme familier : il peut donc mettre du temps à manger quelque chose qu'il n'aimait pas au départ.

VOTRE BÉBÉ A 26 SEMAINES ET 2 JOURS

Une chambre à lui

Si vous n'avez pas encore installé votre bébé dans sa chambre, habituez-le à cet espace dès maintenant afin de faciliter la transition.

Il est recommandé d'installer votre enfant dans sa chambre dès 3 mois ; si vous ne l'avez pas encore fait, c'est le moment ! À partir de 6 mois, il n'y a en effet aucun risque à faire dormir votre bébé seul. Aidez-le à passer en douceur de votre chambre à la sienne. Commencez par l'y installer pour une sieste, afin qu'il s'habitue à s'endormir dans ce nouvel environnement, puis augmentez progressivement le nombre de siestes avant de l'y laisser toute une nuit.

Vous remarquerez peut-être que votre enfant dort mieux dans sa chambre car il n'est pas dérangé par les mouvements et les bruits que vous faites pendant votre sommeil. D'un autre côté, il se peut qu'il se réveille plus souvent parce que le rythme de votre respiration lui manque, et qu'il se sente un peu seul et effrayé au début. S'il pleure, allez le voir et calmez-le pour qu'il sache que vous êtes là pour lui.

Donnez-lui un doudou (voir p. 345) pour l'apaiser. Le fait de voir, toucher et sentir un objet familier peut l'aider à s'endormir. Cependant, ne laissez pas d'objet dans son lit toute la nuit.

Vous voudrez peut-être investir dans un écoute-bébé. Beaucoup de parents ne dorment pas bien lorsque leur nourrisson passe sa première nuit seul dans sa chambre. Vous vous lèverez peut-être à plusieurs reprises pour aller voir si tout va bien. Si vous entendez ses pleurs et sa respiration, vous serez rassurée et pourrez vous endormir. Si votre écoute-bébé permet à votre enfant d'entendre aussi votre voix, il dormira peut-être mieux si papa ou maman lui murmure quelques mots de temps en temps.

VOTRE BÉBÉ A 26 SEMAINES ET 3 JOURS

Ça bascule !

Basculer doucement votre bébé et le changer de position lui permet de voir son environnement sous un tout autre jour.

Les jeux de bagarres apparaîtront plus tard dans son développement, mais votre bébé reçoit déjà des informations sensorielles lorsqu'il est porté dans différentes positions. Basculez-le en arrière en soutenant bien sa nuque et son dos pour qu'il puisse regarder au plafond, couchez-le sur le dos sur vos genoux, chatouillez-le ou faites-lui des « poutous » sur le ventre ou dans le cou pour qu'il penche la tête en arrière. Il peut se tortiller de plaisir ou « être scotché » en découvrant ce point de vue inhabituel. Si vous le tenez fermement par le tronc, et non par les membres, il se sentira en sécurité. De même, pensez à basculer le dossier de sa poussette en arrière lorsque vous sortez pour qu'il puisse voir le ciel et les nuages ou observer les arbres.

Sous un autre angle Faire basculer légèrement votre bébé lui donne des informations sur la façon dont son corps bouge.

Ces activités font travailler l'aire vestibulaire de votre bébé (qui contrôle son équilibre) et lui apprennent comment fonctionne son corps dans différentes positions. Il fera également appel à différents mouvements musculaires et efforts de coordination pour garder l'équilibre et soutenir sa tête et son cou.

Découvrir le monde sous un autre angle est bon pour les muscles et le développement neuronal de votre bébé. Veillez à bien le tenir ou il n'appréciera pas du tout l'expérience. Évitez les gestes brutaux ou excessifs et soyez rassurant.

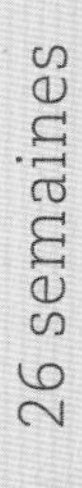

VOTRE BÉBÉ A 26 SEMAINES ET 4 JOURS

Œil de lynx

À 26 semaines, la vue de votre bébé a nettement progressé. Grâce à ses yeux de lynx, il remarque le moindre changement autour de lui.

La perception de la profondeur se développe progressivement. Désormais, le cerveau de votre bébé peut interpréter correctement les images reçues de chaque œil pour créer une vision du monde élaborée, en trois dimensions.

La perception de la profondeur nécessite de l'expérience visuelle qui se développe grâce à une excellente coordination entre les deux yeux à la maturation des commandes du système nerveux central. L'acuité visuelle, qui est de quatre à cinq dixièmes à la fin de la première année, atteint neuf dixièmes entre 3 et 5 ans. De fait, même si les objets situés à proximité restent ceux qui intéressent le plus votre bébé, il peut voir et reconnaître les choses à travers une pièce. Il remarque les rideaux flotter dans l'air, un jouet échoué sous le canapé et votre sac à main là-bas dans le coin. Dès qu'il distinguera ces objets, il n'aura plus qu'une idée en tête : s'en approcher. Il est maintenant attiré par la nouveauté alors que jusqu'à présent, il s'intéressait davantage à ce qui lui était familier.

BON À SAVOIR

Chez les bébés, la perception de la profondeur est testée avec une «falaise visuelle» : une surface vitrée posée au-dessus d'un damier qui crée ainsi une illusion de vide. La plupart ont peur en s'approchant du «bord de la falaise», suggérant qu'ils perçoivent la profondeur quand ils commencent à ramper. Ceci ne les protège pas pour autant du danger, soyez donc vigilant!

VOTRE BÉBÉ A 26 SEMAINES ET 5 JOURS

Soleil et vitamine D

La vitamine D est essentielle au développement des os et des dents, à l'immunité et à la croissance cellulaire.

Jouer dehors 10 minutes par jour, à l'ombre, permet à votre bébé de produire de la vitamine D.

La synthèse de vitamine D par l'organisme se fait sous l'effet du soleil; elle peut être également dérivée de l'alimentation. Idéalement, pour maintenir un taux de vitamine D convenable, il faudrait s'exposer au soleil au moins 10 minutes par jour (sans protection).

Cette recommandation est délicate à mettre en place avec votre bébé, mais rassurez-vous, le laisser à l'ombre d'un arbre pour profiter de la lumière du soleil est aussi efficace qu'une exposition directe. L'été, faites-le jouer tous les jours quelques instants à l'ombre sans protection solaire, en évitant de sortir aux heures les plus chaudes, entre 10 et 16 h. Le reste du temps, protégez-le avec une crème solaire indice 50 lorsqu'il est à l'extérieur.

L'hiver, de nombreux enfants manquent de vitamine D : continuez donc à exposer régulièrement votre nourrisson au soleil. Si la vitamine D est fabriquée grâce à l'exposition au soleil, elle est aussi obtenue à travers l'alimentation. Les bébés sont systématiquement supplémentés en vitamine D ainsi que les mamans allaitantes. Les carences en vitamine D sont plus fréquentes chez les bébés d'origine africaine, afro-caribéenne ou asiatique car leur peau bronzée ralentit sa fabrication (voir p. 167).

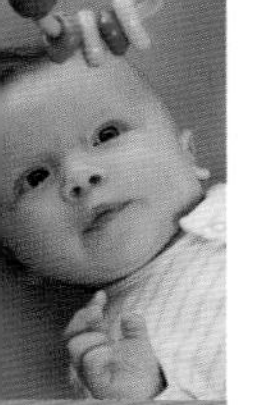

Se séparer en douceur

Si vous envisagez de reprendre le travail, essayez d'habituer votre bébé à l'idée d'être séparés et rassurez-le sur le fait que vous reviendrez.

Au revoir heureux Rendez la séparation la moins pénible possible pour vous deux en habituant votre bébé à son environnement et aux personnes qui vont s'occuper de lui en votre absence.

Quel que soit le moment où vous reprendrez le travail, laisser votre bébé provoquera mécontentement et pleurs. Ce peut être même pire si l'angoisse de la séparation s'est installée, vers 8 mois (voir p. 283). Les stratégies suivantes vous aideront à rendre la séparation plus facile pour vous deux.

Présentez à votre bébé la personne qui va le garder et prévoyez quelques séances d'adaptation ensemble pour qu'il s'habitue à elle, rassuré par votre présence. La première fois que vous laissez votre bébé seul chez elle, ne le quittez que pour une courte durée (moins d'une heure).

Évitez alors qu'il soit fatigué, qu'il ait faim ou qu'il ne soit pas bien. Mieux il se sentira, plus il sera susceptible de s'adapter rapidement. Pour le rassurer, donnez-lui un doudou (voir p. 345) ; il peut aussi s'agir d'un objet avec lequel vous avez joué ensemble ou, s'il n'est pas gardé chez vous, de quelque chose qui lui rappelle la maison.

Mettez en place un rituel de départ pour que votre enfant apprenne à anticiper ce qui va se passer : cela le rassurera. Faites-lui un câlin, un bisou et dites-lui un « vrai » au revoir. Gardez une intonation de voix et une expression du visage positives. S'il pleure, dites-lui qu'il va vous manquer mais que vous serez bientôt de retour. (Quand il sera plus grand, vous pourrez situer votre retour dans le temps, en disant « après ton repas » ou « après ta sieste ».) Dites-lui encore au revoir et partez. Ne cédez pas à la tentation de retourner calmer ses pleurs. Si vous êtes inquiète, appelez au bout de 15 minutes pour voir s'il s'est calmé : en général, les bébés sont vite distraits !

AIDE-MÉMOIRE

Déshydratation

Un bébé peut se déshydrater si son apport en liquide n'est pas suffisant, par exemple s'il ne tète pas assez parce qu'il est malade. C'est également le cas lorsqu'un bébé perd trop de liquide, en vomissant ou s'il a la diarrhée (comme en cas de gastroentérite) ou en transpirant (fièvre ou chaleur excessive).

La déshydratation peut être dangereuse : en cas de doute, consultez immédiatement un médecin. Continuez à le faire téter aussi souvent que possible. Il peut être nécessaire de lui donner un soluté de réhydratation, qui compense la perte en eau et sels minéraux, pour maintenir l'équilibre chimique de son organisme.

Si elle n'est pas prise en charge, la déshydratation peut devenir une urgence médicale susceptible d'induire des lésions cérébrales. Si votre bébé montre des signes de léthargie ou perd connaissance, appelez le 911 ou amenez-le à l'urgence.

Les signes de déshydratation incluent notamment :

- Fontanelle creusée.
- Apathie.
- Yeux enfoncés.
- Bouche, lèvres et yeux secs.
- Urine très odorante ou absente.
- Pli cutané persistant quand on pince la peau.
- Couches nettement moins mouillées (moins de 6 par jour) mais en cas de diarrhée, difficile à percevoir !

Votre bébé de 7 à 9 mois

SEMAINE	1	2	3	4	5	6	7	8	9	10	11	12	13	14	15	16	17	18	19	20	21	22	23	24	25	26

Manger solide Vous avez commencé la diversification : votre bébé s'habitue à l'alimentation solide et prend moins de lait.

Assis tout seul Entre 6 et 8 mois, beaucoup de bébés tiennent assis sans aide et peuvent jouer dans cette position sans perdre l'équilibre.

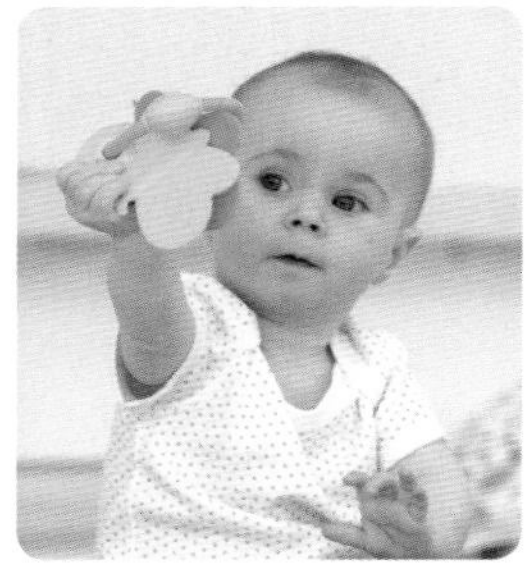

Transférer Pour faire passer un objet d'une main à l'autre, votre bébé doit faire appel à sa coordination œil-main et être capable d'ouvrir et de fermer la main correctement. Une fois cette compétence maîtrisée, il passera beaucoup de temps à s'exercer.

Atteindre des jouets S'étendre en avant en position assise est une manœuvre qui n'impressionnera plus votre bébé dès qu'il aura gagné en équilibre.

Le saviez-vous ? En général, les bébés se servent de leurs bras pour se hisser en position debout avant d'apprendre à pousser sur les jambes.

Ho ! Hisse ! Votre bébé peut se hisser debout en prenant appui sur un meuble.

Tenir assis, se mettre debout, faire des casse-têtes simples ou goûter de nouveaux aliments : votre bébé est très occupé !

Peur de la séparation Vers 8 mois, votre bébé risque d'être méfiant à l'égard des inconnus et de s'inquiéter à l'idée de vous quitter. Il a donc besoin de réconfort.

Résolution de problèmes La capacité à résoudre des problèmes et la motricité fine de votre bébé se développent rapidement et un simple casse-tête le fascine.

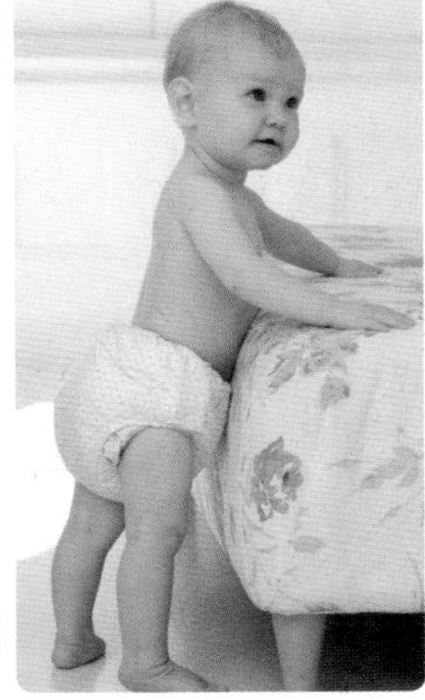

Marche en crabe Dès que votre bébé peut se mettre debout, il commence à avancer une jambe, puis deux, et s'exerce à quelques pas de côté.

Imitateur Votre bébé imite les sons que vous produisez et comprend de mieux en mieux. Il s'approprie les expressions du visage en vous regardant.

Manger avec les doigts Votre bébé adorera manger des aliments simples avec les doigts. Cela lui permet d'apprendre à bien mâcher et de découvrir à son rythme de nouveaux goûts et de nouvelles textures.

Le saviez-vous? Tout ce que votre bébé voit, touche, goûte, sent ou entend développe les connexions entre les milliards de cellules nerveuses de son cerveau.

27 semaines

MANGER VARIÉ AU COURS DE LA PREMIÈRE ANNÉE PERMETTRA À VOTRE ENFANT D'AVOIR UNE ALIMENTATION ÉQUILIBRÉE PAR LA SUITE

Votre enfant a probablement doublé son poids de naissance et est désormais prêt à accepter que son alimentation soit principalement constituée d'aliments solides. Il dort 8 à 10 heures par nuit, et s'il se réveille encore, vous avez certainement envie de lui faire perdre cette habitude.

Six mois révolus

Vous rendez-vous compte à quel point votre bébé a grandi ? Il agit à présent de façon plus stratégique : il fait les choses exprès !

Votre bébé est déjà à la moitié de sa première année et ne ressemble plus vraiment au fragile nouveau-né que vous avez mis au monde. De votre côté, vous êtes certainement des parents très différents aussi, bien installés dans vos rôles respectifs, à l'aise et confiants vis-à-vis de vos responsabilités. Vous vous demandez même ce que vous faisiez de votre temps avant que votre bébé soit là !

À 6 mois, votre enfant est plus sociable que jamais et adore la compagnie. Il aime bavarder avec vous, ses parents, ou tout autre personne qui s'approche de lui. Il sourit et rit aux éclats lorsqu'il y a du monde autour mais peut se montrer un peu plus sélectif lorsqu'il s'agit de rester en tête à tête. Profitez de son côté sociable pour lui présenter des gens lorsque vous sortez et encouragez-le à dire « coucou » et à faire au revoir de la main.

Votre bébé prend également conscience de son environnement : curieux, il veut tout découvrir. Il prend désormais des décisions car il choisit ses jouets. Il adore jouer face à face avec vous et prend confiance en lui. Il aime observer les visages et les toucher avec ses doigts, et commence à comprendre son individualité.

Tout rond, tout mignon Vers 6 mois, la plupart des bébés ont doublé leur poids de naissance. Bien potelés, ils sont à croquer à cet âge ! Si ce n'est déjà fait, le temps est vraiment venu de commencer la diversification alimentaire (voir p. 234-235 et 254-255 pour plus d'informations). Vous envisagez peut-être d'introduire des biberons supplémentaires, de tirer votre lait, d'arrêter l'allaitement maternel (voir p. 274-275) ou de passer à un lait de suite (deuxième âge) (voir p. 221).

Pour rigoler Votre bébé aime les jeux qui impliquent des éléments de surprise. Cachez-le derrière un linge puis « découvrez-le ». Cela l'amusera beaucoup et il éclatera de rire.

Désormais, votre bébé tient certainement assis sans soutien ou en appui sur ses jambes lorsqu'il est droit (il adore également rebondir dans cette position). Vous pouvez à présent l'installer dans sa poussette en position inclinée. Il est peut-être même capable de tenir debout si on le tient, et se déplace en faisant des roulades, en rampant ou à quatre pattes. De lui-même, votre bébé essaie de se redresser quand il est allongé sur le dos et il parvient à s'asseoir si vous l'aidez.

Il utilise aussi sa main entière pour ramasser un petit objet puis le tient entre ses doigts. Il saisit, agite et frappe les objets les uns contre les autres avec beaucoup plus de précision et le fait même exprès ! En revanche, s'il fait tomber quelque chose, ce n'est certainement pas volontaire car les bébés ne maîtrisent pas ce geste avant 9 mois.

MARCHETTES ET GIGOTEURS DE PORTE

Mieux vaut éviter ces équipements. Les marchettes donnent aux bébés plus de hauteur, les mettant à portée de nombreux dangers, et risquent de basculer ou entrer en collision avec des obstacles. On dénombre plus d'accidents avec les marchettes qu'avec tout autre jouet. De plus, votre enfant doit s'asseoir, rouler, ramper et jouer à plat ventre afin d'acquérir les compétences dont il a besoin pour marcher, et les marchettes ne permettent pas ces activités. Les gigoteurs de porte sont déconseillés, car ils exercent trop de pression sur les os, les articulations, les ligaments et les muscles à un si jeune âge. Ils peuvent provoquer des accidents s'ils ne sont pas fixés correctement.

GROS PLAN SUR...

Diversification 1 – Alimentation solide

Si vous avez attendu que votre bébé ait 6 mois pour passer à l'alimentation solide, le temps est venu de commencer la diversification. S'il a déjà apprécié ses premiers petits plats, vous pouvez élargir la palette des saveurs.

AIDE-MÉMOIRE

Aliments simples pour commencer

Dès que votre bébé apprécie les simples purées de légumes ou de fruits, vous pouvez les agrémenter pour créer de nouvelles saveurs.

Mélanges de légumes ou de fruits Carotte/haricots verts, petits pois/chou fleur, épinards/pomme de terre, pêche/banane, pomme/poire.

Légumes et viande/poisson/volaille Carotte/poulet, brocoli/bœuf, pomme de terre/cabillaud, épinards/saumon, patate douce/agneau.

Féculents, lait et fromage Chou fleur/fromage, céréales ou biscuits infantiles/lait de vache ou pomme de terre écrasée/gruyère râpé.

Féculents, fruits et laitages Compote d'abricots/céréales infantiles, banane écrasée/biscuits infantiles.

Consistance Purées semi-liquides puis, rapidement, purées plus épaisses et aliments moulinés.

Fréquence Un ou deux repas par jour, puis trois.

Quantité 4 à 6 cuillerées à thé (plus si votre bébé a encore faim) de 2 ou 3 aliments différents.

Lait À cet âge, il n'est pas nécessaire de supprimer de tétée.

À partir de 6 mois, le lait maternel ou maternisé seul ne suffit plus à couvrir les besoins nutritionnels de votre bébé qui a besoin des calories et nutriments présents dans d'autres aliments. De plus, votre enfant acceptera mieux les nouvelles saveurs et textures entre 5 et 7 mois. Si vous avez attendu l'âge de 6 mois, variez rapidement les saveurs dès qu'il accepte de manger à la cuillère.

Comment commencer Tout d'abord, proposez-lui des saveurs simples : fruits, légumes ou céréales infantiles mélangés à son lait habituel. Essayez chaque aliment seul afin de déterminer ce que votre enfant aime ou n'aime pas et notez-le. Il n'est pas nécessaire d'attendre de voir s'il fait une réaction à moins que vous ne lui donniez des aliments potentiellement allergènes (œuf, produits à base de lait de vache, blé, poisson, graines, fruits rouges ou exotiques). Ces derniers doivent être introduits un à un et vous devrez attendre 24 heures pour vous assurer que votre bébé ne fait pas d'allergie alimentaire (voir p. 241 pour plus d'informations). Il a plus de risque de faire une réaction allergique en cas d'antécédents familiaux de maladie atopique (allergie alimentaire, eczéma, asthme...). Le cas échéant, il peut être judicieux de poursuivre l'allaitement maternel pendant la diversification car il semble offrir une protection contre ces affections. Si vous nourrissez votre enfant au biberon, ne lui donnez pas d'aliments potentiellement allergènes avant 6 mois.

Ensuite... Une fois que votre bébé appréciera quelques goûts simples, proposez-lui des mélanges (purées composées de plusieurs fruits ou légumes). Plus vous introduirez de saveurs dans les premiers jours ou dans les premières semaines de la diversification, plus il sera à même de « développer son palais » et d'apprécier les différents aliments.

Et s'il refuse? Certains bébés ont des difficultés à manger à la cuillère, notamment s'ils ont moins de 6 mois. Toutefois, si vous sentez que le vôtre est prêt mais rechigne à manger de cette façon, soyez patiente et réessayez le lendemain. Vous pouvez le laisser sucer un peu de purée sur vos doigts propres. Continuez

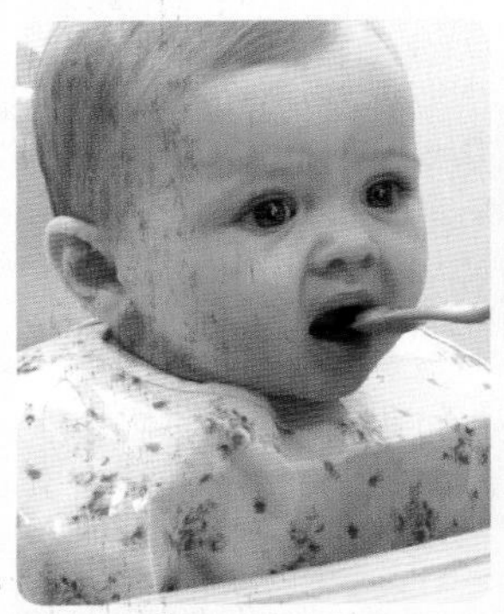

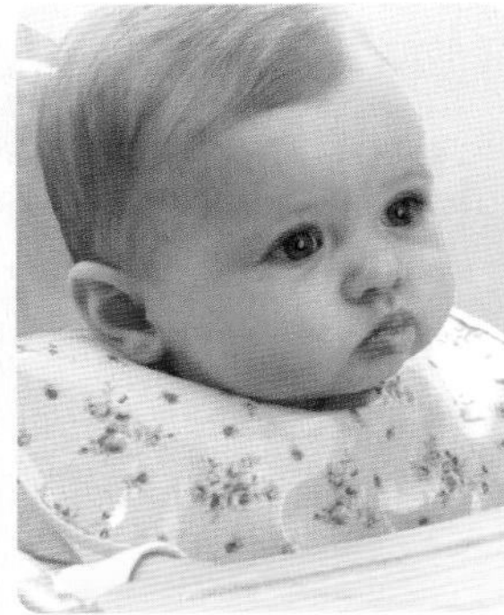

Premières saveurs Placez doucement la cuillère dans la bouche de votre bébé. Il peut mettre du temps à s'habituer à manger ainsi et, les premières fois, il risque de recracher plus qu'il ne prend. Avec la cuillère, récupérez la purée sur son menton et réessayez.

ALIMENTATION AUTONOME

L'alimentation autonome est une autre approche de l'introduction de la nourriture solide : ni purée ni cuillère, elle permet aux bébés de manger tout seuls dès le départ. Les aliments sont émincés, râpés ou découpés pour que leurs petits doigts puissent les manipuler.

Les enfants diversifiés de la sorte peuvent passer plus facilement aux morceaux. Et parce qu'on leur laisse une latitude de choix, certains pensent que ces enfants-là apprécient bien plus le plaisir de manger que ceux diversifiés de façon plus traditionnelle, et qu'ils sont moins enclins à devenir difficiles.

Cubes de pommes de terre vapeur, petites carottes étuvées, morceaux de pomme, tranches de banane et fleurettes de brocoli sont parfaits pour commencer. Certains enfants jouent simplement avec, d'autres les grignotent ou les sucent : à mesure qu'ils s'habituent aux goûts et aux textures, ils en mangent davantage. Cette méthode comporte un risque d'étouffement, les bébés doivent donc être surveillés.

Des professionnels de santé regrettent l'absence d'études visant à déterminer si cette méthode de diversification est appropriée d'un point de vue nutritionnel. Le ministère de la Santé, et l'Organisation mondiale de la santé recommandent les purées ou les aliments bien mixés au début de la diversification, puis les aliments à manger avec les doigts dès que l'enfant peut les attraper. Toutefois, l'important est que ce que mange votre bébé soit bien nourrissant (voir p. 207). Les aliments à manger avec les doigts sont plus consistants que les purées et peuvent rassasier un enfant sans lui apporter les calories suffisantes : il est donc essentiel de bien les choisir.

Tout seul Au début, votre bébé va jouer avec les aliments, en s'emparant des morceaux qui se trouvent face à lui et en les suçant.

à lui proposer différents aliments à des horaires réguliers mais s'il n'en veut pas, ne le forcez pas. Il préfère peut-être manger tout seul (voir l'encadré ci-dessus) et faire les choses à son propre rythme.

Varier les menus Lorsque votre bébé appréciera de manger des fruits et des légumes, vous pourrez introduire d'autres aliments comme de la viande ou du poisson hachés. Les poissons blancs comme le cabillaud, le haddock, la sole ou le carrelet sont des valeurs sûres : doux au palais, ils sont faciles à digérer. Veillez néanmoins à ce qu'il ne reste pas d'arêtes. Le poulet est également adapté, car il est tendre et doux en goût. La viande rouge contient deux fois plus de fer et de zinc que la viande blanche, essayez donc de lui en donner aussi. Commencez à introduire les purées de pois, de lentilles, de pois chiches ou d'autres légumineuses ainsi que des produits laitiers entiers, comme des yogourts, du fromage frais ou du fromage à pâte dure.

Faites en sorte que les repas soient aussi détendus et interactifs que possible. Encouragez votre bébé, multipliez les contacts visuels et souriez pour rendre l'expérience agréable pour vous deux.

AIDE-MÉMOIRE

Aliments à éviter

Certains aliments ne sont pas adaptés aux moins de 12 mois. Ceux répertoriés ci-dessous doivent être exclus de vos menus jusque-là.

Certains poissons : le requin et l'espadon peuvent présenter de fortes teneurs en mercure susceptibles d'endommager le système nerveux de votre bébé.

Sel N'ajoutez pas de sel dans la nourriture de votre bébé : si vous cuisinez pour la famille, assaisonnez vos plats après avoir prélevé la part du plus petit. Évitez les aliments salés ou transformés comme le lard, les olives, les saucisses et les pizzas.

Miel Bien que le risque soit faible, le miel peut contenir une bactérie alimentaire toxique dangereuse (*Botulinum*) : mieux vaut donc ne pas en donner aux bébés de moins d'un an.

Laitages non pasteurisés Tous les laitages doivent être pasteurisés en raison d'un risque d'infection bactérienne.

Œufs Seuls les œufs durs peuvent être consommés par les bébés.

Édulcorants et colorants alimentaires Ils ne sont pas conçus pour être consommés par des bébés, mieux vaut donc les éviter.

Aliments pour adultes Évitez les aliments frits, les chips, les biscuits d'apéritif, les sauces grasses, le sucre et les produits sucrés (comme les desserts pour adultes), le thé et le café (la caféine peut altérer la capacité de votre bébé à assimiler le fer), ainsi que les aliments allégés.

Fruits à coque Ils ne conviennent pas aux enfants de moins de 5 ans en raison du risque de suffocation.

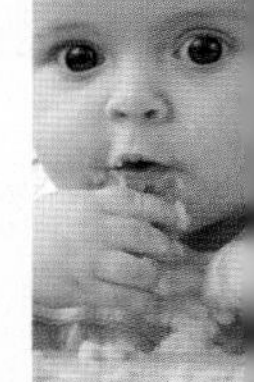

VOTRE BÉBÉ A 27 SEMAINES ET 4 JOURS

Du côté des couches

Tant que votre bébé ne prenait que du lait, ses selles étaient jaunes et mousseuses. Avec l'alimentation solide, il y a du changement.

Le système digestif de votre bébé est encore immature, ce qui signifie que ses intestins ne peuvent pas encore absorber totalement ce qu'il mange. Ceci se manifeste sous la forme de selles multicolores ! Si vous lui donnez du brocoli, il y a des chances que vous retrouviez dans sa couche des excréments verdâtres, s'il mange des carottes, ils seront plutôt orange. Rien d'anormal à cela, tout rentrera dans l'ordre lorsque son système digestif deviendra plus mature.

Consistance Même si les premiers repas de votre bébé sont très fluides, ses selles sont plus moulées dès qu'il commence à manger solide. Attendez-vous désormais à trouver quelques crottes souples dans sa couche. Toutefois, si elles sont sèches et dures, votre enfant n'a certainement pas un apport en liquide suffisant et peut être constipé (voir ci-dessous). S'il mange avec les doigts, vous retrouverez certainement des morceaux non digérés, plus ou moins intacts.

Odeur Les selles d'un bébé qui commence à manger solide ont une odeur semblable à celles des adultes. Si possible, videz le contenu de la couche dans la toilette. Si vous n'avez pas de poubelle à couches avec couvercle, jetez les couches sales directement dans votre poubelle extérieure. Vous apprécierez sans doute aussi les sacs à couches parfumés.

Selles anormales Soyez vigilante si les selles de votre bébé sont trop dures ou trop liquides, car cela peut être un signe de constipation ou de diarrhée. Consultez votre médecin si elles deviennent glaireuses ou sanglantes. Les bébés ont tendance à avoir les selles molles lorsqu'ils font leurs dents, mais si en plus votre enfant n'est pas bien ou a de la fièvre, prenez un avis médical.

VOTRE BÉBÉ A 27 SEMAINES ET 5 JOURS

Jeux de miroirs

Votre bébé s'éveille socialement en permanence. Imitateur né, il reproduit souvent les expressions de votre visage.

Votre bébé est encore trop jeune pour se reconnaître dans un miroir ; la plupart des experts affirment que la reconnaissance de soi n'intervient que vers 14 mois. Cependant, il adore observer les visages, le sien et le vôtre, et répond aux différentes expressions qu'il perçoit, la plupart du temps en les imitant. C'est ainsi qu'il se développe en permanence en tant qu'être social. Il apprend qu'il peut renforcer son interaction avec vous en répondant à vos expressions avec une des siennes. Lorsqu'il répond à votre sourire par un sourire, il voit que vous souriez encore plus et qu'il peut retenir votre attention.

Regarde-toi Tenez votre bébé face à un miroir pour qu'il puisse vous regarder tous les deux. Dites son nom et montrez du doigt son visage.

Pour développer ce comportement, tenez-le face à un miroir et interagissez avec son reflet. Multipliez les expressions : des grimaces pour le faire rire, une mine triste, un sourire enjoué, un air de surprise. Exagérez pour l'aider à interpréter les émotions ; par exemple, haussez les sourcils lorsque vous souriez ou ouvrez la bouche pour simuler la surprise. Non seulement il vous observera, mais il verra aussi la réponse enthousiaste du bébé dans le miroir !

Vitamines pour bébé

Les vitamines sont essentielles au bon développement de votre bébé. Une supplémentation en vitamines A, C ou D est parfois recommandée.

Votre bébé a besoin de vitamines pour que ses os, ses dents, son cerveau et son système cardiovasculaire se développent correctement. La supplémentation en vitamine A ne concerne que les bébés prématurés ou de faible poids de naissance. En revanche, les compléments en vitamine D sont systématiquement prescrits de 0 à 5 ans (idéalement). Quant aux apports en vitamine C, ils sont principalement assurés par l'alimentation.

Il est important de noter que si une carence en vitamines peut être néfaste, un apport vitaminique trop important l'est aussi. Veillez donc à ne pas donner simultanément deux compléments différents à votre enfant sans avis médical.

Vitamine A Elle est essentielle à la croissance des cellules et des tissus, et joue un rôle important dans le développement et la maturation des poumons de votre bébé. Une carence en vitamine A peut prédisposer votre enfant aux infections et entraîner des dysfonctionnements pulmonaires et tissulaires. Les œufs durs, le beurre et les matières grasses à tartiner, les poissons gras (saumon), les fruits de couleur orange ou jaune, ainsi que les légumes à feuilles sont source de vitamine A.

Vitamine C Elle est indispensable au bon fonctionnement du système immunitaire. Elle aide également l'organisme à absorber le fer (voir ci-contre). L'orange, le kiwi, la tomate, les fraises, les pois, le brocoli, la patate douce, les haricots verts et la courge sont riches en vitamine C.

Vitamine D Elle est indispensable à la formation des os et des dents. Une carence peut entraîner un rachitisme, maladie qui atrophie les os et les fragilise. La vitamine D est essentiellement fabriquée dans l'organisme via l'exposition de la peau au soleil. Les aliments qui en contiennent sont rares (poissons gras, œuf et beurre notamment), mais les matières grasses à tartiner et les céréales pour le déjeuner sont souvent enrichies en vitamine D.

Fer Il contribue à la fabrication des globules rouges et au développement des systèmes nerveux et immunitaire. L'organisme l'assimile mieux s'il provient d'aliments d'origine animale. La viande rouge et les poissons gras comme les sardines en sont riches. Côté végétaux, optez pour le tofu, les légumineuses et les légumes à feuilles foncées. Si votre enfant manque de fer, votre médecin lui en prescrira sous forme médicamenteuse. Le traitement est toujours long (entre 6 et 8 semaines), car l'absorption digestive du fer est limitée.

ACTIVITÉ D'ÉVEIL

Jouer avec l'eau

Votre bébé adore jouer avec l'eau. Il éclabousse partout, se trempant au passage. Surveillez-le en permanence : jouez avec lui et maintenez le bien stable pour qu'il puisse se pencher en avant en toute sécurité. Remplissez à moitié une bassine d'eau tiède, plongez-y quelques jouets de bain ou ustensiles de cuisine et invitez votre enfant à remplir et vider des tasses, faire flotter ses petits canards, mélanger l'eau avec une cuillère ou éclabousser avec les mains. Même s'il est habitué au bain, cette activité lui montrera le comportement de l'eau dans un espace confiné : il la verra ainsi onduler, couler, bouillonner et gicler. Il apprendra également que des objets flottent et d'autres coulent. En outre, ce type de jeu contribue à renforcer sa confiance dans l'eau.

Jeux aquatiques Les bébés sont fascinés par l'eau et ne manquent pas une occasion d'y plonger les mains pour la voir couler ou gicler. Cela les amuse beaucoup !

28 semaines

EN GÉNÉRAL, LES PREMIERS BABILLAGES SE RÉSUMENT À LA RÉPÉTITION D'UNE MÊME SYLLABE, PAR EXEMPLE « MAMAMA »

À présent, votre bébé est capable de tenir assis sans aide. Il a désormais les mains libres et va ainsi exploiter sa nouvelle dextérité. Il veut jouer en permanence et découvre tout ce qui est à sa portée… et au-delà !

D'une main à l'autre

Votre bébé maîtrise beaucoup mieux ses mains et semble fasciné par sa capacité à faire passer des objets de l'une à l'autre.

UN LECTEUR PASSIONNÉ

Les livres doivent faire partie du quotidien de votre bébé pour favoriser le développement de son langage, sa compréhension du discours et son plaisir à écouter. Choisissez des livres adaptés à son âge de différentes textures, puis invitez-le à tourner les pages ou à soulever les volets. Prenez une voix expressive et exagérée pour capter son attention et n'hésitez pas à relire souvent la même histoire. La répétition fait appel à la mémoire et stimule l'apprentissage. Optez pour des livres robustes (carton épais, revêtement imperméable ou en tissu) qui résisteront à ses explorations. Privilégiez les histoires simples et les « livres à trous » qui aiguiseront sa curiosité. Gardez toujours quelques exemplaires à portée de main chez vous, dans votre sac à main ou dans la poussette.

Le plaisir de lire Faites de la lecture une habitude pour que votre bébé développe une relation positive avec les livres.

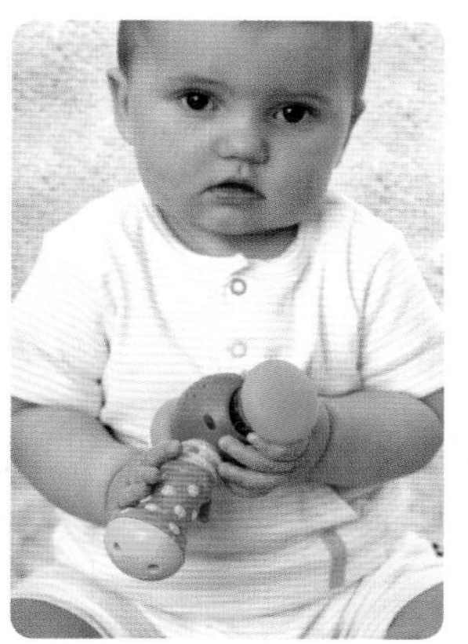

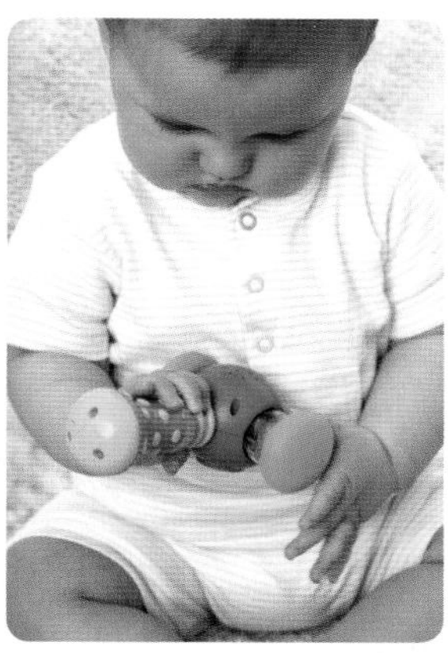

Bonne prise Votre enfant peut maintenant attraper les choses avec une main et les faire passer dans l'autre. Pour qu'il s'exerce, donnez-lui plein d'objets, comme des cubes ou des jouets.

Votre bébé commence à attraper et à tenir des objets à deux mains. Il développe également sa capacité à transférer des objets d'une main à l'autre et à les déposer dans une boîte face à lui. Il explore visuellement ce qu'il a dans la main, et devient plus « créatif » dans son inspection : il peut par exemple l'éloigner puis le changer de main ce qui l'aide à découvrir certaines propriétés. Il apprend ainsi que la taille des objets ne varie pas si on les rapproche ou les éloigne, même s'ils ont l'air plus gros ou plus petits.

Manipulations Jouets et contextes de jeu adaptés amélioreront les mouvements de manipulation de votre bébé. Ces gestes impliquent un contrôle des mains et des pieds : attraper, ouvrir et fermer la main, faire « coucou », sont des exemples de mouvements de manipulation. Ils se développent non seulement au cours de la première année, mais aussi tout au long de l'enfance, et font appel à la motricité fine et à la coordination œil-main.

Donnez à votre bébé des jouets de plusieurs tailles qu'il pourra tenir et manipuler, ainsi que des objets aux différentes textures pour contribuer à aiguiser son sens du toucher. Les briques de construction et les cubes sont parfaits à cet âge : même s'il n'est pas encore près de les empiler, votre enfant pourra les attraper et les faire passer d'une main à l'autre, et adorera explorer les formes et sentir les contours et les surfaces lisses. Entre 7 et 9 mois, il commence à applaudir spontanément lorsque vous le faites aussi, quand il entend sa comptine préférée ou pour se féliciter lui-même ! À cette période de la vie, votre enfant est ravi d'élargir la palette de ses sensations sonores. Lisez-lui des histoires et chantez-lui des chansons : ces moments introduisent la beauté, la cohérence et la passion des mots associés à l'image ou à la musique.

Votre bébé est avide de découvrir le monde et exploite ses compétences naissantes tout en continuant à vous imiter. Lui montrer ce qu'il faut faire est donc aussi important que le laisser faire par lui-même.

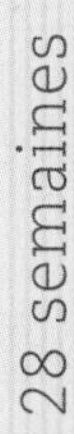

VOTRE BÉBÉ A 28 SEMAINES ET 1 JOUR

Laisse-moi découvrir

Votre bébé essaie de reproduire ce que vous faites et veut explorer tout ce qui lui semble intéressant.

Sa curiosité n'a pas de limite ! La capacité de votre nourrisson à percevoir la profondeur et à voir de loin lui permet de remarquer sans cesse de nouvelles choses qu'il s'emploie à vouloir obtenir. Il fixe son attention sur certains objets, comme la plante que vous avez mise en hauteur ou vos clés, et s'exprime bruyamment pour essayer de s'en emparer. Il peut alors s'étirer, tendre les bras ou se tortiller vers ce qu'il convoite : veillez donc à mettre tout objet dangereux hors de sa portée. Attention à votre tasse de café sur la table, à vos bibelots ou aux petites pièces de jouets laissées là par ses aînés. Faites une dernière vérification de votre intérieur pour vous assurer que tout danger est écarté.

Toucher, c'est apprendre Les explorations et les expériences de votre bébé lui en disent long sur les propriétés de chaque objet.

La curiosité guide l'apprentissage et tout intéresse les bébés. Ils réagissent à des expériences sensorielles animées par le désir de découvrir le monde. Explorer et jouer avec différentes textures, saveurs et consistances envoie de précieuses informations sur leur environnement à leur cerveau.

VOTRE BÉBÉ A 28 SEMAINES ET 2 JOURS

Quand le mettre au lit ?

Il n'est pas obligatoire de coucher votre bébé à 20 h : tant qu'il a un sommeil de qualité et suffisant, ajustez l'heure à votre rythme.

Beaucoup de parents ayant repris une activité professionnelle sont un peu déçus de constater que leur bébé est déjà au lit lorsqu'ils rentrent du travail le soir. Il ne leur reste alors que les fins de semaine pour jouer avec leur enfant et s'occuper de lui. Mais n'y a-t-il pas d'autre choix ? Il est en effet important que votre bébé soit couché à heures régulières, car cela l'aide à caler son horloge interne et contribue à de bonnes habitudes de sommeil. Toutefois, il est tout à fait possible de le mettre au lit à 21 h au lieu de 20 h afin de pouvoir passer plus de temps avec lui si vous travaillez. Si vous optez pour un coucher plus tardif, assurez-vous que sa chambre est suffisamment obscure pour le laisser dormir un peu plus tard le matin. Quelle que soit l'heure où il va au lit, votre bébé a encore besoin de 8 à 10 heures de sommeil chaque nuit.

Ne pas laisser passer son heure Si votre bébé est épuisé, il se peut qu'il « passe son heure » et qu'il ait du mal à se calmer. Pour éviter que cela ne se produise, vous pouvez lui faire faire une sieste en fin d'après-midi. Vous tâtonnerez peut-être un peu pour déterminer le temps de sommeil nécessaire pour qu'il tienne jusqu'au retour de votre moitié. Quel que soit celui d'entre vous qui ne le voit pas de la journée, veillez à ne pas trop stimuler votre enfant par des jeux turbulents avant qu'il aille au lit. Il s'agit certes d'une occasion heureuse de passer du temps tous ensemble, mais les activités du soir doivent être calmes et apaisantes.

Couché tôt Si vous préférez avoir du temps pour vous en soirée et que votre bébé est généralement fatigué vers 19 h 30, couchez-le directement et profitez-en pour vous reposer. Vous n'aurez aucun mal à modifier par la suite les habitudes que vous mettez en place maintenant : les bébés s'adaptent généralement très bien jusqu'à 12 mois.

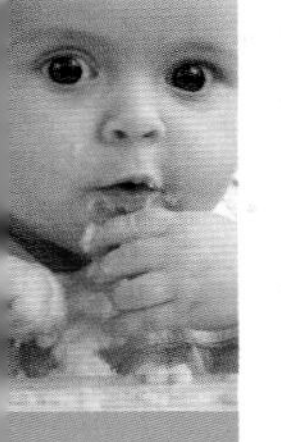

Allergies alimentaires

Lors de la diversification, des réactions allergiques peuvent apparaître. Si vous en connaissez les symptômes, vous saurez y faire face.

Les allergies alimentaires sont de plus en plus fréquentes, mais elles restent assez rares chez les bébés et disparaissent souvent dans l'enfance. Votre bébé a plus de risques d'être allergique s'il existe dans votre famille des antécédents d'eczéma, d'asthme, de rhume des foins ou d'allergies alimentaires. Dans ce cas, dès le début de la diversification (voir p. 234-235) et si votre bébé est nourri au lait maternel, essayez les laitages, les œufs, le blé, les poissons et les fruits de mer (aliments allergènes les plus courants) afin de pouvoir déceler toute réaction éventuelle. Si votre bébé est nourri au lait maternisé, attendez qu'il ait 6 mois.

Certaines allergies alimentaires sont assez faciles à identifier, surtout si la réaction se manifeste juste après avoir mangé. Si votre bébé présente l'un des symptômes suivants après avoir ingéré un aliment, consultez votre médecin :

- Rougeur au visage, urticaire, éruption cutanée avec démangeaisons autour de la bouche, des yeux ou sur la langue, pouvant s'étendre sur tout le corps.
- Léger gonflement, en particulier des lèvres, des yeux et du visage.
- Nez qui coule ou bouché, éternuements.
- Yeux rouges, secs et qui démangent.
- Nausées, vomissements et diarrhées.
- Dans de rares cas, les aliments peuvent provoquer une réaction allergique grave appelée *choc anaphylactique* (voir p. 404).

Certaines réactions alimentaires ne sont pas si facilement identifiables car les symptômes peuvent apparaître qu'au bout de 48 heures. Appelées *intolérances alimentaires*, ce sont en fait des allergies différées car elles sollicitent le système immunitaire. Le lait, le soya, les œufs et le blé (gluten) en sont souvent à l'origine et leurs symptômes incluent notamment de l'eczéma, des coliques, un reflux, des diarrhées, du sang dans les selles et de la constipation.

En cas de suspicion d'allergies, votre médecin peut adresser votre bébé à un allergologue afin d'établir un diagnostic. Il faudra éliminer l'aliment suspecté pendant au moins 2 semaines pour voir si les symptômes persistent. Vous pourrez alors réintroduire cette famille d'aliments progressivement, ou adapter l'alimentation de votre bébé.

Prenez toujours conseil auprès de professionnels de la santé et n'essayez pas de supprimer certaines catégories d'aliments du régime de votre bébé sans leur avis, car cela peut être néfaste pour sa santé. (Pour plus d'informations, voir p. 261.)

Journal de l'alimentation S'il y a des allergies dans votre famille, notez chaque nouvel aliment introduit et les réactions provoquées.

L'AVIS... DU NUTRITIONNISTE

J'ai peur que mon bébé soit allergique à l'arachide. Dois-je éviter de lui en donner? Après 6 mois, il n'y a aucune raison d'éviter les aliments à base d'arachide, de fruits à coque ou autres graines, à moins qu'il y ait des antécédents d'allergies dans votre famille ou que votre bébé présente déjà une allergie alimentaire avérée ou de l'eczéma. Dans ce cas, il présente un risque plus élevé d'allergie aux fruits à coque. Vous devriez consulter votre infirmière ou votre médecin avant de lui donner des aliments qui en contiennent. Ils vous conseilleront probablement d'attendre qu'il soit bien plus grand avant de les introduire dans son alimentation.

Puis-je prendre directement rendez-vous avec un allergologue pour diagnostiquer une allergie alimentaire chez mon bébé? Il est important de consulter d'abord votre généraliste pour écarter toute autre cause possible des symptômes présentés par votre bébé. Votre médecin pourra ensuite vous orienter vers un allergologue qui réalisera un test cutané ou une analyse de sang afin d'établir un diagnostic précis. Cependant, les tests sanguins (qui recherchent des anticorps dirigés contre des allergènes alimentaires) sont très chers et peu fiables à cet âge. Sachez toutefois que certaines allergies, notamment aux protéines étrangères contenues dans le lait de vache, de chèvre ou de soya, disparaissent vers l'âge d'un ou deux ans, car en grandissant l'enfant y devient moins sensible.

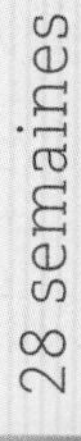

VOTRE BÉBÉ A 28 SEMAINES ET 4 JOURS

Quelques statistiques

Si vous avez encore du mal à retrouver votre poids d'avant la grossesse et votre énergie, relâchez un peu la pression.

L'important est de rester réaliste. La plupart des femmes prennent du poids assez régulièrement au cours de leur grossesse, il est donc normal de mettre du temps à perdre ces kilos en trop après l'accouchement. Si l'allaitement maternel peut favoriser une perte pondérale continue, certaines mamans ne perdent pas 1 g jusqu'à ce qu'elles arrêtent d'allaiter. Il semble donc que la perte de poids dépende de la constitution et du métabolisme de chacune car il n'existe pas de « solution miracle » universelle. Ainsi, le corps se transforme pendant la grossesse et certaines femmes ne retrouvent jamais leur silhouette d'avant. Par exemple, vous remarquerez peut-être qu'après avoir perdu du poids, votre taille sera plus épaisse, vos seins plus petits ou plus lourds et vos hanches plus larges ou plus rondes. Cela fait partie des joies de la maternité et peu de femmes y échappent !

Si votre poids et votre vitalité vous préoccupent, essayez de manger plus sainement. Évitez par exemple les aliments trop sucrés ou trop salés, réduisez les portions et privilégiez les laitages allégés. Vous pouvez également enrichir votre alimentation en fibres en mangeant davantage de légumes et de céréales complètes.

Une activité physique vous aidera à contrôler votre poids, ainsi qu'à raffermir vos muscles et votre peau, ce qui vous aidera à vous sentir mieux. Si vous n'arrivez pas à faire de l'exercice seule, renseignez-vous sur les cours mamans-enfants ou faites de longues promenades à pied avec votre bébé. À la maison, optez pour quelques étirements ou mouvements de renforcement musculaire au sol, ou exercez-vous devant un DVD de remise en forme. Plus vous serez active, plus vous brûlerez de calories.

VOTRE BÉBÉ A 28 SEMAINES ET 5 JOURS

Associer les sons

Parler est un processus complexe qui nécessite une bonne maîtrise nerveuse et musculaire. La parole se développe donc lentement.

Mots d'encouragement Félicitez votre bébé avec enthousiasme quand il essaie de communiquer avec vous afin de l'encourager et utilisez ses propres mots.

Lorsque nous parlons, nous devons coordonner de nombreux muscles dans différentes parties de notre corps, notamment la bouche, les lèvres, les dents, la langue, le larynx (qui abrite les cordes vocales) et le système respiratoire.

À 7 mois, votre bébé a établi les principales bases de l'acquisition du langage et il utilise un ensemble de voyelles et de consonnes. Lorsqu'elles précèdent des voyelles, les consonnes labiales sont générées au milieu de la bouche, la langue à plat (pour dire « mama » par exemple), les consonnes coronales sont articulées à l'avant de la bouche (comme dans « dada ») et les consonnes dorsales proviennent du fond de la bouche (pour prononcer « gaga »). En associant ces sons, votre bébé désigne des objets ou des personnes et les appelle pour les faire venir à lui.

Votre bébé crée donc des sons intéressants qui commencent à ressembler au discours d'un adulte avec la formation de quelques sons de base. Bien qu'il s'agisse encore de babillages à ce stade, continuez de lui répondre et d'interagir avec lui de façon positive.

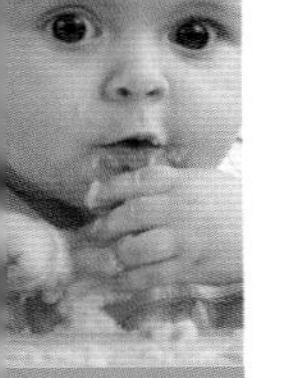

Des nuits pas si douces...

Le sommeil de votre bébé est peut-être agité. Vous l'entendez ronfler, respirer de façon irrégulière, cogner sa tête ou se balancer...

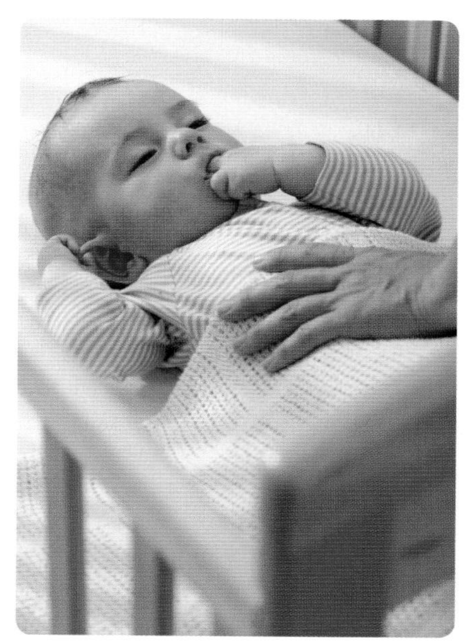

Doux réconfort Votre bébé peut trouver réconfortant de sucer son pouce ou ses doigts ce qui peut l'aider à se calmer et à s'endormir.

Si la perspective de dormir comme un bébé vous fait penser au paradis en ce moment, vous pourriez y réfléchir à deux fois. Tous les bébés ne dorment pas paisiblement : beaucoup ronflent, reniflent, ont une respiration irrégulière et se balancent ou se cognent la tête pour se calmer. En général, il n'y a rien d'inquiétant à cela, et la plupart perdent ces habitudes de sommeil incongrues, mais vous devrez intervenir dans certains cas.

Ronflements et reniflements Les bébés ronflent ou reniflent souvent lorsqu'ils ont un rhume ou le nez bouché. Dans la chambre de votre enfant, utilisez un humidificateur ou placez une serviette humide sur un radiateur tiède pour l'aider à mieux respirer. Vous pouvez aussi surélever légèrement la tête de son matelas pour aider le mucus à s'écouler du nez. Si vous remarquez un changement notable dans ses habitudes, par exemple s'il se met à renifler bien plus que d'habitude, parlez-en à votre médecin. Consultez également s'il a des difficultés à respirer, de la fièvre et semble grognon, ou si la congestion de ses voies nasales l'empêche de téter correctement.

Respiration irrégulière Le rythme respiratoire de nombreux bébés se modifie lorsqu'ils sont profondément endormis. Par exemple, votre enfant peut respirer rapidement quelques instants, puis très lentement, voire s'arrêter quelques secondes avant de reprendre sa respiration. Son rythme respiratoire peut également varier selon que ses rêves l'excitent ou l'effraient. Ces pauses respiratoires devraient commencer à disparaître à partir de maintenant, mais si elles persistent et que vous êtes inquiète, consultez votre médecin. Si votre enfant semble moite ou bleu, appelez les secours.

Très rarement, les pauses respiratoires peuvent être dues à un épisode d'apnée du sommeil. Ceci reste toutefois plus fréquent et reconnu chez les bébés d'un an et plus. Votre médecin devra pratiquer des examens pour diagnostiquer une apnée du sommeil et prescrira un traitement en fonction de sa gravité.

Se cogner la tête et se balancer Après 6 mois, certains bébés adoptent des activités rythmiques la nuit, comme se balancer ou se cogner la tête pour se calmer. Dans le ventre de leur mère, ils étaient habitués à être bercés la tête en bas et peuvent donc se sentir rassurés par la pression régulière exercée sur leur tête. Tant que votre bébé ne se fait pas mal, laissez-le faire. La plupart abandonnent cette habitude vers l'âge de 3 ans et beaucoup cessent bien avant.

Rien n'indique que se balancer ou se cogner la tête est signe de trouble psychologique. Parfois, les bébés font cela pour détourner leur esprit d'un mal de gorge, ou de la douleur occasionnée par une poussée dentaire ou une otite. Si vous pensez que c'est ce qui le gêne, donnez-lui de l'acétaminophène et amenez-le chez le médecin si son état ne s'améliore pas sous 24 heures.

L'AVIS... DU MÉDECIN

J'ai entendu parler du malaise du nourrisson. Qu'est-ce que c'est?
Dans de rares cas, chez un bébé, une pause respiratoire peut durer plus de quelques secondes, ce qui entraîne une chute du taux d'oxygène dans le sang. L'enfant peut alors devenir pâle ou bleuir, suffoquer ou avoir des hauts le cœur, devenir tout mou ou se raidir. Autrefois appelé « mort subite rattrapée », cet épisode est aujourd'hui désigné sous le terme *malaise grave inopiné du nourrisson (MGIN)*. Il doit être traité comme une urgence car le bébé doit être réanimé. Même s'il récupère assez rapidement de lui-même, il faut appeler les secours pour le transporter jusqu'à l'hôpital où il sera examiné. Après un MGIN, il est important que l'enfant soit suivi pendant plusieurs semaines pour s'assurer qu'il est totalement remis.

29 semaines

LA VUE DE VOTRE BÉBÉ S'AMÉLIORE CONSTAMMENT ET ATTEINDRA 4 À 5 DIXIÈMES À 12 MOIS

Votre bébé adore la musique, et si vous lui donnez des instruments, il va s'exercer lui-même. L'idée de permanence de l'objet (l'objet existe même s'il n'est pas visible) commence à se développer. Il en va de même pour l'angoisse de la séparation : il n'aime pas être loin de vous.

C'est passé où ?

Votre bébé commence à comprendre le concept de permanence de l'objet. Il adore jouer à « coucou-caché » et peut se cacher lui-même !

Il y a quoi dans la boîte ? En comprenant que les objets existent même s'il ne les voit pas, votre bébé n'en sera que plus curieux.

Le développement cognitif de votre enfant est très rapide. Vous allez maintenant constater qu'il commence à intégrer le concept de la permanence de l'objet (un objet existe même s'il n'est pas visible). Il continuera donc à chercher un jouet dissimulé sous un vêtement ou tombé hors de son champ de vision, et adorera les jeux où les objets et les visages disparaissent puis réapparaissent.

Il s'en sert également dans d'autres situations, par exemple lorsqu'il repousse les couvertures quand vous êtes au lit pour s'assurer que vous êtes toujours là, ou retourne des jouets pour voir s'il y a quelque chose en dessous.

Implications émotionnelles Votre bébé approche de l'âge où se manifeste l'angoisse de la séparation (voir p. 283). Associée à une meilleure compréhension de la permanence des objets, elle peut rendre votre enfant plus « collant » que d'habitude. Alors qu'avant il jouait tranquillement tout seul, oubliant même votre présence malgré vos allers-retours dans la pièce, il commence désormais à se demander où vous êtes s'il ne vous voit pas ou ne vous entend pas. Après tout, si vous n'êtes plus dans son champ de vision vous devez bien être quelque part. Ce n'est plus « loin des yeux, loin du cœur » et il se met à pleurer pour que vous reveniez. Rassurez-le en lui répondant pour qu'il comprenne que vous n'êtes pas loin même s'il ne vous voit plus. Le soir, au moment du coucher, cette angoisse peut ressurgir ; un rituel adapté doit alors être mis en place pour faciliter la séparation.

ACTIVITÉ D'ÉVEIL

Coucou-caché

Votre bébé apprécie de plus en plus des jeux de type « coucou-caché » auxquels il adore jouer avec vous ! Préparez-vous à répéter ce jeu de nombreuses fois, car les bébés l'adorent et ne s'en lassent pas. Il aimera aussi les improviser : pensant probablement qu'il est invisible lorsqu'il ne vous voit pas, il peut s'amuser à « réapparaître » même s'il n'a pas bougé d'un pouce. À cet âge, jouer à « coucou-caché » favorise la compréhension de la permanence de l'objet. En intégrant le fait que les objets « disparus » finissent le plus souvent par réapparaître, il apprendra peu à peu à gérer son angoisse lorsqu'il est loin de vous.

Surprise ! Votre bébé a pris goût à ce jeu ! Vous pouvez le rendre encore plus amusant en faisant des grimaces.

L'AVIS... DU PÉDIATRE

Comment puis-je limiter les risques que mon bébé soit asthmatique ? Si l'un des parents a de l'asthme, prolonger l'allaitement maternel aussi longtemps que possible peut réduire le risque que votre bébé devienne asthmatique. Votre conjoint et vous-même devez également éviter de fumer pendant et après la grossesse. Changez vos vieux tapis et moquettes pour du stratifié, du parquet ou du lino pour diminuer l'exposition de votre enfant à la poussière et ainsi réduire le risque d'asthme. Certains enfants présentent des symptômes exacerbés en présence d'animaux domestiques : renseignez-vous donc avant d'adopter un animal de compagnie.

VOTRE BÉBÉ A 29 SEMAINES ET 1 JOUR

Où est maman ?

Votre bébé approche de l'âge où se manifeste l'angoisse de la séparation, ce qui peut être difficile pour lui, mais aussi pour vous.

Au cours des prochaines semaines, vous remarquerez peut-être que votre bébé est angoissé lorsqu'il est séparé de vous. Du jour au lendemain, votre joyeux et indépendant bambin peut se mettre à crier chaque fois que vous quittez la pièce ou que vous le posez. Il a horreur d'être seul et passe plus de temps à vous chercher qu'à se plonger dans les activités qui l'accaparaient jusque-là. Ce comportement est tout à fait normal. Votre bébé ne veut pas vous quitter et fait tout son possible pour empêcher votre départ.

À cet âge, il apprend à développer sa confiance ; pour l'encourager, il est important que vous identifiiez ses craintes et ses émotions et que vous fassiez tout pour le rassurer.

Allez le voir chaque fois qu'il vous appelle. Faites de votre mieux pour qu'il comprenne que vous êtes là en lui parlant, en chantonnant et en l'appelant par son prénom, puis câlinez-le pour le rassurer. Lorsque vous êtes hors de son champ de vision, parlez-lui pour qu'il sache que vous n'êtes pas loin et allez le voir régulièrement.

Il peut vous sembler pénible de vous interrompre pour rassurer votre bébé, mais il a besoin de se sentir en sécurité et d'intégrer le fait que vous serez toujours là pour lui, même s'il ne vous voit pas. Lorsque vous partez, il doit comprendre que vous revenez toujours. S'il vous sent disponible et attentive au départ comme au retour, il supportera mieux vos absences. Ces sentiments constituent la base même de la confiance et de l'équilibre émotionnel ; le rassurer renforcera son assurance et son indépendance plus tard.

VOTRE BÉBÉ A 29 SEMAINES ET 2 JOURS

À deux mains

Votre bébé a maintenant conscience que ses deux mains lui appartiennent et il commence à s'en servir en même temps.

Mains plus précises Votre bébé maîtrise mieux ses mains, mais commence à peine à se servir des deux mains en même temps.

Parfois, votre enfant attrape un jouet dans une main et l'observe pensivement ou le met dans la bouche. Soudain, un autre jouet attire son attention. Il sait que l'une de ses mains est occupée et se sert donc de l'autre pour attraper ce qu'il a vu. Il examine avec intérêt les deux jouets et va peut-être en laisser tomber un pour mieux se concentrer sur l'autre. Il peut alors remarquer autre chose et recommencer l'opération. Votre enfant est capable de se servir des deux mains mais il n'a pas encore compris comment les utiliser au mieux ! Il peut changer les jouets de main ou frapper des objets l'un contre l'autre s'il aime le son que cela produit, mais ses gestes, un peu maladroits, manquent encore de coordination car ils sont probablement non intentionnels à ce stade. S'il réussit à saisir un objet à deux mains et à le retourner et que son attention est déviée, il oublie qu'il a quelque chose dans les mains et le fait tomber.

Votre bébé peut tenir une timbale à deux mains avec votre aide, mais il risque de la laisser tomber soudainement et d'avoir du mal à la rattraper et la porter à ses lèvres. Les nourrissons développent leurs compétences manuelles en touchant, en attrapant, en explorant, et en saisissant : multipliez donc pour lui les occasions de le faire.

Ce que boit votre bébé

Les laits de suite présentent-ils des bénéfices pour votre bébé ? Quelles autres boissons peut-il consommer – ou non – à 6 mois ?

Maîtriser la tasse d'apprentissage Après 6 mois, encouragez votre bébé à boire au gobelet.

Maintenant que votre bébé a passé le cap des 6 mois, vous vous demandez peut-être si le lait qu'il prend depuis sa naissance répond encore à ses besoins nutritionnels, ou si d'autres types de lait sont mieux adaptés. Vous voulez aussi savoir comment le désaltérer (autrement qu'avec son lait habituel) maintenant qu'il mange de plus en plus d'aliments solides.

Si vous donnez le sein, le lait maternel reste la boisson idéale pour votre enfant au cours de ses 6 premiers mois et, associé à une alimentation de plus en plus variée, peut continuer à constituer la base de son régime jusqu'à un an.

Si vous nourrissez votre enfant au lait maternisé, si vous avez opté pour un allaitement mixte ou si vous envisagez de sevrer votre bébé, vous vous demandez peut-être quel type de lait maternisé est recommandé après 6 mois ou si vous devez passer à un lait de croissance.

Les laits maternisés contiennent deux types de protéines : le lactosérum et la caséine. Les laits premier âge, donnés dès la naissance, sont formulés à base de lactosérum que les bébés digèrent facilement. Les préparations de suite (lait deuxième âge) ou de satiété adaptées aux bébés de 6 mois et plus contiennent de la caséine, plus longue à digérer et supposée rassasier plus longtemps. Il n'y a cependant pas de différence significative entre ces laits, et le lait premier âge peut très bien convenir à votre enfant jusqu'à un an.

Les préparations à base de soya ne conviennent pas avant 6 mois. Néanmoins, certains optent pour le soya dans un désir d'exclure les protéines animales de l'alimentation de leur bébé. Il constitue également une alternative pour les enfants allergiques aux protéines du lait de vache.

Le lait de riz, de chèvre et de brebis sont également préconisés comme alternative chez les bébés allergiques aux protéines du lait de vache. Si le premier, commercialisé en pharmacie, existe en versions premier et deuxième âge, les deux autres ne sont pas adaptés aux bébés de moins d'un an car leur teneur en fer et en nutriments est insuffisante. Toutefois, le lait de chèvre contient du lactose et n'est donc pas vraiment idéal sur un terrain allergique. Ne donnez pas de lait de vache entier à votre bébé avant un an.

Étancher sa soif Jusqu'à présent, les besoins de votre bébé étaient simples. Si vous l'allaitiez au sein, il recevait tout le liquide dont il avait besoin à travers votre lait, fluide et désaltérant. S'il était nourri au lait maternisé, vous avez peut-être complété ses tétées par des biberons d'eau pour éviter qu'il ne se déshydrate.

Maintenant qu'il mange solide, vous pouvez compléter le lait par une autre boisson lors des repas. L'eau minérale faiblement minéralisée convient et à partir de 6 mois, l'eau du robinet est adaptée si la teneur en nitrates est inférieure à 50 mg par litre. Les jus de fruits contiennent de la vitamine C. Vous pouvez lui en donner dès 6 mois, mais uniquement pendant les repas, dans une tasse d'apprentissage fermée et en les diluant à hauteur de 1 volume de jus pour 10 volumes d'eau. Les boissons fruitées, les sirops ou les laits aromatisés sont à bannir en dessous d'un an. Les sodas et autres boissons contenant de la caféine n'ont pas leur place dans l'alimentation de votre bébé.

L'AVIS... D'UNE MAMAN

Mon bébé recrache tous les aliments solides que je lui propose et pleure. Que puis-je faire ? Offrez-lui un peu de son lait habituel dans une cuillère afin qu'il s'y habitue. Mélangez sa purée de légumes avec du lait pour que le goût ne le surprenne pas trop puis réduisez progressivement la quantité de lait ajoutée. Donnez-lui une cuillère avec un manche épais et un peu de purée dans un bol. Laissez-le se servir de ses mains et de sa cuillère pour jouer avec la nourriture : il en mettra probablement partout sur sa chaise, mais son instinct le poussera à en fourrer dans sa bouche. Ceci peut lui permettre de passer plus facilement à de nouvelles textures et saveurs. S'il résiste encore, ne le forcez pas, laissez-le tranquille et réessayez lorsqu'il aura faim et sera plus disposé.

VOTRE BÉBÉ A 29 SEMAINES ET 4 JOURS

Les bons mots

Votre bébé est encore trop petit pour comprendre des consignes, mais il est important de commencer à dire « oui » ou « non ».

Le « non » est parfois trop utilisé avec les petits ; de fait, avec le temps, il finit par ne plus être efficace, car l'enfant en oublie le sens. Toutefois, bien que votre bébé ne comprenne pas encore les concepts du « oui » et du « non », vous devez employer ces mots importants pour commencer à lui en apprendre la signification. Dites « non » d'une voix ferme et en secouant la tête ou le doigt si votre bébé est en danger, par exemple s'il approche d'un radiateur chaud ou d'un pare-feu. Même si vous prononcez le mot « non » de cette manière, vous devrez intervenir rapidement car, à cet âge, il n'arrêtera pas pour autant ce qu'il est en train de faire. À mesure que votre bébé grandira, il sera bien plus efficace de lui dire ce que vous attendez de lui, par exemple « Tiens bien ton nounours » plutôt que « Non, ne le fais pas tomber ». Les enfants réagissent plus rapidement lorsqu'ils savent ce que l'on veut qu'ils fassent plutôt que ce que l'on ne veut pas. Si vous voulez que votre bébé arrête de se tortiller sur la table à langer ou qu'il se tienne droit lorsque vous l'habillez, essayez de le distraire en lui proposant un jouet, en lui faisant des grimaces ou attendez qu'il se calme. Il est inutile d'introduire la discipline maintenant : à cet âge, lui dire d'arrêter a plus de chances de le contrarier que de l'inciter à se calmer.

En revanche, n'hésitez pas à dire « oui » lorsqu'il réussit quelque chose ou répond à vos demandes. Félicitez-le, faites-lui un grand sourire et gratifiez-le d'un chaleureux « oui » en hochant la tête pour l'encourager à continuer ainsi.

VOTRE BÉBÉ A 29 SEMAINES ET 5 JOURS

Vive la musique !

Le meilleur moyen d'éveiller votre bébé à la musique est de lui en faire écouter au quotidien et de partager ces moments avec lui.

Jouer de la musique Donnez-lui des instruments pour bébé et jouez de la musique ensemble. Dansez au rythme de son hochet !

Votre bébé peut montrer une préférence pour certains styles de musique. Il y a peut-être une chanson douce qui l'apaise lorsqu'il est contrarié et l'aide à s'endormir, ou une comptine qu'il aime particulièrement et qui l'amuse à tous les coups.

La musique participe au développement du discours : des études suggèrent que les bébés qui en écoutent beaucoup sont capables de mieux comprendre les schémas sonores et la grammaire, et que cela favorise le développement du langage. Il est également démontré que les musiques douces peuvent diminuer le taux de cortisol, hormone du stress, tandis que celles plus rythmées entraînent les bébés mais peuvent aussi les surstimuler s'ils sont fatigués. Une étude sur les effets de la musique chez les jeunes enfants a démontré que la musique calme (en l'occurrence les berceuses) détend les enfants agités. Votre bébé appréciera que vous lui chantiez une berceuse au coucher : cela l'aidera à se calmer et le préparera pour une bonne nuit.

Quels que soient les effets à long terme, votre bébé adorera écouter et jouer de la musique. Chantez en le tenant dans vos bras ou assis sur vos genoux tout en bougeant en rythme. Tous les styles lui sont bénéfiques : la musique classique n'est pas la seule à faire travailler son cerveau !

Vêtements pratiques

Maintenant que votre bébé est plus grand et plus mobile, choisissez des vêtements adaptés pour lui permettre de bouger confortablement.

L'AVIS... DE L'INFIRMIÈRE

J'ai toujours couché mon bébé sur le dos pour diminuer le risque de MSN. À présent, il commence à se retourner et à dormir sur le ventre. Dois-je le remettre sur le dos ? Si votre bébé sait se retourner, il est inutile de le remettre sur le dos. S'il préfère dormir sur le ventre, il finira de toute manière dans cette position. La période où le risque de MSN est le plus critique est généralement révolue quand votre bébé apprend à se retourner. Veillez simplement à ce que son lit soit sécurisé et continuez à suivre les recommandations visant à réduire le risque de MSN, comme éviter les coussins et les couettes (voir p. 31). Mais ne vous inquiétez pas s'il change de position dans la nuit.

Les mains et les pieds de mon bébé sont très froids la nuit, mais il dort bien. Dois-je le couvrir davantage ? Ses mains et ses pieds sont toujours plus frais que le reste du corps. Le mieux est de glisser votre main dans le creux de son cou et toucher son visage. S'il est tiède, il est probablement suffisamment couvert; s'il est frais, enfilez-lui un gilet, une gigoteuse ou un pyjama plus épais, ou une paire de chaussons. S'il transpire au niveau du visage, du crâne, ou du cou, il a trop chaud. Il est important d'y remédier à tout prix. Tant que la température de la chambre de votre bébé est maintenue entre 16 et 20 °C (idéalement 18 °C), il ne devrait avoir ni trop chaud ni trop froid.

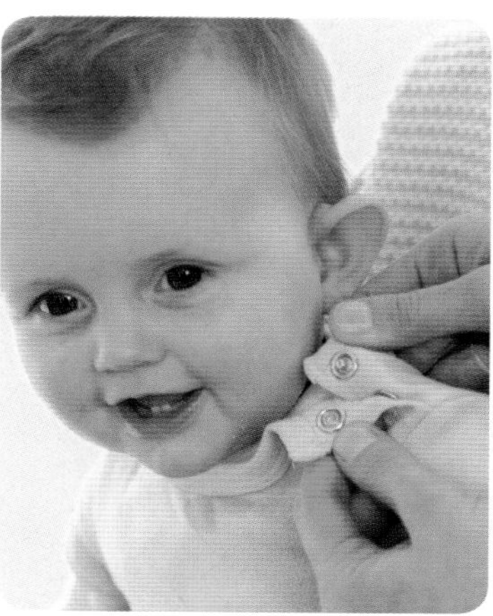

Vêtements amples Choisissez des habits qui ne le gênent pas dans ses mouvements (à gauche). **Boutons-pression** Indispensables pour un change rapide, ils facilitent l'habillage (à droite).

Le confort avant tout Choisissez des vêtements amples pour donner de l'aisance à votre bébé. Il passera beaucoup de temps à quatre pattes : les rembourrages, les renforts et les genouillères rendront ses déplacements plus confortables. Des chandails à manches longues lui protégeront les avant-bras et les coudes lorsqu'il rampera. Le côté pratique doit passer avant tout !

Les vêtements de votre bébé remontent lorsqu'il bouge : avec un chandail et un cache-couche doté de boutons-pression il sera à l'aise. Votre enfant manque à présent certainement de patience lorsque vous changez sa couche : il a tellement de choses à découvrir ! Optez pour des vêtements avec des boutons-pression et une taille élastiquée pour un change rapide.

Toujours le changer ! La diversification, c'est salissant. Quel que soit le nombre de bavettes que vous possédiez, attendez-vous à changer les vêtements de votre bébé plusieurs fois par jour au cours de cette période où il essaiera (difficilement) de mettre plus de nourriture dans son estomac que sur sa barboteuse. Optez pour des tenues dont les hauts et les bas sont interchangeables, et donc faciles à assortir. Ses vêtements doivent être lavables, doux et ne pas nécessiter de repassage. Ne dépensez pas des fortunes en vêtements : ils seront vite tachés et déchirés... et trop petits avant que vous n'ayez le temps de dire ouf !

Du bon pied Votre bébé se déplace sur les fesses, en faisant des roulades ou en rampant : il a donc besoin d'une prise au sol. Les bas munis de semelles antidérapantes sont idéals. Si le temps ne se prête pas à porter des bas, le mieux est de laisser votre enfant pieds nus. Les bébés ne doivent porter de bas et de chaussons que pour leur tenir chaud; ils n'ont pas besoin de chaussures pour apprendre à marcher et ne devraient pas porter leur première paire avant de marcher en toute confiance.

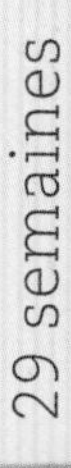

30 semaines

À CET ÂGE, LES BÉBÉS RÉAGISSENT MOINS À CE QU'ON LEUR DIT QU'À LA FAÇON DONT ON LE DIT

Votre enfant commence à mieux comprendre ce que vous lui dites, simplement en observant les expressions de votre visage et en écoutant le ton de votre voix. Très sensible à son environnement émotionnel, il a besoin de sécurité : essayez donc de gérer avec calme tous les petits tracas du quotidien.

Parler avec les mains

Votre bébé commence à comprendre que vos mots et vos gestes sont liés. Les comptines à gestes favorisent ce développement.

Donner des indices Apprenez à votre bébé des concepts simples comme « J'ai faim » ou « J'ai sommeil » en associant gestes et paroles.

NE PAS OUBLIER

Boire au gobelet

Dès que votre bébé peut tenir des objets et manger avec les doigts, donnez-lui une tasse d'apprentissage pour boire de l'eau. Optez pour un modèle à bec muni de grandes poignées pour qu'il puisse l'attraper facilement. Il la fera certainement tomber : choisissez-en une qui puisse rebondir sans que le couvercle ne s'en aille ! Apprendre à boire à la tasse est important car votre bébé ne devrait pas tarder à abandonner les biberons avec tétines à débit lent. Si vous lui donnez du jus de fruits dilué, proposez-lui dans une tasse à bec lors des repas pour que ses dents ne soient baignées de sucre que le temps qu'il finisse sa boisson.

Votre bébé commence à faire des gestes : par exemple, il tend la main vers un objet qu'il convoite, avant de pouvoir, dans quelques mois, le pointer du doigt. Il se peut que vous lui proposiez plusieurs jouets avant de vous rendre compte qu'il gesticule dans votre direction et veut simplement un câlin !

Quand vous lui lisez un livre, demandez-lui « Où est la vache ? », « Où est le chien ? », pour qu'il les identifie en tapotant leur image, et montrez-les du doigt pour l'aider à faire le lien. Lorsqu'il regarde et fait des gestes vers sa peluche préférée, donnez-la-lui pour qu'il comprenne que vous avez saisi son signal. Pour vous indiquer ce qu'il veut, il peut vous guider du regard, babiller ou agiter la main en l'ouvrant et la fermant.

Pour l'instant, votre bébé se sert davantage de son poing que de ses doigts pour désigner : sans ouvrir la main, il tend généralement le bras. Vers 9 mois (et parfois plus tôt) il apprendra à pointer du doigt.

Imiter des gestes À 30 semaines, votre enfant peut reproduire certains des gestes que vous faites lorsque vous lui chantez des comptines, ou vous imiter quand vous sonnez à une porte ou câlinez sa peluche. Dites « Tout doux » lorsque vous caressez le chat, « Au revoir » quand vous agitez la main en partant et « Bisou » lorsque vous lui soufflez un baiser : il comprendra ainsi que les actions et les gestes sont aussi associés à des mots.

Deux études réalisées aux États-Unis ont démontré que les bébés incités à faire des gestes en amont de parler, puis en association avec la parole, apprennent à parler plus vite et ont un développement cognitif plus rapide.

L'AVIS... DU MÉDECIN

Mon bébé a toujours les yeux larmoyants. Cela va-t-il passer ? Les nouveau-nés ont de tous petits canaux lacrymaux au coin de l'œil. Lorsqu'ils commencent à produire des larmes, vers 1 mois, elles passent par ces canaux qui se bouchent parfois et empêchent les larmes de s'écouler. Rassurez-vous : il n'y a rien d'inquiétant et ce problème disparaît généralement de lui-même avant la fin de la première année. Votre médecin peut vous montrer comment masser les canaux lacrymaux pour les déboucher. Si de petites croûtes apparaissent, nettoyez l'œil à l'aide d'une ouate imbibée de sérum physiologique. Si vous remarquez des écoulements jaunes ou que l'œil devient rouge, consultez votre médecin qui prescrira peut-être des gouttes antibiotiques.

Mon bébé doit-il être vacciné contre la grippe A (H1N1) ? Si votre bébé est en bonne santé, il n'y a pas lieu de le vacciner contre la grippe A ni aucune autre souche du virus de la grippe. Ce vaccin n'est recommandé que chez les bébés de plus de 6 mois atteints d'une longue maladie, chez qui la grippe risque d'entraîner des complications.

Mon bébé soulève les jambes et grimace lorsqu'il fait ses selles. Est-ce normal ? En soulevant les jambes, il se met en position accroupie ce qui l'aide à déféquer. Cela ne signifie pas qu'il a mal ou qu'il y a un problème. Tant que ses selles sont régulières et ne contiennent pas de sang, tout va bien.

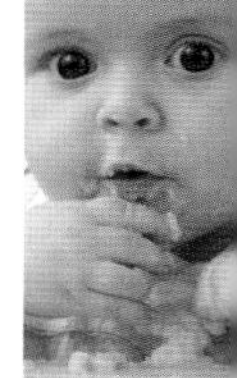

VOTRE BÉBÉ A 30 SEMAINES ET 1 JOUR

Conscience émotionnelle

Le « radar » émotionnel de votre bébé est sensible. Il capte le stress de son environnement immédiat et cela a une incidence sur lui.

La recherche nous a beaucoup appris sur la façon dont les bébés réagissent au stress et pourquoi. On sait par exemple qu'un nourrisson montre des symptômes de stress lorsqu'il a faim et qu'on ne lui donne pas à manger, ou quand il est contrarié et qu'il n'a aucun réconfort physique. Leur sentiment de sécurité étant en plein développement, les bébés ne sont armés ni physiquement ni émotionnellement pour gérer de forts accès de stress, ce qui peut avoir de profonds effets sur leur équilibre physique et psychologique. Votre enfant a donc besoin que vous limitiez son exposition au stress en répondant à ses besoins lorsqu'il a faim, trop froid, trop chaud ou veut un câlin, et en l'apaisant quand il est submergé par l'émotion. Si vous intervenez rapidement pour le calmer, il prendra confiance et développera un sentiment de sécurité.

Des études ont montré que les bébés sont « équipés » d'un baromètre social très sensible et absorbent le stress et l'agitation de leurs parents, ce qui leur donne un sentiment d'insécurité, les effraie, voire les rend malades. Si le ton d'une dispute monte un peu trop, même si les éclats de voix ne lui sont pas adressés, votre bébé aura peur et sera perturbé. En cas de conflit, faites un effort pour que la discussion reste calme et respectueuse, et convenez avec votre compagnon de faire une pause pour laisser retomber la pression si les esprits s'échauffent. Plus tard, vous montrerez à votre enfant comment résoudre calmement les désaccords et il comprendra que les problèmes peuvent être réglés en bonne intelligence.

VOTRE BÉBÉ A 30 SEMAINES ET 2 JOURS

Le guider en douceur

Votre bébé n'en fait probablement qu'à sa tête. S'il va là où il ne faut pas, vous devrez le dévier de sa route, en douceur.

Orienter son enfant vers les objets, les activités et les comportements adaptés est une technique que tous les parents finissent par maîtriser. Si les bébés sont déterminés, ils restent faciles à distraire car leur mémoire est encore assez courte et leur intérêt pour la nouveauté sans faille.

Si votre nourrisson se tortille lorsque vous le changez, fonce vers votre plante verte pour la vingtième fois ou essaie de manger les chips de son frère exaspéré, il est temps d'employer des tactiques de diversion. Faites des réserves de jouets aux quatre coins de la maison afin d'en avoir toujours un sous la main pour attirer son attention. Changez souvent de jouet pour qu'il ait toujours l'impression d'en avoir un nouveau. Choisissez une comptine à gestes qu'il aime particulièrement et entonnez-la dès qu'il s'apprête à faire ce qu'il ne faut pas. Amenez-le dans une autre pièce, chatouillez ses orteils ou montrez-lui un avion dans le ciel.

Regarde! Si votre bébé fait quelque chose qu'il ne faut pas, détournez son attention en lui montrant un jouet qui l'intéressera.

Votre bébé est trop petit pour réfléchir et comprendre pourquoi il ne peut pas obtenir ou faire ce qu'il veut. Détournez rapidement son attention pour mettre fin à tout comportement indésirable. Avec le temps, il comprendra qu'il n'a pas le droit de s'approcher de la plante ou de se tortiller quand vous le changez : mais ça ne l'empêchera pas d'essayer!

Des jouets pour 7 mois

À 7 mois, votre bébé est prêt pour de nouveaux jouets qui stimuleront son raisonnement, sa coordination ainsi que sa motricité globale et fine.

Casse-tête Désormais, les boîtes à formes occupent bien votre bébé même s'il ne peut pas encore retrouver toutes les formes.

Vous n'avez pas besoin de jouets chers pour amuser votre bébé et favoriser son développement. Beaucoup d'objets du quotidien peuvent même très bien l'occuper. Toutefois, certains jouets sont incontournables à cet âge.

Les ballons et les jouets à roues encouragent la mobilité et la coordination œil-main. Faire rouler une balle en avant et en arrière favorise la motricité fine et la coordination, sans parler du côté amusant de la chose ! Optez également pour un jouet à tirer que vous pourrez déplacer devant lui ou qu'il pourra tirer lui-même.

Les jouets qui le font réfléchir renforcent sa capacité de raisonnement. Choisissez-en avec des personnages qui se cachent derrière ou à l'intérieur. Les casse-têtes très simples, avec des pièces munies de grosses poignées que votre enfant peut soulever et déplacer, le stimulent. Assurez-vous qu'ils ne sont pas trop difficiles sous peine de le frustrer et qu'il abandonne.

Les jeux qui font découvrir à votre bébé de nouvelles formes, de nouveaux sons et le rapport de cause à effet, renforcent ses capacités de réflexion et sa motricité. Boîtes à formes, cubes musicaux, jouets qui s'emboîtent les uns dans les autres l'amusent beaucoup.

Un tableau d'éveil l'aidera à travailler sa coordination, et il adorera ouvrir des volets, tordre des éléments, appuyer dessus, les secouer et les tirer tout en suscitant votre admiration ! Les cubes sont un bon investissement car votre enfant les utilisera différemment à tout âge : il les fera tomber en tapant dedans, les frappera les uns contre les autres, les empilera ou les rangera dans divers contenants.

Enfin, n'oubliez pas les livres ! S'ils font régulièrement partie de ses temps de jeux, votre bébé développera un grand intérêt pour les histoires et la lecture ; son vocabulaire et son élocution n'en seront que meilleurs.

L'AVIS... DU PÉDOPSYCHOLOGUE

Mon petit garçon semble plus attiré par les jouets pour fille. Est-ce un problème ? Un jouet doit être considéré comme « asexué », même s'il est rose bonbon ou bleu électrique. Un garçon peut aimer jouer à la poupée ou à la dînette pour imiter sa maman, et une fille apprécier les petites autos et les ballons. Les jouets ont pour but de stimuler le développement (et donc sa composante émotionnelle) et de divertir. Jusqu'à 3 ou 4 ans, les enfants n'ont pas vraiment conscience de la différence entre les sexes, que ce soit entre eux ou en ce qui concerne leurs jouets. Les filles comme les garçons s'intéressent alors aux mêmes jeux, ils sont curieux et ont besoin d'explorer toutes les possibilités ; encouragez donc votre bébé à jouer avec ce qui l'intéresse.

ACTIVITÉ D'ÉVEIL

Boîte au trésor

Remplissez un panier ou une boîte d'objets adaptés à votre bébé, et invitez-le à en découvrir le contenu. N'y mettez pas nécessairement des jouets : des objets du quotidien comme des ustensiles de cuisine propres (une spatule, par exemple) ou des fruits (un citron ou une pomme) conviennent très bien. Votre enfant peut fouiller dans la boîte et toucher, mordiller, sentir et étudier tous les objets. Ceci favorise la coordination œil-main, l'imagination, le développement du langage... en plus d'être très amusant !

Curiosités Mettez des objets adaptés à votre bébé dans un panier pour qu'il l'explore.

GROS PLAN SUR...

Diversification 2 – Morceaux

Dès que votre bébé commence à apprécier divers types de purées, il est prêt à passer à la deuxième étape de la diversification : vous pouvez alors introduire davantage de produits et de textures, ainsi que quelques aliments à manger avec les doigts.

MENUS D'UNE JOURNÉE TYPE

Plus que la nature des aliments, l'aspect le plus délicat de la diversification alimentaire du bébé porte sur l'évolution de la texture des aliments, qui doit concorder avec son développement neurologique. L'exemple ci-dessous vous donne une idée de ce que mange un nourrisson de 6 à 7 mois. Il doit encore prendre 720 ml de lait par jour. Au départ, certains parents préfèrent donner à manger solide à leur bébé au lever et à midi, pour qu'il n'ait pas trop de mal à digérer avant d'aller au lit. Un repas simple et léger peut ensuite être introduit le soir.

- **Déjeuner** Céréales complètes avec lait maternel ou maternisé ou fromage blanc et fruits mixés; yogourt et compote de fruits.
- **Dîner** Viande, volaille, poisson ou lentilles avec légumes et pommes de terre écrasées, petites pâtes ou semoule fine, fruits tendres, eau.
- **Collation** Lait maternel ou maternisé plus une compote de fruits.
- **Souper** Légumes avec fromage et féculents, par exemple une pomme de terre écrasée avec du fromage fondu, des petites pâtes à la tomate avec du gruyère ou au beurre avec des légumes; yogourt aux fruits au lait à 3,25 % ou gâteau de riz; eau.
- **Coucher** (facultatif) Lait maternel ou maternisé.

Varier son alimentation Dès que votre bébé apprécie la nourriture solide, proposez-lui un grand choix de textures et mariez les saveurs.

En franchissant cette nouvelle étape, votre bébé va commencer à avoir affaire à de petits morceaux, ainsi qu'à des aliments mixés plutôt qu'à des purées fluides. Pour manger des morceaux, il n'a pas besoin d'avoir de dents mais il doit apprendre à mâcher au lieu d'aspirer puis avaler.

Il va aussi commencer à faire tourner les aliments dans sa bouche, une sensation toute nouvelle pour lui. Il est donc important de varier les textures des aliments pour qu'il s'habitue à mâcher, ce qui contribuera aussi à développer les muscles dont il a besoin pour parler.

Abandonner les purées Votre bébé est désormais habitué au goût et à la consistance de ses purées habituelles. Il est donc important de varier la texture de ce qu'il mange et de le faire assez rapidement si vous avez attendu qu'il ait 6 mois pour commencer la diversification. Vous pouvez épaissir les plats dont il a l'habitude ou les associer à d'autres aliments. Vous pouvez rajouter de nouveaux produits émincés, écrasés ou râpés dans ses purées. En plus de les rendre plus nutritives, cela leur donnera une nouvelle texture et un autre goût.

Commencez par ajouter de petits morceaux tendres d'aliments qu'il connaît déjà. Ne soyez pas surprise de les voir réapparaître : récupérez-les simplement avec la cuillère et redonnez-les-lui. Essayez les petites pâtes fondantes, les pommes de terre ou les légumes bien cuits, que vous pouvez écraser à la fourchette.

Initiez-le à manger avec les doigts : un bol de petites choses à picorer comme des biscuits infantiles, des bâtonnets de carotte, courgette ou pomme de terre cuits, des tranches de banane, ou des morceaux de poire, de melon ou d'avocat. Il étudiera ces aliments et finira par apprendre à les mâcher et à les avaler. Restez toujours auprès de lui dans l'éventualité d'une fausse-route.

De plus gros morceaux Vient ensuite le moment d'introduire des morceaux un peu plus gros ainsi que quelques nouveautés. Mélangez par exemple une pomme de terre écrasée et une purée de haricots verts et ajoutez-y du blanc de poulet ou du poisson cuit que vous aurez haché. Râpez du gruyère sur une purée de chou-fleur, ou écrasez une banane dans des céréales infantiles.

L'idée est d'introduire une bien plus large gamme d'aliments au cours des prochaines semaines, en les associant aux fruits et aux légumes favoris de votre bébé, tout en augmentant la quantité et la taille des morceaux, jusqu'à ce qu'il soit capable de manger des plats ayant la même texture que ceux que consomme le reste de la famille. L'ambiance des repas est très importante : encouragez chaleureusement votre enfant, félicitez-le et ne le forcez pas à manger s'il n'est pas décidé. S'il est vraiment réticent, évitez de le faire téter une heure ou deux avant le repas pour voir si cela facilite les choses. Il est possible que le bébé refuse les morceaux mélangés dans une consistance souple et moulinée. Donnez séparément les morceaux et le velouté pour l'habituer à ces textures, une cuillerée de l'un, une cuillerée de l'autre, sans mélanger initialement. Cela se fera naturellement ensuite.

Quelle quantité? Au début de cette nouvelle étape, la plupart des bébés n'avalent pas plus d'une ou deux cuillerées à soupe de purée, ce qui augmente considérablement lorsque les quantités de lait diminuent. Votre bébé a besoin de protéines, de glucides et de graisses ainsi que de nombreux minéraux et vitamines. Pour les obtenir, il doit manger des aliments appartenant aux quatre grandes catégories (voir p. 207), à répartir sur ses deux ou trois repas quotidiens.

Observer ses réactions Si votre bébé n'a fait aucune réaction allergique après avoir mangé jusqu'ici, vous pouvez continuer à essayer de lui faire apprécier ce qui semble ne pas lui plaire. Toutefois, s'il a déjà réagi à certains aliments, vous devriez en parler avec votre médecin qui vous conseillera certainement de continuer à introduire d'autres aliments potentiellement allergènes.

ALIMENTS PARFAITS À PICORER

- Légumes tendres cuits à la vapeur ou au four à micro-ondes : carottes, patates douces, maïs miniature, haricots verts, fleurettes de brocoli ou de chou-fleur.
- Morceaux de pommes de terre vapeur, pommes de terre nouvelles, lamelles de courgette ou de panais cuites à la vapeur.
- Quelques morceaux de poisson blanc accompagnés d'une purée de légumes pour « tremper ».
- Mouillettes de pain nature ou au fromage gratiné.
- Fromage à tartiner sur des mouillettes de pain frais.
- Tranches d'œufs durs.
- Morceaux de fromage.
- Fruits tendres bien mûrs : poire, melon, banane, pêche et nectarine coupés en morceaux.
- Petites pâtes cuites à l'eau, nature ou accompagnées d'un peu de sauce ou d'huile d'olive.
- Fruits secs (figues ou abricots séchés) ; gros grains de raisin (que vous pouvez faire un peu tremper dans l'eau pour les rendre plus tendres).

Repas ludiques Les bébés adorent attraper la nourriture avec les doigts et certains sont même ravis de manger sans aide. Apprendre à manger seul est une étape décisive du développement physique et intellectuel de votre bébé, encouragez-le et peu importe s'il salit !

AIDE-MÉMOIRE

Nouvelles saveurs et textures

Proposez à votre bébé de nouveaux goûts et des morceaux, en ajoutant des ingrédients écrasés, émincés et hachés.

- **Viande, volaille, poisson, œufs et légumineuses** Si les purées un peu plus épaisses passent bien, ajoutez-y quelques dés de viande ou de poisson pour habituer votre enfant aux morceaux. Mélangez des légumineuses à une purée de légumes pour lui donner de la texture ; vous pouvez aussi y ajouter une pomme de terre écrasée, de la semoule ou des petites pâtes.
- **Fruits et légumes** Introduisez une plus grande variété de fruits, comme les fruits secs, et proposez des légumes verts (épinards ou brocoli par exemple).
- **Glucides** Intégrez diverses céréales : les céréales pour le déjeuner peuvent être assouplies dans du lait et dégustées avec les doigts. Essayez les pâtes, la semoule, la patate douce, le riz et la pomme de terre, ainsi que le pain.
- **Laitages** Utilisez du lait entier pour préparer des sauces et ajoutez du fromage râpé. Étalez du fromage à tartiner sur du pain. Le fromage blanc et les yogourts additionnés de compote sont des desserts parfaits.
- **Consistance** Au début, aliments hachés grossièrement pour laisser des petits morceaux, puis morceaux de plus en plus gros.
- **Fréquence ?** 2 à 3 repas par jour.
- **Quantité ?** 4 à 6 cuillerées à thé de 2 ou 3 aliments différents par repas, avec au moins 3 légumes et un fruit.

VOTRE BÉBÉ A 30 SEMAINES ET 4 JOURS

Que de changements !

L'apparence de votre bébé change à mesure qu'il grandit ; il peut même commencer à perdre son aspect potelé.

Sourire craquant Que votre bébé ait deux, quatre, huit dents ou aucune, son sourire est toujours aussi irrésistible !

Certains nourrissons s'affinent lorsqu'ils deviennent plus mobiles : leur activité intense brûle leurs réserves de graisse et ils commencent à devenir moins potelés.

Les fontanelles de votre bébé sont en train de se refermer et comme il commence à tenir en appui sur ses jambes en préparation de la marche, ses pieds prennent une forme plus épatée. Même s'il rebondit toujours sur ses jambes lorsque vous le tenez droit, il les raidit maintenant plus longtemps au niveau des genoux. Sa tête s'arrondit car il passe moins de temps sur le dos, et comme il grandit, elle semble mieux proportionnée par rapport au reste de son corps. À présent, il a peut-être une belle chevelure ou seulement quelques mèches qui lui couvrent le crâne.

La croissance de votre bébé se poursuivra à une cadence folle pendant toute sa première année, puis le rythme se calmera un peu. Il prend probablement de 450 à 600 g par mois et grandira encore de 6 cm avant de souffler sa première bougie. La couleur des yeux devient définitive entre 6 et 9 mois : ils peuvent donc encore changer de couleur et leur nuance peut légèrement varier jusqu'à 3 ans car la pigmentation de l'iris n'est pas terminée.

VOTRE BÉBÉ A 30 SEMAINES ET 5 JOURS

L'hygiène dans la cuisine

Le système immunitaire de votre bébé est immature et vulnérable. La préparation des repas exige donc une bonne hygiène.

L'hygiène est très importante pour la santé de votre bébé ; les conseils suivants vous aideront à le protéger des germes. Pour éviter toute contamination croisée, utilisez une planche à découper et des couteaux distincts pour la viande, les fruits et les légumes. Ne mélangez pas les aliments crus et cuits (rangez-les sur des étagères différentes dans le réfrigérateur). La viande et la volaille doivent être bien cuits et les fruits et légumes soigneusement lavés et pelés.

Dès que le plat de votre bébé est prêt, donnez-lui immédiatement ou mettez-le au congélateur. Les restes peuvent être conservés au réfrigérateur pendant 2 ou 3 jours ; s'ils ne sont pas consommés dans ce délai, jetez-les. Si vous pensez que votre enfant ne mangera pas tout, servez-lui la quantité nécessaire dans un bol, et mettez le reste au réfrigérateur.

Lavez les cuillères, les bols et les récipients à l'eau chaude savonneuse ou au lave-vaisselle pour tuer tous les germes. Il est inutile de les stériliser : depuis que votre enfant porte tous les objets qui lui passent sous la main à la bouche, son organisme est habitué à un certain nombre de bactéries ! Enfin, lavez-vous les mains (ainsi que celles de votre enfant), nettoyez régulièrement toutes les surfaces et changez souvent les torchons de cuisine.

LÀ OÙ MANGE VOTRE BÉBÉ

Après chaque repas, nettoyez la chaise haute à l'eau chaude savonneuse, avec éventuellement un peu de produit antibactérien. Faites surtout attention aux rainures du plateau et aux plis de l'assise où des morceaux ont pu tomber. Passez la serpillière autour de la chaise haute et ramassez les aliments tombés par terre ; il passera certainement du temps sur le sol et mettra tout ce qu'il trouvera dans sa bouche, même une boulette de viande qui date d'une semaine !

Gérer le désordre

Votre maison, autrefois impeccable, est en désordre, et vous avez l'impression qu'un cyclone a traversé votre salon.

Un coin pour bébé Réservez un espace pour ses jouets que vous rangerez dans un panier.

Essayez de ne pas vous laisser envahir par le désordre. Il est possible que vous deviez revoir vos exigences et accepter que votre intérieur soit moins bien rangé qu'auparavant. Le temps partagé avec votre bébé est précieux, et il est bien plus important d'interagir avec lui que de ranger continuellement.

Toutefois, vous pouvez mettre en place quelques rituels pour que les choses soient un peu mieux organisées. Rangez les jouets dès que votre bébé a fini de s'en servir. Profitez de cette occasion pour nommer chaque jouet, désigner la couleur, la forme et la texture, votre enfant finira par enregistrer ces informations, surtout si vous les répétez chaque fois qu'il joue avec. Ce sera plus facile si vous les mettez dans des boîtes ou des paniers placés sur des étagères, ou si vous les entassez dans un coin de votre salon, dissimulés derrière un meuble ou un rideau.

Créez des espaces pour bébé dans différentes pièces, en installant dans chacun un grand panier ou un meuble de rangement pour y rassembler toutes ses petites affaires. En fin de journée, faites le tour de la maison pour ramasser bas orphelins, jouets égarés, bavettes, serviettes mouillées et autres jouets, et les remettre à leur place ou en machine. Prenez quelques minutes pour préparer ses affaires pour le lendemain. Ainsi, si vous êtes retardée le lendemain matin, vous pourrez commencer la journée en étant davantage détendue si tout est prêt.

Si vous avez les moyens d'engager une femme de ménage, n'hésitez pas : quand le plus gros du ménage est fait régulièrement, il est plus facile de s'affranchir du rangement quotidien. Si prendre une employée à domicile ne vous convient pas, consacrez le temps nécessaire au ménage la fin de semaine, avec votre conjoint, lorsque votre bébé dort.

ACTIVITÉ D'ÉVEIL

Le rangement, un jeu d'enfant !

Encourager votre bébé à ranger ses jouets lorsqu'il a fini de s'en servir l'aidera à prendre de bonnes habitudes. Il l'acceptera rapidement comme faisant partie d'un rituel. Montrez-lui comment mettre ses jouets dans la corbeille ou ranger ses livres au bas de la bibliothèque. Expliquez-lui comment aligner ses peluches et remettre tout à sa place. Décrivez ce que vous faites et répétez que tout doit être « bien rangé » pour créer une association positive avec cette activité plutôt que de la présenter comme une corvée !

Félicitez-le lorsqu'il parvient à mettre un objet dans le panier. Votre bébé appréciera cette activité car il la partagera avec vous : voyant votre plaisir, il y a plus de chances qu'il s'y mette aussi la prochaine fois.

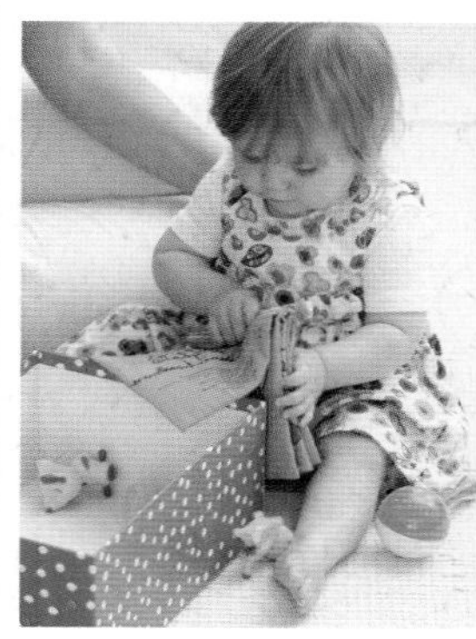

Jouer à ranger Faites du rangement un jeu pour que votre bébé apprenne quoi faire de ses jouets après s'en être servi. C'est une bonne façon de lui apprendre à ranger.

31 semaines

À CET ÂGE, TOUTE FORME DE DISCIPLINE EST INUTILE, CAR LES BÉBÉS NE COMPRENNENT NI LE « OUI » NI LE « NON »

Si votre bébé ne rampe pas encore, donnez-lui l'occasion de passer du temps à plat ventre pour développer la force et la coordination dont il a besoin pour se lancer. Sa curiosité n'a pas de limites : veillez à ce qu'il ait toujours de quoi s'occuper, en toute sécurité. Écoutez-le bien : il semble prononcer de vrais mots à présent !

Émotions fortes

Votre bébé ne domine pas ses émotions. Il peut fondre en larmes de frustration ou avoir le cœur brisé lorsque vous quittez la pièce.

Les émotions d'un jeune bébé sont très variables : il peut crier de joie et l'instant d'après se mettre à pleurer, frustré. Bien que ces sautes d'humeur soient parfois difficiles à prévoir, elles sont un moyen de communication important entre votre enfant et vous, car elles vous indiquent ce qu'il veut et ce dont il a besoin. Dites-vous qu'il essaie d'échanger et que c'est bon signe.

Au cours de sa première année, votre bébé va ressentir de fortes émotions qui se manifesteront sous la forme de sensations physiques. Petit à petit, il devra les cloisonner et, avec votre aide, les identifier.

Au début, il peut être effrayé par l'intensité de ses émotions : il aura besoin de vous pour supporter ses sensations et retrouver son calme. Selon les spécialistes de « l'attachement » (qui étudient la relation profonde entre un enfant et la personne qui s'occupe le plus de lui, ainsi que l'influence que ce lien peut avoir sur un nourrisson), votre rôle est de montrer à votre bébé que vous acceptez ses sentiments, qu'ils ne vous effraient pas et ne vous submergent pas, et qu'il n'a pas à en avoir peur ou à se sentir dépassé.

Pour ce faire, vous pouvez employer la technique du « jeu de miroirs » qui consiste à refléter, de façon atténuée, les émotions de votre enfant. Lorsque vous êtes en miroir, vous pouvez naturellement hocher la tête en signe de compréhension. Prendre votre bébé dans les bras lorsqu'une émotion le submerge peut aussi le rassurer. Vous pouvez reproduire ses émotions quel que soit son âge, et votre réaction sereine lui apprendra qu'on ne se laisse pas nécessairement envahir par ses sentiments.

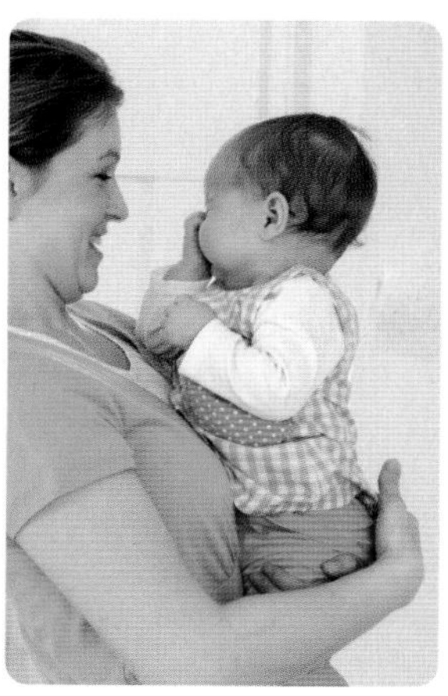

Rassurer, réconforter, calmer Votre bébé ne peut pas gérer ses émotions et se tournera vers vous pour le calmer lorsqu'il est en colère ou frustré.

Aidez votre bébé à mettre un nom sur ce qu'il ressent en lui décrivant ce qui se passe. Dire par exemple « Tu as l'air en colère » ou « Tu es triste ? » contribuera à ce qu'il identifie et cloisonne ses émotions.

Un bon modèle La façon dont votre bébé perçoit vos réactions a aussi une incidence sur la façon dont il gère ses propres émotions. Donnez-lui un modèle positif en lui montrant que vous pouvez faire face aux fortes émotions et reprendre vos esprits lorsque vous êtes contrariée.

Toutefois, si vous vous sentez à bout de patience avec votre bébé, demandez à votre compagnon, à une amie ou un proche de confiance de vous aider à le calmer pendant que vous soufflez un peu. Il est important d'être réaliste par rapport à vos limites et vos besoins et de reconnaître lorsque vous avez besoin de temps pour vous. N'ayez pas peur de demander de l'aide, votre entourage est là pour vous soutenir !

L'AVIS... DU MÉDECIN

Pourquoi mon bébé a-t-il soudainement des épisodes de diarrhées alors qu'il ne semble pas malade ? Un changement dans le régime de votre bébé peut entraîner diarrhée ou constipation lorsque son système digestif gère la transition vers l'alimentation solide. Parfois, certains aliments apparaissent non digérés dans des selles liquides au moment de leur introduction dans l'alimentation : il s'agit d'une diarrhée chronique aspécifique du petit enfant (ou « toddler diarrhea »), mais ce phénomène est plus fréquent après l'âge d'un an. Dans ce cas, votre enfant à l'air en forme et la diarrhée se calme lorsque ses intestins commencent à mieux digérer les nouveaux aliments. Veillez à ce qu'il boive beaucoup, donnez-lui de l'eau en plus des tétées, et si vous lui donnez du jus de fruits, diluez-le.

VOTRE BÉBÉ A 31 SEMAINES ET 1 JOUR

Il se déplace sur les fesses

Tous les bébés n'aiment pas ramper. Ne soyez donc pas surprise si le vôtre reste sur les fesses pour se déplacer à sa façon…

Apprendre à se déplacer peut être frustrant pour un bébé, ce qui explique probablement pourquoi chacun a sa propre technique. Certains rampent avant de marcher, d'autres marchent d'abord et rampent ensuite, et d'autres encore ne rampent jamais. Ils préfèrent glisser sur les fesses avec une main derrière et un pied devant pour se pousser. Cette méthode implique de pouvoir s'asseoir; elle se développe donc généralement 2 ou 3 mois après que l'enfant sait tenir en position assise, sans aide.

Environ 9 % des bébés se déplacent sur les fesses, une caractéristique qui semble héréditaire : si votre compagnon ou vous-même vous déplaciez sur les fesses, il y a des chances que votre bébé le fasse aussi. Renseignez-vous auprès de vos parents respectifs ! En général, les enfants qui adoptent cette technique marchent un peu plus tard. Du moment que votre bébé se déplace, peu importe la façon dont il le fait.

À ma façon Les bébés qui se déplacent sur les fesses font souvent bien du chemin !

VOTRE BÉBÉ A 31 SEMAINES ET 2 JOURS

C'est toi que je veux !

Parfois, votre bébé peut montrer une préférence marquée pour l'un de ses parents, et même détourner la tête de l'autre. Pourquoi ?

Ma préférence à moi Les bébés ont des phases où ils « préfèrent » un de leurs parents. Ne soyez pas triste, cette situation n'est que passagère !

À mesure qu'il grandit, votre enfant peut afficher une préférence pour l'un de vous deux. Ceci ne doit pas vous briser le cœur : ce n'est ni parce que vous avez fait une erreur ni qu'il ne vous est pas attaché, et il finira par revenir vers vous. La plupart du temps, les bébés préfèrent la personne la plus à l'écoute de leurs besoins, qui comprend le mieux leur façon de communiquer, et sait les apaiser. Il s'agit en général du parent qui passe le plus de temps avec eux et qui a donc davantage l'occasion d'interpréter leurs signaux et de leur répondre de façon appropriée.

Pourtant, il arrive aussi que le contraire soit vrai. Un nouveau visage peut être justement ce dont votre bout de chou a besoin en fin de journée. Vous pouvez donc être celui à qui il adresse des cris de joie et tend les bras pour un gros câlin lorsque vous rentrez du travail.

Mitigez ses préférences en vous occupant de lui à tour de rôle. Mettez chacun vos propres activités en place lorsque vous êtes avec votre bébé, et ne vous formalisez pas s'il montre une nette préférence pour l'autre. Il ne sait pas que cela peut être blessant et ne le fait pas délibérément pour vous contrarier. Profitez-en plutôt pour prendre soin de vous !

Gérer une allergie alimentaire

Avoir un bébé allergique implique son lot de difficultés. Heureusement, avec quelques précautions, certaines allergies disparaissent avec l'âge.

Que votre nourrisson ressente une légère gêne après avoir mangé certains aliments ou coure un risque de choc anaphylactique (voir p. 404), il est essentiel d'éviter scrupuleusement les aliments qui déclenchent ces réactions. Si vous n'avez pas encore fait confirmer l'allergie suspectée par un spécialiste, demandez à votre médecin d'adresser votre bébé à un allergologue pour pratiquer des tests afin d'identifier les aliments à éviter.

Vous découvrirez peut-être qu'il peut manger le blanc d'œuf mais que le jaune pose problème. Vous pouvez aussi vous rendre compte que vous vous êtes trompée si, par exemple, une éruption cutanée que vous aviez attribuée à une allergie aux fraises déclenchée après que votre bébé a goûté une petite tartine de confiture de fraises, se révèle liée à une allergie au gluten, présent dans le pain.

Si vous allaitez toujours au sein, vous devrez exclure de votre régime les aliments incriminés. Il est judicieux de continuer à allaiter car vos anticorps renforceront le système immunitaire encore immature de votre bébé, soumis à rude épreuve en cas d'allergie. De plus, comme les nourrissons allergiques ont souvent une alimentation limitée par nécessité, le lait maternel leur apporte tous les nutriments qui leur manquent.

Demandez à votre médecin si votre enfant a besoin d'un traitement antihistaminique. Si son allergie est grave, vous devrez toujours avoir avec vous un auto-injecteur (pour administrer un médicament en cas de choc anaphylactique). Toute personne amenée à garder votre bébé doit également savoir comment lui administrer ses médicaments et doit être au courant de son allergie alimentaire.

Préparez ses repas à l'aide d'ustensiles soigneusement lavés à l'eau chaude savonneuse pour éviter toute contamination croisée, et prenez l'habitude de lire attentivement les étiquettes sur les produits que vous achetez pour lui.

Tenir un journal Cela vous aidera à identifier les produits susceptibles d'avoir provoqué une réaction chez votre bébé. Si vous pensez que vous devez éliminer certaines familles d'aliments, prenez conseil auprès d'un nutritionniste pour vous assurer que l'alimentation de votre bébé lui apporte tous les nutriments nécessaires.

Si vous avez peur d'une réaction allergique, il est important de ne pas transmettre votre angoisse à votre enfant car cela pourrait le rendre nerveux à l'idée de manger et d'essayer de nouveaux aliments, et l'empêcherait de se détendre durant les repas. Il pourrait alors voir la nourriture comme un ennemi et non comme une source d'enrichissement.

ACTIVITÉ D'ÉVEIL

L'heure de la vaisselle

Rien ne plaît plus à un bébé que d'aider ses parents dans leurs activités. Faire un peu de vaisselle avec vous peut donc être l'occasion de bien s'amuser. Posez une bassine remplie d'eau savonneuse tiède sur une toile cirée étendue au sol et laissez-le « laver » ses couverts en lui donnant une grosse éponge. Il va adorer participer aux tâches qu'il vous voit accomplir, apprendra quelque chose d'utile, développera sa coordination œil-main et appréciera la sensation de jouer avec l'eau. Restez toujours à ses côtés pendant qu'il s'amuse à vous copier.

Ça mousse Installez votre bébé devant une bassine d'eau savonneuse, avec une éponge et quelques tasses en plastique à laver, pour lui permettre de faire comme les grands.

VOTRE BÉBÉ A 31 SEMAINES ET 4 JOURS

Chacun dans son lit

Votre bébé partage votre lit ? Pour le bien de tous, encouragez-le à dormir dans sa chambre.

La plupart des parents admettent que prendre leur bébé dans leur lit lorsqu'il se réveille la nuit est parfois la façon la plus rapide et la plus simple de pouvoir dormir un peu. Outre les risques que cela représente, dormir avec vous risque de devenir une habitude que votre enfant aura du mal à abandonner. Il est donc vivement recommandé de l'habituer à retourner dans son lit.

Essayez de résister à la tentation de ramener votre enfant dans votre chambre lorsqu'il se réveille. Prenez-le plutôt dans vos bras en tapotant son dos, en lui chantant une berceuse, puis recouchez-le et quittez la pièce. Revenez le voir s'il vous appelle pour le rassurer et lui montrer que vous serez toujours là s'il a besoin de vous. Si vous le laissez pleurer, il ne se sentira pas en sécurité.

Testez cette nouvelle technique une nuit où vous ne devez pas vous lever tôt le lendemain. Soyez calme et patiente, et rappelez-vous que même si vous mettez longtemps à rendormir votre bébé et qu'il se réveille à peine une heure plus tard, à long terme, le jeu en vaut la chandelle car vous dormirez tous davantage et dans de meilleures conditions.

Les nuits suivantes, il pleurnichera et râlera de moins en moins à l'idée de se retrouver seul, jusqu'à ce qu'il comprenne que, malgré ses protestations, il n'est plus le bienvenu dans votre lit.

Si besoin, demandez à votre infirmière de vous donner des conseils sur la façon d'encourager votre bébé à dormir seul. Pour en savoir plus, voir les pages 352-353.

VOTRE BÉBÉ A 31 SEMAINES ET 5 JOURS

Astuces pour gagner du temps

La plupart des mamans trouvent que les journées passent vite, mais il existe des moyens de gagner du temps et de s'octroyer un peu de liberté.

Maintenant que vous avez adopté un certain rythme de vie, vous aspirez peut-être à un peu de temps libre à consacrer à un hobby ou une passion. Vous pouvez aussi avoir simplement envie de vous prélasser sur le canapé pendant que votre bébé dort sans vous dire que vous devriez plutôt faire du ménage. Pour mieux gérer votre temps et voir si vous consacrez trop d'énergie à des tâches secondaires aux dépens de votre couple, de vos amis et de votre santé – qui eux comptent vraiment – commencez par évaluer objectivement votre organisation journalière et le temps passé à chaque activité. Essayez alors de trouver le moyen de réduire le temps consacré à ce que vous aimez le moins, comme les tâches ménagères. Si vous repassez souvent, par exemple, pensez à étendre votre linge dès que le lavage est terminé pour éviter qu'il se froisse, puis défroissez-le à la main et pliez-le avant de le ranger. Vous pouvez aussi le passer à la sécheuse puis le plier soigneusement. Si vous cuisinez pour la famille, doublez les quantités et congelez le reste. Faites en sorte de recevoir et de payer vos factures en ligne pour éviter d'avoir à vous rendre au bureau de poste, et faites vos achats sur Internet, surtout pour les articles encombrants, si c'est plus pratique pour vous.

Tout en ligne Faire votre épicerie, vos démarches bancaires et payer vos factures sur Internet vous fera gagner du temps.

Se hisser sur ses jambes

Votre bébé commence peut-être à se hisser sur ses jambes pour se mettre debout avec aide, mais il a probablement du mal à se rasseoir.

Debout Un jouet posé sur un fauteuil peut inciter votre bébé à se hisser sur ses jambes. Il peut ainsi se déplacer en se tenant au fauteuil.

Votre bébé sait désormais s'asseoir tout seul, il est donc capable de se redresser lui-même. Il va bientôt commencer à se hisser debout en s'aidant de tout ce qui lui passera sous la main, des barreaux de son lit à la chaise d'à côté en passant par la table basse ou vos jambes. Il aura peut-être besoin de votre aide au début mais finira par comprendre qu'il peut se relever en mettant une main au-dessus de l'autre. Il y parviendra plus ou moins vite, mais il est important de le laisser évoluer à son rythme. De ce poste d'observation fascinant, il pourra découvrir des tas d'endroits fabuleux qui ne feront que l'inciter à continuer son périple.

Malheureusement, dans un premier temps, prendre de la hauteur ne signifie pas redescendre facilement : votre bébé pourrait bien se sentir coincé ! Il ignore encore comment bouger les mains et les pieds pour avancer tout doucement le long d'un meuble. Il ne sait pas marcher, ni comment se baisser pour se rasseoir sur le sol : il va probablement se sentir frustré et se mettre à pleurer. Vous allez devoir l'aider à se rasseoir doucement et le rassurer plusieurs fois avant qu'il se sente suffisamment confiant pour se laisser retomber à terre et comprendre qu'il ne se fera pas mal. Il peut même finir par prendre autant de plaisir à rebondir sur les fesses qu'à se hisser debout.

En appui le long d'un meuble, votre bébé s'exerce à maintenir son équilibre, à tenir sur ses jambes et à basculer son poids pour soulever un pied puis l'autre. Il vient de franchir un cap important, mais il est encore instable. Son dos est penché vers l'avant et ses pieds sont écartés pour augmenter sa stabilité. Une fois qu'il maîtrise l'art de se tenir debout, en équilibre, il ébauche un premier pas en s'accrochant à ce dont il s'est servi pour se redresser. Ce développement s'appelle le cabotage et précède la marche (voir p. 269).

Sécurité à revoir Dès que votre bébé commence à se redresser tout seul, regardez autour de vous : que peut-il atteindre une fois debout ? Repérez également les meubles dont les angles saillants pourraient le blesser. S'il grimpe sur le canapé et tombe, sa chute sera-t-elle amortie par des coussins ou un tapis moelleux ? Votre bibliothèque est-elle bien fixée au mur ? Peut-il atteindre les étagères situées en hauteur s'il monte sur le dossier du fauteuil ? Votre bébé est curieux et intrépide, vous devez donc être particulièrement attentif. Prenez toutes les précautions pour assurer sa sécurité.

L'AVIS... DU PÉDIATRE

Les pieds de mon bébé sont tournés en dedans. Est-ce normal ? Quand il est né, votre bébé, confiné dans l'espace restreint de votre utérus pendant des mois, avait les pieds tournés vers l'intérieur et les jambes légèrement arquées. À mesure qu'il grandit, ses jambes deviennent plus droites et ses pieds plus plats pour l'aider à développer sa capacité à marcher. Vers 3 ans, la cambrure de ses pieds se sera dessinée mais à 31 semaines, ils sont encore posés à plat sur le sol lorsqu'il se tient debout. Parfois, votre enfant peut prendre appui sur l'extérieur des pieds pour reprendre l'équilibre et corriger sa position. Chez les bébés, il arrive que les pieds, ou même la partie inférieure des jambes, dévient vers l'intérieur (attitude de « pieds en dedans »). Votre médecin pourra l'examiner pour voir s'il y a un problème. Ne vous inquiétez pas : dans la grande majorité des cas, cela disparaît tout seul et n'entrave en aucun cas la capacité de l'enfant à marcher.

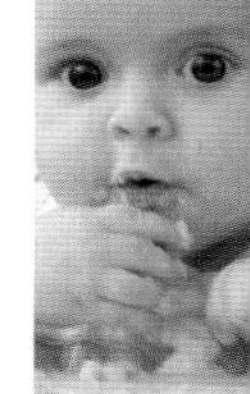

32 semaines

LES JOUETS QUI PERMETTENT D'EXPLORER LES FORMES SONT STIMULANTS POUR VOTRE BÉBÉ

Les boîtes à formes ou les jouets à empiler font appel aux capacités motrices et cognitives, et favorisent les compétences de résolution de problèmes. Aidez votre enfant à découvrir les tailles en lui montrant comment ces jouets fonctionnent. Son langage est plus complexe et il reproduit de mieux en mieux les intonations.

VOTRE BÉBÉ A 32 SEMAINES

Les bébés et les antibiotiques

Les antibiotiques ne sont pas un remède à toutes les maladies et infections : vous devez savoir pourquoi ils peuvent être prescrits ou pas.

Lorsque votre bébé tombe malade, deux types de germes peuvent en être responsables : les bactéries et les virus. Les premières sont des organismes que l'on trouve à l'intérieur ou sur le corps (sur la peau, par exemple) et qui peuvent entraîner des infections comme les amygdalites, les pharyngites ou les otites. Cependant, toutes les bactéries ne sont pas nuisibles ; certaines, comme celles présentes dans l'appareil digestif, qui permettent de récupérer les nutriments présents dans le lait et les aliments, contribuent à l'équilibre de l'organisme.

Les virus, quant à eux, envahissent des cellules saines de l'organisme et provoquent ainsi les maladies. Ils sont notamment à l'origine de la varicelle, de la rougeole ou de la grippe.

Les antibiotiques permettent de traiter les infections bactériennes. Ils n'ont aucun effet sur les virus, ni en cas de toux, de rhume, de grippe, de mal de gorge (sauf en présence d'une angine streptococcique) ou de nez qui coule. Dans ces cas-là, la prise d'antibiotiques est non seulement inefficace mais entraîne également un effet indésirable : les bactéries deviennent plus difficiles à éliminer avec le temps. Utilisés fréquemment et de manière inappropriée, les antibiotiques favorisent l'apparition de souches de bactéries qui résistent aux traitements. Les bactéries résistantes doivent alors être traitées avec de plus fortes doses de médicaments et des antibiotiques plus puissants.

Le corps médical est conscient des méfaits d'une surutilisation des antibiotiques : il est donc peu probable qu'on en prescrive à votre enfant si ce n'est pas vraiment nécessaire. Si vous êtes inquiète, parlez-en avec votre médecin.

VOTRE BÉBÉ A 32 SEMAINES ET 1 JOUR

Du babillage à la causette

Le « discours » de votre bébé évolue en permanence et comprend désormais beaucoup plus de sons.

Le passage à l'alimentation solide encourage votre enfant à mieux maîtriser ses lèvres car il apprend à les tenir fermées lorsqu'il mâche et avale. Les mouvements circulaires de sa langue, nécessaires à la mastication, l'aident également à mieux la contrôler. Cette évolution lui permet de prononcer des sons plus complexes.

Ses babillages comprennent à présent plus de syllabes et différentes consonnes et voyelles. Alors qu'il répétait généralement la même syllabe, par exemple « mamama », il en combine désormais plusieurs pour dire « tabada » ou « cacaco ». Certains enfants passent cependant des syllabes au langage des gestes et s'en contentent pendant des semaines, voire des mois.

Votre enfant imite de mieux en mieux les intonations de voix qu'il perçoit autour de lui, et peut même reproduire certains sons particuliers. Ainsi, lors d'une réunion de famille animée, il babille en prenant une voix forte et haut perchée. À l'inverse, lorsque vous lui lisez une histoire au moment d'aller au lit, il murmure d'une voix douce, comme vous le faites. Au lieu d'imiter simplement le ton et les sons vocaliques, comme il le faisait jusqu'à présent, il commence à être plus attentif à la mélodie de votre discours.

Prémices du langage Votre bébé communique de façon plus cohérente ce qui vous permet de mieux le comprendre.

VOTRE BÉBÉ A 32 SEMAINES ET 2 JOURS

Trop gâté par papy et mamie ?

Très importants dans la vie d'un enfant, les grands-parents ne sont généralement avares ni d'amour, ni d'attention, ni de cadeaux.

Il est tout à fait normal que les grands-parents veuillent « gâter » leurs petits-enfants. Leur offrir des choses qu'ils n'ont peut-être jamais pu s'offrir eux-mêmes peut leur procurer une immense joie.

Le fait que les grands-parents de votre bébé lui offrent ce qu'il y a de plus cher peut paraître une aubaine, mais cela risque d'entraver votre désir d'indépendance. Dans des cas extrêmes, vous pourriez y voir les prémices de l'enfant gâté, et craindre que plus tard votre progéniture ne réclame des cadeaux hors de prix. De plus, des rancœurs peuvent apparaître entre vos parents et ceux de votre conjoint par rapport à ce que chacun a les moyens d'offrir à votre bambin.

Dans un autre registre, les grands-parents peuvent vous sembler beaucoup plus laxistes que vous en ce qui concerne les règles de vie ou le comportement, situation qui peut être déstabilisante pour un bébé ou un jeune enfant. Les grands-parents n'ont pas un rôle éducatif prioritaire mais de recours et de conseils.

Parlez-leur de vos préoccupations. Expliquez-leur que, bien que vous appréciiez leur générosité, vous préféreriez qu'ils vous consultent avant de lui faire un cadeau. Dites-leur que vous comprenez qu'ils ont envie de lui faire plaisir et remerciez-les. Mais faites-leur aussi comprendre que, vous aimeriez que plus tard votre enfant ne juge pas leur amour à travers leurs cadeaux et apprenne à attendre parfois ce qu'il désire.

Faites-leur part de ce que vous voulez enseigner à votre bébé. Qu'il s'agisse de lui donner la notion du mérite ou de la valeur des choses, ou encore de lui transmettre des principes culturels ou religieux : ceci vous aidera à mieux vous comprendre.

VOTRE BÉBÉ A 32 SEMAINES ET 3 JOURS

Chacun son rôle

C'est le bon moment d'initier votre bébé au partage, en lui apprenant à faire les choses à tour de rôle.

C'est mon tour En empruntant un jouet à votre bébé, vous lui apprenez l'échange, base de la communication et de l'interaction sociale.

Faites rouler une balle vers votre bébé et encouragez-le à vous la renvoyer. Appuyez sur les touches de son téléphone (c'est à moi), puis demandez-lui d'en faire autant (c'est à toi). Faites un câlin à sa peluche préférée, puis tendez-lui ensuite. Les occasions de lui apprendre à faire des choses à tour de rôle sont quasiment sans limite : l'un après l'autre, vous pouvez soulever les rabats et tourner les pages d'un livre ou faire un câlin à son nounours.

Ainsi, vous lui montrez comment faire et lui permettez d'essayer par lui-même. C'est aussi un bon moyen pour arriver à vos fins : après sa tentative, le voilà avec un petit minois tout propre.

Votre enfant éprouvera de la satisfaction chaque fois qu'il aura l'occasion d'expérimenter une activité ou d'y être impliqué, et il prendra ainsi confiance en lui. Toutefois, il est encore trop tôt pour qu'il comprenne ce qu'est le partage, même s'il joue à tour de rôle avec ses jouets. Pour tout dire, il ne comprendra ce concept et ne le mettra en pratique qu'entre 3 et 5 ans.

Chez les jumeaux, si donner à chaque bébé ses propres jouets est une bonne idée, les encourager à s'amuser « ensemble » en se les partageant peut aussi être bénéfique, à condition de les surveiller pour que tout se déroule dans de bonnes conditions.

Saines collations

Si les repas de votre bébé doivent être équilibrés, il est toujours bon d'avoir sous la main quelques collations ou boissons saines.

Collation santé La banane est l'aliment pratique par excellence, à la maison comme à l'extérieur. Riche en nutriments essentiels, comme la vitamine C, elle ne nécessite aucune préparation.

En plus des trois repas principaux, il est judicieux d'introduire dans l'alimentation de votre bébé une collation saine accompagnée d'une boisson en matinée et dans l'après-midi. Ainsi, il ne picorera pas toute la journée, le grignotage pouvant l'empêcher de prendre un repas complet le moment venu, exposer davantage ses dents aux caries et limiter sa capacité naturelle à contrôler son appétit.

Surveillez également les quantités que boit votre enfant. Si vous avez opté pour du lait maternisé, assurez-vous de ne pas lui en donner plus que la dose recommandée, et utilisez une tétine à débit rapide afin qu'il puisse finir assez vite. S'il a en permanence un biberon de lait à la main, il n'aura plus d'appétit pour le reste. Il est donc essentiel de lui donner de bonnes habitudes dès le départ.

Une collation est aussi un bon moyen d'apporter un complément de nutriments essentiels dans l'alimentation de votre enfant. Ainsi, au lieu de lui donner un jus de fruits et un boudoir, riches en sucre et en graisses mais dont l'intérêt nutritionnel est faible, optez pour un morceau de fromage, un biscuit infantile et des grains de raisin qui, outre calories, sucre et graisses, lui apporteront aussi calcium et vitamine C.

Dans une glacière, gardez un bol, une tasse fermée, une bavette, des lingettes, une cuillère, une fourchette et un couteau. Ajoutez des aliments secs non périssables (biscuits infantiles, raisins ou abricots secs). Au moment de partir, ajoutez une banane, des morceaux de fromage ou des tomates, ainsi qu'une bouteille d'eau.

L'AVIS... DU NUTRITIONNISTE

Mon bébé prend des collations régulières : risque-t-il un surpoids ? Les collations saines contribuent à l'alimentation équilibrée de votre enfant et lui apportent les nutriments dont il a besoin tout au long de la journée. Pour vous guider dans le choix d'aliments nutritifs, il est important de considérer que ces collations font partie intégrante de son régime alimentaire, et ne sont pas des gourmandises. Évitez de proposer une collation à votre bébé pour le distraire lorsqu'il s'ennuie ou est grognon. Bien que cela puisse sembler une solution rapide et efficace, il est possible qu'il apprenne ainsi à compenser par la nourriture, qu'il associera au réconfort. À long terme, ceci peut augmenter le risque de surpoids. Proposez-lui des collations à intervalles réguliers et à distance des repas afin qu'il garde l'appétit. L'eau reste la boisson la mieux adaptée, en complément du lait (voir p. 247).

Sur le pouce Si vous envisagez d'être à l'extérieur au moment du repas, glissez une purée pour votre bébé dans une glacière. Renseignez-vous pour savoir si vous pouvez la faire réchauffer sur place. Vous pouvez également l'emporter chaude, dans un récipient isotherme. Prenez également quelques aliments que vous pourrez mixer, écraser ou couper en petits morceaux au dernier moment, comme des bananes, des poires et des pêches bien mûres. Les morceaux de poulet tendres et le thon en boîte peuvent être dégustés froids.

VOTRE BÉBÉ A 32 SEMAINES ET 5 JOURS

Un bébé agité

Votre bébé n'a plus envie de rester assis en contemplant le monde. Changez vos habitudes pour mettre davantage d'action dans sa vie.

L'AVIS... DU NUTRITIONNISTE

Je donne des morceaux à mon bébé, mais il a des haut-le-cœur. Que puis-je faire ? Donnez-lui une cuillère pour qu'il ait l'impression de maîtriser les choses. Laissez-le explorer sa nourriture avec les doigts avant de lui proposer dans une cuillère : déposez-en un peu sur le plateau de sa chaise haute et laissez-le découvrir. Si rien ne marche, proposez-lui ses purées habituelles pendant quelques jours avant de réessayer les morceaux.

Maintenant que votre bébé est plus grand et plus mobile, il est moins disposé à rester dans sa poussette ou son siège d'auto, même pour quelques instants. Si, auparavant, il pouvait s'endormir pendant que vous magasiniez ou bavardiez entre copines autour d'un café, il est désormais plus agité et peut même s'énerver s'il doit rester au même endroit pendant un long moment.

Prendre conscience que c'est votre bébé qui dicte maintenant le programme et que la vie doit être organisée différemment autour de ses besoins peut être un léger choc. Le mieux est alors de modifier légèrement vos habitudes pour qu'elles vous conviennent à tous les deux. Donnez par exemple rendez-vous à vos amies dans un parc de jeu intérieur où vous pourrez prendre un café en discutant pendant que vous regardez vos enfants ramper, grimper et s'amuser. Avec d'autres mamans, retrouvez-vous à tour de rôle les unes chez les autres ou organisez des pique-niques. Si vous redoutez d'être à l'épicerie avec un bébé qui pleurniche, allez-y lorsque votre compagnon est à la maison et peut prendre le relais. De petits changements peuvent faire une grande différence.

VOTRE BÉBÉ A 32 SEMAINES ET 6 JOURS

Acrobaties nocturnes

Votre bébé n'est pas actif qu'en journée : il peut se retourner en dormant et se retrouver sur le ventre.

Roulé-boulé Bien qu'il puisse se retourner pendant son sommeil, il est important de continuer à coucher votre bébé sur le dos.

Les bébés peuvent être très agités lorsqu'ils dorment. Si, conformément aux recommandations, vous avez toujours couché votre enfant sur le dos pour réduire le risque de MSN (voir p. 31), le voir se retourner sur le ventre peut vous faire peur. S'il est assez costaud pour se mettre à plat ventre, il n'y a pas lieu de s'inquiéter. À cet âge, le risque de MSN est bien moindre, 90 % des cas concernant des bébés de moins de 6 mois, car votre enfant est désormais capable de soulever sa tête du plan de lit, il est plus mobile et plus âgé. Il est important de ne pas limiter les mouvements de votre enfant ni de le forcer à dormir sur le dos. Assurez-vous toutefois que son lit est préparé correctement, à savoir que le matelas est ferme et qu'il n'y a aucun oreiller, couverture, couette ou jouet en peluche dans le lit.

Il est également conseillé d'arrêter l'emmaillotage à ce stade : le confinement troublera son sommeil et risque de favoriser des associations négatives avec le fait de dormir.

Pour le bien de tous, il est important que votre enfant dorme dans sa chambre. Quand vous le mettez au lit, couchez-le sur le dos (position qui lui semblera sans doute la plus familière) et pensez à rappeler cette consigne aux personnes à qui vous confiez la garde de votre enfant.

GROS PLAN SUR...

L'apprentissage de la marche

Depuis que votre nourrisson maîtrise la position assise, il parvient à se tenir debout et se déplace en « cabotant », en appui sur des meubles. Désormais, il peut faire ses premiers pas à tout moment : tenez-vous prête !

Les bébés apprennent à marcher à des âges différents, parfois dès 9 mois ou seulement à 18 mois. Ne vous inquiétez donc pas : si le vôtre ne semble pas pressé, ne le soyez pas non plus et laissez-le évoluer à son rythme ! Aidez-le à développer la force musculaire de ses jambes en le tenant par les mains et en le faisant rebondir. Continuez à le mettre à plat ventre pour renforcer les muscles de son dos et de sa nuque tout en améliorant sa coordination et son équilibre. Offrez-lui un chariot de marche qui l'incitera à se mettre debout et qu'il poussera à travers la pièce lorsqu'il sera prêt.

Pieds à terre Si possible, laissez votre bébé s'exercer pieds nus à la marche. Cela favorise équilibre, coordination et bonne prise au sol.

Avant que votre enfant puisse marcher, il doit savoir se mettre debout en prenant appui, puis plier les genoux pour se rasseoir. Il peut avoir besoin de plusieurs mois pour développer cette technique ou il peut l'acquérir presque immédiatement. Lorsqu'il sait tenir droit sans appui pendant quelques instants, il est prêt à faire ses premiers pas.

Premiers pas Les premiers pas de votre bébé représentent une étape gigantesque dans son développement physique car cela implique de l'équilibre, de la motricité globale, de la maîtrise, de la coordination et surtout du courage !

Avant de marcher sans aide, il va écarter les pieds pour avoir un meilleur équilibre, adoptant ainsi une démarche légèrement dandinante. Il peut se lancer vers quelque chose de stable, comme un fauteuil ou même vous, et probablement tendre les bras en avant pour amortir une inévitable chute.

Dans les semaines à venir, votre enfant apprendra à avancer pas à pas, s'arrêtant à chaque mouvement pour reprendre son équilibre. En revanche, pendant quelque temps, il ne saura pas maîtriser sa vitesse : un bébé qui commence à marcher sans aide a tendance à se jeter en avant, puis à se pencher trop en arrière pour rattraper son équilibre, ce qui se termine par quelques trébuchements et chutes. Relevez-le et remettez-le droit sur ses jambes. Il apprendra de ses erreurs et comprendra bientôt qu'il faut savoir marcher avant de vouloir courir !

AIDE-MÉMOIRE

Premiers pas et sécurité

Lorsque votre bébé se met à marcher, assurez-vous que son environnement est sécurisé.

- Faites attention aux obstacles qui pourraient faire trébucher votre enfant alors qu'il concentre tous ses efforts sur le fait de garder l'équilibre et de rester debout.
- Placez des barrières de sécurité en haut et en bas de l'escalier.
- Installez des garde-corps et des verrous aux fenêtres.
- Sécurisez ou retirez les meubles instables ou susceptibles de tomber si votre bébé s'y rattrape pour retrouver l'équilibre.
- Pensez à protéger les angles saillants et le bord des meubles (à commencer par les tables).
- Gardez vos tiroirs fermés, car votre bébé peut se servir d'un tiroir ouvert pour grimper.
- Sécurisez les surfaces chaudes, comme les radiateurs et installez un pare-feu si vous avez une cheminée.
- Fermez toujours l'abattant de la cuvette de la toilette ; retenez-le avec un clip pour éviter que votre bébé le soulève.
- Tournez le manche des casseroles vers l'intérieur.
- Mettez les câbles des appareils électriques hors de portée de votre enfant.

33 semaines

DES ÉTUDES MONTRENT QUE LES BÉBÉS QUI FONT BEAUCOUP DE GESTES ONT UN VOCABULAIRE PLUS LARGE

La capacité d'expression de votre bébé ne cesse de s'améliorer : il fait davantage de gestes et ses babillages sont plus élaborés. S'il mange désormais différents types de purées, vous pouvez lui donner des textures plus grossières et des aliments à manger avec les doigts.

Le fait maison : le meilleur ?

Alterner entre cuisine maison et petits pots permet à votre bébé de découvrir un large éventail de saveurs et vous fait gagner du temps.

Vous voulez ce qu'il y a de mieux pour votre bébé, en particulier en ce qui concerne son alimentation. Beaucoup de parents pensent que leur enfant ne doit manger que du fait maison et culpabilisent lorsqu'ils lui donnent un produit pour bébés acheté dans le commerce. Or, même si les petits plats nutritifs et sains que vous préparez sont parfaitement adaptés, il ne fait aucun doute que de gros progrès ont été réalisés dans le domaine des aliments tout prêts pour bébés. Sans sel, sans sucre et sans additifs, les produits disponibles aujourd'hui sont nutritifs et appétissants. En alternant cuisine maison et petits pots vous proposerez à votre enfant une gamme de saveurs plus large, sans oublier qu'il est pratique d'avoir toujours sous la main des aliments tout prêts lorsque vous sortez ou manquez de temps pour cuisiner. Un panachage de plats maison et d'aliments achetés dans le commerce assure à votre bébé une alimentation variée et équilibrée.

La réglementation très stricte en matière de contenu nutritionnel des aliments pour bébés vendus dans le commerce est aussi un paramètre rassurant. Conservateurs, arômes et colorants sont désormais interdits. La teneur en protéines, graisses, calories, vitamines et minéraux est également rigoureusement réglementée. Les fabricants ont à cœur de proposer des produits qui correspondent à ce que veulent les parents : des versions pratiques toutes prêtes des plats qu'ils cuisinent chez eux ; une attente satisfaite grâce à l'innovation continue et à la concurrence sur ce marché.

Outre les petits pots, assurez-vous que les autres produits que vous achetez pour votre bébé sont adaptés à ses besoins. Les céréales infantiles, par exemple, sont enrichies en vitamines et en minéraux et elles ne contiennent ni sel, ni sucre. Optez également pour des yogourts « spécial bébé » : au lait à 3,25 % ou maternisé, sans édulcorants, colorants ni autre additif. Par ailleurs, ils sont souvent conditionnés dans des pots plus petits, spécialement adaptés à l'appétit des bébés.

Valeur nutritive La fabrication de certains aliments pour bébés nécessite un passage à haute température afin de pouvoir les conserver à température ambiante. Ceci a pour inconvénient de détruire un certain nombre de vitamines, rajoutées par la suite. Les aliments surgelés, eux, sont soumis à de très basses températures pendant quelques secondes seulement, ce qui permet de préserver la plupart des vitamines. Lorsque vous préparez les repas de votre bébé, choisissez les ingrédients les plus frais possible et faites cuire les légumes à la vapeur afin que vos purées soient riches en nutriments.

Enfin, les plats faits maison ont un goût différent de ceux achetés dans le commerce, il est donc important que les produits industriels ne constituent pas l'essentiel de l'alimentation de votre bébé, et qu'il s'habitue aux saveurs et aux textures des petits plats faits maison !

L'AVIS... DU NUTRITIONNISTE

Entre plats faits maison et petits pots, quel est le plus économique ? Les aliments pour bébés vendus dans le commerce sont relativement chers. En cuisinant vous-même, vous pouvez préparer plusieurs repas à partir de quelques ingrédients et faire des portions à congeler. Vous avez aussi la possibilité de prélever pour votre bébé un peu des plats que vous préparez pour vous (avant assaisonnement) et de les mixer à la consistance voulue. Même si les petits pots sont très pratiques et suffisamment nutritifs, la différence de prix justifie aussi d'alterner avec du fait maison.

AIDE-MÉMOIRE

Les aliments pour bébés vendus dans le commerce

- Si vous sortez, ayez toujours sur vous des petits pots pour bébés qui peuvent être conservés à température ambiante et que vous pourrez faire réchauffer dans les restaurants. (Voir aussi p. 267 pour des idées de collations saines à emporter.)
- Si vous achetez ce type de produit, veillez à ce que votre nourrisson ne reste pas aux purées fluides trop longtemps. Faites en sorte que la texture et le goût de vos petits plats faits maison évoluent avec celles des aliments tout prêts que vous lui donnez parfois.
- Si votre régime alimentaire est restreint, par choix ou en raison d'une intolérance, ces produits permettent à votre bébé de découvrir des aliments que vous n'avez pas l'habitude de manger. Essayez néanmoins de cuisiner pour lui afin qu'il apprenne à aimer le fait maison.

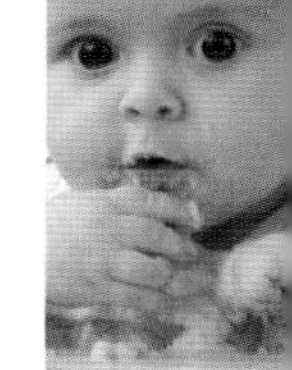

VOTRE BÉBÉ A 33 SEMAINES ET 1 JOUR

Papa ou maman miniature ?

La personnalité de votre bébé commence à s'affirmer : certains traits de caractère peuvent vous sembler familiers… et d'autres uniques.

Votre bébé est une personne à part entière, avec ses préférences, ses aversions et ses particularités. Si elles ne correspondent pas aux vôtres, vous devez les accepter et lui laisser de l'espace pour évoluer à son rythme. Il est facile de voir en votre bébé un « minivous », mais ne soyez ni surprise ni frustrée s'il ne se comporte pas comme vous l'attendiez. S'il est extraverti et adore être entouré de monde et attirer l'attention alors que votre conjoint et vous-même êtes plutôt réservés, multipliez les occasions de rencontrer des gens. De même, s'il est timide et que vous êtes plutôt ouverts, ne le forcez pas dans des situations qui pourraient l'angoisser. Laissez-le jouer sur vos genoux pendant que vous discutez, il finira par s'ennuyer et s'intéresser à ce qui se passe autour de lui, à son rythme.

Si vous êtes assez « cool » et avez tendance à vous laisser porter par la vague, cela ne conviendra pas forcément à votre bébé qui, lui, peut adorer la routine. En tant que parents, vous devez organiser sa journée afin qu'il se sente à l'aise et en sécurité même si vous n'aimez pas le « train-train » dans votre quotidien.

Sa propre personnalité Votre rôle est de soutenir et de respecter la personnalité de votre bébé.

VOTRE BÉBÉ A 33 SEMAINES ET 2 JOURS

Prendre soin de ses cheveux

Votre bébé devient plus actif et se salit beaucoup au cours des repas : il devient essentiel de prendre régulièrement soin de ses cheveux !

Si votre bébé a beaucoup de cheveux, le temps de la première coupe est peut-être venu. Allez-y en douceur et, si vous la faites vous-même, soyez très vigilante ; peignez-le d'abord et veillez à ce que les cheveux coupés ne lui tombent pas dans les oreilles ou dans les yeux.

Il est inutile de laver les cheveux de votre nourrisson tous les jours : deux shampoings par semaine suffisent. Si, après les repas, vous y voyez quelques restes de nourriture, essuyez-les avec une éponge humide. Lorsque vous lui lavez les cheveux, démêlez doucement les nœuds avec un peigne fin. Commencez par la pointe et remontez vers la racine pour éviter de tirer dessus. Choisissez un shampoing pour bébé au pH équilibré (entre 4,5 et 6) sans paraben, sans sulfate et sans parfum (pour éviter qu'il pique les yeux). Si votre enfant est très frisé, imprégnez ses cheveux de démêlant puis peignez-les pour les rendre souples et légers. Éliminez le produit avec une éponge imbibée d'eau.

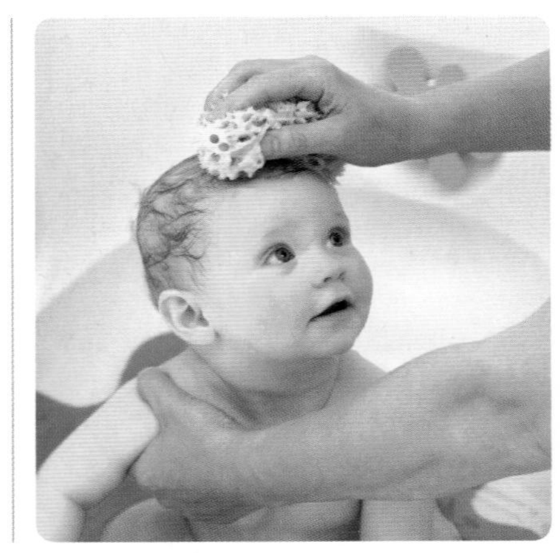

Soins des cheveux Utilisez une éponge ou une débarbouillette humide pour rincer le shampoing et éviter que la mousse coule dans ses yeux.

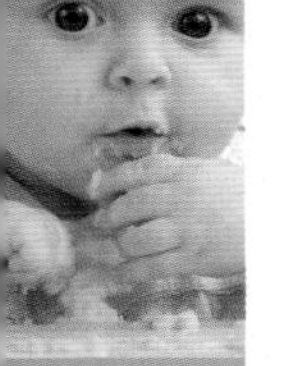

Sons en tous genres

Votre bébé entend régulièrement les mêmes mots qui commencent à lui être familiers, ce qui l'incite à babiller encore davantage.

Bébé bruyant Les jouets sonores peuvent l'aider à développer son langage. « Comment fait le train ? Tchou tchou ! » **Où est la balle ?** N'hésitez pas à commenter ses jeux.

Bien que les babillages ne semblent pas avoir de sens, des études montrent que la façon dont les bébés articulent est calquée sur celle dont nous parlons, chez le droitier. Le côté droit du corps étant contrôlé par l'hémisphère gauche du cerveau, qui est aussi le siège de la compréhension et du langage, il a été démontré qu'il régit également le babillage, confirmant ainsi qu'il s'agit d'une étape importante du développement du langage. Les psychologues pensent que les bébés commencent à donner du sens à leur discours dès 8 à 10 mois, mais nous ne reconnaissons pas les mots !

Même si la plupart des nourrissons ne prononcent leur premier mot compréhensible qu'entre 9 et 12 mois, ce sont de véritables éponges qui s'imprègnent des sons. Votre enfant observe votre bouche lorsque vous parlez : discutez donc avec lui face à face ou jouez à des jeux qui impliquent des sons pour favoriser le développement de son langage. Dans les livres, montrez-lui la vache en lui disant « Que fait la vache ? Elle fait meuh ! ». Même s'il ne répète pas le son, il se peut qu'il reproduise la forme de votre bouche.

Nommer les personnes et les objets en permanence, y compris appeler votre enfant par son prénom l'aidera à reconnaître les noms. Même si les bébés n'identifient généralement leur prénom que vers 9 mois, de nombreux éléments indiquent qu'avant cet âge, ils comprennent que les mots sont associés à des concepts. Un bébé ne comprend pas le mot en lui-même mais intègre rapidement le sens de l'intonation et ce que cela veut dire.

Si, à ce stade, votre nourrisson ne babille pas encore ou ne réagit pas à des bruits forts ou à quelqu'un qui l'appelle hors de son champ de vision, consultez un médecin qui vérifiera son audition.

ACTIVITÉ D'ÉVEIL

Chansons et langage

Des études suggèrent que les bébés à qui l'on chante souvent des chansons apprennent à parler plus vite. Chanter implique d'articuler les syllabes en les séparant bien pour les prononcer plus facilement. Chez les jeunes bébés, écouter des chansons accroît la capacité de concentration. Si de nombreux ateliers de chant sont proposés aux parents et à leurs nourrissons, vous pouvez vous contenter de chanter à la maison. Peu importe à votre enfant si vous chantez faux : il adorera être dans vos bras pendant que vous vous balancez en rythme. Chantez-lui des berceuses ou optez pour des comptines à gestes afin de le faire participer. N'hésitez pas non plus à lui jouer des morceaux que vous aimez : votre bébé sera attentif et prendra du plaisir à vous entendre chanter dessus.

En chansons Chanter avec votre bébé favorise l'acquisition du langage et l'encourage à aimer la musique.

GROS PLAN SUR...

Le sevrage

Nombreuses sont les mamans qui donnent le sein pendant toute la première année... et au-delà. Toutefois, si le temps est venu pour vous d'arrêter, allez-y en douceur en éliminant une tétée à la fois.

L'AVIS... DU NUTRITIONNISTE

Il y a des antécédents d'allergies dans notre famille. Dois-je sevrer mon bébé avec une préparation à base de soya ou du lait de chèvre plutôt qu'avec un lait maternisé à base de lait de vache? Si vous craignez que votre enfant déclare une allergie aux protéines de lait de vache, parlez-en avec votre médecin avant de décider de le sevrer. Il sera à même de vous exposer de façon impartiale les avantages et les inconvénients des différents laits maternisés. Il peut aussi vous conseiller de ne faire aucune supposition avant d'avoir commencé le sevrage.

Le lait de chèvre contient également des protéines auxquelles votre enfant peut réagir : il ne constitue donc pas une bonne solution de rechange. Mais surtout, il est déconseillé chez les bébés car, par le passé, des problèmes d'hygiène ont été constatés lors de sa production et sa teneur en protéines est trop concentrée.

Le soya peut être préconisé comme alternative chez les nourrissons allergiques aux protéines du lait de vache. Toutefois, ils sont souvent susceptibles de réagir aussi aux préparations à base de soya. Si, lors du sevrage, vous remarquez que votre bébé fait une éruption cutanée ou a mal à l'estomac, parlez-en à votre médecin qui lui prescrira du lait hydrolysé dont les protéines sont brisées afin d'être mieux tolérées.

Certains bébés se désintéressent naturellement du sein, préférant prendre leur lait dans un biberon ou une tasse d'apprentissage, car ils trouvent cela plus facile. Si le lait maternisé convient à votre enfant, cela vous permettra de le sevrer assez facilement. D'autres continuent d'apprécier le confort de la tétée au sein bien après l'épuisement des réserves de lait de leur maman, auquel cas le sevrage peut alors être difficile.

Vous seule pouvez décider combien de temps allaiter, en fonction de vos besoins et de ceux de votre bébé. L'envie de permettre à vos proches de nourrir votre enfant ou la reprise du travail font partie des principales raisons qui poussent les mamans à réduire l'allaitement maternel ou à y mettre fin. Elles ont alors plusieurs solutions : tirer leur lait, opter pour un allaitement mixte (lait maternel et maternisé) ou arrêter définitivement. Quel qu'en soit le motif, les tétées doivent être diminuées progressivement, les unes après les autres, pour permettre une transition en douceur sur le plan émotionnel pour le bébé et physique pour la mère.

Pour un sevrage réussi, il est nécessaire d'anticiper et de prévoir judicieusement la suppression de chaque tétée. Évitez les moments où votre bébé est perturbé, car modifier ses tétées pourrait alors accroître son malaise.

Le lait reste la principale source d'alimentation de votre enfant au cours de sa première année, et assure l'essentiel de ses principaux apports caloriques. Avec le début de la diversification, il prend moins

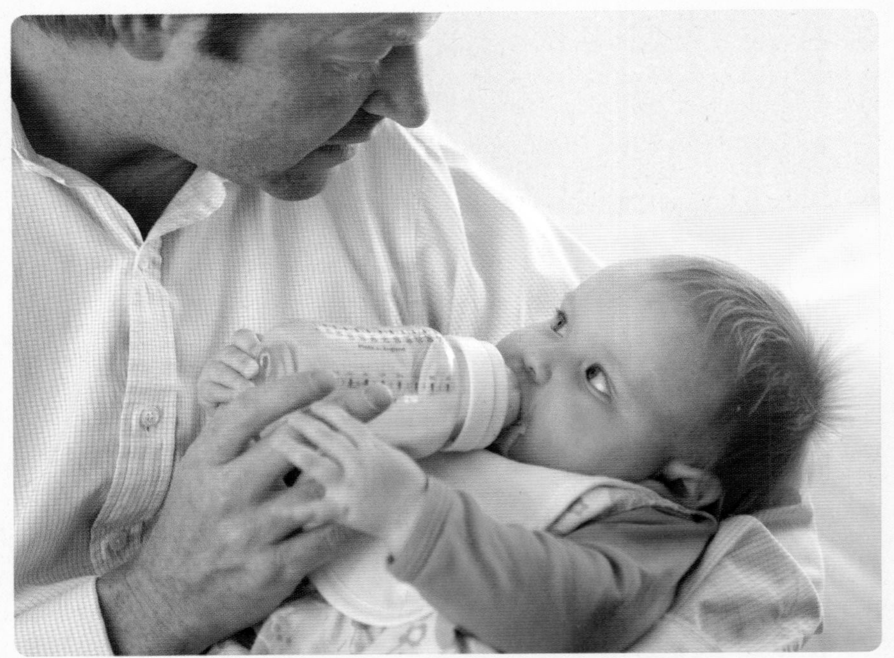

Du sein au biberon Donner à votre bébé du lait maternisé permet à son papa et à votre entourage de s'occuper un peu plus de lui, ce qui renforce les liens entre eux.

de lait et peu à peu les aliments solides remplacent certaines tétées. Le sevrage implique donc de remplacer le lait maternel par du lait maternisé (et non du lait de vache) durant la première année.

Vous pouvez commencer à remplacer les tétées, les unes après les autres, par du lait maternisé que vous lui donnerez dans un biberon ou une tasse d'apprentissage. Bien qu'il n'y ait pas de règle en la matière, il est recommandé de n'éliminer qu'une seule tétée par semaine, ou du moins de respecter un délai de 4 à 5 jours pour permettre à votre bébé et à vos seins de s'adapter. Remplacez d'abord celles qui interviennent à des moments où il n'est pas trop affamé, par exemple au goûter.

Beaucoup de mamans préfèrent conserver la tétée du soir aussi longtemps que possible. Composante très appréciée du rituel du coucher, c'est un excellent moyen d'apaiser leur bébé avant de le mettre au lit. Votre enfant peut aussi avoir plus de mal à abandonner cette tétée-là, en particulier si vous êtes au travail toute la journée. Il n'y a aucune raison de ne pas continuer à lui faire prendre le sein 1 ou 2 fois par jour tant que cela vous convient à tous les deux.

Si votre bébé résiste Si votre enfant a du mal à abandonner le sein, demandez à votre conjoint ou à une amie de lui donner du lait maternisé dans un biberon afin de moins le perturber, et ne pas être tentée de céder. Si c'est vous qui lui donnez le biberon, il risque davantage de protester et de réclamer le sein à la place. Essayez de modifier légèrement votre rituel pour qu'il ne se rende pas compte qu'il n'a pas eu sa tétée du soir. Distrayez-le en lui lisant une histoire à un endroit différent de celui où vous le faites téter habituellement, ou proposez-lui un biberon de lait maternisé avant de commencer le livre. Vous pouvez aussi demander à son papa ou à sa mamie de le mettre au lit.

Tenez votre bébé à l'écart de vos seins et ne vous changez pas devant lui. Non seulement leur vision pourrait lui rappeler qu'une petite tétée lui ferait plaisir, mais il risque aussi de « sentir » votre lait.

Pour l'attirer vers le biberon ou la tasse d'apprentissage, vous pouvez commencer par tirer votre lait pour que le goût lui soit familier.

Gérer l'inconfort Une transition en douceur empêchera les fuites ou l'engorgement de vos seins, qui pourront mettre une semaine à s'adapter à la suppression d'une tétée. S'ils sont douloureux, appliquez une débarbouillette froide dessus pour vous soulager et portez un soutien-gorge bien emboîtant. Si vous sentez qu'ils sont trop pleins et que le lait en excès ne s'écoule pas naturellement (sous la douche), vous pouvez en tirer une petite quantité aux heures des tétées pour les vider un peu sans stimuler la production. Si cela ne marche pas et que vous avez de la fièvre ou craignez une mastite (voir p. 59), consultez votre médecin.

Le sevrage peut être difficile pour vous comme pour votre bébé, mais soyez assurée qu'il ne se laissera pas dépérir et sera heureux tant que vous lui apporterez réconfort et affection.

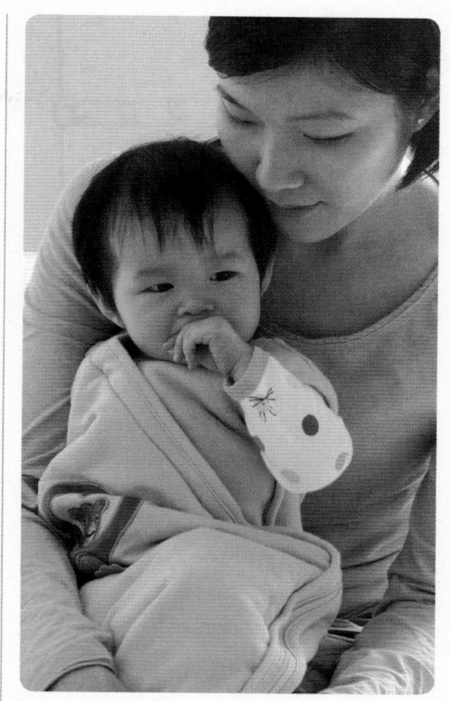

Câlin du soir Continuez à lui faire un câlin avant le coucher pour continuer à vous sentir physiquement proches l'un de l'autre.

L'AVIS... DU SPÉCIALISTE DE L'ALLAITEMENT

Mes amies sont en train de sevrer leur bébé, mais moi je veux continuer à allaiter. Est-ce une bonne idée ? Il n'y a pas de raison de ne pas continuer à allaiter tant que votre bébé et vous-même y prenez du plaisir. Cela peut durer toute sa première année ou bien au-delà. De nombreuses études suggèrent que les anticorps présents dans le lait maternel aident les tout-petits à résister aux infections jusque dans la petite enfance. Il contient également des protéines, des acides gras essentiels, des vitamines et des minéraux qui viennent compléter une alimentation variée et équilibrée. L'allaitement maternel présente également des bénéfices pour la santé de la mère : par exemple, il a été démontré que l'allaitement prolongé diminue le risque de développer certains cancers.

Si vous craignez que la reprise du travail implique nécessairement de sevrer votre enfant, sachez qu'avec un peu d'organisation, il est possible de continuer d'allaiter en travaillant (voir p. 179). Vous pouvez tirer et congeler votre lait pour que votre bébé puisse le boire pendant votre absence ; voyant que vous continuez à lui donner votre lait, il se sentira rassuré. Bon nombre de mamans de retour dans la vie active ne conservent que la tétée du soir pour garder le plaisir de ce lien rassurant en fin de journée.

Il est important de vous concentrer sur ce qu'il y a de mieux pour votre bébé comme pour vous, et de ne pas vous laisser influencer par ce que disent ou font les autres. Avec le recul, vous aurez peut-être l'impression que le temps file à toute allure, alors suivez votre instinct et appréciez aussi longtemps que vous le voulez ce lien spécial avec votre bébé. (Pour en savoir plus sur l'allaitement prolongé, voir p. 361.)

VOTRE BÉBÉ A 33 SEMAINES ET 4 JOURS

Encourager une conduite

Inculquer des règles de comportement à votre bébé dès maintenant l'aidera à devenir un enfant gentil et serviable.

QUAND VOTRE BÉBÉ EST FRUSTRÉ

À mesure qu'il grandit, votre enfant prend conscience de ses besoins, mais sa capacité à les satisfaire est encore limitée... et il n'a aucune notion de patience ! Même si vous ne pouvez pas aller voir ce qui se passe immédiatement, répondez à ses babillages et à ses pleurs en lui parlant et en lui demandant ce qui se passe : « Tu as faim ? » ou « Tu es fatigué ? ». Savoir que vous faites attention à lui l'aidera à se calmer.

Votre bébé est extrêmement curieux, ce qui implique qu'il fait parfois des choses qu'il ne devrait pas. Bien qu'il ne sache pas encore ce qu'est le bien et le mal, vous pouvez commencer à poser certaines limites, qui contribueront plus tard à ce qu'il se comporte correctement. Par ailleurs, il teste vos réactions : faites donc preuve d'enthousiasme pour encourager un comportement que vous approuvez et restez muette lorsqu'il fait quelque chose de répréhensible ! S'il vous tend un jouet ou vous offre de goûter à son plat, félicitez-le. De même, s'il vous laisse le changer et l'habiller sans s'énerver, récompensez-le d'un « Bravo » et d'un gros câlin !

À cet âge, si un bébé blesse quelqu'un ou fait une bêtise, ce n'est pas volontaire. Il est donc important de réagir de façon appropriée à un comportement inadapté. Il est ainsi tout à fait normal qu'un nourrisson prenne un jouet des mains d'un autre bambin. Réprimandez-le gentiment, les yeux dans les yeux, en lui tenant les mains et en lui disant « Non, tu ne dois pas prendre des mains. » : cela suffit à poser des limites. S'il recommence, éloignez-le en douceur pour qu'il comprenne que ce qu'il a fait n'est pas bien.

VOTRE BÉBÉ A 33 SEMAINES ET 5 JOURS

Du temps pour soi

Maintenant que votre bébé et vous-même avez adopté une certaine routine, vous avez peut-être envie de vous offrir de petites pauses.

Vous occuper de votre bébé et toujours veiller à l'amuser, le stimuler et le rendre heureux laisse peu de temps à la détente. Néanmoins, à présent, vous avez probablement mis en place une sorte de routine qui peut vous permettre de vous réserver quelques moments rien que pour vous.

Au lieu de vous ronger les sangs à l'idée de savoir comment va se comporter votre bébé en votre absence, dites-vous que prendre régulièrement du temps pour vous vous permet de recharger vos batteries et garder un équilibre entre vie personnelle et familiale, ce qui vous aide aussi à assumer votre rôle de mère avec sérénité.

Ne vous mettez pas la pression et confiez votre enfant à votre compagnon ou à ses grands-parents pendant environ une heure. Idéalement, inscrivez-vous à un cours hebdomadaire afin de vous obliger à sortir. Vous pouvez également sortir une demi-heure pour lire le journal au café du coin, aller nager ou juste bouquiner : autant d'activités qui vous offriront une pause agréable et revigorante. Votre bébé sera entre de bonnes mains, et vous, vous serez une maman plus détendue et plus épanouie.

Rien que pour vous Octroyez-vous un peu de temps : suivez un cours de yoga, allez courir ou prenez un bain. Vous le méritez !

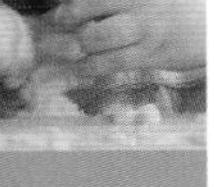

Votre cycle menstruel

Si vous avez récemment sevré votre bébé, vos règles sont peut-être revenues, et avec elles, de manière certaine, votre fertilité.

Tous les changements hormonaux qui s'opèrent dans votre corps au cours de la grossesse et de l'allaitement peuvent avoir une influence sur votre organisme.

Il est possible que les symptômes liés au syndrome prémenstruel (SPM) vous paraissent moins pénibles qu'avant votre grossesse, ou au contraire plus intenses. Si vous aviez des cycles réguliers, ils peuvent désormais être complètement anarchiques, et inversement. Si vous trouvez que vos règles sont plus abondantes ou plus douloureuses à présent, consultez votre médecin, qui pourra rechercher une cause sous-jacente, s'assurer qu'il n'y a pas d'anémie et vous indiquer comment soulager la douleur ou réduire les saignements.

Vous allaitez toujours Chez une femme qui allaite exclusivement, les règles ne reprennent habituellement pas, surtout les trois premiers mois. Si vos règles sont revenues et que vous donnez toujours le sein alors que votre bébé a commencé la diversification et prend donc moins de lait, vous remarquerez peut-être que vos cycles sont un peu imprévisibles. Il est possible que vous n'ayez pas vos règles pendant 1 mois ou 2, ou parfois seulement quelques gouttes de sang à la date présumée de vos menstruations.

Si vous avez généralement mal aux seins les quelques jours qui précèdent vos règles, il est possible que l'allaitement soit douloureux. Bien que ce soit plus facile à dire qu'à faire, essayez de vous détendre lors des tétées, car les tensions augmentent la gêne. Pour vous soulager, placez une débarbouillette tiède sur le côté du sein que tète votre bébé et massez-le vers le bas pour favoriser l'écoulement du lait. Si rien ne marche, prenez un antalgique léger, comme de l'acétaminophène.

Fin de l'allaitement Passés les 6 mois de votre bébé, dès que vous réduisez le nombre de tétées ou que débute la diversification, vous êtes de nouveau exposée de façon certaine à une éventuelle grossesse. L'ovulation ayant lieu avant le retour des règles, elle rend donc une grossesse possible. Vous pouvez discuter des différents moyens de contraception disponibles avec votre médecin. La pilule œstroprogestative (combinée) n'est pas recommandée si vous allaitez toujours, car elle peut interférer avec la production de lait. Votre médecin vous suggérera une pilule progestative minidosée, un implant sous-cutané progestatif ou un dispositif intra-utérin (stérilet hormonal ou en cuivre).

ENVISAGER LE FUTUR

Même si vos règles ne sont pas encore revenues, une grossesse est de nouveau possible. Vous avez peut-être décidé de mettre en route un second bébé tout de suite, par exemple si vous avez mis du temps à avoir le premier, mais pensez aussi qu'avoir deux enfants de moins de 2 ans peut être épuisant. De même, prendre un nourrisson dans ses bras en étant enceinte n'est pas facile. Cette fois, vous ne pourrez pas dormir autant que vous le voulez, et vous aurez du mal à concilier vos besoins de femme enceinte et ceux d'un jeune bébé. Il est possible que votre troisième trimestre soit épuisant et tombe juste au moment ou votre bambin commence à courir et à grimper partout ! Si vous avez des difficultés à gérer maintenant, il peut être judicieux d'attendre que votre bébé soit un peu plus grand et indépendant.

Ceci étant dit, une famille qui s'agrandit est un grand bonheur et votre enfant retirera certainement beaucoup d'une relation aimante avec un petit frère ou une petite sœur. S'ils sont d'âges rapprochés, ils partageront sans doute les mêmes activités lorsqu'ils seront plus grands, et vous connaîtrez la formidable expérience de la petite enfance en tir groupé, au lieu de vous replonger dans les couches quelques années plus tard.

Agrandir la famille Réfléchissez au meilleur moment pour faire un autre bébé.

34 semaines

LA PLUPART DES BÉBÉS SE HISSENT DEBOUT ENTRE 8 ET 10 MOIS

La personnalité de votre bébé se développe : ainsi, il commence à savoir ce qu'il aime et n'aime pas… et n'hésite pas à vous le faire savoir ! Cette nouvelle prise de conscience s'accompagne cependant d'une plus grande anxiété lorsque vous le laissez.

Prendre de la hauteur

Lorsque votre bébé commence à crapahuter, procédez à des changements dans votre intérieur. Tout doit passer en hauteur !

Dès que votre enfant sait se mettre debout, vers 8 mois, il découvre également qu'il peut se servir de cette nouvelle technique pour grimper, et commence souvent par l'escalier ! Monter l'escalier sollicite aussi bien le cerveau que les muscles et marque donc une étape importante du développement. Le cerveau doit coordonner les mouvements pour synchroniser les mains, les jambes et les pieds afin de stabiliser le poids du corps à chaque marche. Pour avoir l'impulsion nécessaire, votre nourrisson doit conjuguer les efforts du bras et de la jambe opposée, en alternant avec l'autre bras et l'autre jambe pour pouvoir progresser. Grimper exige donc une maîtrise assez sophistiquée des membres et une force musculaire considérable.

Les bébés ne prennent conscience du danger que parce que nous les en avertissons, et bien que monter l'escalier soit potentiellement risqué, cette activité peut développer la confiance de votre enfant à condition d'être pratiquée sous étroite surveillance. Certains enfants se mettent à pleurer quand, arrivés à destination, ils se retournent et voient la hauteur qu'ils ont gravie ; d'autres s'arrêtent à mi-chemin, pétrifiés et d'autres encore sont prêts à recommencer une fois arrivés en haut !

Laissez votre bébé s'aventurer dans l'escalier, en restant bien derrière lui. Il sera pris d'un élan de confiance, en particulier si vous le félicitez à chaque effort.

Sécurité Ne laissez jamais votre bébé sans surveillance dans l'escalier. Si gravir les marches est une aventure assez peu risquée en elle-même, une main ou un genou qui glisse peut entraîner une chute.

Grimpette Il est très tentant pour votre bébé de se servir des meubles comme d'une paroi d'escalade.

De plus, descendre l'escalier demande des compétences totalement différentes et, à cet âge, il est important d'apprendre à votre bébé à redescendre de la façon la plus sûre possible. La meilleure technique est à reculons, ventre contre les marches et pieds en premier : la progression se fait alors par gravité, réduisant ainsi les risques de chute en avant, ce qui n'est pas le cas si votre bébé se met sur les fesses.

Installez des barrières de sécurité en bas et en haut de l'escalier pour que votre enfant ne puisse pas y accéder sans vous. Si les barreaux du garde-corps sont très espacés, investissez dans un filet de protection pour les sécuriser.

L'AVIS... DE L'INFIRMIÈRE

Ma maison n'est pas adaptée pour permettre à mon bébé de grimper en toute sécurité. Comment puis-je l'encourager à pratiquer cette activité sans risque ? Il vous suffit d'amener régulièrement votre enfant dans un parc de jeu intérieur. La plupart de ces centres mettent à disposition des zones sécurisées réservées aux tout-petits, dotées d'équipements de petite taille adaptés aux bébés et de matelas en mousse pour amortir les chutes.

En observant les autres, votre enfant apprendra à monter et descendre, puis il appréciera l'interaction du jeu. Toutefois, il voudra aussi exercer ses talents de grimpeur à la maison, donc si votre intérieur n'est pas sécurisé vous devrez être extrêmement vigilante.

Lieux d'escalade Votre petit explorateur n'aura pas seulement envie de monter l'escalier. Il voudra grimper, entre autres, sur les canapés, les fauteuils, les tables basses ou sortir de son lit. Essayez de sécuriser autant que possible ces lieux d'escalade. Plaquez le canapé contre le mur pour éviter que votre enfant monte sur le dossier, puis éloignez-le doucement des meubles instables qu'il pourrait renverser s'il les escalade.

S'il essaie de sortir de son lit (en devenant plus souple, il parviendra à passer la jambe de l'autre côté du montant), réglez la hauteur du sommier au niveau le plus bas et retirez tout objet sur lequel il pourrait prendre appui.

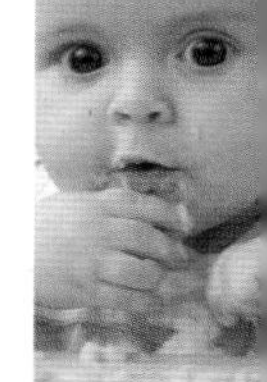

VOTRE BÉBÉ A 34 SEMAINES ET 1 JOUR

Souplesse au quotidien

Une sortie à l'extérieur peut perturber les habitudes de votre bébé, mais lui donner des repères familiers l'aidera à s'adapter.

Les bébés peuvent être rassurés par une certaine prévisibilité et la plupart d'entre eux apprécient la routine quotidienne. Toutefois, routine ne veut pas dire emploi du temps : votre enfant remarque et comprend un enchaînement d'événements et non les aiguilles de la montre !

Si cela vous arrange parfois de décaler sa sieste d'une demi-heure, il n'y a aucun inconvénient à cela, tant que ça ne le rend pas grognon. Il y a peu de chances qu'il s'attende à faire sa sieste avant que vous lui ayez lu une histoire et l'ayez couché dans son lit. Ces éléments faisant partie du rituel qui lui indique qu'il va falloir dormir, il n'opposera pas plus de résistance que si vous l'aviez préparé pour dormir à l'heure habituelle.

Envisager les habitudes de votre bébé comme un enchaînement d'événements vous offre une certaine souplesse quand vous partez en vacances ou sortez spontanément pour la journée. Dans la mesure du possible, faites toujours les mêmes choses, dans le même ordre, par exemple, un temps calme, un bain, une histoire puis une berceuse. Conservez les rituels familiers lorsque vous êtes à l'extérieur : cela donne à votre enfant des repères et lui permet d'anticiper en tout lieu.

BON À SAVOIR

Savoir si un bébé doit toujours suivre le même rythme est un grand débat. Certains spécialistes recommandent une organisation précise avec des repas et des temps de jeu et de repos prévisibles. Définissez votre propre mode de fonctionnement selon vos besoins et ceux de votre enfant. Instaurer une routine ne signifie pas ne plus répondre à ses besoins immédiats lorsqu'il a faim, qu'il est fatigué ou qu'il a besoin d'un câlin.

VOTRE BÉBÉ A 34 SEMAINES ET 2 JOURS

Le temps des questions

Votre bébé commence à comprendre que les objets et les gens ont un nom. Renforcez cet apprentissage par des jeux de questions simples.

Où est le nez de papa? Posez cette question en montrant le nez de son papa : cela l'amusera beaucoup. Bientôt, il le montrera lui-même !

Plus vous lirez d'histoires à votre bébé, lui chanterez de chansons ou discuterez avec lui, plus vite il apprendra que toutes les choses ont un nom. Les livres cartonnés aux couleurs vives et aux illustrations simples peuvent vous aider à lui apprendre le nom des objets. Demandez-lui « Où est la balle ? » et guidez sa main dans sa direction ; dans quelques mois, il vous surprendra en vous la montrant lui-même. Vous remarquerez peut-être même que lorsque vous lui dites « Non », il s'arrête pour écouter.

L'un des meilleurs moyens d'apprendre à un bébé le nom des choses et de lui chanter des chansons. Entonnez « Savez-vous planter les choux ? » en pointant du doigt les différentes parties de votre corps puis proposez-lui un jeu : demandez-lui « Où est le nez de [son prénom] ? », puis touchez-le vous-même en disant « Il est là ! », et prenez-lui la main pour qu'il le touche à son tour. Utilisez la troisième personne car ses compétences langagières ne sont pas encore assez développées pour comprendre les pronoms possessifs (mon, ton, son, sa).

Vous pouvez aussi apprendre à votre bébé à répondre à des requêtes. Demandez-lui quelque chose de simple comme « Donne-moi le livre » en le montrant du doigt, il sera content de vous le confier.

Faire appel à une gardienne

Vous sortez avec votre conjoint et devez confier votre bébé à une gardienne. Mais comment trouver quelqu'un qui vous convienne ?

Apprendre à se connaître Donnez à votre bébé et à sa gardienne l'occasion de faire connaissance avant de les laisser seuls ensemble pour la première fois.

Confier votre bébé à vos proches (famille, amis...) qui passent du temps avec lui semble un choix évident, mais ce n'est pas toujours possible. Alors, à qui faire confiance ?

Si vous avez repris le travail, et que votre enfant est placé à la garderie ou confié à une gardienne, vous pouvez vous tourner vers la personne qui le garde la journée. Dans ce cas, elle le connaît déjà, a l'habitude de calmer et distraire un bébé qui pleure, et sait comment réagir en cas d'urgence. Sinon, des amis peuvent peut-être vous recommander une autre gardienne.

Une agence de gardiennage spécialisée dans le recrutement des intervenants, qui vérifie leurs références et s'assure qu'ils répondent aux besoins des parents, est également une bonne solution. Lorsque vous engagez une gardienne pour la première fois, demandez-lui d'arriver au moins une demi-heure avant de mettre votre enfant au lit afin qu'elle ne lui soit pas totalement étrangère s'il se réveille.

Il existe peut-être aussi dans votre secteur un réseau d'entraide entre parents : renseignez-vous auprès de votre mairie ou de votre CLSC. Si ce n'est pas le cas, vous pouvez créer votre propre réseau de gardiennage avec les anciennes participantes de vos cours prénataux ou d'autres familles que vous connaissez bien.

Autre option classique, la petite voisine, adolescente ou jeune adulte. L'âge minimum légal pour faire du gardiennage étant de 16 ans, prenez donc le temps de juger si elle vous semble suffisamment mature pour s'occuper d'un bébé.

AIDE-MÉMOIRE

Quand vient la gardienne

- Laissez une liste de numéros à contacter en cas d'urgence : votre numéro de cellulaire, le numéro du lieu où vous vous rendez, les coordonnées d'un voisin de confiance et celles de votre médecin.
- Il est très important de lui préciser les allergies ou intolérances de votre bébé (alimentaires, médicamenteuses...).
- Décrivez-lui l'état de santé et l'humeur du jour de votre bambin afin qu'elle y soit préparée.
- Expliquez-lui comment calmer votre enfant ou décrivez-lui le rituel du coucher si elle doit le mettre au lit.
- Montrez-lui les biberons ou les repas prévus en votre absence et comment les réchauffer.
- Donnez-lui des consignes claires sur le fait de répondre ou non au téléphone ou si on sonne à la porte, par exemple si vous attendez une livraison.
- Assurez-vous que votre bébé a tous ses doudous et jouets favoris, et expliquez à votre gardienne à quoi sert chacun d'eux.
- Soyez prête à revenir rapidement si nécessaire, et dites à votre gardienne qu'elle peut vous appeler à tout moment.

VOTRE BÉBÉ A 34 SEMAINES ET 4 JOURS

Laisser parler sa créativité

Il est temps de dévoiler ses talents d'artiste ! Votre bébé adorera cette nouvelle activité qui consiste à s'exprimer graphiquement.

Encourager le côté créatif de votre bébé peut être une façon amusante de l'occuper pendant une petite heure.

Vous pouvez organiser facilement des séances de peinture simple, sans pinceaux ni traits à tracer. Le secret est de bien se préparer. S'il fait bon, installez-vous dehors, dans l'herbe ; sinon, débarrassez un espace au sol ou une table basse, que vous protégerez de journaux ou de vieilles serviettes. Préparez une bassine d'eau et des chiffons pour essuyer immédiatement si besoin.

Vous trouverez des peintures non toxiques et prêtes à l'emploi dans les magasins de jouets, les papeteries ou les grandes surfaces. Vérifiez que celles que vous avez achetées ne tacheront ni les habits ni la peau de votre bébé, et mettez-lui des vêtements peu fragiles !

Posez le papier à plat sur le sol, versez un peu de peinture dans une assiette et exprimez votre créativité. Plongez la main de votre bébé dans la peinture ou laissez-le faire puis aidez-le à l'appuyer sur le papier pour y imprimer ses empreintes. Vous pouvez faire pareil avec ses pieds. (Ce peut aussi être une bonne idée de réessayer lorsqu'il marchera, car il pourra se promener sur la feuille de papier pour imprimer ses traces de pas.)

Ces premières tentatives ne seront probablement que des barbouillages, mais vous devriez obtenir au moins une jolie empreinte de main que vous pourrez encadrer ou coller dans un album. Pensez à tout dater ! C'est une bonne façon de voir son évolution et ses réactions lors de chaque nouvelle expérience.

VOTRE BÉBÉ A 34 SEMAINES ET 5 JOURS

Caprice au coucher

Il est important de bien gérer toute résistance au moment d'aller au lit afin d'éviter que de mauvaises habitudes ne s'installent.

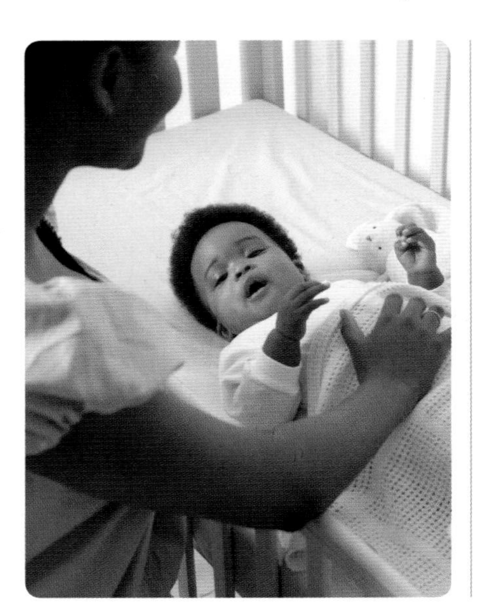

Résistance au coucher En restant ferme au moment d'aller au lit, vous encouragerez votre bébé récalcitrant à se calmer pour la nuit.

Constater que son bébé s'agite soudainement au moment d'aller au lit peut être déstabilisant, en particulier s'il avait l'habitude de se coucher sans problème jusque-là. À cet âge, de nombreux nourrissons entrent dans une phase de résistance au coucher. Votre enfant s'aperçoit que les événements s'enchaînent de façon prévisible et anticipe. Par ailleurs, il réalise de mieux en mieux que dormir signifie être loin de vous. L'angoisse de la séparation (voir p. 246 et ci-contre) est une étape normale du développement, et peut entraîner des pleurs le soir ou qu'il se réveille en ne vous voyant pas à ses côtés. La façon dont vous réagissez maintenant aura une incidence sur ses futures habitudes.

Veillez à ce qu'il ait été suffisamment actif pendant la journée pour être fatigué. Il n'est pas nécessaire de supprimer les siestes, stimulez-le plutôt par des petits tours au square ou dans un parc de jeu. Continuez à suivre le rituel du coucher, en vous assurant que cela reste une expérience agréable : souhaitez bonne nuit aux peluches, lisez une histoire ou chantez une berceuse. Enfin, soyez ferme sur le fait qu'il doit se coucher et ne cédez pas à la tentation de le laisser jouer davantage. Rassurez-le et revenez le voir s'il vous appelle sans le prendre dans vos bras. Il finira par se calmer.

VOTRE BÉBÉ A 34 SEMAINES ET 6 JOURS

L'angoisse de la séparation

L'indépendance grandissante de votre bébé lui rappelle qu'il est un individu unique : il devient alors anxieux quand vous vous éloignez.

À tout à l'heure! Restez calme et enjouée lorsque vous quittez votre bébé, quoi que vous ressentiez au fond de vous.

Vers 8 mois, il y a de fortes chances que votre enfant connaisse l'angoisse de la séparation. Cette étape marque son profond attachement à vous et le fait qu'il reconnaît en vous sa principale source de soins et de protection. En même temps, il intègre le concept de permanence des personnes, réalisant que lorsqu'il ne vous voit pas, c'est que vous n'êtes pas là. Celle qui lui apporte sécurité et attention l'a quitté, et il ne comprend pas qu'elle reviendra. Il exprime alors ce qu'il ressent par une vraie détresse, des pleurs et de la colère.

Rassurez votre bébé Lorsque vous quittez la pièce, ayez une intonation calme et positive et dites à votre enfant que vous allez revenir. Si cette phase coïncide avec votre reprise du travail, essayez, dans un premier temps, de ne le laisser que pour de courtes périodes, afin qu'il comprenne que vous finissez toujours par revenir. Évitez de faire transparaître l'angoisse dans votre voix et soyez patiente : il y a plus de chances qu'il se calme si vous êtes sereine même si vous devez être ferme. Laissez-lui un objet de transition, comme un doudou ou un morceau de tissu avec votre odeur qui le rassurera en votre absence.

Au moment de partir, ne le câlinez pas trop et évitez de lui dire que vous préféreriez ne pas le quitter : à son âge, le message lui paraîtrait confus et le résultat serait le même. Parlez-lui pendant que vous passez le relais à l'autre personne, dites-lui que vous l'aimez et que vous reviendrez bientôt, faites-lui un gros bisou, coucou de la main, adressez-lui un grand sourire et partez. Attendez d'être hors de son champ de vision et loin de ses oreilles pour éclater en sanglots s'il le faut!

Comme beaucoup de choses dans la vie d'un bébé, il ne s'agit que d'une passade (mais qui se prolonge parfois, de façon atténuée, jusqu'à 3 ans). Néanmoins, si vous pensez que votre enfant est vraiment malheureux avec la personne qui le garde, vous pouvez envisager une autre solution. Ayez cependant à l'esprit qu'il est possible que rien n'y fasse. Attendez simplement que ça passe en le laissant prendre confiance en lui pour qu'il apprenne à se séparer de vous plus volontiers. Accompagnez-le sur des aires de jeux pour qu'il s'habitue à être avec d'autres bébés.

ACTIVITÉ D'ÉVEIL

Chatouilles

Si beaucoup de choses ont changé quant aux soins des bébés, les jeux qu'ils aiment sont restés les mêmes. Si certains jeux sont distrayants, d'autres favorisent la coordination des mots et des actions comme « La petite bête qui monte ». Maintenant qu'il sait anticiper, votre bébé se trémousse et pousse des petits cris d'excitation et d'enthousiasme bien avant que la comptine ne se termine en chatouilles! Entonnez « La petite bête qui monte » en faisant remonter vos deux doigts le long de son petit bedon jusqu'au creux de son cou pour lui faire « guili-guili ». Le rire contagieux de votre nourrisson va vous faire adorer ce jeu!

Guili-guili sur son bedon Chatouillez votre bébé sur le ventre pour déclencher des rires en cascade : rigolade garantie!

35 semaines

VERS 8-10 MOIS, LES BÉBÉS COMMENCENT À MONTRER DU DOIGT

Votre bébé commence à maîtriser la pince fine, c'est-à-dire la capacité de saisir quelque chose entre le pouce et l'index, ce qui lui permet de manipuler plus facilement les objets. Offrez-lui l'occasion de s'entraîner en lui donnant des objets de formes et de tailles différentes.

Perdre du poids

Il faut compter au minimum 6 mois pour retrouver son poids d'avant la grossesse. Les derniers kilos sont les plus difficiles à perdre.

Motivez-vous Être active devient rapidement une habitude, mais il faut un minimum de motivation pour s'y mettre.

En étant en forme, vous aurez l'énergie de répondre aux impératifs de la maternité, parfois exigeants sur le plan physique. Si vous êtes en surpoids, perdre vos kilos en trop vous permettra d'avoir une meilleure estime de vous-même. Cependant, il est important que votre régime alimentaire soit riche en vitamines et en minéraux, notamment si vous prévoyez d'avoir un autre enfant. Si vous allaitez encore, ne faites pas de régime sauf si votre médecin vous l'a conseillé.

Soyez active Pour perdre du poids, il est indispensable de bouger. Vous avez peut-être déjà l'impression que votre bébé ne vous laisse pas le temps de souffler, et il ne fait aucun doute que cette constante activité est très bénéfique. Cependant, il peut être nécessaire d'en faire plus pour augmenter votre rythme cardiaque et ainsi brûler des calories. Dès que possible, promenez votre nourrisson en poussette plutôt qu'en auto. Si vous devez vous déplacer à moins d'un kilomètre, allez-y à pied. Si vous marchez d'un bon pas, suffisamment rapide pour augmenter un peu votre rythme cardiaque, vous ferez 1 km en 10 minutes. Sinon, pourquoi ne pas vous inscrire à un cours de remise en forme ? Vous serez surprise de voir à quelle vitesse vous remodèlerez votre corps.

Résistez à la tentation Le grignotage est extrêmement tentant. Maintenant que votre bébé mange des aliments solides, vous risquez de vous rendre compte que vous « picorez » plus que d'habitude. Essayez de résister à la tentation de finir ses restes. Mangez en même temps que lui pour ne pas avoir faim et ainsi ne pas finir son assiette. Si pour des raisons pratiques ceci est impossible, prévoyez une collation équilibrée (voir encadré ci-dessous) et une tasse de thé à prendre pendant son repas. Vous éviterez ainsi de grignoter tout en lui tenant compagnie.

MANGER SAINEMENT

Si vous voulez éliminer les kilos qu'il vous reste de votre grossesse, il est préférable d'éviter le grignotage et les repas pris sur le pouce. Conservez une alimentation équilibrée et limitez les quantités. Vous perdrez ainsi du poids de manière régulière tout en ayant des habitudes alimentaires saines qui vous permettront de stabiliser votre poids et d'éviter ainsi l'effet yo-yo. Voici quelques conseils pratiques pour vous guider.

- **Mangez régulièrement** Faites trois repas par jour, avec chaque fois une portion de légumes et un fruit. Choisissez des aliments qui vous donnent de l'énergie. La sensation de satiété durera plus longtemps et vous ne serez pas tentée de grignoter entre les repas. Le matin, prenez du muesli et des toasts au blé complet avec un fruit frais. Au dîner et au souper, optez pour des céréales complètes, une viande maigre ou du poisson et idéalement deux portions de légumes.
- **Préférez les produits laitiers allégés** Les graisses contiennent deux fois plus de calories que les sucres et les protéines. Choisissez du lait écrémé, de la margarine, des yogourts et du fromage allégés et mesurez les quantités d'huile, de mayonnaise et de vinaigrette avec une cuillère. Ne supprimez pas complètement les produits laitiers qui jouent un rôle essentiel dans l'alimentation. Il a également été démontré que le calcium contribue à la perte de poids.
- **Mangez des protéines** Les protéines retardent la sensation de faim. Consommez-en à chaque repas.
- **Buvez beaucoup d'eau à intervalles réguliers** Ainsi vous resterez hydratée et ne confondrez plus la sensation de faim et de soif.
- **Optez pour des collations santé** Ayez toujours au frais des bâtonnets de carotte, de céleri et de concombre pour une collation rapide et saine.

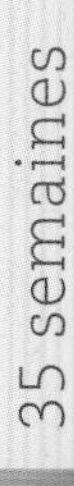

VOTRE BÉBÉ A 35 SEMAINES ET 1 JOUR

Un peu de silence !

Le cerveau de votre bébé n'est pas assez mature pour isoler les sons. Il n'est donc pas capable de se concentrer sur ce qu'il entend.

Les adultes sont capables de faire abstraction des bruits de fond pour écouter quelqu'un parler ou se concentrer sur quelque chose de précis. Mais les bébés n'ont pas à cette capacité et se font rapidement submerger par la cacophonie environnante qui leur fait perdre leur concentration. C'est pourquoi ils sursautent facilement en cas de bruit fort – les sons leur parviennent à pleine puissance et mélangés aux autres bruits qui les entourent.

Garder votre enfant au calme de temps en temps lui permet de se concentrer sur ses activités et de porter toute son attention sur votre voix. Il apprend constamment, mais cet apprentissage peut être perturbé en cas de bruit de fond permanent. Cela ne signifie pas pour autant que votre maison doit être un lieu de silence, mais ayez à l'esprit que la télévision, la radio, une conversation forte ou le robot de cuisine sont autant d'éléments qui gênent votre bébé dans ses activités. Lorsque vous lisez ou jouez avec lui, éteignez la télévision et la musique ou baissez considérablement le son. Essayez de limiter le bruit lorsque votre enfant dort, sans pour autant en arriver à un silence quasi total. En effet, si votre enfant s'endort avec un léger bruit de fond, il sera moins susceptible de se réveiller au moindre bruit.

Si votre bébé essaie de franchir une étape de son développement, donnez-lui du temps et de l'espace pour recommencer. Si la pièce est bruyante et qu'il est constamment distrait par les bruits environnants, il aura beaucoup plus de mal à progresser. En grandissant, votre enfant appréciera les moments de calme et les identifiera comme des périodes de détente et de jeu en votre compagnie.

VOTRE BÉBÉ A 35 SEMAINES ET 2 JOURS

Résoudre un problème

En apprenant à travers le jeu, votre enfant développe des compétences qui lui permettent d'étudier un problème et de trouver la solution.

Penser et jouer Les jeux qui consistent à trier des formes améliorent la capacité de votre bébé à résoudre des problèmes quand il essaie de mettre les formes dans le trou qui convient.

À partir de 8 mois, les fonctions cognitives ont suffisamment évolué pour que les bébés comprennent le rapport de cause à effet (« si je veux boire, je dois incliner ma tasse ») et constatent qu'un problème a parfois plusieurs solutions.

Pour favoriser le développement de ces compétences essentielles, il vous suffit de laisser jouer votre enfant avec des jouets qui nécessitent de déplacer des objets ou d'appuyer sur un bouton pour voir ce qui se passe. Trier des cubes (que vous pouvez empiler pour qu'il les fasse tomber), s'amuser avec différentes boîtes à formes ou avec des jeux dont il faut enlever ou mettre le couvercle (pour découvrir ou cacher ce qui se trouve à l'intérieur), sont autant d'activités qui développent ses aptitudes à résoudre les problèmes.

Observez votre bébé utiliser son ingéniosité pour atteindre un jouet qui n'est pas à portée de main (il peut marcher à quatre pattes jusqu'au jouet ou se manifester bruyamment jusqu'à ce que vous lui donniez). À partir de 9 mois, il est capable de désigner l'objet qu'il convoite. Tout cela témoigne du développement de ses fonctions cognitives. Encouragez votre enfant et félicitez-le pour les efforts accomplis.

Votre bébé et la télévision

Votre enfant peut-il regarder un peu la télévision ? Voici quelques arguments pour et contre cette activité.

Mettre un dessin animé pour occuper un bébé grognon ou pour l'amuser un moment pendant que vous vous concentrez sur autre chose peut sembler une excellente idée. Cependant, les conséquences néfastes ou bénéfiques de la télévision sur le développement de l'enfant font débat depuis longtemps.

Les informations disponibles sont parfois contradictoires : certains DVD ou programmes affirment être éducatifs et favoriser le développement alors que des études montrent que regarder la télévision gêne l'évolution du langage et perturbe la capacité de l'enfant à se concentrer.

Qui a raison? À l'heure actuelle, les résultats des recherches sur les effets de la télévision sur le développement de l'enfant sont peu concluants. Cependant, plusieurs études ont fait apparaître un lien possible entre une exposition à la télévision dès le plus jeune âge et une augmentation de la prévalence des troubles de l'attention tels que le trouble du déficit de l'attention avec hyperactivité (TDAH) et plus tard, l'obésité. Tout cela relève fortement de spéculations mais il y a peu de doutes sur le fait que le temps passé devant un écran empiète sur le temps de jeu de votre enfant pendant lequel il observe et découvre le monde réel, et peut être stimulé par des jeux physiques, de la lecture ou une activité de création. Ces recherches ont montré que la télévision ne peut apporter autant de valeurs éducatives que le temps passé en votre compagnie. Le langage s'acquiert ainsi plus efficacement lors d'interactions face à face qu'en observant passivement un écran de télévision.

ÊTRE HYDRATÉ

Votre enfant peut être très attaché à son biberon. Plus vous attendrez pour lui proposer une tasse d'apprentissage, plus il sera difficile de lui faire abandonner son biberon. Habituez-le à prendre une tasse d'eau après ou entre les repas. L'estomac de votre bébé est petit, s'il est rempli de liquide au cours des repas, votre enfant mangera moins. Après le dîner, vous pouvez également lui proposer du jus de fruits, dilué à raison d'un volume de jus pour dix volumes d'eau, ou un peu de lait. Le jus de fruits dilué contient de la vitamine C qui aide l'organisme de votre enfant à absorber le fer présent dans la nourriture qu'il ingère. Mais limitez-vous au moment des repas afin de protéger ses dents et ne lui donnez pas de jus de fruits non dilué.

Rester hydraté Boire de l'eau ou du jus de fruits dilué après un repas est essentiel.

Maintenez une interaction Assurez-vous que votre bébé ne reste pas trop longtemps devant la télévision (qu'il regarde tout au plus un dessin animé ou un extrait de DVD), puis éteignez pour l'inciter à prendre un livre ou à jouer.

Interagissez avec votre enfant pendant qu'il est devant le petit écran pour lui apprendre des choses en plus. Désignez les objets et nommez-les au fur et à mesure qu'ils apparaissent à l'écran, répétez les comptines à l'issue du programme pour travailler le rythme sans oublier de faire les gestes qui s'y rattachent. Instaurez des interactions avec votre enfant pour qu'il ne soit pas passif devant l'écran, mais il est préférable que la télévision reste une activité occasionnelle au lieu d'une présence quasi permanente dans la maison.

BON À SAVOIR

Lorsque vous faites l'épicerie, évitez les aliments transformés bon marché susceptibles de contenir des huiles végétales partiellement hydrogénées – les « acides gras trans » –, utilisées afin de prolonger la durée de vie des produits industriels. Depuis qu'elles ont été identifiées comme des facteurs favorisant la survenue du diabète, du cancer et de maladies cardiovasculaires, l'emploi de ces huiles demeure possible mais strictement réglementé par le gouvernement du Canada. Dans tous les cas, prenez le temps de lire soigneusement les étiquettes.

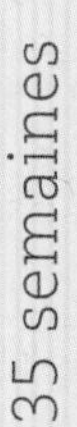

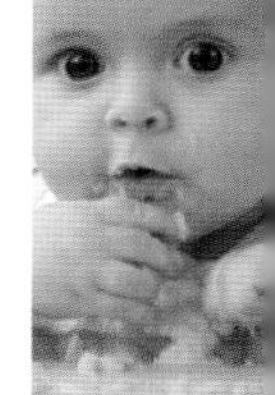

VOTRE BÉBÉ A 35 SEMAINES ET 4 JOURS

Vos réactions sous surveillance

Parfois, lorsque votre bébé fait quelque chose de manière répétitive, il observe attentivement vos réactions.

Lorsqu'il répète des sons, des actions ou des comportements qui vous font sourire, attirent votre attention ou entraînent de votre part des félicitations ou un câlin, votre enfant vous observe attentivement. Mais si vous lui accordez beaucoup d'attention pour quelque chose que vous ne voulez pas qu'il fasse, cela peut l'inciter à recommencer.

Aucun bébé n'est volontairement méchant, il cherche simplement à attirer votre attention. Il ne sait pas que ce n'est pas gentil de taper le chat ou qu'il vous fait mal s'il vous tire les cheveux, mais vous devez lui apprendre que cela n'est pas bien. Lui expliquer calmement que cela ne se fait pas parce que ça fait mal en prenant une expression de douleur peut suffire.

Votre enfant a besoin de beaucoup d'attention, et il est important de lui en accorder lorsqu'il joue tranquillement, qu'il est calme et câlin, vous montre ce dont il est capable, et vous fait découvrir son langage et ses progrès. Lorsque vous devez réagir en étant fâchée, maîtrisez-vous et souvenez-vous que ses actions répréhensibles ne sont pas volontaires ni destinées à vous contrarier. Ignorer un comportement négatif à cet âge n'est pas conseillé car il peut être nécessaire d'empêcher votre bébé de faire quelque chose de potentiellement dangereux pour lui ou pour les autres. Réagissez calmement, en ayant à l'idée de lui apprendre comment être gentil.

Si vous accordez un maximum d'attention à votre enfant lorsqu'il fait des choses bien, il recommencera. Donc s'il caresse gentiment le chat, mange sans en mettre partout ou vous imite en rangeant un jouet après s'en être servi, félicitez-le et applaudissez-le. Vous lui apprendrez ainsi les limites d'un comportement acceptable.

VOTRE BÉBÉ A 35 SEMAINES ET 5 JOURS

Un grand communicant

À 35 semaines, votre bébé a soif d'apprendre. Expliquez-lui les choses et répondez à ses sollicitations pour favoriser son développement.

Faire des commentaires Expliquez à votre bébé ce que vous faites dans la maison et ce qui est prévu pour lui dans son quotidien.

Parlez à votre nourrisson pour décrire vos activités tout au long de la journée afin qu'il acquière une compréhension du monde. Tout est nouveau et excitant pour un bébé. Arrêtez-vous pour observer les fissures sur le trottoir ou un papillon sur une jolie fleur. Allongez-vous dans l'herbe pour regarder les nuages ou admirer les feuilles sur les arbres.

Écoutez votre bébé et répondez à ses babillements comme si vous aviez une conversation. Répétez les sons qu'il produit, ses intonations et laissez-lui vous répondre. Soyez attentive à ses cris, à ses rires, ses petits bruits ou ses gestes lorsqu'il veut quelque chose. Alors qu'il peut être difficile pour lui d'exprimer ce qu'il veut, répondre à ses besoins et à ses efforts pour communiquer l'aidera à prendre de l'assurance pour s'exprimer. Il saisira ainsi rapidement les subtilités des habitudes et des interactions sociales. Vous êtes le premier professeur de votre enfant. Tout ce que vous l'aiderez à comprendre au cours de ses premiers mois développera sa curiosité, sa confiance en lui, sa mémoire, son vocabulaire, son imagination et bien plus encore.

Tous à l'eau

Nager avec votre bébé est un plaisir relaxant. De plus, cela lui apprend à respecter l'eau et favorise son développement.

Quand un corps plonge dans l'eau, son poids s'allège. L'eau porte donc le poids de votre bébé, il est donc capable de bouger librement dans une piscine même s'il n'est pas particulièrement actif en dehors de l'eau. Cela lui donne un sentiment de liberté et lui permet de se muscler en pédalant et en éclaboussant partout. Il apprend ainsi à avoir confiance quand il est dans l'eau et à ne pas en avoir peur.

Avant de partir Afin d'éviter les accidents, achetez des couches spéciales (les couches jetables ordinaires se désagrègent dans l'eau). Vous avez le choix entre des couches jetables ou réutilisables. Assurez-vous simplement que celles que vous prenez sont parfaitement adaptées. Vous pouvez également vous procurer des brassards gonflables ou un costume de bain avec des flotteurs intégrés qui maintiendront votre bébé à flot.

Si vous vous rendez dans d'une piscine publique pour la première fois, vérifiez bien la température de l'eau. En dessous de 30 °C, votre bébé risque de la trouver un peu froide. Si possible, évitez les heures de pointe où la piscine est bruyante et pleine de monde. Votre enfant risquerait d'être effrayé par le bruit.

Donnez-lui à manger au minimum une heure avant, n'allez pas nager juste après le repas, et prévoyez une boisson et une collation pour la sortie.

Bien s'y prendre Allez-y doucement, afin que votre bébé n'ait pas l'impression d'être submergé. Mettez-le progressivement dans l'eau, en le tenant près de vous et avant de commencer à jouer, laissez-lui le temps de s'habituer à la sensation de l'eau et au fait d'être dans une piscine.

Libre de ses mouvements Quand votre bébé aura compris qu'il peut pédaler dans l'eau et éclabousser partout, il appréciera la liberté de mouvement que lui apporte la piscine.

Quand il est à l'aise, éclaboussez-le gentiment, chantez et faites bouger ses jambes pour qu'il se rende compte qu'il est libre de ses mouvements. Il est important de lui montrer comment faire des bulles car souffler signifie qu'il n'aspirera pas d'eau.

Cette première séance doit être raisonnablement courte (environ 20 minutes) afin que votre bébé prenne du plaisir sans se lasser. Si vous avez l'impression qu'il a froid, ou que sa peau ou ses yeux sont irrités par le chlore, sortez-le de l'eau.

Il va sans dire que dans l'eau, un enfant doit être constamment sous surveillance. La peur de l'eau n'existant pas chez un nourrisson, vous devez être extrêmement vigilante pour qu'il ne se mette pas en danger. Après la séance, faites-lui prendre une douche chaude et habillez-le avant de vous préparer, afin d'être sûre qu'il a chaud et qu'il se sent bien.

L'AVIS... DU MÉDECIN

Mon bébé a de l'eczéma. Peut-il aller à la piscine malgré tout? Le chlore peut être irritant pour les enfants qui ont de l'eczéma. Certaines précautions permettent de s'assurer qu'aller à la piscine reste une activité agréable et relaxante pour votre bébé. Vous pouvez appliquer une crème qui le protégera du chlore. Attention, sa peau risque alors d'être glissante dans l'eau et il peut être utile de lui mettre un costume de bain anti-UV ou une combinaison qui vous permettra de bien le tenir. En sortant, faites-lui prendre une bonne douche pour éliminer le reste de chlore, séchez-le et appliquez sa crème hydratante habituelle.

36 semaines

ENVIRON 12 % DES BÉBÉS MARCHENT À 9 MOIS

Votre bébé est de plus en plus actif pendant la journée. Il peut donc être suffisamment fatigué le soir pour dormir d'une traite jusqu'au lendemain matin. Ce changement au niveau de son temps de sommeil peut avoir des répercussions sur ses siestes quotidiennes. Mais son besoin d'apprendre et de jouer reste intact !

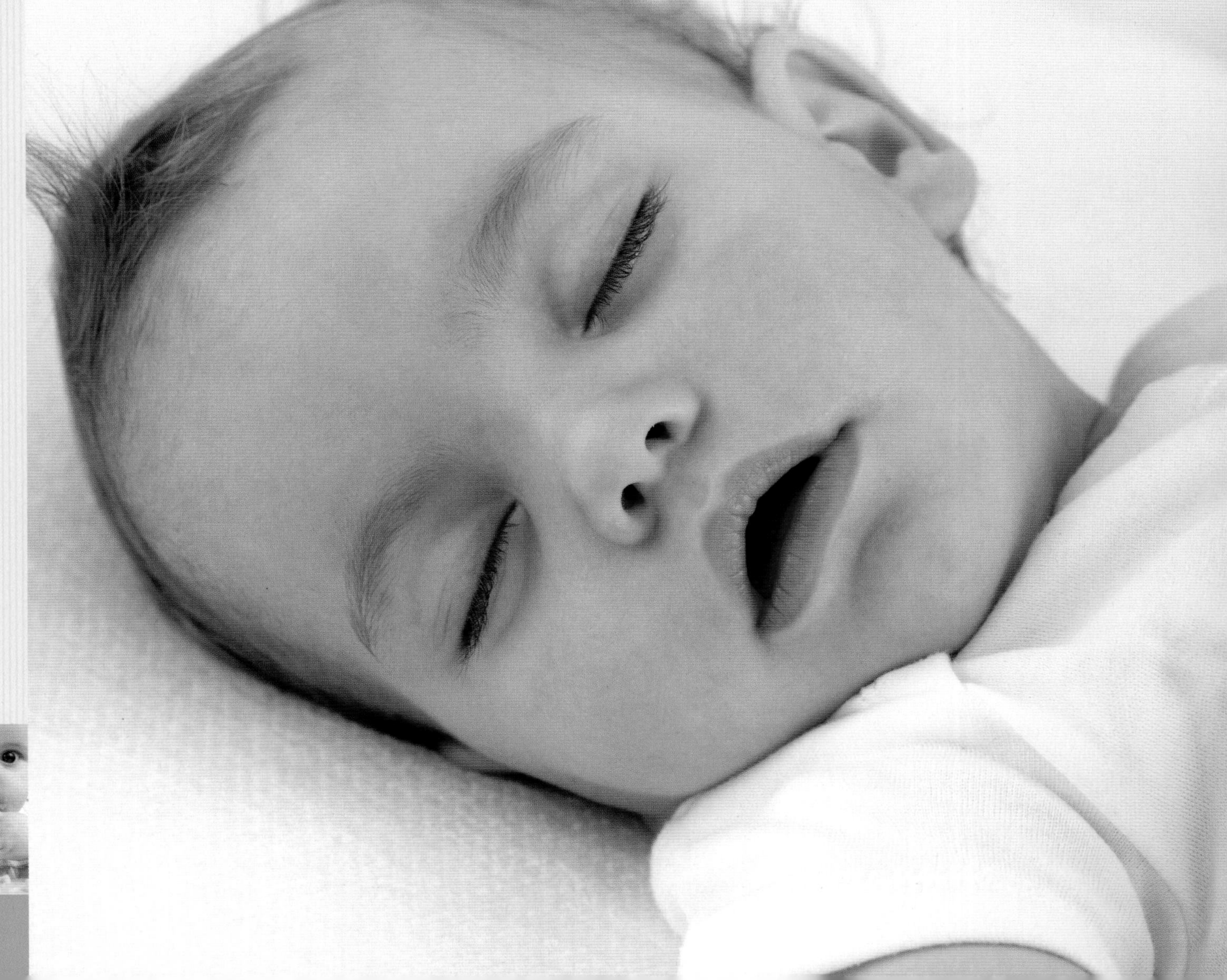

À petits pas

Lorsqu'il tient debout, votre bébé part à l'aventure en prenant appui sur les meubles – c'est le temps des découvertes à petit pas.

Petit à petit Il faudra peut-être des semaines à votre bébé avant qu'il tienne debout et décide de partir à l'aventure en appui d'un meuble à l'autre. Laissez-le progresser à son rythme.

L'AVIS... DE L'INFIRMIÈRE

Combien de biberons mon enfant prend-il par jour à cet âge ? À 9 mois, la plupart des bébés prennent 2 ou 3 biberons de lait et 2 ou 3 repas solides. Il est conseillé de leur donner environ 600 ml de lait maternel ou maternisé par jour, associés à une alimentation variée jusqu'à un an, âge auquel ils peuvent commencer à boire du lait de vache. En cas de doute, demandez des conseils à l'infirmière ou au médecin qui vous dira si votre bébé boit trop ou pas assez de lait.

Mon bébé marche sur la pointe des pieds – est-ce normal ? Ne vous inquiétez pas, certains bébés commencent ainsi, mais ils prennent rapidement appui sur l'ensemble du pied. Si ce n'est pas le cas du vôtre, parlez-en à l'infirmière ou au médecin.

Au cours des prochaines semaines ou des prochains mois, votre enfant va développer son aptitude à tenir debout et à marcher en prenant appui sur les meubles. La marche marque le début d'une nouvelle étape dans la vie du bébé et de ses parents ; il accède enfin à la verticalité et à l'espace des « grands » : tous ses efforts vont être consacrés à cet apprentissage, aux dépens des autres activités.

Assurez-vous que les meubles sont suffisamment robustes pour supporter son poids et enlevez ceux qui ont des angles vifs. Votre bébé prendra appui sur tous vos meubles et se déplacera de plus en plus vite. Gardez toujours un œil sur lui.

La marche est une étape essentielle du développement neurologique de l'enfant car elle lui permet de conquérir enfin l'espace à trois dimensions qui l'entoure et de « partir à l'aventure ». Ce stade se décompose en plusieurs paliers. D'abord l'enfant se tient très près du support et prend appui à deux mains en s'aidant de vos mains ou des siennes en attrapant les montants du parc, les chaises... Progressivement, il s'en éloigne et ne se tient plus qu'à une main, jusqu'au jour où il se lance sans appui. Ses premiers pas s'accompagnent parfois de chutes, de bleus et de larmes, mais aussi d'encouragements et de félicitations au fur et à mesure qu'il prend de l'assurance pour marcher sans appui. Cependant, certains enfants ne passent jamais par cette étape, préférant plutôt se déplacer sur les fesses (voir p. 260).

Votre bébé peut également développer une passion pour l'escalade (sur la table basse ou le canapé, dans l'escalier...). Assurez-vous qu'il ne se met pas en danger. Lorsqu'il se sentira suffisamment en équilibre et sûr de lui, il marchera en vous tenant la main et essaiera même de faire un ou deux pas tout seul. Enlevez-lui ses bas pour que ses orteils agrippent le sol et qu'il trouve ainsi plus facilement son équilibre.

VOTRE BÉBÉ A 36 SEMAINES ET 1 JOUR

Si tu pleures, je pleure aussi

À 9 mois, votre bébé est sensible à la tristesse des autres. Ses pleurs en réaction à vos larmes sont un signe de sa future empathie.

Vous avez remarqué que votre bébé imite certaines expressions de votre visage ainsi que l'intonation de votre voix, et qu'il échange avec vous des sons et des babillages. Il a aussi intégré vos réactions émotionnelles et réagit avec angoisse si vous êtes contrariée : ce sont des *pleurs réflexes*. Ainsi, à la garderie, votre enfant dort tranquillement mais se met à pleurer lorsqu'un autre bébé pleure. Et très vite, d'autres vont faire de même.

Votre enfant peut également vous tendre les bras si vous pleurez. Ce geste de réconfort vient sans doute de vous, même s'il n'est pas encore empathique. Il prendra tout son sens au fur et à mesure que votre bébé grandira.

L'empathie est la capacité que nous avons à nous mettre à la place de l'autre pour comprendre ses émotions et ses sentiments. Elle peut donc conduire à aider l'autre. Le développement de l'empathie est ainsi essentiel pour la compréhension des autres et les relations avec eux, mais c'est seulement au cours de la petite enfance que votre bébé identifiera les émotions, comprendra le point de vue des autres et les conséquences de son comportement.

Pour l'aider à mieux saisir les émotions, ne cachez pas vos sentiments. Mais en cas de vive émotion, il est important de lui montrer que vous faites face sans vous laisser submerger. Lorsque vous calmez votre bébé, vous lui montrez comment apporter du réconfort. C'est fondamental. Plus tard, il témoignera de son empathie en serrant les personnes dans ses bras ou en leur faisant un câlin.

VOTRE BÉBÉ A 36 SEMAINES ET 2 JOURS

Réduire les siestes

Si votre bébé dort toute la nuit, il est peut-être capable d'abandonner sa sieste du matin tout en restant de bonne humeur.

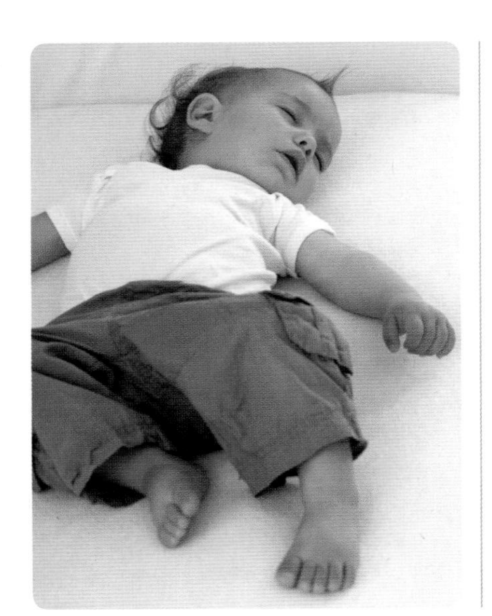

Un gros dodo Votre bébé peut dormir plus longtemps l'après-midi s'il ne fait pas la sieste le matin.

Ne pensez pas que votre bébé est déjà prêt à renoncer à sa sieste du matin. Certains enfants ont besoin de deux siestes par jour jusqu'à 2 ans et dorment plus pendant les périodes de croissance et d'activité. Mais si le matin votre bébé est de bonne humeur, a envie de jouer et s'énerve quand vous voulez le coucher, il se peut qu'une sieste par jour lui suffise. Essayez au coup par coup. Couchez-le en l'incitant à se reposer. S'il joue tranquillement au lieu de dormir, il profite déjà d'un temps calme. Mais il arrivera un moment où il se fâchera jusqu'à ce que vous le sortiez du lit, ne montrant aucun signe de fatigue.

Pour passer en douceur de deux siestes à une, modifiez légèrement son quotidien en le faisant manger plus tôt le midi pour le coucher un peu avant l'heure habituelle. Assurez-vous qu'il ne « passe pas son heure », et qu'il n'est pas trop énervé. S'il ne fait pas de sieste le matin, il dormira peut-être davantage l'après-midi, alors n'hésitez pas à le réveiller après 2 heures de repos sinon il n'aura pas sommeil le soir au moment du coucher.

S'il semble fatigué le jour suivant, il aura peut-être besoin de deux siestes, puis d'une seule un peu plus longue le lendemain. Faites-lui confiance, laissez-le vous guider.

Entretenir la flamme

Être parents est fatigant. Mais même si garder une vie de couple demande des efforts, cela contribuera à renforcer votre relation.

Aller vous coucher et vous endormir bien avant votre partenaire, avoir le sentiment d'être coincée à la maison avec votre bébé toute la journée, être trop occupée et fatiguée pour accorder du temps à votre conjoint, sont autant de raisons pour lesquelles la fréquence des rapports sexuels a tendance à diminuer quand on vient d'être parents. La proximité physique que vous partagez avec votre bébé et l'amour que vous lui portez, peuvent vous donner l'impression d'avoir davantage besoin d'espace que des bras de votre compagnon. De plus, si vous allaitez, vous pouvez avoir la sensation que votre corps ne vous appartient plus tout à fait.

Il est normal que vous n'ayez pas envie de faire l'amour, même si vous aimez profondément votre compagnon. Certains hommes et certaines femmes trouvent que la vie avec un bébé atténue le désir au lieu de l'exacerber. Une relation saine peut s'accommoder d'une période sans rapports sexuels, mais cela reste un excellent moyen d'exprimer vos sentiments, d'être de bonne humeur et de vous détendre. Enfin, cela contribuera à renforcer votre relation. Dans un premier temps, essayez d'être plus câlins l'un envers l'autre afin de raviver le désir.

Interludes romantiques Si possible, réservez-vous des moments à deux. Installez-vous devant la télévision, ou mieux encore éteignez-la, allumez quelques bougies et massez-vous chacun votre tour, partagez un bain chaud ou blottissez-vous l'un contre l'autre au lit et discutez. Il y a des chances pour que vous vous endormiez sans faire l'amour, mais sentir la chaleur de l'autre, son corps contre le vôtre, est une première étape avant de retrouver une vie sexuelle.

Restez proches. Prenez le temps de rester proche de votre compagnon. Même si vous ne faites pas l'amour, l'intimité entretiendra votre complicité.

Répondez positivement aux sollicitations de l'autre. Même si vous n'avez pas envie d'aller jusqu'au bout, être attentif aux gestes de tendresse rassurera chacun d'entre vous et lui montrera qu'il est encore désirable et attirant. Des préliminaires ou un baiser passionné peuvent vous aider à retrouver l'envie et déclencher une excitation sexuelle.

Cependant, il se peut également que le sexe ne soit pas votre priorité du moment, et si la situation convient aux deux, vous pouvez témoigner de votre amour différemment. En revanche, si le désir est présent chez l'un mais pas chez l'autre, et que l'un d'entre vous se sent seul, frustré, ou sous pression, essayez de trouver un compromis. Il est important de montrer à votre partenaire que vous l'aimez, que ce soit en faisant l'amour, par des mots ou par d'autres actions.

L'AVIS... DU MÉDECIN

Depuis l'accouchement, les rapports sexuels sont toujours douloureux. Est-ce normal? Si l'accouchement a été difficile, il se peut que votre corps récupère et que vous soyez encore sous l'émotion. Le fait d'anticiper la douleur peut provoquer un blocage qui augmente votre inconfort. Utilisez un lubrifiant surtout si vous n'êtes pas très excitée à cause de la peur ou de la douleur. Allez-y progressivement et essayez différentes positions. Rééduquez votre périnée (voir p. 65) pour tonifier la région et favoriser la circulation. Parfois, une épisiotomie, une déchirure ou encore une infection (candidose par exemple) peut occasionner une gêne à plus long terme. Si la douleur persiste, consultez votre médecin.

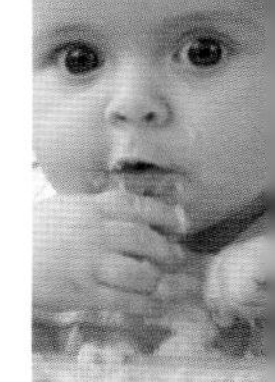

VOTRE BÉBÉ A 36 SEMAINES ET 4 JOURS

Les bonnes associations

Il peut être tentant de donner à votre bébé uniquement ce qu'il aime, mais il est important de varier ses menus.

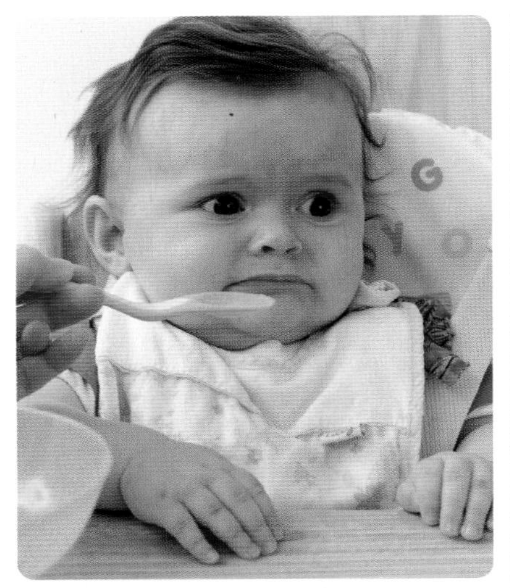

Enfant difficile Certains enfants refusent de découvrir de nouveaux aliments. Il faut parfois ruser pour les convaincre de goûter.

Même s'il proteste, continuez à diversifier l'alimentation de votre enfant. Proposez-lui de nouveaux aliments, changez les accompagnements afin de modifier la saveur, la texture et l'apparence du plat. Il se familiarisera alors rapidement avec ces nouveautés.

Si vous cuisinez à l'avance, il est très facile de varier le régime alimentaire de votre bébé. Prenez comme base ses aliments favoris. Ainsi, s'il aime la purée de carottes, ajoutez du poulet émincé et des petits pois. Voilà une recette équilibrée, dont l'ingrédient principal est le plat préféré de votre bébé. S'il raffole des pommes de terre, faites une purée et ajoutez du poisson blanc finement haché, un peu d'emmental et des épinards pour lui proposer un délicieux parmentier de poisson.

Mais surtout, ne salez pas vos préparations, le sel présent dans le pain et autres aliments de base couvre les besoins de votre enfant. S'il craque pour les courgettes écrasées, mélangez-en avec de la patate douce, du panais et de la courge pour lui faire découvrir de nouveaux parfums lors d'un repas plein de vitamines.

Les bâtonnets de légumes sont aussi une bonne solution. Montrez à votre bébé comment plonger des bâtonnets de carotte ou de concombre, ou encore du pain dans une purée. Il s'habituera ainsi aux associations de parfums et aux différentes textures. S'il aime les carottes, mélangez des épinards et des carottes écrasées et donnez-lui des gros macaronis à tremper dedans avec quelques bâtonnets de concombre.

VOTRE BÉBÉ A 36 SEMAINES ET 5 JOURS

L'heure de s'habiller

Votre bébé est parfois beaucoup trop occupé pour avoir envie de s'habiller. Il faut alors user de stratagèmes pour le vêtir.

Si votre enfant n'apprécie pas d'être habillé et qu'il ronchonne ou se débat, prenez-le au dépourvu. Si cette activité a lieu toujours au même moment de la journée, changez de rythme de temps en temps pour qu'il ne commence pas à protester dès qu'il sait ce qui l'attend. À l'inverse, si votre bébé est très routinier et aime connaître la suite des événements, habillez-le toujours au même moment. Il y a ainsi des chances pour qu'il résiste moins. Quoi qu'il en soit, essayez toujours de rester calme, votre agacement ne ferait qu'accentuer son agitation et rendrait cette étape désagréable pour vous deux.

Essayez d'habiller votre enfant sur vos genoux. Tenez-le fermement pour l'empêcher de gigoter. Ce changement le rendra peut-être plus coopératif. Vous pouvez aussi procéder par étapes en le laissant jouer entre chaque vêtement mais en vous assurant qu'il a toujours assez chaud. Il se peut qu'il accepte mieux d'enfiler un vêtement à la fois.

Rendez la séance amusante : parlez à votre bébé pour le distraire, par exemple « Oh ! Voilà ton joli caleçon rouge qui va tenir tes jambes bien au chaud ! Et hop ! Ton chandail à rayures maintenant. Haut les mains, petit cœur ! ». Chatouillez-le en baissant son chandail, encouragez-le à vous aider à mettre ses bas, chantez sa comptine préférée. S'il participe et s'amuse, il oubliera qu'il n'aime pas s'habiller. Dans tous les cas, faites vite pour finir plus tôt qu'il ne s'y attend !

Sous bonne garde

Quelle que soit la personne à qui vous confiez la garde de votre enfant, vous devez entretenir de bonnes relations avec elle.

En matière de garde d'enfants, confiance, compréhension et respect mutuel sont indispensables, que vous fassiez appel à une gardienne agréée ou à la générosité d'un membre de la famille. Naturellement, lorsque vous embauchez quelqu'un, l'accord est plus formel, mais dans tous les cas, une bonne communication contribue à ce que les choses se passent bien et vous rassure.

Garde rémunérée Si vous avez recours à une gardienne pour surveiller votre enfant, veillez à entretenir de bonnes relations avec elle. Il n'est pas nécessaire que vous soyez les meilleures amies du monde, mais vous devez être un bon employeur. Soyez attentive à ses préoccupations, payez-la comme convenu, respectez les horaires prévus et soyez souple si elle a un impératif personnel de temps en temps. N'oubliez pas que vous attendez la même chose d'elle.

Attention, la gardienne n'est pas seulement votre employée. Certes vous la rémunérez, mais elle est « l'autre personne » la plus importante dans la vie de votre enfant. Prenez le temps de la connaître, pensez à sa fête et ayez de petites attentions pour elle.

Communiquez le plus possible avec la gardienne. Dites-lui ce qui se passe à la maison, par exemple que votre bébé a fait une poussée dentaire toute la nuit ou qu'il a besoin de son doudou pour s'endormir. Elle doit savoir tout cela et, pour sa part, elle doit vous raconter chaque journée, afin que vous soyez au courant de tout ce qui s'est passé.

Partagez votre vision de l'éducation. Ne vous contentez pas d'imposer des règles, prenez le temps de lui expliquer par exemple pourquoi vous préférez que votre enfant ne regarde pas la télévision en mangeant. Racontez-lui une journée type à la maison. Si elle se sent impliquée, elle sera mieux à même de respecter vos exigences. Montrez-lui que vous respectez son expérience et ses connaissances, soyez ouverte à toute nouvelle idée : elle peut vous donner de nombreuses astuces.

Faites régulièrement le point sur les tensions ou les problèmes avant qu'ils ne s'aggravent. Travailler en équipe est toujours la meilleure approche. Si vous êtes attentive à ses besoins, elle sera soucieuse des vôtres.

Une affaire de famille Si un membre de la famille garde votre enfant, pensez à lui témoigner régulièrement votre reconnaissance. Garder un tout-petit toute la journée n'est pas facile. Et quand il n'y a pas de contrepartie financière, la situation peut devenir un terrain favorable au ressentiment. Parlez des problèmes dès qu'ils surviennent et soyez présente en cas de difficultés. Pensez que toute personne qui garde des enfants en bas âge a besoin de temps en temps de faire une pause et d'être au contact d'adultes avec qui discuter. Montrez que vous appréciez le service rendu et que vous ne le considérez pas comme un dû.

Une entente harmonieuse Les grands-parents jouent souvent le rôle de gardiens. Assurez-vous qu'ils se sentent respectés et valorisés.

37 semaines

LA RÉPÉTITION DES EXPÉRIENCES CONSOLIDE LES CONNEXIONS NERVEUSES DU CERVEAU DE VOTRE BÉBÉ

Votre bébé continue de découvrir les objets avec sa bouche et est plus éveillé que jamais, établissant en permanence des liens entre les mots et les choses. Comme il est également plus mobile, il est important que votre maison soit aussi sûre que possible.

Monologues et babillages

Que vous l'écoutiez ou non, votre bébé gazouille joyeusement et va commencer à crier.

Volume et gamme de sons En jouant, votre bébé peut faire « brrr », émettre de petits gazouillis ou de petits cris, grogner et rire.

À 37 semaines, votre bébé travaille ses schémas sonores et ses intonations en parlant, babillant, chantant et même en criant. Cette étape du développement des capacités langagières est essentielle et l'éventail des sons et des mots qu'il prononce évolue presque chaque jour. Depuis l'âge de 6 mois, votre enfant comprend les situations, puis certains mots simples associés aux gestes quotidiens. Maintenant, il produit des sons, comme s'il voulait commenter ce qui l'entoure. Ne soyez pas surprise s'il répète souvent le même son avant de l'associer à un autre. Il aime aussi monter le volume et émet parfois des cris stridents qui le font rire. Écoutez-le faire « brrr » et d'autres drôles de bruits pour découvrir l'étendue de son registre vocal !

Votre enfant a l'habitude que vous lui parliez et pense qu'il est normal de babiller toute la journée. Autour de 9 mois, il vous répond en imitant les sons que vous produisez, y compris l'intonation, ce qui l'aide à imprégner son cerveau du rythme et de la cadence du langage. Vous remarquerez que vos propres schémas sonores trouvent écho dans son babillage et qu'il termine certaines de ses « phrases » par un son plus aigu semblable à une interrogation ou à une exclamation. Répétez ce qu'il dit pour accélérer le processus. Votre enfant observera attentivement votre bouche afin d'essayer de comprendre ce que vous dites, mais sa compréhension vient avant tout d'associations. Il est donc important de continuer à lui montrer les choses et à lui expliquer ce que vous faites.

ACTIVITÉ D'ÉVEIL

Au revoir !

Faire signe à quelqu'un qui s'en va est un de nos gestes les plus fréquents, que les bébés aiment regarder et imiter. La plupart d'entre eux font leur premier « vrai » *au revoir* entre 10 et 12 mois. D'autres le font avant, si l'un des parents l'a pris très tôt dans ses bras pour faire au revoir ou au contraire plus tard s'ils n'ont pas l'habitude de ce geste. Si votre enfant ne le fait pas spontanément, montrez-lui comment vous faites. Il finira par vous répondre, puis rapidement agitera automatiquement la main quand il quittera des amis, verra passer un bus ou sortira d'un magasin !

Faire au revoir À 9 mois, votre enfant sait relier l'action d'agiter la main à l'expression « au revoir ».

VOTRE BÉBÉ A 37 SEMAINES ET 1 JOUR

Un poids stabilisé

À cet âge, même s'il mange plus, votre bébé prend du poids moins rapidement parce qu'il bouge beaucoup et brûle davantage de calories.

Les cuisses et les bras potelés de votre bébé vous inquiètent peut-être et vous vous demandez s'il n'est pas en surpoids ou au contraire, il n'a que la peau sur les os et vous le trouvez beaucoup trop maigre. Sachez qu'en moyenne, les enfants prennent de 350 à 480 g mensuels entre 6 mois et un an.

Si la courbe de corpulence tracée dans le carnet de santé de votre bébé est régulière, tout va bien. Continuez à le peser régulièrement et à surveiller sa progression sans vous faire de souci.

Au cours de la première année, la croissance de votre bébé, d'abord très rapide, ralentit pour se stabiliser aux environs de 12 mois. Les laits maternel et maternisé sont plus caloriques que la nourriture que vous lui faites désormais découvrir, et il faudra un peu de temps avant qu'il soit capable de manger suffisamment pour compenser la différence de calories.

Ne vous inquiétez pas si de prime abord il se détourne de la nourriture solide, c'est le cas de nombreux bébés. Assurez-vous qu'il prend suffisamment de lait, et dites-vous que votre enfant a besoin de temps pour s'accoutumer aux nouveaux goûts et aux textures inhabituelles que vous lui proposez.

L'AVIS... DU MÉDECIN

Les fontanelles de mon bébé ne sont pas encore soudées. Est-ce normal? La soudure des fontanelles peut prendre jusqu'à 18 mois. Vers 9 mois, la petite fontanelle (postérieure, située à l'arrière de la tête) est généralement refermée, seule la grande fontanelle (antérieure, sur le devant du crâne) reste ouverte. Aucune inquiétude à avoir à 7 mois, mais si les fontanelles semblent creuses ou gonflées, consultez immédiatement votre médecin.

VOTRE BÉBÉ A 37 SEMAINES ET 2 JOURS

Dans sa bouche

Maintenant que votre bébé tient les jouets sans les faire tomber, il peut les porter à la bouche pour les explorer sous tous les angles.

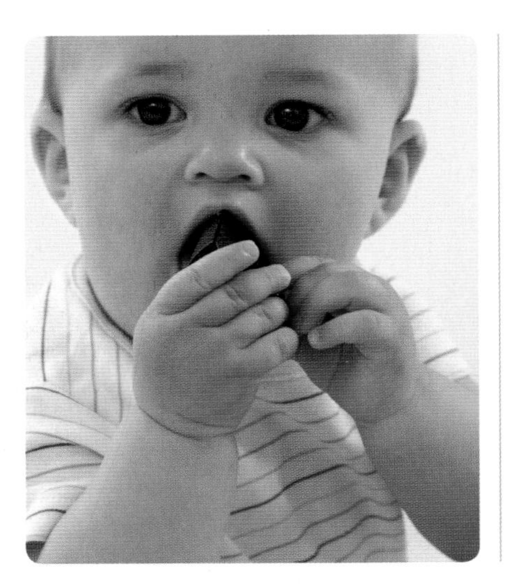

Les mouvements de la mâchoire et de la langue de votre enfant sont désormais bien coordonnés et il est capable d'obtenir des informations sensorielles de tout ce qui entre dans sa bouche. Il découvre jouets et autres objets avec sa langue, ses lèvres et sa mâchoire pour connaître leur taille, leur forme, leur texture et leur poids. Il utilise également ces capacités pour tout ce qu'il mange.

Votre bébé commence aussi à mettre à la bouche et à mordiller les objets pour se soulager de la gêne provoquée par les poussées dentaires. Mordiller et mâchouiller soulagent ses gencives. Vous pouvez l'aider en lui donnant un anneau de dentition froid et sans PVC à mettre à la bouche.

Un formidable outil de découverte
La bouche de votre bébé est souvent le premier endroit où il porte les objets qu'il découvre.

Il se prépare également pour mâcher et avaler les aliments solides, ainsi que pour parler puisque les muscles de sa mâchoire et de sa langue sont sollicités.

Maintenant qu'il est plus mobile et en passe de maîtriser la pince fine (voir p. 339), soyez attentive à ne pas laisser à sa portée de petits objets avec lesquels il pourrait s'étouffer. Vérifiez également que tout ce qui est dangereux ou toxique est en hauteur et sous clé.

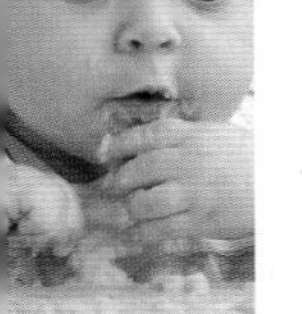

Lit à barreaux et sécurité

Dès que votre bébé est capable de se tenir debout dans son lit, assurez-vous qu'il y est bien en sécurité.

La bonne hauteur Désormais, le sommier doit être en position basse et la hauteur intérieure doit être d'au moins 66 cm. Idéalement, votre enfant ne dépasse pas les barreaux en étant debout.

Vérifiez que les barreaux du lit sont à leur hauteur maximale. S'il est capable de s'asseoir, et *a fortiori* s'il peut se lever, votre bébé pourrait passer par-dessus et tomber s'ils sont trop bas.

Lorsqu'il se tient debout, votre enfant qui fait ses dents risque de mâchouiller le haut de la barrière de sécurité. Il est donc important que la peinture du lit ne contienne pas de plomb. Vous pouvez vous procurer un rail de protection en plastique à fixer sur le haut du montant, qui, en plus de protéger votre bébé de la peinture et des éclats, permet de garder le lit en bon état!

Retirez toutes les étagères situées à proximité que votre bébé pourrait atteindre pour prendre appui ou pour s'extraire du lit. Assurez-vous que les fils des lampes et les cordons des stores ou des rideaux sont hors de sa portée.

Regardez si le matelas est parfaitement ajusté. En effet, maintenant que votre bébé peut faire le tour de son lit, il pourrait se coincer le pied dans un espace situé entre le bord et le matelas. Pour la même raison, cachez tous les motifs découpés ou tout autre espace dans lequel il pourrait glisser un bras ou une jambe. Ces décorations sont jolies mais dangereuses. Le lit que vous utilisez doit impérativement dater d'après 1986. Celui fabriqué avant ne satisfait pas aux normes canadiennes actuelles et présente un risque pour les enfants. Assurez-vous que l'espacement entre les barreaux est conforme à la réglementation : il ne doit pas dépasser 6 cm, afin d'éviter qu'un bébé ne coince sa tête.

Enfin, par précaution, mettez un tapis épais sur le sol près du lit de votre bébé. Cette initiative permettrait d'amortir la chute de tout enfant intrépide.

L'AVIS... DU PÉDOPSYCHOLOGUE

Mon bébé veut toujours être dans mes bras. Quand je le pose, même quelques minutes, il pleure. Que puis-je faire pour que cela cesse ? Certains bébés sont plus vulnérables que d'autres, peut-être à cause de l'angoisse de la séparation (voir p. 283). Votre enfant se sent en sécurité dans vos bras et veut y rester. Mais le porter toute la journée l'empêche de développer de nouvelles aptitudes comme ramper ou marcher à quatre pattes, qui lui permettraient d'être près de vous sans être porté. De plus, quand il est dans vos bras, il ne joue pas.

Les enfants veulent également être portés pour être rassurés, attirer l'attention (en cas de fratrie, cela fait partie de la relation d'égocentrisme : « c'est ma maman »), ou parce qu'ils ont besoin de quelque chose. Passez-vous assez de temps avec lui ? Sa couche est-elle pleine ? A-t-il faim ? S'il n'a besoin de rien, essayez d'espacer les moments où vous le prenez dans vos bras. Donnez-lui suffisamment de jouets pour qu'il s'amuse et laissez-le vaquer à ses occupations un petit moment. S'il proteste, jouez avec lui quelques minutes avant de vous éloigner. S'il pleure pour que vous le preniez dans vos bras, proposez-lui une activité. Soyez réaliste, tous les enfants ont besoin de beaucoup de câlins et d'attention. Lorsqu'il commencera à marcher à quatre pattes et à prendre un peu d'indépendance, votre bébé vous réclamera moins de le porter.

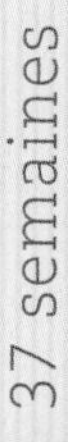

VOTRE BÉBÉ A 37 SEMAINES ET 4 JOURS

Le pouvoir cérébral

À cette période de sa vie, le cerveau de votre bébé se développe plus vite que jamais. Mais que se passe-t-il là-dedans ?

Stimulation et répétition Le cerveau de votre bébé est en plein développement. Des stimuli répétitifs favorisent le développement des voies neuronales où sont stockées les informations.

UNE AIRE DE JEUX À LA MAISON

Les aires de jeux ne sont pas réservées aux jeunes enfants, les bébés en sont également très friands. Installez un petit coin jeux dans votre séjour. Votre enfant sera fasciné par la transformation de la pièce et jouer dans cet espace conçu pour lui favorisera le développement de ses capacités motrices. Prenez des couvertures ou des couettes et mettez-les par terre pour lui faire un petit coin moelleux sur lequel il peut tomber sans se faire mal. Créez des obstacles avec des boîtes en plastique retournées et des coussins sur lesquels il pourra grimper, et faites un tunnel avec un gros carton ouvert aux deux extrémités. Ne laissez pas votre bébé sans surveillance pendant qu'il explore l'aire de jeu, et si besoin, aidez-le à franchir les obstacles de son parcours aventure fait maison.

Au cours de la première année, le cerveau de votre bébé évolue plus qu'il ne le fera à aucune autre période de sa vie. À 12 mois, il a doublé de volume pour atteindre environ 60 % de sa taille adulte. Votre enfant est né avec la totalité de ses cellules nerveuses (les neurones). Au fur et à mesure qu'il grandit, les cellules les plus utilisées se renforcent et s'étendent pour former toujours plus de connexions et de voies neuronales qui permettront à votre bébé de penser et d'acquérir de nouvelles compétences. Au terme de la première année, son cerveau aura établi des millions de nouvelles connexions. Or, plus il y a de connexions, plus le développement mental est avancé. En outre, chaque neurone est recouvert d'une gaine de myéline chargée de l'isoler, de le protéger, et de transmettre plus rapidement les messages.

Votre enfant se rappellera peu de chose des trois premières années de sa vie, mais elles auront un impact considérable sur son existence.

Répétition Les voies neuronales se forment au fur et à mesure que votre bébé découvre le monde. La répétition des mots, des actions et des jeux est essentielle pour consolider ces connexions et est bien plus bénéfique à votre enfant qu'une expérience unique, car c'est à travers la répétition que les voies neuronales se consolident.

Développer ses compétences Le développement de votre bébé intervient par étapes logiques. Chaque réalisation est un élément essentiel pour lui, pour passer à une étape plus complexe ou plus exigeante. La maîtrise de la capacité de lever la tête et de pousser sur ses bras lui permet par exemple de pouvoir rouler et pratiquer les mouvements dont il aura besoin pour ramper. Lorsque force et équilibre sont acquises, il peut alors combiner ces différentes aptitudes et commencer sérieusement à ramper.

Stimuler ses sens Le développement du cerveau de votre bébé repose sur les informations provenant de l'ensemble des sens. Tout ce qu'il découvre (ce qu'il sent, goûte, voit, chaque chanson, bruit ou voix qu'il entend, les textures qu'il touche) est transcrit dans les neurones qui forment des connexions entre les cellules et induisent ainsi l'apprentissage.

Les voies neuronales les moins utilisées peuvent être perdues. Le cerveau « fait le ménage » en gardant et en renforçant certaines connexions et en éliminant les moins importantes. Pour que ses voies neuronales se développent largement, proposez à votre bébé de nombreuses stimulations et différentes expériences, et n'hésitez pas à les répéter.

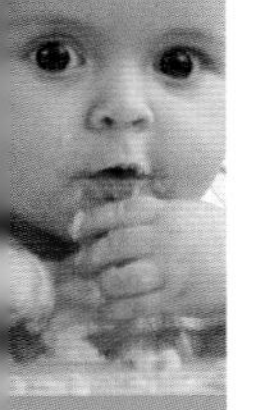

VOTRE BÉBÉ A 37 SEMAINES ET 5 JOURS

Tentatives en tous genres

Votre petit aventurier repousse les limites de ses possibilités mais se retrouve parfois coincé !

Toujours plus téméraire, votre bébé peut réussir à se mettre debout mais ne pas savoir comment se rasseoir, ou monter l'escalier avant de se rendre compte qu'il est allé un peu trop loin et ne sait pas redescendre. Il peut pleurer lorsqu'il entend aboyer un chien ou tout autre bruit un peu fort ou exprimer une angoisse soudaine dans sa chambre noire au moment du coucher. Ces réactions sont une forme d'autoprotection. Ils peuvent l'inciter à être prudent, mais souvent la curiosité et la soif d'apprendre vont l'emporter. Parfois, il ira beaucoup trop loin, aura peur et aura besoin de votre aide, de votre réconfort et surtout d'être rassuré.

Montrez-lui comment monter et descendre l'escalier, comment s'asseoir quand il est debout, encouragez-le à recommencer jusqu'à ce qu'il prenne confiance, mais ne le laissez pas seul dans un escalier sans surveillance. Expliquez-lui que ce gros bruit n'est que la voix d'un chien et, au moment du coucher, chantez-lui sa berceuse préférée quand vous éteignez la lumière. Dans tous les cas, restez calme. Si vous vous affolez, il va paniquer. Aidez-le, rassurez-le et laissez-le réessayer avec vous. Ne lui montrez pas que vous avez peur des chiens ou des accidents, soyez confiante dans les situations inhabituelles. Profitez des temps de jeu pour le laisser vous montrer ce qu'il sait faire. Félicitez-le lorsqu'il réussit, il prendra ainsi confiance en lui.

VOTRE BÉBÉ A 37 SEMAINES ET 6 JOURS

Des chutes et des bosses

Plus mobile, désireux de faire les choses par lui-même, votre bébé se fera inévitablement des bleus et des bosses.

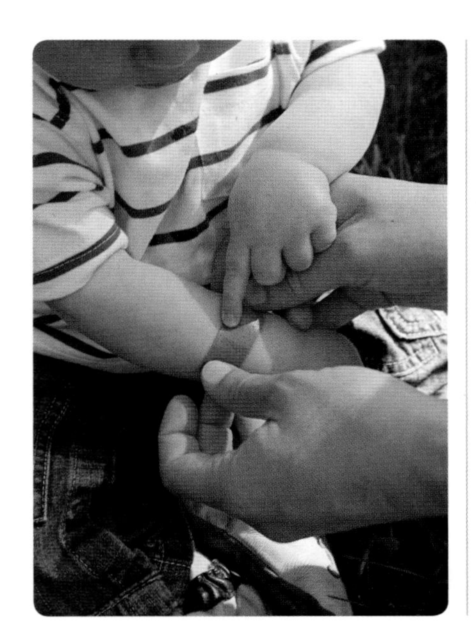

Ne surréagissez pas lorsque votre enfant tombe, même s'il se fait mal. Il va jauger votre réaction avant de décider de la sienne. Si vous paniquez, ou si vous lui montrez que vous êtes anxieuse, il fera de même. À l'inverse, relevez-le en souriant et encouragez-le à reprendre son activité. S'il a peur de faire de nouvelles expériences parce qu'il les associe à la douleur, il sera beaucoup moins enclin à se lancer dans d'autres explorations. Si vous lui apprenez que faire des erreurs – se cogner, tomber – fait partie de la vie, il les intégrera à sa progression et continuera d'essayer.

Quand bébé fait la culbute Minimisez les chutes et dédramatisez les plaies grâce à de jolis pansements et beaucoup de câlins.

Si votre bébé pleure beaucoup après une chute, réconfortez-le, puis soignez-le. Traitez les bleus avec des baumes réparateurs à base d'arnica et nettoyez les plaies avec une compresse stérile, appliquez un antiseptique et mettez un pansement. Être positive ne signifie pas pour autant ignorer son bien-être. Soyez vigilante, assurez-vous qu'il ne s'est pas fait trop mal. Une bosse à la tête, une chute lourde ou une plaie qui saigne plus de quelques minutes doivent vous inciter à consulter un médecin surtout si votre enfant a l'air hébété ou souffrant. N'hésitez pas à prendre contact avec une organisation comme la Croix-Rouge (voir p. 417) pour apprendre les gestes de premiers secours. Vous serez ainsi plus à l'aise pour gérer les urgences et décider de consulter ou non un médecin.

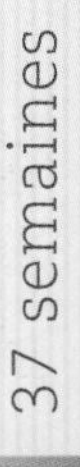

38 semaines

LES BÉBÉS AIMENT ÊTRE ENTOURÉS D'AUTRES ENFANTS, MAIS ILS NE JOUERONT PAS AVEC EUX AVANT L'ÂGE DE 2 ANS

Indépendant, votre bébé aime faire de la musique tout seul. Encouragez-le ! Sa mémoire se développe et il reconnaît de mieux en mieux les objets familiers et les personnes de son entourage. Il aime jouer à côté de ses « copains » et apprend d'eux en les regardant.

Au programme : musique…

… et danse ! Stimulez le sens du rythme inné de votre bébé et encouragez-le à écouter et à faire de la musique.

Une vie en musique Faites découvrir à votre bébé les joies que procure la musique et incitez-le à participer.

La musique est fondamentale pour votre enfant. Une musique douce peut l'apaiser, alors qu'un morceau plus dynamique peut stimuler son esprit. Dans tous les cas, c'est une excellente distraction lorsqu'il est fatigué ou grognon, et un excellent moyen pour le distraire lors d'un long trajet en auto. Écouter de la musique et en faire favorise le développement de sa coordination sensorielle et de sa mémoire. Lui chanter des comptines fait progresser son langage et lui apporte beaucoup au niveau du rythme. Jouer avec des instruments de musique développe sa motricité fine. Les claviers, xylophones ou petits tambourins pour enfants sont faciles à utiliser et produisent des sons intéressants. Votre bébé adorera taper sur un tambour ou secouer un hochet.

Un peu de danse Que votre bébé soit prêt à se tenir debout avec votre aide ou tout heureux d'être sur vos genoux, encouragez-le à bouger en cadence avec la musique, afin de développer son sens du rythme, d'améliorer sa coordination et la conscience de son corps, et à s'exprimer de manière créative. Mettez un morceau qu'il aime, d'instinct il bougera ses bras et ses jambes ou sautera et se balancera en rythme s'il est déjà en âge de le faire.

Tenez ses mains pour le soutenir et bougez avec lui, faites le tournoyer au rythme de la musique et frappez des mains. Mettez une valse ou un tango et dansez avec lui dans vos bras en chantonnant. Il va beaucoup aimer !

BON À SAVOIR

Des recherches ont montré que les bébés naissent avec une prédisposition à bouger au rythme de la musique. Dans une étude portant sur 120 enfants âgés de 5 mois à 2 ans, les chercheurs ont fait écouter aux bébés de la musique classique, des rythmes cadencés et des discours, et ont filmé le résultat. Ils ont ainsi constaté que les enfants bougeaient beaucoup plus les bras, les mains, les jambes, les pieds, le buste et la tête en réaction à la musique qu'à la parole. La raison de cette aptitude reste un mystère.

ACTIVITÉ D'ÉVEIL

Un orchestre fait maison

Votre bébé va adorer faire beaucoup de bruit avec les objets du quotidien. Faites des bâtons de pluie en remplissant une bouteille en plastique de riz. Assurez-vous qu'elle est hermétiquement fermée et que rien ne peut s'en échapper afin d'écarter tout risque de suffocation. Utilisez des pots, des casseroles et des boîtes en plastique avec une spatule ou une cuillère en bois pour créer une batterie maison. Agitez ses hochets comme des maracas. Faites de la musique ensemble, mais laissez-le aussi s'exprimer librement. Variez les rythmes et observez les réactions de votre bébé : tape-t-il moins vite sur les instruments quand le tempo change ?

Improvisez des instruments Dès que votre bébé peut faire du bruit, le moindre objet peut lui servir d'instrument.

VOTRE BÉBÉ A 38 SEMAINES ET 1 JOUR

Doudou tout doux

Si votre bébé a un doudou, il y est sans doute très attaché et il peut avoir du mal à s'endormir sans lui le soir.

À ce stade de la petite enfance, lorsque l'angoisse de la séparation est installée (voir p. 246 et p. 283), un doudou, objet familier, peut rassurer votre bébé dans les situations nouvelles. Avec son doudou, il acceptera plus facilement de dormir chez mamie ou de s'asseoir sur les genoux d'un étranger. Si vous avez repris le travail, il l'aidera à se sentir plus à l'aise avec sa gardienne.

Un jouet très spécial Un doudou peut aider votre bébé à se sentir rassuré lorsque vous n'êtes pas là.

Si votre enfant n'a pas encore de doudou, vous pouvez lui en proposer un. Choisissez un jouet qu'il aime, à la texture douce, qu'il peut caresser ou mâchouiller, ou encore une petite couverture qu'il est capable de porter. Optez pour quelque chose qui se lave facilement en machine, qui ne présente pas de risque, et idéalement facile à remplacer en cas de perte ! Gardez-le à proximité lorsqu'il mange et assurez-vous qu'il l'a avec lui au moment d'aller dormir. Donnez-le lui lorsqu'il est fatigué ou grognon pour le calmer, et il le considérera très vite comme son doudou.

VOTRE BÉBÉ A 38 SEMAINES ET 2 JOURS

Un bébé sociable

Votre bébé est fasciné par les autres enfants. Il leur parle à distance, imite leurs actions et aime jouer à côté d'eux.

À 38 semaines, votre enfant s'adonne aux jeux parallèles – assis à côté d'un autre bébé, il joue tranquillement. Ils peuvent se parler, s'observer, voire se chamailler pour le même jouet ou encore imiter l'autre, mais chacun d'eux est plus intéressé par ses propres activités. Il se peut même qu'ils oublient qu'ils ont de la compagnie.

Pour votre bébé, ce petit copain est comme un autre jouet ou quelque chose d'intéressant à regarder. Ces interactions précoces lui permettent de s'habituer à la compagnie des autres enfants. Il apprend des choses en les observant, tisse des liens, ce qui, à cet âge, signifie que les autres bambins lui deviennent familiers et qu'il a des préférences. Il est attiré par ceux qu'il connaît lorsque vous allez à la garderie ou que vous retrouvez des amis.

Ne soyez pas étonnée de voir votre enfant « étudier » son compagnon de jeu, lui tirer les cheveux ou le frapper comme il le ferait avec un nouveau jouet. Il aime peut-être voir la réaction de ce bambin lorsqu'il le tape à la tête ou lui monte dessus. Ne vous énervez pas, il s'agit d'expériences et non d'agressions. Montrez-lui comment faire gentiment « ami-ami », et encouragez-le à s'amuser.

Jeu parallèle Votre bébé apprécie la présence d'autres enfants, mais il ne sera capable d'échanger avec eux avant l'âge de 2 ans.

Ça tombe, c'est chouette !

Durant les prochaines semaines, vous allez sans cesse ramasser des objets, car votre enfant ne se lasse pas de faire tomber les choses.

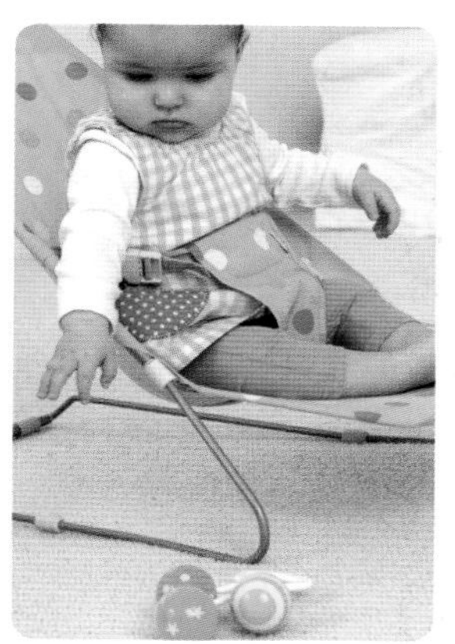
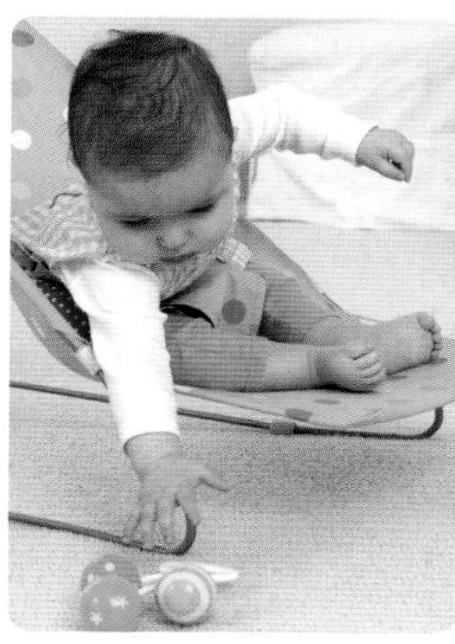
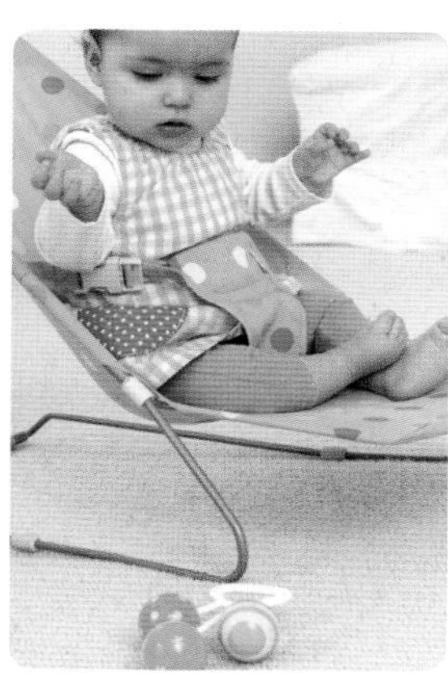

Prendre et lâcher Votre bébé peut décider que faire tomber les objets est très amusant et cette activité va l'occuper des heures – si toutefois vous l'y aidez !

Jusqu'à présent, votre bébé n'avait pas la coordination motrice suffisante pour être capable d'ouvrir les mains et de lâcher l'objet qu'il tenait si précieusement. Vers 7 mois, il commence à faire la différence entre un objet qui lui échappe des mains et un objet qu'il lâche volontairement. Au début, c'est un peu forcé. Lorsque l'on passe un objet d'une main à l'autre, la main qui donne doit lâcher et la main qui reçoit doit saisir. De plus, votre bébé comprend qu'il doit lâcher l'objet quand celui-ci entre en contact avec une autre surface. Peu à peu, il apprend à étendre les doigts et le pouce pour libérer volontairement l'objet. Même si cela nous paraît évident, pour un bébé, cette nouvelle aptitude est fascinante et il veut s'entraîner.

À peu près à la même période, votre enfant va comprendre le concept de la permanence de l'objet (voir p. 245) et va s'apercevoir que s'il laisse tomber quelque chose depuis sa chaise haute, l'objet n'a pas disparu mais se trouve désormais sur le sol. En outre, il apprend à montrer du doigt. Il peut donc vous indiquer qu'un jouet est par terre et vous « demander » de le ramasser, ce que vous faites naturellement.

Lâcher les objets fait également partie de la compréhension de la relation de cause à effet. Lorsqu'un objet tombe, il fait du bruit. Votre bébé veut entendre ce bruit encore et encore, ce qui renforce chaque fois la relation entre la chute et le bruit sourd produit lorsque l'objet heurte le sol. L'intervalle entre l'action et le bruit lui apprend la notion de temps et d'espace.

Faire tomber des objets est un jeu important, même si cela vous agace prodigieusement de passer votre temps à ramasser les choses. Faites plaisir à votre bébé tant que vous le pouvez, en gardant à l'esprit que lâcher quelque chose, le chercher du regard et le montrer du doigt sont des étapes importantes du développement. Quand votre enfant aura grandi un peu, instaurez la règle des « trois fois ». Vous ramassez trois fois le jouet. La quatrième, il reste par terre !

ACTIVITÉ D'ÉVEIL

Lancer, attraper

À son âge, votre enfant adore lâcher ses jouets et va bientôt découvrir comment les lancer. Il apprend à lâcher les objets, alors faites des jeux d'adresse avec lui. Mettez-le dans sa chaise haute, attachez-le toujours par mesure de sécurité, puis envoyez-lui une petite balle souple. Il la ramassera, et il la laissera sans doute tomber depuis la chaise. Rattrapez-la, et relancez-lui immédiatement. Très vite, il comprendra le principe de la prendre pour la relâcher, et en vous imitant, essaiera peut-être de la lancer. Appliquez le même principe en faisant rouler une balle au sol dans sa direction. Maintenant qu'il sait lâcher volontairement les choses, il apprendra vite à vous la renvoyer, soit en la jetant, soit en la faisant rouler.

Jeux de balle Faites rouler doucement une balle vers votre bébé, pour qu'il la ramasse et vous la renvoie.

VOTRE BÉBÉ A 38 SEMAINES ET 4 JOURS

L'heure de la sieste

Votre bébé fait désormais deux siestes par jour, qui sont importantes pour son bien-être, et ce, qu'il le veuille ou non !

Votre bébé proteste à l'heure de la sieste parce qu'il a toujours envie de s'amuser et qu'il ne veut pas interrompre ses activités. Mais cela ne signifie pas pour autant qu'il n'a pas besoin de dormir. En effet, son développement rapide et ses nombreuses occupations le fatiguent énormément, même s'il ne veut pas le reconnaître !

Si vous avez du mal à le coucher, essayez de vous y prendre un peu à l'avance et instaurez une sorte de rituel « présieste » lors duquel vous lui donnerez un peu de lait, vous le débarbouillerez et vous lui chanterez une berceuse. Il commencera peut-être à anticiper ces gestes avec plaisir et se calmera suffisamment pour dormir. Certains enfants dorment avec la lumière du jour, d'autres préfèrent l'obscurité et le silence. Adaptez-vous à ses besoins.

Il a peut-être déjà abandonné une sieste et a du mal à être en forme. S'il fatigue mais résiste à la sieste, prévoyez des temps calmes. Une longue promenade en poussette ou la lecture d'une histoire sur le canapé peuvent l'aider à se détendre et à recharger les batteries pour tenir plus longtemps.

Mettez en place des rituels quotidiens, pour que vous puissiez sortir tout en respectant les siestes indispensables. Programmez les sorties loisirs, magasinage ou les rendez-vous importants quand il est en forme, mais restez attentive aux signes qui montrent qu'il fatigue, et si besoin couchez-le. Dans certains cas, il s'endormira dans l'auto et vous devrez le porter dans son lit au retour. Il peut aussi s'assoupir dans sa poussette. Profitez des moments où il dort non pas pour faire le ménage mais pour vous reposer ou boire un café avec vos amis.

VOTRE BÉBÉ A 38 SEMAINES ET 5 JOURS

Reconnaissance

Sa mémoire se développe et lui permet de tourner la tête vers vous quand vous dites son nom et de reconnaître des objets familiers.

Je sais ce que c'est! Votre bébé est désormais capable de désigner les objets que vous nommez dans son histoire préférée.

Votre enfant commence à montrer du doigt les objets qu'il veut et vous fait comprendre qu'il a intégré les endroits familiers comme le parc, en étant parfois enthousiaste quand il reconnaît le chemin qui y mène.

Il est maintenant capable d'identifier les personnes qu'il n'a pas vues depuis quelques semaines et sera content de rester avec une gardienne qu'il connaît. Il identifie les jouets qu'il aime et peut même les réclamer à grands cris en les montrant du doigt.

Encouragez ses tentatives de communication en essayant de deviner ce qu'il dit et ce qu'il veut. Cela peut impliquer de lui proposer plusieurs objets en demandant « c'est ça que tu veux ? », mais il appréciera vos efforts pour le comprendre et quand vous trouverez, il vous remerciera avec un large sourire.

Si vous instaurez une certaine routine, votre bébé identifiera peu à peu les différentes étapes. Désormais, il comprend beaucoup mieux ce que vous dites et aimera que vous le fassiez participer. Il peut même vous faire un sourire coquin lorsque vous avez l'appareil photo. Il sait ce qui va arriver ensuite et faire ce qu'il faut l'amuse.

Prévention des caries

L'émail des dents de votre bébé est plus fragile que le vôtre. Il suffit d'un peu de sucre pour qu'il risque des caries.

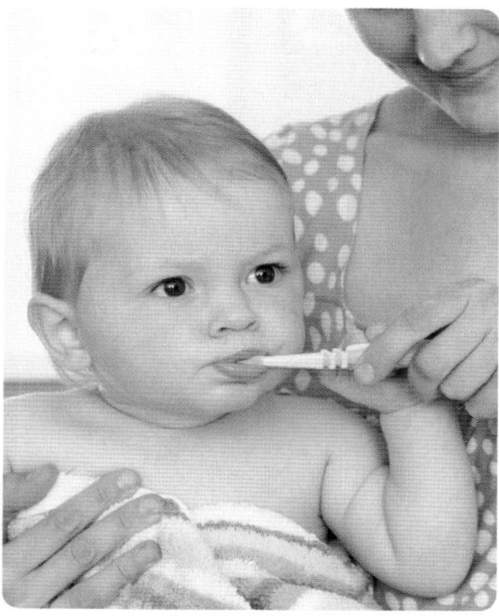

Sans dent Frottez ses gencives avec du dentifrice qui contient du fluor afin d'éliminer toute bactérie (à gauche) **Avec des dents** Aidez-le à se laver les dents avec une brosse à dents (à droite).

N'oubliez pas que l'alimentation de votre bébé n'est pas encore totalement solide. Il fabrique donc moins de salive, élément essentiel qui participe à la protection des dents et les renforce. C'est pourquoi il est important de prendre des mesures préventives contre les caries pour l'aider à avoir des dents fortes et saines.

Encourager votre enfant à manger des aliments riches en calcium est fondamental car il contribue au bon développement des dents de lait et de la dentition définitive. Les épinards et les pois, le saumon ou encore les produits laitiers sont d'excellentes sources de calcium. Il est donc important d'en inclure dans son alimentation quotidienne. Naturellement, ses biberons de lait contiennent beaucoup de calcium, mais en lui donnant de bonnes habitudes très tôt, il s'accoutumera à manger la nourriture qui renforcera ses dents.

Pensez également à laver régulièrement les dents de votre bébé (voir p. 212), même s'il n'en a pas encore beaucoup. Frottez-les ou brossez-les avec du dentifrice pour enfant qui contient du fluor afin d'éviter l'apparition de bactéries et de favoriser le renforcement de l'émail.

Si vous lui donnez parfois des sucreries, faites-le au moment des repas, quand il produit beaucoup de salive afin de protéger ses dents. Faites de même si vous voulez lui donner du jus de fruits dans le but de réduire l'effet du sucre qu'il contient. D'une manière générale, en dehors des repas, ne lui donnez pas d'aliments contenant naturellement du sucre ou dans lesquels du sucre raffiné a été ajouté. Les collations doivent être accompagnées d'un biberon d'eau ou de lait, les protéines et le calcium contenus dans ce dernier aidant votre bébé à avoir des dents saines.

VOTRE BÉBÉ ET LE FLUOR

Le fluor est un oligo-élément naturel présent dans de nombreux aliments qui contribue à une bonne santé dentaire car il renforce l'émail des dents et le rend plus résistant aux caries. Il aide également à réduire la quantité d'acide que les bactéries produisent sur les dents et à limiter la formation de sillons, réduisant ainsi les zones où la plaque dentaire peut s'accumuler. C'est pourquoi de nombreux dentifrices en contiennent afin de rendre le brossage plus efficace. Mais trop de fluor n'est pas bon pour votre enfant et peut entraîner notamment une décoloration des dents. Si vous utilisez un dentifrice au fluor, mettez-en très peu et gardez-le hors de portée de votre bébé pour être sûr qu'il ne le mange pas. De nombreux bébés aiment en effet le goût du dentifrice, mais ils l'avalent au lieu de le recracher lorsque le brossage est terminé, risquant alors une surcharge en fluor. Les dents d'un bébé sont plus fragiles que celles d'un adulte, soyez donc très doux lorsque vous brossez les dents de votre enfant. L'Association dentaire canadienne (ADC) et l'Agence canadienne des médicaments et des technologies de la santé (ACMTS) recommandent de ne pas donner de fluor aux enfants de moins de 3 ans et rappellent que la prévention des caries est liée à différents paramètres : une hygiène buccodentaire quotidienne adaptée, de bonnes habitudes alimentaires (pas de grignotage) et une consultation régulière du dentiste dès le plus jeune âge.

39 semaines

LES GENCIVES DES BÉBÉS SONT PLUTÔT DURES, C'EST POURQUOI ILS PEUVENT MÂCHER CERTAINS ALIMENTS MÊME SANS DENTS

Votre bébé comprend une grande partie de ce que vous dites et communique avec vous à sa façon. Si votre demande est simple et lui est familière, il peut même essayer de faire ce que vous voulez. Sa nouvelle aptitude, qui consiste à faire des catégories, lui permet de comparer ce qui est nouveau avec ses expériences passées.

Grandir vite !

En 9 mois, votre bébé est passé du stade de nourrisson totalement dépendant à celui d'enfant actif et curieux.

Votre enfant est beaucoup plus gros qu'à la naissance et le développement considérable de ses capacités physiques et de ses fonctions cognitives est de plus en plus visible. Son alimentation, d'abord exclusivement à base de lait, se compose désormais d'une nourriture variée alors qu'il apprend peu à peu à manger seul. De plus en plus indépendant, il joue maintenant dans son coin et tire en permanence des leçons de ses expériences et de ses explorations. Il a envie de communiquer et aime les « discussions » avec papa ou maman, ou avec toute personne qui écoute. Alors que récemment, pleurer était pour lui la seule façon de s'exprimer, son aptitude à communiquer évolue chaque jour. Il utilise à présent des signes, des gestes, des combinaisons sonores toujours plus complexes et même parfois de « vrais » mots. Enfin, sa capacité à interagir avec les personnes et à leur répondre témoigne d'une grande évolution quant à sa compétence sociale, qui a été favorisée par sa perception sensorielle.

Les capacités motrices générales de votre bébé se sont développées. Il a appris à tenir sa tête, à s'asseoir seul, à rouler, éventuellement à ramper ou marcher à quatre pattes et peut-être même à se tenir debout. Sa coordination œil-main s'améliore au fur et à mesure que sa motricité fine évolue. Il peut désormais manipuler des objets avec les deux mains et parfois utiliser ses doigts efficacement.

Vous trouvez peut-être que votre bébé met du temps à franchir chaque étape et vous vous demandez s'il se développe au bon rythme. S'il n'a pas encore atteint le même niveau que les enfants de son âge en termes de sociabilité, de langage, de fonctions cognitives et de motricité, ne vous affolez pas. Tous les enfants n'évoluent pas au même rythme. Cependant, si vous pensez que votre bébé a du mal à atteindre chaque étape, parlez-en avec votre médecin. Il vous rassurera et, le cas échéant, vous aidera. Si votre enfant était prématuré, il est tout à fait possible qu'il soit en retard sur certaines étapes de son développement. C'est parfaitement normal. Quand vous évaluez sa progression, prenez comme référence son âge corrigé.

ACTIVITÉ D'ÉVEIL

Ainsi font, font, font

Votre enfant sera captivé par un spectacle de marionnettes et voudra probablement y participer. Réalisez une marionnette avec un bas, tracez les yeux avec un crayon-feutre ou brodez-les avec du fil de couleur, ou achetez-en une à main. Animez-la en la faisant jouer à cache-cache derrière un coussin, rire, pleurer ou chatouiller votre bébé. Glissez la main de votre enfant dans la marionnette et montrez-lui comment faire. Les marionnettes à doigt sont parfaites pour jouer et peuvent s'adapter facilement sur la menotte de votre bébé. Les marionnettes favorisent la créativité et l'imagination et contribuent à développer la concentration et les aptitudes visuelles.

Drôle de coin-coin ! Les marionnettes amusent beaucoup votre bébé qui ne remarquera pas que vous êtes une piètre ventriloque.

GROS PLAN SUR...

Diversification 3 – Alimentation variée

Dès que votre bébé a pris goût à un éventail de purées, il est prêt à passer au troisième stade de la diversification. Introduisez de nouvelles saveurs et textures, ainsi que des aliments qu'il peut manger avec les doigts.

AIDE-MÉMOIRE

Trois repas par jour

Proposez à votre bébé plus de morceaux, une gamme de saveurs et de textures plus élargie et des aliments à manger avec les doigts.

- **Protéines** Votre bébé doit manger des protéines, au moins trois fois par jour, à raison de 40 g à chaque repas (œufs, viande, poisson, produits laitiers, légumes secs ou graines).
- **Graisses** Environ la moitié des calories consommées par votre enfant est issue des graisses, notamment de son lait. Intégrez de bonnes graisses à sa nourriture comme des avocats, de l'huile d'olive et des produits laitiers entiers.
- **Fruits et légumes.** Proposez-lui cinq fruits et légumes par jour.
- **Glucides** Votre bébé doit en manger au moins trois fois par jour (des céréales, du pain, des pâtes, de la semoule ou du riz).
- **Consistance** Écrasée, hachée, émincée ou en plus gros morceaux.
- **Combien de repas ?** Trois par jour plus les collations.
- **Quelle quantité ?** L'appétit de votre bébé est variable. S'il prend plus de deux biberons par jour, il aura moins faim. Donnez-lui de petites portions et resservez-le s'il en réclame encore.

Variez l'alimentation de votre bébé Quand votre bébé est habitué aux aliments solides, proposez-lui différentes textures et saveurs.

La troisième et dernière étape de la diversification consiste à continuer ce que vous avez fait jusqu'à présent, en ajoutant de nouvelles textures à ses repas – sous la forme de plus gros morceaux et de nourriture qu'il doit mâcher – ainsi qu'une gamme de saveurs plus étendue.

Votre bébé est désormais familier avec différentes saveurs et doit être capable de manger avec les doigts. Il sait également boire de l'eau dans une tasse à bec munie d'un couvercle.

Au cours de cette étape, qui intervient généralement vers 9 mois, vous pouvez commencer à introduire des aliments hachés, émincés ou des morceaux nettement plus gros à manger avec les doigts, votre bébé étant capable de mordre et de mâcher avec plus d'assurance. Certains enfants auront également envie d'essayer de manger seul, même si le résultat n'est pas toujours concluant. En effet, même s'ils sont ravis de tenir une cuillère, la dextérité nécessaire pour la mettre dans leur bouche sans en renverser la moitié apparaît plus tard, au cours de la deuxième année. N'espérez donc pas une totale réussite du jour au lendemain. Certains enfants aiment manger des aliments qu'ils peuvent prendre avec les doigts, et qu'ils tiennent plus facilement qu'une cuillère qui a la tremblote. Mais n'hésitez pas à laisser votre bébé faire des essais avec sa cuillère, la maîtrise de cette aptitude étant fondamentale.

Votre enfant prend désormais trois repas par jour (en plus des collations), et découvre une large variété d'aliments. S'il mange principalement avec une cuillère, commencez par écraser grossièrement des aliments à la fourchette. À 9 mois, seuls les plus gros morceaux ont besoin d'être hachés.

Que vous lui donniez encore à manger à la cuillère ou que vous le laissiez manger seul, vous pouvez également profiter de l'évolution de sa pince fine (fait de rapprocher le pouce et l'index pour saisir des objets) pour lui proposer de petits aliments à picorer avec les doigts comme des raisins secs, des pois, des baies ou tout autre aliment un peu mou.

De bonnes habitudes alimentaires pour la vie Lors de cette étape, il est essentiel d'introduire des recettes plus élaborées qui combinent différentes saveurs, des herbes et des épices. En ajoutant simplement une pincée d'herbes aromatiques à des pâtes, vous transformerez un repas plutôt fade en quelque chose de nouveau et d'excitant pour

votre enfant. L'ajout de coriandre, de cannelle, d'aneth, de thym ou de basilic est une bonne idée. Habituer le palais de votre bébé à ces nouveaux goûts le rendra probablement moins difficile dans les années à venir.

Un pâté chinois, un gratin de lasagnes ou des plats mijotés, ou encore des compotes de fruits feront découvrir à votre enfant un éventail de saveurs. Les recettes qui contiennent plusieurs ingrédients contribuent à la diversité de l'alimentation de votre bébé tout en éduquant ses papilles.

Lorsque vous commencez à faire évoluer les menus pour proposer à votre bébé des repas plus familiaux, n'oubliez pas que ses besoins nutritionnels sont très différents de ceux d'un adulte. Contrairement à vous, votre enfant a besoin de beaucoup de gras dans son alimentation parce qu'il grandit vite et qu'il s'agit de la source d'énergie la plus concentrée. Il ne doit pas non plus consommer trop de fibres (basses calories) qui sont consistantes et vont remplir son estomac sans toutefois lui apporter les calories dont il a besoin (pour plus d'informations sur l'alimentation des bébés, voir p. 207).

Suivre l'exemple de maman Pour votre bébé, le meilleur moyen d'apprendre est de vous imiter. C'est pourquoi il est judicieux de manger en famille pour passer du temps ensemble et lui montrer l'exemple. Votre bébé sera plus enclin à goûter de nouveaux aliments s'il voit ses frères et sœurs en manger. Il découvrira également le côté social des repas. Faites en sorte que ce moment soit agréable et ne forcez pas votre bébé à manger ou à découvrir de nouvelles saveurs s'il n'en a vraiment pas envie. Félicitez-le même s'il n'a mangé qu'un tout petit peu, mais s'il refuse un aliment en particulier ou ne veut pas finir son assiette, ne faites pas de commentaire.

Des études ont montré que les enfants qui mangent régulièrement avec leurs parents sont plus curieux quand il s'agit de découvrir de nouvelles saveurs.

IDÉES DE REPAS POUR LES PLUS GRANDS

Déjeuner

- Céréales sans sucre avec du lait et des morceaux de banane.
- Œuf, mouillettes et tranches de fruit (pêche ou ananas, par exemple).
- Compote de pomme, yogourt nature et céréales sans sucre.
- Petit pain et portion de fromage fondu, poignée de fruits rouges.

Dîner

- Pommes de terre avec du poisson ou du fromage.
- Morceaux à picorer : dés de fromage et de tomates, bâtonnets de concombre.
- Steak haché avec des haricots verts.
- Petits sandwichs avec du fromage, des œufs durs, du poulet émincé et un peu de mayonnaise.
- Spaghetti à la tomate et au basilic.
- Soupe maison à la tomate avec quelques croûtons (laissez-les ramollir et vérifiez qu'il mâche bien).
- Pizza avec de la tomate, de la mozzarella et des olives.
- Beignets de poisson (attention aux arêtes) ou de poulet accompagnés de carottes et de sauce tomate.
- Crudités, poulet grillé et pâtes au beurre.

Souper

- Viande hachée ou émincée, pâtes à la tomate et brocoli ou carottes Vichy.
- Poisson, potiron et purée de pomme de terre.
- Blanquette de poulet et riz.
- Lasagnes aux légumes.
- Risotto végétarien gratiné au fromage.
- Viande, poêlée de courgettes à la tomate et pomme de terre à l'eau.
- Gratin de chou-fleur, haricots verts et jambon blanc.
- Saumon aux petits légumes et riz.
- Blanc de poulet et tomate farcie aux légumes.

Des repas sympas Fromage blanc, céréales et banane (à gauche) ; filet de poisson et ses petits légumes gratinés au fromage (au centre) ; pâtes à la bolognaise maison (à droite) apportent à votre enfant les glucides, les graisses et les vitamines/minéraux dont il a besoin.

VOTRE BÉBÉ A 39 SEMAINES ET 1 JOUR

Un sentiment de culpabilité

Si vous avez repris le travail, il se peut que vous soyez un peu jalouse de la gardienne de votre enfant, qui assiste aux étapes de son évolution.

La relation que vous entretenez avec la personne qui garde votre enfant est importante, et vous devez faire en sorte qu'elle reste bonne, quel que soit votre sentiment par rapport à la relation qu'elle a avec votre bébé (voir p. 295). Si elle est expérimentée et professionnelle, elle est consciente que vous luttez contre un certain nombre d'émotions, alors n'hésitez pas à lui en faire part. Afin de vous sentir plus proche de votre enfant, demandez à la gardienne de vous raconter tout ce qui se passe dans la journée pour vous informer de ses progrès.

Expliquez-lui que vous respectez et appréciez ses efforts, et commentez positivement ce qu'elle a appris à votre bébé. Si vous vous sentez un peu à l'écart, rappelez-vous qu'il passe beaucoup plus de temps avec vous qu'avec elle.

Ne soyez pas étonnée si parfois votre bébé s'énerve ou pleure lorsque vous venez le récupérer. Les moments de transition entre parents et gardienne peuvent être angoissants pour lui, même s'il sait que vous allez venir le chercher. Vous pouvez interrompre son jeu ou une sieste, il peut se sentir bien là où il est et ne veut pas être habillé pour partir. Prenez votre temps, discutez des événements du jour avec l'assistante maternelle en tenant votre bébé dans les bras, et prenez l'habitude de lui faire dire au revoir pour bien marquer la fin de la journée.

Lorsque vous l'avez récupéré, passez du temps avec lui pour jouer ou lui faire écouter de la musique, même si vous avez autre chose à faire. Il a maintenant besoin de temps avec papa ou maman. Sachez que de nombreux parents se sentent coupables à l'idée de passer du temps loin de leur enfant, vous n'êtes pas la seule.

VOTRE BÉBÉ A 39 SEMAINES ET 2 JOURS

Mais qu'est-ce qu'il dit ?

Votre enfant a ses propres mots pour désigner les objets familiers. Désignez son doudou et demandez-lui comment il l'appelle.

C'est quoi ça ? Demandez à votre bébé de nommer les objets familiers.

Si votre enfant répète un son chaque fois qu'il voit un objet, il est possible qu'il ait créé son propre mot pour le désigner. Les bébés mélangent souvent les sons du nom d'un objet pour inventer des « mots » reconnaissables. Il peut utiliser « bibi » pour désigner son biberon, « momo » au lieu de « maman », « yé » pour « lait » ou encore « sin » pour dire « chien ». Encouragez-le à nommer les choses et applaudissez ses efforts. Écoutez-le attentivement afin d'identifier ses schémas de langage. Les mêmes sons reviennent-ils souvent ? Qu'essaie-t-il de vous dire ?

Votre enfant peut se sentir frustré lorsqu'il tente de communiquer avec vous en désignant un objet et en répétant un mot. Pour atténuer sa frustration, prenez des objets familiers comme son assiette, sa couverture ou son doudou et écoutez comment il les appelle. Répétez ce qu'il dit et apprenez-lui également le bon mot. Par exemple, dites « oui, sin. Le chien ! ».

Offrez à votre enfant de nombreuses occasions de prononcer ses nouveaux mots. Demandez-lui de vous montrer différents objets dans un imagier. Dites-lui le mot juste et voyez comment il répond. Si vous avez joué avec les cris des animaux, il se peut qu'il imite le cri au lieu de prononcer le nom de l'animal. Félicitez-le quand il associe les mots et les sons aux objets, puis incitez-le à continuer.

Vacances en famille

Les vacances avec un bébé plus âgé peuvent être un vrai plaisir dès lors que vous êtes bien préparée. Il va adorer l'aventure.

Soyez prête Dans un sac à couches, préparez ce dont vous avez besoin pour votre bébé.

De nombreux enfants se sentent mal à l'aise dans un nouvel environnement, c'est pourquoi il est préférable de prendre des jouets que votre enfant aime bien lorsque vous partez en vacances, pour le rassurer et l'occuper pendant le séjour. Gardez quelques jouets et livres à portée de main pour le distraire durant le voyage. Si vous dormez dans un hôtel qui fournit un lit, prenez sa gigoteuse ou une couverture qu'il aime bien. Il s'endormira mieux dans un endroit inconnu s'il a déjà quelques repères.

Lait et nourriture Si vous partez à l'étranger et que votre enfant boit encore le biberon, pensez à prendre suffisamment de lait maternisé au cas où vous ne trouviez pas la même marque sur votre lieu de vacances. Prévoyez également quelques petits pots ou petits plats préparés qu'il connaît le temps qu'il s'habitue à ce nouvel endroit et à la nourriture que l'on y trouve. Ils dépannent aussi très bien en cas d'urgence. Les petits pots de fruits ou les gourdes de compote plaisent à la plupart des enfants. Enfin, s'il y a un frigo à destination, vous pouvez également emporter des yogourts à boire ou des portions de fromage individuelles. Prévoyez également ses collations favorites comme des raisins secs, des boudoirs ou des galettes de riz. De petites boîtes de céréales pour bébé peuvent également être utiles.

Vous devriez pouvoir vous procurer du pain, des fruits et des légumes quel que soit l'endroit où vous êtes. Le riz et les pâtes, servis nature sur demande, sont proposés dans la plupart des restaurants. Entre les épiceries et les marchés locaux, il est généralement facile de trouver de quoi sustenter votre enfant. Les fruits et les légumes frais achetés dans leur pays d'origine sont particulièrement savoureux, et vous pourrez initier le palais de votre enfant aux saveurs de la gastronomie locale.

Quelques précautions Lavez les fruits et les légumes, et dans la mesure du possible, épluchez-les. Lorsque vous achetez des bouteilles d'eau pour votre enfant, assurez-vous qu'elles contiennent un faible taux de sodium. Si vous voulez faire goûter de la viande rouge à votre bébé, vérifiez la cuisson au préalable.

En arrivant sur votre lieu de résidence, cherchez tout ce qui peut représenter un danger. Si votre bébé marche à quatre pattes, commence à se lever, voire à vraiment se déplacer, regardez s'il y a un escalier, des câbles ou des fils sur lesquels il pourrait tirer, des prises électriques accessibles, des meubles instables, ou tout autre chose susceptible de provoquer un accident. Si vous êtes préoccupée par la sécurité de votre enfant, parlez-en à un responsable. Si vous constatez en toute bonne foi un problème de sécurité, votre agence de voyages ou le responsable des lieux doit s'en occuper rapidement. Enfin, n'oubliez pas de prendre les informations relatives à votre assurance, y compris les numéros d'urgence, les papiers d'identité et tout autre document nécessaire au voyage.

AIDE-MÉMOIRE

Ça peut servir...

À la page 131, vous trouverez des astuces pour voyager avec un bébé. Maintenant que votre enfant est un peu plus grand, vous pouvez également prévoir :

- Un pare-soleil pour l'auto et un parasol ou une tente anti-UV pour la plage.
- Une pharmacie avec, entre autres, de l'acétaminophène au dosage adapté à votre bébé et du gel dentaire.
- Un écoute-bébé ou une veilleuse.
- Une ombrelle pour sa poussette.
- Un porte-bébé.
- Une bonde universelle afin de pouvoir transformer la douche en bain n'importe où.
- De la lessive pour laver ses vêtements après les repas salissants.

VOTRE BÉBÉ A 39 SEMAINES ET 4 JOURS

Des mèches et des boucles

Fin duvet ou tignasse hirsute, les cheveux des enfants poussent différemment et n'ont pas tous besoin de la même attention.

Un petit coup de brosse Rendez les rituels plus agréables en incitant votre bébé à y participer.

Au cours de la première année, chez la plupart des bébés, le duvet présent à la naissance laisse progressivement place à des cheveux plus épais. Cependant, il y a de grandes différences d'un enfant à l'autre. Certains ont encore leur fin duvet à 9 mois alors que d'autres auront des cheveux frisés ou une chevelure qui descend jusqu'aux épaules. Si votre enfant n'est pas très chevelu, ne vous inquiétez pas, cela finira par arriver et réjouissez-vous, c'est facile à entretenir ! Un shampoing doux deux fois par semaine, un petit coup de brosse à poils très souples, et c'est terminé ! Pour les enfants très chevelus, l'entretien est plus fastidieux, surtout avec des cheveux frisés. Mettez une noisette de démêlant après le shampoing, rincez et coiffez avec un peigne à dents très fines.

Les cheveux épais, frisés ou ondulés demandent un entretien spécial en raison de leur texture et des boucles. Un lavage trop fréquent peut détruire le film lipidique (sébum) nécessaire au cuir chevelu, rendant ainsi les cheveux cassants et crépus. Il est donc déconseillé de les laver plus d'une fois par semaine.

VOTRE BÉBÉ A 39 SEMAINES ET 5 JOURS

Chaud et froid

Votre enfant est maintenant capable de réguler sa température, mais vous devez vous assurer qu'il n'a ni trop chaud ni trop froid.

À bientôt 10 mois, votre bébé est capable de vous faire comprendre qu'il n'est pas bien. Il peut tirer sur ses vêtements ou devenir grognon s'il a trop chaud et monter sur vos genoux pour un câlin ou se blottir sous sa couverture s'il a froid.

Lorsqu'il fait froid, habillez votre enfant avec le même nombre d'épaisseurs que vous. S'il est dans sa poussette, moins actif, il se refroidira plus facilement. Mettez-lui une tuque et ajoutez une couverture sur lui. Des bottes rembourrées ou une deuxième paire de bas tiendront ses pieds au chaud sous la couverture de la poussette. Il est peu probable qu'il aime porter des moufles car il a envie de se servir de ses mains, mais s'il fait suffisamment froid pour que vous mettiez des mitaines, vous devez lui en mettre aussi. Optez pour une veste avec des mitaines intégrés, qu'il ne pourra pas enlever tout seul.

Lorsqu'il fait chaud, laissez votre enfant jouer en cache-couche, avec un chapeau. S'il est bien à l'ombre, et protégé par de la crème solaire, il peut être simplement en couche et couvert d'un chapeau. S'il transpire ou tire souvent la langue, il a peut-être trop chaud. Donnez-lui à boire et enlevez-lui une couche de vêtements.

BON À SAVOIR

Les bonnes températures

La température de la chambre de votre bébé doit être comprise entre 16 et 20 °C. Celle de son bain est de 37 °C. La température « normale » d'un bébé en forme varie entre 36,5° et 37,5 °C. En cas de prise sous l'aisselle, ajoutez 0,5 °C pour obtenir la température réelle de votre enfant. Référez-vous aux notices des appareils.

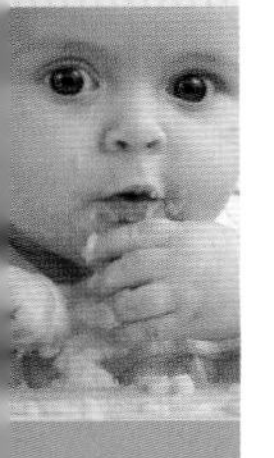

Votre bébé et sa mémoire

Depuis la naissance, la mémoire de votre bébé a considérablement évolué. Il retient désormais une information beaucoup plus longtemps.

Je connais ce visage! Le visage de votre bébé peut s'éclairer d'un sourire lorsqu'il voit quelqu'un dont il se souvient, surtout s'il aime bien cette personne!

Durant les premiers mois suivant sa naissance, votre nouveau-né agissait essentiellement par réflexe, et alors que votre odeur, votre peau et votre voix lui étaient familières, s'il ne vous voyait pas, il n'y pensait pas. Au fil des semaines, sa mémoire s'est développée peu à peu.

Une des premières choses dont votre bébé s'est rappelé est votre visage, qui crée ce lien si fort entre lui et vous. Un peu avant 6 mois, il était capable de se rappeler à court terme de ce qui était important pour lui. Ceci se voyait dans sa capacité à anticiper certaines actions ou certains événements, fait indicateur qu'il cherchait dans sa mémoire. Il se rappelait par exemple ce qui allait se passer quand vous preniez son livre pour lui raconter une histoire ou quand vous le mettiez dans sa chaise haute pour manger. Il montrait aussi une certaine excitation quand il voyait son doudou.

À 6 mois, votre bébé reconnaissait ses parents de même que les personnes les plus importantes de sa vie. Désormais, si vous l'appelez, il tourne la tête, vous montrant ainsi qu'il associe son prénom à sa personne. Il identifie les objets familiers, se souvient où sont rangés ses jouets ou ses collations favorites, reconnaît les visages et se rappelle des rituels quotidiens.

Le développement de sa mémoire présente également quelques inconvénients, à savoir qu'il se souvient de ce qu'il aime, mais aussi de ce qu'il déteste. Il peut ainsi se souvenir qu'il n'apprécie pas que vous lui laviez les cheveux et devenir grognon au moment du bain en entendant l'eau couler.

Développer sa mémoire à long terme

Le développement de la mémoire à long terme de votre bébé est tel, qu'il a progressivement augmenté sa capacité de stocker et de rappeler les informations. Plus il voit et expérimente quelque chose, plus il aura de chances de s'en rappeler.

Peu à peu, la durée pendant laquelle il va retenir une information augmente. S'il est rarement en présence de ses grands-parents par exemple, il sera capable de les reconnaître immédiatement s'il les voit dans le mois qui suit la dernière rencontre, mais il aura besoin de quelques minutes si la séparation est plus longue.

La faculté de mémorisation de votre enfant dépend de différents facteurs, parmi lesquels le degré de familiarité avec une information et le nombre de fois où cette information lui a été rappelée.

ACTIVITÉ D'ÉVEIL

Éveil des sens

Votre bébé aime découvrir les textures, les différentes consistances, et plus généralement se salir les mains. Vous avez déjà remarqué qu'il veut toujours toucher sa nourriture et la touiller sur le plateau de sa chaise haute. Il aime également s'en mettre plein le visage et les vêtements. Jouer avec les différentes textures et consistances fait partie de l'apprentissage des propriétés des objets familiers de son monde et il lui permettra de savoir comment sont les choses. Donnez-lui un potage liquide, ou de la gelée de fruits; laissez-le mettre ses mains dans de la pâte à tarte. Tout est bon pour découvrir à quoi ressemblent les choses.

L'enfarineur Mettre un joyeux bazar avec la nourriture lui plaît et lui permet de découvrir les textures et les formes.

Votre bébé de 10 à 12 mois

Au bout du doigt Les mouvements de la main de votre bébé sont plus précis. Il commence à utiliser l'index et non le bras pour montrer les choses.

Manger seul Votre bébé n'a pas encore la dextérité nécessaire pour manger seul avec une cuillère, mais il aime essayer.

Premiers mots Votre bébé prononce peut-être régulièrement certains mots. S'il dit « bi » pour son biberon par exemple, c'est un mot. Il se peut qu'il dise très bientôt « mama » et « papa ».

Équilibre instable Votre enfant arrive à tenir debout avec votre aide, mais peut tomber sur les fesses si vous le lâchez. Quand il aura trouvé son équilibre, il tiendra seul.

Le saviez-vous ? Votre bébé reconnaît son nom, mais il n'arrive pas encore à le prononcer lui-même.

Submergé par l'émotion À cet âge, les bébés pleurent de frustration quand ils ne maîtrisent pas quelque chose. Ils sont souvent submergés par l'émotion ; restez calme.

Tourner la page Votre bébé est peut-être capable de tourner la page d'un livre animé et sera heureux de regarder les images et de soulever les rabats.

Votre bébé est désormais un petit être sociable, qui connaît plein de choses et contrôle beaucoup mieux son corps.

27 28 29 30 31 32 33 34 35 36 37 38 39 **40 41 42 43 44 45 46 47 48 49 50 51 52**

Utiliser un crayon Avec votre aide, votre enfant est capable de tenir un gros crayon et de le déplacer afin de faire ses premiers dessins.

Des jeux plus complexes Par le biais d'activités comme empiler, trier ou ouvrir, les bébés découvrent le monde et comment les objets bougent, s'équilibrent et interagissent entre eux.

Comprendre le « non » Votre bébé commence à comprendre ce que « non » veut dire, mais il se montre peu coopératif. Il pense que c'est un jeu !

Le saviez-vous ? Certains bébés font leurs premiers pas avant un an, mais la plupart d'entre eux marchent au cours de la deuxième année.

Taper des mains Votre bébé sait coordonner ses bras et ses mains et taper ses paumes l'une contre l'autre pour applaudir quand il est content.

Sociabilité Votre bébé voit les autres enfants comme des objets et s'intéresse à leurs réactions.

Debout tout seul Tenir debout tout seul sans aucun support est un gros progrès pour votre bébé.

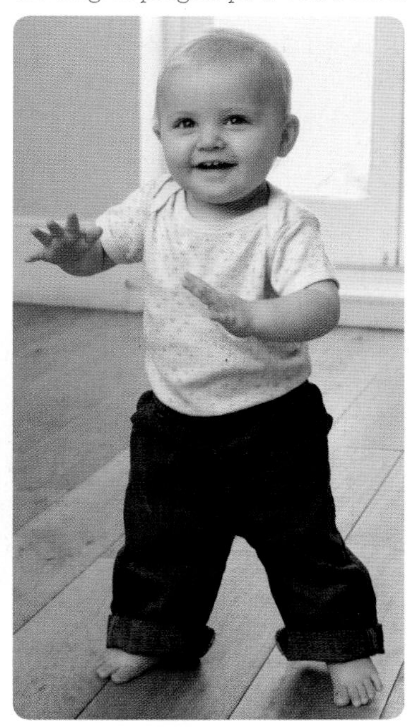

40 semaines

L'ANGOISSE DE LA SÉPARATION EST GÉNÉRALEMENT PLUS FORTE ENTRE 10 ET 18 MOIS

Votre bébé utilise peut-être ses deux mains en même temps et est fier de vous le montrer. Félicitez-le pour les progrès réalisés. Il mange désormais une grande variété d'aliments solides et est naturellement sociable. Il appréciera les repas en famille qui lui apprendront beaucoup.

Comme un bébé !

Au fur et à mesure que votre bébé grandit, il risque d'être moins coopératif que le souhaiteriez. Faites preuve de patience…

Chapeau bas! Vous lui mettez un chapeau, mais il l'enlève aussitôt. C'est son jeu préféré, et pour vous une épreuve de patience, surtout si vous êtes sur le point de partir…

L'époque où votre bébé était plus ou moins le prolongement de vous-même, où vous le portiez dans une écharpe, où il s'endormait sitôt posé dans son landau… est révolue. Désormais, il pense tout seul, et s'il n'en est pas encore tout à fait à vous réclamer son indépendance, il est malgré tout capable d'opposition ou de vous montrer qu'il n'aime pas ce que vous essayez de faire. La vie vous paraîtra soudain un peu plus compliquée, et vous serez sans doute plus rapidement énervée lorsque votre bébé ne fait pas ce que vous attendez de lui.

Vous voulez peut-être qu'il mette, ses bas ou ses chaussures, et il les enlève, il rechigne quand vous voulez le changer ou lui enfiler son manteau, ou encore il s'amuse à jeter la nourriture de son assiette par terre. Certains jours, vous aurez le sentiment que votre bébé met votre patience à rude épreuve. Mais il est important de garder le sens de la mesure, et de vous souvenir que votre enfant, dont le développement semble s'être soudainement accéléré, reste un bébé et ne cherche pas à vous compliquer la vie.

Accordez-lui du temps Essayez de rester calme s'il ne coopère pas immédiatement. Quand vous pouvez, écoutez-le. A-t-il vraiment besoin de mettre ses bas tout de suite ? Pourquoi ne pas couvrir ses pieds avec une couverture ? S'il préfère un gros gilet à un manteau boutonné jusqu'au cou, optez pour la facilité. Si votre bébé est frustré, proposez-lui votre aide. S'il vous repousse, laissez-le faire et essayer d'arriver à ses fins par ses propres moyens.

Surtout ne vous fâchez pas, il ne comprendrait pas et serait contrarié. Essayez de voir le côté amusant des choses et n'attendez pas trop de votre bébé. Après tout, il n'a que 10 mois.

ACTIVITÉ D'ÉVEIL

S'exercer à la pince fine

Vers 10 mois, votre bébé maîtrise parfaitement la pince fine (voir p. 339). Vous vous apercevrez qu'il utilise ses doigts pour « ratisser » les petits éléments qu'il veut tenir jusqu'à ce qu'il les ait positionnés de façon à réussir à les prendre entre le pouce et l'index.

L'heure des repas est idéale pour qu'il s'exerce sur le plateau de la chaise haute avec un raisin sec, des morceaux de fruits ou de légumes. Placez deux ou trois morceaux en même temps et laissez-le les ramasser et les porter à sa bouche.

À cette période, il aime également laisser tomber les objets sur le sol depuis sa chaise. Agaçant pour vous, ce petit jeu amuse beaucoup votre bébé.

Pince fine Votre bébé aime saisir des objets entre le pouce et l'index et va s'exercer en permanence.

VOTRE BÉBÉ A 40 SEMAINES ET 1 JOUR

Des siestes régulières

Pour que votre bébé dorme toute la nuit, faites-lui faire de vraies siestes au cours de la journée.

Même si à 10 mois les enfants supportent de légères modifications de leur rythme quotidien, il est important que dans l'ensemble, les moments réservés à la sieste soient réguliers et que votre bébé puisse bien dormir. S'il est trop fatigué au moment où vous le couchez, il mettra plus de temps à trouver le sommeil et risque d'être inquiet et grognon la nuit.

À cet âge, la plupart des enfants ont besoin d'une vraie sieste, en général après le dîner. Pour certains, une deuxième, plus courte, dans la matinée, reste indispensable. Si ces siestes sont bien programmées (si elles coïncident avec les signes de fatigue de votre bébé) et d'une durée suffisante (2 à 3 heures en tout), votre enfant doit être capable de tenir jusqu'au coucher le soir sans être trop fatigué et ainsi de passer une bonne nuit.

Pour les siestes, un rituel semblable à celui du coucher, mais quand même différent, est important. Baissez la lumière et chantez une berceuse, par exemple, mais gardez la lecture d'une histoire pour le soir. Avoir exactement les mêmes habitudes chaque jour permet à votre enfant d'anticiper l'heure de la sieste et ainsi de s'y préparer. Il y a alors plus de chances qu'il s'endorme rapidement sans protester.

De vraies siestes Votre bébé de 10 mois a besoin d'une ou deux siestes par jour.

VOTRE BÉBÉ A 40 SEMAINES ET 2 JOURS

Les fesses à l'air

Nos ancêtres seraient surpris de voir les vêtements de nos enfants. Pourtant, lorsqu'il ne fait pas froid, les bébés aiment être tout nus.

BON À SAVOIR

Nos ancêtres avaient très peu de possibilités pour habiller leurs enfants. Ainsi, au Moyen Âge, les vêtements étaient considérés comme un luxe. Les bébés étaient langés et enveloppés dans des bandes de tissu jusqu'à ce qu'ils soient en âge de s'asseoir tout seuls. Ensuite, ils étaient nus ou enroulés dans des couvertures s'il faisait froid. Au XVIIIe siècle, on se mit à souligner la différence entre garçons et filles : les premiers étaient vêtus d'une combinaison, les secondes d'une robe.

Dans la mesure du possible, votre enfant aimera ne pas avoir de couche de temps en temps. Pour des raisons évidentes, l'été est la saison idéale, mais c'est également possible en toute saison juste avant l'heure du bain par exemple, dans l'enceinte d'une salle de bains bien chauffée. Si vous avez de la moquette partout dans la maison, procurez-vous un tapis qui résiste à l'eau et recouvrez-le de serviettes afin de pouvoir remédier rapidement aux éventuels accidents.

Laisser votre enfant les fesses à l'air de temps en temps permet d'éviter ou de sécher les irritations provoquées par la couche. Cela lui donne également l'occasion de se familiariser avec la sensation de faire pipi et caca. Ainsi, le moment venu il saura ce qu'il ressent quand il a besoin d'aller aux toilettes. Il appréciera de ne pas être gêné par la couche et s'il n'a pas de vêtements non plus, c'est encore mieux.

Certains experts pensent que laisser les enfants sans couche tous les jours n'accélère pas nécessairement le processus du pot. Même si cela peut être l'aboutissement de la chose, n'en faites pas une obsession, la propreté viendra en temps voulu. Votre bébé est encore très jeune, et se promener les fesses à l'air n'est rien d'autre pour lui qu'une occasion de sentir librement son corps !

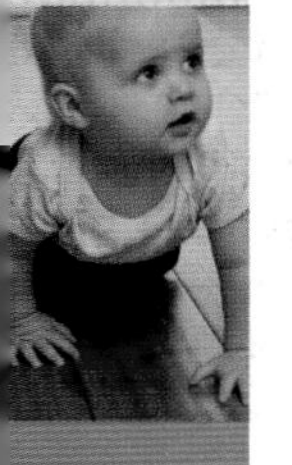

Manger en famille

Votre bébé apprendra beaucoup des repas pris en famille. Cela favorisera les bonnes habitudes alimentaires.

Il n'est pas toujours évident de manger en famille, mais essayez de le faire plusieurs fois par semaine et le week-end, quand vous avez plus de temps. Les bébés sont des êtres sociables qui ont tendance à être moins difficiles sur le plan de l'alimentation lorsque tout le monde est autour de la table. Si votre enfant voit les membres de la famille manger des aliments qu'il ne connaît pas, il peut avoir envie de les découvrir. Proposez-lui de goûter au contenu de votre assiette et, dans la mesure du possible, cuisinez des repas que tout le monde peut manger.

Votre enfant vous voit utiliser des ustensiles, des verres ou encore des serviettes de table. Il remarque que vous ne jetez pas votre assiette à travers la cuisine et que vous faites la vaisselle après être sorti de table. Même si cela prendra des années avant qu'il développe ce type d'aptitudes, vous lui donnez là un excellent exemple de la façon dont les gens mangent ensemble et du type de comportement et de manières qui conviennent. Faites en sorte que les repas soient joyeux. Évitez les débats houleux et souvenez-vous que votre bébé est un excellent observateur qui remarquera si vos règles changent d'un enfant à l'autre.

Faites-le participer à des repas qui rassemblent plus de personnes, au dîner la fin de semaine, lors de différentes occasions festives (anniversaire…). Même s'il peut se méfier des inconnus, plus il aura d'occasions de rencontrer de nouvelles personnes et de découvrir de nouveaux environnements en étant à vos côtés, plus il deviendra confiant. De nouvelles têtes, de nouveaux aliments et de nombreux échanges seront très bénéfiques pour tous.

Repas et valeurs sociales Les repas en famille sont d'excellentes occasions d'interagir avec votre bébé qui observe vos habitudes et aura envie de goûter ce qu'il vous voit manger.

AIDE-MÉMOIRE

Repas en famille

La plupart du temps, votre bébé peut manger la même chose que vous, mais souvenez-vous qu'il ne faut ajouter ni sel ni sucre dans son assiette. Attention également aux épices relevées et aux condiments comme la moutarde ou le vinaigre, susceptibles de lui provoquer des brûlures d'estomac. Écrasez ou émincez les aliments qui lui sont destinés. Voici quelques idées de menus familiaux adaptés à votre enfant :

- Blanquette de volaille aux petits légumes et aux herbes, purée de pommes de terre.
- Soupe épaisse de poireaux et de pommes de terre ou de lentilles.
- Filet de poisson aux épinards, petits pois et pommes de terre.
- Boulettes maison à la sauce tomate, avec des pâtes ou du riz (si la viande est hachée suffisamment finement, votre bébé peut manger les boulettes de viande avec les doigts).
- Gratin de brocolis, de poireaux ou de chou-fleur au fromage.
- Lasagnes à la bolognaise.
- Terrine de poisson aux légumes (carottes et petits pois, par exemple).
- Tourtière (attention de ne pas trop saler).
- Croustade de légumes et poulet.

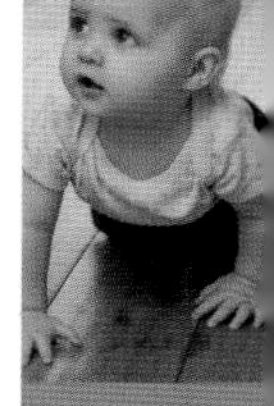

VOTRE BÉBÉ A 40 SEMAINES ET 4 JOURS

La crainte des inconnus

À cet âge, votre enfant peut devenir craintif et se sentir mal à l'aise en présence de personnes qu'il ne connaît pas.

L'angoisse de votre enfant face aux inconnus et à l'idée d'être séparé de vous est désormais plus forte. Il comprend que la relation qu'il entretient avec vous est spéciale et qu'il doit se méfier des autres personnes. Cela fait partie de son développement social, c'est donc tout à fait normal. Au lieu de sourire en voyant une de vos amies, il peut pleurer, se cacher les yeux ou encore se cramponner à vous.

C'est parfois un moment difficile pour vos proches, qui peuvent se sentir rejetés par votre enfant qui refuse soudainement tout contact avec eux. Ne soyez pas gênée si votre nourrisson n'est pas souriant, accueillant et sociable et expliquez à votre entourage que c'est tout à fait normal à ce stade de son développement. Il s'agit de l'angoisse de la séparation (voir p. 283) et, sous différentes formes, cela peut durer jusqu'à l'âge de 3 ans.

Laissez votre enfant progresser à son rythme. Petit à petit, faites-lui découvrir de nouvelles situations sociales, rassurez-le d'une voix calme. Donnez-lui le temps de s'habituer aux inconnus avant de demander à quelqu'un de le porter. S'il ne veut vraiment pas aller avec une autre personne, ne le forcez pas. Montrez à vos proches quelques petits trucs qui font toujours rire votre enfant afin de le détendre et de lui permettre de faire des associations positives.

Bien qu'il refuse de quitter vos bras, faites-lui rencontrer différentes personnes. Même si au début il peut se sentir craintif et mal à l'aise, il est nécessaire qu'il s'habitue aux environnements bruyants et aux nouveaux visages. Tant que vous êtes là, il est rassuré et va prendre confiance. Mais surtout, soyez positive et sociable en compagnie des autres. S'il voit que vous être détendue et que vous prenez du plaisir, il comprendra vite qu'il ne doit pas s'inquiéter.

VOTRE BÉBÉ A 40 SEMAINES ET 5 JOURS

Éclats de rire

Le rire est une des étapes du développement. Il montre que votre bébé répond positivement aux stimuli et développe son sens de l'humour.

La socialisation dépend de la capacité de votre bébé à interagir avec les autres. Le fait qu'il trouve que quelque chose est drôle est le signe le plus évident qu'il prend du plaisir avec les personnes qui l'entourent et les activités pratiquées. Il a sans doute émis de nombreux petits rires depuis qu'il a 3 mois (certains enfants rient alors qu'ils ont tout juste 8 semaines) mais à 10 mois, il est désormais capable de véritables éclats de rire.

Tous les comportements un peu « idiots » vont faire rire votre bébé. Faire « brrr », chatouiller ses cuisses ou prétendre que ses pieds ne sentent pas bon (ce qu'ils préfèrent en général). Comme il est désormais capable de déchiffrer les expressions et d'interpréter les sentiments des autres personnes, il va adorer vous voir grimacer de dégoût à cause de ses pieds. Vous vous apercevrez qu'il aime les mettre sous votre nez pour que vous recommenciez encore et encore. Et lorsque vous trouverez quelque chose qui fait rire votre bébé aux éclats, vous aurez envie de recommencer, car, pour la plupart des parents, entendre rire leur enfant est la chose la plus merveilleuse qui soit.

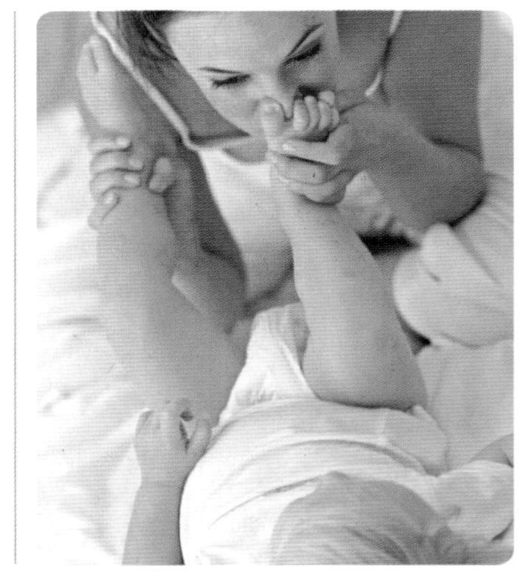

Une odeur de cheddar! Essayez de faire rire votre enfant en disant que ses pieds sentent le fromage. Éclat de rire assuré!

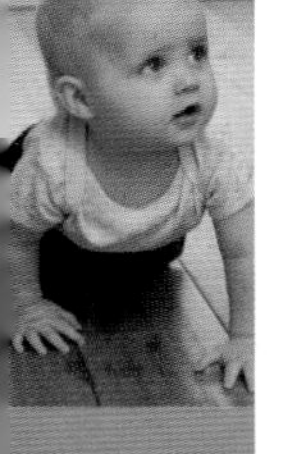

Que mange mon bébé ?

Votre bébé prend désormais trois repas par jour avec des collations et commence à accepter les textures avec de plus gros morceaux.

C'est le moment idéal pour introduire de nouveaux aliments qu'il peut manger avec les doigts. Le reste de son alimentation peut être écrasé et vous pourrez progressivement introduire des morceaux un peu plus gros (voir p. 310-311).

Désormais, votre bébé a probablement quelques dents et sa mâchoire et sa langue se sont suffisamment développées pour lui permettre de mâcher et d'avaler correctement la nourriture. Plus vous lui donnerez de textures différentes, moins il sera difficile par la suite.

Écraser des légumes à la fourchette au lieu d'utiliser un robot est un excellent moyen de garder beaucoup de texture. Les bébés semblent avoir une réelle préférence pour les légumes-racines réduits en purée. Vous pouvez également écraser des fruits cuits et crus ou différents fruits/légumes ensemble. La viande émincée permet de composer de petites bouchées suffisamment molles pour être mâchées et avalées par votre enfant.

Quand il est habitué à la nourriture écrasée et émincée, vous pouvez passer à la viande hachée, par exemple. Quand il aura accepté les morceaux, augmentez-en progressivement la taille. Certains enfants préfèrent nettement les gros morceaux aux plus petits qu'ils avalent parfois par surprise.

Variété de textures Vous allez bientôt pouvoir proposer à votre enfant des repas composés d'une assiette aux multiples textures. Commencez par exemple par de l'émincé de poulet, de la purée de pommes de terre et de carottes écrasées à la fourchette et des petits épis de maïs doux. Ou encore, mélangez des épinards, du fromage fondu et de la noix de muscade, et servez-lui avec un filet de poisson, des pâtes aux formes bizarres et quelques haricots ou brocolis à picorer avec les doigts. Il sera ainsi plus actif dans cet apprentissage et découvrira par lui-même le plaisir de manger.

À l'âge d'un an, votre enfant prendra trois repas par jour, même si la quantité ingérée à chaque repas peut varier considérablement. S'il a du mal à prendre un déjeuner, réduisez la quantité de lait afin qu'il ait de l'appétit pour le reste. S'il prend encore un biberon dans la journée, donnez-lui de préférence après son repas et non avant, sinon il n'aura pas assez faim pour la suite.

Essayez d'encourager votre enfant à prendre des repas complets avec des collations santé. Ne vous inquiétez pas s'il ne mange pas tout ce que vous lui servez à chaque repas. Si vous lui proposez des repas et des collations équilibrés, il aura tous les éléments nutritionnels dont il a besoin.

Changement de régime La nourriture solide fait désormais partie intégrante de l'alimentation de votre bébé.

L'AVIS... DE L'INFIRMIÈRE

Mon bébé ne prend plus le sein. Que dois-je faire ? En grandissant, votre enfant sera plus facilement distrait lors des repas par ce qui l'entoure et pourra manifester une certaine impatience si vous le laissez longtemps à table. En général, le problème est passager. Essayez de le nourrir loin de toute distraction, quand il est un peu somnolent et moins enclin à se laisser distraire. Proposez-lui un contact peau à peau afin de lui rappeler les liens affectifs, nourrissez-le quand il est plus détendu et quand il se trouve dans l'environnement familier qu'il préfère. Continuez à lui proposer des tétées aux heures habituelles, aux environs des repas, et commencez en lui mettant un peu de votre lait sur ses lèvres. Il a peut-être simplement besoin de se rappeler comme c'est bon. Si rien ne marche, proposez-lui votre lait dans une tasse ou dans un biberon. Pensez alors à tirer régulièrement votre lait pour maintenir la production. Il finira peut-être par revenir au sein. Mais si vous n'appréciez plus d'allaiter, sevrez votre enfant, car il ressentira votre gêne et risque de considérer cela comme un rejet de sa personne.

41 semaines

LORSQU'IL PART EN VADROUILLE, VOTRE BÉBÉ PEUT LÂCHER SON POINT D'APPUI QUELQUES SECONDES

Désormais, votre bébé est capable de s'amuser seul plus longtemps ! Mais en étant plus indépendant, il va vous tester. Tout en le protégeant des dangers, soyez ferme sur ce qu'il peut ou ne peut pas faire. Et comme toujours, félicitez-le quand il se comporte bien.

Votre poitrine et l'allaitement

L'allaitement ne modifie ni la taille ni la forme de votre poitrine, c'est la grossesse qui est à blâmer.

Inévitable changement Acceptez les transformations induites par la grossesse et respectez le corps qui a nourri votre enfant.

Au cours de la grossesse, une poussée d'hormones entraîne une augmentation du volume de votre poitrine qui perdure 9 mois. Si vous allaitez, vos seins resteront ainsi jusqu'au sevrage. Si vous n'allaitez pas, ils retrouveront leur taille d'avant la grossesse en quelques semaines après l'accouchement.

Vos seins ne contiennent pas de muscles, mais sont rattachés aux muscles de la poitrine par de petits ligaments. Lorsqu'ils prennent du volume, ces ligaments peuvent s'étirer, et ce, que vous allaitiez ou non. Si vous prenez beaucoup de poids pendant la grossesse, et que vous le perdez ensuite, cela aura également une incidence sur vos seins. C'est pourquoi, il est important de porter des soutiens-gorge adaptés lors de l'allaitement afin de bien soutenir votre poitrine.

Les seins sont constitués de graisse. Si vous prenez du poids, ils prennent du volume. Si vous en perdez, ils diminuent proportionnellement au poids perdu. En conséquence, si vous perdez plus de poids que vous n'en avez pris lors de la grossesse, il est vraisemblable que vos seins seront plus petits.

Il se peut également qu'ils soient un peu moins fermes lorsque vous arrêtez l'allaitement, mais il y a aussi de bonnes nouvelles. Dans les six mois qui suivent la fin de l'allaitement, du tissu adipeux remplacera progressivement le tissu qui produit du lait, laissant ainsi votre poitrine plus remplie. Si vous faites des exercices pour remuscler les pectoraux (voir encadré ci-dessous), vos seins deviendront plus fermes et remonteront. Une peau bien hydratée présente une meilleure élasticité et semble plus lisse. Alors buvez beaucoup d'eau et n'hésitez pas à utiliser des crèmes hydratantes pour garder un joli décolleté.

MUSCLEZ VOS PECTORAUX POUR DES SEINS PLUS FERMES

Des petits haltères ou deux bouteilles d'eau peuvent vous aider à obtenir de meilleurs résultats.

Pompes Si vous n'avez jamais fait de pompes, placez vos mains sur le sol en respectant l'écartement des épaules et posez les genoux au sol. Croisez les chevilles, mettez-vous en appui sur les bras en gardant le dos plat. Pliez les coudes et descendez le plus bas possible puis remontez.

Répétez dix fois ce mouvement, reposez-vous puis recommencez. Si vous êtes préoccupée par vos abdominaux ou votre utérus, faites des pompes debout, face au mur. Les bras tendus et les paumes contre le mur à hauteur des épaules, pliez lentement les coudes puis tendez-les pour retourner en position initiale.

Développé pectoral Allongée sur le dos, les bras au-dessus de vous, un poids dans chaque main, les coudes légèrement pliés. Descendez lentement les bras sur le côté jusqu'à ce que vos poignets touchent le sol et revenez en position initiale. Reproduisez 15 fois ce geste, reposez-vous et recommencez. Faites 15 séries de cet exercice.

Développé couché Toujours allongée sur le dos, un poids dans chaque main, les bras au-dessus de vous, les coudes légèrement pliés. Descendez lentement les bras au-dessus de votre tête jusqu'à ce que vous sentiez que les poids touchent le sol derrière le sommet du crâne et ramenez les bras en position initiale. Répétez 15 fois ce mouvement, reposez-vous et recommencez pour 15 séries.

Étirements Pour éviter les courbatures, étirez les muscles que vous avez fait travailler. Asseyez-vous le dos droit et croisez les mains dans le dos. Rapprochez vos omoplates afin d'ouvrir la cage thoracique. Tenez 10 secondes, puis relâchez.

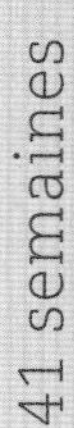

VOTRE BÉBÉ A 41 SEMAINES ET 1 JOUR

Faire les courses avec un bébé

Aller à l'épicerie avec votre bébé dans le chariot est un défi. Voici des astuces pour éviter les crises de larmes de votre petit.

Avant de partir, préparez une liste précise de ce qu'il vous faut. Si vous connaissez l'agencement du magasin, faites-la dans l'ordre des rayons afin d'être le plus efficace possible.

Allez à l'épicerie après les heures de repas et de sieste, afin que votre bébé ne soit ni affamé ni grognon. Essayez d'éviter les heures de pointe pour ne pas faire la queue à la caisse. Prévoyez une collation comme une compote ou une galette de riz qu'il pourra manger pendant que vous avancerez. Si vous le mettez dans le siège du chariot, assurez-vous qu'il est bien en sécurité. Pensez à prendre un ou deux jouets de sa poussette pour qu'il s'amuse.

Essayez de vous garer le plus près possible de l'entrée de l'épicerie et du parc à chariots, afin de ne pas avoir à trop vous éloigner pour le remettre en place une fois l'auto chargée. Cela vous épargnera une crise de larmes si votre bébé n'est pas particulièrement coopératif.

Dernière chose, essayez de rendre le moment agréable et intéressant pour votre enfant en le faisant participer. Prenez un fruit, un ananas par exemple, expliquez-lui ce que c'est et laissez-le toucher avant de le mettre dans le chariot. Parlez-lui en progressant dans les rayons, caressez-lui la main et surtout, établissez de nombreux contacts visuels avec lui afin de lui montrer que vous êtes contente qu'il soit sagement assis dans le chariot.

VOTRE BÉBÉ A 41 SEMAINES ET 2 JOURS

Laisse-moi faire...

Si votre bébé est déjà parti en expédition en prenant appui sur les meubles, il va progressivement prendre de l'assurance.

J'y suis presque! Votre bébé va chanceler en apprenant à marcher, parce que ses pieds bougent un peu trop vite par rapport à sa notion de l'équilibre.

Bien avant de partir à l'aventure en faisant ses premiers pas, votre enfant a besoin de tenir debout en confiance, seul et sans support. Lorsqu'il maîtrisera son équilibre, il pourra alors envisager de mettre un pied devant l'autre.

En moyenne, les bébés marchent vers l'âge de 13 mois. Avant, ils passent énormément de temps à se lever pour tenir debout et à se déplacer en appui sur un support. À l'heure actuelle, votre enfant est peut-être ravi d'évoluer de meuble en meuble, laissant peu à peu plus d'espace entre son support et son corps au fur et à mesure qu'il prend confiance. Par moments, il peut aussi lâcher le support et rester debout seul sans appui.

Même si vous préférez attendre que votre bébé marche correctement pour lui acheter sa première paire de chaussures pour l'extérieur, il existe de nombreuses chaussures souples, idéales pour les expéditions de votre bébé, plus particulièrement s'il est dehors (voir p. 328).

Ne vous inquiétez pas si votre enfant semble préférer d'autres méthodes pour se déplacer, comme avancer sur les fesses. Tant qu'il est mobile, cela ne pose pas de problème. Certains bébés sont tellement efficaces avec cette technique, qu'ils montrent moins d'intérêt que d'autres enfants pour la marche.

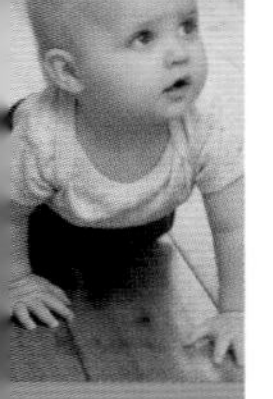

Pour une maison sûre

Avec un bébé toujours plus mobile, vous devez sécuriser votre maison afin de réduire les risques d'accident.

Dispositifs de sécurité Des portes de placards verrouillées tiennent les petits curieux à l'écart des produits dangereux.

Le meilleur moyen de savoir si votre maison est sûre pour votre bébé est de vous mettre à sa hauteur. Si vous voyez des câbles, cachez-les ou empêchez-en l'accès. Achetez des cache-prises. Regardez s'il y a des coins à hauteur de sa tête où il pourrait se cogner. Les enfants ont l'habitude d'utiliser l'espace situé entre la porte et les huisseries pour se tenir, mais ils risquent de se faire coincer les doigts. Investissez dans des bloque-portes pour empêcher la porte de claquer.

Retirez les tapis si vous en avez et ne laissez jamais de boissons susceptibles d'être renversées et d'engendrer des brûlures si elles sont chaudes sur une table basse. Veillez à protéger les angles de la table si les coins sont pointus pour éviter que votre bébé ne se blesse en tombant.

Achetez une protection pour la porte de votre four si votre enfant peut y accéder et des dispositifs de verrouillage pour les placards et les tiroirs qui contiennent des éléments dangereux comme des couteaux ou des produits ménagers. Débranchez systématiquement le sèche-cheveux et mettez-le hors de portée de votre enfant pour qu'il refroidisse. Gardez la laveuse, le lave-vaisselle et la sécheuse hermétiquement fermés afin que votre bébé ne puisse pas se glisser à l'intérieur. Les portes vitrées doivent être en verre sécurit. Si ce n'est pas le cas, posez un film spécial de chaque côté pour les sécuriser.

Si vous avez des animaux, gardez leur nourriture et leur gamelle d'eau dans une pièce fermée à laquelle votre enfant ne peut avoir accès, ou sortez-les uniquement quand il n'est pas là.

ACTIVITÉ D'ÉVEIL

Vive les grimaces !

Votre bébé est né avec l'aptitude de vous imiter. Si vous faites des grimaces en le regardant, il vous en fera en retour. Faire des grimaces à l'autre est une étape importante de son développement social. Il reflète votre expression et vous lui renvoyez la sienne. Il découvre la réciprocité sociale et ces mimiques faciales auront bientôt un sens pour lui. Plus tard, il saura que lever les yeux est synonyme d'interrogation et que froncer les sourcils indique la colère. Savoir associer une expression et une étiquette comme « contrarié » ou « content » est le début de la lecture des émotions. Il ne fera pas la bonne connexion immédiatement, mais il est important de commencer tôt son éducation émotionnelle.

Faire des grimaces contribue également au développement des muscles de son visage, ce qui facilite ensuite le développement de la parole.

Imitations et grimaces Votre enfant apprend énormément de choses en imitant les expressions que vous mimez pour l'amuser et y prendra beaucoup de plaisir.

VOTRE BÉBÉ A 41 SEMAINES ET 4 JOURS

Un goût marqué pour le sucré

Il est possible que votre bébé préfère le sucré au salé, mais évitez de lui donner des sucres raffinés qui pourraient abîmer ses futures dents.

Sucre naturel Les fruits gorgés de sucre et de saveurs sont très appréciés des bébés.

De nombreuses études ont montré que le goût pour le sucré relève de l'acquis et non de l'inné, et que, malgré une préférence pour les aliments sucrés, tout comme les nouveau-nés, les enfants un peu plus âgés peuvent voir leur goût pour le sucré satisfait avec des aliments sains.

Le sucre est naturellement présent dans de nombreux aliments, y compris les fruits, les légumes et le lait. Le sucre contenu dans les aliments complets est moins nocif pour les dents que le sucre présent dans le jus de fruits par exemple, qui a le même effet que le sucre de table. Quand les dents de votre bébé sont en train de sortir, il est important de contrôler sa consommation de sucre. Évitez de lui donner des produits qui contiennent du sucre raffiné comme des gâteaux, des biscuits, du chocolat ou des bonbons. Un goûter sous forme de pomme râpée ou de banane écrasée est suffisamment sucré. Réservez les fruits secs collants comme les raisins à l'heure des repas, car ils peuvent provoquer des caries. Quand vous donnez à boire à votre bébé, proposez-lui avant tout de l'eau. Si vous lui donnez du jus de fruits, diluez-le à hauteur d'un volume de jus pour neuf volumes d'eau.

Pendant que votre bébé est encore assez docile, encouragez-le à manger de préférence de la nourriture salée.

VOTRE BÉBÉ A 41 SEMAINES ET 5 JOURS

Des chaussures pour l'aventure

Alors que votre bébé commence à partir en expédition, vous pouvez vous demander si ses pieds ont besoin de soutien et de protection.

Quand votre enfant commence à marcher, être sans bas ni chaussures lui apprend à utiliser ses orteils pour trouver son équilibre. Dans la mesure du possible, laissez-le pieds nus. Ses pieds sont à un stade important de leur développement et marcher pieds nus aide à la formation de la voûte plantaire tout en renforçant les chevilles.

Cependant, vous pouvez vous demander si les pieds d'un bébé debout ont besoin de plus de protection, en particulier à l'extérieur ou sur des surfaces glissantes. De nombreuses boutiques proposent des chaussures adaptées pour cette étape.

Alors que le port de chaussures à cet âge fait débat, les vendeurs expliquent qu'elles apportent un soutien aux orteils et aux talons et donnent confiance aux bébés. Les chaussures souples autorisent une flexibilité totale et permettent à l'enfant de sentir le sol. Choisissez-les de préférence dans une matière naturelle comme le cuir et assurez-vous qu'elles sont parfaitement adaptées au pied de votre bébé auprès d'un vendeur habitué aux tout-petits. Dès que la marche est installée, achetez des chaussures adaptées qui enserrent bien la cheville et avec une petite voûte plantaire.

L'AVIS... D'UNE MAMAN

De bonnes chaussures coûtent cher. Puis-je en acheter d'occasion ? Ce n'est pas judicieux, car les chaussures d'occasion ont pris la forme du pied de leur précédent propriétaire. Il est donc préférable de l'éviter quand les pieds de votre bébé sont en plein développement. Cela vaut la peine d'acheter une paire neuve s'il la porte régulièrement. Vous pouvez faire une exception pour une paire qu'il portera très peu, lors d'un événement particulier.

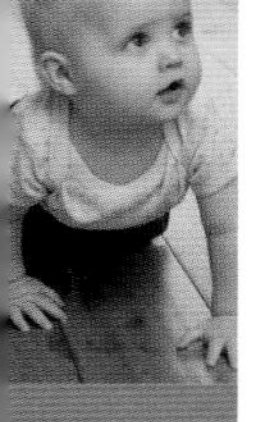

VOTRE BÉBÉ A 41 SEMAINES ET 6 JOURS

Une personnalité à part entière

La personnalité de votre bébé s'affirme au fur et à mesure qu'il apprend à s'exprimer et qu'il acquiert des schémas comportementaux.

Un individu à part entière Respectez la personnalité de votre bébé et trouvez des moyens adaptés pour le canaliser si besoin.

De nombreux aspects de la personnalité de votre enfant sont déjà apparus. Un bébé détendu et heureux gardera en général ces caractéristiques au cours de l'enfance puis à l'âge adulte. Au fur et à mesure que votre bébé grandira, vous remarquerez différents traits de son caractère. Il peut avoir une forte volonté ou être facile à satisfaire, être calme et toujours prêt à rire ou au contraire être tendu et sensible.

Quoi qu'il en soit, évitez de lui « coller une étiquette ». Dire devant lui qu'il est « facile » ou « difficile » peut influencer sa personnalité, et ces « étiquettes » se transforment en prophétie qui se réalise. Si votre enfant grandit en pensant qu'il est difficile, il va agir pour l'être vraiment. Cela est particulièrement important si vous avez des jumeaux (ou triplés...), que l'on a tendance à comparer et à « étiqueter » plus facilement.

Acceptez les caractéristiques individuelles de votre enfant, même si vous ne les appréciez pas les premières années. Un enfant plein d'énergie, qui n'arrête jamais, peut sembler épuisant, mais dites-vous que cette qualité fera l'admiration de tous quand il aura grandi.

Certaines particularités peuvent être un peu extrêmes, et vous pouvez essayer de les atténuer légèrement au cours de ces mois où il forge son caractère. Par exemple, si votre bébé est calme au point d'accorder peu d'intérêt à son environnement, mettez une musique rythmée et encouragez-le à être physiquement actif. S'il s'énerve rapidement lorsqu'il n'arrive pas à ses fins, essayez de le distraire en lui proposant de nouvelles activités pour qu'il retrouve son calme.

Sachez qu'il est possible d'étouffer les traits de caractère naturels de votre bébé en essayant d'imposer les vôtres. Ainsi, si vous êtes de nature calme, vous pouvez trouver que sa personnalité bruyante et exubérante est épuisante. Cependant, éviter les situations ou les jeux animés au cours desquels son caractère pourrait ressortir risquerait de laisser votre enfant frustré, sans possibilité de s'exprimer. Respectez la personnalité unique de votre bébé et essayez de trouver des moyens adaptés de le canaliser.

Si vous n'aimez pas certains traits de sa personnalité, soyez positive en pensant à leurs avantages à long terme. S'il est entouré, dans une maison heureuse, même le plus difficile des bébés deviendra un adulte équilibré et heureux, avec une personnalité qui reflète l'individu qu'il est et l'éducation qu'il a reçue.

ACTIVITÉ D'ÉVEIL

Bouger dans tous les sens

Se tortiller, se balancer, faire des bonds, taper des mains sont autant de pas de danse que votre bébé de 10 mois est désormais capable de réaliser sans effort. S'il se tient facilement debout avec un support, mettez de la musique, tenez-lui les mains ou les poignets pour qu'il soit bien stable sur ses pieds et dansez avec lui. La flexion répétée de ses genoux l'encourage à plier et tendre les jambes, ce qui l'aide à les muscler.

Danser ensemble Faites bouger votre bébé au rythme de la musique sur un lit, ainsi, il tombera en douceur si les choses se corsent !

42 semaines

AU COURS DE SA PREMIÈRE ANNÉE, VOTRE BÉBÉ RISQUE D'ENCHAÎNER LES RHUMES

Votre bébé maîtrise de mieux en mieux sa motricité fine et devient spécialiste de la manipulation des objets avec précision. Il aime également essayer d'utiliser correctement certaines choses, comme une cuillère ou un téléphone.

D'un rhume à l'autre

Votre bébé, actif et sociable, est au contact de multiples germes portés par de nombreuses personnes, dans différents environnements.

AIDE-MÉMOIRE

Signaux d'alerte

Si votre bébé est malade et présente une des complications suivantes, contactez votre médecin.

Fièvre Une température de 39 °C ou plus, ou supérieure à 38,5 °C depuis plus de deux jours doit faire l'objet d'un avis médical.

Somnolence Si vous avez du mal à réveiller votre bébé lors de ses siestes, si vous le trouvez atone ou sans réaction, consultez votre médecin.

Déshydratation Lorsqu'ils luttent contre l'infection, les bébés ont besoin de boire. Si votre enfant refuse son biberon, le sein ou de l'eau pendant plus de 8 heures, demandez un avis médical (voir p. 395 pour connaître les signes de déshydratation).

Éruption cutanée Si certaines éruptions cutanées sont plutôt inoffensives, celles non définies associées à un virus doivent être soumises à un examen médical.

Oreille qui gratte Si votre bébé se gratte l'oreille et vous semble vraiment mal, il se peut qu'il ait une otite.

Toux persistante Si votre bébé tousse depuis plus d'une semaine et qu'il a du mal à respirer, il a peut-être une infection des bronches.

Respiration sifflante S'il a du mal à respirer, allez immédiatement chez le médecin.

Je renifle et j'éternue Les bébés ont tendance à attraper de nombreux rhumes au cours de leur première année, ce qui les aide à construire leur système immunitaire.

Le système immunitaire de votre enfant doit encore forger ses défenses par rapport à certaines infections, ce qui le rend plus susceptible de contracter de petites maladies comme un rhume. Si un simple rhume peut perturber son sommeil, le fait d'être infecté par des bactéries plus agressives fait partie du processus de construction de son immunité. Votre bébé sera inévitablement exposé à des germes par le biais de jouets chez des amis ou à la garderie. Ce n'est pas grave, il est inutile d'emporter du gel antibactérien partout où vous allez.

Cependant, il est préférable d'éviter les enfants vraiment malades, plus particulièrement ceux qui souffrent d'une angine ou d'une infection bronchique, car dans l'absolu, vous aimeriez éviter que votre enfant attrape plus qu'un simple rhume.

Soigner un rhume Il n'existe pas de remède à la plupart des infections virales. Tout ce que vous pouvez faire consiste à soulager le plus possible votre bébé. Prenez sa température. S'il a de la fièvre, vous pouvez lui donner de l'acétaminophène en respectant les doses qui correspondent à son poids. Si votre bébé a le nez pris, faites-lui un lavement au sérum physiologique pour vider ses sinus ou mettez quelques gouttes d'huile d'eucalyptus sur un mouchoir propre et laissez-le dans sa chambre, mais pas dans son lit afin d'éviter tout contact avec son visage.

Faites-le boire pour éviter la déshydratation, assurez-vous qu'il se repose beaucoup et dort dès qu'il en a besoin. Ne le forcez pas à manger s'il n'en a pas envie. Proposez-lui plus souvent de petites quantités de nourriture.

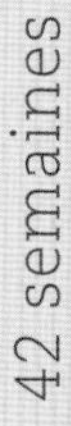

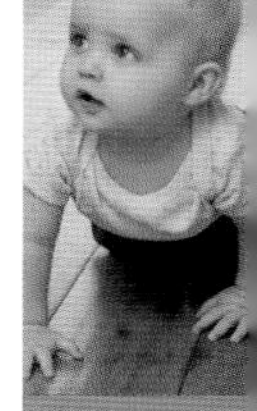

VOTRE BÉBÉ A 42 SEMAINES ET 1 JOUR

Il a bien dit « papa » ?

Des études montrent que la plupart des bébés prononcent leur premier mot entre 10 et 11 mois. Mais que dira-t-il ?

Depuis qu'il a 2 mois, votre bébé gazouille et émet des sons qui correspondent à une première tentative de parler. Désormais, il contrôle mieux ses cordes vocales et est capable de produire volontairement des sons. Il ne fait aucun doute que vous allez guetter son premier « maman » (plutôt « mama ») ou « papa », qui contribue à son développement de la parole puisque vous l'incitez à parler.

Bien souvent, « papa » est le premier mot prononcé par les bébés, suivi de « mama », sans doute parce que le son « p » est plus facile à prononcer que le son « m ».

Mon papa De nombreux bébés disent d'abord « papa ». Ceci est dû à l'évolution du langage et n'a rien à voir avec la relation affective.

Viennent ensuite des mots comme « tata », « caca » « no » (non), « gade » (regarde)... alors que « chien », « chat », « jouet » « pain », « boire », beaucoup plus difficiles, arriveront plus tard.

Les mots contenant des consonnes faciles à former (p, b, d, m, n, g...) sont à la base des premiers mots, alors que les sons plus complexes (comme k, j, ch, ille, ou encore les voyelles nasales « an, in, on, un ») viennent bien après. Quel que soit son premier mot, continuez à lui parler, à lui lire des histoires et à lui chanter des chansons pour l'inciter à s'exprimer, et d'autres mots suivront bientôt !

Les enfants disent souvent « atta-atta », car ils répètent ce qu'ils entendent souvent (« attends ! »).

VOTRE BÉBÉ A 42 SEMAINES ET 2 JOURS

Votre bébé grandit, grandit !

Quand on voit comme votre bébé est grand maintenant, il semble impensable qu'il ait été un nouveau-né si petit !

Vers un an, votre bébé aura multiplié par deux ou trois son poids de naissance en moyenne, mais tous les enfants n'évoluent pas au même rythme. Votre enfant aura grandi d'environ 25 cm entre la naissance et son premier anniversaire. Si vous avez constaté un ralentissement de la croissance ou une perte de poids, cela peut-être dû à une maladie. Ainsi, 2 jours sans manger, associés à des vomissements ou à des diarrhées peuvent entraîner une perte de poids. Mais votre bébé, une fois guéri, reprendra vite. Se déplacer à quatre pattes ou marcher sont des activités qui demandent énormément d'énergie et peuvent entraîner un ralentissement au niveau de la prise de poids. Si votre bébé est éveillé, mange bien et remplit normalement ses couches, il va bien.

Si vous trouvez que votre bébé est trop rond, demandez à votre médecin de vérifier son poids. Il est important de ne jamais empêcher votre enfant de manger, mais soyez attentifs aux signes qui montrent qu'il a eu assez. Si votre bébé présente un léger surpoids, assurez-vous que les calories qu'il ingère proviennent d'aliments nutritifs comme des fruits, des légumes, des bonnes graisses et des céréales plutôt que de bonbons et de nourriture transformée. Jouez avec lui pour l'inciter à pratiquer une activité physique, faites en sorte qu'il ait suffisamment d'espace pour se déplacer et ainsi être de plus en plus mobile. Un surpoids à 9 mois n'est pas synonyme d'obésité future, mais cela justifie de surveiller attentivement la courbe de poids et surtout d'IME (indice de masse corporelle) après la marche.

Concilier travail et famille

Il n'est pas facile de trouver l'équilibre entre travail et vie de famille. Vous allez devoir affûter vos compétences en matière d'organisation.

Personne n'est parfait, n'essayez pas de vous transformer en femme modèle ou en superman. La terre ne s'arrêtera pas de tourner si le ménage n'est pas fait ou si votre bébé n'a pas pris son bain un soir. Les bébés sont très adaptables et leurs besoins sont basiques. Tant que votre enfant est aimé, stimulé et que vous prenez soin de lui, tout va bien. Ne vous persuadez pas que vous devez constamment vous en occuper. Parfois, le simple fait d'être avec vous lui suffit. Alors faites une pause et détendez-vous en sa compagnie.

Apprenez également à dire non. Votre bébé, votre famille et votre travail sont vos priorités et parfois vous ne pourrez rien gérer d'autre. Définissez ce que vous aimez, ce qui vous motive, vous détend et vous rend heureuse. Dites non au reste et à quiconque n'apporte pas quelque chose de positif dans votre vie.

De même, ne vous sentez pas coupable. Si rester à la maison avec votre bébé n'est pas possible financièrement, acceptez la situation et essayez de voir comment vous pouvez la rendre plus facile pour tout le monde. En d'autres termes, positivez. Concentrez-vous sur ce que vous pouvez faire et non sur ce que vous ne pouvez pas faire. Vous évacuerez ainsi un maximum de pression émotionnelle.

Les limites du travail Vous avez peut-être déjà travaillé à plein-temps, mais désormais ceci est difficile. Vous souhaitez peut-être des horaires aménagés ou un temps partiel, n'hésitez pas à en faire la demande. De nombreuses entreprises sont ouvertes à la discussion avec leurs employés et essaient de répondre à leurs attentes pour leur permettre de concilier travail et vie de famille. Au Québec, la législation du travail interdit de refuser un temps partiel dans le cadre d'un congé parental, mais en cas de désaccord entre employeur et salarié, la décision finale relative à la répartition des horaires de travail relève du pouvoir de direction de l'employeur.

Prenez soin de vous Vous arriverez mieux à gérer vos obligations si vous mangez et dormez bien. Il est important que vous réserviez du temps pour vous et votre conjoint pour une vie sentimentale saine. Il est parfois difficile de gérer maison et travail, mais même si cela laisse peu de temps, vous avez tous les deux besoins de vous réserver des moments d'intimité. Faites-vous aider en prenant une femme de ménage, par exemple.

DES JUMEAUX !

Deux individus différents

La personnalité de vos jumeaux commence à apparaître, et peu importe leur ressemblance physique, il est plus que probable que leur caractère sera différent, même s'ils sont monozygotes. Ainsi, vous découvrirez peut-être que le premier est calme et tranquille tandis que le deuxième s'énerve rapidement. Le plus difficile avec les jumeaux est de ne pas les comparer. Si un enfant est étiqueté « timide » tandis que l'autre est considéré comme « bruyant », ils risquent d'avoir du mal à sortir de ces « catégories ». Au fur et à mesure que vos enfants grandissent, il est important de les valoriser comme des individus, même si leur relation gémellaire est extrêmement forte.

Si semblables, tellement différents Un des jumeaux peut avoir tendance à être dominant, mais ce ne sera pas toujours le cas. La dynamique de la relation évoluera avec le temps.

VOTRE BÉBÉ A 42 SEMAINES ET 4 JOURS

Des dents pénibles

Des dents larges et carrées vont bientôt sortir au fond de la bouche votre enfant : les quatre molaires apparaissent la première année.

Les molaires sont de sortie Votre bébé peut se frotter la joue du côté douloureux ou mettre ses doigts dans la bouche, là où ça fait mal.

En général, les premières molaires apparaissent vers un an. Ces dents carrées, peu tranchantes, qui permettent de broyer et de mâcher, font très mal quand elles percent. Vous verrez qu'elles sont sur le point de sortir grâce à un gros renflement de la gencive. Souvent, votre enfant se frotte la joue ou l'oreille, passe sa langue dans la région douloureuse et bave, car il produit beaucoup plus de salive. Un hématome peut se voir sur la gencive. Les dents sortent généralement par deux, chaque côté de la bouche peut donc être concerné. Même si ce n'est pas toujours le cas, les dents apparaissent plus tôt chez les filles que chez les garçons.

Votre bébé aura sans doute besoin de mâcher pour soulager sa gêne. Proposez-lui du pain ou des tranches de pomme. Le froid permet également de soulager l'inflammation.

L'AVIS... DU MÉDECIN

Les dents de lait de mon nourrisson semblent marbrées, presque rayées. Est-ce normal ? Il est normal que les dents d'un bébé semblent avoir un sillon et paraissent plus bleues que blanches. Ces différentes marques peuvent avoir plusieurs origines. Certains antibiotiques, comme la tétracycline, ne doivent pas être prescrits chez la femme enceinte ni chez l'enfant de moins de 8 ans. En effet, les dents étant formées en début de grossesse, elles risquent d'être tachées. Le problème peut également venir d'un email irrégulier. Consultez un dentiste si vous êtes inquiète, mais la plupart de ces problèmes ne toucheront pas sa dentition définitive.

VOTRE BÉBÉ A 42 SEMAINES ET 5 JOURS

Questions de lavage

Au cours de ses activités quotidiennes, votre bébé est exposé à de nombreux germes. Est-il nécessaire de stériliser ?

La réponse est simple : non. Le fait que votre enfant soit mobile signifie que ses mains vont être en permanence en contact avec le sol et de nombreux meubles et objets, où qu'il aille. S'il va à la garderie ou qu'il a des frères et sœurs, il va s'amuser avec des jouets que d'autres auront utilisés avant lui. Il met constamment ses doigts et ses jouets à la bouche, il y a donc peu d'intérêt à stériliser. Lavez régulièrement les jouets en plastique dans de l'eau chaude savonneuse et mettez son doudou à la laveuse en cycle chaud de temps en temps.

Nettoyez la vaisselle en plastique à l'eau chaude (65 °C) au lave-vaisselle, tout comme les biberons et les tasses qui reçoivent du lait maternel ou maternisé, car la graisse contenue dans le lait forme un dépôt parfois difficile à enlever lors d'un simple lavage à l'eau tiède, et les résidus peuvent entraîner des problèmes d'estomac.

Gardez les sols propres, nettoyez régulièrement carrelages et parquets. Lavez les mains de votre bébé avant les repas et après tout contact avec des animaux, mais n'en faites pas une obsession. Votre enfant a besoin d'être exposé aux germes pour construire son immunité.

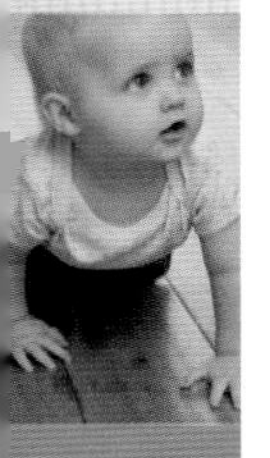

Encourager son indépendance

Votre bébé se développe. Vous pouvez l'y aider en lui donnant une certaine liberté qui lui permettra de mieux contrôler son univers.

Aux environs de 10 mois, votre bébé peut montrer des signes d'angoisse à l'idée de la séparation (voir p. 283). Pour soulager ses craintes, à la maison, donnez-lui l'occasion de jouer un peu plus les explorateurs sans être à côté de lui. Bien entendu, assurez-vous qu'il n'y a pas de danger, mais ensuite laissez-le passer de pièce en pièce. Il aura peut-être envie que vous le suiviez, dans ce cas, allez avec lui. Si vous avez l'impression qu'il reste trop près de vous, sortez de la pièce un court instant pour commencer, tout en continuant à lui parler pendant que vous êtes ailleurs, afin qu'il soit rassuré et comprenne que vous n'êtes pas loin. Peu à peu, il saura que vous allez revenir et prendra confiance. Il acceptera de rester sans vous de plus en plus longtemps et son indépendance augmentera.

Jouer : c'est lui qui décide! Donnez à votre enfant un panier plein de jouets et laissez-le prendre ce qu'il veut. Quand il a fait son choix, jouez avec lui pour lui montrer que vous vous intéressez à ce qu'il fait. Certains jeux sont particulièrement adaptés pour favoriser l'indépendance de la pensée. Les boîtes à formes, les pots à empiler et les jeux de construction aideront votre enfant à réfléchir à la manière d'aborder un problème et de voir comment il peut le résoudre seul.

Manger tout seul Lors des repas, laissez votre enfant essayer de manger seul avec une cuillère, même si vous êtes à côté avec une autre cuillère afin de vous assurer qu'une partie de sa nourriture arrive jusque dans son estomac. Les aliments à picorer avec les doigts sont parfaits pour apprendre à manger seul.

Manger oui, mais quoi? Au fur et à mesure que votre bébé grandit, vous allez regretter le temps où vous pouviez choisir ses repas sans qu'il proteste. Laissez-lui un peu d'indépendance en lui proposant de choisir entre deux collations équilibrées. Demandez-lui laquelle il préfère et donnez-lui celle qu'il aura choisie. Si ensuite il veut l'autre, vous pouvez la lui donner, l'essentiel étant que l'exercice reste un plaisir. Peu à peu, il comprendra qu'il a un certain degré de maîtrise sur sa vie, et appréciera les avantages de l'indépendance.

ACTIVITÉ D'ÉVEIL

Cache-cache

Votre enfant a compris le concept de la permanence des objets (voir p. 245) il y a quelque temps déjà. Jouer à coucou-caché (voir p. 140) lui a permis de se rendre compte que vous étiez là, même s'il ne peut pas vous voir. Jouer à cache-cache est la suite logique pour un enfant mobile, car cela favorise la confiance avec ou sans vous. Jouez d'abord dans une seule pièce, et commencez en famille afin que votre bébé comprenne le principe. Le papa se cache pendant que vous comptez, puis vous partez à sa recherche avec votre bébé. Ensuite, vous vous cachez avec votre enfant pendant que son papa compte. Votre bébé va adorer l'entendre dire qu'il ne le trouve pas (jusqu'à ce qu'il se trahisse en éclatant de rire). Quand il a compris le principe, vous pouvez jouer à deux. Cachez-vous dans une pièce et appelez-le depuis votre cachette afin de lui donner un indice, mais aussi de le rassurer. Enfin, c'est à lui de se cacher. Cherchez-le sans oublier de dire que vous ne le trouvez pas.

J'arrive, tu es caché? Votre bébé va adorer jouer à cache-cache avec vous et apprendra ainsi qu'il n'a aucune raison de paniquer quand il ne vous voit pas.

43 semaines

ATTENTION, QUAND VOTRE BÉBÉ AURA 10 OU 11 MOIS, LA NOURRITURE, LA VAISSELLE ET LES JOUETS RISQUENT DE SE TRANSFORMER EN PROJECTILES !

Votre enfant veut tout faire lui-même. Même s'il manque encore de coordination physique, laissez-le essayer. Alors qu'il est de plus en plus indépendant, il est fondamental que vous lui montriez à quel point vous l'aimez pour qu'il ait confiance en lui.

Prudence est mère de sûreté

La vie de votre bébé est pleine de nouvelles expériences. Il va être naturellement prudent, voire anxieux, dans certains cas.

Lui donner confiance Si la hauteur de la glissade lui fait peur, aidez-le à descendre lentement et rassurez-le.

Il y a quelques semaines, votre bébé était encore téméraire dans sa curiosité et ses explorations. Désormais, après quelques chutes et découvertes parfois étonnantes, il est sans doute un peu plus prudent. L'angoisse de la séparation indique également qu'il s'inquiète plus facilement dans certains cas, notamment s'il pense que vous pouvez l'abandonner. Cette évolution est normale et peut varier d'un jour à l'autre en fonction de ce qu'il apprend, et au fur et à mesure qu'il prend confiance et s'habitue à chaque situation.

Encouragez-le à continuer d'explorer et de faire de nouvelles expériences. Restez à côté de lui pendant qu'il inspecte la pièce ou s'initie à un nouveau jeu, ou laissez-le faire tout en le surveillant régulièrement et en continuant à lui parler afin qu'il sache que vous êtes là même s'il ne vous voit pas. Vous remarquerez peut-être qu'il sursaute facilement s'il entend un bruit fort ou qu'il ne connaît pas. C'est inévitable, et il est important de le rassurer par des câlins en lui expliquant d'une voix douce « Ce n'est rien, c'est juste une auto qui klaxonne ».

Petit à petit, il s'habituera à de nombreux sons, mais sursauter est une réaction naturelle qui nous maintient en vie. Il est donc normal que cela arrive de temps en temps avec des bruits inattendus. Ne vous moquez pas de la méfiance ou de la réticence de votre enfant à faire quelque chose, et ne dites pas « ne sois pas idiot ! ». Il est essentiel de continuer à le rassurer jusqu'à ce qu'il se sente à l'aise dans chaque nouvelle situation.

L'AVIS... DU PÉDOPSYCHOLOGUE

Mon bébé a peur du noir, comment l'aider à s'y habituer ? Certains nourrissons sont terrifiés à l'idée d'être dans l'obscurité quasi totale. Seule la présence d'une source lumineuse les calmera. Une veilleuse peut suffire pour rassurer votre bébé et lui permettre de reconnaître son environnement rapidement quand il se réveille. Il est inutile d'essayer de changer ou de « traiter » cette réticence à être dans le noir. Si vous le forcez à dormir dans l'obscurité totale, vous risquez plus de l'angoisser que de lui faire comprendre que cela n'a rien d'effrayant. Si votre enfant insiste pour avoir la grande lumière allumée toute la nuit, utilisez un variateur pour baisser progressivement l'intensité après une semaine ou deux.

LA PEUR DES INCONNUS

Votre bébé sait désormais qui peut s'occuper de lui et en qui il peut avoir confiance. De façon assez naturelle, lorsqu'il ne reconnaît pas quelqu'un, il s'en méfie, même si vous aimeriez qu'il s'habitue à la personne concernée. Ne le brusquez pas et laissez-le faire connaissance à son rythme. Asseyez-vous avec votre enfant sur les genoux, et laissez-le jauger cet inconnu pendant que vous parlez avec lui. Lorsque votre bébé est prêt, laissez-le aller vers la personne et félicitez-le chaleureusement. Mais n'attendez pas tout dans l'immédiat, il peut très bien lui donner simplement un jouet et ensuite retourner sur vos genoux pour ne plus en descendre (voir également p. 283). Il n'est en effet totalement rassuré que lorsqu'il est en contact avec vous.

Un inconnu, méfiance ! À son âge, il est normal que votre enfant soit sur ses gardes en présence d'inconnus.

VOTRE BÉBÉ A 43 SEMAINES ET 1 JOUR

Aller au restaurant

Il n'est jamais trop tôt pour habituer votre bébé à manger à l'extérieur avec vous. Voici quelques astuces pour vous faciliter la vie.

Un restaurant où les enfants sont les bienvenus est équipé de chaises hautes, d'un coin de change, de repas adaptés pour les tout-petits à qui il offre des activités. Renseignez-vous au préalable auprès du restaurant où vous souhaitez manger pour savoir s'il est équipé pour accueillir les bébés. Être fusillée du regard par le personnel ou les autres clients chaque fois que votre enfant crie n'est pas très agréable. Un restaurant qui propose des menus adaptés aux bébés vous dispense de préparer son repas, mais si vous souhaitez apporter votre plat maison, renseignez-vous sur la possibilité de réchauffer. Pensez aussi à demander une table près de la fenêtre pour que votre enfant puisse regarder dehors.

Prenez également de quoi occuper votre nourrisson dans sa chaise haute, comme des livres animés, une boîte à formes ou des cubes. Réservez à l'heure de son repas pour qu'il ait faim en même temps que vous, même si vous devez le faire manger juste avant que l'on vous serve. Cela vous laissera du temps avant qu'il soit fatigué et qu'il réclame sa sieste.

Si pendant le repas vous lui parlez, vous jouez avec lui et vous le faites participer, votre enfant aura certainement envie de renouveler l'expérience.

L'AVIS... DU MÉDECIN

Comment nettoyer les oreilles de mon bébé ? L'oreille se nettoie toute seule, le cérumen élimine la poussière et les petites impuretés venant de l'oreille interne. Il ne faut donc pas enlever les morceaux de cire quand ils sont encore dans la cavité de l'oreille, mais vous devez éliminer ce qui apparaît au niveau de l'oreille externe avec une ouate humide. N'utilisez pas de coton-tige, car si votre bébé bouge vous risquez d'endommager son tympan.

VOTRE BÉBÉ A 43 SEMAINES ET 2 JOURS

Apprendre en touchant

Les sens de votre bébé lui apprennent tout ce qu'il a besoin de savoir. Maintenant qu'il est plus éveillé, il fait son apprentissage par le toucher.

Découvrir les textures Les livres qui contiennent différentes textures permettent à votre enfant de découvrir et d'apprendre grâce au toucher.

À 10 mois, votre enfant peut apprendre énormément de choses grâce au toucher. Vous pouvez l'aider en lui proposant différentes textures à découvrir et à expérimenter. Mettez votre bébé dans sa chaise haute, et présentez-lui des bols avec différentes textures pour qu'il y plonge les doigts. Assurez-vous que le contenu ne présente aucun risque s'il le met à la bouche. Proposez-lui par exemple de la banane écrasée, des céréales en forme de roue ou différentes variétés de pâtes et un bol de riz cuit. Ce sont des textures très intéressantes à découvrir. Les bébés aiment aussi tremper leurs doigts dans la confiture. Gardez toujours un œil sur ce que votre nourrisson met dans la bouche afin d'éviter tout risque d'étouffement, et ayez toujours à portée de main de quoi essuyer ses petites mains et son visage.

Donnez à votre bébé des livres aux matières et aux textures variées. Il en existe de magnifiques qui lui feront découvrir les notions de soyeux, doux, spongieux, rugueux... Regardez ces livres avec lui, encouragez-le à les toucher et apprenez-lui les mots qui décrivent les textures.

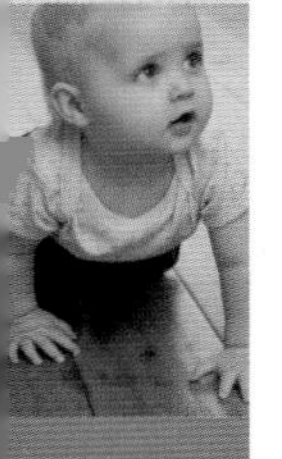

VOTRE BÉBÉ A 43 SEMAINES ET 3 JOURS

Savoir utiliser les objets

Votre enfant est capable d'associer objets et actions, et d'anticiper ce qui va se passer. Il a envie d'utiliser les objets comme vous.

J'appelle qui? En devenant de plus en plus habile de ses mains et de ses doigts, votre enfant apprend à utiliser correctement les objets.

Votre bébé comprend que sa tasse d'apprentissage contient de l'eau ou du jus de fruits et est capable de la porter à sa bouche. Il sait ce qu'est une brosse à dents, à quoi sert une éponge et peut avoir envie d'essayer d'utiliser sa cuillère correctement. Il aura besoin de plusieurs mois (voire d'années) avant de savoir utiliser seul la plupart de ces objets, mais maintenant qu'il est beaucoup plus habile de ses mains, il va aimer développer régulièrement ses aptitudes.

Laissez votre enfant appuyer sur le tube pour mettre du dentifrice sur sa brosse à dents, se laver les dents avec vous, mettre ses bas, ou remuer la pâte à gâteau avec la cuillère en bois. Il aimera se sentir important et impliqué, et essayer par lui-même lui permettra de comprendre la relation entre les objets et les activités. À tout moment de la journée, il a l'occasion d'apprendre par associations, et si vous encouragez sa compréhension en lui disant le nom des objets et ce que l'on fait avec, il pourra bientôt les désigner en les nommant et s'en souvenir.

Demandez à votre bébé de vous passer la débarbouillette dans sa baignoire ou sa tasse quand il a fini de boire. Il sera peut-être étonné au début, mais s'il entend régulièrement la demande et les bons mots en vous regardant lui montrer les objets, il fera rapidement le lien pour répondre à votre requête.

LA PINCE FINE

La pince fine est une compétence de motricité fine qui apparaît vers 8 mois et se perfectionne au fur et à mesure que votre enfant grandit. Elle consiste à utiliser le pouce et l'index pour ramasser et tenir des objets. Grâce à cette pince, il pourra par la suite boutonner sa chemise, tenir un crayon, jouer d'un instrument de musique ou se servir d'une souris d'ordinateur.

La maîtrise de la pince est une étape du développement qui montre que le cerveau, le système nerveux et les muscles de votre bébé sont de plus en plus coordonnés et synchronisés, ce qui lui ouvre une infinité de possibilités et le rend plus indépendant. Il peut désormais empiler ses cubes, manger, jouer avec une boîte à formes, faire des cassetêtes tout seul, et bien plus encore!

Vous remarquerez que pour ramasser un jouet, votre enfant commence par mettre sa main au-dessus, puis il enroule la paume et les doigts autour. Il utilise ensuite ses quatre doigts et le pouce pour s'en saisir, ce qui est généralement un peu maladroit. Aux environs de 9 mois, son aptitude à tenir quelque chose entre le pouce et l'index grâce à la pince fine lui permet de ramasser et d'utiliser les objets de façon beaucoup plus précise. Pour l'aider à affiner son geste, donnez-lui de petits objets à ramasser sur le plateau de sa chaise haute lors des repas comme des raisins secs, ou des céréales en forme de roue, ou encore proposez-lui de faire un cassetête. Attention néanmoins de ne pas lui donner d'objet avec lequel il pourrait s'étouffer s'il le mettait dans la bouche.

Une pince plus efficace Donnez à votre bébé des jouets qui tiennent dans sa main pour l'aider à passer de la main à la pince fine.

VOTRE BÉBÉ A 43 SEMAINES ET 4 JOURS

Vers l'alimentation autonome

Votre enfant adore mettre ses doigts dans la nourriture pour les porter à sa bouche. C'est le début de l'alimentation autonome...

De nombreux bébés veulent être indépendants et manger seuls, mais à cet âge, la plupart manquent de coordination œil-main pour mettre de la nourriture dans une cuillère et la déposer dans leur bouche. Les aliments qui peuvent être mangés avec les doigts leur donnent un peu d'indépendance tout en variant leurs horizons alimentaires.

Essayez désormais d'introduire une grande variété de goûts et de textures : galettes de riz, toasts, céréales de déjeuner sont parfaits pour picorer avec les doigts. Pensez également aux bâtonnets de concombre, aux dés de fromage ou à des pâtes de différentes formes. Au fur et à mesure que votre enfant progresse, proposez-lui des bouchées comme des minisandwichs, des roulés avec des tortillas ou des minitartines de fromage, ou encore des bâtonnets de légumes trempés dans de la crème fraîche battue, des légumes cuits, du fromage coupé en dés, des morceaux de pommes, de poire, de banane ou du raisin sans pépin. Assurez-vous que les repas pris avec les doigts sont équilibrés (ni trop gras, ni trop riches en fibres, voir p. 207).

Respectez le rythme de votre bébé et essayez d'introduire de nouveaux aliments quand il est content et en forme plutôt que lorsqu'il est fatigué et ronchon. S'il est grognon, donnez-lui ce qu'il aime, et glissez simplement une nouveauté au milieu de ses aliments préférés.

Manger avec les doigts est idéal pour perfectionner sa motricité fine et sa coordination, et ensuite utiliser la cuillère (voir p. 369).

VOTRE BÉBÉ A 43 SEMAINES ET 5 JOURS

Mes copains les animaux

Les jeunes enfants adorent les animaux et tout ce qui s'y rapporte, que ce soit en images ou dans la réalité.

Animaux de compagnie À leur contact, votre enfant prend confiance, mais ne le laissez jamais sans surveillance avec un animal.

Votre enfant va être fasciné par les animaux. Même si de prime abord il peut s'en méfier ou en avoir peur, découvrir les animaux fait partie de son développement. Habituez-le tôt aux bêtes, en lui montrant des images ou en regardant des émissions qui en parlent. Nommez-les, imitez leur cri et chantez des comptines qui en parlent, comme « Sur le plancher une araignée » ou « L'arche de Noé ».

Si vous avez un jardin, mettez une mangeoire pour les oiseaux et donnez-lui régulièrement l'opportunité de les observer. Cela le détendra, de même que l'observation de poissons, si vous possédez un aquarium ou un bassin. Faites-lui remarquer les petits visiteurs comme les écureuils qui le charmeront avec leurs cabrioles. Lors de sorties, montrez-lui oiseaux, chats, chiens, ou encore canards et cygnes sur les mares. Emmenez-le visiter une ferme ou un zoo, qui permettent d'approcher les animaux en toute sécurité. Il est peut-être trop petit pour les caresser, mais ses sens s'aiguisent et ceci l'aidera à prendre confiance. Bien entendu, n'oubliez pas les règles d'hygiène. Lavez-lui les mains après tout contact avec des animaux, mais également quand il a joué dans le sable ou au jardin et, naturellement avant chaque repas.

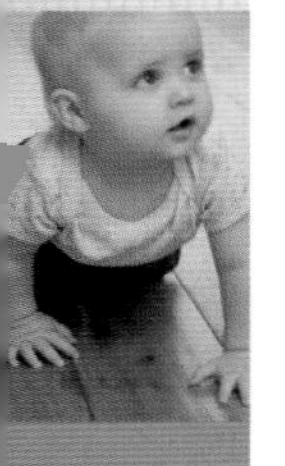

L'affection, c'est important

Montrer à votre enfant de l'amour et de l'attention est essentiel, et il va désormais vous réclamer de plus en plus d'affection physique.

Content et serein Amour, réconfort et protection des parents et des personnes qui s'occupent de lui aident les bébés à développer un bon équilibre psychologique.

Une des études les plus importantes sur le besoin d'affection et d'attention des bébés a été réalisée par le psychologue John Bowlby dans les années 1960, et a depuis défini la façon dont nous éduquons nos enfants et contribuons à ce qu'ils se sentent en sécurité.

Sa théorie sur l'attachement nous apprend que chez un bébé, le sentiment de sécurité repose sur le lien entre parents et enfants car il crée des schémas positifs que votre bambin répétera dans les relations qu'il établira ensuite.

Un enfant élevé dans un environnement aimant, où l'affection est montrée librement avec des câlins et des bisous, des compliments et des encouragements a plus de chances d'être un adulte particulièrement affectueux.

Votre bébé a besoin d'amour, d'attention et d'affection pour développer son sentiment de sécurité, de stabilité et sa confiance. Privilégiez les démonstrations d'amour physiques plutôt que verbales avec votre enfant, car le contact par le toucher est plus réconfortant pour lui que des paroles à cet âge et s'encrera davantage dans sa mémoire. En le réconfortant, en le consolant quand il pleure et en lui montrant que vous aimez être avec lui, vous créez ce sentiment de sécurité. Il a également besoin que vous soyez cohérente, afin de pouvoir prédire vos réactions et savoir ce qui vous fera plaisir. Au fur et à mesure qu'il grandit, il est important pour lui de connaître les comportements les mieux adaptés et ceux qui sont inacceptables.

Une attention de tous les instants

Rire avec votre bébé, le chatouiller pour qu'il rigole, lui accorder votre attention en permanence... sont d'autres manières de lui dire combien vous l'aimez. Des études ont montré que si vous le regardez jouer en faisant autre chose, par exemple en lisant ou en téléphonant, son activité sera moins complexe que si vous vous concentrez sur lui.

Lorsqu'il joue, laissez-le vous guider. Parfois, il aura envie d'être sur vous, d'autres fois il aura besoin de liberté. De temps en temps, il vous réclamera une caresse sur la joue ou sur la tête pour être rassuré sur l'amour que vous lui portez. En lui répondant et en respectant ses besoins d'affection, vous lui montrez que vous tenez compte de ses sentiments. Il apprend ainsi l'estime de lui-même.

ÊTRE GENTIL

À 10 mois, un bébé n'a pas vraiment conscience de sa force et il manque encore de coordination pour contrôler ses gestes ou la façon dont il tient les choses. Cependant, il n'est jamais trop tôt pour lui apprendre à être gentil. Encouragez-le à faire un câlin à son doudou ou à ses poupées, tenez délicatement sa main pour qu'il sente la douceur du toucher. Choisissez un jouet, par exemple un ours en peluche, et faites-lui un câlin devant votre bébé pour l'inciter à faire de même en disant « Oh, mon nounours chéri ».

Puis installez le nounours sur un coussin devant votre bébé, faites-lui un bisou et invitez votre enfant à faire pareil. Cela renforce la compréhension qu'un bébé peut avoir de la nécessité de faire attention aux autres et de les traiter avec gentillesse.

Tout en douceur Apprenez à votre enfant à être gentil en lui montrant comment s'occuper de ses peluches.

44 semaines

DE NOMBREUX BÉBÉS ONT UN DOUDOU QU'ILS VEULENT EMMENER PARTOUT

Alors que votre bébé est un peu plus mobile chaque jour, il prend confiance en lui et sait désormais ce qu'il veut. Soyez patiente mais ferme quant aux limites que vous avez fixées. Depuis son premier sourire à environ 6 semaines, il a progressé pour vous gratifier aujourd'hui de joyeux éclats de rire.

Je peux t'aider ?

Votre enfant peut avoir envie de vous « aider » ; il sera alors heureux de faire comme sa maman.

Le temps du rangement Demandez à votre enfant de faire des choses simples comme ranger son bol ou son assiette dans le placard.

Vous aider à ranger ses jouets à la fin de la journée est la chose la plus simple et la plus utile que votre bébé de 10 mois peut faire pour vous. Si cela devient une habitude, vous vous rendrez compte au cours de la petite enfance qu'il vous fera gagner un temps précieux.

Mettez une boîte, un panier ou un coffre au milieu de la pièce et encouragez votre enfant à ramasser ses jouets pour les mettre dedans. Essayez de rendre le moment ludique en demandant par exemple : « il est où le lapin ? Oui bravo ! Maintenant mets-le dans la boîte ». Félicitez-le et jouez à votre tour. « Maintenant, à maman de trouver le train. Ah le voilà. Et hop, dans la boîte lui aussi ! » Faites de cette activité un amusement tout en chantant pour que votre enfant ne l'associe pas à une corvée mais qu'elle découle naturellement d'un temps de jeu. Le rangement des jouets deviendra ainsi un réflexe. Profitez-en pour consolider ses connaissances sur les couleurs, les formes, les animaux... Lentement mais sûrement, le rangement sera bientôt fait.

Nettoyage Même si vous avez encore un peu de temps avant que votre enfant vous réclame de l'argent de poche pour passer l'aspirateur, laissez-le se joindre à vous quand vous faites le ménage. Donnez-lui un chiffon à poussière pour essuyer les meubles à sa portée et félicitez-le pour son aide. Vous pouvez aussi lui donner une éponge humide à la fin du repas et lui demander de nettoyer la table. Même s'il ne s'occupe que de la partie en face de lui, il saura ce que ça veut dire et vous n'oublierez pas de le remercier.

ACTIVITÉ D'ÉVEIL

Le plaisir d'empiler

Empiler permet à votre enfant de développer sa coordination œil-main, l'encourage à résoudre des problèmes logiques et consolide ses acquis en matière de rapport de cause à effet. Les cubes gigognes, les anneaux à empiler ou les briques colorées sont parfaits pour cette activité.

Pour empiler correctement cubes et anneaux, votre enfant doit d'abord identifier leur forme et leur taille et être capable de passer des objets d'une main à l'autre. Les briques font intervenir l'équilibre, la motricité fine et le toucher délicat nécessaire pour empiler des objets de même taille les uns sur les autres. Avec ce type de jouets, votre enfant commence à résoudre des problèmes. Il s'agit de sa première approche des compétences mathématiques dont il aura besoin plus tard.

Commencez par montrer à votre bébé comment faire une pile, laissez-lui le plaisir de la renverser, puis demandez-lui d'essayer de la reconstruire à son tour. Regardez comme il s'applique pour empiler les objets les uns sur les autres. Si besoin, aidez-le un peu. Aucune importance si le jouet tombe, cela fait partie du processus d'apprentissage et souvenez-vous que les enfants adorent recommencer encore et encore.

Empiler des jouets fait découvrir les mathématiques à votre bébé en l'amusant.

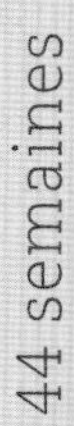

VOTRE BÉBÉ A 44 SEMAINES ET 1 JOUR

Rencontrer d'autres enfants

Votre bébé est encore trop jeune pour jouer avec d'autres enfants de manière interactive, mais leur contact est intéressant pour lui.

Pour votre bébé, grandir en compagnie d'enfants de tous les âges a des avantages. Il jouera sans doute à côté d'enfants de son âge pendant que d'autres bambins, plus âgés, lui proposeront différentes activités comme jouer à cache-cache, danser, chanter, ou mimer des comptines. Votre enfant peut trouver plus facile d'être en contact avec d'autres bambins à côté desquels il peut jouer plutôt qu'avec des adultes qui aimeraient interagir ou qui prennent l'initiative d'intervenir dans son jeu. Les enfants plus âgés peuvent également apprécier de surveiller votre bébé, en respectant des consignes claires. Même si vous devez être à proximité pour être sûre que tout se déroule bien, cela aidera votre tout-petit à se sentir plus indépendant et vous permettra de vous détendre un peu. Si vous avez d'autres enfants plus âgés, c'est sans doute le cas depuis longtemps déjà.

Si vous avez recours aux services d'une éducatrice ou d'une garderie, votre bébé rencontrera des enfants de différents âges dans un environnement sécurisé (même si vous n'avez pas encore repris le travail, une journée à la garderie de temps en temps vous dégagera du temps libre).

Si vous avez des neveux et des nièces, invitez-les ou allez les voir. Des rencontres régulières permettront de créer des liens étroits, essentiels pour vous et votre enfant alors qu'il grandit.

Et pourquoi ne pas envisager de partir en vacances avec des amis ? Assurez-vous cependant qu'il y a assez d'espace dans votre lieu de résidence et que vous vous entendez suffisamment bien avec eux pour parler librement de vos attentes pour votre bébé et vous-même.

VOTRE BÉBÉ A 44 SEMAINES ET 2 JOURS

Du temps pour vous

Avec votre conjoint, vous avez besoin de temps pour vous consacrer à vos activités individuelles – ou non – favorites.

Rien que vous deux Votre conjoint et vous avez besoin de temps sans votre bébé pour vous détendre et vous retrouver.

Avec votre compagnon, vous apprécierez de prendre du temps sans votre bébé. Pour cela, vous pouvez faire appel à une gardienne et sortir pour la soirée ou réserver une nuit ou deux à l'extérieur. Bien sûr, cela dépend des personnes de confiance qui peuvent garder votre enfant et de vos moyens financiers. Sinon, avec vos amis, vous pouvez mettre en place un gardiennage tournant et surveiller chacun votre tour les enfants des autres pendant qu'ils sortent. Quelle que soit la solution retenue, votre relation a besoin de ces moments de pause et d'intimité.

Donnez-vous également « l'autorisation » de reprendre vos loisirs. Vous voulez peut-être recommencer une activité sportive (soccer, gymnastique, vélo ou randonnée) ou pratiquer votre passe-temps préféré. Avoir une vie sociale est également bon pour le moral. Retrouvez vos amis pour magasiner, assister à un événement sportif, vous rendre à une exposition de peinture ou vous exercer à votre passion pour la photographie. Ainsi, vous pourrez vous ressourcer. L'essentiel est de vous préserver du temps et de l'espace pour faire ce que vous aimez et vous sentir bien, seuls et ensemble.

VOTRE BÉBÉ A 44 SEMAINES ET 3 JOURS

Indispensable doudou

Une chose est sûre, un doudou est utile, surtout lorsque votre enfant est anxieux. Mais comment réagir, s'il ne peut plus s'en passer ?

Inséparables Certains bébés ne veulent pas lâcher leur doudou et le réclament jour et nuit. Les en priver les rendrait malheureux.

Votre enfant fait de nouvelles expériences chaque jour. Si les événements sont les mêmes, il va cependant commencer à les envisager sous un autre angle parce qu'il se déplace de mieux en mieux. Mais sa nouvelle indépendance peut soudainement le déstabiliser dans un environnement qui lui est familier. À 11 mois, les expériences, l'apprentissage et la compréhension sont solides et l'ensemble du processus est à la fois excitant et quelque peu inquiétant. Le doudou (parfois appelé objet transitionnel) apporte donc sans doute un repère. Il symbolise votre amour, l'odeur de la maison et représente des associations rassurantes et positives. Votre bébé a besoin de son doudou quand vous n'êtes pas là, lorsqu'il découvre quelque chose de nouveau ou qu'il se sent fatigué ou malade. Il arrive qu'un enfant soit tellement attaché à son doudou qu'il ne peut pas s'en séparer.

Certes, c'est très bien, mais il arrive un moment où cela finit par énerver même les parents les plus patients. Il est déjà suffisamment difficile de penser à tout ce que vous devez emporter quand vous sortez, mais c'est terriblement agaçant lorsque à mi-chemin, votre bébé, sage jusqu'alors, se met à hurler parce que vous avez oublié son doudou. En plus, vous avez la lourde responsabilité de le surveiller pour que votre enfant ne perde pas son bien le plus précieux.

Faire avec À part accepter et vous adapter, il n'y a pas grand-chose à faire. Quand votre bébé est attaché à un objet, il est contrarié et inquiet si vous le lui enlevez. Idéalement, il doit donc être capable de trouver son doudou dès qu'il en a besoin. Il finira par s'en passer, ou vous l'aiderez progressivement à y parvenir, mais seulement quand il aura grandi. Pour l'instant, chouchoutez-le. Si possible, achetez-en un ou deux autres identiques, on ne sait jamais. Si votre enfant a choisi un modèle unique de couverture, coupez-la en deux pour lui en donner une moitié pendant que l'autre est à la laveuse. Enfin, essayez de laver le doudou régulièrement, avant qu'il ne soit empreint d'une trop forte odeur, afin que votre bébé ne le rejette pas quand il sera propre.

ACTIVITÉ D'ÉVEIL

Le temps des tunnels

À cet âge, les enfants adorent jouer dans des tunnels. De nombreux magasins en vendent en Nylon. Mais un tunnel fait maison avec une enfilade de cartons ouverts à leurs extrémités va tout aussi bien. Personnalisez-le en faisant des trous à différents endroits afin que votre bébé puisse s'amuser à vous épier. Encouragez-le à passer à l'intérieur, en y mettant quelques jouets et en jouant à coucou-caché quand il ressort à l'autre bout. Surprenez-le en apparaissant de l'autre côté comme par magie. S'il n'a pas peur, suspendez une couverture à l'extrémité pour faire un rideau de sortie. Mais ne le forcez pas à jouer à l'intérieur s'il est inquiet à cette idée et laissez-le prendre cette initiative seul. Gardez le tunnel en place jusqu'à ce qu'il soit prêt à l'explorer.

Au bout du tunnel Jouer dans un tunnel aide votre enfant à développer sa motricité et sa capacité d'anticipation.

VOTRE BÉBÉ A 44 SEMAINES ET 4 JOURS

Histoires et comptines

Tout comme découvrir des livres à la maison, participer à des activités avec d'autres bébés et leurs parents peut être très agréable.

De nos jours, la plupart des bibliothèques proposent un abonnement aux enfants depuis la naissance et invitent activement les bébés et les tout-petits à en profiter. La bibliothèque de votre quartier organise probablement des activités pour les bébés sur le thème des comptines, des histoires, des chansons, et peut-être des images et des marionnettes pour amuser et captiver les bambins, et ce, à intervalles réguliers. De la même façon, les groupes parents-enfants prévoient parfois des séances « Raconte-moi une histoire » auxquelles vous pouvez participer. Votre bébé pourra ainsi découvrir plein de nouveaux livres.

C'est également l'occasion pour vous de rencontrer d'autres parents. Si votre bébé ne veut pas s'asseoir et écouter, faites-lui découvrir la richesse des livres proposés. De nombreuses bibliothèques proposent un large éventail de livres pour les tout-petits, ainsi que des jouets et des jeux.

Pour donner envie à votre enfant de lire quand il sera plus grand, emmenez-le à la bibliothèque dès son plus jeune âge ; il apprendra ainsi à aimer les livres.

BON À SAVOIR

Les enfants rient beaucoup plus souvent que les adultes : en moyenne trois cents fois par jour, contre vingt pour les adultes, même si cela dépend aussi beaucoup de la personnalité.

Entre 9 et 15 mois, les bébés comprennent que lorsque maman met une serviette sur sa tête, mime une grimace ou fait « meuh » comme la vache, elle fait alors quelque chose d'inattendu, et c'est drôle.

VOTRE BÉBÉ A 44 SEMAINES ET 5 JOURS

Du temps de qualité

Si vous travaillez toute la journée, il est important de vous réserver du temps en tête à tête avec votre bébé.

Chacun son tour! Les papas ne racontent pas les histoires comme les mamans. Vous avez donc tous les deux une influence unique sur lui.

Les enfants apprennent énormément de leurs parents, il est donc important que vous passiez du temps seul à seul avec le vôtre si vous le pouvez. Lorsque les deux parents travaillent, ce n'est pas toujours évident, surtout si vous faites beaucoup d'heures ou que vos horaires sont en dehors des heures normales de bureau. Mais cela apporte beaucoup à votre bébé.

Vos différentes façons d'éduquer votre enfant sont également très stimulantes pour lui. L'un de vous peut être calme et posé, alors que l'autre préférera les jeux plus excitants et pleins d'entrain. L'amour et l'attention que vous portez à votre bébé favorisent son développement social, émotionnel et intellectuel.

Si vous êtes tous les deux à la maison le soir, organisez-vous pour que le premier rentré donne le bain et le dernier arrivé raconte l'histoire au moment du coucher. Puis ensemble, embrassez votre bébé pour lui souhaiter une bonne nuit. Sinon, l'un d'entre vous peut aussi prendre le déjeuner en sa compagnie. Lorsque vous avez du temps libre, jouez avec votre enfant en tête à tête ou ensemble, afin qu'il puisse profiter des différentes façons dont chacun d'entre vous le stimule.

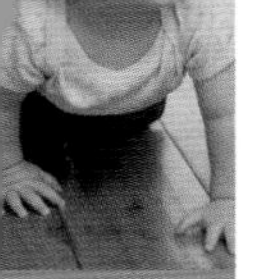

VOTRE BÉBÉ A 44 SEMAINES ET 6 JOURS

Sur la route de la marche

Vers 10 mois, votre bébé marche à quatre pattes, se met debout et peut même se déplacer avec un appui. Mais quand marchera-t-il ?

Chouette, je bouge! Tant que votre bébé se déplace, peu importe que ce soit à quatre pattes, sur les fesses ou debout.

Il est normal d'attendre avec impatience les premiers pas de votre bébé : après tout, en titubant maladroitement vers vos bras grands ouverts pour la toute première fois, il franchira une grande étape sur la route de l'indépendance.

Si votre bébé se déplace en s'appuyant de meuble en meuble avec confiance, il est susceptible de faire ses premiers pas à tout moment. Sachez cependant que l'âge moyen est de 13 mois, même si certains se lancent beaucoup plus tôt.

La marche dépend du développement des aptitudes motrices, de la coordination et de la morphologie. Un enfant avec un petit tronc mais de grandes jambes aura plus de mal à trouver son équilibre. Si votre bébé a mis du temps à tenir sa tête droite et reste assis seul, il est vraisemblable qu'il marchera également plus tard, car il met plus de temps à franchir chaque étape.

Il n'y a, *a priori*, aucune corrélation entre les marcheurs précoces, l'intelligence et les prouesses sportives, certains enfants étant simplement plus pressés que d'autres de franchir cette étape.

Tout doucement Les premiers pas de votre enfant ressembleront sans doute plus à un déplacement des pieds côte à côte qui le fera avancer progressivement, plutôt qu'à une véritable marche avec de belles enjambées. Quand il maîtrisera mieux sa coordination et son équilibre (la plupart du temps, vers 2 ans), il mettra alors vraiment un pied devant l'autre. En attendant, il fera des petits pas, en décollant à peine les pieds du sol. En général, les bébés gardent les pieds bien écartés et plient les genoux, donnant ainsi l'impression d'avoir les jambes arquées. Ils se déplacent avec le dos voûté, les orteils tournés vers l'intérieur. Ses premiers pas ne sont pas des plus élégants, mais, pour vous, ils sont fantastiques !

Quand votre bébé marchera, il aura besoin de vous pour lui tenir la main et marcher à la vitesse de l'escargot pour aller jusqu'à l'auto ou pour aller chercher quelque chose dans la pièce d'à côté. Son rythme peut être extrêmement lent et frustrant, surtout lorsque vous êtes pressée. Mais évitez de le porter trop souvent, tout ce dont il a besoin désormais, c'est d'un maximum de pratique.

ACTIVITÉ D'ÉVEIL

Rythme de croisière

Si votre enfant se met debout mais ne se déplace pas encore beaucoup, encouragez-le en posant son doudou ou un jouet qu'il aime particulièrement bien à un mètre de lui, pour l'inciter à l'atteindre à petits pas. Plus il marchera en prenant appui, plus il consolidera sa stabilité et sa coordination.

Ces mouvements sont un excellent exercice pour muscler ses jambes, les rendant ainsi plus fortes, prêtes à marcher, puisqu'il soulève les pieds et les repose en passant d'un meuble à l'autre. Quand il sera plus à l'aise, mettez son jouet un peu plus loin pour l'inciter à naviguer entre les différents meubles de la pièce.

J'y suis presque! Votre enfant tirera une réelle satisfaction d'être capable de se déplacer pour attraper l'objet qu'il convoite.

45 semaines

UN BÉBÉ DE 10 MOIS DOIT NORMALEMENT DORMIR TOUTE LA NUIT SANS SE RÉVEILLER

Les capacités de votre bébé à résoudre des problèmes progressent rapidement et il aime relever toutes sortes de défis avec une détermination remarquable. C'est peut-être le moment de l'emmener dans un atelier d'éveil, afin qu'il développe ses compétences sociales.

Des parents confiants

Alors que votre bébé va bientôt souffler sa première chandelle, réfléchissez à tout ce que vous avez appris et soyez fiers d'être parents.

Une famille heureuse Ayez confiance en vos décisions et en vos capacités d'être parents. Avec votre compagnon et votre bébé, vous apprécierez d'autant plus la vie de famille.

Vous n'êtes pas seule. Vos parents, vos amis, votre médecin et d'autres personnels de santé sont là pour vous conseiller et vous soutenir en cas de besoin. Votre compagnon est présent et vous partagez avec lui toutes les décisions relatives à l'éducation de votre bébé. Parlez de vos projets et fiez-vous à l'autre quand vous avez des doutes. Pour élever son enfant en confiance, la clé est d'être bien entouré.

Ayez confiance Votre enfant compte sur vous pour le guider, aujourd'hui certes, mais également au cours des décennies à venir. Ne vous angoissez pas en pensant que vous devez à tout prix réussir, mais faites-vous confiance et essayez d'agir au mieux.

Il est important de croire en ce que vous faites, mais il est aussi essentiel d'être capable de renoncer à vos choix en cas d'erreur. Savoir admettre ses erreurs est une force. Reconnaissez que vous vous êtes trompés et avancez. Tous les parents commettent des maladresses.

Soyez fermes Votre confiance en vos capacités d'être parent transparaît dans vos aptitudes à fixer des limites à votre bébé. Peu importe qu'il proteste si vous dites non ou si vous l'empêchez de faire quelque chose, dans tous les cas tenez bon et ne revenez pas sur votre décision sous peine de perdre votre crédibilité. Votre enfant aura confiance en lui s'il voit que vous pensez ce que vous dites.

Soyez heureux Tous les jours, vous êtes fiers de voir votre enfant grandir et faire des progrès. Cette évolution est en partie due à vous, ses parents. Si vous êtes épanouis grâce à lui, il se réjouira de votre fierté, il sera heureux, car le bonheur est contagieux.

AIDE-MÉMOIRE

Des parents confiants

À faire...

- Prenez tout ce qui était positif dans votre propre éducation, et reproduisez les pratiques de vos parents. Inspirez-vous des modèles éducatifs autour de vous.
- Pensez à ce que vous reprochez à l'éducation que vous ont donnée vos parents et évitez de faire de même.
- Parlez à votre bébé comme vous aimeriez que l'on vous parle, écoutez-le comme vous voudriez qu'on vous écoute et réconfortez-le quand il a besoin de vous.
- Montrez-lui votre amour, dites à votre enfant que vous l'aimez et laissez transparaître ce puissant sentiment plus encore dans vos actes que dans vos paroles.

À ne pas faire...

- Ne soyez pas trop durs avec vous si les choses ne se passent pas comme prévu. Il n'existe pas de manuel d'éducation, et tant que votre enfant grandit en étant heureux, tout va bien.
- Ne soyez pas critique envers votre compagnon/compagne. Parlez de vos différentes approches et soyez ouverts quant aux particularités de vos styles d'éducation. Gardez à l'esprit que chacun d'entre vous veut le meilleur pour votre bébé.
- N'ayez pas peur d'appeler à l'aide : parents, amis, association... peuvent vous donner de précieux conseils.

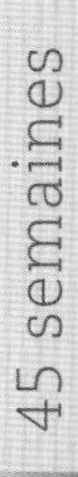

VOTRE BÉBÉ A 45 SEMAINES ET 1 JOUR

Mais qu'est-ce qu'il dit ?

Écoutez attentivement votre bébé de 45 semaines, il se pourrait bien qu'il dise de vrais mots sans que vous le sachiez !

Il n'est pas toujours facile de reconnaître les mots prononcés par votre bébé, mais dans certains cas, ils sont évidents. S'il aime les trains, il peut dire « tchou tchou », ou encore faire « miaou » quand il voit un chat. Son vocabulaire, qui évolue en permanence, ne contient pas encore les bons mots pour désigner les objets. Les mots peuvent également être incomplets, car lorsque votre bébé commence à parler, les finales sont difficiles à prononcer. Ainsi, il dira sans doute plus « vatu » que « vature » pour désigner une auto ou « ta » en montrant sa tasse d'apprentissage.

Bravo ! Votre bébé adore babiller, mais si vous écoutez attentivement ce qu'il dit, vous distinguerez peut-être de vrais mots.

Même s'il faudra sans doute attendre qu'il approche de ses 2 ans pour qu'il finisse ses mots, vous pouvez l'aider en limitant les bruits de fond afin qu'il puisse vous entendre bien distinctement. Soyez également attentive à bien finir vos mots. De temps en temps, n'hésitez pas à marquer la dernière syllabe pour inciter votre enfant à se concentrer dessus.

Il existe de grandes variations individuelles dans le développement du langage et ce qui compte, c'est l'évolution régulière de votre enfant. Pour cela, il doit s'exercer constamment.

VOTRE BÉBÉ A 45 SEMAINES ET 2 JOURS

Une forte détermination

Les enfants sont remarquablement persévérants et tenaces lorsqu'ils ont décidé de faire quelque chose.

La détermination sans faille des bébés leur permet d'apprendre et de développer de nouvelles aptitudes chaque jour. Le vôtre n'est pas encore capable de faire une vraie tour avec des blocs, mais il adore empiler et essaiera bien plus longtemps que vous ne le feriez !

Si vous observez une baisse de la motivation de votre enfant à s'exercer encore et encore, c'est peut-être qu'il ne veut pas que vous l'aidiez. Ce qui peut vouloir dire que certaines tâches, comme mettre un chapeau pour sortir, vont demander beaucoup plus de temps que si vous le faisiez vous-même.

La « persévérance » est le maître mot à l'école de nos jours, les enseignants rapportant de plus en plus qu'en cas de difficultés, les élèves n'ont pas la volonté de reprendre l'exercice pour arriver à sa conclusion. Encouragez votre enfant à persévérer en le félicitant pour sa volonté d'essayer encore et en lui donnant de nombreuses occasions de tester toutes sortes de choses. Laissez-le continuer jusqu'à ce qu'il en ait marre et qu'il détourne naturellement son attention ou vous demande de l'aider. Et surtout, incitez-le à persévérer et félicitez-le chaudement lorsqu'il réussit.

L'AVIS... D'UNE MAMAN

Mon bébé commence à mordre, et ça fait mal. Comment l'en empêcher ? Votre bébé ne sait pas que ça fait mal et veut juste jouer. Cependant, il ne doit pas garder cette habitude. En essayant de ne pas réagir trop vivement, dites « Ouille ! Ça fait mal ! » Et prenez une expression de circonstances. Posez-le deux minutes et détournez son attention. Il comprendra vite qu'il y a quelque chose que vous n'aimez pas.

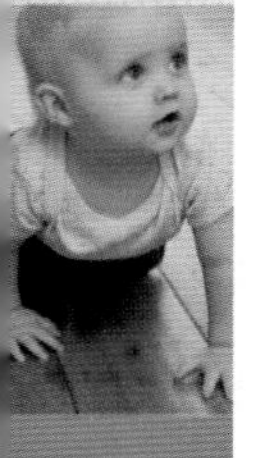

VOTRE BÉBÉ A 45 SEMAINES ET 3 JOURS

À l'atelier d'éveil !

En aidant votre enfant à être sociable, vous lui enseignerez les aptitudes essentielles de la vie comme la communication et savoir être gentil.

Le moment d'emmener votre bébé dans un atelier d'éveil est arrivé. Il aimera jouer à côté d'autres enfants, et découvrir de nouveaux jeux et jouets. Plus la structure est proche de chez vous, mieux c'est, car il pourra ainsi se faire des amis qui vivent à proximité et qui sont susceptibles de se retrouver à l'école avec lui. Certains ateliers sont proposés par des municipalités, d'autres sont associatifs (les parents s'impliquent dans l'organisation) et il existe également des structures privées. Trouvez celui qui, dans votre quartier, vous paraît le plus agréable et semble le plus plaire à votre bébé.

Que devez vous en attendre? En général, tout est fonction de la taille de la structure. Une petite structure peut avoir un espace réservé aux plus grands, avec des jeux d'escalade ou des loisirs créatifs et un espace réservé aux bébés. Une structure plus importante aura sans doute des pièces entières réservées aux jeux, un coin peinture (ou autres activités salissantes) et des endroits réservés aux plus grands d'un côté et aux bébés de l'autre. Thé, café et biscuits sont souvent proposés ainsi que des collations adaptées aux plus petits. Des temps de partage sont organisés (lecture d'histoires ou chants) et parfois, les anniversaires sont fêtés. Dans la plupart des cas, le programme des activités des semaines à venir vous sera remis.

Les ateliers ont tendance à être souples et plutôt informels. Certaines structures demandent une petite participation à chaque visite (ou chaque semestre). Parfois, vous serez chargée d'apporter un goûter collectif ou encore il vous sera demandé de servir le café ou de préparer chez vous des fleurs en papier pour une prochaine activité créative. Participer à un atelier d'éveil est un excellent moyen pour votre enfant de se faire des copains et pour vous de faire partie d'une communauté. Vous pourrez ainsi parler avec des gens dont les préoccupations sont proches des vôtres.

Votre bébé ne veut pas jouer Le niveau sonore et l'activité parfois intense de l'atelier d'éveil peuvent intimider votre bébé, surtout si l'atmosphère est plutôt calme chez vous. Ne désespérez pas si les premiers temps il refuse de quitter vos genoux. Trouvez une activité à faire tous les deux ou lisez-lui une histoire. Peu à peu, sa curiosité naturelle l'amènera à explorer ce nouvel environnement. Mais n'oubliez pas qu'il n'a que 10 mois : s'il apprécie de jouer à côté d'autres enfants il ne jouera pas forcément avec eux.

ACTIVITÉ D'ÉVEIL

Dessiner dans la farine

Prenez un plateau de couleur sombre de préférence et répartissez-y de la farine de façon homogène, puis montrez à votre bébé comment « dessiner » différentes formes avec ses doigts. Cette activité présente l'avantage d'être beaucoup moins salissante que la peinture. Dessiner dans la farine est un excellent moyen de stimuler l'artiste qui sommeille en lui et de développer ses compétences de motricité fine, si importantes pour écrire. De plus, la farine est une texture qu'il appréciera de toucher et qui ne présente aucun danger s'il la porte à sa bouche.

Artiste en herbe Dessiner dans la farine apprend à votre bébé à faire des marques. Il aimera autant le contact avec la substance que voir apparaître les formes qu'il trace.

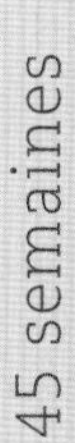

GROS PLAN SUR…

Faire ses nuits

Si votre bébé ne dort pas encore d'une traite, ne vous inquiétez pas, ce n'est pas un cas isolé. Cependant, à 10 mois il est normalement capable de faire ses nuits. Les quelques idées ci-dessous devraient vous aider à passer une nuit paisible.

Pour grandir et être capable de gérer les événements de la journée, votre bébé doit bien dormir. Votre conjoint et vous avez également besoin de sommeil. En général, une nuit trop courte rend irritable, impatient et intransigeant. Si c'est le cas des deux parents, l'harmonie familiale risque d'être mise à mal. Il est donc temps de prendre les mesures nécessaires.

Si les réveils nocturnes de votre bébé vous semblent désormais pénibles, les mauvaises habitudes prises auparavant seront d'autant plus difficiles à changer que votre enfant sera grand. Si les siestes se passent bien, un bébé de 10 mois doit dormir 10 à 12 heures d'affilée la nuit. À cet âge, il prend deux ou trois repas par jour, avec des collations en plus ; par conséquent, il ne doit plus réclamer de biberon la nuit. Plus tôt il apprendra à se calmer sans vous s'il se réveille, plus vous serez contents, l'un comme l'autre.

Pourquoi se réveille-t-il? Si votre bébé n'a pas l'habitude de se calmer seul pour se rendormir pendant le cycle de sommeil léger, il va se réveiller complètement et réclamer un câlin ou du lait. Ceci peut vite devenir une habitude et votre enfant sera incapable de se rendormir sans un biberon ou sans être réconforté dans vos bras. Entre 9 et 12 mois, les bébés souffrent également de l'angoisse de la séparation, qui peut être très forte en cas de réveil seul dans l'obscurité. Enfin, il se peut aussi que votre bébé se réveille parce qu'il a trop dormi dans la journée, fait la sieste trop tard ou qu'il essaie de reprendre ses habitudes après une période de maladie ou des poussées dentaires qui auront perturbé son rythme de dormeur paisible.

Plusieurs stratégies permettent de réguler le rythme de sommeil de votre bébé (et donc le vôtre). À vous de choisir celle qui vous convient le mieux. Mais dites-vous bien que si votre bébé s'est toujours réveillé la nuit, changer cette habitude risque de prendre du temps. N'abandonnez pas et soyez patient, vous finirez par y arriver !

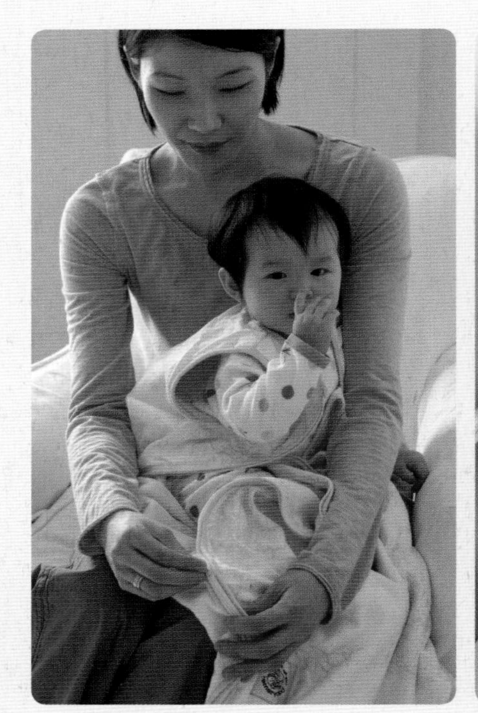

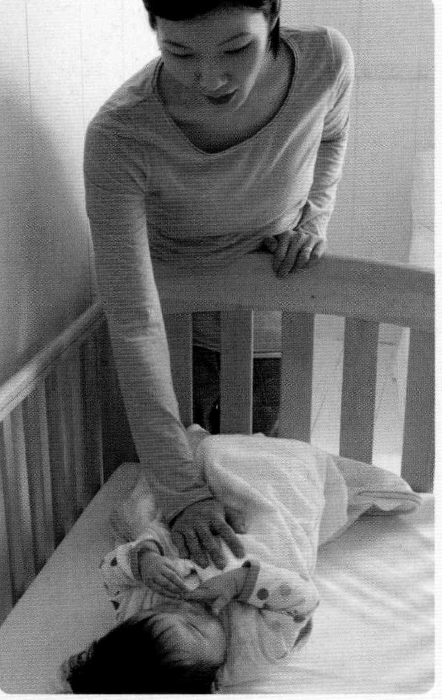

La douceur du coucher La dernière heure où votre bébé est debout, doit être calme et pleine de câlins et de bisous. Encouragez-le à s'endormir dans son lit.

L'importance de la routine Votre enfant a besoin de rituels réguliers, de beaucoup d'amour et d'un environnement heureux. Il a également besoin d'indicateurs positifs et sécurisants lui rappelant que c'est l'heure de dormir. Une heure avant de le coucher, passez du temps avec lui. Soyez calme et ne l'excitez pas avec des jeux physiques ou bruyants. Donnez-lui un bain, habillez-le pour la nuit, chantez-lui une berceuse ou lisez-lui une histoire. Prenez toujours la même, il saura ainsi sans aucune équivoque ce qui arrive ensuite. Heureux de capter toute votre attention, il se sentira apaisé et détendu.

Lorsque l'heure du coucher est arrivée, faites-lui un câlin, mettez-le dans son lit. S'il en a un, donnez-lui son doudou pour le rassurer et dites-lui « bonne nuit » avant de quitter la pièce. Vous pouvez éventuellement laisser une veilleuse ou une musique douce pour ne pas qu'il se sente soudainement seul. Assurez-vous

qu'il est content d'être dans son lit et qu'il est bien installé. La journée, évitez de mettre votre bébé au lit quand vous avez besoin de faire quelque chose rapidement. Pour votre enfant, le lit doit rester un endroit douillet, où son doudou se repose quand il n'est pas avec lui, et d'où il voit un grand sourire sur votre visage quand vous le quittez le soir ou que vous venez le voir le matin.

Minuit, l'heure du chaos Si votre enfant à tendance à se réveiller et à vouloir jouer au milieu de la nuit, il va falloir le convaincre que la nuit est faite pour dormir et qu'aucune interaction n'est possible. S'il pleure, réconfortez-le calmement mais ne lui parlez pas, n'interagissez pas avec lui.

Si ses siestes sont trop longues ou trop tardives dans l'après-midi, il se peut qu'il n'ait pas assez sommeil pour dormir toute la nuit. Essayez d'avancer l'heure de la sieste d'un quart d'heure et de la raccourcir d'autant. Certes, vous ne voulez pas que votre enfant soit surexcité au moment du coucher, mais il a besoin d'être fatigué pour bien dormir.

Envie ou besoin d'un biberon? Si vous avez l'habitude de donner une tétée ou un biberon à votre bébé la nuit, arrêter risque d'être difficile. En effet, cette intimité partagée dans la nuit est devenue un rituel. Même si ce n'est pas un moment particulier pour vous, ou que vous vous passeriez bien d'être réveillée, votre bébé ne l'entend pas de cette oreille. Demandez-vous s'il a vraiment besoin de manger ou s'il entretient le plaisir d'être dans vos bras. Réduisez peu à peu la quantité de lait que vous lui donnez. Si vous allaitez, écourtez la tétée. Sinon, diminuez progressivement la dose du biberon, avant de lui proposer de l'eau à la place du lait. Avec le temps, il se dira que cela ne vaut plus la peine de se réveiller pour ça. Par ailleurs, vous vous direz plus facilement qu'il n'a pas vraiment faim si vous savez qu'il a bien mangé et qu'il a pris un biberon juste avant de s'endormir.

Envie d'un câlin Si votre bébé est déterminé à avoir un câlin pendant la nuit, vous trouverez sans doute difficile de quitter votre lit douillet pour aller le voir. Cependant, si vous le prenez dans votre lit, il n'apprendra pas à se calmer dans le sien, et lorsqu'il aura grandi vous risquez de le trouver légèrement envahissant (voir encadré à droite).

Si vous préférez qu'il dorme seul, il est préférable que vous vous leviez quand il appelle et que vous alliez le rassurer dans son lit, en lui parlant calmement ou en lui chantant une berceuse. Évitez de le sortir de son lit pour un câlin.

Enfin, sachez que certains enfants ont besoin de pleurer avant de s'endormir, alors ne vous trompez pas si c'est le cas du vôtre.

Lui apprendre à dormir Il existe d'autres techniques comme la sortie progressive ou les pleurs contrôlés. La sortie progressive, plus douce, consiste à rassurer votre enfant avant de l'endormir comme vous le faites d'habitude, mais à le coucher juste avant qu'il ne plonge dans un profond sommeil. Vous devez rester dans la chambre à côté de lui sans rien lui dire jusqu'à ce qu'il s'endorme, en vous éloignant progressivement du lit. Il devrait apprendre à dormir avec vous à l'autre bout de la pièce, puis à l'extérieur.

La méthode des pleurs contrôlés consiste à aller rassurer votre bébé en le caressant lorsqu'il se réveille, mais en le laissant patienter un peu plus chaque fois, l'idée étant qu'il finira par se rendormir tout seul. Cependant, de nombreux experts jugent cette solution peu recommandable, car elle est stressante aussi bien pour les parents que pour les enfants.

Quelle que soit la méthode choisie, il est indispensable que vous soyez cohérent. Si vous confiez la garde de votre enfant le soir avant l'heure du coucher, pensez à expliquer à la personne qui s'en occupera les petits rituels à respecter pour que tout se passe comme d'habitude et qu'il s'endorme paisiblement.

Un sommeil réparateur Les bébés ont besoin d'une bonne nuit de sommeil pour consolider les apprentissages de la journée.

DANS LE MÊME LIT

Il ne fait aucun doute qu'un bébé qui dort avec ses parents sera moins susceptible de se réveiller en pleurant ou aura moins de difficultés à se calmer. Cependant, même si en ce moment tout le monde dort bien, quand votre bébé aura grandi vos nuits risquent d'être beaucoup moins paisibles. Avec le temps, il va s'allonger et grossir, beaucoup plus bouger, vous donner des coups de pied et faire du bruit. De plus, cette pratique n'est pas sans danger.

Si vous ou votre bébé ne dormez plus aussi bien ensemble qu'auparavant, vous aurez tôt ou tard envie de le mettre dans son lit. Certains enfants l'acceptent très facilement, d'autres ont besoin temps pour s'y habituer. Vous devrez peut-être garder le lit de votre bébé dans votre chambre pendant quelque temps, mais au moins le vôtre restera un endroit douillet pour les câlins du matin !

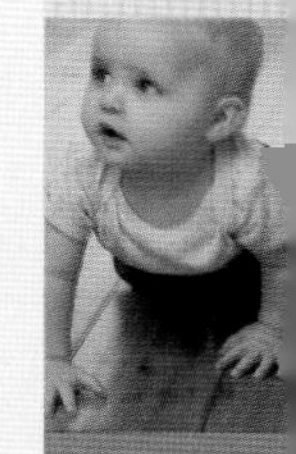

VOTRE BÉBÉ A 45 SEMAINES ET 4 JOURS

Des jouets pour 10 mois et plus

Choisir des jouets qui conviennent pour votre bébé peut être délicat. Observez-le quand il joue, vous saurez ainsi ce qui l'intéresse.

Apprendre en s'amusant Les jouets adaptés au stade de développement de votre bébé l'aideront à apprendre avec plaisir.

La pensée et l'aptitude à résoudre des problèmes de votre bébé sont désormais orientées vers le plaisir et la découverte. Livres, ballons, jeux de construction, cubes à empiler sont parfaits pour affiner sa capacité à comprendre le rapport de cause à effet, se perfectionner dans la reconnaissance des tailles et des formes et développer son aptitude à résoudre des problèmes. Assurez-vous que votre bébé peut tenir les objets et les passer facilement d'une main à l'autre. Les jouets qui favorisent le mouvement, ou sur lesquels votre bébé s'appuie lorsqu'il essaie de se mettre debout sont également intéressants. Quand vous achetez un nouveau jeu pour votre enfant, vérifiez qu'il est adapté à son âge (la mention figure sur l'étiquette) et tenez compte de son stade de développement. Tous les bébés n'évoluent pas au même rythme. Choisissez un jouet qui corresponde à son niveau de mobilité, de dextérité et de compréhension.

Vous pouvez aussi utiliser ce que vous avez sous la main. Un petit carton devient ainsi le lieu de destination d'une balle lancée par votre bambin. Néanmoins, soyez très vigilant quand vous lui confiez des objets qui ne sont pas conformes aux normes de sécurité.

VOTRE BÉBÉ A 45 SEMAINES ET 5 JOURS

Des formes et des tailles

Vous pouvez introduire des concepts comme « grand » et « petit », mais n'attendez pas que votre bébé reconnaisse tout dans l'immédiat.

Votre bébé travaille dur pour développer sa perception du monde. Vous pouvez l'aider en commentant les objets familiers et en lui décrivant leurs propriétés à l'aide d'expressions comme « plus grand », « plus petit », « c'est doux » ou « c'est dur ». Se familiariser avec ces concepts l'aidera à se développer et il les assimilera dans les mois à venir.

Présentez-lui des boîtes à formes, des jouets de tailles et de formes différentes, des mémos et il se familiarisera avec des notions comme « dedans » ou « dehors », « grand » et « petit » sans s'en rendre compte, simplement en associant actions et idées. Racontez-lui des histoires avec ses peluches ou des marionnettes, en parlant du petit ourson et de la grande maman ourse ou du gros papa ours. Demandez-lui de vous montrer le plus grand ou le plus gros des personnages. Bientôt, il le fera spontanément. Dans vos récits, parlez de formes et de tailles, faites référence à des sensations tactiles. Dans la journée, dites-lui ce qui est grand, petit, rond, carré, haut, bas... en évoquant et en lui montrant dès que possible des tailles et des formes différentes.

BON À SAVOIR

Ne soyez pas étonnée si les yeux de votre bébé changent encore de couleur. En effet, si la couleur de base est généralement définitive entre 6 et 9 mois, des changements dans les tons peuvent encore être observés car des pigments plus foncés sont produits au niveau de l'iris. Ainsi, des yeux verts peuvent devenir noisette. Il arrive que la couleur des yeux change même à l'âge adulte.

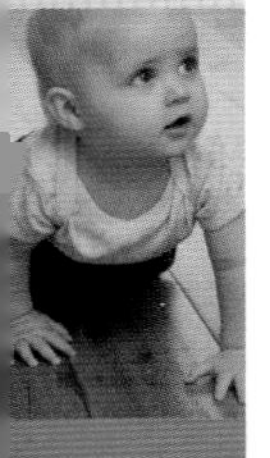

VOTRE BÉBÉ A 45 SEMAINES ET 6 JOURS

À bientôt, mon bébé !

Vous aurez sans doute des sentiments partagés à l'idée de passer une nuit loin de votre bébé. Laissez-le à des personnes de confiance.

Maintenant que vous êtes habituée à vous occuper de votre bébé, le laisser loin de vous aux soins d'une autre personne peut vous paraître difficile, surtout pour une nuit entière. C'est pourquoi il est important d'avoir une totale confiance en la personne qui s'en occupera en votre absence. Votre enfant sera moins perturbé s'il la connaît bien et si elle est au courant de ses habitudes et de ses préférences.

Préparez votre bébé Faites en sorte que les jours qui précèdent votre départ votre tout-petit passe du temps avec la personne qui s'en occupera. Si possible, faites-le garder chez vous les premières fois afin qu'il reste dans un environnement familier. Donnez un vêtement imprégné de votre odeur à la personne qui gardera votre enfant pour qu'elle lui confie s'il a du mal à s'endormir. Il sera ainsi rassuré et trouvera plus facilement le sommeil.

Préparez la gardienne En se familiarisant avec les habitudes de votre enfant avant votre départ, la personne qui le gardera s'habitue à son quotidien. Encouragez-la à respecter les rituels afin que votre bébé ne soit pas trop perturbé. Vérifiez qu'elle sait ce que votre bébé peut manger (si vous pouvez, laissez des repas tout prêts) et les collations autorisées. Ne soyez cependant pas trop exigeant et catégorique, car il sera aussi bénéfique à votre enfant de s'habituer à d'autres méthodes (pour le bain, le repas, le coucher...). Cette séparation est d'ailleurs enrichissante pour vous comme pour votre enfant en matière d'apprentissage de la sociabilité pour lui et de confiance pour vous.

Votre bambin va rester avec cette personne pendant votre absence. Préparez donc tout ce qu'il faut pour qu'il soit bien : son doudou, de la nourriture, des couches et des vêtements de rechange en quantité suffisante. N'hésitez pas à prévoir pour un jour ou deux de plus afin d'être sûre que rien ne manque, et avant de partir, demandez à votre gardienne de vérifier que tout va bien au niveau de la sécurité, car vous avez sans doute plus conscience de certains dangers qu'elle. Enfin, laissez les numéros où vous joindre en cas d'urgence.

Préparez-vous, vous! Convenez d'heures pour appeler afin de prendre des nouvelles. Lorsque vous partez, assurez-vous que votre bébé comprend. Si vous filez à l'anglaise, il risque de s'inquiéter et de penser que vous ne reviendrez pas.

L'AVIS... DU PÉDOPSYCHOLOGUE

Mon bébé risque-t-il de perdre ses habitudes loin de moi pendant une nuit ? Être dans un environnement différent peut être perturbant pour votre enfant, et ce, malgré tous les efforts de sa gardienne pour respecter ses habitudes. Mais rassurez-vous, votre bambin est capable de supporter des changements à partir du moment où la routine est bien instaurée à la maison. De retour chez vous, repartez dans ses schémas habituels et ne soyez pas tentée de changer les choses parce que vous voulez profiter de lui ou vous faire pardonner d'être partie.

Préparez votre départ La semaine qui précède votre départ, assurez-vous que votre bébé passe du temps avec la personne qui le gardera en votre absence.

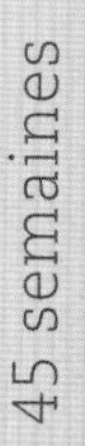

46 semaines

ENTRE 10 ET 12 MOIS, LES ENFANTS APPRENNENT À SECOUER LA TÊTE POUR DIRE « NON »

Désormais, votre bébé tient probablement debout. Il a peut-être même fait ses premiers pas. Il babille sans cesse et est sur le point de dire son premier mot. Il est temps d'arrêter de lui parler comme à un bébé et de vous adresser à lui tel un adulte pour qu'il apprenne à dire les choses correctement.

Tout ce que vous faites...

... votre bébé veut le faire aussi. En vous observant et en vous imitant, il apprend et vous êtes son modèle !

Au revoir Faites un signe de la main à votre enfant, et il le fera en retour (à gauche).
Allô ! Les téléphones jouets permettent à votre bébé de vous imiter (à droite).

Votre bébé n'a peut-être pas encore dit son premier mot, mais il peut secouer la tête pour dire « non », montrer du doigt l'objet de sa convoitise ou ce qu'il veut vous faire remarquer, et dire au revoir. Toutes ces actions vous permettent de communiquer avec lui au quotidien et c'est grâce à vous qu'il les connaît. S'il ne dit pas encore « au revoir », ne vous inquiétez pas, certains enfants ne le font pas avant l'âge de 2 ans.

Profitez de ce comportement d'imitateur pour lui désigner les choses ou pour joindre le geste à la parole. Si vous lui dites que quelque chose est gros, ouvrez grand vos bras. Si vous lui expliquez que cette drôle de chose se mange, mimez l'action de manger.

Imiter les tâches ménagères Votre bébé voudra également jouer avec les objets que vous utilisez au quotidien, du simple verre mesureur en plastique au dangereux couteau d'office (vous devriez normalement avoir mis sous clé tout ce qui présente un danger, mais une double vérification n'est jamais inutile pour vous assurer que vous n'avez rien oublié). Donnez à votre enfant la version jouet de ce que vous utilisez. Un téléphone jouet et il laissera le vrai téléphone sur son support, un fer à repasser en plastique et votre bambin pourra faire comme maman sans aucun risque de se brûler.

Vous êtes son premier modèle d'apprentissage Profitez de la nature extrêmement influençable de votre bébé. S'il voit que vous réagissez avec le sourire à une situation donnée, il sera beaucoup plus enclin à faire de même dans une situation comparable. S'il vous voit utiliser des ustensiles pour manger, il prendra sa cuillère. Même s'il ne vous imite pas immédiatement, il aura enregistré la chose et le fera la prochaine fois. Les psychologues appellent ça l'imitation différée.

Le rôle des parents est fondamental car à cet âge, apprendre de vos comportements prévaut sur tout autre apprentissage. Donc, quoi que vous fassiez, faites-le bien !

LES JUMEAUX

Le langage des jumeaux

Vos jumeaux semblent se comprendre en babillant ? La plupart des experts s'accordent à dire que les jumeaux ne partagent pas un « langage » en tant que tel, mais plutôt un « code » qu'ils développent lorsqu'ils discutent entre eux. En général, cela commence quand chacun d'eux copie le schéma sonore immature de l'autre, comme des sons mêlés ou des « mots fabriqués ». Étant donné que vos jumeaux se développent au même rythme, ils renforcent souvent les tentatives de communication de l'autre et progressent dans leur propre langage. Même si ce « langage de jumeaux » fait sourire, aidez vos enfants à apprendre à parler correctement. Pour ce faire, adressez-vous à eux individuellement et lisez-leur des histoires afin qu'ils entendent le plus de mots possible.

Copieur ! Souvent, les jumeaux aiment copier leurs babillages mutuels.

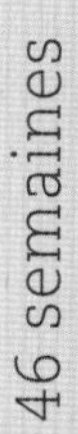

VOTRE BÉBÉ A 46 SEMAINES ET 1 JOUR

Parler comme les grands

À 11 mois, vous n'êtes plus obligé de parler fort et lentement; communiquez avec votre enfant comme vous le feriez avec un adulte.

À cette étape du développement de votre bébé, il est important de favoriser toute forme de communication entre vous et de lui donner confiance en sa capacité de vous « parler ». Que vous puissiez ou non comprendre ce qu'il dit, laissez votre enfant s'exprimer même si son langage ressemble un peu à du charabia.

Lorsque votre bébé arrête de babiller, répondez-lui en langage adulte. Ne parlez pas aussi lentement qu'avant, mais articulez bien pour qu'il enregistre les mots correctement. À ce stade de développement de son langage, il a besoin que vous lui appreniez la bonne façon de dire les choses.

Essayez d'affiner votre compréhension de son élocution. Demandez-lui par exemple « Est-ce que tu veux boire ? », « Tu voudrais sortir ? » ou encore « Qu'essaies-tu de me dire? Tu veux ton doudou ? ». Ne vous inquiétez pas si vous ne comprenez pas toujours ce qu'il vous dit. Continuez d'essayer et il vous sourira peut-être pour vous dire que vous avez trouvé. Écoutez et répondez à ses sons et à ses premiers mots, montrez-lui que vous êtes ravie qu'il progresse autant. Écoutez-le quand il vous parle et répondez-lui pour l'encourager à développer ses compétences langagières et à prendre confiance.

L'AVIS... DE L'INFIRMIÈRE

Mon bébé de 11 mois se réveille la nuit et demande un biberon. Est-ce normal? À cet âge, votre bébé ne devrait plus avoir faim durant la nuit car il reçoit toutes les calories nécessaires pendant la journée. Souvent, il a simplement besoin d'être rassuré. Évitez cependant de le cajoler pour qu'il ne s'habitue pas à ces câlins nocturnes. Vérifiez qu'il prend assez lors de la dernière tétée, et donnez-lui un biberon d'eau s'il se réveille, au cas où il ait soif.

VOTRE BÉBÉ A 46 SEMAINES ET 2 JOURS

Développement musculaire

La motricité de votre bébé a considérablement progressé, mais il reste beaucoup de choses à faire pour favoriser son développement.

Je tiens mon crayon! Gribouiller, c'est chouette ! Et ça développe la motricité fine de votre bébé.

Les muscles des bras et des jambes de votre bébé se renforcent à chaque défi physique auquel il est confronté. Favorisez ce développement en encourageant votre enfant à grimper sur le canapé et à en descendre doucement, à monter l'escalier sous surveillance, ou à s'amuser sur une aire de jeu adaptée à son âge. Faire « Bateau sur l'eau », aide à développer les muscles du haut du corps puisque votre bébé pousse et tire comme s'il faisait du rameur. Essayez également de danser avec lui en le tenant par les mains ou par la taille pendant qu'il est debout et sautille, c'est parfait pour développer les muscles de ses jambes.

Votre enfant est maintenant capable de contrôler ses muscles des doigts. Organisez une séance de peinture en faisant par exemple des empreintes de ses mains. Si vous pensez qu'il peut la tenir, donnez-lui une craie grasse et guidez sa main pour qu'il dessine sur le papier. C'est peut-être encore un peu tôt, mais vous vous rendrez sans doute compte qu'il a déjà une bonne poigne. En effet, si vous essayez de lui enlever le crayon il ne le lâchera pas comme ça !

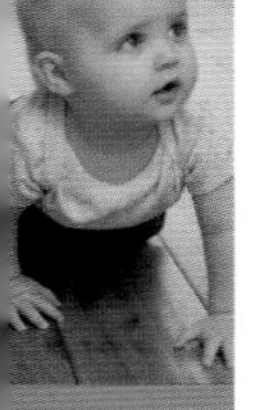

Manger sainement

Aidez votre bébé à développer le goût de la nourriture saine avant qu'il ne commence à exprimer de fortes préférences ou aversions.

MANGER AVEC LES DOIGTS

Votre bébé aime manger tout seul. Encouragez-le en lui proposant des aliments à manger avec les doigts, mais ne vous attendez pas à ce qu'il le fasse proprement. Voici quelques idées :

- **Guacamole maison spécial bébé** Mixez des tomates, de l'avocat et une cuillerée à thé de jus de citron. Servez avec des toasts de pain complet.
- **Pâtes à la sauce tomate** Préparez une simple sauce tomate et proposez à votre enfant d'y tremper des pâtes comme des penne.
- **Légumes en béchamel** Préparez une béchamel (faites fondre 10 g de beurre, ajoutez 10 g de farine et 10 cl de lait, une pincée de noix de muscade). Servez avec des légumes vapeur (pomme de terre, carotte, chou-fleur, brocoli...).
- **Boudoir au yogourt** Donnez-lui des boudoirs ou des morceaux de fruits tendres (banane) à tremper dans un yogourt.
- **Boulettes de viande** Proposez-lui de tremper de petites boulettes de viande dans une sauce à base de tomates fraîches.
- **Volaille et sauce yogourt** Proposez-lui de tremper des morceaux de poulet ou de dinde dans une sauce au yogourt parfumée avec un curry doux ou des herbes de Provence.
- **Bâtonnets de poisson pané maison** (attention aux arêtes) À tremper dans une sauce tomate maison.

Je t'aide maman! Faites participer votre bébé à la préparation du repas (à gauche).
Une drôle d'assiette Les bébés aiment les visages composés de nourriture à picorer (à droite).

Même si votre enfant est encore trop jeune pour hacher ou mélanger, laissez-le s'asseoir à côté de vous lorsque vous préparez son repas et expliquez-lui ce que vous faites. Si vous pouvez capter son attention sur ce qu'il mange et lui donner l'impression de participer à la préparation, il sera plus ouvert à l'idée de goûter et d'aimer ça.

Laissez-le découvrir la texture de la nourriture avant et après la cuisson, et parlez-lui de la couleur des aliments. Expliquez-lui par exemple : « C'est une carotte, regarde, elle est orange ! Maman va éplucher la carotte ! ».

Une assiette appétissante Si on vous présente une assiette peu engageante au restaurant, il est vraisemblable que vous ne la mangerez pas. Votre enfant réagira de la même façon. Les bébés aiment les couleurs vives, les formes variées et les textures différentes dés lors qu'ils arrivent à saisir les petits morceaux. Alors préparez des assiettes colorées et amusantes pour mettre votre enfant en appétit.

Disposez différents types d'aliments dans l'assiette de votre enfant, par exemple des légumes cuits qu'il peut manger avec les doigts d'un côté et du poulet émincé de l'autre. Servez-lui ses repas dans les assiettes à compartiments. Spécialement conçues pour donner envie aux enfants, elles sont souvent de couleurs vives avec des motifs attrayants.

Si vous avez l'âme d'un artiste, utilisez la nourriture à picorer avec les doigts pour créer des drôles de bonshommes ou un petit train de minisandwichs. Avec un emporte-pièce, créez des formes amusantes. Votre bébé va adorer manger une étoile ou une fleur ! Faites des tourbillons ou d'autres formes avec de la compote de fruits pour donner vie à un fromage blanc qui, sans cela, serait bien triste.

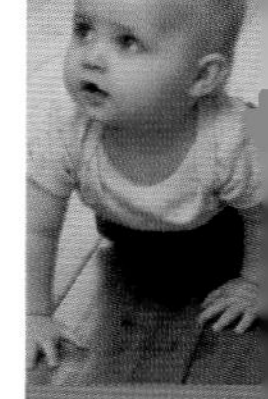

VOTRE BÉBÉ A 46 SEMAINES ET 4 JOURS

Travail ou maison : le choix

Il y a des avantages à retourner travailler et à rester à la maison. Prenez le temps de réfléchir.

Outre l'aspect financier, reprendre le travail a d'autres avantages :

- Vous allez rapidement retrouver les automatismes dont vous avez besoin pour travailler, et serez ainsi rassurée de n'avoir rien oublié pendant que vous vous occupiez de votre famille.
- Être au travail vous aidera à reprendre confiance en vous après des mois passés à répondre aux besoins d'un bébé.
- Remettre les vêtements que vous portez pour aller travailler vous fera du bien, et c'est peut-être l'occasion de renouveler votre garde-robe !
- Au travail, vous reprenez une vie sociale. Vous aurez plaisir à retrouver les amis et collègues que vous appréciez et qui vous ont peut-être manqué pendant les premiers mois de votre bébé.
- Être loin de votre bébé, ne serait-ce qu'une journée, vous rappellera à quel point il ensoleille votre vie et vous serez d'autant plus heureuse de le retrouver le soir.

Être à la maison a aussi des avantages :

- Vous suivez chaque progrès de votre bébé.
- Vous avez le temps de faire le point sur votre plan de carrière.
- Vous pouvez rencontrer d'autres parents et faire partie d'une communauté qui vous était jusqu'alors inconnue.

NE PAS OUBLIER

Changer de siège d'auto

Votre bébé sera bientôt trop grand pour les sièges d'auto du groupe 0, adaptés jusqu'à 10 kg. Si vous êtes équipée d'un siège d'auto du groupe 0 +, il convient jusqu'à ce que votre enfant pèse 13 kg. Ne passez pas à un siège du groupe 1 avant que votre bébé ait atteint le poids maximal autorisé ou que sa tête dépasse du siège. Vous devriez pouvoir utiliser le siège suivant jusqu'aux 4 ans de votre petit.

VOTRE BÉBÉ A 46 SEMAINES ET 5 JOURS

Quel est ce bruit ?

Votre enfant s'intéresse à tous les sons qu'il entend autour de lui, alors aidez-le à découvrir les différents bruits de son environnement.

Fort et clair Imitez le bruit des objets et les cris des animaux représentés dans les imagiers de votre bébé.

Faire découvrir à votre bébé les différents bruits qu'il est susceptible d'entendre peut être très amusant. Des autos aux animaux, du téléphone à la sonnette de la porte, vous allez pouvoir exercer vos talents d'imitatrice ou enregistrer les bruits pour qu'il puisse les entendre distinctement.

Jouez avec des animaux et imitez leur cri. Si aboyer, meugler ou miauler vous paraît difficile, procurez-vous un imagier sonore pour lui faire découvrir les différents cris, le gazouillis des oiseaux ou le coassement de la grenouille. Il existe également des logiciels de découverte des animaux et même des applications pour cellulaire.

Apprenez à votre enfant les bruits de la maison afin qu'il ne sursaute pas quand quelqu'un sonne ou que vous passez l'aspirateur. Faites-le appuyer sur le bouton de la sonnette de la porte et quand le téléphone sonne, montrez-lui d'où vient cette sonnerie et comment y répondre. Il se souviendra rapidement des bruits et de ce à quoi ils correspondent.

L'allaitement prolongé

Choisir l'allaitement prolongé signifie allaiter votre bébé après un an. Cela vous correspond-il ?

Bébé tète encore Si cela est plus rare en Occident, dans certaines cultures, l'allaitement des bébés plus âgés voire des jeunes enfants est courant.

Plus vous allaiterez longtemps, plus votre bébé bénéficiera des bienfaits de votre lait. Lorsque les tétées sont plus espacées, le lait maternel devient plus concentré et continue de lui apporter de la vitamine A, C, B12 ainsi que de grandes quantités de folates, de calories, de protéines et de calcium. Cependant, il faut reconnaître qu'à cet âge, la première source de nutriments de votre enfant se trouve dans la nourriture solide.

L'Organisation mondiale de la santé (OMS) fait état des avantages de l'allaitement jusqu'à l'âge de 2 ans. Il a été démontré que les enfants âgés de 16 à 30 mois encore nourris au lait maternel étaient malades moins souvent et moins longtemps que les enfants du même âge qui n'étaient pas allaités. De plus, l'allaitement vous permet de minimiser le risque d'allergie alimentaire chez votre enfant.

L'allaitement prolongé présente également des avantages pour la santé et le bien-être de la maman. Plus vous allaitez longtemps, plus vous réduisez les risques de cancer de l'appareil reproducteur, notamment des seins, des ovaires, de l'utérus et de l'endomètre. L'OMS évoque également une réduction du risque d'ostéoporose.

Prenez la bonne décision pour vous

La durée de l'allaitement dépend uniquement de ce qui vous semble bien pour vous et pour votre bébé, cette expérience étant ressentie différemment par chacune. Vous aurez peut-être des avis négatifs sur l'allaitement au-delà de 6 mois ou un an. Si vous souhaitez continuer, parce que vous pensez qu'il s'agit là d'un moyen naturel de nourrir votre bébé, poursuivez. Tant que vous y prenez du plaisir, vous n'avez aucune raison d'arrêter. Les personnes favorables à l'allaitement prolongé estiment que les enfants qui en bénéficient deviennent plus confiants et plus indépendants.

Si vous faites l'objet de remarques négatives, expliquez à vos proches pourquoi vous continuez d'allaiter, en insistant sur les bienfaits pour votre enfant.

Quand votre enfant grandit, soyez plus attentifs aux endroits où vous l'allaitez. N'oubliez pas qu'il a désormais une alimentation variée et qu'il est capable d'attendre d'être à la maison ou dans un endroit tranquille pour prendre le sein. S'il a soif quand vous êtes dehors, vous pouvez également lui proposer de l'eau dans une tasse d'apprentissage. De nombreuses mamans continuent d'allaiter les enfants plus âgés le matin et le soir, leur offrant ainsi un moment de tendresse pour bien commencer ou finir la journée. L'idéal est que votre bébé ne réclame pas de tétée pendant la journée et que son alimentation solide subvienne à tous ses besoins.

BON À SAVOIR

Dans la culture occidentale, l'allaitement au-delà de 6 mois est assez rare en dépit des recommandations de l'OMS qui préconisent d'allaiter au moins les deux premières années.

Jusque dans les années 1960, dans de nombreuses cultures, il était courant que les femmes allaitent leurs enfants entre 3 et 5 ans, notamment au Kenya, en Nouvelle-Guinée ou en Mongolie. Cependant, l'allaitement prolongé devient moins fréquent parce que les femmes font davantage d'études et travaillent de plus en plus souvent. À l'heure actuelle, les sociétés dans lesquelles les enfants sont couramment allaités jusqu'à 3 ou 4 ans sont rares et se trouvent généralement dans des pays en développement comme certaines tribus indiennes au Mexique ou en Bolivie.

Au Québec, d'après la *Leche league* (une association pour le soutien à l'allaitement maternel qui propose des réunions d'information et de partage d'expérience), le taux d'allaitement à la naissance en 2010 était de 82,7 %, mais tombait à 38,6 % au-delà de 6 mois.

47 semaines

IMITATEURS PAR NATURE, LES BÉBÉS ESSAIENT DE REPRODUIRE CE QUE FAIT LEUR ENTOURAGE

Les muscles de votre bébé se sont renforcés et sa coordination s'est nettement améliorée, ce qui lui a permis de développer de nouvelles compétences, comme s'asseoir depuis la position debout. Constamment en mouvement, il brûle plus de calories et commence à ressembler à un enfant et non plus à un bébé !

La tête à l'envers

La coordination toujours meilleure de votre bébé lui permet d'adopter des positions variées pour voir le monde sous différentes perspectives.

NE PAS OUBLIER

Dehors en sécurité

Quand votre bébé est actif, il découvre l'extérieur de la maison, à commencer par votre jardin. Mais avant de le laisser explorer cet espace, vérifiez qu'il n'y a aucun danger pour votre petit curieux très mobile. Voici quelques conseils :

- Assurez-vous qu'aucune plante toxique n'est à sa portée. Si vous avez des doutes sur la toxicité d'une fleur, coupez-en une ou prenez une photographie et montrez-la à votre pharmacien.
- Gardez vos plantes en pot hors d'atteinte de votre enfant, afin qu'il ne soit pas tenté d'en manger la terre ou les cailloux, avec lesquels il pourrait s'étouffer.
- Près de l'eau, ne le quittez jamais des yeux. Comblez ou clôturez les mares ou bassins de votre jardin et retirez les petites piscines ou pataugeoires non utilisées.
- Vérifiez que les équipements de jeux sont solidement fixés. Si vous les montez vous-même, respectez rigoureusement la notice de montage et installez-les loin des clôtures et des murs.
- Si vous avez un bac à sable, couvrez-le afin qu'il ne serve à pas de litière aux chats du quartier et vérifiez que votre jardin ne recèle pas d'excréments d'animaux.
- Enfin, la consigne la plus importante est de ne jamais laisser votre enfant sans surveillance dans le jardin.

À cet âge, votre bébé arrive sans doute à se mettre debout, mais s'asseoir lui pose un problème, car il n'a pas encore appris à plier les genoux. S'il voit un jouet par terre, soit il va se pencher en avant en gardant les jambes tendues pour l'attraper, soit il va se laisser tomber d'un coup, plus ou moins lourdement pour s'asseoir et accéder à l'objet de sa convoitise. S'il se penche en restant debout, il va regarder entre ses jambes et tenter de ramasser ce qu'il aperçoit. Il n'a pas vraiment le sens de ses propres capacités et testera donc différentes solutions. Ceci explique qu'il puisse être surpris ou angoissé lorsqu'il tombe sur les fesses ou se retrouve dans une position inattendue.

Aidez votre enfant à travailler son équilibre et sa coordination en l'encourageant à se pencher en avant et à ramasser les jouets sur le sol à partir d'une station debout. Il peut également pousser sur ses jambes pour les tendre à partir d'une position de quatre-pattes et regarder vers l'arrière. Chaque position qu'il expérimente lui permet de découvrir son environnement sous un nouvel angle, développant ainsi sa conscience de l'espace et sa compréhension des formes vues sous différentes perspectives. Invitez-le à montrer du doigt les objets qu'il aperçoit de son nouveau point de vue, et regardez-le éclater de rire avec bonheur lorsqu'il voit ses jouets préférés en ayant la tête en bas.

Même s'il est important d'installer des barrières de sécurité, montrez à votre enfant comment monter et descendre l'escalier. À cet âge, il est sans doute le roi du quatre-pattes et la maîtrise de la descente d'escalier (bien plus difficile que la montée) est indispensable. Apprenez-lui à tenir la rampe. Il utilise le même mouvement pour descendre du canapé, c'est-à-dire sur le ventre, les pieds d'abord. La maîtrise de la montée et de la descente de l'escalier par votre enfant indique qu'il est prêt à l'acquisition de la propreté.

Un autre point de vue Le monde change en fonction de la perspective ! Votre bébé est maintenant suffisamment agile pour essayer de nouvelles positions et voir le monde sous différents angles.

VOTRE BÉBÉ A 47 SEMAINES ET 1 JOUR

Capter son attention

Votre enfant peut parfois être si concentré pour découvrir le monde qu'il ne prête pas attention à vos conseils ni à vos avertissements.

La plupart du temps, votre bébé est suspendu à vos lèvres, prêt à interagir, écouter et répondre. Mais il passe également du temps à jouer, et dans ce cas, réussir à faire en sorte qu'il vous écoute est un véritable défi, surtout si vous lui demandez de passer à autre chose. Si vous avez besoin de l'interrompre, vous serez plus efficace en vous mettant à son niveau pour créer un contact visuel. Appelez-le et donnez-lui une consigne courte et simple. S'il embête le chat et que vous sentez un coup de griffe arriver, dites-lui « Laisse le chat tranquille » et emmenez-le loin du chat pour appuyer vos dires. Évitez les phrases trop longues ou les requêtes multiples, et si nécessaire, déplacez-le gentiment. Il est inutile de lui citer tous les risques potentiels, car il n'est pas capable d'imaginer les dangers auxquels vous pensez. Pour lui montrer que votre café est brûlant, par exemple, touchez la tasse et dites « Aïe ! C'est chaud ! Ne touche pas ! » tout en secouant vos doigts comme si vous vous étiez brûlée. Il vous faudra répéter à plusieurs reprises pour qu'il prenne conscience du danger, alors ne vous attendez pas à ce qu'il s'en rappelle immédiatement.

S'il ne réagit jamais lorsque vous lui parlez sans être dans son champ de vision, consultez le médecin pour lui faire passer un test d'audition.

VOTRE BÉBÉ A 47 SEMAINES ET 2 JOURS

Les biberons, c'est fini !

Votre bébé peut désormais tenir une tasse et boire son lait ainsi. L'abandon précoce du biberon contribue à protéger ses dents.

Boire avec une tasse d'apprentissage
Habituez votre bébé à boire du lait ou d'autres liquides à la tasse, afin d'éviter les caries.

Il est facile de continuer à proposer un biberon à votre bébé, surtout la nuit, car c'est pour lui un réconfort qui fait partie de ses rituels. De plus, vous pouvez facilement évaluer ce qu'il a bu. Mais plus votre enfant va prendre le biberon longtemps, plus il aura du mal à l'abandonner et à passer à la tasse, et surtout à s'endormir sans suçoter. En effet, l'action de sucer fait couler le lait dans sa bouche, les dents baignent alors dans le sucre contenu dans le lait qui stagne dans la bouche lorsque votre bébé dort, provoquant ainsi des caries. Si vous lui donnez une tasse plus tôt, il n'associera pas le lait au réconfort et par la suite, en cas de difficultés dans sa vie, il sera moins susceptible de manger pour se réconforter.

Si votre enfant est habitué à boire uniquement au biberon, il est possible qu'il refuse la tasse. Essayez de rendre la transition amusante. Remplacez la tétine du biberon par un bec, afin qu'il s'habitue à boire plutôt qu'à sucer. Achetez des tasses colorées, et laissez-le choisir celle qu'il préfère. Chez les nourrissons de moins d'un an, il est facile d'instaurer rapidement de nouvelles habitudes. S'il a l'impression d'avoir le choix, il oubliera vite la déception de ne plus avoir de biberon. Les choses seront parfois plus difficiles lorsqu'il sera de mauvaise humeur ou malade, mais vous pourrez le réconforter par un câlin et une histoire, et lui donner un peu de lait dans la tasse de son choix.

Si vous allaitez, continuez les tétées régulières, mais donnez-lui le sein brièvement une ou deux fois par jour, et offrez-lui le reste dans une tasse après avoir tiré votre lait. Le lait maternel ne provoque pas de caries dentaires.

Son premier professeur…

… C'est vous ! Vos conseils et vos actions sont des repères qui permettent à votre enfant de comprendre le monde qui l'entoure.

Montrer l'exemple En plus d'être une occasion de socialisation, les repas en famille sont le moment idéal pour apprendre les bonnes manières à table.

L'AVIS… DU PÉDOPSYCHOLOGUE

Mon bébé est déjà sujet à de grosses colères ! Est-ce normal ? Même si sur le plan émotionnel votre bambin n'est pas encore capable de faire de vrais caprices comme certains enfants en bas âge, il peut s'énerver. C'est généralement un signe de frustration, lié au fait qu'il ne sait pas exprimer ce qu'il veut. Essayez de rester calme et patiente. La plupart des bébés ont besoin d'être pris dans les bras et réconfortés lorsqu'ils sont ainsi frustrés. Chantez-lui une chanson qu'il connaît pour le calmer, ou essayez de détourner son attention de la situation. Parlez-lui calmement pour le rassurer, montrez-lui comment réussir ce qu'il était en train d'essayer ou emmenez-le dans une autre pièce, loin de ce qui le contrarie.

Vous parlez à votre bébé depuis qu'il est né, en lui expliquant vos activités quotidiennes et en lui montrant tout ce qui l'entoure, du fonctionnement d'un interrupteur à celui des robinets de la baignoire, ou de ses jouets. Au cours des prochaines années, votre enfant va continuer à vous prendre comme modèle et apprendra à se comporter, à interagir et à composer avec le monde qui l'entoure en vous regardant et en vous écoutant.

C'est pourquoi il est important d'être le meilleur modèle possible. Transmettez-lui vos valeurs et vos habitudes familiales par le biais de vos actions. Alors qu'il est encore trop petit pour savoir comment se comporter à table (en mettre partout fait de toute façon partie de son apprentissage), montrez-lui les bonnes manières. Mangez en même temps que lui et prévoyez régulièrement des repas en famille. Des études ont montré que plus les familles mangent ensemble, plus leurs relations sont étroites. À cette occasion, votre bébé apprendra également que le temps des repas est un moment de sociabilité. Il vous verra échanger avec votre compagnon, écouter quand les autres parlent, et attendre votre tour pour prendre la parole. Ayez des relations saines et respectueuses avec les personnes de votre entourage.

Montrer l'exemple Les bébés qui grandissent dans un environnement fait de cris et d'énervement auront tendance à reproduire ce comportement qu'ils jugeront normal. Certes, composer avec un enfant obstiné n'est pas simple, et vos nerfs risquent d'être mis à rude épreuve, mais il est important de maîtriser votre frustration et votre colère devant votre bébé quand quelque chose ne va pas.

Cependant, même s'il est indéniable que montrer le bon exemple est bénéfique (quand votre enfant vous voit être sociable, lire, être organisée et active, il y a des chances qu'il imite ces comportements positifs), il est également important de reconnaître que les parents parfaits n'existent pas. L'éducation est une courbe d'apprentissage permanente. Ne soyez pas trop dure avec vous-même si vous ne parvenez pas à tout gérer correctement, par exemple si vous ne répondez pas toujours au téléphone, oubliez parfois un rituel ou êtes un peu critique avec votre conjoint. Les enfants savent parfaitement s'adapter à l'imperfection. Tant que vous répondez aux besoins de votre bébé et lui prodiguez les soins dont il a besoin, alors vous êtes de « bons parents ». Garantir à votre enfant un environnement sûr et compréhensif est la meilleure chose que vous puissiez faire pour lui.

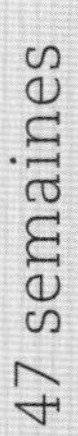

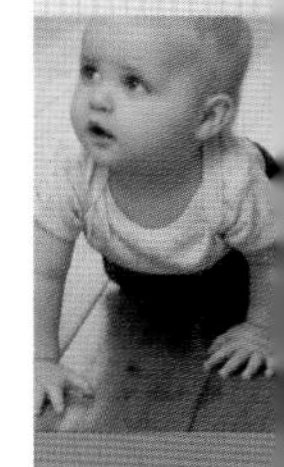

VOTRE BÉBÉ A 47 SEMAINES ET 4 JOURS

Un appétit de petit ogre

Plus votre bébé va être mobile, plus il aura faim. Il lui faudra des collations régulières pour avoir suffisamment d'énergie.

Offrez à votre enfant une alimentation équilibrée riche en nutriments afin d'être sûre qu'il a suffisamment de vitalité pour grandir et se développer. La première année, le lait reste la base de son alimentation, mais il mange de plus en plus de nourriture solide et prend désormais deux ou trois repas par jour. Donnez-lui des glucides complets, des légumes et des fruits frais, de la viande maigre, du poisson, des œufs, des produits laitiers et des légumineuses. Même si votre bébé est de ceux qui ont du mal à découvrir de nouveaux aliments, continuez de lui servir une nourriture saine, en cuisinant différemment des mets qu'il a rejetés auparavant jusqu'à ce qu'il finisse par s'y habituer.

Entre les repas, ne lui proposez pas d'aliments non équilibrés. Les collations font partie de la nutrition générale et doivent combler un manque. S'il apprend à combler ses petits creux avec des raisins ou des abricots secs, du pain complet avec un peu de confiture, un yogourt, quelques dés de gruyère, une tartine de fromage frais ou des bâtonnets de légumes, il prendra de bonnes habitudes alimentaires. Encouragez votre enfant à découvrir de nouveaux aliments en picorant dans votre assiette. Montrez-lui les produits lorsque vous faites l'épicerie ou que vous cuisinez et incitez-le à toucher, sentir et goûter. Laissez-le manger jusqu'à satiété. C'est à lui de décider de la quantité dont il a besoin : il est important qu'il ait des repas réguliers et sains, mais il est tout à fait normal que les quantités varient d'un jour à l'autre, en fonction de ses activités. Tant que son poids est stable, vous n'avez aucune raison de vous inquiéter (voir p. 298).

VOTRE BÉBÉ A 47 SEMAINES ET 5 JOURS

Une autre approche

Au lieu d'exécuter les tâches ménagères quand votre bébé dort, faites-les avec lui. Vous y prendrez plaisir tous les deux.

Un assistant de choc! Déballer les courses, c'est tellement amusant…

Lorsque votre bambin est en train de jouer, vous disposez de quelques minutes pour passer un coup de fil, consulter votre messagerie ou préparer la liste d'épicerie, avant qu'il n'ait de nouveau besoin de vous. Vous pouvez également faire certaines choses pendant qu'il dort. Mais vous ne serez pas en mesure de tout gérer pendant ces courts moments de répit.

Même si cela risque de prendre plus longtemps, laissez votre bébé participer à vos activités. Tout en l'amusant, vous lui apprendrez comment s'occuper d'une maison. Mettez-le devant une pile de linge à plier, montrez-lui les vêtements, nommez-les et présentez-lui les différentes couleurs. Jouez avec lui pour recharger le coin de change en couches et préparer le sac à couches pour la prochaine sortie, en le laissant vous passer les affaires dont vous avez besoin. Il se peut qu'il sorte plus de choses qu'il n'en range, mais il prendra du plaisir pendant que vous avancez.

Faites-le participer à certains rituels quotidiens. Prenez un bain ensemble, par exemple. Lisez votre livre ou vos messages à voix haute pendant qu'il joue à côté, il sera ravi d'entendre le son de votre voix. Certes, vous avancerez moins vite que prévu, mais vous aurez la satisfaction de travailler avec votre bébé et non malgré sa présence.

Jouer dehors

Il est important que votre enfant joue régulièrement dehors pour prendre l'air, profiter du soleil et faire de l'exercice.

Dehors, c'est chouette ! Jouer à l'extérieur permet de changer de décor et de découvrir de nouveaux plaisirs.

Les bébés ont besoin de temps et d'espace pour découvrir le monde et sortir de la maison, de leur siège d'auto ou de la poussette. La motricité, la coordination, l'équilibre et l'imagination se développent rapidement lorsque les enfants ont de nombreuses occasions de grimper et de jouer, ou de découvrir un environnement naturel avec ses innombrables textures, odeurs, activités et possibilités. Être dehors permet également à votre enfant d'avoir un autre champ de vision et une stimulation sensorielle différente. Voir au loin, sentir le vent sur sa peau, remarquer les changements de lumière sont autant de nouvelles informations perçues par ses sens.

Le temps passé à l'extérieur, dans un environnement naturel, met les adultes de bonne humeur. C'est pourquoi emmener votre enfant à l'extérieur vous donnera un coup de fouet en lui faisant découvrir tout ce qui est bon pour lui. De plus, le temps passé au soleil favorise la production de vitamine dans l'organisme (voir p. 226), qui renforce la solidité des os et des dents. Attention cependant à prendre les mesures nécessaires afin d'éviter les coups de soleil.

Au grand air tous les jours Essayez de sortir au moins une fois par jour, et s'il fait beau, laissez votre enfant s'asseoir dans l'herbe, marcher à quatre pattes dans le parc ou s'amuser dans le bac à sable. Faites-lui découvrir la balançoire, jouez au ballon et prenez du pain sec pour nourrir les canards de la mare. Laissez-le explorer les endroits sans risque, sauter dans les flaques quand vous lui donnez la main, marcher à quatre pattes et salir ses menottes. Quand il commence à marcher avec appui, donnez-lui la main et partez à la découverte du parc ou de votre quartier, en le laissant s'arrêter quand il veut pour examiner ce qui l'entoure. Ayez sa poussette à portée de main afin qu'il puisse se reposer si besoin. Passez du temps dehors avec votre bébé pour lui présenter une nouvelle vision du monde.

ACTIVITÉ D'ÉVEIL

S'amuser un jour de pluie

Votre bébé a besoin de bouger librement tous les jours afin de développer sa motricité et de découvrir les possibilités de mouvement de son corps.

Si vous ne pouvez pas sortir parce qu'il pleut ou qu'il fait trop froid, essayez de voir comment vous pouvez l'aider à être actif à la maison. Encouragez-le à marcher, à monter et descendre l'escalier avec vous, faites la course à quatre pattes dans le séjour, dansez sur une musique entraînante ou encore organisez-lui un parcours d'obstacles avec des coussins, des gros oreillers, des serviettes pliées et des jouets.

Faites-lui une batterie avec des casseroles, des boîtes de conserve et des cuillères en bois ou jouez au chat et à la souris, poursuivez-le pendant qu'il crapahute dans le salon et chantez-lui des comptines lorsque vous l'attrapez. S'il finit essoufflé et qu'il rigole gaiement, cela signifie qu'il dépense de l'énergie tout en s'amusant et, surtout, qu'il va très bien dormir la nuit prochaine !

À quatre pattes Mettez-vous à la hauteur de votre bébé et découvrez le monde de son point de vue.

48 semaines

AU DÉBUT, LES BÉBÉS PENSENT QUE LORSQUE L'ON MONTRE QUELQUE CHOSE DU DOIGT, LE DOIGT EST L'ÉLÉMENT LE PLUS IMPORTANT

La dextérité manuelle de votre bébé a considérablement évolué. Désormais, il sait utiliser son index pour montrer ce qui l'intéresse. Il maîtrise mieux l'utilisation de la cuillère pour manger seul, même si sa coordination œil-main n'est pas encore totalement développée.

Je mange tout seul !

Il faudra encore du temps à votre bébé pour qu'il arrive à manger seul avec une cuillère, mais il aime essayer pour faire comme les grands.

Votre enfant peut vouloir manger tout seul à présent, même s'il n'a pas encore les capacités motrices et la coordination suffisantes pour mettre facilement la cuillère dans sa bouche. Cependant, il n'y a aucun risque à lui donner une cuillère pour qu'il s'entraîne. Pour lui faciliter les choses, choisissez une petite cuillère en plastique avec un manche court plus facile à manipuler qu'une grande cuillère. Prenez un bol à ventouse afin d'éviter qu'il puisse le jeter hors du plateau de la chaise haute. Ce type de base permet également de fixer solidement le bol qui reste stable, permettant ainsi à votre bébé de plonger plus facilement sa cuillère dedans.

Pendant qu'il essaie de prendre de la nourriture avec sa cuillère, présentez-lui une cuillerée du même plat prise dans un autre bol que vous tenez. En vous regardant faire, il finira par apprendre à remplir la cuillère pour la mettre dans la bouche.

Tout seul avec ma cuillère Attendez-vous à ce qu'une grande partie du contenu du repas de votre bébé finisse sur le plateau, par terre, sur son visage ou dans ses cheveux !

Oubliez les convenances Les premiers temps, il est possible que votre enfant tienne la cuillère d'une main et prenne la nourriture devant lui de l'autre pour la porter à sa bouche. À ce stade, laissez-le faire. S'il veut tenir la cuillère tout en mangeant avec les doigts, ce n'est pas dérangeant. Il se servira mieux de la cuillère quand sa coordination aura progressé. Pour limiter le lavage, donnez-lui une bavette récupératrice qu'il vous suffira d'essuyer. Vous pouvez également mettre du journal ou un ancien tapis sur le sol aux environs de sa chaise.

Même si une grande partie de la nourriture finit dans ses cheveux, encouragez-le à poursuivre et à manger seul à la cuillère. Pendant qu'il tient la cuillère, maintenez son poignet pour l'aider à arriver jusqu'à la bouche, mais n'oubliez pas qu'il n'a ni la coordination ni la souplesse nécessaire au niveau de l'articulation pour réussir à le faire seul. Ne sous-estimez pas l'importance d'aider votre enfant et d'être un exemple pour lui. Dans la mesure du possible, mangez en même temps que lui pour qu'il voie comment vous utilisez vos ustensiles.

À ce stade, le plus important est d'inciter votre enfant à essayer de remplir facilement son estomac et de le voir prendre du plaisir lors des repas.

Réussir à manger seul est un grand pas en avant dans le développement de votre bébé. S'il prend peu à peu confiance en ce moment, il ne sera néanmoins pas capable de manger seul de façon complètement autonome avant l'âge de 3 ans. D'ici là, il aura constamment besoin de vos conseils et de votre aide.

L'AVIS... DU NUTRITIONNISTE

Pourquoi mon bébé n'a-t-il pas faim à l'heure des repas ? Quelle quantité de lait prend-il chaque jour ? À cet âge, sa ration quotidienne de lait varie de 500 à 600 ml maximum et peut être prise sous la forme de fromage, de yogourts, de beurre ou d'autres produits laitiers. Proposez-lui de la nourriture solide avant son lait, pour qu'il commence son repas l'estomac vide. Désormais, il peut se contenter d'une tétée matin et soir, avec un peu de lait à la fin des repas. Assurez-vous qu'il ne boit pas constamment des jus de fruits ou du sirop, qui ont tendance à couper l'appétit. Enfin, évitez de lui donner trop de collations. Deux par jour sont amplement suffisantes.

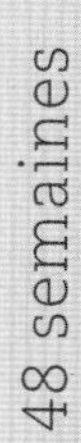

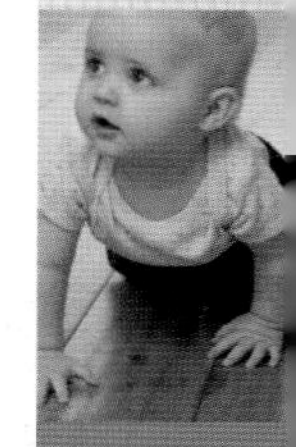

VOTRE BÉBÉ A 48 SEMAINES ET 1 JOUR

Tapoter, frapper et pincer

La coordination œil-main de votre bébé s'améliore chaque jour. Il est désormais capable de montrer du doigt, de taper et même de pincer !

Votre enfant va commencer à tester sa force et ses capacités. Vous allez le voir pousser, taper, et même pincer les animaux domestiques, les jouets et les gens. En effet, les activités qui entraînent une réaction sonore le captivent et il aura par conséquent envie de recommencer.

Ce comportement répréhensible de votre bébé n'est rien d'autre qu'un exercice destiné à satisfaire sa curiosité et à évaluer la réponse obtenue. Il n'est pas méchant, il utilise ses compétences et fait des essais. Lorsqu'il tape, montrez-lui comment interagir gentiment avec tout ce qui l'entoure. Apprenez-lui à caresser le chat et à faire un câlin à ses frères et sœurs. Verbalisez ses actions. Dites-lui par exemple « Gentil chat, caresse le chat » afin qu'il puisse mettre un mot sur ce qu'il fait. Rapidement, quand vous lui direz « Caresse » il aura un geste doux envers le chat et ne le tapera plus.

Une fratrie complice Apprenez à votre bébé à être gentil avec ses frères et sœurs.

S'il continue à être violent, détournez son attention. Il finira par comprendre ce que vous attendez de lui, même si ce n'est pas immédiat. Proposez à votre bébé des activités pour mieux utiliser les compétences de ses petits doigts. Donnez-lui un tableau d'activités avec des boutons à pousser, des cadrans à tourner et des chaînes à tirer.

VOTRE BÉBÉ A 48 SEMAINES ET 2 JOURS

Il refuse d'aller dormir !

Pour votre bébé, le coucher est synonyme de séparation de maman et papa et de tout le plaisir associé à eux.

À l'approche de la fin de sa première année, votre enfant peut être réticent à l'idée d'aller se coucher parce qu'il ne veut rien manquer. S'il commence à s'énerver au moment d'aller dormir, assurez-vous que le rituel du coucher est bien un moment de détente et de réconfort afin qu'il continue de l'associer au plaisir.

N'oubliez pas qu'en grandissant et lors des périodes où ils sont moins actifs, les bébés ont moins besoin de sommeil (voir p. 376). Si le vôtre fait encore trois siestes par jour, il est peut-être temps d'en abandonner une (voir p. 292).

Pendant la journée, faites en sorte que votre enfant fasse beaucoup d'exercice et soit stimulé afin d'être suffisamment fatigué au moment d'aller au lit. Vous pouvez aussi envisager d'avancer légèrement l'heure de sa sieste ou de le coucher un peu plus tard, pour qu'il dorme toute la nuit.

Essayez de ne pas vous énerver pour éviter qu'il soit angoissé. Il se peut également qu'il perçoive sa résistance à dormir comme un bon moyen d'attirer votre attention. Mettez-le simplement dans son lit comme d'habitude, et revenez lorsqu'il vous appelle. Faites-lui un câlin, réconfortez-le, chantez-lui sa comptine favorite ou dites-lui simplement « bonne nuit » puis laissez-le. Soyez enjouée et positive pour qu'il n'ait pas l'impression que l'heure du coucher est une punition. Limitez les bruits dans la maison pendant quelques minutes afin qu'il ne soit pas distrait par ce qui se passe.

Si rien ne marche, au moment du coucher, mettez votre bébé dans son lit avec quelques jouets et son doudou, et laissez-le s'amuser tranquillement jusqu'à ce qu'il tombe de sommeil. Lorsqu'il s'est endormi, retirez les jouets.

Fixer des limites

Alors que votre bébé approche de son premier anniversaire, vous vous interrogez sur le type d'éducation à mettre en œuvre.

Soyez précis Dites à votre bébé que ce qu'il a fait n'est pas bien en lui expliquant clairement et calmement pourquoi.

La plupart des parents aimeraient être chaleureux et aimants, fermes mais justes quand vient le temps d'orienter le comportement de leurs enfants. Le défi consiste généralement à trouver un bon équilibre entre laisser à votre bébé la liberté de découvrir le monde tout en vous assurant qu'il prend le droit chemin pour être plus tard un adulte responsable qui a le sens du bien et du mal.

Vous posez déjà des limites à votre enfant, par exemple en l'éloignant ou en distrayant son attention lorsqu'il arrache un jouet des mains d'un autre enfant. Si tel est le cas, vous lui prenez sans doute les mains en disant fermement « Non ». Par conséquent, à 10 mois, votre bébé a probablement compris que « Non » signifie « Arrête », mais la notion de bien et de mal reste abstraite et il se peut qu'il ne vous écoute pas simplement parce que la curiosité est la plus forte.

Quelle discipline ? La discipline pourrait être répartie en deux catégories principales : celle nécessaire pour des raisons de sécurité, et celle nécessaire pour un comportement acceptable.

En matière de sécurité, il est important d'écarter physiquement votre enfant de tout danger. De fait, s'il s'approche de la porte du four, écartez-le du danger, tenez fermement ses mains et mettez-vous à son niveau pour le regarder en lui disant « Non » et en lui expliquant pourquoi. Dites par exemple « Le four, c'est chaud, tu vas te brûler. Aïe ! » Bien entendu, lui expliquer une fois ne sera pas suffisant, mais la répétition et des réponses cohérentes aideront votre bébé à comprendre le message.

Quand il s'agit de bien se comporter, n'en attendez pas trop. Votre enfant se considère toujours comme le centre du monde et n'est pas conscient qu'il peut contrarier les autres. À cet âge, il apprend en regardant et vous êtes son modèle. Lorsque vous avez des bonnes manières, que vous parlez calmement, il enregistre et commence à faire de même. Il ne comprend pas encore ce que signifie s'excuser, mais il n'est pas trop tôt pour lui apprendre.

Quel que soit le type d'éducation choisi, il y a des points clés à ne pas oublier. Votre enfant réagira mieux si vous êtes cohérent. Utilisez votre temps et votre énergie à le féliciter et à l'encourager plutôt qu'à le gronder. Quand le moment de faire respecter la discipline et d'appliquer les conséquences qui en découlent est arrivé, restez calme et ne vous mettez pas en colère.

ACTIVITÉ D'ÉVEIL

Doux et dur

Aidez votre enfant à comprendre les différentes propriétés des objets qui l'entourent. Donnez-lui des jouets avec différentes textures à manipuler et à toucher, décrivez chacune d'entre elles, dites-lui si c'est lisse, doux, dur ou en peluche et précisez la couleur. En lui parlant ainsi, vous l'aidez à développer son vocabulaire et à comprendre que les choses ont un nom mais qu'elles ont également des caractéristiques différentes. Invitez-le à son tour à faire le lien et à établir des comparaisons. Il n'est pas encore prêt à nommer tous ces objets, mais en procédant ainsi, vous facilitez sa compréhension.

Découvrir en touchant Remplissez un panier avec des jouets de différentes textures et invitez votre bébé à découvrir son contenu.

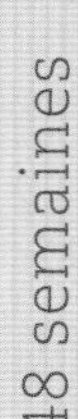

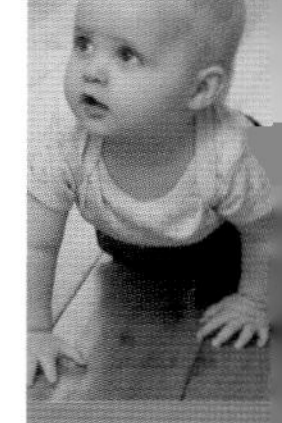

VOTRE BÉBÉ A 48 SEMAINES ET 4 JOURS

Au rythme de votre bébé

Vous souhaitez que votre bébé soit au même niveau que les enfants de son âge, mais souvenez-vous que chacun est différent.

Les grandes étapes sont des repères destinés à vous donner une idée de l'âge auquel un enfant est physiquement, mentalement ou émotionnellement capable de maîtriser une compétence, et ce, de la naissance à l'enfance. Cependant, il ne s'agit en aucun cas de tests pour évaluer l'intelligence ou estimer les prouesses à venir dans différents domaines. En effet, même si votre bébé fait ses nuits ou marche très tôt, cela ne signifie pas pour autant qu'il sera précoce. Il est important d'avoir conscience que ces étapes sont plus un guide qu'une règle, et que l'ordre dans lequel elles sont franchies varie d'un enfant à l'autre. Certains sont très en avance physiquement mais parleront plus tard, d'autres seront rapidement très adroits grâce une coordination œil-main très développée, mais marcheront seulement au cours de la deuxième année.

Votre bébé est unique et a sa propre personnalité. Il franchira les différentes étapes quand il sera prêt, et à moins qu'il soit vraiment considérablement en retard par rapport aux enfants du même âge (voir p. 412-413), vous n'avez aucune raison de vous inquiéter. Le comparer à d'autres enfants peut vous rassurer (tout va bien, il progresse normalement) ou ponctuellement attirer votre attention sur un éventuel problème, auquel cas n'hésitez pas à consulter un professionnel de la santé.

Cependant, si comparer de temps en temps ne pose pas de soucis, évitez d'en faire une compétition. Stimulez votre bébé, encouragez-le à développer les compétences nécessaires pour franchir les différentes étapes dans un environnement amusant et fêtez chacun de ses progrès.

VOTRE BÉBÉ A 48 SEMAINES ET 5 JOURS

C'est moi !

Votre bébé développe son sens de l'indépendance, et dans les mois à venir, il prendra conscience de qui il est.

À deux Bien que de plus en plus indépendant, votre bébé besoin d'être proche de vous.

Votre enfant commence à comprendre que vous êtes une personne différente de lui. Il y a quelques mois, il a compris que vous n'étiez pas toujours là et que vous étiez parfois en dehors de son champ de vision. C'est alors qu'il a saisi le concept de « permanence des personnes » : vous existez même quand il ne peut ni vous voir ni vous entendre.

Alors qu'il découvre son corps, il prend conscience de qui il est, car il le maîtrise mieux et en comprend les réactions. Il développe également une image mentale de lui-même et des autres. Aux environs d'un an, il sera capable de faire la différence entre une photographie de lui et celle d'un autre bébé, et vers 15 mois, il comprendra que le bébé dans le miroir n'est autre que son propre reflet. Il va alors s'amuser à sourire et à faire des grimaces à la glace qui lui renvoie son image.

L'implication de votre enfant dans certains jeux est un autre indicateur de sa conscience de lui et des autres. Lorsque vous câlinez tous les deux le nounours, ou que vous faites semblant de lui donner à boire en approchant une tasse de sa bouche, il vous imite.

Alors qu'il avancera dans sa deuxième année il comprendra de mieux en mieux que vous êtes une personne différente de lui. Observez-le affirmer sa personnalité et préparez-vous : bientôt « non » sera son mot préféré !

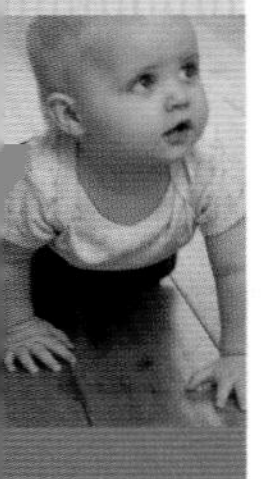

Quand maman travaille

Il n'est pas toujours facile de jongler entre travail et vie de famille. Ne paniquez pas, c'est normal.

Du temps de qualité Le temps passé avec votre bébé doit être synonyme de plaisir ; soyez totalement disponible pour lui.

Malgré toutes les inquiétudes que vous pouvez avoir en tant que maman qui travaille, ne vous en faites pas, vous allez réussir à élever un enfant en pleine santé et heureux tout en étant contente de travailler. Le secret de la réussite consiste à être organisée et souple, et à bien définir vos priorités. Si vous faites votre travail et que votre famille a la priorité quand vous êtes à la maison, tout va bien. Le reste de votre vie, comme les tâches ménagères ou vos relations sociales, risque de passer au second plan jusqu'à ce que vous ayez réussi à trouver un rythme qui convienne à tout le monde. En outre, il est fondamental que vous soyez moins exigeante avec vous-même. Tant que vous arrivez à peu près à tout gérer, c'est l'essentiel !

Trouver l'équilibre « travail et vie de famille » S'il est loin d'être évident de mener en parallèle travail et vie de famille, voici quelques astuces pour vous faciliter les choses. D'abord, soyez organisée. Ayez les mêmes habitudes chaque jour afin d'éviter les surprises et que votre enfant sache ce qui l'attend. Cela l'aidera à se sentir en sécurité. La veille au soir, préparez tout ce dont vous aurez besoin le lendemain matin afin d'être plus détendue en sachant que tout est prêt quoi qu'il arrive. Cuisinez à l'avance et faites votre épicerie en grande quantité pour gagner du temps.

Il est essentiel d'avoir toujours une solution de rechange si votre enfant est malade ou si votre gardienne est absente. Essayez de mettre en place un réseau d'entraide vers lequel vous pourrez vous tourner en cas de besoin.

Si parfois vous avez l'impression d'être débordée, concentrez-vous sur ce qui est positif. Culpabiliser parce que vous n'assistez pas à toutes les « premières fois » de votre bébé ou que vous n'êtes pas là pour répondre à ses besoins au quotidien ne vous aidera guère. À l'inverse, penser que votre enfant est en pleine santé et heureux vous permettra d'avancer. Concentrez-vous sur ce qui compte le plus et acceptez uniquement ce qui vous fait vous sentir mieux. Une maman épuisée ou malade ne sera efficace nulle part.

Enfin, ne culpabilisez pas à l'idée de revoir vos ambitions professionnelles à la baisse pour l'instant si vous estimez que s'occuper d'un bébé empêche d'avoir une mentalité de leader. Vous aurez des tas d'autres occasions pour revoir vos objectifs professionnels quand votre enfant sera plus indépendant.

ACTIVITÉ D'ÉVEIL

Des jeux faits maison !

Votre enfant sera aussi excité par une grosse boîte vide dans laquelle il peut grimper ou qui peut servir de garage que par les jouets les plus chers. Froissez des feuilles de papier de couleur pour faire des balles et remplissez-en la boîte. Ensuite, encouragez votre bébé à la vider et à tout remettre dedans. Cachez quelques jouets à l'intérieur qu'il découvrira en s'amusant. De même, une corbeille à linge se transformera en une merveilleuse auto et votre tout-petit adorera jouer les passagers alors que vous poussez son carrosse. Ces jeux contribueront à développer l'imagination de votre enfant, amélioreront sa motricité à tous les niveaux et surtout l'occuperont pendant des heures !

Jouets improvisés Une feuille de papier roulée en cône se transforme en garage.

49 semaines

À 12 MOIS, UN BÉBÉ DORT ENVIRON 14 HEURES SUR 24

Assurez-vous que votre bébé consomme un large éventail d'aliments qui lui apportent les nutriments dont il a besoin. À cet âge, il peut être plus timide que d'habitude, voire devenir collant, signe qu'il prend de plus en plus conscience que vous êtes des personnes indépendantes l'une de l'autre.

Je m'entraîne

Votre bébé a considérablement développé sa capacité à résoudre des problèmes. Il aime les activités créatives qui lui permettent de s'exercer.

Analyse Grâce à sa capacité d'identification de la place de chaque pièce et à sa motricité fine en plein développement, votre enfant peut résoudre des problèmes de plus en plus compliqués.

Les boîtes à formes, les instruments de musique ou les jeux de construction aideront votre enfant à affiner sa pensée analytique, qui, à son tour, favorisera le développement de sa capacité à comprendre comment les choses interagissent dans son environnement.

En s'amusant avec ce type de jouets, votre bébé apprend à distinguer les différentes parties des objets. Ainsi, dans les mois à venir, il sera capable d'identifier leur forme, leur taille et leur couleur et saura à quoi ils servent. Il commencera à raisonner, déduire, analyser et utiliser la logique pour évaluer comment fonctionnent ses jouets. Il apprend également à résoudre un problème quand sa première idée ne fonctionne pas immédiatement. Ainsi, s'il a choisi une forme dans laquelle la pièce de casse-tête en bois n'entre pas, il va persévérer pour trouver la solution. Même s'ils peuvent être frustrés, de nombreux enfants aiment relever ces défis et répéter l'opération jusqu'à ce qu'ils y arrivent.

Pour encourager votre bébé à affiner ses compétences en matière de résolution de problèmes, proposez-lui des casse-têtes et des activités qu'il peut maîtriser avant de passer à des jeux plus compliqués. S'il parvient à résoudre le problème, il aura confiance en ses capacités et se souviendra de ses réussites passées lorsque les choses deviendront plus complexes. S'il a du mal à maîtriser une activité, ne laissez pas la frustration s'installer et proposez-lui des jeux plus simples pour restaurer sa confiance.

Observation et imitation Votre bébé résout les problèmes en observant et en imitant les personnes qui l'entourent. C'est pourquoi il est important de passer du temps à jouer avec lui et à lui expliquer comment fonctionnent les choses. Présentez-lui un nouveau jouet, puis laissez-le essayer tout seul.

Si vous en avez la possibilité, donnez-lui régulièrement l'occasion de jouer à côté d'autres enfants. Il y a peut-être un atelier d'éveil ou une garderie dans lesquels il pourrait s'habituer à jouer près d'autres bébés. Sinon, organisez-vous avec des mamans du quartier et rencontrez-les en vous invitant régulièrement à tour de rôle, tous les 15 jours, par exemple. Vous procurerez ainsi à votre enfant autant d'occasions d'observer d'autres bambins qui font les choses différemment et dont il pourra s'inspirer.

ACTIVITÉ D'ÉVEIL

Activités artistiques

Encouragez la créativité de votre bébé et favorisez le développement de sa coordination œil-main et de sa motricité fine en lui proposant régulièrement des séances d'activités artistiques. Achetez de gros crayons non toxiques, mettez une grande feuille de papier par terre et montrez-lui comment utiliser les crayons. Décrivez les couleurs que vous utilisez et guidez la main de votre bébé pour tracer des lignes ou des cercles en nommant les différentes formes que vous dessinez. Restez toujours auprès de votre enfant quand il utilise des crayons. Régulièrement, tous les deux mois, mettez une de ses créations dans un album afin de voir sa progression au fil des années. L'été, dessinez à la craie dehors sur la terrasse ou dans votre allée.

Artiste en herbe Votre enfant aimera s'exprimer avec des couleurs et des formes.

VOTRE BÉBÉ A 49 SEMAINES ET 1 JOUR

Première chandelle à souffler !

Vous souhaitez célébrer la première fête de votre enfant, mais ne soyez pas étonnée s'il ne s'y intéresse pas vraiment...

Pour cette première fête, prévoyez quelque chose de simple. Vous ne pourrez pas marquer son passage à la petite enfance si vous êtes occupée à servir des bouchées. De plus, votre bébé préférera vous avoir à ses côtés, surtout si votre maison est pleine d'invités. Ne conviez cependant pas trop de monde, un grand rassemblement pourrait le faire paniquer. Choisissez des personnes qu'il connaît bien et ne prévoyez pas de spectacle, il est encore trop petit pour s'y intéresser. Les ballons gonflables doivent être mis hors de portée afin d'éviter que votre tout-petit ne les fasse exploser (ce qui lui causerait une frayeur qui gâcherait la journée) et de limiter les risques d'étouffement avec les ballons crevés.

Ne prévoyez pas quelque chose de trop long, 1 heure à 1 h 30 maximum. Il est peu vraisemblable que vous réussissiez à capter l'attention de votre bébé plus longtemps. Commencez environ une demi-heure après la fin de sa sieste pour qu'il soit en pleine forme et donnez-lui une collation avant l'arrivée des invités, car il risque d'être trop excité pour manger, quand tout le monde sera là. Gardez un œil sur ce qu'il avale, certains produits destinés aux plus grands n'étant pas forcément adaptés aux enfants de son âge.

Ne le couvrez pas de cadeaux, il risque de détourner rapidement son attention s'il est face à une pile de paquets à ouvrir. De plus, il trouvera probablement la montagne de papier cadeau craquant et coloré bien plus intéressante que ce qu'il renfermait. Si des invités vous demandent des idées de cadeaux, suggérez des livres. Vous constituerez ainsi une bibliothèque à votre bébé tout en mettant vos amis à l'aise : leur prix est relativement abordable.

VOTRE BÉBÉ A 49 SEMAINES ET 2 JOURS

Au dodo ou pas ?

Votre bébé est excité avant de se coucher, mais s'il a besoin de moins de sommeil qu'avant, il doit bien dormir pour être en bonne santé.

Instaurer un rituel au coucher aidera votre bébé à se préparer à dormir.

À l'approche de sa première année, votre enfant dort environ 14 heures sur 24. Il fait peut-être une longue sieste de deux heures ou plusieurs petites siestes totalisant deux ou trois heures de sommeil par jour, et dort 11 à 12 heures la nuit.

Si votre bébé proteste au moment d'aller se coucher, instaurez un rituel régulier, il sera ainsi moins enclin à résister s'il peut anticiper ce qui l'attend. Son doudou l'aidera à se calmer s'il se réveille la nuit ou tôt le matin. Vous pouvez également laisser quelques jouets au bout de son lit : il ne voudra peut-être pas dormir, mais restera tranquille et pourra s'occuper. Ne vous en faites pas, il s'endormira rapidement !

Essayez de trouver le meilleur rythme de sieste pour votre enfant. Une sieste en fin d'après-midi risque de perturber son endormissement le soir. Il est sans doute préférable de prévoir un temps calme pour le détendre. Une sieste plus longue juste après le repas peut le garder en forme le restant de l'après-midi si vous le couchez tôt le soir.

L'heure à laquelle vous couchez votre enfant n'est pas très importante à partir du moment où elle est régulière. Mais gardez en tête que si vous le couchez à 18 heures, il sera sans doute réveillé à 6 heures du matin. Il peut être judicieux de caler ses heures de sommeil sur les vôtres, à savoir si vous êtes matinale ou non.

Vive le plein air

Maintenant que votre enfant a presque un an, vous pouvez commencer à partager des activités de plein air avec lui.

En route Un porte-bébé dorsal est idéal pour aller marcher avec votre enfant qui verra alors le monde à votre hauteur.

Votre bébé est désormais assez grand pour profiter de certaines activités de plein air que vous appréciez et que vous avez peut-être abandonnées depuis sa naissance. Pour qu'il participe à vos activités de plein air, vous aurez besoin d'un peu de matériel dont le coût reste modique. Pour les promenades ou les randonnées, procurez-vous un porte-bébé dorsal. Emmenez votre enfant avec vous lorsque vous l'achèterez afin d'être sûre que vous le trouvez confortable tous les deux. Assurez-vous qu'il est suffisamment renforcé au niveau du dos et dispose d'une solide sangle ventrale. Pour être de la bonne taille pour son passager, il doit soutenir suffisamment la tête si votre enfant s'endort. La plupart des modèles sont étanches, possèdent pare-soleil et capote de pluie et sont équipés d'une ou plusieurs poches qui vous permettent de transporter l'essentiel (boissons, collation, nécessaire de change, crème solaire…). Idéalement, partez avec un autre adulte afin que quelqu'un puisse vérifier que votre bébé est à l'aise, qu'il vous aide à l'installer dans le porte-bébé et à l'en sortir et prenne le relais pour soulager votre dos de temps à autre. Une poussette tout terrain à grosses roues vous permettra également de faire de belles promenades sur un terrain accidenté.

Pédaler en famille Si vous avez envie de faire du vélo, investissez dans une remorque pour bicyclette. Dans les endroits touristiques, vous pourrez facilement louer un vélo entièrement équipé pour transporter votre bébé en toute sécurité. L'âge où un bébé peut s'asseoir dans une remorque dépend de la force de sa tête et de son cou, mais aussi du poids du casque. Normalement, à cet âge, il se tient assis sans aucune aide depuis quelque temps déjà. Évitez de mettre votre bébé dans un siège pour vélo avant un an, car il n'a pas encore la force nécessaire pour tenir sa tête en portant un casque.

Votre bambin va adorer découvrir le monde dans un porte-bébé ou depuis la remorque de votre vélo. Vous profiterez ainsi tous les deux du grand air en partageant de nouvelles expériences.

Pour l'habituer à la sensation d'être dans une remorque ou vous entraîner à le porter, commencez par de petites sorties, sur des terrains plats pour éviter les secousses, et restez loin des routes. Partez toujours accompagnée et organisez progressivement des trajets plus longs.

Ne mettez pas votre enfant dans un porte-bébé ou dans une remorque s'il fait très chaud ou très froid, car il aura du mal à réguler sa température. Lors des trajets plus longs, arrêtez-vous souvent pour vérifier qu'il va bien et sortez-le régulièrement pour qu'il puisse bouger librement.

Lors de l'achat, vérifiez que l'objet de votre choix répond aux normes de sécurité canadiennes en vigueur et qu'il a bien été testé pour les bébés. Par la suite, contrôlez régulièrement l'usure des sangles et des différents systèmes de fixation.

L'AVIS… DU NUTRITIONNISTE

Dois-je encourager mon bébé à finir son assiette? Il est préférable de laisser votre enfant décider en fonction de son appétit. Le forcer à finir son assiette peut induire des associations négatives avec la nourriture et augmenter sa résistance. À cet âge, l'appétit des enfants varie. Entre la naissance et un an, un nourrisson triple son poids initial, mais grossit ensuite beaucoup moins vite lors de la deuxième année. C'est pourquoi, tout en étant beaucoup plus actif, il n'a pas forcément besoin de manger autant. Ayez également en tête qu'à cet âge il tire toujours une partie de ses calories quotidiennes du lait. En outre, comme il est beaucoup plus mobile, il est parfois difficile de le garder à table suffisamment longtemps pour qu'il finisse son assiette. Dans tous les cas, tant que vous lui offrez une nourriture saine et variée, idéalement concentrée à l'heure des repas, il aura tous les nutriments dont il a besoin.

VOTRE BÉBÉ A 49 SEMAINES ET 4 JOURS

Les bonnes manières

C'est le moment idéal pour apprendre les bonnes manières à votre enfant en lui montrant comment être poli.

Nous ne sommes pas parfaits, mais comme votre bébé va retenir les phrases que vous utilisez régulièrement et commence à comprendre leur signification, être poli et aimable envers les autres personnes ne peut qu'avoir un impact positif sur lui.

Dire « Merci » lorsque votre bébé vous tend un jouet, et « s'il te plaît » lorsque vous lui demandez quelque chose lui permet de s'habituer à ces mots. Peu importe qu'il ne vous dise pas « merci » ou « s'il te plaît » immédiatement, le simple fait de les entendre au quotidien leur donne du sens à ses yeux. Dites « Excuse-moi », « Je t'en prie », « Je suis désolée » ou « Pardon » lorsque vous jouez avec lui. En grandissant, il comprendra que ces expressions font partie d'un comportement normal et il les adoptera plus facilement lorsqu'il commencera à mieux parler.

Soyez polie avec les personnes de votre entourage, y compris avec votre conjoint. N'hésitez pas à féliciter et à encourager les gens, montrez-leur de l'empathie. N'oubliez pas que vous êtes un modèle pour votre bambin et ayez toujours conscience qu'il vous écoute. Il ne retiendra pas un gros mot qui vous échappe ponctuellement, mais si c'est régulier il pourrait bien reproduire votre langage !

Au fur et à mesure que le vocabulaire de votre enfant évolue, n'hésitez pas à l'inciter à dire « Merci » « S'il te plaît », avec des phrases comme « Qu'est-ce que tu dis ? » ou encore « C'est quoi le mot magique ? ». Si vous répétez souvent « S'il te plaît » et « Merci », il prendra l'habitude de le dire.

VOTRE BÉBÉ A 49 SEMAINES ET 5 JOURS

Des habits pour tous les temps

Votre bébé a besoin de peu d'habits, mais quelques basiques sont indispensables pour lui permettre d'être équipé par tous les temps.

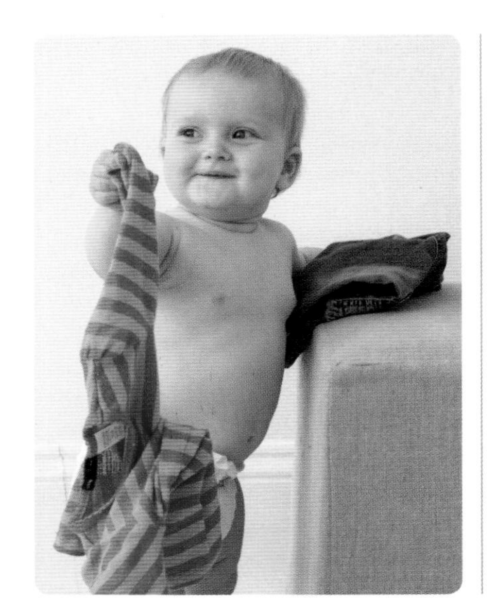

Des vêtements confortables Choisissez des habits faciles à mettre et à enlever pour que votre enfant soit bien quel que soit le temps.

Pour habiller votre bébé correctement en fonction du temps, procédez par épaisseur afin de pouvoir adapter ce qu'il porte aux changements de météo ou aux différences de température entre l'intérieur et l'extérieur. Les mois les plus froids, habillez-le avec un cache-couche, un chandail à manches longues ou un gilet en tissu polaire. Pour les sorties, prévoyez une veste chaude et étanche, des mitaines et une tuque. Les habits de neige faits d'une seule pièce sont idéaux lorsqu'il fait froid. Pour sortir en poussette, glissez-le dans un cocon. Si vous entrez dans une boutique, enlevez-lui la couverture et la tuque. À la maison, ôtez quelques épaisseurs ainsi que sa tuque pour qu'il n'ait pas trop chaud. Les mois les plus chauds, limitez le nombre d'épaisseurs. En général deux suffisent avec un petit gilet à mettre et à enlever en fonction des besoins. Ses vêtements le protègent avant tout du soleil et le chapeau est indispensable. Choisissez-en un avec un protège-nuque. Il est également important de couvrir ses épaules, surtout à la plage. Prévoyez un chandail à manches longues ou un costume de bain en Lycra qui a une action anti-UV. Lorsqu'il fait chaud à l'intérieur, une seule épaisseur est souvent suffisante.

Trop malade pour la garderie ?

Pour des parents qui travaillent, il peut être tentant d'emmener leur bébé malade à la garderie alors qu'il devrait rester à la maison.

Petite forme Gardez votre enfant malade à la maison jusqu'à ce qu'il retrouve la forme.

Le système immunitaire d'un bébé fabrique progressivement des anticorps contre les infections qu'il ne connaît pas ; entre-temps, votre enfant attrapera probablement le moindre microbe auquel il sera confronté à la garderie ou ailleurs. C'est pourquoi il est généralement demandé aux parents de ne pas y amener leur bambin malade jusqu'à ce qu'il ne soit plus contagieux.

Par ailleurs, il est déjà difficile pour le système immunitaire de votre bébé de lutter contre une infection, alors évitez-lui d'en attraper une deuxième qui pourrait mettre sa santé en danger.

Si votre enfant est malade, soyez honnête et dites-le. Le personnel de la garderie se rendra vite compte que votre bébé n'est pas en bonne santé.

Prévoyez une solution de rechange pour le jour où votre enfant est malade, comme une liste de membres de la famille et d'amis qui pourraient s'en occuper, ou essayez de voir si vous pouvez travailler de la maison ou modifier provisoirement vos horaires.

Chez vous, assurez-vous que votre bébé est bien. Faites-le boire pour l'aider à se débarrasser de l'infection. Attendez-vous à ce qu'il soit grognon, pleurnichard et irritable, et à ce qu'il se réveille la nuit. Dans tous les cas, soyez patients. Dans un environnement calme, il récupérera rapidement. En cas d'inquiétude, consultez votre généraliste qui, après avoir formulé un diagnostic, pourra vous rassurer et vous dire quand le retour à la garderie sera possible.

L'AVIS... DU MÉDECIN

Quand est-il préférable que mon bébé n'aille pas à la garderie ?

- La plupart des enfants en bas âge attrapent régulièrement des rhumes (entre un et six par an les premières années). Si ses sécrétions nasales sont épaisses et gluantes, il est vraisemblable que votre enfant attrape d'autres infections, notamment une otite. Gardez-le au chaud à la maison jusqu'à ce qu'il soit guéri.
- Si votre bambin a de la fièvre, gardez-le chez vous au moins 24 heures après la fin de l'épisode, car il a besoin de beaucoup de repos et de liquide pour récupérer.
- Si votre enfant a une éruption cutanée, il peut s'agir d'une maladie infectieuse, consultez donc votre généraliste.
- La grippe et autres maladies de l'appareil respiratoire peuvent être graves chez les bébés et doivent être attentivement surveillées. En cas de symptômes grippaux (voir p. 408), consultez votre médecin. Ce genre de maladie est très contagieux, vous devez donc garder votre enfant chez vous s'il est malade.
- Un bébé qui souffre de diarrhées ou de vomissements doit toujours rester à la maison. Si ces symptômes surviennent à la garderie, la responsable vous appellera pour que vous veniez chercher votre enfant. Vous devrez le garder au moins 48 heures après le dernier épisode, même s'il semble aller mieux.
- Les infections oculaires bactériennes comme la conjonctivite (voir p. 402) sont très contagieuses et nécessitent la prise d'antibiotiques localement. Gardez votre bébé à la maison au minimum 36 heures pour que le traitement commence à faire effet, et jusqu'à disparition complète des symptômes.
- Si votre bébé attrape la coqueluche, la rougeole, la rubéole, les oreillons, la varicelle, la roséole ou un syndrome pieds-mains-bouche, gardez-le chez vous. Malgré une vaccination dès 2 mois, il est toujours possible d'attraper une forme atténuée de la coqueluche.
- Si votre enfant souffre d'impétigo ou de toute autre infection cutanée, gardez-le chez vous au minimum 48 heures après le début du traitement antibiotique. La gale, quant à elle, doit être guérie avant d'envisager tout retour à la garderie.

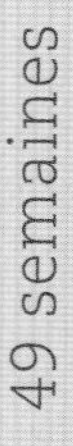

50 semaines

D'UN POINT DE VUE ÉMOTIONNEL, LES ENFANTS DE MOINS D'UN AN NE SONT PAS SUFFISAMMENT MÛRS POUR FAIRE DE VRAIS CAPRICES

Votre enfant passe désormais de longs moments avec des jeux plus compliqués. Même si une certaine routine peut l'aider à se sentir en sécurité, modifier ses habitudes de temps en temps lui apprendra à s'adapter. Il est maintenant prêt à marcher, si ce n'est pas déjà fait. Assurez-vous donc que votre maison ne présente aucun danger pour lui !

Lecteur en herbe

Sur les étagères de sa bibliothèque, votre bébé a désormais ses histoires préférées, qu'il aimera entendre encore et encore.

Les livres sont de merveilleux cadeaux pour votre enfant, qui peuvent le tenir longuement occupé, à découvrir les pages, puis à les tourner pour voir ce qui arrive ensuite. Mais ils sont bien plus qu'un simple moyen de passer le temps. Le monde des livres permettra à votre bambin de développer son vocabulaire, de faire progresser son langage et d'améliorer sa concentration. Au fil des mois, il sera capable de suivre une histoire, ce qui peut ensuite l'amener à lire seul.

Les bébés aiment entendre des histoires qu'ils connaissent déjà. Des études ont montré que chaque fois que vous lisez la même histoire à un enfant, il en tire de nouvelles informations et fait travailler sa mémoire. Vous verrez peut-être que, lorsque vous lui lisez un livre familier, votre tout-petit suit l'histoire avec vous et anticipe ce qui va arriver. Il commence à réagir à ce qui va se passer ensuite. Si vous oubliez une page, une phrase ou même un mot, il sera sans doute perplexe !

Habitude et nouveauté Alors que lire les histoires préférées de votre enfant favorise son développement, il est également important de lui présenter de nouveaux livres et, quand il en est capable, de lui faire choisir l'histoire qu'il a envie d'écouter.

Gardez les livres de votre bébé sur une étagère à portée de main, ou dans un panier pour qu'il puisse se servir et choisir ceux qu'il a envie de regarder. Pensez à en prendre quelques-uns pour les longs trajets en auto ou quand vous allez faire l'épicerie. Donnez-lui le maximum d'occasions d'être en contact avec les livres, pour s'amuser et apprendre. Lorsque vous lisez avec votre enfant, faites-le participer. Demandez-lui de vous montrer les différents éléments sur l'image, puis imitez le bruit des animaux et des véhicules. À cet âge, il aime les livres avec un seul mot par page, ce qui favorise leur reconnaissance. Proposez-lui également des ouvrages interactifs avec des rabats à soulever, des textures à découvrir ou des boutons à pousser. Les livres cartonnés sont parfaits pour les petits doigts et sont plus résistants au mâchouillage et aux sessions de jeu intensives.

Pourquoi ne pas créer un livre spécial pour votre bébé, avec des photographies des personnes et des activités qu'il aime et de ses endroits et jouets préférés ? Après avoir plastifié les pages, vous pouvez les coudre pour les relier. Au fur et à mesure qu'il grandit, encouragez-le à raconter des histoires.

ACTIVITÉ D'ÉVEIL

Plouf, splash, plouf !

Lorsque votre bébé marche, investissez dans une bonne paire de bottes en caoutchouc. Les enfants n'aiment rien plus que sauter dans les flaques lors des promenades. En été, installez une piscine gonflable et regardez-le observer les mouvements de l'eau en réponse à ses actions et découvrir comment les objets flottent. Jouer avec l'eau est amusant pour votre enfant et développe ses sens et sa confiance. Enfin, le meilleur, laissez-le découvrir son environnement en faisant un énorme splash ! Mais attention, un petit ne doit jamais rester sans surveillance près d'une mare, d'un bassin ou d'une piscine.

Plaisirs d'été Lorsqu'ils grandissent et qu'ils sont dans l'eau, les bébés adorent éclabousser partout. Ne laissez cependant jamais votre enfant sans surveillance, même quelques secondes.

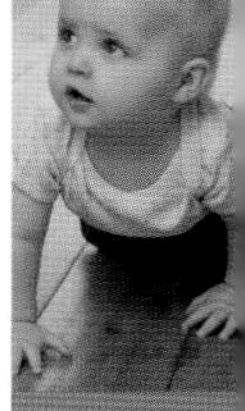

VOTRE BÉBÉ A 50 SEMAINES ET 1 JOUR

Faire des économies

Vous le savez déjà, avoir un bébé est une aventure onéreuse, mais il existe quelques astuces pour économiser un peu.

Si vous avez dépensé une petite fortune pour du matériel et des fournitures au cours des mois qui viennent de s'écouler, vous réfléchirez sans doute à deux fois avant d'acheter des choses qui ne serviront pas longtemps au cours de la deuxième année de votre bébé. Moïse, vêtements trop petits, baignoire pour nouveau-nés... sont désormais superflus. Si vous pensez agrandir encore la famille, ils vous resserviront, rangez-les soigneusement. Dans le cas contraire, vous pouvez les mettre en dépôt-vente, participer à une vente de garage, à une bourse aux vêtements ou encore les vendre sur Internet. Acheter d'occasion est intéressant, surtout lorsqu'il s'agit de vêtements qui n'ont pas été portés longtemps. Les bourses aux jouets organisées tout au long de l'année regorgent de livres et de jouets en bon état. Enfin, n'oubliez pas de récupérer les coupons de réduction et les bons de remboursement que vous obtenez parfois avec des produits pour bébé ou autres. Ils vous permettront de réaliser de belles économies.

BON À SAVOIR

Votre bébé grandira plus au cours de sa première année que le reste de sa vie. Désormais, son rythme de croissance sera en partie influencé par la génétique, notamment par votre taille et celle de son papa mais également par son environnement. S'il est bien nourri, aimé et soigné, il atteindra voir dépassera son potentiel de croissance.

VOTRE BÉBÉ A 50 SEMAINES ET 2 JOURS

Pensez aux aînés !

Vos autres enfants peuvent se sentir mis à l'écart à cause de ce bébé qui réclame toute votre attention. Pensez à leur réserver du temps.

Si vous avez d'autres enfants, leur place dans la famille a changé. Ils peuvent adorer le petit dernier et avoir très envie de le surveiller et de jouer avec lui, mais finalement le trouver plus encombrant qu'autre chose quand il grandit et vient leur emprunter leurs jouets. C'est alors qu'ils peuvent être fâchés contre lui et même essayer de lui faire mal. Si tel est le cas, intervenez immédiatement et expliquez fermement que ce type de comportement (taper, pousser, secouer ou encore mordre) envers le cadet ne peut être toléré.

Regarde comment on fait Les frères et sœurs plus âgés aiment jouer avec le petit dernier, mais surveillez-les quand ils sont ensemble.

Il est important d'avoir en tête que si votre bébé demande toujours plus d'attention, les besoins de ses frères et sœurs augmentent également. Plus ils sont rapprochés, plus ils vont trouver difficile de partager votre attention. Cependant, même des enfants plus âgés peuvent se sentir mis à l'écart sans toutefois l'exprimer franchement.

Passer du temps en tête à tête avec vos autres enfants. Quand le petit dernier fait la sieste, ne vous précipitez pas sur les corvées et profitez de ses frères et sœurs. De temps en temps, demandez à quelqu'un de garder votre bébé et prévoyez à l'avance une activité avec les aînés, qui attendront alors avec impatience ce moment avec vous.

Des jouets pour 12 mois et plus

Votre bébé approche de sa première fête et sera bientôt prêt à découvrir de nouveaux jouets qui le stimuleront dans les mois à venir.

Casse-têtes Ceux à grosses pièces plairont à votre enfant (à gauche). **Ça va où?** Faire correspondre formes et trous l'amuse et lui permet d'affiner sa motricité fine et son raisonnement (à droite).

Il est possible que votre enfant soit trop grand pour une bonne partie de ses jouets. Si vous organisez une fête pour son premier anniversaire, vous aurez plein d'idées de cadeaux et l'embarras du choix. Les jouets qui favorisent l'activité physique sont une excellente idée, car la motricité de votre enfant évolue rapidement. Évitez toutefois marchettes et gigoteurs de porte (voir p. 231), susceptibles de causer des accidents. Leur utilisation est déconseillée par Santé Canada, qui recommande plutôt celle d'un centre d'activités stationnaire pour bébé. Les balles sont également très appréciées. Il adorera essayer de les attraper et de taper dedans.

C'est également le bon âge pour les boîtes à formes ou les cubes à empiler, qui lui permettent d'affiner sa capacité à résoudre des problèmes et à comprendre comment les objets plus petits s'emboîtent dans les plus grands. Basiques et solides, les casse-têtes en bois avec un bouton de préhension et des formes à encastrer sont des valeurs sûres. Votre enfant passera de longues heures à les tourner dans tous les sens pour essayer de les mettre à la bonne place. Choisissez des formes simples et montrez-lui comment faire.

Les jouets avec des cordelettes à actionner lui plairont également, maintenant qu'il est suffisamment habile pour les saisir et les tirer facilement. Essayez d'en trouver qui produisent un son ou une musique ou déclenchent une action quand votre bambin tire sur la cordelette.

S'il fait suffisamment chaud dehors, les tables de jeu avec sable et eau, ou les bacs à sable garantiront à votre bébé des heures de distraction passées à remplir et à vider des seaux ou des moules tout en mettant un joyeux bazar. Une fois encore, ne le laissez jamais seul à côté d'un point d'eau.

LES JUMEAUX

Jeux et jumeaux

Divertir deux bébés est un véritable défi, mais rien n'est impossible. Proposez à chacun d'eux un éventail de jeux pour qu'ils puissent s'occuper tous les deux. Les jouets qui peuvent facilement être séparés en deux, comme les cubes en tissu, sont parfaits. Cela ne signifie pas qu'il faut tout acheter en double, au contraire. Il est important de considérer vos jumeaux comme deux individus à part entière. Tenez compte des goûts de chacun d'eux et proposez-leur des jouets qui répondent à leurs besoins. Enfin, passez du temps en tête à tête avec chacun de vos bébés. Ne partez pas du principe qu'ils ont moins besoin de vous parce qu'ils ont l'autre. Vous êtes leur premier camarade de jeu et leur premier professeur, il est fondamental de passer du temps de qualité avec l'un puis avec l'autre.

Côte à côte Comme les autres enfants du même âge, vos jumeaux seront surtout préoccupés par leurs propres activités.

Le juste équilibre

L'idéal pour un bébé est d'avoir des parents heureux et comblés. Il est donc essentiel de vous préserver du temps pour être sereins.

À tout à l'heure Trouver un rythme qui convienne à tout le monde est fondamental pour profiter de la vie avec et sans votre bébé.

L'AVIS... D'UNE MAMAN

Je me lève chaque nuit pour redonner la tétine à mon bébé. Est-ce une bonne idée de la lui supprimer ? Oui, il est généralement recommandé que les enfants n'aient plus de tétine vers un an, d'abord parce que les habitudes sont moins difficiles à perdre à cet âge, ensuite parce que cela peut être préjudiciable au développement de leur langage lorsqu'ils commencent à babiller. Limitez son utilisation à l'endormissement, puis enlevez-la afin que votre enfant s'habitue à ne pas l'avoir au réveil. Lorsque vous lui retirez sa tétine, proposez-lui un jouet en échange afin de détourner son attention. Il se peut qu'il proteste quelques nuits, mais il s'habituera vite à ne plus l'avoir.

Désormais, avec votre conjoint, vous avez sans doute repris le travail, soit à temps plein soit à temps partiel, après avoir trouvé une solution de garde pour votre bébé. Ou alors, l'un d'entre vous peut avoir décidé de rester à la maison pour s'occuper de votre enfant pendant que l'autre retourne travailler. Ou enfin, vous avez décidé de reprendre tous les deux à mi-temps et vous vous répartissez la garde de votre bébé, l'un étant à la maison pendant que l'autre travaille. Quel que soit votre choix, il est le résultat d'une discussion entre vous.

Si vous avez fait le choix de vous en occuper à la maison, vous pouvez l'élever à votre manière, partager des activités avec lui chaque jour et le voir grandir et se développer. Cependant, vous pouvez également regretter certains aspects de votre vie d'avant.

Une autre personne Si vous avez arrêté de travailler, vous regrettez peut-être les objectifs concrets à atteindre chaque jour, les conversations et les interactions entre adultes, et le fait de sortir de la maison au quotidien. Vous risquez de vous dévaloriser, même si vous faites ce que vous avez choisi et que vous trouvez que cela est important. Il est essentiel de ne pas vous désintéresser de vous-même au seul profit des besoins de votre enfant. Vous devez mettre en place une nouvelle vie dont le rythme vous convient, et avoir confiance en vous en tant que maman.

Prenez du temps pour vous chaque semaine. Demandez par exemple à votre conjoint ou à un membre de la famille de s'occuper de votre bambin une matinée dans la semaine ou quelques heures le samedi ou le dimanche afin de pratiquer une activité qui vous plaît. Vous pouvez également mettre votre bébé à la garderie quelques heures par semaine un jour fixe ou faire appel à une gardienne à temps partiel. Surtout ne culpabilisez pas ; si vous êtes heureuse et épanouie, vous serez une maman encore plus équilibrée.

N'oubliez pas de tisser des liens avec des parents ayant des enfants du même âge que le vôtre. Vous pourrez ainsi vous soutenir mutuellement. Si vous vous sentez seule, participez à l'organisation d'un atelier d'éveil ou d'un CPE, ou ayez recours à des réseaux d'entraide pour rencontrer d'autres parents. La responsable du CLSC vous dira où vous adresser. Vous trouverez aussi peut-être ces informations à la bibliothèque de votre quartier ou à la mairie.

Si vous avez repris le travail, il est possible que votre bébé vous manque ou que vous soyez triste de ne pas vous occuper de lui. Ne culpabilisez pas, votre enfant ne souffrira pas de ne pas être avec vous en permanence. Si votre conjoint s'occupe de votre enfant pendant que vous travaillez, prenez le temps de parler tous les soirs afin qu'il vous raconte sa journée et tout ce qui concerne votre bébé. Il se sentira ainsi valorisé dans son quotidien et vous sentira impliquée dans l'éducation de votre enfant.

Votre rôle de parents évolue, et il se peut que vous vous rendiez compte que vous ne partagez pas complètement le même point de vue par rapport au travail ou l'éducation de votre bébé, ou que vous n'ayez plus envie de travailler ou de rester à la maison. Dans tous les cas, soyez ouverts à la discussion et à d'éventuels changements.

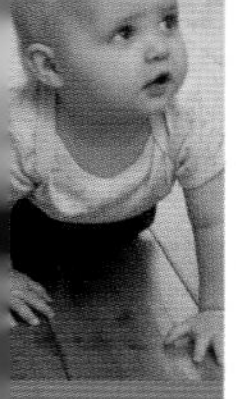

VOTRE BÉBÉ A 50 SEMAINES ET 5 JOURS

Ses goûts évoluent

Le palais de votre bébé devient plus fin, c'est l'âge idéal pour lui faire découvrir de nouveaux aliments.

Si votre enfant s'intéresse à ce que les autres membres de la famille mangent, laissez-le partager vos repas. C'est le meilleur moyen de lui donner de bonnes habitudes alimentaires. S'il mange avec vous, il découvrira de nouvelles saveurs en grandissant et appréciera l'expérience sociale que constitue un repas en famille.

S'il commence à manger seul, donnez-lui sa propre assiette contenant les mêmes aliments que la vôtre, préparés pour un enfant de son âge. Pensez notamment à prélever sa part avant d'ajouter du sel. Selon la consistance, il peut manger avec les doigts ou utiliser une cuillère adaptée à sa petite main.

Potages, pâtes, boulettes de viande sont parfaits pour votre bébé qui grandit. S'il est difficile, cachez des légumes dans les sauces et les potages afin qu'il ait autant de nutriments que possible. Vous pouvez maintenant cuisiner avec des herbes et des épices, mais aussi du vin. Cependant, si vous utilisez du vin, assurez-vous que vous faites cuire votre plat suffisamment longtemps pour que l'alcool s'évapore. Ne mettez ni sel, ni fruits secs entiers dans la part de votre enfant, mais utilisez de nouveaux assaisonnements et du fromage pour donner du goût à sa nourriture.

S'il a encore du mal à manger des morceaux, continuez à lui proposer des aliments à picorer avec les doigts et présentez-lui des plats qu'il aime bien avec des morceaux un peu plus gros. Si vous lui donnez du poulet émincé avec des légumes écrasés, faites des lamelles de poulet plus longues et des petits cubes de légumes pour lui donner envie de goûter.

VOTRE BÉBÉ A 50 SEMAINES ET 6 JOURS

Quand bébé dort

À cet âge, votre bébé commence à rêver un peu moins, mais son cerveau continue de consolider les apprentissages de la journée.

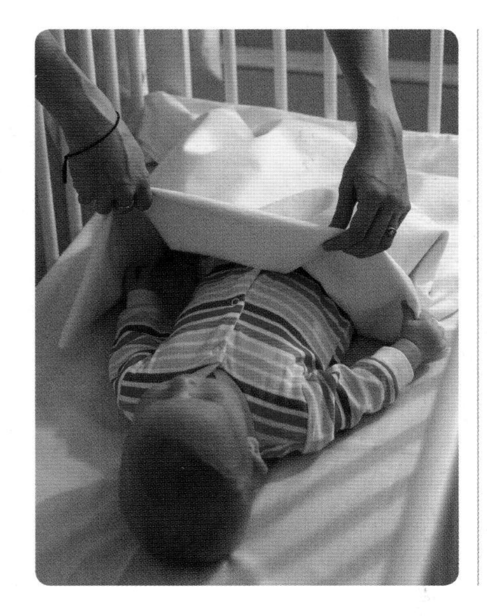

Alors que votre enfant approche de l'âge d'un an, certains changements interviennent dans son rythme nocturne. Ainsi, ses phases de sommeil paradoxal (voir p. 121) sont moins nombreuses. Au cours de ce cycle, le sommeil est plus léger, votre bébé cligne des yeux, a une respiration irrégulière et son visage change d'expression. Son cerveau est alors très actif pour traiter et consolider les informations acquises au cours de la journée. Attention, les bébés prématurés ont toujours plus de sommeil paradoxal que les enfants nés à terme, et cela va durer encore plusieurs mois. Lorsque votre enfant rêve, son système nerveux central est actif et sa température peut s'élever un peu alors que son activité cérébrale et son rythme cardiaque augmentent. C'est la phase au cours de laquelle le sommeil est le plus léger. Votre bébé peut se réveiller rapidement et vous donner l'impression d'être agité alors qu'il dort.

En dormant, votre bébé enchaîne les périodes de sommeil profond, réparateur, et les phases de sommeil plus léger lors desquelles il rêve.

S'il crie un peu ou semble perturbé en dormant, évitez de réagir trop rapidement. En général, il se calmera tout seul. Le sommeil paradoxal est suivi par le sommeil profond, et la plupart des bébés enchaînent cinq phases de chaque par nuit. Lors du sommeil profond, votre enfant respire régulièrement, mais il peut soupirer et faire des mouvements de succion.

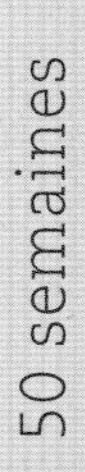

51 semaines

LE PREMIER ANNIVERSAIRE DE VOTRE BÉBÉ APPROCHE : IL VA FALLOIR FÊTER ÇA !

Cela semble difficile à croire, mais votre bébé est passé du stade de nouveau-né totalement dépendant de vous à celui d'un enfant en bas âge presque autonome. Donnez-lui de nombreuses occasions d'explorer son environnement ; il adorera être indépendant tout en étant rassuré, car il sait que vous n'êtes pas loin.

VOTRE BÉBÉ A 51 SEMAINES

Toujours plus mobile

La mobilité fait partie intégrante du développement de chaque enfant, et même les plus réticents feront de gros progrès les prochains mois.

Les marcheurs précoces apprendront bientôt à courir, mais la plupart des bébés n'ont encore pas fait leurs premiers pas.

Lorsque votre enfant se sera lancé, il affinera ses compétences, en essayant de marcher en arrière ou sur le côté, de monter ou de descendre l'escalier, avant de vouloir partir à toute vitesse de sa démarche chancelante. Tout cela ne se faisant pas sans de nombreuses chutes, passez du temps sur une pelouse, ce qui amortira les chutes et apprendra à votre bébé à maîtriser son équilibre sur une surface irrégulière. Il n'a aucune notion des distances et sa perception de la profondeur n'étant pas encore au point, il peut rater une marche ou ne pas voir un trottoir, alors surveillez-le.

Multiples à l'aventure L'apprentissage de la marche pour les parents de jumeaux ou plus nécessite un environnement sécurisé car ils risquent de partir chacun dans une direction différente, rendant ainsi leur surveillance plus compliquée.

Dans la plupart des cas, les multiples se développent au même rythme que les enfants uniques. S'ils sont prématurés, ils auront besoin de plus de temps, mais ils rattraperont généralement leur retard au cours de la première année. Il est possible qu'ils évoluent à un rythme différent, simplement parce qu'ils n'ont pas le même caractère.

À toute vapeur Votre enfant peut peiner à s'arrêter une fois qu'il est lancé. Soyez vigilants !

VOTRE BÉBÉ A 51 SEMAINES ET 1 JOUR

Dormir à un an

Au cours des prochains mois, votre bébé dormira un peu moins. Laissez ses besoins dicter son rythme de sommeil.

En fonction de son activité, votre bébé est peut-être déjà passé de deux longues siestes à une plus courte dans l'après-midi. Dans l'année à venir, il dormira de 10 à 13 heures par période de 24 heures. Ses besoins dépendent de son rythme : Dort-il suffisamment la nuit ? Fait-il trop de siestes ? Il est plutôt rare qu'à cet âge les enfants ne fassent aucune sieste dans la journée ; le nombre d'informations qu'ils doivent enregistrer est tel qu'ils ont besoin de dormir pour assimiler ces connaissances.

Vous constaterez peut-être que votre bébé est plus fatigué certains jours que d'autres. Il aura parfois besoin d'une petite sieste à peine quelques heures après son réveil. Il se peut également qu'il prenne l'habitude de dormir à l'heure du dîner. Il vous faudra alors changer de rythme afin d'être sûre qu'il mange avant de s'endormir pour qu'il ne se réveille pas à cause de la faim.

S'il fait simplement une sieste dans l'après-midi, c'est parfait, mais s'il est fatigué, couchez-le et réveillez-le uniquement s'il dort encore après 16 heures, limite au-delà de laquelle son sommeil nocturne risque d'être perturbé.

Si votre bébé préfère faire une sieste dans la journée, assurez-vous qu'il se dépense physiquement avant de le coucher et gardez le même rituel pour la sieste. Attention, à cet âge il est susceptible de se réveiller et de vouloir jouer au réveil. Il peut même essayer de sortir de son lit. Pour sa sécurité (voir p. 299), assurez-vous que le sommier est fixé au point le plus bas.

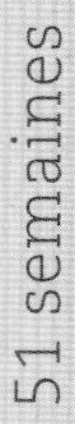

VOTRE BÉBÉ A 51 SEMAINES ET 2 JOURS

L'introduction du lait de vache

Votre bébé est désormais suffisamment grand pour boire du lait de vache. Donnez-lui du lait 3,25 % jusqu'à ses 2 ans.

Jusqu'à maintenant, les laits maternel et maternisé étaient les mieux adaptés aux besoins nutritionnels de votre enfant car les taux de sodium, de potassium et de chlorures présents dans le lait de vache étaient trop élevés pour ses reins. En outre, les laits maternel et maternisé contiennent des vitamines et des minéraux essentiels à la croissance et au développement d'un bébé pendant sa première année, contrairement au lait de vache.

Maintenant que votre enfant a un an, il peut boire du lait de vache qui lui apportera de bonnes graisses, des protéines, du calcium, de la vitamine A, des acides gras essentiels ainsi que d'autres minéraux. Si vous élevez votre bambin avec un régime végétarien, envisagez un lait maternisé de croissance destiné aux enfants en bas âge de plus d'un an, qui contient une supplémentation en fer et en vitamines. Cependant, il est important de diversifier son alimentation afin de répondre à ses besoins nutritionnels. Tous les produits laitiers contiennent les nutriments du lait de vache, alors ne vous inquiétez pas si votre enfant refuse de boire du lait. Augmentez simplement la quantité de produits laitiers et d'aliments contenant du calcium comme les légumes verts à feuilles et les légumineuses.

Les enfants ont besoin de beaucoup plus de graisses que les adultes dans leur alimentation. Il est donc préférable de donner à votre petit du lait à 3,25 %, qui lui apportera l'énergie et les vitamines nécessaires à sa croissance. Avant l'âge de 2 ans, les graisses constituent la moitié des calories ingérées chez l'enfant. Ensuite, si votre bébé a une alimentation variée et riche en nutriments, vous pourrez envisager de passer au lait demi-écrémé.

VOTRE BÉBÉ A 51 SEMAINES ET 3 JOURS

Vers la fin de l'allaitement ?

Que vous ayez ou non l'intention de continuer d'allaiter, il est possible que votre bébé n'ait, pour sa part, aucune envie d'arrêter.

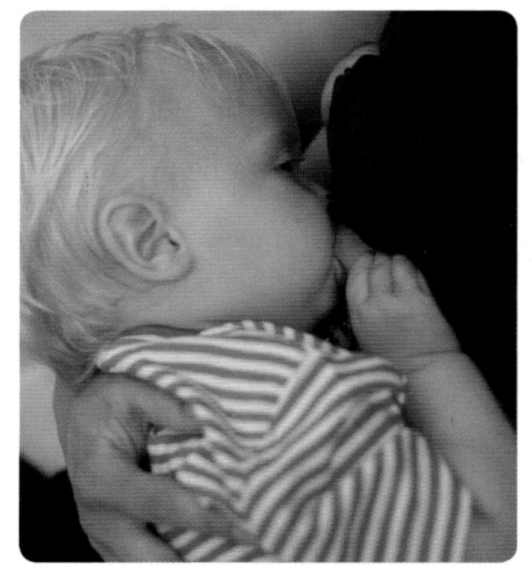

Aliment naturel Pour un enfant d'un an, l'allaitement est naturel et réconfortant.

Il n'y a pas de bon moment pour arrêter l'allaitement. De nombreuses mamans estiment que leur bébé se sèvre tout seul en se laissant distraire par ce qui l'entoure et a envie de passer à autre chose. D'autres enfants veulent continuer. C'est bien aussi, sauf si vous souhaitez arrêter, auquel cas la transition risque d'être difficile.

Prenez votre temps pour sevrer votre bébé du sein, car cette habitude bien ancrée lui apporte énormément de réconfort. Faites-lui des câlins et rassurez-le. Il a encore besoin de 500 à 600 ml de lait par jour, vous devrez donc remplacer le lait maternel par du lait maternisé jusqu'à ce que votre bambin ait un an, et puisse alors boire du lait de vache, même quand il mange de la nourriture solide. Cependant, il boira sans doute la quantité dont il a besoin en deux fois, avec un peu de lait dans un biberon au déjeuner et à la fin des repas, si nécessaire. Si vous souhaitez poursuivre l'allaitement le matin ou le soir, c'est bon pour vous deux à tous les niveaux (voir p. 361).

Pour un enfant plus âgé, le lait maternel reste une excellente source de nutriments. Une étude a montré qu'au cours de la deuxième année, 450 ml de lait maternel garantissaient l'apport de 29 % des besoins énergétiques, 43 % des protéines 36 % du calcium, 75 % de la vitamine A, 94 % de la vitamine B12 et 60 % de la vitamine C.

Ses premières fois

Dans les mois à venir, votre bébé va faire plein de nouvelles expériences. Préparez-le à appréhender certaines d'entre elles.

Chez le coiffeur Sa première coupe de cheveux ne devrait pas l'inquiéter si vous l'avez déjà emmené chez un coiffeur avec vous.

Dans l'année qui vient, votre bébé ira pour la première fois chez le coiffeur et chez le dentiste. Si ce n'est pas encore fait, il dormira peut-être pour la première fois chez ses grands-parents. Certains enfants acceptent parfaitement ces nouvelles expériences, mais pour d'autres, une petite préparation est nécessaire afin qu'ils s'en accommodent plus facilement. Dans un cas comme dans l'autre, votre bébé sera plus rassuré s'il sait ce qui l'attend.

Si vous avez besoin d'aller vous-même chez le dentiste, le médecin ou le coiffeur, ou si vous devez y emmener ses aînés, vous pouvez prendre votre bébé avec vous pour qu'il s'habitue à ce nouvel environnement. Il est préférable que la séance ne dure pas longtemps afin d'éviter qu'il s'ennuie et devienne impatient. Pendant que le coiffeur coupe vos cheveux, gardez votre bébé sur vos genoux et expliquez-lui ce qui se passe d'une voix calme, afin qu'il comprenne que c'est tout à fait normal. Laissez-le observer le dentiste soigner vos dents ou le médecin prendre votre tension pendant que vous êtes tranquillement assise, pour qu'il se rende compte que cela n'a rien d'inquiétant. Ainsi, lorsque vous l'emmènerez chez le médecin pour faire un vaccin, il sera moins angoissé.

Si vous pensez que votre bébé peut être perturbé par une nouvelle expérience, empruntez un livre de son âge sur le sujet à la bibliothèque. Voir son personnage préféré aller chez le dentiste facilitera les choses à votre tout-petit le moment venu.

S'il doit passer la nuit tout seul chez ses grands-parents, allez-y avant tous les deux afin qu'il s'habitue à l'environnement en votre présence (voir aussi p. 355).

Le jour J Lorsque le moment d'aller chez le coiffeur ou ailleurs pour la première fois est venu pour votre bébé, assurez-vous qu'il n'a pas faim et n'est pas fatigué. Donnez-lui son doudou, un jouet ou un livre pour le distraire s'il est inquiet. Expliquez-lui très simplement où vous allez et pourquoi. Rappelez-lui l'histoire que vous lui avez lue (par rapport à ce qu'il attend) ou dites-lui qu'il va faire « comme maman qui s'est fait couper les cheveux la semaine dernière ». Laissez-lui entrevoir un moment agréable comme des jeux au parc après cette expérience. Ainsi, il l'associera de façon positive à cet événement. Dans tous les cas, restez calme et posée. Si vous lui montrez que vous avez peur du dentiste, il aura tôt fait d'exprimer la même crainte.

L'AVIS... DU MÉDECIN

Quand emmener mon enfant chez le dentiste pour la première fois ? Il est possible de vous y rendre dès que sa première dentition est sortie, afin qu'il s'habitue à l'idée du dentiste qui vérifiera que tout va bien. Il n'aura pas besoin d'un bilan complet avant son deuxième anniversaire. Votre praticien vous donnera de nombreux conseils sur la santé bucco-dentaire de votre bébé, notamment sur le brossage et le fluor (voir aussi p 307), et s'assurera que votre enfant ne montre aucun signe de carie précoce.

Présentez-lui ce premier rendez-vous comme une « visite à un ami », afin de l'accoutumer à l'environnement et aux différentes odeurs. Les premiers temps, il peut rester sur vos genoux pendant que le dentiste examine ses quenottes. Il aimera sans doute que l'on s'occupe de lui. Cependant, si ce n'est pas le cas et qu'il s'énerve, ne paniquez pas : vous pouvez toujours prendre un autre rendez-vous pour une date ultérieure.

Mon enfant a beaucoup pleuré après ses premiers vaccins. Cela signifie-t-il qu'il sera terrorisé à l'idée des suivants ? Votre enfant ne se souviendra pas des premières injections, ne vous inquiétez pas, il ne va pas avoir peur du docteur. Mais il est peut-être de nature à s'exprimer bruyamment : certains bébés hurlent longuement, alors que d'autres sont très faciles à consoler.

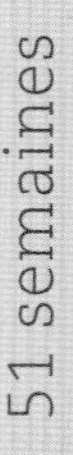

VOTRE BÉBÉ A 51 SEMAINES ET 5 JOURS

Des mots pleins de sens

À 12 mois, la plupart des bébés utilisent un certain nombre de mots qui ont un sens, et leur vocabulaire progresse rapidement.

Les premiers mots sont généralement ceux qui ont le plus de sens pour votre bébé, comme « mama », « papa » ou encore « bibi » pour biberon. Il est possible que votre enfant ne sache pas encore prononcer correctement tous ces mots, mais vous devez désormais comprendre ce qu'ils veulent dire. Ne soyez pas étonnée s'il change de mots pour désigner la même chose. Ainsi, d'une semaine à l'autre, « bibi » pourra devenir « yé » (lait). Les enfants développent leur langage en écoutant, et à ce stade, ils en comprennent bien plus qu'ils ne savent en dire. Continuez à lui parler, dites-lui les bons mots, articulez bien et répétez souvent pour qu'il enregistre mieux. Cependant, s'il est capable de répéter ce qu'il entend, cela ne signifie pas pour autant qu'il est en mesure d'utiliser ces mots en en connaissant le sens. Écoutez-le attentivement, regardez-le quand il parle (son intonation et ses gestes peuvent être de précieux indicateurs sur le sens des mots qu'il emploie). Certains enfants n'utiliseront pas vraiment de mots avant d'avoir bien entamé leur deuxième année, mais vers 20 mois, votre bébé devrait avoir 30 à 40 mots dans son répertoire comme « ar va » pour « au revoir » ou « tata », qui se mélangent aux flux de son babillage. À partir de 20 mois, il sera capable d'enregistrer les nouveaux mots à une vitesse impressionnante, parfois un ou deux par jour ; vous n'aurez alors plus aucun doute sur ce qu'il dit ou sur ce qu'il veut.

VOTRE BÉBÉ A 51 SEMAINES ET 6 JOURS

Pas de panique

Avez-vous aimé l'année qui vient de s'écouler, ou avez-vous eu l'impression de survivre comme vous le pouviez ?

Votre bébé est adorable, mais la vie avec un tout-petit n'est pas tous les jours facile.

Maintenant que vous avez presque un an d'expérience derrière vous, comment vous décririez-vous en tant que maman ? Est-ce que tout vous a semblé naturel ? Êtes-vous de ces mamans qui ont adoré prendre soin de leur bébé et l'allaiter, qui sont incollables sur tout ce qui le concerne et participent à de nombreux forums Internet sur le sujet ? Ou le fait de changer et nourrir votre bébé, les soins quotidiens et les rituels vous ont-ils plutôt paru fastidieux et pesants ?

Vous êtes peut-être entre les deux, mais si vous n'avez pas aimé l'année écoulée autant que vous l'auriez voulu, ne vous sentez pas pour autant coupable et sans cœur. Cela ne signifie pas que vous n'aimez pas votre bébé. Pour certaines femmes, s'occuper d'un enfant est beaucoup plus gratifiant quand il grandit et devient capable de communiquer et d'interagir. Au fur et à mesure que la personnalité de votre bambin se construit, vous vous sentirez plus impliquée et aurez moins l'impression d'être prisonnière des tâches pratiques qu'implique la vie avec un tout-petit. Même si c'est un cliché que tous les parents s'accordent à reprendre, les bébés grandissent incroyablement vite. Un jour, vous avez un nourrisson, le lendemain il entre au cégep. Alors profitez de chaque instant. Vous aurez toujours des périodes de doute, et c'est normal : souvenez-vous qu'aucun parent n'est parfait ! Mais les liens que vous tissez avec votre enfant sont précieux et uniques, quel que soit le type de maman que vous êtes.

Votre bébé a un an aujourd'hui !

Félicitations ! Votre bébé est officiellement un enfant en bas âge. De nombreux changements vous attendent dans l'année à venir.

Le premier anniversaire de votre bébé peut entraîner un mélange d'émotions chez vous : il devient plus indépendant, a moins besoin de vous pour manger et pour se déplacer. Il sait peut-être déjà très clairement ce qu'il veut, et pour la première fois, vous vous trouvez face à un petit être qui s'affirme en employant le « non » sans cesse. Et plus il s'approchera des 2 ans, moins il appréciera votre aide, même pour manger et s'habiller.

Paradoxalement, l'angoisse de la séparation continuera au cours de la deuxième voire de la troisième année, il cherchera constamment votre présence et sera rassuré par ses rituels. Continuez à lui prodiguer physiquement de l'affection et à faire de nombreuses activités avec lui (jouer, sortir, écouter de la musique en dansant…) pour lui rappeler à quel point votre relation est étroite.

Dans l'année à venir, son langage va considérablement évoluer et vous n'avez pas fini d'essayer de comprendre ce qu'il veut dire. Continuez de lui lire des histoires, de lui chanter des comptines et de lui parler de votre journée pour favoriser l'acquisition de son langage. Il prononcera bientôt toutes sortes de phrases courtes, et avec des gestes et des mots, il saura facilement vous faire comprendre ses besoins.

La sécurité de votre jeune enfant reste votre priorité et vous devrez constamment contrôler son environnement et ses activités afin de vous assurer qu'il ne se met pas en danger en découvrant le monde qui l'entoure. Vérifiez qu'il est conscient que l'escalier est dangereux et gardez toujours un œil sur lui. Favorisez le développement de ses compétences avec des jeux et des sorties qui l'amusent et le stimulent. Même s'il aura sans doute plus souvent envie de jouer seul, il a besoin d'interagir avec vous et vos interventions restent essentielles à son développement.

Joyeux anniversaire ! L'anniversaire de votre enfant marque la fin d'une année importante de son développement. Fêtez ce jour si particulier avec votre bébé et tous ceux qui vous sont chers.

Désormais, votre enfant a sa propre assiette à table, et plus vous mangerez souvent avec lui, plus il prendra de bonnes manières et affinera ses compétences sociales, et plus il aura envie de découvrir de nouvelles saveurs. Essayez de lui faire goûter également les aliments que vous n'aimez pas. L'univers de la nourriture est un plaisir pour votre bébé, et une alimentation variée augmentera ses chances d'être en bonne santé et de bien se développer.

Prenez le temps de vous arrêter et d'apprécier les petites choses avec lui. Notez ses premières fois, filmez-le, gardez ses premières créations et enregistrez ces tentatives de communication. Les mois et les années à venir vont s'écouler à la vitesse de l'éclair, et vous serez surpris de découvrir que votre bébé est sur la route de l'indépendance bien plus vite que vous ne l'avez jamais imaginé.

Vous êtes à l'origine de cette petite merveille unique, à qui le monde tend les bras. Soyez fiers de ses réalisations et des vôtres, et dites-vous que le dur travail que vous avez entrepris dans la création d'une famille et l'éducation de votre bébé a produit le meilleur résultat possible.

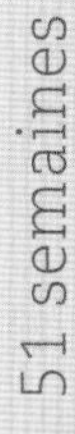

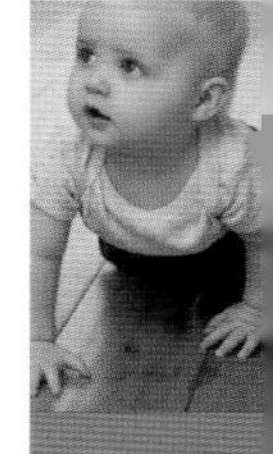

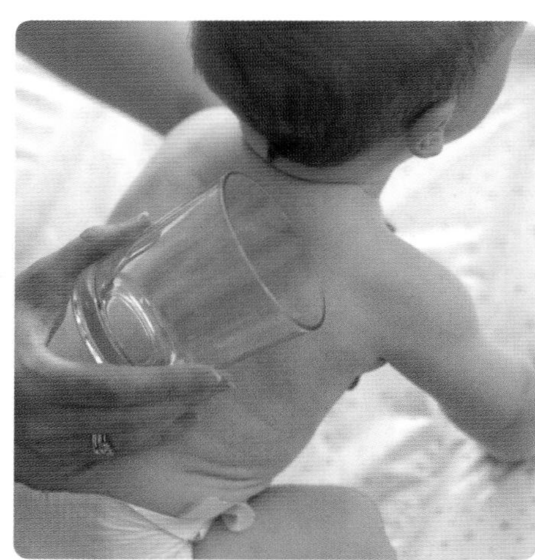

La santé et le bien-être de votre bébé sont vos principales préoccupations, et plus vous serez à même de reconnaître et de traiter les maladies lorsqu'elles surviennent, mieux vous réagirez le moment venu. La plupart des bébés sont malades au moins une fois au cours de leur première année. Dans ce chapitre, les maladies infantiles les plus courantes sont abordées ainsi que le meilleur moyen de soigner votre enfant. Mais rien ne remplace l'instinct maternel et si vous êtes inquiète quant à la santé de votre bébé, n'hésitez pas à appeler le médecin.

 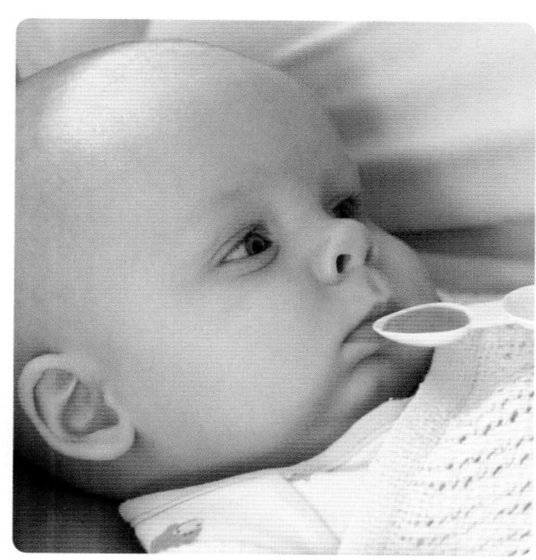 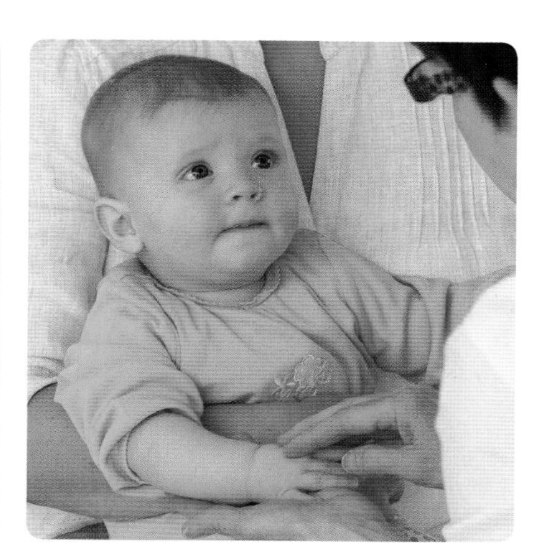

La santé de votre bébé

Votre bébé est malade

MIEUX VOUS SEREZ INFORMÉE, PLUS VOUS SEREZ À L'AISE POUR VOUS OCCUPER DE VOTRE BÉBÉ MALADE

Le système immunitaire de votre enfant se développe au cours de la première année. Il est donc susceptible de contracter différentes maladies dont la plupart seront tout à fait bénignes, même si certaines, plus graves, peuvent survenir.

Quelle maladie ?

Les jeunes parents ont parfois du mal à établir que leur enfant est malade ; les conseils suivants les aideront.

Les bébés pleurent souvent, mais des pleurs prolongés peuvent indiquer que votre enfant est souffrant, surtout si vous n'arrivez pas à le calmer. Sachez identifier un cri rauque ou plus aigu que d'habitude. Mais un nourrisson malade peut aussi pleurer beaucoup moins qu'à l'accoutumée. Si votre bébé vous paraît anormalement calme et silencieux, cela doit vous alerter, surtout s'il présente d'autres symptômes (voir « Aide-mémoire », p. 396). Lorsqu'il n'est pas en forme, votre bébé peut manquer d'appétit ou vomir (ce qui ne signifie pas pour autant qu'il a des problèmes gastro-intestinaux).

Quand il commence à sourire, en général votre bambin ne s'arrête plus. S'il est grognon et qu'il ne sourit plus, il se peut que quelque chose cloche. De la même manière, les enfants plus âgés n'ont pas envie de jouer quand ils ne se sentent pas bien. Votre tout-petit peut également se montrer excessivement collant, se cramponnant à vous et refusant de vous laisser quitter la pièce. Par ailleurs, s'il respire plus fort ou plus vite que d'habitude, cela doit vous alerter. Un bébé légèrement malade peut dormir plus que d'ordinaire, mais vous devez être en mesure de le réveiller. S'il ne réagit pas, appelez le 911.

COMMENT...

Prendre la température de votre bébé

La fièvre est la réponse normale du corps à une infection et peut donc vous aider à savoir si votre bébé est malade. La température corporelle normale est de 37 °C, auxquels il faut ajouter 0,5 °C si vous la prenez sous l'aisselle pour obtenir la température réelle. La température rectale reste la méthode la plus fiable et la plus précise. En outre, l'utilisation d'un thermomètre électronique permet d'obtenir un résultat en quelques secondes. L'usage d'un thermomètre buccal est à proscrire, car les tout-petits risquent de le mordre.

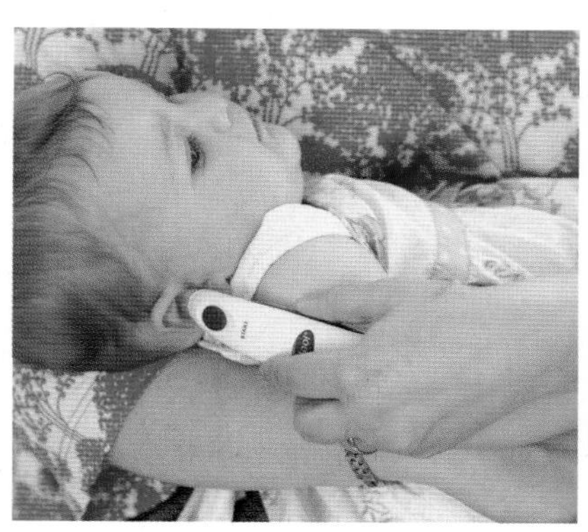

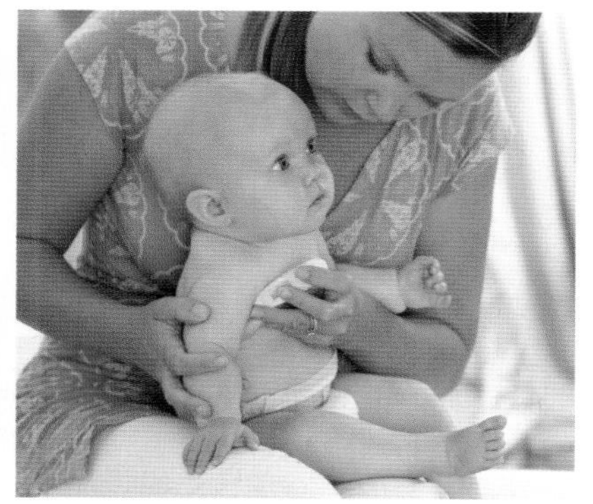

Thermomètre auriculaire Tenez fermement votre bébé et mettez le thermomètre dans son oreille (à gauche). **Température sous l'aisselle** Installez votre bébé sur vos genoux et tenez-le fermement pendant 2 minutes pour obtenir un résultat fiable (à droite).

Déshydratation

De nombreuses maladies peuvent entraîner une perte de liquide importante. La fièvre, symptôme courant, en est souvent la cause. Ainsi, un bébé peut rapidement se déshydrater, ce qui peut avoir de graves conséquences. Il est donc essentiel d'apprendre à reconnaître les signes de déshydratation. Les voici :

- Dans un premier temps, des lèvres sèches peuvent être le seul symptôme.
- Lorsque la déshydratation s'aggrave, les couches de votre bébé sont moins mouillées que d'habitude. Sa peau est sèche et flasque, et il semble léthargique. Si vous constatez également que sa fontanelle est creuse, appelez immédiatement le médecin.
- En cas de déshydratation sévère, les yeux de votre bébé peuvent vous paraître enfoncés. Il est également possible qu'il n'urine pas pendant plus de 12 heures. Appelez le 911 – à ce stade il pourrait être en état de choc ou tomber dans le coma.

Pour éviter la déshydratation, proposez-lui régulièrement le sein ou des petits biberons de lait maternisé. En effet, il a besoin de liquides supplémentaires pour remplacer ceux éliminés à cause de la fièvre, plus encore en cas de diarrhée ou de vomissements. Il est préférable de lui donner souvent de petites quantités. S'il est nourri au lait maternisé, vous pouvez également lui faire boire de l'eau. Demandez à votre médecin si vous pouvez lui donner un soluté de réhydratation orale (SRO), que votre enfant a plus de chances de garder en cas de nausées. Le SRO remplace non seulement le liquide, mais également le sucre et les sels éliminés à cause de la diarrhée et des vomissements.

Allô ! Docteur ?

Si votre bébé est malade, vous devrez peut-être l'emmener chez le médecin ou appelez les secours en cas d'urgence.

AIDE-MÉMOIRE

Quand faut-il appeler le médecin ?

En connaissant bien votre bébé, vous saurez si un avis médical est nécessaire quand il ne va pas bien. Il y a des symptômes qu'il ne faut jamais ignorer, mais n'hésitez pas à demander conseil, même s'ils ne sont pas évidents. Plus votre bébé est petit, plus vous devrez réagir vite. Chez les nouveau-nés, la situation peut s'aggraver très rapidement. Appelez votre médecin si votre enfant :

- A plus de 39 °C, ou plus de 38 °C pour les bébés de moins de 3 mois.
- Refuse de manger et vomit beaucoup.
- Crie comme s'il avait mal.
- Est léthargique ou semble souffrant.
- Semble déshydraté (voir p. 395).
- A eu plus de 2 selles liquides en 12 heures.
- A du sang ou des glaires (mucus) dans les selles.
- Saigne quelque part.
- A présenté un écoulement au niveau des oreilles, des yeux ou des parties génitales lors des dernières 24 heures.
- Semble respirer plus rapidement que d'habitude.
- A une éruption cutanée.
- Fait une crise convulsive.
- A une brûlure ou des cloques.

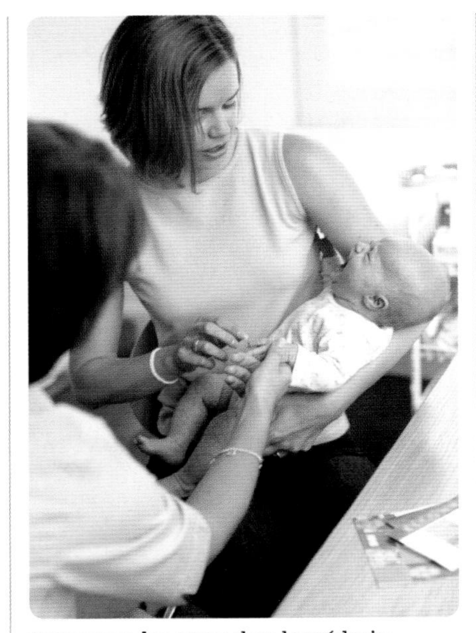

Prenez rendez-vous chez le médecin si votre bébé présente des signes de maladie ou n'a pas l'air en forme.

Consulter le médecin

Au cours de la première année, les jeunes parents consultent le médecin ou l'infirmière du CLSC dans le cadre de la consultation postnatale (voir p. 94-95) 6 à 8 semaines après l'accouchement, pour la vaccination à 2, 4, 6 et 12 mois (ainsi qu'à 18 mois), et naturellement chaque fois que nécessaire quand leur enfant est malade.

À moins que cela ne soit absolument indispensable, évitez de demander une consultation à domicile. Emmener un bébé qui a de la fièvre chez le médecin ne pose généralement pas de problème et il sera ausculté plus rapidement. Lorsque vous appelez, précisez bien l'âge de votre enfant ; de nombreux praticiens glissent les nourrissons entre deux patients et font le maximum pour éviter de vous faire attendre. Si votre bébé présente une éruption cutanée, signalez-le afin de ne pas rester en salle d'attente en exposant les autres personnes à une éventuelle infection.

Pensez à prendre une couche propre pour changer votre enfant quand le médecin l'aura examiné. En cas de diarrhée, il peut également être utile de prendre une couche sale, au cas où un échantillon de selles devrait être envoyé dans un laboratoire pour être analysé.

Une consultation efficace Décrivez clairement les symptômes observés chez votre bébé sans omettre de détail, notamment sa température et les médicaments ou remèdes que vous lui avez administrés. N'hésitez pas à faire part au médecin de vos préoccupations sur une toux particulière ou un risque de méningite.

Assurez-vous que vous comprenez bien toutes les recommandations du spécialiste par rapport à ce qu'il faut faire et aux médicaments prescrits. Le médecin doit également vous dire ce qu'il faut surveiller et comment réagir si l'état de votre bébé ne s'améliore pas. Il peut aussi vous donner un rendez-vous de suivi. N'ayez pas l'impression de le gêner. Les fausses alertes sont inévitables, surtout chez les jeunes parents. La plupart des médecins ont eux-mêmes des enfants et comprennent très bien ce que vous ressentez. Ils connaissent vos préoccupations face à votre enfant et vous diront qu'une consultation inutile vaut mieux qu'une réaction tardive.

Si vous avez la sensation de ne pas pouvoir communiquer avec votre médecin, alors ce n'est peut-être pas le bon interlocuteur pour votre famille. Chaque professionnel a des compétences et des intérêts différents, et il se peut qu'après quelques consultations vous décidiez de

changer de praticien afin de vous sentir plus à l'aise.

Besoin d'un conseil

Pour des conseils en matière d'allaitement ou relatifs à des coliques, n'hésitez pas à vous adresser à l'infirmière du CLSC ou à votre pharmacien.

En cas de problème non urgent, vous pouvez obtenir des conseils 24 heures sur 24 auprès d'une infirmière en composant le 811 (Info-Santé). En cas d'urgence, téléphonez au 911. Un employé du centre d'appels vous rassurera et vous dira comment réagir. En fonction de la gravité de la situation, il vous enverra l'ambulance ou les pompiers, ou il vous conseillera d'aller à l'urgence si vous pouvez vous y rendre rapidement et à condition de ne pas céder à la panique, ce qui pourrait vous mettre en danger tous les deux.

Se rendre à l'urgence

La perspective d'emmener votre enfant à l'urgence est loin d'être réjouissante, mais c'est une expérience que de nombreux parents devront affronter, alors autant s'y préparer. Dans de nombreux cas, une fois le bébé examiné, parents et enfant rentrent rapidement à la maison, le diagnostic n'ayant rien d'alarmant. Cependant, il arrive qu'une hospitalisation soit nécessaire (voir encadré ci-dessous). Dans tous les cas, essayez de rester calme. Une fois sur place, rendez-vous à l'accueil de l'urgence qui vous orientera, le cas échéant, vers l'urgence pédiatrique. Soyez aussi claire et concise que possible pour expliquer la situation et décrire les symptômes observés chez votre bébé. Une infirmière évaluera la gravité et, selon le cas, votre enfant sera pris immédiatement en charge ou il vous sera demandé de patienter.

Si vous devez attendre, difficile de dire combien de temps cela peut durer car la priorité est donnée aux vraies urgences. Cependant, en règle générale, les très jeunes enfants sont rapidement pris en charge une fois les cas les plus urgents réglés. Malgré tout, en raison de ce risque d'attente, n'oubliez pas de prendre son doudou, éventuellement une tétine, des couches et du lait si vous allaitez au biberon.

AIDE-MÉMOIRE

Quand appeler le 911 ?

Appelez le 911, le numéro d'urgence, si votre bébé :

- Ne réagit pas ou pousse des cris aigus.
- Est très déshydraté (voir p. 395).
- A une fontanelle gonflée ou creusée.
- A une peau marbrée.
- A des problèmes respiratoires ou devient bleu.
- Ne peut pas bouger un de ses membres.
- Est blessé à la tête.
- Présente une brûlure étendue d'origine thermique, électrique ou chimique ou des cloques.
- Présente un gonflement au niveau de l'aine ou des testicules.

VIVRE UNE HOSPITALISATION

De nos jours, les services réservés aux enfants sont beaucoup plus lumineux, accueillants et conviviaux qu'ils ne l'étaient auparavant. Le personnel est très concerné par ses patients et dispose de toutes les compétences nécessaires pour s'en occuper. Les pédiatres ne sont pas toujours en blouse blanche et sont souvent les spécialistes les plus abordables de l'hôpital.

Rester avec son enfant Si votre bébé doit être hospitalisé, on vous demandera de rester avec lui dans la plupart des cas. Pour votre bambin, le plus important est que vous soyez là pour le rassurer, lors des différents examens qu'il devra subir. Si une prise de sang doit être effectuée, un anesthésique local sera préalablement appliqué afin de rendre le prélèvement indolore. Vous pourrez parfois rester auprès de votre enfant en cas d'intervention sous anesthésie locale. En revanche, cela sera impossible en cas d'anesthésie générale, mais vous pourrez peut-être lui tenir la main jusqu'à ce qu'il s'endorme. Pensez à apporter ses jouets favoris, son doudou ou sa couverture préférée, cela l'aidera à se sentir un peu comme à la maison.

Les hospitalisations prévues Si l'hospitalisation d'un enfant un peu plus grand est prévue d'avance, il est alors possible de l'y préparer. Parlez-lui de ce qui l'attend afin qu'il ne soit pas surpris. Les bébés sont très sensibles à l'humeur et aux émotions de leurs parents, alors restez positifs quoi qu'il se passe. Si vous avez une appréhension par rapport à l'hôpital, essayez de ne pas lui montrer. Parlez-lui d'une voix douce pour le calmer et chantez-lui sa chanson favorite.

S'informer Comprendre le traitement de votre enfant vous permettra de ne pas vous angoisser outre mesure pour rien. Si vous n'êtes pas sûre de ce qui va se passer, n'hésitez pas à demander des renseignements. En général, médecins et infirmières sont à votre disposition pour répondre à vos questions. Pensez à noter vos questions, car il est facile d'en oublier au cours de la discussion.

Lorsque le moment est venu de rentrer chez vous, assurez-vous que tout est clair et notez les coordonnées du service ou de vos interlocuteurs au cas où vous auriez besoin d'aide une fois à la maison.

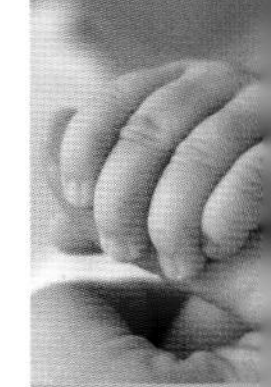

Soigner un enfant malade

Lorsqu'il est souffrant, votre bébé a besoin de toute votre attention. Savoir comment réagir facilitera sa guérison.

Sachez-le, un enfant malade est très demandeur et a besoin de ses parents. Définissez vos priorités afin de pouvoir passer du temps avec lui et le câliner. Une garde-malade ou un proche de confiance peuvent faire l'affaire, mais votre bébé préférera la présence rassurante de ses parents.

Un enfant malade peut malgré tout avoir envie de jouer ou d'entendre son histoire favorite. Souvent, il s'agit encore et toujours de la même histoire, et aujourd'hui plus que jamais, il trouve un vrai réconfort dans ce qui lui est familier. Il peut aussi aimer écouter des histoires et des comptines que vous aurez enregistrées, votre voix ayant une signification particulière pour lui.

Surveillez sa température (voir p. 401) et si besoin prenez-la régulièrement. Il n'est pas nécessaire de traiter la moindre poussée de fièvre, mais essayez de la faire baisser si elle est importante, si vous voyez que votre bébé est mal ou si votre médecin vous a demandé de le faire. De l'acétaminophène ou de l'ibuprofène peuvent convenir, selon l'âge et le poids de votre petit malade. Lisez attentivement la notice des médicaments que vous lui administrez. Donnez-lui l'une ou l'autre de ces molécules, mais pas les deux.

En général, votre bébé aura besoin de liquides supplémentaires, surtout s'il est

AIDE-MÉMOIRE

L'armoire à pharmacie

Vous devez avoir chez vous des médicaments pour traiter les affections les plus courantes. Vérifiez la date de péremption avant chaque utilisation et assurez-vous que les médicaments que vous souhaitez utiliser sont adaptés à l'âge et au poids de votre enfant.

- Acétaminophène liquide.
- Ibuprofène adapté aux bébés.
- Lotion à la calamine, pour les démangeaisons et les éruptions cutanées.
- Sachets de soluté de réhydratation orale (SRO).
- Antiseptiques en cas de coupures ou d'écorchures.
- Gel dentaire soulageant les poussées.
- Seringue ou cuillère pour l'administration des médicaments.
- Thermomètre.
- Pansements et bandages.

COMMENT...

Mettre des gouttes

Avant tout, lavez-vous les mains.

Gouttes nasales Allongez votre enfant sur le dos sur vos genoux ou sur la table à langer, en lui faisant légèrement tourner la tête sur le côté sans la mettre en arrière (risque d'étouffement). Maintenez bien sa tête et mettez les gouttes dans chaque narine.

Gouttes ophtalmiques Allongez votre bébé sur le dos sur vos genoux ou sur la table à langer et maintenez fermement sa tête d'une main. Tirez légèrement sur la paupière inférieure et laissez tomber les gouttes dans l'espace situé entre la paupière et le globe oculaire. Essuyez ce qui coule sur sa joue. En cas de difficultés, demandez à un adulte de vous aider à tenir votre enfant.

Gouttes auriculaires Réchauffez les gouttes en tenant quelques instants le flacon dans la paume de votre main. Allongez votre bébé sur le dos sur vos genoux ou sur la table à langer. Veillez à ce qu'il soit à l'aise, car il va devoir rester un petit moment dans cette position. Maintenez fermement sa tête, laissez tomber les gouttes dans l'oreille et empêchez-le de tourner la tête quelques minutes. Quand il se redresse, si l'excédent coule légèrement, essuyez-le avec un mouchoir.

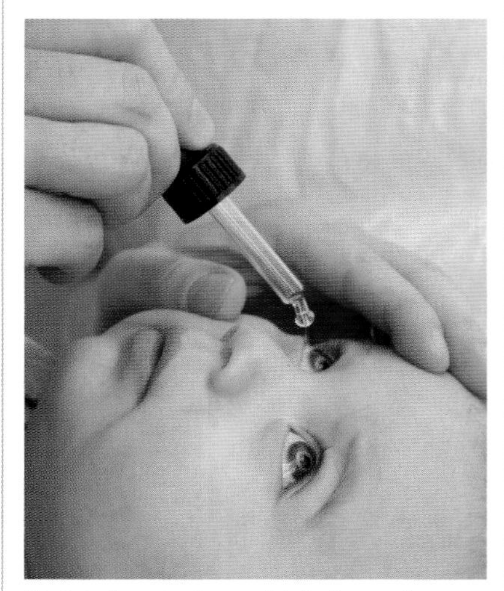

Mettre des gouttes ophtalmiques Soyez rapide et précis pour faire tomber le produit entre la paupière inférieure et le globe oculaire.

COMMENT…

Donner des médicaments à votre enfant

Il existe différentes techniques pour administrer un médicament par voie orale à un enfant. Dans tous les cas, commencez par vous laver les mains et préparez la quantité nécessaire de médicament. Attention, tout surdosage peut être dangereux, surtout chez les très jeunes bébés. Lorsque vous lui donnez le médicament, tenez votre nourrisson de sorte qu'il soit légèrement redressé. Ne le laissez pas complètement allongé afin d'éviter qu'il n'avale de travers ou n'inhale le produit qui passerait alors dans ses poumons.

Avec une seringue C'est sans doute le meilleur moyen pour les très jeunes bébés, qui n'ont pas encore appris à avaler les aliments proposés à la cuillère. C'est aussi l'idéal pour les médicaments qui nécessitent un dosage précis. Nettoyez soigneusement la seringue avant toute utilisation. Une fois la seringue remplie, calez votre bébé dans vos bras comme pour lui donner un biberon. Mettez l'embout de la seringue dans sa bouche, juste à l'intérieur de sa lèvre inférieure et poussez lentement le piston pour faire sortir le produit.

Avec une pipette Nettoyez soigneusement la pipette avant toute utilisation. Prélevez la quantité de médicament nécessaire, puis calez votre bébé dans vos bras comme pour lui donner un biberon. Mettez l'embout au coin de sa bouche ou juste à l'intérieur de sa lèvre inférieure et faites sortir le produit. Vérifiez qu'il a bien tout pris.

Avec une cuillère Cette solution est fréquemment utilisée chez les enfants de plus d'un an, surtout si la dose prescrite est au minimum de 2,5 ml. Préparez la quantité nécessaire, puis tenez votre bébé bien droit, posez la cuillère sur sa lèvre inférieure et inclinez-la légèrement pour faire entrer le médicament dans sa bouche.

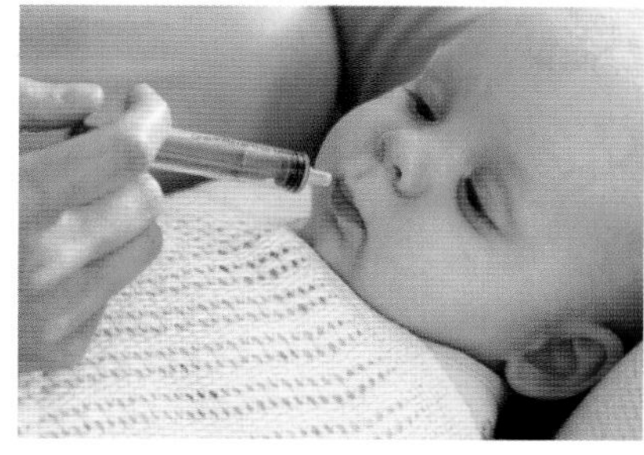

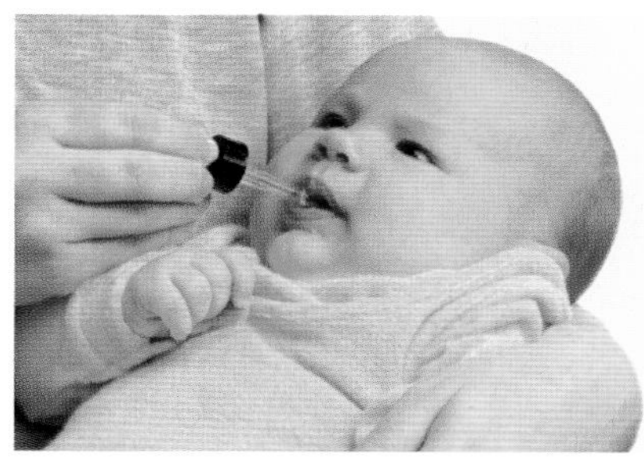

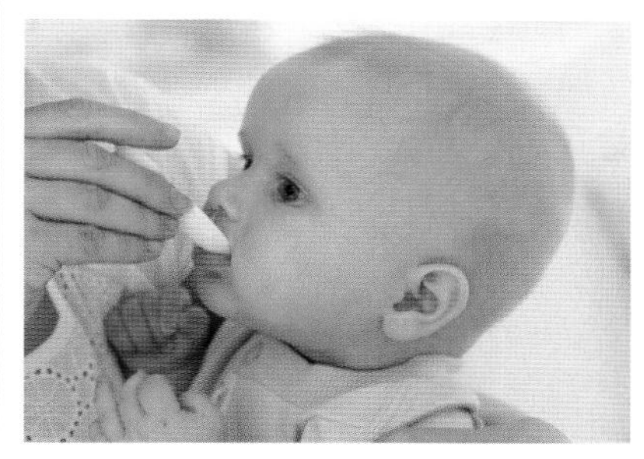

Seringue Sans doute la solution la plus facile pour administrer un médicament à un très jeune bébé (en haut). **Pipette** Assurez-vous que votre bébé prend bien tout le contenu de la pipette (au milieu). **Cuillère** À partir d'un an les enfants savent généralement prendre un médicament à la cuillère (en bas).

fiévreux. La fièvre est une réponse normale en cas d'infection, mais contribue à la déshydratation, qui à son tour peut faire monter la fièvre. C'est un cercle vicieux en quelque sorte. Si vous allaitez, continuez. Votre bébé peut également avoir besoin d'eau. Demandez l'avis de votre médecin. Les bébés plus âgés doivent être incités à boire plus. Assurez-vous qu'ils ont toujours de quoi boire à portée de main.

Si votre enfant a une alimentation solide, ne vous inquiétez pas s'il n'a pas beaucoup d'appétit quand il est malade. En l'état actuel des choses, la prise de liquides pour l'hydrater compte beaucoup plus que la nourriture solide.

Il n'est pas nécessaire que votre enfant soit dans son lit quand il est malade, même s'il peut être pratique de le garder en pyjama, souvent plus simple à changer en cas de nécessité. La nuit, gardez-le près de vous. S'il dort déjà dans sa chambre, envisagez de déplacer temporairement son lit dans la vôtre. Répondre à ses besoins la nuit sera ainsi plus facile, et vous dormirez sans doute mieux en sachant qu'il n'est pas loin.

Quand votre enfant est malade, vous pouvez oublier le bain au profit d'une toilette à la débarbouillette. Tout dépend de son état, et du plaisir qu'il a à prendre un bain. Les bébés plus âgés peuvent se détendre dans la baignoire, mais veillez à ce qu'il ne prenne pas froid. Ensuite, habillez-le légèrement.

S'occuper d'un enfant malade peut être épuisant, alors profitez du moment où il dort pour vous détendre. Ne vous précipitez pas sur les tâches ménagères. Si besoin, faites-vous aider par vos proches et reposez-vous pendant qu'ils prennent le relais. Attention néanmoins : même si vous êtes très fatiguée, ne vous endormez pas avec votre bébé malade sur le canapé.

Lui donner des médicaments Si votre bébé doit prendre des antibiotiques, il est très important de respecter la dose prescrite et la durée de traitement préconisée. Ceci est également valable pour les traitements topiques comme les crèmes corticoïdes. En général, les médicaments prescrits à votre enfant seront sous forme liquide et il existe plusieurs méthodes pour les lui administrer (voir ci-dessus).

Maladies et blessures

UN BÉBÉ MALADE OU BLESSÉ A BESOIN DE BEAUCOUP DE RÉCONFORT, ET D'UNE RÉACTION APPROPRIÉE

Lorsque votre bébé se sent mal, est tombé ou s'est cogné, il est important d'être capable de déterminer si un avis médical est nécessaire. Si vous avez confiance en vous, vous serez plus calme et beaucoup plus efficace.

Maladies les plus fréquentes

Les causes de mal-être de votre bébé peuvent être nombreuses, mais les enfants ne sont pas toujours capables de dire ce qui ne va pas.

CONVULSIONS FÉBRILES

Chez les bébés de plus de 6 mois et les jeunes enfants, une forte fièvre peut entraîner des convulsions fébriles (ou *crises convulsives hyperthermiques*). Pour le cerveau des plus jeunes, la fièvre peut être stressante, entraînant dans certains cas des convulsions. Cela se produit généralement lorsque la température corporelle augmente ou descend rapidement. Votre bébé a plus de risques de déclencher une telle crise s'il existe dans votre famille des antécédents de convulsions fébriles ou d'autres types de convulsions.

La vision d'une crise convulsive est toujours impressionnante, même si cela dure habituellement moins de 2 minutes. Le bébé perd conscience, arrête momentanément de respirer, peut uriner et déféquer. Ses membres et son visage se contractent, ont des mouvements saccadés et ses yeux sont souvent révulsés. Quand la crise cesse, l'enfant est de nouveau conscient mais peut être amorphe.

Quand il convulse, couchez-le sur le côté sans le bloquer, tout en vous assurant qu'il est en sécurité et ne peut pas tomber. Notez l'heure de la crise. Si les convulsions durent plus de 5 minutes, appelez le 911. Les crises plus longues sont généralement bien plus graves que les convulsions fébriles. Si votre bébé a fait une crise convulsive, appelez votre médecin. Si c'était la première fois, il le fera hospitaliser pour réaliser des examens complémentaires. Le cas échéant, lors des crises suivantes, il sera nécessaire de rechercher l'origine de ces fortes fièvres.

Fièvre

La fièvre n'est pas une maladie mais un symptôme très fréquent. C'est la réponse normale du corps à une infection ou à une inflammation. Il faut donc toujours en tenir compte, surtout chez les bébés de moins de 6 mois.

Une grippe, une infection pulmonaire, une gastro-entérite, une infection urinaire, des maladies infectieuses comme la roséole (voir p. 406) ou encore un vaccin peuvent être à l'origine de la fièvre.

Vous pouvez penser que votre enfant a de la fièvre si sa nuque est chaude ou en sueur, mais seule l'utilisation du thermomètre vous permettra de confirmer sa température (voir p. 395).

Fièvre et bons réflexes Quand il a de la fièvre, votre enfant ne se sent pas bien, mais il peut surtout être déshydraté. C'est pourquoi il est important de le faire boire abondamment et de surveiller les signes de déshydratation (voir p. 395).

N'habillez pas trop vos nourrissons, car la température corporelle aura alors du mal à redescendre. À l'intérieur, une couche et un cache-couche peuvent suffire. Gardez toujours un œil sur lui, car les jeunes bébés régulent mal leur température corporelle et peuvent avoir froid rapidement.

Donner un bain à votre bébé ou lui passer une débarbouillette humide sur le corps ne réglera pas le problème. Chez les bébés de plus de 3 mois, la seule solution est d'utiliser de l'acétaminophène ou de l'ibuprofène (adaptez les doses à l'âge et au poids de votre enfant). Ne lui donnez pas les deux en même temps, mais si le premier ne fait pas effet, vous pourrez lui donner l'autre plus tard. Attention cependant, seul l'acétaminophène peut être administré en dessous de 3 mois.

Quand consulter le médecin Chez les jeunes bébés, la fièvre est moins fréquente et doit donc vous alerter davantage. D'une manière générale, plus votre bébé est petit, plus vous devrez consulter rapidement. Chez les enfants plus grands, la température réelle ou la durée de la fièvre ne sont pas nécessairement des indicateurs très parlants. Contactez le médecin si votre nourrisson :

- A plus de 39 °C, ou plus de 38 °C pour les bébés de moins de 3 mois.
- Semble souffrant, même si la fièvre est modérée.
- Présente des symptômes inquiétants comme des vomissements ou des troubles de la respiration.
- Ne réagit pas.

Le médecin pourra demander un échantillon d'urine pour le faire analyser, les infections urinaires étant relativement fréquentes chez les bébés sans toutefois déclencher les mêmes symptômes caractéristiques que ceux observés chez l'adulte (voir p. 409).

Consultez un médecin de toute urgence si votre enfant :

- Présente une rougeur ou une éruption cutanée qui ne s'éclaircit pas à la pression (voir encadré «Test du verre», p. 410).
- A convulsé.
- Voit son état général s'aggraver.

RGO

Le reflux gastro-œsophagien (ou RGO) est une maladie dans laquelle le contenu de l'estomac remonte dans l'œsophage provoquant ainsi une série de symptômes. On estime qu'environ la moitié des bébés de moins de 3 mois en souffrent, qu'ils soient allaités ou nourris au biberon, mais que la plupart du temps, les symptômes sont légers.

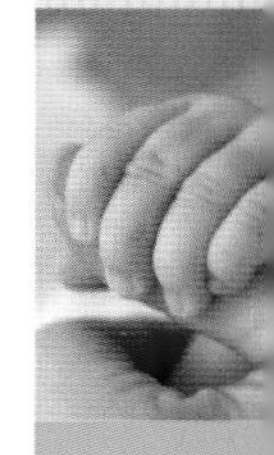

Le reflux est provoqué par un manque d'étanchéité du clapet (appelé *cardia*) situé en bas de l'œsophage. La plupart du temps, le problème se résout sans traitement. Les principaux symptômes sont :

- Régurgitations de grandes quantités.
- Vomissements.
- Toux.
- Irritabilité.
- Manque d'appétit.
- Parfois, présence de sang dans les selles ou dans les vomissements (demandez alors un avis médical de toute urgence).

Vous pouvez suspecter un RGO si votre bébé crie comme s'il avait mal lorsqu'il mange ou s'il régurgite beaucoup. Cependant, de nombreux nourrissons régurgitent sans pour autant souffrir de RGO. Il arrive que le reflux provoque également des problèmes respiratoires ou entraîne un ralentissement de la croissance dû au fait que le bébé ne garde pas les aliments dans son estomac.

Le RGO peut être atténué par la prise de petites quantités à intervalles plus rapprochés. Faire faire un rot à votre bébé et le tenir droit 20 minutes après chaque prise peut également soulager les symptômes.

Votre médecin pourra vous prescrire un épaississant à ajouter au lait ou un lait maternisé plus épais ainsi que des antiacides pour bébés qui renforcent l'action du cardia. Si votre enfant présente des symptômes plus aigus, consultez un pédiatre.

Ankyloglossie

Le frein de la langue est un tissu situé entre le plancher de la bouche et le dessous de la langue. En cas d'ankyloglossie, il est plus court et souvent plus épais que la normale, ce qui a pour effet de limiter les mouvements de la langue. En général, les problèmes rencontrés sont légers, mais certains bébés peuvent être dans l'incapacité de prendre le sein.

La question de savoir si l'ankyloglossie peut gêner l'apprentissage du langage est posée, mais les experts répondent plutôt par la négative, car le problème s'est généralement résorbé quand l'enfant commence à parler. Cependant, si votre bébé souffre d'ankyloglossie, consultez votre médecin. Chez certains petits, une petite intervention chirurgicale sous anesthésie locale sera nécessaire pour libérer le frein.

Conjonctivite

Cette inflammation de la conjonctive, membrane qui recouvre l'œil et la paupière, peut être d'origine bactérienne, virale ou allergique. La conjonctivite bactérienne est la plus fréquente chez les bébés de moins de 6 mois, car les canaux lacrymaux sont immatures.

Vous remarquerez peut-être que les paupières de votre enfant sont sèches à son réveil, ou qu'une petite boule de pus s'est formée au coin de l'œil. Les yeux peuvent être rouges et les paupières gonflées. Si les symptômes sont légers, nettoyez les yeux de votre bébé avec une ouate et du sérum physiologique, depuis le coin externe de l'œil en direction du nez. Lavez-vous les mains avant de commencer. Changez d'ouate pour chaque œil et faites attention de ne pas toucher le globe oculaire. Si vous constatez une nouvelle accumulation de pus, consultez votre médecin. Un collyre ou une pommade ophtalmique antibiotique sera peut-être nécessaire. La conjonctivite peut toucher un œil ou les deux.

Si votre enfant est sujet à la conjonctivite, votre médecin vous recommandera des massages au niveau des canaux lacrymaux pour favoriser l'écoulement des larmes.

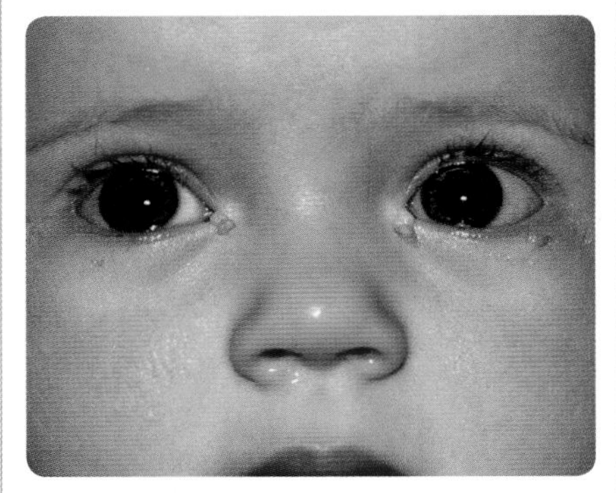

Conjonctivite De petites boules de pus dans le coin de l'œil sont un des symptômes de la conjonctivite bactérienne.

Vomissement

Tous les bébés régurgitent, c'est-à-dire qu'ils recrachent un peu de lait, mais en cas de vomissements, l'estomac se contracte et la quantité rejetée est plus importante. Les vomissements indiquent un problème lié à l'alimentation ou à un souci gastrique ou intestinal. Exemples :

- Suralimentation.
- Gastro-entérite (voir p. 403).
- Allergies alimentaires (voir p. 404).
- Reflux gastro-œsophagien (voir p. 401).
- Sténose du pylore (voir ci-dessous).
- Occlusion intestinale (voir p. 403).

Les bébés peuvent également vomir lorsqu'ils ont une infection, notamment urinaire (voir p. 409), une méningite (voir p. 409), une otite moyenne (voir p. 410) ou encore une infection pulmonaire (voir p. 409). La coqueluche peut aussi provoquer des vomissements, notamment à la suite d'une violente quinte de toux.

Si votre enfant vomit seulement une fois, il n'est peut-être pas nécessaire de consulter le médecin. Il est sage de prendre comme principe de consulter s'il vomit plus de deux fois. Attention cependant, les bébés se déshydratent vite et leur état se détériore rapidement. Dans tous les cas, le traitement dépend de la cause.

Sténose du pylore Elle est provoquée par un épaississement du pylore, valve circulaire située à la jonction de l'estomac et du duodénum, qui crée un obstacle pour la vidange de l'estomac dont le contenu est finalement rejeté. La maladie touche environ un bébé sur 400, et est plus fréquente chez les garçons âgés de 4 à 6 semaines.

Des vomissements surviennent immédiatement après la tétée et peuvent être si puissants qu'ils partent en jets. Le plus souvent, le bébé a faim et peut sembler en forme, mais la déshydratation s'installe au fur et à mesure que la maladie évolue. Le médecin recherche parfois une boule dans l'estomac après le repas, mais l'échographie reste l'examen le plus fiable pour détecter une sténose du pylore. Une intervention chirurgicale, parfois pratiquée par cœlioscopie, est nécessaire pour libérer le muscle.

Occlusion intestinale Plutôt rare, elle est grave. Normalement, les vomissures ressemblent au lait ou à la nourriture rejetée, mais en cas d'occlusion intestinale elles sont vertes à cause de la bile. Si votre enfant vomit vert, contactez votre médecin au plus vite.

Gastro-entérite

Littéralement, « gastro-entérite » signifie inflammation ou infection de l'estomac et des intestins. D'origine bactérienne ou virale, elle provoque des vomissements souvent accompagnés d'une diarrhée, même si certaines infections dues à un norovirus n'entraînent pas de diarrhée.

Le rotavirus est la cause la plus fréquente de gastro-entérites chez les bébés, alors que les infections bactériennes sont le plus souvent provoquées par *E. coli*, *Salmonella*, *Shigella* ou *Campylobacter*. En général, les bébés nourris au lait maternisé sont plus sujets à la gastro-entérite. Les principaux symptômes sont :

- Vomissements et/ou diarrhée.
- Douleur à l'estomac.
- Fièvre.

Si vous pensez que votre enfant a une gastro-entérite, consultez rapidement votre médecin en raison des risques de déshydratation. L'urgence est réelle si vous avez constaté la présence de sang dans ses selles. Signe observé dans certains cas de gastro-entérite, c'est également un symptôme caractéristique d'invagination (voir encadré ci-contre), sorte d'occlusion intestinale qui touche les bébés de moins d'un an. En cas de gastro-entérite, une analyse des selles s'impose parfois en cas de présence de sang.

La plupart du temps, votre médecin vous recommandera de garder votre enfant à la maison. Il vous prescrira un soluté de réhydratation orale (SRO), idéalement dosé en sels et sucres pour prévenir la déshydratation, l'essentiel du traitement consistant à donner à boire pour compenser l'excès de liquide éliminé. Donnez-lui de petites quantités à la fois pour éviter qu'il ne les rejette. Si votre bébé est nourri au sein, continuez. Dans le cas contraire, remplacez le lait maternisé par le SRO.

La plupart des gastro-entérites étant contagieuses, respectez les règles d'hygiène et évitez tout contact avec d'autres personnes. Surveillez l'évolution. Si vous trouvez que votre bébé ne va pas mieux, consultez votre médecin qui décidera peut-être d'une hospitalisation.

INVAGINATION INTESTINALE

Elle consiste en la pénétration d'une partie de l'intestin dans l'autre, comme si elle avait été avalée (télescopage de l'intestin en lui-même), et provoque une occlusion. Les principaux symptômes sont :

- Hurlements de douleur (intermittents).
- Accès de pâleur ou refus de manger.
- Vomissements.
- Déshydratation ou état de choc.
- Présence de sang et de glaires dans les selles.

Cette affection, relativement rare, touche essentiellement les bébés de 3 à 12 mois, parfois juste après une gastro-entérite. Elle peut être très grave si elle n'est pas traitée. L'intervention chirurgicale n'est pas systématique, mais peut être nécessaire.

Diarrhée

Tous les bébés ont des selles molles un jour ou l'autre, c'est même courant et parfaitement normal chez les bébés nourris au sein. La diarrhée est l'évacuation fréquente de selles très molles, voire complètement liquides, pouvant déborder de la couche. Les causes possibles sont :

- Gastro-entérite (voir à gauche).
- Allergie ou intolérance au lait (voir p. 404).
- Mucoviscidose.

La cause la plus fréquente de diarrhée est la gastro-entérite, mais chez les bébés, toute maladie provoquant de la fièvre, par exemple une otite, peut entraîner une diarrhée. Certains antibiotiques sont également à l'origine de selles liquides, car ils détruisent la flore intestinale. Associée à des vomissements, la diarrhée peut rapidement entraîner une déshydratation chez les bébés. Consultez votre médecin sans tarder si vous avez observé plus de cinq épisodes de diarrhée en 24 heures ou si votre enfant présente des symptômes inquiétants. Surveillez les signes de déshydratation (voir p. 395) en gardant à l'esprit qu'il est difficile de savoir si un bébé en couches urine lorsqu'il a de la diarrhée. Votre médecin vous recommandera probablement de :

- Lui donner du soluté de réhydratation orale (SRO). Si votre enfant est nourri au sein, continuez l'allaitement, mais s'il prend du lait maternisé, votre médecin vous conseillera en fonction de la gravité de la diarrhée.
- Surveiller attentivement votre bébé.
- Respecter les règles d'hygiène et éviter tout contact avec d'autres personnes.
- Ne pas emmener votre enfant à la piscine au moins 2 semaines après le dernier épisode de diarrhée.

Constipation

La constipation est une difficulté d'évacuation des selles, qui sont alors moins fréquentes et plus dures qu'à l'accoutumée. Les bébés nourris au sein peuvent déféquer moins souvent, mais si les selles ont l'air normales, il ne s'agit pas de constipation. Chez les bébés, les principales causes de constipation sont les suivantes :

- Début de la diversification avec une alimentation solide.
- Manque de fibres dans l'alimentation.
- Manque de liquide (en cas de maladie).
- Préparation inadaptée des biberons de lait maternisé.

Chez les très jeunes enfants, la constipation peut être provoquée par une maladie génétique appelée *maladie d'Hirschsprung* à l'origine d'une malformation d'une partie de l'intestin. Lorsqu'un bébé est constipé, il défèque tout au plus deux ou trois fois par semaine. Les selles sont dures, et leur passage peut provoquer une déchirure de la marge anale, accompagnée d'un petit saignement. En réaction, l'enfant retient ses selles et des douleurs au niveau du ventre peuvent apparaître.

Si votre enfant est constipé, consultez votre médecin. Évitez les laxatifs destinés aux adultes, en général, ils ne conviennent pas aux nourrissons.

La maladie d'Hirschsprung doit être suspectée si votre bébé n'évacue pas le méconium (selles noires et visqueuses) les premiers jours qui suivent la naissance. Des examens complémentaires et une intervention chirurgicale peuvent être nécessaires. Cependant, dans la plupart des cas de constipation, la déshydratation ou un manque de fruits et de légumes dans l'alimentation sont en cause. Dans un premier temps, votre médecin vous prescrira peut-être un laxatif léger, mais à long terme, la solution repose sur une alimentation équilibrée.

Jaunisse

La jaunisse, ou *ictère*, est une coloration jaune de la peau et du blanc de l'œil provoquée par un excès de bilirubine dans le sang. Pigment jaune issu de la destruction des globules rouges, la bilirubine est notamment responsable de la coloration transitoire jaunâtre des ecchymoses.

Le foie, chargé d'éliminer la bilirubine, est immature chez les nouveau-nés (qui ont en outre un taux élevé de globules rouges) et n'est donc pas en mesure de dégrader toute la substance produite. C'est pourquoi environ la moitié des nouveau-nés ont la jaunisse au cours de la première semaine. En général, aucun traitement n'est nécessaire, la maladie disparaît spontanément en peu de temps. Les prématurés sont très sensibles à la jaunisse, car leur foie peine encore plus à éliminer la bilirubine. Ils sont parfois placés sous une lumière bleue (photothérapie) pour accélérer le processus. Les bébés nourris au sein sont plus sujets à la jaunisse, sans doute en raison d'un acide gras du lait maternel qui bloque les enzymes dans le foie.

La jaunisse peut être grave si :

- Elle commence avant 24 heures de vie. Les causes possibles sont alors une hémorragie due à un accouchement difficile, une infection ou une incompatibilité de groupes sanguins (Rhésus). Un traitement d'urgence en service néonatal est alors nécessaire.
- Elle dure plus de 2 semaines. Consultez rapidement votre médecin afin d'écarter toute maladie grave du foie et des voies biliaires. Surveillez les selles claires et les urines foncées, symptômes caractéristiques.

Allergies

Les allergies sont fréquentes, mais moins que certains parents l'imaginent. En cas d'antécédents familiaux d'allergies, votre bébé y sera plus sensible. Mais cela reste très variable puisque des jumeaux monozygotes (vrais jumeaux) n'ont pas forcément les mêmes allergies.

L'eczéma (voir p. 407) est la plus fréquente des réactions allergiques chez les bébés. Il apparaît généralement entre 3 et 12 mois. Chez un enfant sur 10, il est dû à une allergie alimentaire sous-jacente, même si l'allergie concernée n'est pas encore détectée.

Chez les bébés, l'allergie la plus courante est celle au lait de vache, ou plus exactement aux protéines du lait de vache. Entre 2 et 3 % des bébés en souffrent. Selon les cas, la réaction survient immédiatement ou plusieurs jours après en avoir consommé, ce qui rend l'allergie difficile à diagnostiquer.

Différents symptômes peuvent être observés, mais, fort heureusement, chaque individu n'en présente pas l'ensemble. Les réactions possibles sont :

- Rougeur du visage.
- Éruption cutanée ou aggravation d'un eczéma.
- Nausées et vomissements.
- Douleurs abdominales.
- Diarrhée et sang dans les selles.
- Rarement, choc anaphylactique (voir ci-dessous).

Consultez votre médecin si vous pensez que votre bébé est allergique au lait de vache. Des tests peuvent aider à poser un diagnostic. Vous devrez peut-être changer de lait maternisé, ou, si vous allaitez, éviter vous-même les produits laitiers. En général, vers 3 ans, cette allergie disparaît. Mais dans certains cas, elle persiste, et l'enfant doit continuer à éviter les aliments contenant du lait.

La réaction au lait peut aussi être due à une intolérance au lactose (sucre contenu dans le lait) provoquée par l'absence d'une enzyme. Diarrhée et vomissements (sans problèmes respiratoires) font partie des symptômes. Elle peut survenir après une gastro-entérite, et le traitement consiste alors à prescrire un lait sans lactose pendant un mois, après quoi l'enfant devrait être capable de digérer à nouveau son lait habituel.

Parmi les véritables allergies alimentaires, les réactions aux œufs, à l'arachide,

CHOC ANAPHYLACTIQUE

Réaction allergique violente, le choc anaphylactique est rare chez les bébés. Il peut être déclenché par des aliments (lait, fruits à coque ou œufs), par le venin d'insectes ou par un médicament. Après des vomissements ou une éruption cutanée, on observe :

- Une respiration bruyante ou sifflante.
- Un gonflement de la langue.
- Des pleurs rauques.
- Un malaise.
- Des démangeaisons et des rougeurs étendues.

Difficile à diagnostiquer chez les nouveau-nés, un choc anaphylactique est une urgence vitale. Si vous avez de l'adrénaline, procédez à une injection.

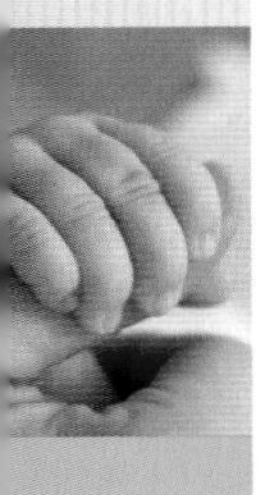

aux fruits à coque, au gluten, au soya et au poisson sont classiques.

Les symptômes déclenchés par les allergies alimentaires peuvent être graves et entraîner des difficultés à respirer ou un choc anaphylactique (voir encadré ci-contre).

Reflux gastrique, coliques, eczéma, diarrhée et absence de prise de poids sont d'autres signes indicateurs d'allergies.

Si votre enfant est allergique aux œufs, il devra recevoir des vaccins sans protéine d'œuf ou être vacciné en milieu hospitalier afin de pouvoir intervenir rapidement en cas de réaction violente à la vaccination. Il n'existe pas de solution connue pour prévenir les allergies. Cependant, il est conseillé de ne jamais commencer la diversification avant 4 mois. L'introduction du gluten et des œufs, quant à elle, intervient au plus tôt à 6 mois révolus. Enfin, arachides et fruits à coque, ne doivent jamais être introduits avant 9 mois chez l'enfant à risques.

Érythème fessier

Même avec les couches modernes très absorbantes ou les langes les plus doux, l'érythème fessier est très fréquent. La peau est irritée et douloureuse, parfois couverte de boutons.

La principale cause de l'érythème fessier est une couche mouillée ou sale, donc plus vous changerez rapidement votre bébé, mieux ses fesses s'en porteront. Si possible, laissez de temps en temps votre bébé les fesses à l'air (idéalement 20 minutes deux fois par jour). S'il se promène déjà partout, mettez des tapis de protection ou des serviettes sur le sol et portez vous-même des vêtements qui ne craignent rien au cas où il urinerait ou déféquerait n'importe où. Changez-le souvent et évitez d'utiliser des lingettes. Lavez-le à l'eau et au savon, et bannissez les crèmes parfumées. En cas d'érythème sévère, suintant ou boursouflé, ou en présence de boutons en dehors des zones de rougeur, consultez votre médecin, car il peut s'agir d'une mycose.

Varicelle

La varicelle est plus fréquente chez les enfants en bas âge, mais les bébés de moins d'un an peuvent également la contracter. L'herpèsvirus humain de type 3, à l'origine de la maladie, est très contagieux et se transmet par simple contact avec une personne malade ou souffrant d'un zona. La période d'incubation varie de 10 à 15 jours. En général, le fait de contracter la maladie confère une immunité définitive.

Votre bébé peut être souffrant juste avant que la maladie se manifeste de façon visible. Les boutons ressemblent d'abord à de petits points rouges puis évoluent rapidement en vésicules (cloques), avant de croûter et de disparaître. La varicelle provoque des démangeaisons intenses. Votre enfant peut être irritable et fatigué, surtout s'il a des boutons dans la bouche et a du mal à manger. Tant que toutes les vésicules ne sont pas croûtées, et que de nouveaux boutons apparaissent, il reste contagieux. En général, le diagnostic est facile à poser, car l'éruption cutanée est caractéristique. Cependant, il est préférable de demander un avis médical, surtout si votre bébé refuse de se nourrir. Dans la plupart des cas, vous pourrez le soigner chez vous. Voici quelques conseils :

- Ne percez jamais les cloques.
- Lavez votre bébé avec un savon doux et séchez-le bien.
- Appliquez un antiseptique local (lotion uniquement) pour sécher les lésions.
- N'utilisez jamais de talc, poudre ou crème (risque de surinfection).
- Coupez-lui les ongles pour éviter qu'il ne se gratte.
- En cas de démangeaisons, demandez à votre médecin de lui prescrire un antihistaminique.
- S'il a de la fièvre, donnez-lui uniquement de l'acétaminophène, jamais d'ibuprofène ni d'aspirine (risque de syndrome de Reye, potentiellement mortel).

S'il est exposé au virus de la varicelle avant l'âge de 1 mois, contactez votre médecin qui pourra décider de lui administrer un traitement afin de bloquer le développement de la maladie. Un bébé peut faire la varicelle, car il n'y a pas d'immunité efficace transmise par la maman (contrairement aux autres maladies infectieuses virales).

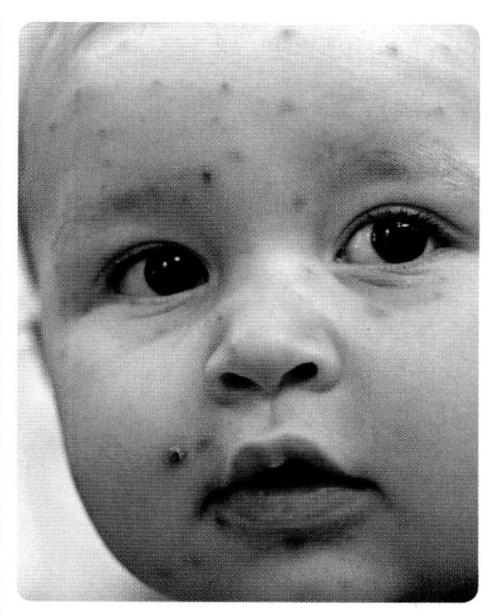

La varicelle commence par l'apparition de petits points rouges qui se transforment rapidement en vésicules puis en lésions croûtées.

Évitez tout contact avec des personnes qui n'ont pas eu la varicelle, la survenue de la maladie à l'âge adulte pouvant entraîner de graves complications pulmonaires et neurologiques.

Candidose

Elle est souvent provoquée par un champignon de type levure appelé *Candida albicans*, présent dans le côlon, qui généralement, ne provoque aucun symptôme, mais peut déclencher une candidose s'il prolifère.

Chez les bébés, la candidose se manifeste surtout au niveau des fesses et de la bouche, zones chaudes et humides qui favorisent le développement des champignons. La prise récente d'antibiotiques peut également engendrer une candidose, car ceux-ci détruisent la flore intestinale chargée d'empêcher la prolifération du *Candida*. Si vous allaitez, la candidose peut aussi se manifester au niveau de votre mamelon (vous

VACCIN ROR

Pour protéger votre enfant contre la rougeole, les oreillons et la rubéole, vous pouvez le vacciner à partir de 12 mois, avec un rappel à 18 mois.

La rougeole (voir ci-contre) est une maladie virale très contagieuse habituellement bénigne, mais qui peut avoir des complications graves, y compris pulmonaires et neurologiques. Avant la mise au point du vaccin, elle touchait de très nombreux enfants, dont certains n'y survivaient pas.

En général, les oreillons (rares chez les bébés de moins de 2 ans) sont bénins s'ils sont contractés pendant l'enfance, même si des complications comme la surdité peuvent survenir. Chez l'adulte, ils sont beaucoup plus conséquents et peuvent conduire à une inflammation des testicules chez l'homme ou des ovaires chez la femme.

La rubéole est une infection due à un virus. Généralement bénigne chez l'enfant, elle peut provoquer des malformations sur le fœtus si elle est contractée par une femme enceinte. D'où l'importance de la vaccination.

pouvez poursuivre l'allaitement malgré tout).

Sur les fesses, vous pouvez observer :

- Une éruption rouge, souvent brillante.
- Des petits boutons autour de l'éruption (satellites).

En cas de candidose dans la bouche (muguet), les symptômes suivants peuvent apparaître :

- Douleur ou pleurs lors de la tétée, prise de très petites quantités.
- Rougeurs dans la bouche.
- Taches blanches sur les joues ou les gencives.

En général, les candidoses disparaissent avec l'application d'un traitement antifongique. Parfois, un prélèvement buccal pour analyse est nécessaire afin de confirmer le diagnostic.

Rougeole

La rougeole est l'une des maladies infantiles les plus graves. Provoquée par un virus de la famille des paramyxovirus, elle est extrêmement contagieuse et se transmet notamment par les sécrétions oropharyngées (postillons). Votre bébé sera protégé contre la rougeole lorsqu'il aura reçu le vaccin ROR (rougeole, oreillons, rubéole, voir encadré ci-contre) à 12 mois. En attendant, les anticorps que vous lui avez transmis in utero le protègent, mais il arrive que certains enfants contractent quand même la maladie. La période d'incubation varie de 10 à 14 jours. Les premiers symptômes sont :

- Forte fièvre.
- Écoulement nasal.
- Gêne à la vue de la lumière.
- Présence de petits boutons dans la bouche (signe de Koplick).

Trois à 4 jours après l'apparition des premiers symptômes :

- Éruption cutanée caractéristique (maculopapules) sur le visage, le cou, le tronc et les pieds.
- Toux, yeux rouges et bouffis, mal-être important.

Si vous pensez que votre bambin a la rougeole, consultez le médecin sans tarder. Le traitement consiste à surveiller la fièvre, hydrater en donnant à boire et faire en sorte que votre enfant soit bien. Évitez tout contact avec d'autres enfants et surveillez l'évolution. La rougeole peut avoir de nombreuses complications : otite (fréquente chez les nourrissons), infection pulmonaire, conjonctivite, douleurs abdominales avec diarrhée, atteinte du foie ou des reins ou encore encéphalite (complications neurologiques pouvant entraîner la mort ou des séquelles irréversibles). Consultez immédiatement le médecin si votre enfant :

- Est léthargique, sans réaction.
- Présente des troubles de la respiration.
- Ne mange pas.
- Est déshydraté.

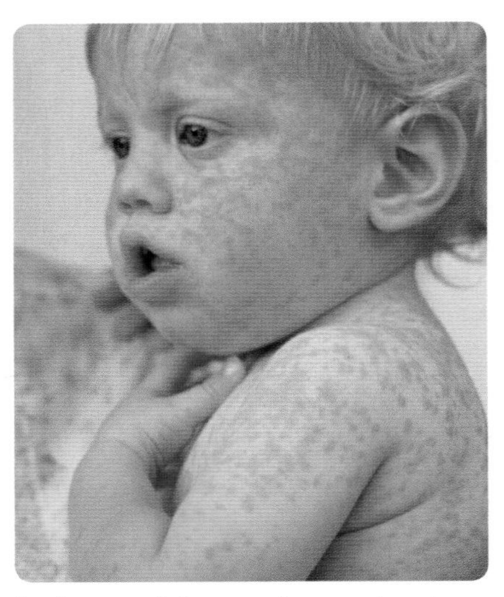

Les boutons de la rougeole apparaissent d'abord sur le visage avant de s'étendre au reste du corps, puis de disparaître.

Roséole

Également appelée *exanthème subit* ou *sixième maladie*, la roséole est une infection virale qui touche généralement les enfants de plus de 6 mois, provoquée par un herpèsvirus de type 6. Elle est très contagieuse et son incubation varie de 5 à 15 jours. Le premier symptôme est une forte fièvre, généralement supérieure à 40 °C, susceptible de provoquer des convulsions fébriles, et parfois associée à une perte d'appétit, des troubles digestifs, une grande irritabilité, un gonflement des yeux ou des ganglions. Au bout de 3 jours, la fièvre disparaît et une éruption cutanée (petits boutons rosés) apparaît sur le tronc, les bras, les jambes et parfois le visage. Éphémère, elle disparaît généralement entre 12 et 36 heures après.

Il n'existe aucun traitement spécifique : il faut seulement surveiller la fièvre et hydrater votre bébé en lui donnant à boire. La plupart des enfants guérissent rapidement. Si ce n'est pas le cas, consultez votre médecin.

Rubéole

Très contagieuse, la rubéole est généralement sans gravité pour votre bébé. Cependant, elle est dangereuse si elle

survient chez la femme enceinte, car elle peut entraîner des malformations graves sur le fœtus. Le vaccin ROR assure une protection contre la rougeole, les oreillons et la rubéole (voir encadré p. 406).

Les symptômes se manifestent après une période d'incubation qui varie de 14 à 21 jours. Avant l'apparition de l'éruption cutanée, votre bébé peut être fatigué, grognon, fiévreux et avoir des ganglions au niveau du cou. L'éruption se présente sous la forme de petites taches roses sur le cou, le visage, le tronc et les membres.

En cas de doute, consultez votre médecin. Évitez tout contact avec une femme enceinte et informez les personnes qui ont approché votre bébé au cours des trois dernières semaines qu'il a la rubéole. Il n'existe aucun traitement en dehors de l'administration d'antipyrétiques en cas de forte fièvre.

Syndrome pieds-mains-bouche

Provoqué par un virus de la famille des *Coxsackies*, il n'a aucun rapport avec le syndrome pieds-bouche observé chez les animaux. Il est très contagieux et sa période d'incubation est d'environ 10 jours. Une fois la maladie contractée, l'immunité n'est pas définitive, car il existe plusieurs types de virus *Coxsackie* à l'origine de cette pathologie.

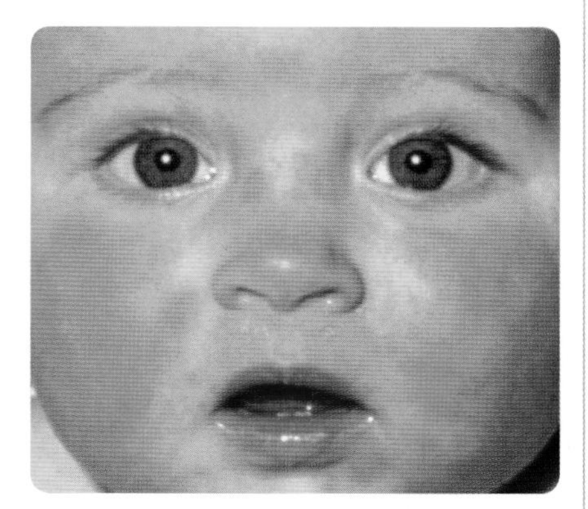

Mégalérythème Un visage rougi et brillant (hormis le menton) est la première caractéristique de cette infection virale.

Une éruption cutanée caractéristique apparaît sur la paume des mains, la plante des pieds et les fesses, sous la forme de petites cloques. Parfois, on observe également des lésions dans la bouche, qui entraînent des difficultés à manger. Votre enfant peut aussi être fiévreux.

L'éruption caractéristique rend la maladie facile à diagnostiquer. Elle ne nécessite aucun traitement hormis d'assurer le bien-être de votre bébé. Cependant, si votre enfant est très jeune, il est préférable de consulter un médecin.

Mégalérythème ou érythème infectieux

Également appelé *parvovirus* ou *cinquième maladie*, le mégalérythème est provoqué par le parvovirus humain B19. Très fréquent, contagieux, généralement sans gravité, il touche surtout les enfants scolarisés, mais peut survenir à tout âge. La période d'incubation peut atteindre 21 jours et la contagiosité disparaît avec la survenue de l'éruption cutanée.

L'éruption se manifeste sous la forme d'une plaque rouge sur la joue qui rappelle la marque d'une gifle. Elle s'étend ensuite sur les bras et les jambes. On observe parfois une légère fièvre.

Généralement bénigne, la maladie peut présenter des complications si elle est associée à des problèmes médicaux de type hématologique comme la drepanocytose et les anémies hémolytiques congénitales. L'infection est également dangereuse chez la femme enceinte, car au stade précoce de la grossesse, elle peut entraîner un avortement spontané. Enfin, chez l'adulte, elle peut provoquer des douleurs articulaires transitoires.

Eczéma

Affection cutanée très fréquente chez les bébés, l'eczéma est souvent qualifié d'atopique en raison de la tendance du système immunitaire à surréagir. Les bébés qui en souffrent ont généralement des antécédents familiaux ou un parent atteint d'asthme ou du rhume des foins. Avec le temps, l'eczéma peut disparaître complètement ou devenir chronique. Les parties les plus fréquemment touchées sont les chevilles, les coudes, les poignets, le visage, le cou et l'arrière des genoux, mais il peut se manifester partout. La peau est sèche et craquelée, voire irritée et suintante.

Votre enfant peut ressentir de fortes démangeaisons, notamment la nuit. Pensez à lui couper les ongles pour éviter qu'il ne se griffe en se grattant. L'utilisation d'une crème émolliente suffit généralement à faire disparaître l'eczéma. Vous pouvez l'appliquer directement sur la peau, ou utiliser une formule qui s'applique dans le bain (attention, la peau de votre enfant devient alors glissante). Préférez les pains dermatologiques à tout autre produit pour laver votre bébé. Essayez éventuellement de changer de lessive pour voir si cela fait une différence. Dans certains cas, votre médecin peut également vous prescrire une crème corticoïde. En général, l'eczéma s'infecte parce que des bactéries pénètrent dans les craquelures.

COUPS DE SOLEIL

Le soleil, qui favorise la production de vitamine D, est bon pour tous. Mais pas les coups de soleil ! Si votre bambin est resté trop longtemps au soleil, mettez-le immédiatement à l'ombre et donnez-lui à boire. Refroidissez sa peau avec un bain tiède ou une débarbouillette humide et assurez-vous qu'il ne retourne pas au soleil sans protection solaire jusqu'à ce que les rougeurs aient disparu. Consultez un médecin si votre bébé :

- Est sévèrement brûlé.
- A le visage enflé.
- Présente des signes d'infection.
- A des cloques sur le visage.
- Est fiévreux.
- Vomit, est léthargique et mal en point.

Miliaire sudorale

Parfois appelée *bourbouille*, elle est provoquée par un excès de transpiration. Fréquente chez les bébés par temps chaud, elle se manifeste par l'éruption de petites vésicules, notamment au niveau du cou, des bras, du visage, du tronc ou des fesses. Votre enfant peut ressentir des irritations ou des démangeaisons.

Déshabillez votre bambin pour qu'il ait moins chaud ou mettez-lui des vêtements plus légers en coton. En cas d'irritation, utilisez une lotion asséchante à la calamine. En général, la miliaire sudorale disparaît sous 48 heures. Dans le cas contraire, ou si votre bébé n'est pas bien, consultez votre médecin.

Rhume

Faiblement immunisés contre les nombreux virus, les bébés attrapent régulièrement des rhumes. Ils deviennent plus résistants en étant progressivement exposés à ce panel de virus. La période d'incubation d'un rhume est courte, environ 48 heures, et la contamination est plus fréquente en hiver lorsque les personnes sont plus souvent à l'intérieur, en compagnie d'autres individus… et de leurs virus. Les symptômes constatés chez les bébés sont plus ou moins les mêmes que chez les autres enfants : éternuements, nez qui coule ou bouché rendant l'alimentation plus difficile. Soyez patiente pendant les tétées. Une légère toux est parfois observée. Généralement sans gravité, le rhume peut évoluer en infection pulmonaire (voir p. 409) ou en bronchiolite (voir ci-contre).

En cas d'écoulement nasal clair et liquide, vous pouvez simplement essuyer le nez de votre bébé avec une compresse plutôt qu'avec un mouchoir. Mais la plupart du temps, l'utilisation d'un mouche-bébé est nécessaire. Avant de commencer, allongez votre bambin sur la table à langer et tournez sa tête sur le côté. Injectez du sérum physiologique pour évacuer les mucosités et faciliter l'aspiration. Ensuite, introduisez l'embout du mouche-bébé dans une narine, comprimez l'autre et aspirez. Recommencez autant de fois que nécessaire. Nettoyez soigneusement l'embout à l'eau chaude après chaque utilisation.

Pour faciliter la respiration de votre bébé la nuit, surélevez la tête de son lit, en glissant un oreiller sous le matelas par exemple.

Les rhumes étant provoqués par des virus, les antibiotiques sont inutiles. Des lavements de nez au sérum physiologique et une atmosphère humide aideront votre enfant à mieux respirer. Placez des serviettes mouillées ou un verre d'eau près d'un radiateur et consultez votre médecin si votre enfant :

- N'a pas l'air bien.
- Refuse de manger.
- Tousse beaucoup.
- A des problèmes pour respirer ou a une respiration sifflante.
- A de la fièvre (surtout si elle est forte).

Ces symptômes peuvent indiquer qu'une infection plus grave est survenue ou que votre enfant a la grippe.

MÉDICAMENTS CONTRE LA TOUX

La toux correspond à une expiration forcée, brusque et saccadée. Elle peut être volontaire, mais elle est le plus souvent incontrôlée. On distingue quatre catégories de toux : brutale (due à une fausse-route), irritative (inflammation des bronches), grasse (très utile, elle permet d'évacuer les sécrétions bronchiques) et répétitive (qui peut se révéler asthmatique).

Santé Canada déconseille aux parents de donner des antitussifs à leur enfant de moins de 6 ans, car ils aggravent le risque d'encombrement des bronches, et outre des risques d'allergie, ils peuvent causer des complications neurologiques et respiratoires. Santé Canada a en outre obligé les fabricants à revoir leur étiquetage en ce sens.

Si votre bébé tousse, lavez-lui le nez avec du sérum physiologique et faites-le boire régulièrement. Ne lui donnez jamais de médicaments contre la toux sans avoir auparavant demandé l'avis de votre médecin ou de votre pharmacien.

Bronchiolite

Infection des petites bronches, ou *bronchioles*, la bronchiolite touche presque exclusivement les bébés et peut être grave, surtout chez les tout-petits. La cause la plus fréquente est le virus respiratoire syncytial humain (VRS), mais un adénovirus ou le virus de la grippe peut également provoquer les mêmes symptômes. Très contagieuse, la maladie se répand très vite dans les garderies.

- Généralement, elle commence comme un rhume, puis évolue rapidement vers une toux, un sifflement et une respiration rapide.
- La respiration de votre enfant devient bruyante et sifflante.
- On observe fréquemment une légère fièvre.

La plupart des enfants qui souffrent de bronchiolite semblent plutôt en forme, mais l'état de certains peut rapidement s'aggraver. Lors de la respiration, une dépression intercostale, indicatrice de difficultés respiratoires, peut survenir. Dans les cas les plus graves, le patient peut devenir bleu par manque d'oxygène. Appelez alors le 911 sans attendre.

Si vous pensez que votre nourrisson a une bronchiolite, consultez rapidement un médecin. Un enfant qui devient bleu ou présente des difficultés respiratoires est une urgence médicale. Dans la plupart des cas, vous pourrez garder votre bébé à domicile, mais parfois l'hospitalisation sera nécessaire notamment si votre enfant :

- Est très fébrile.
- Ne boit pas assez ou montre des signes de déshydratation (voir p. 395).
- A des difficultés à respirer.
- A un rythme respiratoire très rapide.
- Devient bleu.

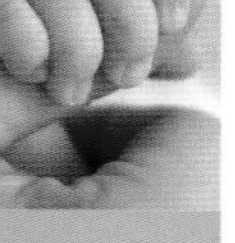

Traiter une respiration sifflante Les médicaments destinés à soulager les symptômes en dilatant les bronches sont administrés aux bébés avec un masque et un inhalateur.

Respiration sifflante

Pendant ou après une infection virale, les bébés peuvent tousser et avoir une respiration sifflante. Un rhume peut évoluer vers un sifflement, une toux ou une respiration bruyante pendant plus d'une semaine. Ces symptômes sont le résultat de l'inflammation et du rétrécissement des bronches, et les bébés, dont les bronches sont plus étroites, y sont plus sujets. Il est difficile de faire la différence entre une respiration sifflante et une bronchiolite (voir p. 408). Si votre enfant a du mal à respirer ou devient bleu, consultez un médecin de toute urgence. Une respiration sifflante peut être traitée avec des médicaments qui favorisent la dilatation des bronches, administrés par inhalateur. Il est beaucoup trop tôt pour dire si ce sifflement peut aboutir à de l'asthme, maladie chronique à long terme impossible à diagnostiquer avant l'âge d'un an.

Infection pulmonaire

Les infections pulmonaires, comme la pneumonie ou la bronchite, touchent les bronches ou les poumons mêmes. Les médecins utilisent souvent le terme *infection pulmonaire* quand ils ne parviennent pas à déterminer exactement l'origine du problème. Ces maladies peuvent être virales ou bactériennes et s'accompagnent de différents symptômes, parmi lesquels :

- Malaise général.
- Forte fièvre.
- Respiration rapide et fastidieuse.
- Respiration courte.
- Toux (tous les bébés ne toussent pas).

Votre bébé peut manger normalement ou refuser toute nourriture et apport de liquide, au risque d'être déshydraté.

Si vous pensez que votre enfant souffre d'une infection pulmonaire, consultez votre médecin qui vous prescrira sans doute des antibiotiques. Dans certains cas, une hospitalisation avec mise sous oxygène et réhydratation sera nécessaire.

Laryngite aiguë

Elle touche les bébés de plus de 6 mois et est souvent provoqué par un virus *parainfluenza*, très fréquent en hiver. Comme la bronchiolite (voir p. 408), il se manifeste par les symptômes du rhume puis évolue vers une respiration sifflante et une toux caverneuse. La voix du bébé est parfois rauque et un stridor (bruit aigu anormal émis lors de la respiration) peut être observé, suggérant une obstruction des voies respiratoires. Si vous pensez que votre enfant a une laryngite, consultez votre médecin qui vous prescrira sans doute des stéroïdes par inhalateur et vous conseillera d'humidifier la pièce pour faciliter la respiration de votre bébé. Une laryngite catarrhale peut généralement être soignée à domicile, à condition que le petit malade soit étroitement surveillé et bien hydraté. En cas d'aggravation des symptômes, consultez de nouveau votre médecin.

Infection urinaire

Étonnamment, les infections urinaires sont très fréquentes chez les jeunes bébés. La plupart d'entre elles sont bactériennes et remontent par l'urètre (canal qui relie la vessie à l'extérieur). Mais les symptômes observés chez les tout-petits sont très différents de ceux constatés chez l'adulte :

- Fièvre.
- Irritabilité.
- Vomissements.
- Refus de manger.

Les nouveau-nés peuvent avoir une jaunisse qui dure dans le temps ou ne pas réussir à prendre de poids. Si votre enfant présente ces symptômes, demandez un avis médical. En général, rien ne laisse supposer que le problème vient du système urinaire, en dehors du fait que votre médecin ne pourra détecter aucune autre maladie lors de l'examen de votre nourrisson. Seule l'analyse d'un échantillon d'urine permettra de confirmer l'infection urinaire.

Il est essentiel d'avoir un échantillon d'urine propre. Vous devrez peut-être recueillir l'urine de votre enfant dans un flacon stérile, ce qui n'est pas facile chez les bébés. Votre médecin vous remettra une poche urinaire à glisser dans la couche. Une fois l'échantillon prélevé, portez-le sans tarder au laboratoire.

Afin d'éviter une lésion des reins ou tout autre complication, les infections urinaires doivent être traitées rapidement par antibiotiques. Généralement, un spécialiste conseille de passer un scanner afin de détecter toute éventuelle anomalie du système urinaire susceptible d'avoir entraîné l'infection.

Méningite

Inflammation ou infection des méninges, membranes qui entourent le cerveau, la méningite peut être virale ou bactérienne, cette dernière forme étant beaucoup plus grave. De nombreux microbes susceptibles de provoquer une méningite vivent dans la gorge de personnes en bonne santé. On ne sait pas exactement pourquoi ils provoquent la maladie chez certains enfants, mais le tabagisme passif et une certaine promiscuité sont des facteurs aggravants.

Depuis la mise en place de la vaccination contre l'*Hæmophilus influenzae* de type b, le pneumocoque et le meningocoque « C », les formes les plus graves de la maladie sont heureusement moins fréquentes. Malgré tout, elle reste redoutable et est souvent associée à une septicémie

TEST DU VERRE

Les éruptions cutanées sont fréquentes chez les bébés et il n'est pas toujours évident, en les regardant, de reconnaître celle associée à la méningite à méningocoque avec septicémie (voir page 409). Cependant, cette dernière a la particularité de ne pas disparaître lorsque l'on appuie dessus, et un bon moyen de le vérifier est de pratiquer le *test du verre* (voir ci-contre). Pressez fermement le côté d'un verre sur les boutons de votre petit malade. Si vous voyez l'éruption à travers le verre, votre bébé pourrait avoir une méningite/septicémie et doit être hospitalisé d'urgence. Ce test est plus difficile à pratiquer sur une peau foncée.

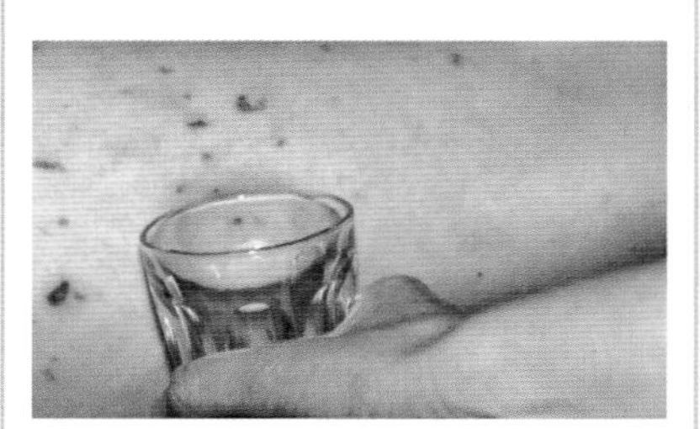

Appuyez fermement un verre sur la peau tachée de votre bébé. Si les boutons ne disparaissent pas, faites le 911 en urgence.

(infection généralisée). Si un bébé atteint ce stade de la maladie, il s'agit d'une urgence vitale et chaque minute compte. C'est pourquoi il est essentiel de reconnaître les signes de méningite et de savoir comment réagir. Chez un bébé, les principaux symptômes sont :

- Cris ou gémissements aigus.
- Refus de manger.
- Irritabilité.
- Somnolence.
- Manque de tonicité.
- Fièvre en présence d'extrémités froides (pieds, mains).
- Fontanelle tendue ou gonflée.
- Teint pâle ou marbré, peau moite.
- Tâches rouges ou violacées (*purpura fulminans*) pouvant indiquer une septicémie. Faites le test du verre pour confirmer ce diagnostic (voir encadré ci-contre).

Si votre bébé n'est pas bien et présente un des symptômes ci-dessus, appelez immédiatement le 911 et dites-leur que vous soupçonnez une méningite. N'attendez jamais l'apparition de tous les symptômes. Le purpura et tout autre changement au niveau de la peau sont des signes de gravité. Plus il est administré tôt, plus le traitement est efficace.

OTITE SÉROMUQUEUSE (OSM)

Également appelée *otite moyenne sécrétoire*. L'oreille moyenne est une cavité remplie d'air. En cas d'otite séromuqueuse, l'air est remplacé par un épanchement de viscosités épaisses et troubles. En général, l'OSM fait suite à de nombreuses otites moyennes. Certains enfants y sont plus sujets que d'autres, et les antécédents familiaux peuvent être à l'origine de ce mal.

Le premier symptôme est une baisse de l'audition. Votre bébé ne vous entend pas, ne tourne pas la tête vers vous lorsque vous lui parlez ou paraît surpris lorsque vous apparaissez soudainement à côté du lit parce qu'il ne vous a pas entendue approcher. Les enfants apprennent constamment et l'audition est essentielle à leur développement. Si elle n'est pas traitée, l'otite séromuqueuse peut entraîner des problèmes de langage et de comportement. Si vous pensez que votre bébé a des problèmes d'audition, consultez votre médecin.

Le traitement peut inclure une petite intervention chirurgicale pour la pose de diabolos (drains tympaniques), petits tubes chargés de laisser passer l'air et d'égaliser la pression de chaque côté du tympan. Les diabolos tombent au bout de quelques mois, et en général l'audition redevient normale.

Otite externe

Également appelée *otite du nageur*, elle peut survenir lorsque du lait ou de la nourriture entre dans l'oreille de votre bébé, ou parfois si l'oreille n'est pas bien séchée après le bain. Elle est également observée chez les enfants qui marchent à quatre pattes et peuvent mettre leurs doigts sales dans leurs oreilles. S'ils se grattent, une rougeur ou un écoulement peuvent apparaître. En général, l'enfant n'a pas de fièvre et reste en forme. Le médecin vous prescrira des gouttes pour nettoyer l'infection. Le plus souvent, la gêne est légère, mais en cas de douleur, vous pouvez lui donner de l'acétaminophène ou de l'ibuprofène (dosage en fonction de l'âge et du poids).

Otite moyenne

Infection de l'oreille moyenne, située derrière le tympan, provoquée par un virus ou une bactérie, elle survient souvent après un rhume lorsque l'infection s'étend aux trompes d'Eustache qui relient l'arrière du nez à l'oreille. Chez les bébés, les trompes d'Eustache sont courtes et horizontales, plus sensibles aux infections de l'oreille moyenne que celles des adultes. Souvent, les deux oreilles sont touchées et les nourrissons n'ont pas de symptômes qui suggèrent que le problème vient de l'oreille, mais ils peuvent :

- Se sentir très mal.
- Être irritables, voire inconsolables.
- Avoir une forte fièvre.
- Refuser de manger.
- Vomir.
- Se réveiller la nuit en pleurant.

Certains enfants tirent sur l'oreille douloureuse, mais peuvent le faire aussi quand ils sont fatigués ou lors des poussées dentaires. Si votre bébé présente un des symptômes ci-dessus, consultez rapidement votre médecin pour traiter l'infection au stade précoce. En l'absence de traitement, le tympan peut percer, entraînant un écoulement de pus. Le soulagement est alors immédiat pour le petit malade (baisse de pression dans l'oreille moyenne), mais l'infection doit quand même être traitée.

SYMPTÔMES FRÉQUENTS : RÉCAPITULATIF POUR MÉMOIRE

SYMPTÔME	CAUSE POSSIBLE	QUE FAIRE ?
Fièvre	■ La fièvre n'est pas un symptôme particulier, les bébés pouvant être fiévreux pour de nombreuses raisons. C'est souvent un signe d'infection virale ou bactérienne (voir « Fièvre », p. 401).	Donner à boire (allaiter le cas échéant). Consulter le médecin si la température de l'enfant atteint 39 °C (38 °C pour les bébés de moins de 3 mois).
Écoulement nasal	■ Un nez qui coule et produit un mucus qui épaissit au bout d'une semaine est le résultat d'un rhume (voir p. 408) ou de la grippe. ■ Une allergie (voir p. 404), une bronchiolite au stade précoce (voir p. 408) ou une laryngite aiguë (voir p. 409) sont d'autres causes possibles.	En cas de rhume, s'assurer que l'enfant est suffisamment hydraté (allaiter le cas échéant). Surélever la tête de lit (en glissant un oreiller sous le matelas, par exemple) pour l'aider à respirer. Demander conseil au médecin quant à l'utilisation de sérum physiologique.
Toux	■ Symptôme fréquent, elle peut être provoquée par un rhume (voir p. 408). ■ Elle peut également être l'un des symptômes d'une infection pulmonaire (voir p. 409), de la rougeole (voir p. 406), d'une allergie (voir p. 404), d'une bronchiolite (voir p. 408) ou d'asthme (voir encadré p. 408). Une toux forte peut signaler une laryngite aiguë (voir p. 409) et des quintes de toux qui se terminent par une grande inspiration peuvent être indicatrices de la coqueluche.	Donner à boire (allaiter le cas échéant). Consulter un médecin si la toux persiste pendant plus d'une semaine, est accompagnée d'une forte fièvre, de sifflements ou encore si l'enfant a une respiration courte ou bruyante, refuse de manger ou est léthargique.
Éruption cutanée	■ Lorsque l'enfant a une alimentation solide, des éruptions autour de la bouche sont fréquemment observées en raison des irritations dues à la nourriture. Des lèvres gonflées peuvent indiquer une allergie (voir p. 404). ■ Une éruption cutanée peut être un symptôme de nombreuses infections virales de l'enfance comme la varicelle (voir p. 405) ou la rougeole (voir p. 406). Lors d'une infection à méningocoque (voir « Méningite », p. 409), une éruption survient également. Au niveau des fesses, la cause la plus fréquente est l'érythème fessier (voir p. 405). Des boutons ou de petites cloques notamment au niveau des plis de la peau peuvent être provoqués par une miliaire sudorale (voir p. 408). Enfin, l'eczéma (voir p. 407) entraîne un dessèchement de la peau et l'apparition de plaques.	Le traitement dépend de la cause. Ne pas hésiter à pratiquer le test du verre (voir encadré p. 410) si l'éruption est brutale et que l'enfant ne se sent pas bien. Plus le bébé semble malade, plus l'éruption est grave. En cas de doute, consulter rapidement un médecin.
Vomissements	■ Les vomissements ne sont pas systématiquement alarmants. S'ils sont souvent dus à un problème de l'appareil digestif, ils peuvent être annonciateurs d'une infection plus grave de toute autre partie du corps (voir aussi « Vomissements », p. 402).	Donner à boire (allaiter le cas échéant). Si les vomissements persistent plus de 12 à 24 heures, consulter le médecin qui pourra prescrire un soluté de réhydratation orale (SRO).
Diarrhée	■ La diarrhée est un symptôme fréquent chez les bébés, le plus souvent dû à une infection au niveau de l'appareil digestif (voir aussi « Diarrhée », p. 403).	Appliquez une crème protectrice sur les fesses de l'enfant pour éviter que des selles liquides ne provoquent rougeurs et irritation.
Perte d'appétit	■ Les bébés refusent parfois de manger en cas de poussée dentaire, mais une gastro-entérite (voir p. 403) ou toute autre infection aiguë, comme une otite moyenne (voir p. 410) ou la rougeole (voir p. 406), peuvent également entraîner un manque d'appétit.	Continuer à donner à boire (allaiter le cas échéant) et à manger. Surveiller le nombre de couches mouillées pour vous assurer que l'enfant n'est pas déshydraté. S'il refuse plusieurs tétées ou repas d'affilée, consulter le médecin.

Le développement en question

Considérez les étapes du développement de votre bébé comme de simples repères et ne vous inquiétez pas ; chaque enfant évolue à son rythme.

Les bébés sont tous différents, et même les vrais jumeaux n'évoluent pas au même rythme. Malgré tout, il existe un schéma de progression, car les enfants développent de nouvelles compétences dans le même ordre (voir tableau ci-dessous). En tant que parent, vous êtes souvent la première personne à remarquer que votre bébé ne se développe pas comme il le devrait. Un léger retard dans un domaine n'est pas significatif, mais cela est plus gênant si plusieurs champs de compétence sont concernés. Si votre enfant était prématuré, c'est normal. Ainsi, un enfant né avec 6 semaines d'avance atteindra le stade de développement d'un bébé de 6 semaines à 12 semaines.

Au fur et à mesure que votre enfant grandit, les différents stades de développement deviennent intrinsèquement liés. Ainsi, un bébé ne peut pas faire « au revoir » s'il ne voit pas, n'entend pas ou ne comprend pas qu'une personne s'en va.

Si vous comparez votre bébé à d'autres enfants – dont les vôtres –, ne soyez pas surpris s'ils n'évoluent pas au même rythme. Même si certaines caractéristiques semblent familiales, comme le fait de se déplacer sur les fesses, chaque enfant progresse différemment. Le développement de votre bébé pourra être contrôlé régulièrement au cours de sa première année par une infirmière du CLSC.

Signes à surveiller

Si votre enfant présente un des signes décrits ci-après, ou si vous pensez qu'il régresse dans certains domaines, parlez-en à votre médecin. Votre bébé sera examiné une première fois, et vous devrez sans doute prévoir une deuxième consultation, car, en fonction de la faim, de leur humeur ou de leur état de fatigue, les bébés changent d'un jour à l'autre. Il est donc difficile de poser un diagnostic définitif lors de la première visite. Votre praticien pourra vous orienter vers un pédiatre spécialisé dans l'évaluation des bébés. Certains signes doivent attirer votre attention, notamment si votre bébé :

- Ne gazouille pas à 3 mois.

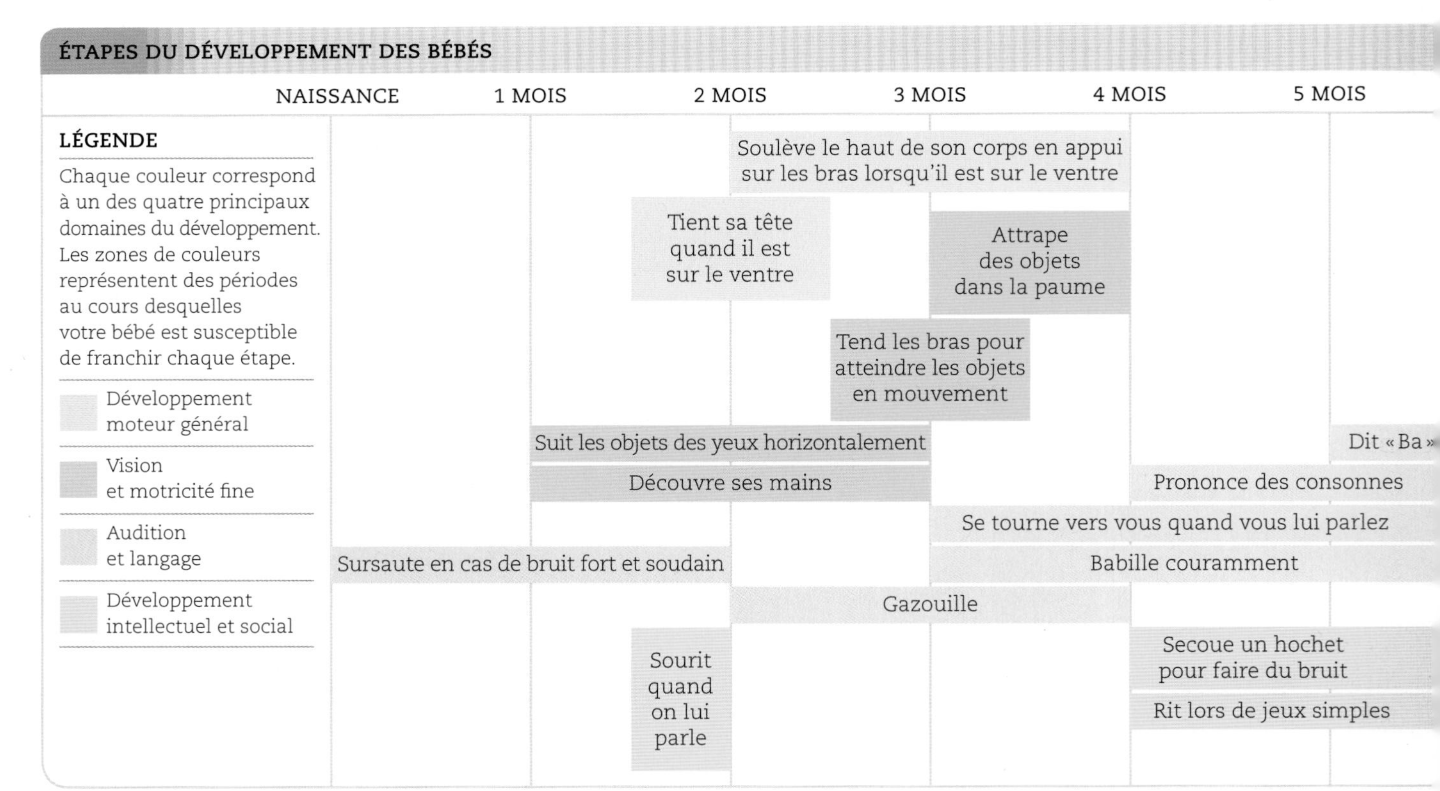

- Présente un strabisme persistant au-delà de 6 semaines.
- Ne sourit pas à 9 ou 10 semaines.
- Penche constamment la tête du même côté.
- N'établit aucun contact visuel à 3 mois.
- Ne tourne pas la tête en direction des sons à 3 mois.
- Ne tient pas sa tête à 3 mois.
- Ne cherche pas à atteindre les objets à 6 mois.
- Ne se tourne pas lorsque vous lui parlez à 6 mois.
- Ne babille pas à 10 mois ou arrête de babiller après l'avoir fait (indicateur potentiel de surdité).
- Ne tient pas assis à 10 mois.
- Ne supporte pas son poids sur ses jambes à 10 mois.
- Ne saisit pas les objets à 10 mois.
- N'essaie pas de manger tout seul à un an.
- Présente une asymétrie des membres à n'importe quel stade de son développement.

LA VUE DE VOTRE BÉBÉ

Les parents sont souvent inquiets de savoir si leur enfant a une bonne vue ou s'il devra porter des lunettes. Même si des affections comme le glaucome, l'astigmatisme ou la myopie peuvent se transmettre génétiquement, il est encore trop tôt pour vous inquiéter à ce stade. Cependant, n'hésitez pas à en parler à votre médecin si vous avez besoin d'être rassurée.

Un nouveau-né a un champ de vision très étroit, mais vous devriez pouvoir dire s'il se concentre sur votre visage à une distance de 20 ou 25 cm. De plus, ses pupilles sont noires (rouges en cas d'utilisation du flash sur une photographie). Consultez votre médecin si vous observez une masse blanche dans une des pupilles ou si vous remarquez des mouvements anormaux des yeux comme un strabisme ou un nystagmus (oscillation involontaire et saccadée de l'œil).

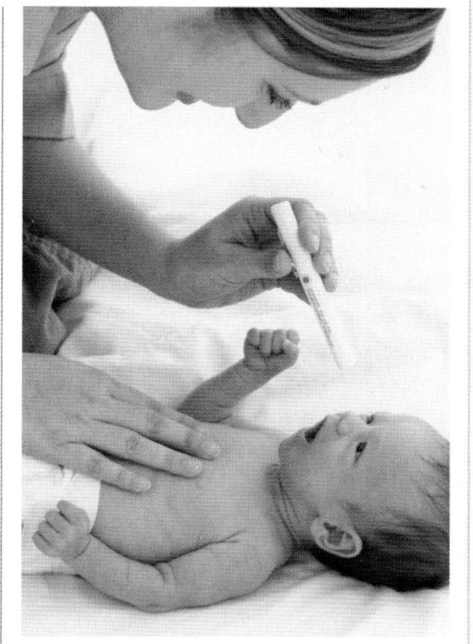

Contrôlez régulièrement la vue de votre bébé, mais n'hésitez pas à consulter votre médecin en cas de doute.

	6 MOIS	7 MOIS	8 MOIS	9 MOIS	10 MOIS	11 MOIS	12 MOIS
	Tient assis seul			Marche seul			
	Marche à quatre pattes ou avance sur les fesses						
	Se retourne du ventre sur le dos et inversement		Se met debout				
			Marche avec appui (cabotage)				
				Lâche les objets volontairement			
			Emboîte les briques				
	Passe les objets d'une main à l'autre			Montre du doigt			
et « Da »			Tient des objets entre le pouce et l'index				
				Met des objets dans une boîte et les en sort			
	Les sons produits commencent à ressembler à des mots						
					Fait « au revoir »		
comme « coucou-caché »				Répond à son prénom			
	Devient timide avec les inconnus						

Les gestes de premiers secours

Il est important de réagir vite si votre bébé est blessé ou en danger. Des cours de secourisme pourront vous aider à parer à toute urgence.

Coupures et écorchures

En cas de coupure ou d'écorchure, les bébés peuvent être contrariés. Il est important de les rassurer en regardant ce qu'ils ont. Si la plaie est petite, nettoyez-la doucement à l'eau et au savon avec une compresse (ou un linge doux, mais jamais avec de la ouate ou toute autre matière qui peluche). Si elle est souillée, passez-la sous l'eau courante, tapotez avec un linge propre et couvrez avec une compresse stérile. En cas de coupure à la lèvre, appuyez un glaçon emballé dans un linge propre pendant 5 minutes environ.

Si la plaie saigne abondamment, appuyez un linge propre qui ne peluche pas dessus et pressez fermement. Si possible, surélevez la plaie au-dessus du niveau du cœur afin de ralentir le flux sanguin. Maintenez la compression jusqu'à ce que le saignement s'arrête, puis appliquez une compresse pour protéger la plaie. Dans certains cas, votre médecin ou votre pharmacien pourra vous recommander l'utilisation d'un antiseptique local.

Emmenez votre bébé à l'urgence si :

- L'hémorragie ne s'est pas arrêtée au bout de 10 minutes.
- La plaie est très ouverte.
- Vous suspectez la présence d'un corps étranger dans la plaie.

Morsures et piqûres

Si votre enfant a été mordu ou piqué par un insecte, commencez par le réconforter. En général, les piqûres d'insecte sont bénignes, mais une piqûre de guêpe ou d'abeille peut provoquer une réaction allergique grave connue sous le nom de *choc anaphylactique* (voir encadré p. 404). Si elle se produit dans la bouche, elle peut être gravissime. Le cas échéant, emmenez immédiatement votre enfant à l'urgence.

Si le dard est toujours dans la peau, enlevez-le avec une pince à épiler. Désinfectez la piqûre avec un antiseptique local et appliquez de la glace enveloppée dans un linge propre pour atténuer la douleur et réduire le gonflement.

Chutes, chocs et bleus

Les bébés tombent souvent. La plupart du temps, votre rôle consiste à réconforter votre enfant et à appliquer une compresse de froid pour réduire le gonflement et la douleur.

Emmenez votre bébé à l'urgence si :

- Il a une plaie à la tête.
- Il ne parvient pas à bouger un de ses membres.
- Vous n'arrivez pas à arrêter l'hémorragie au bout de 10 minutes de compression.
- Il présente une plaie très ouverte.
- Il est inconscient ou a perdu connaissance, ne serait-ce que quelques secondes.
- Il vomit plus de cinq fois par jour.

Brûlures

Le feu, l'eau chaude, la vapeur, le soleil, l'électricité ou des produits chimiques peuvent provoquer des brûlures dont la gravité varie selon la localisation, la taille, l'épaisseur et le type de brûlures. En général, plus une brûlure est profonde, moins elle est douloureuse.

Enlevez (ou coupez) les vêtements qui l'entourent lorsqu'ils sont collés à la plaie. Dans tous les cas, passez la brûlure sous l'eau froide pendant 10 minutes, puis couvrez-la d'un linge propre et emmenez votre enfant à l'urgence. Si la brûlure est peu importante, il est inutile de vous rendre à l'hôpital, mais consultez votre médecin sans tarder.

Emmenez votre bébé à l'urgence si :

- La brûlure est supérieure à la taille de la paume de la main de votre bébé.
- La brûlure est localisée sur le visage, dans la bouche, sur les mains ou sur les parties génitales.
- La brûlure est électrique ou chimique (emmenez le produit chimique avec vous).

Corps étrangers

De la poussière ou des petits morceaux de corps étrangers peuvent facilement entrer dans les yeux de votre bébé, et celui-ci peut très bien introduire de petits objets comme des boutons ou des pièces dans son nez ou ses oreilles.

Corps étranger dans l'œil La moindre poussière dans l'œil provoque une gêne et des pleurs. S'il s'agit d'une poussière à la surface de l'œil, il est généralement possible de l'enlever. Prenez un peu d'eau tiède avec une seringue ou une pipette propre utilisée pour administrer les médicaments, tenez votre bébé avec la tête en arrière, et versez l'eau en visant le bord intérieur de l'œil. Vous aurez sans doute besoin d'aide pour ce faire.

Emmenez votre bébé à l'urgence si :

- Vous avez essayé sans succès de nettoyer la surface de l'œil.
- L'objet est bloqué ou collé dans l'œil. Dans ce cas, n'essayez pas de l'enlever.
- L'œil reste irrité même après le retrait de l'objet.

Corps étranger dans le nez ou dans les oreilles Il arrive que les enfants ne comprennent pas qu'ils ont quelque chose

dans l'oreille ou dans le nez. N'essayez pas de retirer l'objet même si vous le voyez, vous risqueriez de le pousser encore plus loin. Emmenez votre bébé à l'urgence.

Étouffement

De petits objets comme des boutons ou des pièces sont souvent responsables d'étouffement chez les bébés qui mettent tout dans la bouche. Mais ils peuvent aussi s'étouffer en mangeant ou simplement avec leur salive (fausse-route). La toux est un réflexe physiologique dont le but est de libérer les voies respiratoires. Si votre enfant semble s'étouffer mais tousse de façon efficace, laissez-le faire, mais appelez le médecin s'il ne s'arrête pas au bout de quelques minutes. Si votre bébé ne peut pas respirer ou tousser, fait de drôles de bruits ou devient bleu, vous devez réagir immédiatement (voir encadré ci-dessous).

Empoisonnement

Si votre enfant a avalé quelque chose de toxique, composez le 911 ou appelez le centre antipoison du Québec au 1-800-463-5060. Expliquez à l'équipe médicale ce qu'il a ingéré, quand cela s'est produit et quelle quantité il a pris. Si vous pouvez, emmenez un échantillon. Avant l'arrivée des secours, n'essayez pas de faire vomir votre bébé, vous risqueriez d'aggraver la situation. Le cas échéant, essuyez toute trace de substance corrosive autour de ou dans sa bouche. S'il a avalé des plantes ou des baies toxiques, assurez-vous qu'il ne reste rien dans la cavité buccale. Ne donnez jamais de lait ou autre boisson en attendant l'avis médical.

COMMENT...

Réagir en cas d'étouffement de votre bébé

Si votre bébé ne peut plus respirer, vous devez prendre des mesures rapides pour libérer ses voies respiratoires.

Mettez-le à plat ventre sur votre avant-bras, la tête, soutenue par votre main, plongée en avant, plus basse que le reste du corps. Avec le talon de la main (partie de la main rattachée au poignet), donnez cinq coups vifs sur la partie supérieure de son dos. Vérifiez sa bouche : si vous voyez nettement un objet, enlevez-le doucement. Ne balayez pas l'intérieur de sa bouche avec vos doigts, n'essayez pas d'aller dans sa gorge, dans tous les cas vous risquez de pousser l'objet encore plus loin ou de provoquer des lésions.

Si l'obstruction persiste, mettez votre enfant sur le dos et, avec deux doigts, exercez à plusieurs reprises une pression au niveau du sternum (milieu de la poitrine).

Entre chaque essai, vérifiez rapidement si l'objet a été délogé. Si rien n'y fait après trois cycles alternant cinq tapes dorsales et cinq pressions sternales, composez le 911. Continuez jusqu'à l'arrivée des secours.

Même si vous avez réussi à expulser le corps étranger, un enfant sur lequel des pressions sternales ont été exercées doit faire l'objet d'une consultation médicale pour s'assurer que ses os et cartilages, fragiles, n'ont pas subi de dégâts.

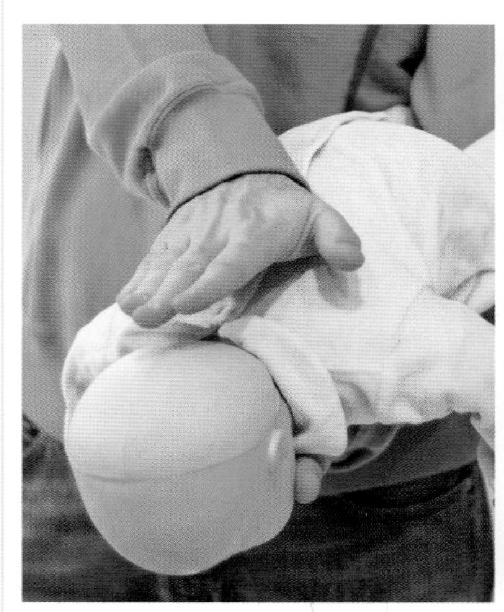

Tapes dorsales Assurez-vous que la tête de votre bébé est en contrebas de son corps. Avec le talon de la main (bas de la paume), tapez entre ses omoplates.

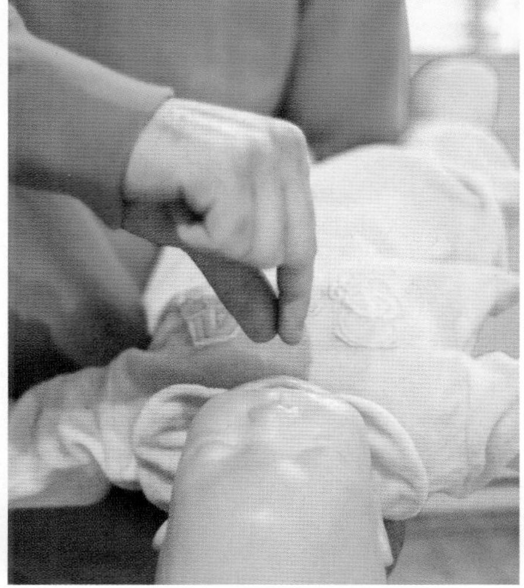

Regardez à l'intérieur de la bouche de votre bébé. Si un objet délogé est bien visible, prenez-le délicatement entre vos doigts en faisant attention de ne pas le pousser plus loin.

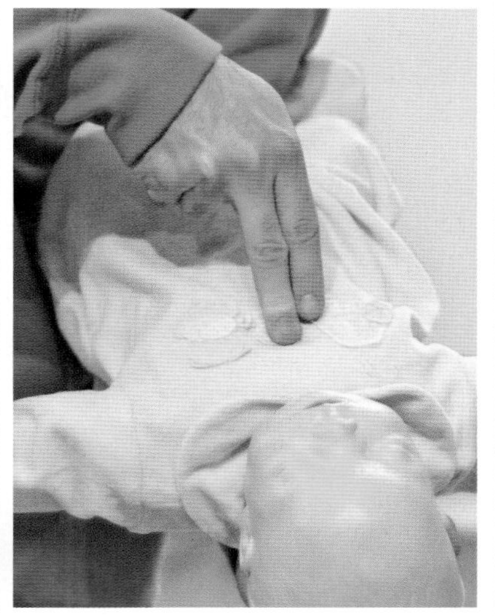

Pressions sternales Placez vos doigts sur le sternum et non sur les côtes de votre bébé. Poussez fermement (mais pas brutalement) vers le haut.

Adresses utiles

Ambulance Saint-Jean
www.sja.ca

Association de spina-bifida et d'hydrocéphalie du Québec
www.spina.qc.ca
Tél. : 514 340-9019
1-800-567-1788

Association des CLSC et des CHSLD du Québec
1801, boulevard de Maisonneuve Ouest
Montréal (Québec) H3H 1J9
Tél. : 514 931-1448

Association des obstétriciens et gynécologues du Québec
www.gynecoquebec.com

Association des parents de jumeaux du Québec
www.apjtm.com

Association du Québec pour enfants avec problèmes auditifs (AQEPA)
www.aqepa.surdite.org

Association pour parents monoparentaux
www.monoparental.ca

L'asthme au quotidien
www.asthme-quebec.ca

Bébé infos
www.bebeinfos.com

Clinique d'évaluation neuropsychologique et des troubles d'apprentissage de Montréal
www.centam.ca
Tél. : 514 528-9993
1-877-628-9993

Centre québécois de ressources à la petite enfance (CQRPE)
Tél. : 514 369-0234
1-877-369-0234
www.cqrpe.qc.ca

Commission des normes du travail
Tél. : 514 873-7061
1-800-265-1414
http://cnt.gouv.qc.ca/

Commission de la santé et de la sécurité au travail (CSST)
Pour une maternité sans danger au travail
www.csst.qc.ca/portail/fr/travailleurs/pmsd.htm

Le développement du cerveau et les troubles d'apprentissage
www.ldac-taac.ca/indepth/identify_brain-f.asp

Devenir parents
www.naissance.info.gouv.qc.ca

Diffusion allaitement
www.allaitement.net

Enfant & famille Canada
www.cfc-efc.ca

Fondation canadienne de l'allaitement
http://fondationcanadienneallaitement.org

Grossesse Info
http://lagrossesse.info/

Héma-Québec
www.hema-quebec.qc.ca

Hôpital Sainte-Justine
3175, Côte-Sainte-Catherine
Montréal (Québec) H3T 1C5
Tél. : 514 345-4931
www.hsj.qc.ca

Info-santé 8-1-1
Numéro disponible pour chaque CLSC (Centre local de services communautaires)

Ligne Parents
1-800-361-5085

Ligue La Leche (LLL)
Soutien à l'allaitement maternel : réunions de mères, information et groupes de discussions
2540, rue Sherbrooke Est, bureau 100
Montréal (Québec) H2K 1E9
1-877-ALLAITER
www.allaitement.ca

Maisons de naissance
180, Cartier, Pointe-Claire
(CLSC Lac-Saint-Louis)
Tél. : 514 697-1199

6560, Côte-des-Neiges, Montréal
(CLSC Côte-des-Neiges)
Tél. : 514 736-2323

Maman pour la vie
www.mamanpourlavie.com

Maman Solo
www.maman-solo.com

Les Marraines d'Allaitement Maternel (MAM)
Ligne MAM
Tél. : 514 990-9626
www.mam.qc.ca

Mère et monde
www.mereetmonde.com

Ministère de la Santé et des Services sociaux
http://msss.gouv.qc.ca

Mon Allaitement.com
www.monallaitement.com

The Montreal Children's Hospital
2300, rue Tupper
Montréal (Québec) H3H 1P3
Tél. : 514 412-4400
www.hopitalpourenfants.com

Nourri Source
Groupe de soutien pour mamans et bébés, dont l'objectif est de promouvoir et soutenir l'allaitement maternel
www.nourri-source.org

Ordre des sages-femmes du Québec
www.osfq.org

Petit Monde
www.petitmonde.com

Préma-Québec
Association pour les enfants prématurés
www.premaquebec.ca

Programme d'allaitement de Goldfarb – Hôpital général juif de Montréal
Groupe de soutien de mères et de bébés
3755, Côte-Sainte-Catherine
Montréal (Québec) H3T 1E2
Tél. : 514 340-8222

Regroupement pour la trisomie 21
www.trisomie.qc.ca

Salon Maternité Paternité Enfants
http://www.salonmaternitepaterniteen-fants.com

Santé Canada
www.hc-sc.gc.ca

Siège d'auto
www.saaq.gouv.qc.ca/prevention/sieges/index.php

Société canadienne de pédiatrie
www.cps.ca/francais

Soins de nos enfants
Site élaboré par la Société canadienne de pédiatrie
www.soinsdenosenfants.cps.ca

S.O.S. Grossesse
Organisme offrant un service d'écoute téléphonique, d'information et d'accueil à toute personne concernée par des situations relatives à la grossesse, à la contraception, à l'avortement et à la sexualité
Tél. : 1-877-662-9666
www.sosgrossesse.ca

Syndrome de la mort subite du nourrisson
www.phac-aspc.gc.ca

1001 massages
Site d'information sur les techniques et vertus du massage pour bébés
www.1001massages.com/massagebebe.php

Bibliographie sélective

Collectif, *Fais dodo ! Résoudre les troubles du sommeil de la naissance à dix ans*, Montréal, Hurtubise, 2006, 160 p.

ALLARD, Madeleine, et DESROCHERS, Annie, *Bien vivre l'allaitement*, Montréal, Hurtubise, 2010, 318 p.

BARBIRA-FREEDMAN, Françoise, *Yoga pour maman et bébé*, Montréal, Hurtubise, 2012, 144 p.

GAGNON, Michèle *et al.*, *Le Nouveau Guide info-parents*, Montréal, Hôpital Sainte-Justine, 2003, 456 p.

HALSEY, Claire, *L'Éveil de mon bébé*, Montréal, Hurtubise, 2012, 192 p.

LAPORTE, Danielle, *Être parent, une affaire de cœur*, Montréal, Hôpital Sainte-Justine, 2005, 448 p.

LAURENT, Su, *Votre bébé au jour le jour*, Montréal, Hurtubise, 2008, 320 p.

LÉTOURNEAU, Hélène et COUTU, Brigitte, *L'Alimentation durant la grossesse*, Montréal, L'Homme, 1999, 283 p.

MORRIS, Desmond, *Bébé : L'étonnant voyage de 0 à 2 ans*, Montréal, Hurtubise, 2008, 192 p.

PETERS, Ann, *Aux petits soins pour bébé*, Montréal, Hurtubise, 2012, 192 p.

REGAN, Lesley, *Votre grossesse au jour le jour*, Montréal, Hurtubise, 2006, 448 p.

STOPPARD, Miriam, *Parents au jour le jour : L'aventure d'un premier enfant*, Montréal, Hurtubise, 2009, 192 p.

SUNDERLAND, Margot, *La Science au service des parents : comprendre et élever son enfant grâce aux récentes découvertes scientifiques*, Montréal, Hurtubise, 2007, 288 p.

Index

B

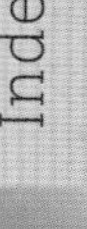

C

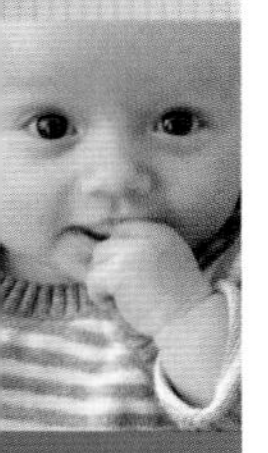

D

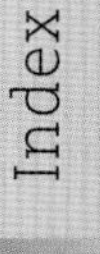

E

F

G

H

I

J

K

L

M

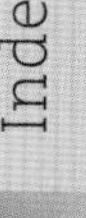

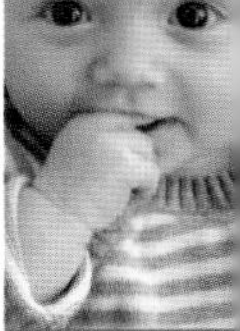

N

O

P

R

S

T

U

V

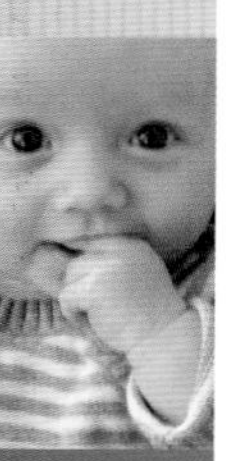

Y

Z

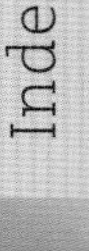

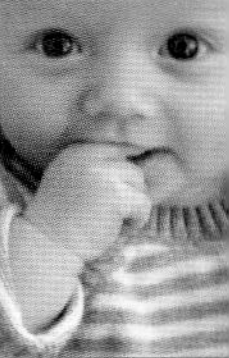

Remerciements

Remerciements d'Ilona Bendefy – éditrice en chef

Je tiens à remercier les auteurs et toute l'équipe des éditions Dorling Kindersley pour leur aide, leur soutien et leurs compétences. Une pensée particulière pour Mandy Lebentz et Victoria Heyworth-Dunne pour leur patience, leur appui et leur enthousiasme tout au long du projet. Enfin, un grand merci à mes parents et à mes enfants grâce à qui j'ai appris à devenir maman.

Remerciements des consultants

Le docteur Carol Cooper remercie l'équipe des consultants dont la collaboration a été très efficace.
Le docteur Claire Halsey remercie Vicki McIvor de Take3 Management pour son soutien, ainsi que Michael, Rupert, Toby et Dominic (sa famille) pour leur amour, leur patience et leurs encouragements.
Le docteur Mary Steen remercie l'équipe des éditions Dorling Kindersley et l'ensemble des consultants pour leur collaboration.

Remerciements de l'éditeur

Assistance à l'édition : Andrea Bagg, Claire Cross, Elizabeth Yeates, Salima Hirani
Assistance à la conception : Saskia Janssen, Charlotte Johnson
Direction de la publication : Siu Chan
Location de maisons pour les photographies : 1st Option
Assistant du directeur graphique pour la photographie : Ellie Hoffman, Tom Forge
Achat des accessoires pour la photographie : Alison Gardner
Documentation photographique : Romaine Werblow
Assistance pour les photos d'agence : Susie Peachey
Index : Hilary Bird
Relecture : Alyson Silverwood
Dorling Kindersley Inde : Kokila Manchanda (édition), Neetika Vilash (conception), Tina Jindal (relecture)

Remerciements aux modèles : Sarah et Kaiden Asamoa ; Nina et Jamie Bradburn ; Unity Brennan, Amelie Grace et Benjamin Wolsey ; Selina Chand et Faith Lucy O'Brien ; Narae Cho et Alex Park ; Nicola et Freya Church ; Anna et Eliana Clarke ; Archie Clements ; Philippa et Noah Dovar ; Joe et Dagan Drahota ; Jenny et Harry Duggin ; Laura et Zoe Forrest ; Rachael et Samuel Grady ; Kate Heavenor et Nicolas Diaz ; Olga et Mia Gelev ; Beatriz de Lemos et Isabel Walker ; Jordan McRobie, Jenny Parr et Reuben McRobie ; Eden Martin-Osakwe ; Poppy Mitchell et Oaklee Wealands ; Amelie Victoria Morris ; Victoria et Arthur Morton ; Oreke Mosheshe et Carter Mbamali ; Gabriela et Alba Nardi ; Miriam Nelken et Mala Shahi ; Laura et Charlie Nickoll ; Amie et Rosie Niland ; Lauren Overs et Grayson Andrews ; Yoan Petkov Petkov ; Suzy Richards et Max Snead ; Heidi Robinson et Elias Crosby ; Jenny Sharp et Joshua Tyler ; Matthew, Angela et Jacob Smith ; Eve Spaughton et Genevieve Long ; Rose et Brooke Thunberg ; Anggayasti Trikanti et Carissa Afila ; Rachel Weaver et Jacob Marcus ; Karen et Milly Westropp ; Georgie et Harriet Willock.

Crédits photographiques

L'éditeur tient à remercier les personnes et entreprises ci-dessous pour lui avoir permis de reproduire leurs photographies :
(c – ci-dessus ; b – bas/ci-dessous ; m – milieu ; e – extrême ;
g – gauche ; d – droite ; h – en haut).

2 Getty Images : Frank Herholdt (emgc). **18 Corbis :** Tetra Images/Tetra Images (bd). **28 Mother & Baby Picture Library :** Paul Mitchell (bm). **38 Getty Images :** Photodisc (emgc). **40 Getty Images :** Frank Herholdt (m). **41 Corbis :** Cameron (mgc). **Dorling Kindersley :** Brand X Pictures/PunchStock (bd). **42 Corbis :** Larry Williams (mgc). **47 Getty Images :** Anthony Bradshaw (m). **55 Alamy Images :** Peter Usbeck (bd). **Getty Images :** Louie Psihoyos (hg). **59 Photolibrary :** Philippe Dannic (hm). **60 Getty Images :** Ian Hooton/Spl (bd). **Mother & Baby Picture Library :** Ian Hooton (hg). **Photolibrary :** Gyssels (bm). **61 Science Photo Library :** Dr P. Marazzi (mdb). **63 Mother & Baby Picture Library :** Ruth Jenkinson (bd). **85 Dorling Kindersley :** Antonia Deutsch (bm, bd, ebd). **99 Mother & Baby Picture Library :** Ian Hooton (mgc). **103 Mother & Baby Picture Library :** Ian Hooton (mgc). **105 Getty Images :** PM Images (bd). **107 Mother & Baby Picture Library :** Ian Hooton (mdc). **109 Getty Images :** Anthony-Masterson (bd). **115 Corbis :** Sean Justice (mdc). **Getty Images :** Jupiterimages (bd). **123 Getty Images :** Plattform (hg). **135 Getty Images :** Ghislain & Marie David de Lossy (bd). **136 Mother & Baby Picture Library :** Angela Spain (hg). **147 Corbis :** Fabrik Studios/Index Stock (mdc). **150 Corbis :** Tetra Images (mgc). **154 Getty Images :** Joshua Hodge Photography (bd). **182 Getty Images :** Fabrice LEROUGE (mgc). **183 Corbis :** Norbert Schaefer (mgc). **197 Corbis :** eyetrigger Pty Ltd (hg) ; Ocean (bd). **203 Alamy Images :** Peter Griffin (mc). 207 Corbis : Tim Pannell (hg). **215 Corbis :** Lisa B. (bg). **217 Alamy Images :** thislife pictures (mgc). **Mother & Baby Picture Library :** Ian Hooton (bd). **241 Getty Images :** Tara Moore (bg). **245 Getty Images :** Jamie Grill (bc). **262 Corbis :** Radius Images (bg). **268 Mother & Baby Picture Library :** Ian Hooton (bg). **276 Corbis :** moodboard (bg). **289 Alamy Images :** Paul Hakimata (mdc). **301 Corbis :** Image Source (bg). **316 Getty Images :** Lilly Dong (hg). **322 Alamy Images :** PhotoAlto sas (bd). **325 Alamy Images :** MARKA (mgc). **331 Getty Images :** Fabrice LEROUGE (mdc). **340 Getty Images :** Paul Viant (bg). **344 Getty Images :** Ghislain & Marie David de Lossy (bg). **345 Getty Images :** BJI/Blue Jean Images (bd). **349 Corbis :** Jose Luis Pelaez, Inc./Blend Images (mgc). **355 Alamy Images :** moodboard (bd). **361 Corbis :** Brigitte Sporrer (mgc). **365 Dorling Kindersley :** Ruth Jenkinson Photography (mgc). **373 Getty Images :** Betsie Van der Meer (mgc). **377 Corbis :** RCWW, Inc. (mgc). **381 Getty Images :** David M. Zuber (bd). **384 Getty Images :** Betsie Van der Meer (mgc). **389 Alamy Images :** Ian nolan (mgc). **392 Mother & Baby Picture Library :** Ian Hooton (mc). **393 Alamy Images :** Agencja FREE (mgc). **396 Mother & Baby Picture Library :** Ian Hooton (mc). **399 Dorling Kindersley :** dave king (mdc). **400 Mother & Baby Picture Library :** Ian Hooton (m). **402 Science Photo Library :** Dr P. Marazzi (bc). **405 Science Photo Library :** Chris Knapton (hd). **406 Science Photo Library :** Lowell Georgia (hd). **407 Science Photo Library :** Dr H. C. Robinson (bg). **409 Getty Images :** Ruth Jenkinson/Spl (hg). **410 Meningitis Trust www.meningitis-trust.org :** (mg). **413 Mother & Baby Picture Library :** Ruth Jenkinson (hd)

Toutes les autres photographies ©Dorling Kindersley
Pour plus d'informations voir : www.dkimages.com

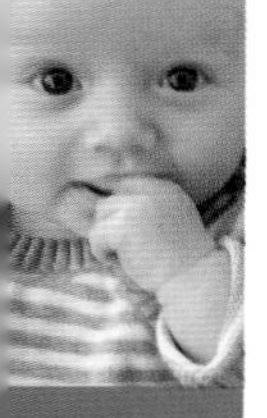